ENGLISH-GREEK
GREEK-ENGLISH
DICTIONARY

ΑΓΓΛΟ-ΕΛΛΗΝΙΚΟ
ΕΛΛΗΝΟ-ΑΓΓΛΙΚΟ
ΛΕΞΙΚΟ

MINI

Επιμέλεια έκδοσης
Editorial Supervision

Άγγελος Τσακανίκας
Angelos Tsakanikas
BA (Hons), Post Graduate Diploma (Econ)

Τζοάνα Νιέμτσουκ-Τσακανίκα
Joanna Niemczuk - Tsakanika
BA (Hons), RSA Dip TEFLA, Post Graduate Diploma (Business, European Languages)

Έκδοση 2 / 1996
Επανέκδοση 5 / 97, 6 / 98, 2 /2000

ISBN 960 - 7012 - 48 - 8

Ανδρ. Μεταξά 28 & Θεμιστοκλέους
106 81 Αθήνα, Τηλ. 3301161-2-3, Fax 3301164

ΠΡΟΛΟΓΟΣ

Τα ΑΓΓΛΙΚΑ είναι σήμερα μια διεθνής γλώσσα την οποία μιλάνε εκατομμύρια άνθρωποι σ'όλο τον κόσμο, ενώ υπάρχει πλήθος συγγραμμάτων τα οποία απαιτούν τη βοήθεια ενός σύγχρονου, εύχρηστου και αξιόπιστου λεξικού.

Σκοπός αυτής της έκδοσης είναι να καλύψει την ανάγκη αυτή κατά τον καλύτερο δυνατό τρόπο.

Καταβάλαμε προσπάθεια ώστε να απαλλάξουμε το λεξικό από τα στοιχεία εκείνα που το καθιστούν δύσχρηστο, ενώ η προσοχή μας εστιάστηκε στη πληρότητα του λεξιλογίου.

Ελπίζουμε ότι η έκδοση αυτή ανταποκρίνεται στις σύγχρονες απαιτήσεις και θα καλύψει τις ανάγκες σας.

PREFACE

The Greek language is one of the most ancient and most vivid languages. It is spoken by millions of people (Greeks and non–Greeks) all over the world. In recent years there has been a turn to classical and modern Greek authors and philosophers as well as to the study of ancient manuscripts and books. Also, with the increase of the tourism to Greece, the demand for a useful, versatile and manageable dictionary has arisen.

The aim of this edition is to cover these needs in the best possible way.

We have made every effort to relieve this dictionary from those elements which make it difficult to use and our attention is focused on its completeness in vocabulary.

We hope that this edition will respond to modern needs and will meet your expectations and standards.

ΠΕΡΙΕΧΟΜΕΝΑ

• Αλφάβητο αγγλικής γλώσσας 7
• Αλφάβητο ελληνικής γλώσσας 11
• Συντομογραφίες αγγλικής και ελληνικής γλώσσας 13
• ΑΓΓΛΟΕΛΛΗΝΙΚΟ ΛΕΞΙΚΟ 15
• ΕΛΛΗΝΟΑΓΓΛΙΚΟ ΛΕΞΙΚΟ 401

CONTENTS

• The English alphabet 7
• The Greek alphabet 11
• Abbreviations of the English and Greek languages 13
• ENGLISH-GREEK DICTIONARY 15
• GREEK-ENGLISH DICTIONARY 401

Το αλφάβητο της Αγγλικής

The English Alphabet

Γράμμα Letter		Ονομασία Name
A	a	έι
B	b	μπι
C	c	σι
D	d	ντι
E	e	ι
F	f	εφ
G	g	ντζζι
H	h	έιτσς
I	i	άι
J	j	ντζζέι
K	k	κέι
L	l	ελ
M	m	εμ
N	n	εν
O	o	όου
P	p	πι
Q	q	κιουου
R	r	αα
S	s	ες
T	t	τι
U	u	ιουου
V	v	βι
W	w	νταμπλιού
X	x	εξ
Y	y	ουάι
Z	z	ζεντ

Υπάρχουν είκοσι έξι γράμματα στο αγγλικό αλφάβητο και διακρίνονται σε φωνήεντα και σε σύμφωνα.

Φωνήεντα [The vowels] : a, e, i, o, u

Σύμφωνα [The consonants] : b, c, d, f, g, h, j, k, l, m, n, p, q, r, s, t, v, w, x, y, z.

Προφορά [Pronunciation].

Γράμμα		Ονομασία	Φων. σύμβολο	Παράδειγμα	Example		
Letter		Name	Phonetics	Προφορά	Pronunciation		
A	a	έι	α, έι, έα, αα	**act** ακτ	**able** έιμπλ	**dare** ντέαρ	**art** ααρτ
B	b	μπι	μπ	**back** μπακ			
C	c	σι	κ, τσ	**come** καμ	**beach** μπίιτσ		
D	d	ντι	ντ	**do** ντου			
E	e	ι	ε, ιι	**set** σετ	**bee** μπίι		
F	f	εφ	φ	**five** φάιβ			
G	g	ντζζίι	γκ	**give** γκιβ			
H	h	έιτσ	χ	**hit** χιτ			
I	i	άι	ι, άι	**it** ιτ	**ice** άις		
J	j	τζέι	τζ	**just** ντζζαστ			
K	k	κέι	κ	**kept** κεπτ			
L	l	ελ	λ	**low** λόου			

Γράμμα		Ονομασία	Φων. σύμβολο	Παράδειγμα	Example			
Letter		Name	Phonetics	Προφορά	Pronunciation			
M	m	εμ	μ	my				
				μάι				
N	n	εν	ν, νγκ	now	sing			
				νάου	σι**νγκ**			
O	o	όου	ο, όου, οο, όι, ε	hot	no	order	oil	vision
				χ**οτ**	ν**όου**	**ό**ντερ	**όι**λ	βίζζιεν
			ου, ούου, άου	put	rule	out		
				π**ου**τ	ρ**ούου**λ	**άου**τ		
P	p	πι	π	page				
				πέιντζζ				
Q	q	κιου	κ	queen				
				κουίιν				
R	r	αα	ρ	read				
				ριιντ				
S	s	ες	σ, σσ - σς	see	she			
				σιι	**σσ**ι			
T	t	τι	τ, θ, δ	tea	thin	this		
				τι	θιν	δις		
U	u	γιου	α, ούου, ερ	up	use	burn		
				απ	γι**ούου**ζ	μπ**ερ**ν		
V	v	βι	β	voice				
				βόις				
W	w	νταμπλγιού	(γ)ου, χου	west	where			
				ουέστ	**ου**έαρ			
X	x	εξ	ζ, κς	xenon	flex			
				ζένον	φλε**κς**			
Y	y	ουάι	γι	yes				
				(γ)ιες				
Z	z	ζετ	ζ, ζζ	zeal	vision			
				ζίιλ	βί**ζζ**ιεν			

Επεξηγήσεις προφοράς

Το λεξικό που σας παρουσιάζουμε σήμερα είναι εύχρηστο, πλήρες και ξεκούραστο γιατί αποδώσαμε την προφορά των αγγλικών λέξεων με ελληνικά γράμματα, με τις εξής παρατηρήσεις:

- *Τα γράμματα* [**b**], [**d**] *στο μέσον της λέξης γράφονται με διαχωριστική παύλα* [**-μπ**], [**-ντ**], για να μη χωρίσουν στην απόδοση της προφοράς τα γράμματα [**μ**] και [**ν**] από τα [**π**] και [**τ**] αντίστοιχα, αλλά να προφερθούν σαν ένας φθόγγος. Παράδειγμα: ***cabin*** *[κά-μπιν]*, ***cadet*** *[κα-ντέτ]*
- *Τα συνεχόμενα γράμματα* [**mp**] *και* [**nt**] *χωρίζουν στην προφορά με παύλα* [**μ-π**], [**ν-τ**] για να ακουσθούν σαν δύο ξεχωριστοί φθόγγοι [**μ**], [**ν**] και [**ν**], [**τ**] αντίστοιχα. Παράδειγμα: ***lamp*** *[λαμ-π]*, ***attentive*** *[ατέν-τιβ]*
- *Τα συνεχόμενα γράμματα* [**sh**] *αποδίδονται στην προφορά με διπλό ελληνικό γράμμα* [**σσ**] το οποίο πρέπει να προφέρεται σαν [**σ**] παχύ.
- *Το* ***ζζ*** *είναι παχύ* ***ζ*** *όπως στη λέξη* ***pleasure*** *[πλέζζα]*.
- *Το* ***τσσ (τσς)*** *είναι παχύ* ***τ*** *και* ***σ*** *όπως στη λέξη* ***cheese*** *[τσσιζ]*.
- *Το* ***ντζζ*** *είναι* ***ντ*** *και* ***ζζ*** *όπως στη λέξη* ***jump*** *[ντζζαμ-π]*.
- Στα φωνήεντα δώσαμε μια συγκεκριμένη προφορά με ελληνικά γράμματα και αποφύγαμε να γράψουμε σύμβολα προφοράς τα οποία ο χρήστης θα δυσκολεύεται να τα αναγνωρίσει, θα τα εννοεί διαφορετικά και θα τα προφέρει ελληνικά κατά το πλείστον και όχι με την προφορά των συμβόλων.

The Greek Alphabet — Το αλφάβητο της Ελληνικής

Letter		Name	Name	Example	Pronunciation
Γράμμα		Ονομασία	Ονομασία	Παράδειγμα	Προφορά
Α	α	ahlfa	άλφα	**άλλο**	alo
Β	β	veeta	βήτα	**βάζο**	**v**azo
Γ	γ	ghama	γάμα	**γάμος**	**g**amos
Δ	δ	dhelta	δέλτα	**δεν**	**dh**en
Ε	ε	epsilon	έψιλον	**έλα**	**e**la
Ζ	ζ	zeeta	ζήτα	**ζέστη**	**z**esti
Η	η	eeta	ήτα	**ημέρα**	**i**mera
Θ	θ	theeta	θήτα	**θέλω**	**th**elo
Ι	ι	yiota	γιώτα	**ικανός**	**i**kanos
Κ	κ	kapa	κάππα	**καλός**	**k**alos
Λ	λ	lamdha	λάμδα	**λεμόνι**	**l**emoni
Μ	μ	mee	μι	**μαζί**	**m**azi
Ν	ν	nee	νι	**ναι**	**n**e
Ξ	ξ	ksee	ξι	**ξένος**	**ks**enos
Ο	ο	omeecron	όμικρον	όλα	**o**la
Π	π	pee	πι	**πάντα**	**p**anta
Ρ	ρ	ro	ρο	**ρύζι**	**r**izi
Σ	σ ς	sighma	σίγμα	**σαν**	**s**an
Τ	τ	taf	ταυ	**τέλος**	**t**elos
Υ	υ	ipsilon	ύψιλον	**υγεία**	**i**yia
Φ	φ	fee	φι	**φωτιά**	**f**otia
Χ	χ	khee	χι	**χέρι**	**h**eri
Ψ	ψ	psee	ψι	**ψάρι**	**ps**ari
Ω	ω	omega	ωμέγα	**ώρα**	**o**ra

Pronunciation [Προφορά].

Letter		Pronunciation	Symbol	Example	
Γράμμα		Προφορά	Σύμβολο	Παράδειγμα	
Vowels		**Φωνήεντα**			
Α	α	like a in car	**a**	άλλο	**a**lo
Ε	ε	like e in sex	**e**	έλα	**e**la
Η	η	like i in sit	**i**	ημέρα	**i**mera
Ι	ι	like i in sit	**i**	ικανός	**i**kanos
Ο	ο	like o in god	**o**	όλα	**o**la
Υ	υ	like i in sit	**i**	υγεία	**i**yia
Ω	ω	like o in god	**o**	ώρα	**o**ra

Letter Γράμμα		Pronunciation Προφορά	Symbol Σύμβολο	Example Παράδειγμα	
Consonants		**Σύμφωνα**			
Β	β	like v in **v**alid	**v**	βάζο	**v**azo
Γ	γ	1. before α, ο, ω, ου, and consonants, a voiced version of the **ch** sound in Scottish lo**ch**	**g**	γάμος	**g**amos
		2. before ε, αι, η, ι, υ, ει, οι, like y in **y**es	**y**	γένος	**y**enos
Δ	δ	like th in **th**is	**dh**	δεν	**dh**en
Ζ	ζ	like z in **z**one	**z**	ζέστη	**z**esti
Θ	θ	like th in **th**in	**th**	θέλω	**th**elo
Κ	κ	like k in **k**eep	**k**	καλός	**k**alos
Λ	λ	like l in **l**ow	**l**	λεμόνι	**l**emoni
Μ	μ	like m in **m**other	**m**	μαζί	**m**azi
Ν	ν	like n in **n**o	**n**	ναι	**n**e
Ξ	ξ	like x in si**x**	**ks**	ξένος	**ks**enos
Π	π	like p in **p**aper	**p**	πάντα	**p**anta
Ρ	ρ	like r in **r**ead	**r**	ρύζι	**r**izi
Σ	σ ς	like s in **s**ix	**s**	σαν	**s**an
Τ	τ	like t in **t**est	**t**	τέλος	**t**elos
Φ	φ	like f in **f**ire	**f**	φωτιά	**f**otia
Χ	χ	like ch in Scottish lo**ch**	**h**	χέρι	**h**eri
Ψ	ψ	like ps in ho**ps**	**ps**	ψάρι	**ps**ari
Groups of letters		**Ομάδες γραμμάτων**			
αι		like **e** in set	**e**	ναι	n**e**
ει		like **i** in tin	**i**	είναι	in**e**
οι		like **i** in tin	**i**	όλοι	ol**i**
ου		like **oo** in foot	**u**	του	t**u**
αυ		1. before voiceless consonants (θ, κ, ξ, π, σ, τ, φ, χ, ψ) like **uff** in p**uff**y	**af**	αυτό	**af**to
		2. elsewhere like **av** in **av**ast	**av**	αυγό	**av**go
γκ		like **ng** in a**ng**ry	**ng**	αγκαζέ	a**ng**aze
γγ		like **ng** in a**ng**ry	**ng**	άγγελος	a**ng**elos

ΣΥΝΤΟΜΟΓΡΑΦΙΕΣ

accountancy	*accoun, λογισ*	λογιστική
adjective	*adj, επιθ, (ε)*	επίθετο
adverb	*adv, επ*	επίρρημα
anatomy	*anat, ανατ*	ανατομία
architecture	*archit, αρχιτ*	αρχιτεκτονική
arithmetic	*arith, αριθμ*	αριθμητική
article	*art, άρθ*	άρθρο
astrology	*astrol, αστρολ*	αστρολογία
astronomy	*astr, αστρον*	αστρονομία
athletics, sport	*athl, αθλητ*	αθλητικά
aviation	*aviat, αεροπ*	αεροπορία
biblical	*bibl, βιβλ*	βιβλικός
biology	*biol, βιολ*	βιολογία
botany	*bot, βοτ*	βοτανική
chemistry	*chem, χημ*	χημεία
church	*chur, εκκλ*	εκκλησία
colloquial	*col, κοιν*	κοινός
commerce	*comm, εμπ*	εμπόριο
comparative	*comp, συγκρ*	συγκριτικός
compound	compd, συνθ	σύνθετος
computers	*comput, ηλεκ υπολ*	ηλεκτρονικοί υπολογιστές
conjuction	*conj, σ*	σύνδεσμος
cooking	*cook, μαγειρ*	μαγειρική
cross reference	*see, βλεπ*	βλέπε
definite article	*def. art, ορ άρθ*	οριστικό άρθρο
demeaning	*dem, υποτιμ*	υποτιμητικά
diplomacy	*dip, διπλωμ*	διπλωματία
dressmaking	*dress, ραπτ*	ραπτική
economics	*econ, οικον*	οικονομικά
electricity	*elec, ηλεκτρ*	ηλεκτρισμός
entomology	*ent, εντομ*	εντομολογία
especially	*esp, ειδ*	ειδικά
et cetera	*etc, κλπ*	και λοιπά (κλπ)
exclamation	*ex, επιφ*	επιφώνημα
feminine	*f, η*	θηλυκό
feminine noun	*nf, η*	θηλυκό ουσιαστικό
figuratively	*fig, μεταφ*	μεταφορικά
for example	*eg, παραδ*	παραδείγματος χάρη, π.χ.
Great Britain	*GB, MB*	βρετανικά αγγλικά
genetics	*gen, γενετ*	γενετική
geography	*geog, γεωγρ*	γεωγραφία
geology	*geol, γεωλ*	γεωλογία
geometry	*geom, γεωμ*	γεωμετρία
grammar	*gram, γραμμ*	γραμματική
he	*n, ο*	αρσενικό ουσιαστικό
she	*n, η*	θηλυκό ουσιαστικό
it	*n, το*	ουδέτερο ουσιαστικό
imperative	*imper, προστ*	προστακτική
indefinite article	*indart, αόρ άρθ*	αόριστο άρθρο
informal	*infml, άτυπ*	άτυπος
interrogative	*interrog, ερωτ*	ερωτηματικό
ironically	*iron, ειρων*	ειρωνικά
irregular	*irreg, ανωμ*	ανώμαλος
journalism	*jour, δημοσιογρ*	δημοσιογραφία
judicial	*jud, δικαστ*	δικαστικός
Latin	*Lat, Λατ*	Λατινικά
law	*lw, νομ*	νομική
lemma	*lem, λημ*	λήμμα
linguistics	*ling, γλωσσολ*	γλωσσολογία
literally	*lit, κρλ*	κυριολεκτικά
literature	*liter, λογοτ*	λογοτεχνία
local	*loc, τοπ*	τοπικός
masculine	*m, αρσ*	αρσενικό
masculine noun	*nm, ο*	αρσενικό ουσιαστικό
masculine or feminine noun	*nmf, ο η*	αρσενικό ή θηλυκό ουσιαστικό
plural	*plur, οι, τα*	πληθυντικός

mathematics	math, μαθημ	μαθηματικά
mechanical	mech, μηχ	μηχανικός
medicine	med, ιατρ	ιατρική
military	mil, στρατ	στρατιωτικός
mineralogy	min, ορυκτ	ορυκτολογία
music	mus, μουσ	μουσική
mythology	myth, μυθ	μυθολογία
nautical	naut, ναυτ	ναυτικός
negative	neg, αρνητ	αρνητικός
neuter noun	nn, το, τα	ουδέτερο ουσιαστικό
noun	n, ουσ	ουσιαστικό
numeral	num, αριθ	αριθμητικό
oneself	os, εαυτ	εαυτός
order	ord, παράγγ	παράγγελμα
ornithology	orn, ορνιθ	ορνιθολογία
painting	paint, ζωγρ	ζωγραφική
parliament	parl, κοινοβ	κοινοβούλιο
participle	par, μ	μετοχή
particle	part, μο	μόριο
passive voice	pas, παθ	παθητική φωνή
past tense	pt, αόρ	αόριστος
personal	pers, προσ	προσωπικός
pharmacology	phar, φαρμ	φαρμακολογία
philosophy	phil, φιλοσ	φιλοσοφία
phonetics	phon, φων	φωνητική
photography	phot, φωτογρ	φωτογραφία
phrase	phr, φρ	φράση
physics	phys, φυσ	φυσική
piscicology	pisc, ιχθ	ιχθυολογία
plural	pl, πληθ	πληθυντικός
poetry	poet, ποιησ	ποίηση
politics	pol, πολιτ	πολιτική
popular	pop, λαϊκ	λαϊκός
possesive	poss, κτητ	κτητικός
post office	post, ταχυδρ	ταχυδρομείο
preposition	pr, πρ	πρόθεση
pronoun	pron, αν	αντωνυμία
psychiatry	psych, ψυχιατρ	ψυχιατρική
psychology	psychol, ψυχολ	ψυχολογία
racecource	rac, ιππόδρ	ιππόδρομος

radio	rad, ραδιοφ	ραδιοφωνία
railway	rail, σιδηρ	σιδηρόδρομος
registered trademark	rt, σημ κατατ	σήμα κατατεθέν
reflective	refl, αυτοπ	αυτοπαθής
relative	rel, αναφ	αναφορικός
religious	relig, θρησκ	θρησκευτικός
rehtoric	retor, ρητ	ρητορική
roman	rom, ρωμ	ρωμαϊκός
scholar	schol, λόγ	λόγιος
school	sch, σχολ	σχολείο
sanitary	sanit, υγειον	υγειονομικός
she	n, η	θηλυκό ουσιαστικό
singular	sing, ενικ	ενικός
slang	sl, μαγκ	μάγκικα
somebody	sb, κπ	κάποιος
someone	so, κπ	κάποιος
something	st, κτ	κάτι
superlative	sup, υπερθ	υπερθετικός
something	sth, κάτ	κάτι
sports	spor, αθλ	αθλητισμός
tax	tax, φορολ	φορολογικός
technical	tech, τεχν	τεχνικός
telecommunications	tel, τηλεπ	τηλεπικοινωνίες
telephony	teleph, τηλεφ	τηλεφωνία
television	TV, τηλεόρ	τηλεόραση
textiles	tex, υφ	υφαντά
theatre	theat, θέατρ	θέατρο
theology	theol, θεολ	θεολογία
the	n, τα	ουδέτερο ουσιαστικό πληθυντικός
transitive verb	vt, μετ ρήμ	μεταβατικό ρήμα
typography	typogr, τυπογρ	τυπογραφία
verb	v	ρήμα
zoology	zool, ζωολ	ζωολογία

A, a (n) [έι] το πρώτο γράμμα του αγγλικού αλφαβήτου.
a (num) [έι] ένα.
a, an (ind art) [ε, εν] ένας, μία.
a-tilt (adj) [α-τίλτ] επικλινής.
aback (adv) [α-μπάκ] όπισθεν.
abandon (n) [α-μπάν-ντον] αυθορμητισμός, (v) εγκαταλείπω.
abase (v) [α-μπέις] υποβιβάζω.
abasement (n) [α-μπέισμεν-τ] υποτίμηση, ξεπεσμός.
abash (v) [α-μπάς] ντροπιάζω.
abasing (adj) [α-μπέιζι-νγκ] ταπεινωτικός.
abate (v) [α-μπέιτ] μειώνω.
abatement (n) [α-μπέιτμεν-τ] ύφεση, ελάττωση.
abattoir (n) [ά-μπα-τουααρ] σφαγείο [γαλλ].
abbess (n) [ά-μπες] ηγουμένη.
abbey (n) [ά-μπι] αβαείο, μονή.
abbot (n) [ά-μποτ] ηγούμενος.
abbot's quarters (n) [ά-μποτ'ς κουόορτερς] ηγουμενείο.
abbreviate (v) [α-μπρίβιέιτ] βραχύνω, συντομεύω.
abbreviation (n) [α-μπρίβιέισσον] συντομογραφία.
abbreviator (n) [α-μπρίβιέιτορ] συντομευτής.
abdicate (v) [ά-μπ-ντικέιτ] απαρνούμαι, παραιτούμαι.
abdication (n) [α-μπ-ντικέισσον] παραίτηση.
abdomen (n) [α-μπ-ντόουμεν] κοιλιά.
abdominal (adj) [α-μπ-ντό-μιναλ] κοιλιακός, γαστρικός.
abduct (v) [α-μπ-ντάκτ] απάγω.
abduction (n) [α-μπ-ντάκσσον] απαγωγή.
abed (adv) [α-μπέ-ντ] κλινήρης.
aberrant (adj) [α-μπέραν-τ] πλανώμενος, ανώμαλος.
aberration (n) [α-μπερέισσον] αποπλάνηση, παραλογισμός.
abet (v) [α-μπέτ] ενθαρρύνω.
abetment (n) [α-μπέτμεν-τ] συνενοχή, συνεργία.
abettor (n) [α-μπέτορ] υποκινητής, ηθικός αυτουργός.
abeyance (n) [α-μπέι-ανς] αναβολή, εκκρεμότητα.
abhor (v) [α-μπόρ] απεχθάνομαι, αποστρέφομαι.
abide (v) [α-μπάι-ντ] κατοικώ.
abide by (v) [α-μπάι-ντ μπάι] υπακούω, τηρώ.
abiding (adj) [α-μπάι-ντινγκ] μόνιμος, σταθερός.
ability (n) [α-μπίλιτι] ικανότητα, επιδεξιότητα.

abject (adj) [α-μπ-τζέκτ] άθλιος.
abjection (n) [α-μπ-τζέκσσον] κατάντια.
abjuration (n) [α-μπ-τζουρέισσον] απάρνηση.
abjure (v) [α-μπ-τζούρ] απορρίπτω, αρνούμαι ενόρκως.
ablactation (n) [α-μπλακτέισσον] απογαλακτισμός.
ablation (n) [α-μπλέισσον] αφαίρεση, αποκόλληση.
ablaze (adj) [α-μπλέιζ] λάμπων.
able (adj) [έι-μπλ] έμπειρος.
able-bodied (adj) [έι-μπλ- μπόντιντ] αρτιμελής.
ablution (n) [α-μπλούσσον] πλύση, λούσιμο.
abnormal (adj) [α-μπνόρμαλ] ανώμαλος.
abnormity (n) [α-μπνόρμιτι] ανωμαλία, τερατούργημα.
abode (n) [α-μπόου-ντ] κατοικία, τόπος διαμονής.
abolish (v) [α-μπόλι-σς] καταλύω, καταργώ.
abolition (n) [α-μπολί-σσον] κατάλυση, ακύρωση.
abominable (adj) [α-μπόμιναμπλ] απαίσιος, μισητός.
abominate (v) [α-μπόμινεϊτ] απεχθάνομαι, σιχαίνομαι, μισώ.
abomination (n) [α-μπομινέισσον] αποστροφή, σιχαμάρα.
aaborigines (n) [α-μπορίτζινιζ] ιθαγενείς αυτόχθονες.
abort (v) [α-μπόρτ] αποβάλλω.
abortion (n) [α-μπόρσσον] έκτρωση, αποβολή [μωρού].
abound (v) [α-μπάουν-ντ] πλεονάζω, βρίθω, αφθονώ.
about (adv) (adj) (pr)[α-μπάουτ] γύρω, περίπου, ως, περί.
about to (adj) [αμπάουτ του] έτοιμος για να.
above (adv) [α-μπάβ] άνω, επάνω, υπεράνω, επί.
above all (adv) [α-μπάβ όολ] προπαντός.
aboveboard (adj) [α-μπάβμπορ-τ] τίμιος, ειλικρινής (adv) τίμια.
abrade (v) [α-μπρέι-ντ] λειαίνω.
abrasive (adj) [α-μπρέισιβ] (n) στιλβωτικό, λειαντικό.
abreaction (n) [α-μπριάκσσον] ψυχοκάθαρση [ψυχολ].
abridge (v) [α-μπρίτζ] περικόπτω, συντομεύω.
abridgement (n) [α-μπρίτζμεντ] σύντμηση, περίληψη.
abroad (adv) [α-μπρόου-ντ] στο εξωτερικό, στα ξένα.
abrogate (v) [α-μπρογκέιτ] καταργώ, ακυρώ.
abrogation (n) [α-μπρογκέισσον] άρση [μεταφ].
abrupt (adj) [α-μπράπτ] αιφνίδιος, απόκρημνος, απότομος.
abruption (n) [α-μπράπσσον] αποκοπή, ρήξη.

abruptness (n) [α-μπράπτνες] βιαιότητα.
abscess (n) [ά-μπσες] απόστημα.
abscind (v) [α-μποίν-ντ] αποτέμνω, αποκόπτω.
abscissa (n) [α-μπσίσα] τετμημένη.
abscission (v) [α-μπσίζζον] αποκοπή, εκτομή.
abscond (v) [α-μπσκόν-ντ] φυγοδικώ, δραπετεύω.
abscondence (n) [α-μπσκόν-ντενς] δραπέτευση.
absence (n) [ά-μπσενς] απουσία, έλλειψη, ανυπαρξία.
absent (adj) [ά-μπσεν-τ] απών.
absolute (adj) [α-μπσολούτ] απόλυτος.
absolvatory (adj) [α-μπσόλβατρι] αθωωτικός, απαλλακτικός.
absolve (v) [α-πσόλβ] αθωώνω.
absonant (n) [ά-μπσοναντ] αντίθετος, ασυμβίβαστος.
absorb (v) [ά-μπσόορ-μπ] απορροφώ, αφομοιώνω.
absorbed (adj) [α-μπσόρπτ] απορροφημένος, αφοσιωμένος.
abstain (v) [α-μπστέιν] απέχω.
abstemious (adj) [α-μπστίιμιους] εγκρατής, λιτός.
abstention (n) [α-μπστέν-σσον] αποχή, εγκράτεια.
absterge (v) [α-μπστέρτζ] καθαρίζω.
abstract (adj) [α-μπστράκτ] αφηρημένος, αποσπώ, κλέβω.
abstracted (adj) [α-μπστράκτιντ] αφηρημένος, απρόσεκτος.
abstractive (adj) [α-μπστράκτιβ] αφαιρετικός, συνοπτικός.
abstruse (adj) [α-μπστρούς] δυσνόητος, ασαφής.
absurd (adj) [α-μπσέρ-ντ] γελοίος.
absurdity (n) [α-μπσέρ-ντιτι] παραλογισμός.
absurdly (adv) [α-μπσέρ-ντλι] παράλογα, γελοία.
abundance (n) [α-μπάν-ντανς] αφθονία.
abuse (n) [α-μπιούς] βρισιά (v) [α-μπιούζ] καταχρώμαι.
abusive (adj) [α-μπιούσιβ] προσβλητικός.
abut (v) [α-μπάτ] συνορεύω.
abutment (n) [α-μπάτμεν-τ] στήριγμα.
abysmal (adj) [α-μπίσμαλ] απύθμενος.
abyss (n) [α-μπίς] άβυσσος.
acacia (n) [ακέισσα] ακακία.
academe (n) [ακα-ντίιμ] ακαδημία.
academic (n) (adj) [ακα-ντέμικ] ακαδημαϊκός.
academician (n) [ακα-ντεμίσιαν] ακαδημαϊκός.
accede (v) [ακσίι-ντ] ανέρχομαι,
acceleration (n) [ακσελερέισ-

σον] επιτάχυνση, επίσπευση.
accelerator (adj) [ακσέλερεϊτορ] γκάζι αυτοκινήτου.
accent (n) [άκσεν-τ] τόνος, [ακσέν-τ] τονίζω (adj) τονικός.
accentuate (v) [ακσέν-τσουέιτ] τονίζω, αναδεικνύω.
accept (v) [ακσέπτ] δέχομαι.
acceptable (adj) [ακσέπτα-μπλ] αποδεκτός, δεκτός.
acceptably (adv) [ακσέπτα-μπλι] παραδεκτά, ευπρόσδεκτα.
acceptance (n) [ακσέπτανς] αποδοχή, παραδοχή, έγκριση.
acceptive (adj) [ακσέπτιβ] επιδεκτικός.
acceptor (n) [ακσέπτορ] αποδέκτης.
access (n) [άκσες] πρόσβαση.
accessary (n) [ακσέσαρι] συνεργός (adj) συνένοχος.
accession (n) [ακσέσσον] ένταξη, προσχώρηση, άνοδος.
accessional (adj) [ακσέσσοναλ] πρόσθετος.
accessor (n) [ακσέσορ] όργανο εκτίμησης.
accessory (n) [ακσέσορι] αξεσουάρ, ηθικός αυτουργός.
accident (n) [άκσι-ντεν-τ] ατύχημα, δυστύχημα.
accidental (adj) [ακσι-ντέν-ταλ] τυχαίος.
acclaim (n) [ακλέιμ] προσφώνηση (v) ζητωκραυγάζω.
acclimate (v) [ακλάιμετ] εγκλιματίζω.
acclimatization (n) [ακλαϊματαϊζέσσον] εγκλιματισμός.
acclimatize (v) [ακλάιματαϊζ] εγκλιματίζω.
acclivitous (adj) [ακλίβιτους] ανηφορικός.
accommodate (v) [ακόμο-ντέιτ] βολεύω, εξυπηρετώ, εξοικονομώ.
accommodating (adj) [ακομοντέιτινγκ] συγκαταβατικός.
accommodation (n) [ακομοντέισσον] προσαρμογή, τακτοποίηση, κατοικία.
accompaniment (n) [ακάμπανιμεν-τ] ακομπανιαμέντο.
accomplice (n) [ακόμπλις] συνεργός, συνένοχος.
accomplish (v) [ακόμπλισς] διεξάγω, εκπληρώνω, καταφέρνω.
accomplishable (adj) [ακόμπλισσα-μπλ] πραγματοποιήσιμος.
accomplishment (n) [ακόμπλισσμεν-τ] χάρισμα.
accord (n) [ακόο-ντ] συμφωνία (v) ταιριάζω, συμβιβάζω.
accordant (adj) [ακόο-νταν-τ] αρμονικός.
according to (adv) [ακόο-ντινγκ του] αναλόγως, σύμφωνα, κατά.
accordingly (adv) [ακόο-ντινγκλι] συνεπώς, ώστε, ανάλογα.

accost (v) [ακόστ] πλευρίζω.
accostable (adj) [ακόστα-μπλ] ευπρόσιτος.
accouchement (n) [ακούσσμεν-τ] τοκετός, γέννα.
account (n) [ακάουν-τ] περιγραφή, κατάθεση, λογαριάζω.
accountable (adj) [ακάουν-ταμπλ] υπεύθυνος.
accountancy (n) [ακάουν-τανσι] λογιστική.
accountant (n) [ακάουν-ταν-τ] λογιστής.
accounting (adj) [ακάουν-τινγκ] λογιστικός (n) λογοδοσία.
accredit (v) [ακρέ-ντιτ] εξουσιοδοτώ, διαπιστεύομαι.
accretion (n) [ακριίσσον] προσαύξηση, συμπλήρωμα.
accrue (v) [ακρού] προκύπτω.
accruement (n) [ακρούμεν-τ] προσθήκη.
accumulate (v) [ακιούμιουλέιτ] συσσωρεύω.
accumulation (adj) [ακιούμιου λέισσον] συσσώρευση.
accumulative (adj) [ακιούμιουλατιβ] συσσωρευτικός.
accumulator (n) [ακιούμιουλέιτορ] αποταμιευτής.
accuracy (n) [άκιουρασι] ακρίβεια, ευστοχία, ορθότητα.
accurate (adj) [άκιουρατ] ακριβής [ωρολόγιο], ορθός, πιστός.
accurse (v) [ακέρς] καταριέμαι.
accusal (n) [ακιούζαλ] κατηγορία.
accusant (n) [ακιούζαν-τ] κατήγορος, μηνυτής.
accusation (n) [ακιουζέισσον] κατηγορία.
accusative (adj) [ακιούζατιβ] αιτιατική [γραμμ].
accuse (v) [ακιούζ] κατηγορώ.
accustom to (v) [ακάστομ του] συνηθίζω, εξοικειώνω.
ace (n) [έις] άσος (adj) επιδέξιος.
acerb (adj) [ασέρ-μπ] στυφός, δριμύς, σκληρός, τραχύς.
acerbity (n) [ασέρ-μπιτι] πίκρα.
acetic (adj) [ασέτικ] οξεικός.
ache (n) [έικ] πόνος, αλγώ.
ache for (v) [έικ φορ] καρδιοχτυπώ.
achieve (v) [ατσσίιβ] καταφέρνω.
achieved (adj) [ατσσίιβ-ντ] τετελεσμένος.
achievement (n) [ατσσίβμεν-τ] εκπλήρωση, πραγματοποίηση.
Achilles (n) [Ακίλιζ] Αχιλλέας.
achromatopsy (n) [ακρομάτοπσι] αχρωματοψία.
acid (adj) [άσι-ντ] ξινός, (n) οξύ.
acidulate (v) [ασίντζζουλέιτ] ξυνίζω, οξοποιώ, πικρίζω.
acknowledge (v) [ακνόλιντζζ] ομολογώ, αναγνωρίζω.

acknowledgement (n) [ακνόλιντζζμεν-τ] εξομολόγηση.
acme (n) [άκμι] κατακόρυφο.
acne (n) [άκνι] ακμή [ιατρ].
acorn (n) [έικοον] βελανίδι.
acoustic (adj) [ακούστικ] ακουστικός, ηχητικός.
acquaintance (n) [ακουέιντανς] γνωριμία, γνωστός.
acquiesce (v) [ακουιές] συναινώ, συμφωνώ, συγκατατίθεμαι.
acquired (adj) [ακουάιερ-ντ] επίκτητος.
acquirement (n) [ακουάιερμεντ] απόκτηση.
acquisition (n) [ακουιζίσσον] απόκτηση, κτήση, απόκτημα.
acquisitive (adj) [ακουίζιτιβ] άπληστος, πλεονέκτης.
acquit (v) [ακουίτ] αθωώνω.
acquittal (n) [ακουίταλ] αθώωση.
acquittance (n) [ακουίτανς] απαλλαγή, εξόφληση [χρέους].
acrid (adj) [άκρι-ντ] πικρός.
acrimonious (adj) [ακριμόνιους] οργισμένος, πικρόχολος.
acrimony (n) [άκριμονι] βιαιότητα, πικρότητα.
acrobat (n) [άκρο-μπατ] ακροβάτης, σχοινοβάτης.
acronym (n) [άκρονιμ] αρχικά λέξεων.
Acropolis (n) [Ακρόπολις] Ακρόπολη.
across (adv) [ακρός] αντίπερα.
acrostic (n) [ακρόστικ] ακροστιχίδα.
act (n) [ακτ] πράξη, έργο, διαδραματίζω, δρω, ενεργώ.
acting (n) [άκτινγκ] ηθοποιία.
actinograph (n) [ακτίνογκραφ] ακτινογράφος.
action (n) [άκσσον] δράση, σκηνή, υπόθεση [δικαστηρίου].
activate (v) [άκτιβέιτ] δραστηριοποιώ, ενεργοποιώ.
active (adj) [άκτιβ] δραστήριος.
activity (n) [ακτίβιτι] δράση.
actor (n) [άκτορ] ηθοποιός.
actress (n) [άκτρες] θεατρίνα.
actual (adj) [άκτσσιουαλ] αληθής, πραγματικός.
actuality (adj) [ακτσσιουάλιτι] πραγματικότητα, επικαιρότητα.
actually (adv) [άκτσσιουαλι] πραγματικά.
acumen (n) [ακιούμεν] διορατικότητα, οξυδέρκεια.
acupuncture (n) [άκιουπάνκτσσα(ρ)] βελονισμός.
acute (adj) [ακιούτ] αιχμηρός.
adage (n) [ά-ντιντζζ] παροιμία.
adamant (n) [ά-νταμαν-τ] διαμάντι, ανένδοτος.
adapt (v) [α-ντάπτ] προσαρμόζω, συμμορφώνω.
adaptable (adj) [α-ντάπτα-μπλ] ευπροσάρμοστος.

adaptably (adv) [α-ντάπτα-μπλι] ταιριαστά, ευάρμοστα.
adaptation (n) [α-νταπτέισσον] εφαρμογή, προσαρμογή.
add (v) [α-ντ] προσθέτω.
add to (v) [α-ντ του] επαυξάνω.
add up (v) [α-ντ απ] αθροίζω.
addendum (n) [α-ντέν-νταμ] προσθήκη, παράρτημα.
adder (n) [ά-ντα] έχιδνα.
addict (v) [α-ντίκτ] κυριεύομαι (n) [ά-ντικτ] εθισμένος.
addition (n) [α-ντίσσον] άθροιση, πρόσθεση, προσθήκη.
additional (adj) [α-ντίσσοναλ] πρόσθετος.
additive (adj) [ά-ντιτιβ] πρόσθετος.
addle (v) [α-ντλ] θολώνω.
address (v) [α-ντρές] προσφωνώ, (n) [ά-ντρες] διεύθυνση.
addressee (n) [α-ντρεσίι] παραλήπτης, αποδέκτης.
adduce (v) [α-ντιούς] αναφέρω.
adenoid (adj) [ά-ντενοϊ-ντ] αδενοειδής.
adequate (adj) [ά-ντικουετ] επαρκής, ικανοποιητικός.
adhere (v) [α-ντχίιρ] προσκολλώμαι, κολλώ, προσχωρώ.
adherent (n) [α-ντχίιρεν-τ] οπαδός.
adhesion (n) [α-ντχίιζζον] προσκόλληση, αφοσίωση.
adhesive (n) [α-ντχίισιβ] συγκολλητικός, αυτοκόλλητος.
adipose (adj) [ά-ντιποους] λιπαρός.
adiposity (n) [α-ντιπόσιτι] παχυσαρκία.
adit (n) [ά-ντιτ] είσοδος.
adjacent (adj) [αντζζέισεν-τ] διπλανός, γειτονικός.
adjective (n) [άντζζεκτιβ] επίθετο [γραμμ].
adjoin (v) [αντζζόιν] γειτονεύω.
adjoining (adj) [αντζζόινινγκ] πλαϊνός, συνεχόμενος.
adjournment (n) [αντζζόρνμεν-τ] αναβολή, διακοπή.
adjudge (n) [αντζζάντζζ] αγκυροβόλιο.
adjudicate (v) [αντζζού-ντικεϊτ] δικάζω, αποφαίνομαι.
adjudication (n) [αντζζου-ντικέισσον] γνωμάτευση.
adjunct (n) [άντζζανκτ] παρεπόμενος,προσδιορισμός[γραμμ.
adjust (v) [αντζζάστ] συμβιβάζω, προσαρμόζω.
adjustable (adj) [αντζζάσταμπλ] ρυθμιζόμενος.
adjustment (n) [αντζζάστμεν-τ] προσαρμογή.
adjutant (n) [άντζζιουταν-τ] υπασπιστής [στρατ].
admeasure (v) [α-ντμέζζα] καταμετρώ, προσδιορίζω.
administer (v) [α-ντμίνιστα(ρ)] διαχειρίζομαι, διευθύνω.

administrate (v) [α-ντμίνι-στρέιτ] διαχειρίζομαι, διοικώ.
administration (n) [α-ντμινι-στρέισσον] διαχείριση.
administrator (n) [α-ντμινι-στρέιτα(ρ)] διαχειριστής.
admirable (adj) [α-ντμάιρα-μπλ] θαυμάσιος, περίφημος.
admiralty (n) [ά-ντμιραλτι] ναυαρχείο.
admiration (n) [α-ντμιρέισσον] θαυμασμός, κατάπληξη.
admire (v) [α-ντμάια] θαυμάζω.
admissible (adj) [α-ντμίσι-μπλ] επιτρεπτός, παραδεκτός.
admission (n) [α-ντμίσσον] εισδοχή, ομολογία, παραδοχή, είσοδος.
admit (v) [α-ντμίτ] αποδέχομαι.
admix (v) [α-ντμίκς] προσμειγνύω.
admonish (v) [α-ντμόνισς] προειδοποιώ.
adolescence (n) [α-ντολέσενς] εφηβεία.
adolescent (n) [α-ντολέσεν-τ] έφηβος.
adopt (v) [α-ντόπτ] υιοθετώ.
adoption (n) [α-ντόπσσον] υιοθεσία, έγκριση.
adorable (adj) [α-ντόορα-μπλ] αξιαγάπητος (n) χρυσός [μτφ].
adoration (n) [α-ντοορέισσον] λατρεία, προσκύνημα.
adore (v) [α-ντόορ] υπεραγαπώ.
adorn (v) [α-ντόον] διακοσμώ.
adornment (n) [α-ντόονμεν-τ] διακόσμηση, καλλωπισμός.
adrenalin (n) [α-ντρέναλιν] αδρεναλίνη.
adrift (adj) [α-ντρίφτ] ακυβέρνητος.
adroit (adj) [α-ντρόιτ] επιδέξιος, επιτείδιος, ταχύς.
adroitness (n) [α-ντρόιτνες] προσφώνηση [νομ], αγόρευση.
adscititious (adj) [α-ντσιτίσσας] τυχαίος, συμπτωματικός.
adulation (n) [α-ντιουλέισσον] λιβάνισμα [μεταφ], κολακία.
adult (adj) [ά-νταλτ] ενήλικος.
adulterant (n) [α-ντάλτεραν-τ] νοθευτικό.
adulterated (adj) [α-ντάλτερέιτι-ντ] κίβδηλος.
adulterer (n) [α-ντάλτερα(ρ)] μοιχός.
adumbrate (v) [ά-νταμ-μπρεϊτ] προσχεδιάζω.
advance (n) [α-ντβάνς] προέλαση, πρόοδος, προαγωγή (v) διεισδύω,προβαίνω.
advanced (adj) [α-ντβάνσ-ντ] προηγμένος, προχωρημένος.
advancement (n) [α-ντβάνσμεν-τ] πρόοδος, προαγωγή.
advantage (n) [α-ντβάαν-τιντζζ] κέρδος, όφελος, πλεονέκτημα.
advantageous (adj) [α-ντβααν-τέιντζζας] ωφέλιμος, επικερδής.

advent (n) [ά-ντβεν-τ] έλευση.
adventure (n) [α-ντβέν-τσσα] περιπέτεια.
adventurer (n) [α-ντβέν-τσσα-ρα(ρ)] τυχοδιώκτης.
adventurism (n) [α-ντβέν-τσσα-ρίζμ] τυχοδιωκτισμός.
adventurous (adj) [α-ντβέν-τσσαρας] τολμηρός.
adverb (n) [ά-ντβερ-μπ] επίρρημα.
adversary (adj) [ά-ντβερσαρι] αντίπαλος.
adverse (adj) [α-ντβέρς] ενάντιος, αντίθετος.
adversity (n) [α-ντβέρσιτι] δυστυχία, αναποδιά.
advert (v) [α-ντβέρτ] αναφέρομαι (n) [ά-ντβερτ] διαφήμιση.
advertence (n) [α-ντβέρτενς] προσεκτικότητα.
advertisement (n) [α-ντβατάιζ-μεν-τ] αγγελία [εμπορ].
advice (n) [α-ντβάις] συμβουλή.
advisability (n) [α-ντβάιζα-μπί-λιτι] σκοπιμότητα.
advisable (adj) [α-ντβάιζα-μπλ] ορθός, σκόπιμος.
advise (v) [α-ντβάιζ] συμβουλεύω, συνιστώ.
advisement (n) [α-ντβάιζμεν-τ] μελέτη.
advisory (adj) [α-ντβάιζορι] γνωμοδοτικός.
advocate (n) [ά-ντβοκετ] συνήγορος (v) [α-ντβοκέιτ] υποστηρίζω.
aerial (adj) [έριαλ] εναέριος (n) κεραία [ασυρμάτου].
aesthete (n) [ίισθιιτ] αισθητικός.
aesthetic (adj) [ιισθέτικ] αισθητικός.
affability (n) [αφα-μπίλιτι] φιλοφροσύνη.
affable (adj) [άφα-μπλ] τρυφερός.
affair (n) [αφέα(ρ)] δουλειά, υπόθεση, σχέση [ερωτική].
affectation (n) [αφεκτέισσον] ακκισμός, πόζα, νάζι.
affected (adj) [αφέκτι-ντ] προσποιητός, επιτηδευμένος.
affecting (adj) [αφέκτινγκ] συγκινητικός.
affection (n) [αφέκσσον] αγάπη, στοργή.
affectionate (adj) [αφέκσσονετ] τρυφερός, φιλόστοργος.
affective (adj) [αφέκτιβ] συναισθηματικός.
affiliated (adj) [αφιλιέιτι-ντ] συνεταιρισμένος.
affiliation (n) [αφιλιέισσον] ίδρυση [εταιρίας].
affinity (n) [αφίνιτι] συγγένεια.
affirm (v) [αφέρμ] πρεσβεύω.
affirmation (n) [άφαμέισσον] επιβεβαίωση.
affirmative (adj) [αφέρματιβ] καταφατικός.

affix (v) [αφίκς] επισυνάπτω.
afflation (n) [αφλέισσον] πνοή.
afflatus (n) [αφλέπας] έμπνευση.
afflict (v) [αφλίκτ] θλίβω.
affliction (n) [αφλίκσσον] βάσανο, πίκρα.
affluence (n) [άφλουενς] πλούτος.
affluent (adj) [άφλουεν-τ] πλούσιος, εύπορος.
affray (n) [αφρέι] τσακωμός.
affright (v) [αφράιτ] τρομάζω.
affront (n) [αφράν-τ] πρόκληση.
aficionado (n) [αφισσιανά-ντοου] υποστηρικτής.
afire (adj) [αφάια(ρ)] φλεγόμενος.
aflame (adj) [αφλέιμ] αναμμένος, φλεγόμενος.
aforesaid (adj) [αφόοσε-ντ] προαναφερθείς.
aforethought (adj) [αφόοθοοτ] προμελετημένος.
afraid (adj) [αφρέι-ντ] φοβισμένος.
afresh (adv) [αφρέσ] εκ νέου.
Africa (n) [Άφρικα] Αφρική.
after (adv) [άαφτα] κατόπιν, αφού, μετά (adj) επόμενος.
afterlife (n) [άαφταλάιφ] υπόλοιπος βίος, υπερπέραν.
aftermath (n) [άαφταμααθ] συνέπεια.
afternoon (n) [άαφτανούν] απόγευμα.
afterthought (n) [άαφταθόοτ] μεταγενέστερα.
afterwards (adv) [άαφταγοοντζ] έπειτα, μετά, ύστερα.
afterwhile (adv) [άαφταγουάιλ] μετέπειτα, αφού, μετά.
again (adv) [αγκέιν] πάλι, ξανά.
against (adv) [αγκέινστ] εναντίον, κόντρα, κατά.
age (n) [έιντζζ] ηλικία, εποχή, χρόνος (v) γερνώ.
age-old (adj) [έιντζζ-όουλ-ντ] αιωνόβιος.
aged (adj) [έιντζζ-ντ] γερασμένος.
ageless (adj) [έιντζζλες] αγέραστος.
agency (n) [έιντζζενσι] πρακτορείο.
agenda (n) [αντζζέν-ντα] σημειωματάριο.
agent (n) [έιντζζεν-τ] μεσίτης, πράκτορας, αντιπρόσωπος.
agent provocateur (n) [άαζζον προβοκατέρ] προβοκάτορας.
agglomerate (v) [αγκλόμερεϊτ] συγκεντρώνω (n)σύνολο.
agglomeration (n) [αγκλομερέισσον] άθροισμα, σύνολο.
aggrandize (v) [ανγκράν-νταϊζ] αυξάνω, μεγαλώνω.
aggrandizement (n) [άγκραν-ντάιζμεν-τ] μεγέθυνση.
aggravate (v) [άγκραβεϊτ] χειροτερεύω.
aggregate (n) [άγκριγκετ] ά-

θροισμα, (adj) συνολικός (v) [ά-γκριγκέιτ] συγκεντρώνω.

aggregation (n) [αγκριγκέισσον] αμμοχάλικο, σύνολο.

aggress (v) [αγκρές] επιτίθεμαι.

aggressive (adj) [αγκρέσιβ] επιθετικός, απειλητικός.

aghast (adj) [αγκάαστ] κατάπληκτος.

agile (adj) [ά-ντζζαϊλ] ευκίνητος.

agitate (v) [άντζζιτεϊτ] διαταράσσω, προπαγανδίζω.

agitation (n) [άντζζιτέισσον] αναστάτωση, αναβρασμός.

agitator (adj) [αντζζιτέιτα(ρ)] υποκινητής, ταραξίας.

agonizing (adj) [άγκοναϊζινγκ] φρικτός, οδυνηρός.

agony (n) [άγκονι] αγωνία.

agrarian (adj) [αγκρέριαν] αγροτικός.

agrarian police (n) [αγκρέριαν πολίις] αγροφυλακή.

agree (v) [αγκρίι] συμφωνώ.

agree with (v) [αγκρίι γουίθ] συμμορφώνομαι, δέχομαι.

agreeable (adj) [αγκρίια-μπλ] ευχάριστος.

agreement (n) [αγκρίιμεν-τ] συμφωνία, συμβόλαιο.

agriculture (n) [αγκρικάλτσσα(ρ)] γεωργία.

agronomist (n) [αγκρόνομιστ] αγρονόμος.

ah! (ex) [άα] αχ!, ω!.

aha! (ex) [αχαά] χαχά! μπα! ω!.

ahead of (pr) [αχέ-ντ οβ] προ.

aid (n) [έι-ντ] βοήθεια (v) ωφελώ, βοηθώ.

aileron (n) [έιλερον] πτερύγιο.

ailment (n) [έιλμεν-τ] αδιαθεσία.

aim (n) [έιμ] επιδίωξη, σκοπός, στόχος (v) σκοπεύω, κατευθύνω.

aim at (v) [έιμ ατ] επιδιώκω.

aim to (v) [έιμ του] λογαριάζω , σκοπεύω.

aiming (n) [έιμινγκ] σκόπευση.

aimless (adj) [έιμλες] άσκοπος.

air (adj) [έα(ρ)] αεροπορικός (n) αέρας (v) αερίζω.

air conditioning (n) [έα κοντίσσονινγκ] κλιματισμός.

air defence (n) [έα ντιφένς] αεράμυνα.

air duct (n) [έα ντακτ] αεραγωγός.

air fight (n) [έα φάιτ] αερομαχία.

air force (n) [έα φοος] αεροπορία.

air hostess (n) [έα χόουστες] αεροσυνοδός.

air-cooled (adj) [έα-κουλ-ντ] αερόψυκτος.

airborne troops (n) [έα-μπόον τρουπς] αεραγήματα.

aircraft (n) [έακρααφτ] αεροσκάφος.

airgun (n) [έαγκάν] αεροβόλο.

airily (adv) [έαριλι] απερίσκεπτα.
airing (n) [έαρινγκ] αερισμός.
airlift (n) [έαλιφτ] αερογέφυρα.
airmail (adj) [έαμεϊλ] αεροπορικός.
airplane (n) [έαπλεϊν] αεροπλάνο [ΗΠΑ].
airport (n) [έαπόουρτ] αεροδρόμιο.
airship (n) [έασσιπ] αερόπλοιο.
airtight (adj) [έατάιτ] αεροστεγής.
airway (n) [έαουεϊ] αεροπορική γραμμή.
airy (adj) [έαρι] ανάλαφρος.
ajar (adj) [αντζζάαρ] μισάνοιχτος.
akin (adj) [ακίν] συγγενής.
alabaster (n) [άλα-μπαααστα] αλάβαστρο.
alacrity (n) [αλάκριτι] προθυμία.
alarm (v) [αλάαμ] συνεγείρω, τρομάζω (n) συναγερμός.
alarming (adj) [αλάαμινγκ] ανησυχητικός.
alas (ex) [αλάς] αλίμονο!, αχ!.
albacore (n) [άλ-μπακορ] θύννος [ιχθ], τόνος [ιχθ].
albeit (conj) [οολ-μπίι-ιτ] καίτοι, αν και, μολονότι.
album (n) [άλ-μπαμ] άλμπουμ.
albumin (n) [άλ-μπιουμιν] λεύκωμα [ιατρ].
alchemist (n) [άλκεμιστ] αλχημιστής.
alchemy (n) [άλκεμι] αλχημεία.
alcohol (n) [άλκοχολ] αλκοόλ.
alcoholic (adj) [αλκοχόλικ] αλκοολικός.
alcoholism (n) [άλκοχολισμ] αλκοολισμός.
alcove (n) [άλκοουβ] γωνιά.
ale (n) [ειλ] μπίρα.
alert (adj) [αλέρτ] γρήγορος, (n) επιφυλακή, πανικός.
alertness (n) [αλέρτνες] επαγρύπνηση, ετοιμότητα.
alevin (n) [άλιβιν] ψαράκι.
alfresco (adv) [αλφρέσκοου] υπαίθρια.
algebra (n) [άλντζζι-μπρα] άλγεβρα.
algidity (n) [αλντζζί-ντιτι] ρίγος.
algorism (n) [άλγκοριζμ] αλγόριθμος.
alias (adv) [έιλιας] άλλως (n) ψευδώνυμο.
alibi (n) [άλι-μπαϊ] άλοθι.
alidade (n) [άλι-ντεϊ-ντ] γωνιόμετρο, αναγωγέας.
alien (adj) [έιλιεν] αλλοδαπός.
alienate (v) [έιλιενεϊτ] απαλλοτριώνω, απομακρύνω.
alienation (n) [εϊλιενέισσον] αλλοτρίωση.
alienist (n) [έιλιενιστ] ψυχίατρος.

alight (adj) [αλάιτ] αναμμένος, φλεγόμενος (v) αφιππεύω.
alighting (n) [αλάιτινγκ] προσγείωση.
align (v) [αλάιν] ευθυγραμμίζω.
alike (adj) [αλάικ] όμοιος.
aliment (n) [άλιμεν-τ] τροφή.
alimentary (adj) [αλιμέν-τρι] θρεπτικός.
alimentation (n) [αλιμεν-τέισσον] τροφοδότηση.
alimony (n) [άλιμονι] διατροφή.
aline (v) [αλάιν] παρατάσσω.
alive (adj) [αλάιβ] ζωντανός.
alkali (n) [άλκαλαϊ] αλκάλι.
alkaline (adj) [άλκαλαϊν] αλκαλικός.
alkalinity (n) [αλκαλίνιτι] αλκαλικότητα.
alkaloidal (adj) [αλκαλόι-ντλ] αλκαλοειδής.
all (pron) [όολ] όσος (adj) όλος (n) σύμπαν.
all at once (adv) [όολ ατ ουάνς] αίφνης, μεμιάς, μονομιάς.
all but (adv) [όολ μπατ] σχεδόν.
All Fools' Day (n) [ολφουλζ-ντεΐ] πρωταπριλιά.
all right (adj) [όολ ράιτ] εντάξει.
all round (adv) [όολ ράουν-ντ] ολόγυρα, σε όλες τις ένοιες.
All Souls' Day (n) [Όολ Σόουλ'ζ Ντέι] ψυχοσάββατο.
all-fired (adj) [όολφαϊρ-ντ] υπερβολικός (adv) εντελώς.
Allah (n) [άλα] Αλάχ.
allay (v) [αλέι] καθησυχάζω.
allegation (n) [αλεγκέισσον] ισχυρισμός.
allege (v) [αλέντζζ] ισχυρίζομαι.
allegiance (n) [αλίιντζζιανς] υποταγή, πίστη.
allegoric (adj) [αλιγκόρικ] αλληγορικός.
allegory (n) [αλέγκορι] αλληγορία.
alleluia (ex) [αλελούουια] αλληλούια.
allergic (adj) [αλέρντζζικ] αλλεργικός.
allergy (n) [άλεντζζι] αλλεργία.
alleviate (v) [αλίιβιεϊτ] απαλύνω, ανακουφίζω.
alley (n) [άλι] σοκάκι, δρομάκι.
alleyway (n) [άλιγουεΐ] σοκάκι.
alliance (n) [αλάιανς] συμμαχία.
allied (n) [αλάι-ντ] συμμαχικός.
alligator (n) [αλιγκέιτορ] αλιγάτορας.
alliteration (n) [αλιτερέισσον] παρήχηση.
allocate (v) [άλοουκέιτ] χορηγώ.
allocation (n) [αλακέισσον] κατανομή, μερισμός.
allocution (n) [άλακιούσσον] προσφώνηση.

allogamy (n) [αλόγκαμι] αλλογαμία, ετεροεπικονίαση [βοτ].
allomerism (n) [άλομερισμ] αλλομερισμός.
allomorph (adj) [άλομορφ] αλλόμορφο.
allophane (n) [άλοφεϊν] αλλοφανής [ορυκτ].
allot (v) [αλότ] κατανέμω.
allow (v) [αλάου] επιτρέπω.
allowance (n) [αλάουανς] επιχορήγηση, επίδομα.
allowed (adj) [αλάου-ντ] επιτρεπόμενος, παραδεδεγμένος.
alloy (n) [άλοϊ] κράμα.
alloy (v) [αλόϊ] συντήκω.
allude to (v) [αλιού-ντ του] υπαινίσσομαι.
allure (v) [αλιούα] σκανδαλίζω.
allusion (n) [αλιούζζον] υπαινιγμός.
alluvial (adj) [αλούουβιαλ] προσχωματικός.
ally (n) [άλαϊ] σύμμαχος.
almighty (adj) [οολμάιτι] πανίσχυρος, παντοδύναμος.
almond (n) [ααμον-ντ] αμύγδαλο.
almost (adv) [όολμόουστ] περίπου, σχεδόν.
alms (n) [άαμς] ελεημοσύνη.
alms-deed (n) [άαμζ-ντίι-ντ] φιλανθρωπία.
almshouse (n) [άαμζχάουζ] πτωχοκομείο.
aloe (n) [άλοου] αλόη [βοτ].
aloft (adv) [αλόφτ] ψηλά, πάνω.
alone (adj) [αλόουν] μεμονωμένος.
along (pr) [αλόνγκ] παραπλεύρως (adv) εμπρός, κατά μήκος.
alongshore (adv) [αλόνγκοσόρ] παραλιακά.
alongside (adv) [αλόνγκσάι-ντ] πλάι.
aloof (adv) [αλούουφ] μακριά.
alopecia (n) [αλοπίισσια] αλωπεκία.
aloud (adv) [αλάου-ντ] μεγαλοφώνως, δυνατά.
alphabet (n) [άλφα-μπετ] αλφαβήτα.
alpine (adj) [αλπάιν] υψηλός.
alpinist (n) [άλπινιστ] αλπινιστής.
already (adv) [όολρε-ντι] ήδη.
also (adv) [όολσοου] επίσης.
altar (n) [οολτα(ρ)] θυσιαστήριο, τράπεζα [αγία], βωμός.
alter (v) [οολτα(ρ)] αλλοιώνω.
alterable (adj) [όολτερα-μπλ] μετατρέψιμος.
alterant (adj) [όολτεραν-τ] μεταβάλλων (n) μεταλλάκτης.
alteration (n) [οολτερέισσον] αλλαγή, μεταποίηση, αλλοίωση.
alternate (adj) [οολτερνέιτ] αναπληρωματικός, (v) εναλλάσσω.
alternative (n) [οολτέρνατιβ] εναλλακτική λύση, διέξοδος.

alternator (n) [όολτερνεϊτορ] εναλλακτήρας.
although (conj) [όολδοου] καίτοι, μολονότι.
altitude (n) [άλτιτιου-ντ] υψόμετρο.
altogether (adv) [όολτουγκέδα(ρ)] τελείως, εντελώς.
altruism (n) [άλτρουιζμ] ανιδιοτέλεια.
altruist (n) [άλτρουιστ] αλτρουιστής.
alum (n) [άλαμ] στύψη.
alumina (n) [αλιούμινα] αλουμίνα.
aluminium (n) [αλιουμίνιουμ] αλουμίνιο.
alveolate (adj) [αλβίιολεϊτ] κυψελωτός.
alveolus (n) [αλβίιολας] κυψελίδα.
alvine (adj) [αλβάιν] κοιλιακό.
always (adv) [όολγουέιζ] πάντοτε.
amain (adv) [αμέιν] βίαια.
amalgamate (v) [αμάλγκαμεϊτ] αναμειγνύω, συγχωνεύω.
amaranth (n) [άμαρανθ] αμάρανθος [βοτ].
amass (v) [αμάς] συσσωρεύω, συγκεντρώνω.
amateur (adj) [άματα(ρ)] ερασιτεχνικός (n) ερασιτέχνης.
amateurish (adj) [άματσσιαρισς] ερασιτεχνικός, αδέξιος.
amateurism (n) [άματσσιαριζμ] ερασιτεχνισμός.
amatory (adj) [άματορι] ερωτικός.
amaze (v) [αμέιζ] εκπλήσσω.
amazement (n) [αμέιζμεν-τ] έκπληξη, κατάπληξη, νταμπλάς.
amazon (n) [άμαζον] αμαζόνα.
ambassador (n) [αμ-μπάσαντα(ρ)] πρέσβυς, πρεσβευτής.
ambassadorial (adj) [αμ-μπασα-ντόριαλ] πρεσβευτικός.
amber (n) [άμ-μπα(ρ)] ήλεκτρο.
ambience (n) [άμ-μπιενς] περιβάλλον, ατμόσφαιρα, κλίμα.
ambiguity (n) [αμ-μπιγκιούιτι] διφορούμενο.
ambiguous (adj) [αμ-μπίγκιους] διφορούμενος, αμφίλογος.
ambit (n) [άμ-μπιτ] περιφέρεια, περίμετρος, έκταση, τομέας.
ambition (n) [αμ-μπίσσον] φιλοδοξία, στόχος, επιδίωξη.
ambitious (adj) [αμ-μπίσσιας] φιλόδοξος.
ambivalent (adj) [αμ-μπίβαλεντ] αμφίθυμος, αντιμαχόμενος.
ambrosia (n) [αμ-μπρόουζια] αμβροσία, γευστική απόλαυση.
ambry (n) [άμ-μπρι] σκευοφυλάκιο.
ambulance (n) [άμ-μπιαλανς] ασθενοφόρο.
ambulant (adj) [άμ-μπιαλαντ] κινούμενος, περιφερόμενος.

ambulatory (adj) [άμ-μπιουλλατορι] κινητός, όρθιος.
ambush (n) [άμ-μπουσς] ενέδρα, καρτέρι (v) ενεδρεύω.
Ameer (n) [αμίιρ] εμίρης.
ameliorate (v) [αμίιλιορεΐτ] βελτιώνω, καλυτερεύω.
amen (ex) [άαμεν] αμήν.
amenable (adj) [αμίινα-μπλ] υπάκουος, υπόλογος.
amenably (adv) [αμίινα-μπλι] υπεύθυνα, επιδεκτικά.
amend (v) [αμέν-ντ] βελτιώνω.
amendment (n) [αμέν-ντμεν-τ] επανόρθωση, διόρθωση.
amenity (n) [αμίινιτι] θελκτικότητα.
amentia (n) [αμένσσια] άνοια.
amercement (n) [αμέρσμεν-τ] χρηματική ποινή, πρόστιμο.
amiability (n) [έιμια-μπίλιτι] καλωσύνη αξιαγάπητος.
amid[st] (adv) [αμί-ντ[στ]] μεταξύ.
amiss (adv) [αμίς] στραβά.
amity (n) [άμιτι] φιλία.
ammeter (n) [άμιιτα] αμπερόμετρο.
ammo (n) [άμοου] πυρομαχικά.
ammonia (n) [αμόουνια] αμμωνία.
ammunition (n) [άμιουνίσσον] απολεμοφόδια, πυρομαχικά.
amnesia (n) [αμνίιζζια] αμνησία.
amnesty (n) [άμνεστι] αμνηστία (v) αμνηστεύω.
amoeba (n) [αμίι-μπα] αμοιβάδα.
amok (n) [αμόκ] αμόκ.
among (adv) [αμόνγκ] ανάμεσα.
amorist (n) [άμοριστ] ερωτιάρης.
amorphous (adj) [αμόρφας] άμορφος, ακαθόριστος.
amortize (n) [άμορτάιζ] εξοφλώ.
amount (n) [αμάουν-τ] ποσότητα.
amount to (v) [αμάουν-τ του] ισοδυναμώ.
ampere (n) [άμπα] αμπέρ.
amphibian (n) [αμφί-μπιαν] αμφίβιο.
amphitheatre (n) [αμφιθίατα] αμφιθέατρο.
amphora (n) [άμφαρα] αμφορέας.
ample (adj) [αμπλ] ευμεγέθης.
amplification (n) [α-μπλιφικέισσον] αύξηση, μεγένθυνση.
amplify (v) [άμπλιφαϊ] αυξάνω.
amplitude (n) [άμπλιτιου-ντ] μέγεθος, ευρύτητα, αφθονία.
amply (adv) [άμπλι] επαρκώς.
ampule (n) [άμπιουλ] αμπούλα.
amputate (v) [άμπιουτέιτ] ακρωτηριάζω [ιατρ].
amputation (n) [αμπιουτέισσον] αποκοπή, ακρωτηριασμός.

amulet (n) [άμιουλετ] φυλαχτό.
amuse (v) [αμιούζ] διασκεδάζω.
amusement (n) [αμιούζμεν-τ] διασκέδαση, ευθυμία.
amyl (n) [άμιλ] άμυλο.
amylaceous (adj) [αμιλέισσας] αμυλώδης, αμυλοειδής.
amylase (n) [άμιλεϊζ] αμυλάση.
an (article) [αν] μια, ένα.
ana (pr) [ανά] ανά.
anabatic (adj) [ανα-μπάτικ] αναβατικός.
anabiosis (n) [ανα-μπαϊόουσις] αναβίωση.
anabiotic (adj) [ανα-μπαϊότικ] αναβιωτικός (n) αναβιωτικό.
anabolism (n) [ανά-μπολιζμ] αναβολισμός.
anachronism (n) [ανάκρονιζμ] αναχρονισμός.
anadromous (adj) [ανά-ντρομας] ανάδρομος, αναδρομικός.
anaemia (n) [ανίιμια] αναιμία.
anaesthesia (n) [ανισθίιζια] αναισθησία, νάρκωση.
anaesthetic (n) [ανεσθέτικ] αναισθητικό (adj) αναισθητικός.
anaesthetist (n) [ανίισθετιστ] αναισθησιολόγος.
anagram (n) [άναγκραμ] αναγραμματισμός, ανάγραμμα.
analgesia (n) [ανανιτζζέζια] αναλγησία [ιατρ].
analgesic (adj) [ανανιτζζέζικ] αναλγητικός.
analogical (adj) [αναλόντζζαλ] αναλογικός.
analogize (v) [ανάλο-ντζζαϊζ] παραλληλίζω.
analogous (adj) [ανάλογκας] ανάλογος, παρόμοιος.
analogy (n) [ανάλο-ντζζι] αναλογία, αντιστοιχία.
analysis (n) [ανάλισις] ανάλυση.
analyst (n) [άναλιστ] αναλυτής.
analyze (v) [άναλαϊζ] αναλύω.
anamnesis (n) [αναμνίισις] ανάμνηση.
anamorphosis (n) [αναμόοφοουσις] αναμόρφωση [βοτ].
anamorphous (adj) [αναμόοφας] παραμορφωμένος.
anaplasty (n) [ανάπλαστι] ανάπλαση.
anarchy (n) [άνααακι] αναρχία.
anastomosis (n) [αναστομόουσις] αναστόμοση.
anatomical (n) [ανατόμικαλ] ανατομικός.
anatomize (n) [ανάτομαϊζ] ανατέμνω, αναλύω, ερευνώ.
anatomy (n) [ανάτομι] ανατομή, ανατομική, ανατομία.
ancestor (n) [άνσεστα(ρ)] πρόγονος.
ancestral (adj) [ανσέστραλ] πάτριος, προπατορικός.
ancestry (n) [άνσεστρι] καταγωγή.
anchor (n) [άνκα] άγκυρα (v) α-

γκυροβολώ.
anchorage (n) [άνκαριν-τζζ] α-γκυροβολία, αγκυροβόληση.
anchylosis (n) [ανκιλόουσις] α-γκύλωση [ιατρ], κλείδωση.
anchylotic (adj) [ανκιλότικ] α-γκυλωμένος, αγκυλωτός.
ancient (adj) [έινσσιεν-τ] αρχαί-ος, παλαιός [μνημείο].
ancillary (adj) [άνσιλαρι] υπο-τακτικός, επικουρικός.
and (conj) [αν-ντ] και, δε.
andiron (n) [άν-ντιαν] σιδερέ-νιο σκεύος, πυροστιά.
androgen (n) [άν-ντροντζζεν] ανδρογόνο.
androgynous (adj) [αν-ντρό-ντζινας] ανδρόγυνος [βοτ], ερ-μαφρόδιτος.
anecdote (n) [άνεκ-ντόουτ] α-νέκδοτο.
anemograph (n) [ανέμοου-γκρααφ] ανεμογράφος.
anemometer (n) [ανεμόμιτα(ρ)] ανεμόμετρο.
anent (pr) [ανέν-τ] περί.
aneurism (n) [άνιουριζμ] ανεύ-ρυσμα.
anew (adv) [ανιού] πάλι, ξανά.
anfractuous (adj) [ανφράκ-τσσας] ελικοειδής, σκολιός.
angary (n) [άνγκαρι] αγγαρεία.
angel (n) [έιν-ντζζελ] άγγελος.
angelica (n) [αν-ντζζέλικα] αγ-γέλικα, αγγελική [βοτ].
anger (n) [άνγκα(ρ)] αγανάκτη-ση, οργή (v) πειράζω, οργίζω.
angina (n) [αντζζάινα] αμυγδα-λίτιδα, κυνάγχη.
angle (n) [ανγκλ] άποψη.
angler (n) [άνγκλα(ρ)] ψαράς.
angry (adj) [άνγκρι] θυμωμέ-νος, εξωργισμένος, οργισμένος.
anguine (adj) [άνγκουιν] φειδί-σιος.
anguish (n) [άνγκουισς] σπα-ραγμός, χτικιό (v) βασανίζω.
angular (adj) [άνγκιουλα(ρ)] γωνιακός, γωνιώδης.
anhydrite (n) [ανχάι-ντραϊτ] α-νυδρίτης.
anil (n) [άνιλ] λουλάκι.
anile (adj) [άναϊλ] ξεμωραμένη.
aniline (n) [άνιλιν] ανιλίνη.
anima (n) [άνιμα] ψυχή.
animadversion (n) [ανιμα-ντβέρσσον] παρατήρηση.
animadvert (n) [ανιμα-ντβέρτ] επικρίνω, σχολιάζω δυσμενώς.
animal (adj) [άνιμαλ] ζωικός, σαρκικός (n) ζώο, κτήνος.
animalcule (n) [ανιμάλκιουλ] ζωύφιο, μικροοργανισμός.
animality (n) [ανιμάλιτι] ζωώ-δες.
animalize (v) [άνιμαλαϊζ] ζωο-ποιώ.
animate (v) [άνιμεϊτ] ζωογονώ, ζωντανεύω (adj) ζωντανός.
animated by (v) [άνιμεϊτι-ντ

μπάι] διαπνέομαι.
animosity (n) [ανιμόσιτι] εχθρότητα, εμπάθεια.
animus (n) [άνιμας] σκοπός, φρόνημα, κίνητρο, ελατήριο.
anion (n) [ανάιον] ανιόν [χημ].
anise (n) [άνις] άνηθο.
ankle (n) [ανκλ] αστράγαλος.
anklebone (n) [άνκλ-μπόουν] αστράγαλος, κότσι.
annalist (n) [άναλιστ] χρονογράφος.
annals (n) [άναλς] χρονικά.
annex (v) [ανέξ] επισυνάπτω, συνάπτω (n) [άνεξ] παράρτημα.
annexation (n) [ανεξέισσον] προσάρτηση, οικειοποίηση.
annihilate (v) [ανάι-ιλεϊτ] εξολοθρεύω, εκμηδενίζω.
annihilation (n) [αναϊιλέισσον] εκμηδένιση, εξολόθρευση.
anniversary (n) [ανιβέρσαρι] επέτειος, γενέθλια.
annotation (n) [ανατέισσον] υποσημείωση, σχολιασμός.
annotator (n) [ανατέιτορ] σχολιαστής.
announce (v) [ανάουνς] αναγγέλω, ανακοινώνω, κηρύσσω.
announcement (n) [ανάουνσμεν-τ] αγγελία, ανακοίνωση.
annoy (v) [ανόι] εκνευρίζω.
annoyance (n) [ανόιανς] ενόχληση, μπελάς, πείραγμα.
annoying (adj) [ανόιινγκ] ενοχλητικός, βαρετός.
annual (adj) [άνιουαλ] ετήσιος (n) επετηρίδα, ετήσια έκδοση.
annuity (n) [ανιούιτι] επίδομα.
annul (v) [ανάλ] καταργώ.
annulet (n) [ανιούλιτ] δακτυλιδάκι.
annulment (n) [ανάλμεν-τ] ακύρωση, κατάργηση.
annunciation (n) [ανανσιέισσον] Ευαγγελισμός [εκκλ].
anode (n) [άνοου-ντ] άνοδος.
anodic (adj) [ανόου-ντικ] ανοδικός.
anodize (v) [άνοου-νταϊζ] οξειδώ.
anodyne (adj) [άνοου-νταϊν] ανώδυνος, παυσίπονο.
anoesis (n) [ανοουίισις] άνοια.
anoint (v) [ανόιν-τ] χρίζω.
anomalous (adj) [ανόμαλας] ανώμαλος, αντικανονικός.
anomia (n) [ανόουμια] αμνησία.
anonymity (n) [ανονίμιτι] ανωνυμία.
anopheles (n) [ανόφιλιιζ] ανωφελής.
anorak (n) [άνορακ] αδιάβροχος επενδυτής με κουκούλα.
anorexia (n) [ανορέξια] ανορεξία.
anorthopia (n) [ανορθόουπια] στραβισμός [ιατρ].
another (pron) [ανάδα(ρ)] ακό-

μη ένας, έτερος, άλλος.
answer (n) [άανσα(ρ)] απάντηση, απόκριση (v) απαντώ.
answer back (v) [άανσα μπακ] αντιμιλώ.
answer for (v) [άανσα φοο] εγγυούμαι [μεταφ].
answerable (adj) [άανσερα-μπλ] υπεύθυνος, υπόλογος.
ant (n) [αν-τ] μυρμήγκι.
antagonism (n) [αν-τάγκονιζμ] ανταγωνισμός, αντιζηλία.
antagonist (n) [αν-τάγκονιστ] αντίπαλος, ανταγωνιστής.
antagonistic (adj) [αν-ταγκονίστικ] αντίξοος, δυσμενής.
antagonize (v) [αν-τάγκοναϊζ] αντιμετωπίζω, κοντράρω.
antarctic (adj) [αν-τάαρκτικ] ανταρκτικός.
antecede (v) [αν-τισίι-ντ] προηγούμαι.
antechamber (n) [άν-τετσσέιμμπα] προθάλαμος.
antediluvian (adj) [άν-τε-ντιλούβιαν] προκατακλυσμιαίος.
antelope (n) [άν-τιλοουπ] αντιλόπη.
antemeridian (adj) [αντιμερίντιαν] προμεσημβρινός.
antemetic (adj) [αντιμέτικ] αντιεμετικός.
antenna (n) [αν-τένα] αντένα.
antenuptial (adj) [αν-τινάπσσαλ] προγαμιαίος.
antepenult (n) [αντιπενάλτ] προπαραλήγουσα.
antepenultimate (adj) [αντιπενάλτιμιτ] προπροτελευταίος.
anterior (adj) [αν-τίρια(ρ)] προγενέστερος, προηγούμενος.
anteroom (n) [άν-τιρουμ] προθάλαμος, αίθουσα αναμονής.
anthem (n) [άνθεμ] ύμνος.
anthologize (v) [ανθόλοντζζαϊζ] ανθολογώ, απανθίζω.
anthology (n) [ανθόλοντζζι] ανθολογία, απάνθισμα.
anthracite (n) [άνθρασαϊτ] ανθρακίτης.
anthrax (n) [άνθραξ] άνθρακας.
anthropoid (n) [άνθροποϊ-ντ] ανθρωποειδές (adj) ανθρωποειδής.
anthropological (n) [ανθροπολόντζζικαλ] ανθρωπολογικός.
anthropology (n) [ανθροπόλοντζζι] ανθρωπολογία.
anthropophagous (adj) [ανθροπόφαγκας] ανθρωποφάγος.
anthroposophy (n) [ανθροπόσοφι] ανθρωποσοφία.
anti-dazzle (adj) [αν-τι-ντάζλ] αντιτυφλωτικός.
anti-semitic (adj) [αν-τι-σεμίτικ] αντισημιτικός.
antibiotic (n) [άν-τι-μπάιότικ] αντιβιοτικό.
antibody (n) [άν-τι-μπό-ντι] αντίσωμα.

antic (n) [άν-τικ] γελωτοποιός, παλιάτσος (adj) γελοίος.
antichrist (n) [άν-τικραϊστ] αντίχριστος.
anticipant (adj) [αν-τίσιπαν-τ] προσδοκών, προεξοφλών, αναμένων.
anticipate (v) [αν-τίσιπέιτ] ελπίζω, προσδοκώ, προεξοφλώ.
anticipation (n) [αν-τισιπέισσον] προσδοκία, αναμονή.
anticipatory (adj) [αν-τισιπέιτορι] προκαταβολικός.
anticlimax (n) [αν-τικλάιμακς] αντικλίμαξ, κατάπτωση.
anticoagulant (adj) [αν-τικοουάντζζιουλαν-τ] αντιθρομβωτικός (n) αντιπηκτικό.
antics (n) [άν-τικς] καμώματα.
anticyclone (n) [άν-τισάικλοουν] αντικυκλώνας.
antidote (n) [άν-τι-ντοουτ] αντίδοτο.
antifreeze (n) [άν-τιφρίιζ] αντιψυκτικό.
antigen (n) [άν-τιντζζεν] αντιγόνο.
antiglow (adj) [άν-τιγκλόου] αντιθαμπωτικός.
antihistamine (n) [αν-τιχίσταμιν] αντιισταμινικό.
antimony (n) [άν-τιμανι] αντιμόνιο.
antipathy (n) [αν-τίπαθι] αντιπάθεια, αντενέργεια.
antiphlogistic (adj) [αν-τιφλοουντζζίστικ] αντιφλογιστικός.
antiphonal (adj) [αν-τιφόναλ] αντιφωνικός (n) αντιφωνάριο.
antiphrasis (n) [αν-τίφρασις] αντίφραση.
antipodal (adj) [αν-τίπο-νταλ] εκ διαμέτρου αντίθετος.
antipyretic (adj) [άν-τιπαϊρέτικ] αντιπυρετικόν [φάρμακο].
antiquarian (adj) [αν-τικουέαριαν] αρχαιολογικός (n) αρχαιοπώλης, παλαιοπώλης.
antiquary (n) [άν-τικιουερι] αρχαιοσυλλέκτης.
antique (n) [αν-τίικ] αντίκα.
antiquity (n) [αν-τίικουιτι] αρχαιότητα, παλαιότητα.
antirabies (adj) [αν-τιρέι-μπιζ] αντιλυσσικός.
antiroyalist (adj) [αν-τιρόιαλιστ] αντιβασιλικός.
antiseismic (adj) [αν-τισάιζμικ] αντισεισμικός.
antiseptic (adj) [αν-τισέπτικ] αντισηπτικός.
antistatic (adj) [αν-τιστάτικ] αντιπαρασιτικός.
antitype (n) [άν-τιταϊπ] αντίτυπο, αντίστοιχος τύπος.
antonym (n) [άν-τονιμ] αντίθετο.
antrum (n) [άν-τραμ] άντρο.
anus (n) [έινας] πρωκτός, έδρα.
anvil (n) [άνβιλ] αμόνι.

anxiety (n) [ανξάιετι] ανησυχία, αγωνία, έγνοια, λαχτάρα, άγχος.
anxious (adj) [άνξιας] ανήσυχος, (v) δυσανασχετώ.
any (pron) (adj) [ένι] οποιοσδήποτε, κάθε, κανείς [με άρνηση].
any time (adv) [ένι τάιμ] οποτεδήποτε.
anybody (pron) [ένι-μπό-ντι] καθείς.
anyhow (adv) [ένιχάου] πάντως, πρόχειρα, όπως και να'χει.
anyone (pron) [ένιουάν] καθείς.
anything (pron) [ένιθινγκ] οτιδήποτε, ό,τι, τίποτε.
anyway (adv) [ένιγουέι] οπωσδήποτε, πάντα.
anywhere (adv) [ένιγουέα(ρ)] οπουδήποτε, πουθενά.
anywise (adv) [ένιγουαϊζ] με οποιοδήποτε τρόπο.
aorist (n) [έιοριστ] αόριστος.
aorta (n) [εϊόρτα] αορτή.
apace (adv) [απέις] γρήγορα, γοργά.
apart (adv) [απάατ] σε απόσταση, χωριστά (adj) μόνος.
apart from (adv) [απάατ φρομ] εκτός, χωριστά, χωρίς.
apartment (n) [απάατμεν-τ] δώμα, διαμέρισμα [οικία].
apathetic (adj) [απαθέτικ] απαθής, ψυχρός [μεταφ].
apathy (n) [άπαθι] ασυγκινησία, αδιαφορία, απάθεια.
ape (n) [έιπ] μαϊμού, πίθηκος (v) μαϊμουδίζω, πιθηκίζω.
apeak (adv) [απίικ] κάθετα.
apepsy (n) [απέπσι] απεψία.
apery (n) [έιπερι] πιθηκισμός.
aperient (adj) [απίιριεν-τ] υπακτικός (n) καθαρτικό.
aperitif (n) [απεριτίιφ] απεριτίφ.
aperitive (adj) [απέριτιβ] καθαρκτικός, υπακτικός.
aperture (n) [άπατσσα] οπή.
apex (n) [έιπεξ] κορυφή, άκρο.
aphasia (n) [αφέιζια] αφασία.
aphesis (n) [άφισις] αφαίρεση.
aphis (n) [έιφις]αφίς, μελίγκρα.
aphony (n) [άφονι] αφωνία.
aphorism (n) [άφοριζμ] αφορισμός, ορισμός, ρητό.
aphoristic (adj) [αφορίστικ] αφοριστικός, αποφθεγματικός.
aphrodisiac (adj) [αφρο-ντίζιακ] αφροδισιακός.
Aphrodite (n) [Άφρο-ντάιτι] Αφροδίτη.
aphtha (n) [άφθα] άφθα [ιατρ].
apiarist (n) [έιπιαριστ] μελισσουργός, μελισσοκόμος.
apiary (n) [έιπιαρι] μελισσουργείο, μελισσοκομείο.
apical (adj) [έιπικαλ] ακραίος.
apiculture (n) [έιπικάλτσσα] μελισσοκομία, μελισσουργία.
apiece (adv) [απίις] έκαστο, κα-

θένα, κατά τεμάχιο, το κομμάτι.
apish (n) [έιπισς] μιμητής.
Apocalypse (n) [Απόκαλιψ] αποκάλυψη [θρησκεία].
apocalyptic (adj) [αποκαλίπτικ] αποκαλυπτικός, ζοφερός.
apocope (n) [απόκοπι] αποκοπή.
apocryphal (adj) [απόκριφαλ] απόκρυφος.
apodictic (adj) [απο-ντίκτικ] αποδεδειγμένος.
apodosis (n) [από-ντοσις] απόδοση.
apolaustic (adj) [απαλαούστικ] απολαυστικός, φιλήδονος.
apologetic (adj) [απολοντζζέτικ] μετανοιωμένος.
apologetically (adv) [απολοντζζέτικλι] απολογητικά.
apologia (n) [απολόουντζζια] απολογία, συνηγορία.
apologist (n) [απόλοντζζιστ] απολογητής, υπερασπιστής.
apologize (v) [απόλοντζζάιζ] ζητώ συγγνώμη, απολογούμαι.
apology (n) [απόλοντζζι] συγγνώμη, απολογία, δικαιολογία.
apoplectic (adj) [αποπλέκτικ] αποπληκτικός (n) απόπληκτος.
apoplexy (n) [απόπλεξι] ταμπλάς.
apostle (n) [απόστλ] κήρυκας.
apostolate (n) [απόστολιτ] αποστολή.
apostrophe (n) [απόστροφι] αποστοφή, απόστροφος.
apothecary (n) [απόθικαρι] φαρμακοποιός.
apothegm (n) [άποθεμ] απόφθεγμα.
apotheosis (n) [αποθιόουσις] αποθέωση, θεοποίηση.
apotropaic (adj) [αποτροπέικ] αποτρόπαιος, αποτρεπτικός.
appal (v) [απόολ] εκφοβίζω.
apparatus (n) [απαρέιτας] συσκευή, μηχάνημα, εξοπλισμός.
apparel (n) [απάρελ] φορεσιά, κεντήματα (v) ντύνω, ενδύω.
apparent (adj) [απάρεν-τ] εμφανής, φαινομενικός.
apparition (n) [απαρίσσον] φάντασμα, εμφάνιση, οπτασία.
appeal (n) [απίιλ] έφεση, έκκληση, επίκληση (v) απευθύνομαι.
appeal court judge (n) [απίιλ κόοτ ντζζαντζζ] εφέτης.
appealing (adj) [απίιλινγκ] συγκινητικός, γοητευτικός.
appealingly (adv) [απίιλινγκλι] συγκινητικά, συμπαθητικά.
appear (v) [απία] εμφανίζομαι.
appearance (n) [απίερανς] εμφάνιση, όψη, μορφή.
appease (v) [απίιζ] ημερεύω.
appellation (n) [απελέισσον] όνομα, επωνυμία, ονομασία.
append (v) [απέν-ντ] προσαρ-

τώ, επισυνάπτω.
appendage (n) [απέν-ντιντζζ] παράρτημα, συμπλήρωμα.
appendicitis (n) [απέν-ντισάιτις] σκωληκοειδίτιδα [ιατρ].
appendix (n) [απέν-ντιξ] προσάρτημα, επίμετρο.
apperception (n) [απερσέπσσον] διαίσθηση, ενόραση.
appertain (v) [απερτέιν] ανήκω.
appetence (n) [άπιτενς] επιθυμία, πόθος, όρεξη, έλξη, ορμή.
appetite (n) [άπετάιτ] όρεξη.
appetizing (adj) [απετάιζινγκ] ορεκτικός, ελκυστικός.
applaud (v) [απλόο-ντ] επευφημώ, επιδοκιμάζω, χειροκροτώ.
apple (n) [απλ] μήλο.
appliance (n) [απλάιανς] εφαρμογή, μηχάνημα, όργανο, μέσο.
applicable (adj) [απλίκα-μπλ] εφαρμόσιμος, ισχύων.
applicant (n) [άπλικαν-τ] υποψήφιος, αιτών.
application (n) [απλικέισσον] εφαρμογή, επίθεση, αίτηση.
apply (v) [απλάι] επιθέτω, εφαρμόζω, προσαρμόζω.
apply for (v) [απλάι φοο(ρ)] γυρεύω, αιτούμαι, προσέρχομαι.
appoint (v) [απόιν-τ] εκλέγω, αναδείχνω, διορίζω, ονομάζω.
appointed (adj) [απόιν-τι-ντ] διωρισμένος, τακτός, ορισμένος.
appointment (n) [απόιν-τμέν-τ] συνάντηση, συνέντευξη.
apposition (n) [αποζίσσον] παράθεση, παράταξη.
appraisal (n) [απρέιζαλ] εκτίμηση, αξιολόγηση, αποτίμηση.
appraise (v) [απρέιζ] εκτιμώ.
appreciable (adj) [απρίισσιαμπλ] αξιόλογος, υπολογίσιμος.
appreciably (adj) [απρίισσιαμπλι] αρκετά, αξιόλογα.
appreciate (v) [απρίισσιεϊτ] εκτιμώ, υπολογίζω, αναγνωρίζω, νιώθω.
appreciation (n) [απριισσιέισσον] υπολογισμός, αξιολόγηση.
apprehend (v) [απριχέν-ντ] συλλαμβάνω, αρπάζω, αντιλαμβάνομαι, φοβούμαι.
apprehensive (adj) [απριχένσσιβ] ανήσυχος, φοβισμένος.
apprehension (n) [απριχένσσον] ανησυχία, φόβος.
apprentice (adj) [απρέν-τις] αρχάριος, μαθητευόμενος.
απρέν-τισσιπ] μαθητεία.
apprise (v) [απράιζ] πληροφορώ, λέγω, γνωστοποιώ.
apprize (v) [απράιζ] εκτιμώ.
approach (n) [απρόουτσς] μεθόδευση, πρόσβαση, (v) πλησιάζω, προσεγγίζω.
approachable (adj) [άπρόουτσσαμπλ] ευκολοπλησίαστος.
approbation (n) [απρο-μπέισσον] έγκριση, συγκατάθεση,

συμφωνία.
approbatory (adj) [απροουμπέιτοουρι] επιδοκιμαστικός.
appropriate (adj) [απρόουπριετ] κατάλληλος, αρμόζων (v) οικειοποιούμαι.
appropriately (adv) [απρόουπριετλι] κατάλληλα, ορθά.
appropriateness (n) [απρόουπριετνες] ορθότητα.
approval (n) [απρούβαλ] έγκριση, επιδοκιμασία.
approve (v) [απρούβ] εγκρίνω.
approved (adj) [απρούβ-ντ] αποδεδειγμένος, εγκεκριμένος.
approver (n) [απρούβα(ρ)] καταδότης.
approving (adj) [απρούβινγκ] επιδοκιμαστικός.
approximate (v) [απρόξιματ] προσεγγίζω, πλησιάζω.
approximately (adv) [απρόξιμετλι] κατά προσέγγιση περί.
approximation (n) [απρόξιμέισσον] προσέγγιση, εγγύτης, πλησίασμα.
appurtenance (n) [απέρτινανς] παράρτημα, αξεσουάρ.
appurtenant (adj) [απέρτιναν-τ] σχετικός, κατάλληλος.
apricot (n) [έιπρικότ] βερίκοκο.
April (n) [Έιπραλ] Απρίλης.
apron (n) [έιπρον] ποδιά.
apse (n) [απς] αψίδα, κόγχη.
apt (adj) [απτ] ταιριαστός, κατάλληλος, δεκτικός, έξυπνος.
aptitude (n) [άπτιτιου-ντ] προσόν,κλίση, ικανότητα, ευφυΐα.
aptness (n) [άπτνες] επικαιρότητα, καταλληλότητα, ορθότητα.
aquarelle (n) [άκουαρελ] υδατογραφία.
aquarium (n) [ακουέιριαμ] ενυδρείο.
aquatic (adj) [ακουάτικ] υδρόβιος.
aqueduct (n) [άκουε-ντάκτ] υδραγωγείο.
aquiline (adj) [άκουιλάιν] αετίσιος, γαμψός.
arable (adj) [άρα-μπλ] καλλιεργήσιμος.
arbatus bush (n) [άα-μπατας μπουσς] κουμαριά.
arbiter (n) [άαρ-μπιτα] κριτής, διαιτητής [ποδοσφαίρου].
arbitral (adj) [άα-μπιτραλ] διαιτητικός.
arbitrament (n) [άα-μπιτραμεν-τ] διαιτησία, κρίση.
arbitrary (adj) [άα-μπιτρερι] αυθόρμητος, παρορμητικός.
arbitrate (v) [άα-μπιτρεϊτ] διαιτητεύω, κρίνω, ρυθμίζω.
arbitrator (n) [άα-μπιτρεϊτα] διαιτητής, αιρετοκρίτης.
arbor (n) [άα-μπα] άξονας.
arboraceous (adj) [αα-μπορέισσας] δεντρόφυτος, δασώδης.
arboreal (adj) [αα-μπόριαλ] δε-

ντρικός, δένδρινος, δενδρόβιος.
arboreous (adj) [αα-μπόριας] δεντρόμορφος, δεντρώδης.
arborescent (adj) [αα-μπορέσεν-τ] δεντροειδής.
arboriculture (n) [αα-μπόρικάλτσσα(ρ)] δενδροκομία.
arbour (n) [άα-μπερ] κληματαριά, κρεβατίνα.
arc (n) [άακ] τόξο [γεωμ].
arcade (n) [αακέι-ντ] καμάρα.
arcadian (adj) [αακέι-ντιαν] ποιμενικός, απλοϊκός, ειδυλλιακός.
arcane (adj) [αακέιν] απόκρυφος, μυστικός, μυστηριώδης.
arcanum (n) [αακέιναμ] μυστήριο, μυστικό, ελιξήριο.
arch (n) [αατς] αψίδα, στοά.
arch-bishop (n) [άατσ-μπίσσοπ] δεσπότης, αρχιεπίσκοπος .
archaean (adj) [αακίιαν] αρχαϊκός.
archaic (adj) [άακέικ] αρχαϊκός.
archangel (n) [αακέιν-ντζζελ] αρχάγγελος, ταξιάρχης [εκκλ].
archdiocese (n) [αατσσ-ντάιοσις] αρχιεπισκοπή.
arched (adj) [αατσσ-ντ] καμαρωτός, αψιδωτός, τοξοειδής.
archeologist (n) [αακιόλοτζιστ] αρχαιολόγος.
archeology (n) [αακιόλοτζι] αρχαιολογία.
archer (n) [άατσσα(ρ)] τοξότης.
archetypal (adj) [άακετάιπαλ] αρχέτυπος.
archimandrite (n) [αακιμάντραιτ] αρχιμανδρίτης.
archipelago (n) [άακιπέλαγκο] αρχιπέλαγος.
architect (n) [άακιτεκτ] αρχιτέκτονας, δημιουργός, μηχανικός.
architecture (n) [άακιτέκτσσερ] αρχιτεκτονική.
architrave (n) [άακιτρεϊβ] κορνίζα.
archival (adj) [άακκάιβαλ] αρχειακός.
archives (n) [άακαϊβζ] αρχείο.
archivist (n) [άακιβιστ] αρχειοφύλακας.
archly (adv) [άατσσλι] τσαχπίνικα, ναζιάρικα, πειραχτικά.
archness (n) [άατσσνες] πονηριά, νάζι, κατεργαριά.
archon (n) [άακον] άρχων.
archway (n) [άατσσγουέι] στοά.
arctic (adj) [άακτικ] αρκτικός.
ardency (n) [άα-ντενσι] φλόγα, μανία.
ardent (adj) [άα-ντεν-τ] διακαής.
ardour (n) [άα-ντα] ζήλος.
arduous (adj) [άα-ντουας] επίπονος, κοπιώδης, επίμοχθος.
area (n) [έαρια] επιφάνεια, έκτασις, περιοχή, χώρος.
arena (n) [αρίινα] στοίβος.
arenacious (adj) [αρινέισσας] αμμώδης, αμμοειδής.

areolar (adj) [αρίιολαρ] διάκενος.
Areopagus (n) [αριόπαγκας] Άρειος Πάγος.
arete (n) [αρέιτ] ράχη.
argent (n) [άαντζζεν-τ] ασήμι.
argentiferous (adj) [ααντζζεντίφιρας] αργυρούχος.
argillaceous (adj) [ααντζζιλέισσας] αργιλώδης, αργιλικός.
argol (n) [άαγκολ] πουρί.
argonaut (n) [άαγκονοοτ] αργοναύτης [ζωολ], Αργοναύτης.
argue (v) [άαγκιου] μαλώνω.
argument (n) [άαγκιουμεν-τ] καβγάς.
argumentative (adj) [ααγκιουμεν-τέιτιβ] λογικός, μαχητικός.
argy-bargy (n) [άαντζζι-μπάαντζζι] λογομαχία, καυγάς.
arid (adj) [άρι-ντ] ξερός.
aridity (n) [αρί-ντιτι] ξηρασία.
ariel (n) [έαριελ] γαζέλα.
arise (v) [αράιζ] σηκώνομαι.
aristocracy (n) [αριστόκρασι] αριστοκρατία.
aristocrat (n) [αρίστοκρατ] αριστοκράτης.
arithmetic (n) [αριθμέτικ] αριθμητική.
ark (n) [άακ] κιβωτός.
arm (n) [άαμ] μπράτσο, όπλο, χέρι (v) εξοπλίζω, οπλίζω.
armament (n) [άαμαμεν-τ] στράτευμα, εξοπλισμός.
armature (n) [άαματσσα] οπλισμός, εξοπλισμός, πανοπλία.
armband (n) [άαμ-μπάν-ντ] περιβραχιόνιο.
armchair (n) [άαμτσσεα] πολυθρόνα.
armed (adj) [άαμ-ντ] ένοπλος.
armful (n) [άαμφουλ] αγκαλιά.
armhole (n) [ααμχόουλ] μασχάλη.
arming (n) [άαμινγκ] θωράκιση.
armistice (n) [άαμιστις] ανακωχή.
armless (adj) [άαμλες] κουλός.
armour (n) [άαμα] πανοπλία.
armoury (n) [άαμαρι] οπλοστάσιο.
armpit (n) [άαμπίτ] μασχάλη.
arms drill (n) [άαμζ ντριλ] αρματωσιά, πανοπλία, όπλα.
army (n) [άαμι] στρατός.
aroma (n) [αρόουμα] άρωμα.
aromatic (adj) [αροουμάτικ] αρωματικός.
around (adv) [αράουν-ντ] γύρω, (pr) προς, ως, κατά, διά.
arouse (v) [αράουζ] αφυπνίζω, διεγείρω, προκαλώ.
arraign (v) [αρέιν] κατηγορώ.
arrange (v) [αρέιν-ντζζ] διαθέτω, διατάσσω, παρασκευάζω, τακτοποιώ, ταξινομώ.
arrangement (n) [αρέινντζζμεν-τ] παράταξη, διάθεση.
arranging (n) [αρέιν-ντζζινγκ] οργάνωση.

arrant (adj) [άραν-τ] περιβόντος, διαβόντος, πλήρης, τέλειος, σκέτος.
array (n) [αρέι] στολή, εξοπλισμός (v) συγκροτώ, συντάσσω.
arrears (n) [αρίαζ] καθυστερούμενα.
arrest (n) [αρέστ] παύση, σύλληψη (v) αναστέλλω, εμποδίζω.
arresting (adj) [αρέστινγκ] ελκυστικός, ζωηρός.
arrhythmia (n) [αρίθμια] αρρυθμία.
arriswise (adv) [άρισγουαϊζ] διαγώνια.
arrival (n) [αράιβαλ] άφιξη.
arrive (v) [αράιβ] αφικνούμαι.
arriviste (n) [αριβίιστ] φιλόδοξος.
arrogant (adj) [άρογκαν-τ] αλαζονικός, υπεροπτικός.
arrogate (v) [άρογκεϊτ] διεκδικώ.
arrogation (n) [αρογκέισσον] σφετερισμός, διεκδίκηση άδικη.
arrow (n) [άροου] σαΐτα , βέλος.
arse (n) [άας] κώλος, πισινός.
arsenal (n) [άασεναλ] οπλοστάσιο.
arsenic (n) [άασενικ] αρσενικό.
arson (n) [άασον] εμπρησμός.
arsonist (adj) [άασονιστ] εμπρηστής.
art (n) [άατ] τέχνη, καλλιτεχνία.
arterial (adj) [αατίιριαλ] αρτηριακός.
arteriosclerosis (n) [αρτιριοουσκλιρόουσις] αρτηριοσκλήρωση.
artful (adj) [άατφουλ] έξυπνος.
artfully (adv) [άατφουλι] δόλια.
artfulness (n) [άατφουλνες] εξυπνάδα, πονηριά, δολιότητα.
arthritis (n) [ααθράιτις] αρθρίτιδα.
artichoke (n) [άατιτσόουκ] αγκινάρα.
article (n) [άατικλ] άρθρο.
articulate (adj) [ααtίκιουλετ] έναρθρος, αρθρωτός (v) [αρτίκιουλέιτ] αρθρώνω, προφέρω.
articulation (n) [ααtικιουλέισσον] άρθρωση, σύνδεση.
artifice (n) [άατιφίς] επινόηση.
artificer (n) [αατίφισερ] τεχνίτης.
artificial (adj) [ααtιφίσσιαλ] πλαστός, συνθετικός, τεχνητός.
artilleryman (n) [αατίλεριμαν] πυροβολητής.
artily (adv) [άατιλι] ψευτοκαλλιτεχνικά.
artiness (n) [άατινις] ψευδοκαλλιτεχνισμός.
artisan (n) [άατιζαν] τεχνίτης.
artist (n) [άατιστ] καλλιτέχνης.
artistry (n) [άατιστρι] τέχνη.
artless (adj) [άατλες] άτεχνος.
artlessness (n) [άατλεσνες] φυσικότητα.

arty (adj) [άατι] καλλιτεχνίζων.
arty bloke (n) [άατι μπλόουκ] κουλτουριάρης.
Aryan (n) [Έαριαν] Άριος.
as (adv) [αζ] καθόσο (conj) καθώς, επειδή (adv) όπως, όσο.
asbestos (n) [αζ-μπέστος] αμίαντος.
ascend (v) [ασέν-τ] αναρριχώμαι.
ascendant (n) [ασέν-ταν-τ] υπέρτερος, κυρίαρχος, άνοδος.
ascensional (n) [ασένσσοναλ] ανηφορικός, ανοδικός.
ascent (n) [ασέν-τ] ανήφορος.
ascertain (v) [ασατέιν] διαπιστώνω.
ascertainment (n) [ασατέινμεν-τ] διαπίστωση, εξακρίβωση.
ascetic (n) [ασέτικ] ασκητής (adj) ασκητικός, μοναστικός.
asceticism (n) [ασέτισισμ] ασκητεία, αυτοέλεγχος.
ascribable (adj) [ασκράι-μπαμπλ] αποδοτέος, αποδιδόμενος.
ascribe (v) [ασκράι-μπ] αποδίδω, προσάπτω, καταλογίζω.
ascription (n) [ασκρίπσσον] απόδοση, επίρριψη.
asepsis (n) [εϊσέπσις] ασηψία.
aseptic (adj) [εϊσέπτικ] άσηπτος.
ash (n) [ασς] στάχτη.
ash-tree (n) [ασς τρίι] μελιά.
ashamed (adj) [ασσέιμ-ντ] ντροπιασμένος.
ashen (adj) [άσσεν] χλωμός.
ashes (n) [άσσιζ] στάχτη, τέφρα.
ashore (adv) [ασσόο(ρ)] στην ξηρά.
ashtray (n) [άσστρεϊ] τασάκι.
ashy (adj) [άσσι] τεφρώδης.
Asia (n) [Έιζζια] Ασία.
Asian (n) [Έιζζιαν] Ασιάτης.
aside (adv) [ασάι-ντ] πλάι.
asinine (adj) [ασινάιν] γαϊδουρινός, ηλίθιος, βλακώδης.
ask (v) [αασκ] αποτείνομαι.
askew (adv) [ασκιού] πλάγια, επικλινώς (adj) πλάγιος.
aslant (adj) [ασλάαν-ατ] γερτός.
asleep (adj) [ασλίιπ] αποκοιμισμένος.
aslope (adv) [ασλόουπ] πλάγια.
asocial (adj) [εϊσοούσσιαλ] απροσάρμοστος [κοινωνικά].
asp (n) [ασπ] αστρίτης.
asparagus (n) [ασπάρανγκας] σπαράγκι [βοτ].
aspect (n) [άσπεκτ] προσανατολισμός, θέα, άποψη, μορφή.
aspen (n) [άσπεν] λεύκα [βοτ].
asperge (v) [ασπέρντζζ] αγιάζω.
asperges (n) [ασπέρντζζιζ] αγιασμός, ράντισμα, ραντισμός.
aspergillum (n) [ασπερντζζίλαμ] ραντιστήρι αγιασμού.
aspertion (n) [ασπέρσσον] συκοφαντία, ράντισμα με αγιασμό.
asphalt (n) [άσφαλτ] άσφαλτος.

asphyxia (n) [ασφίξια] ασφυξία.
asphyxiate (v) [ασφίξιεϊτ] πνίγω, ασφυκτιώ, πνίγομαι.
aspic (n) [άσπικ] πηκτή.
aspirant (adj) [άσπιραν-τ] φιλόδοξος, (n) υποψήφιος.
aspirate (adj) [άσπιριτ] δασύς [φθόγγος] (n) δασεία.
aspirate (v) [άσπιρέιτ] αναρροφώ [ιατρ], αντλώ.
aspirator (n) [άσπιρεϊτα(ρ)] αναρροφητήρας.
aspiration (n) [ασπιρέισσον] επιθυμία, φιλοδοξία, εισπνοή.
aspire to (v) [ασπάια του] φιλοδοξώ.
aspirin (n) [άσπιριν] ασπιρίνη.
aspiring (adj) [ασπάιρινγκ] υψούμενος, ανερχόμενος.
ass (n) [ας] γάιδαρος, γαϊδούρι.
assail (v) [ασέιλ] επιτίθεμαι, προσβάλλω, βομβαρδίζω.
assailant (n) [ασέιλαν-τ] επικριτής.
assassin (n) [ασάσιν] δολοφόνος.
assault (v) [ασόολτ] προσβάλλω, επιτίθεμαι (n) βιαιοπραγία.
assay (n) [ασέι] ανάλυση.
assemblage (n) [ασέμ-μπλαντζζ] συνέλευση, πλήθος.
assemble (v) [ασέμ-μπλ] συγκεντρώνω, μοντάρω, συνέρχομαι.
assembly (n) [ασέμ-μπλι] ομήγυρη, συνέλευση.
assent (n) [ασέν-τ] συγκατάθεση (v) συγκατατίθεμαι.
assentient (adj) [ασένσσεν-τ] συναινετικός.
assert (v) [ασέρτ] διαβεβαιώνω, ισχυρίζομαι.
assert oneself (v) [ασέρτ ουάνσέλφ] επιβάλλομαι.
assertion (n) [ασέρσσον] ισχυρισμός, βεβαίωση, διεκδίκιση.
assertive (adj) [ασέρτιβ] κατηγορηματικός, δογματικός.
assess (v) [ασές] αποτιμώ, εκτιμώ, υπολογίζω, δασμολογώ.
assessment (n) [ασέςμεν-τ] προσδιορισμός, καθορισμός.
assessor (n) [ασέσα(ρ)] εκτιμητής, πραγματογνώμονας.
asset (n) [άσετ] περιουσιακό στοιχείο, προσόν, απόκτημα.
asseverate (v) [ασέβερεϊτ] διαβεβαιώ, βεβαιώνω, διακηρύσσω.
asseveration (n) [ασεβερέισσον] διαβεβαίωση, διακήρυξη.
assiduity (n) [ασι-ντούιτι] προσήλωση, φιλεργία, επιμέλεια.
assiduous (adj) [ασί-ντουας] άοκνος, φιλόπονος, επιμελής.
assign (v) [ασάιν] παραχωρώ.
assignation (n) [ασιγκνέισσον] ραντεβού, κατανομή, απόδοση.
assignee (n) [ασάινίι] πληρεξούσιος.
assignment (n) [ασάινμεν-τ] πα-

ραχώρηση.
assignor (n) [ασάινορ] εντολέας.
assimilable (adj) [ασίμιλα-μπλ] αφομοιώσιμος.
assimilate (v) [ασίμιλέιτ] εξομοιώνω.
assimilation (n) [ασίμιλέισσον] αφομοίωση, εξομοίωση.
assist (v) [ασίστ] βοηθώ.
assistance (n) [ασίστανς] ενίσχυση, εξυπηρέτηση, βοήθεια.
assize (n) [ασάιζ] κακουργιοδικείο.
associate (n) [ασόουσσιετ] συνέταιρος, εταίρος.
associate with (v) [ασόουσσιεϊτ ουίθ] συναναστρέφομαι.
association (n) [ασοουσιέισσον] κοινωνία, σύλλογος, σωματείο.
assort (n) [ασόοτ] ταξινομώ, συνδυάζω, συμβιβάζω.
assortment (n) [ασόοτμεν-τ] συλλογή, ποικιλία, κατάταξη.
assuage (v) [άσουέιντζζ] καταπραΰνω, μαλακώνω.
assume (v) [ασιούμ] υποθέτω.
assumed (adj) [ασιούμ-ντ] προσποιητός, πλαστός, ψευδής.
assumptive (n) [ασσάμ-πτιβ] υποθετικός, απαιτητικός.
assurance (n) [ασσούρανς] διαβεβαίωση, εγγύηση, πεποίθηση.
assure (v) [ασσούα] εγγυώμαι.
astatic (adj) [αστάτικ] αστατικός.
asterisk (n) [άστερισκ] αστερίσκος.
asthenia (n) [ασθινάια] ασθενία.
asthma (n) [άσ(θ)μα] άσθμα.
astigmatism (n) [αστίγκματίζμ] αστιγματισμός, αστιγμία.
astir (adv) [αστέρ] στο πόδι.
astonish (v) [αστόνισς] εκπλήσσω.
astonishing (adj) [αστόνισσινγκ] εκπληκτικός, θαυμαστός.
astonishment (n) [αστόνισσμεντ] έκπληξη, κατάπληξη.
astounded (adj) [άστάουν-ντιντ] έκθαμβος.
astral (adj) [άστραλ] αστρικός.
astragalus (n) [αστράνγκαλας] αστράγαλος.
astride (adv) [αστράι-ντ] δρασκελιστά.
astringent (adj) [αστρίν-ντζζεντ] αιμοστατικός, στρυφνός.
astrologer (n) [αστρόλοντζζα(ρ)] αστρολόγος.
astrology (n) [αστρόλοντζζι] αστρολογία.
astronaut (n) [άστρονοοτ] αστροναύτης.
astronomer (n) [αστρόνομα(ρ)] αστρονόμος.
astronomy (n) [αστρόνομι] αστρονομία.
astrophysics (n) [αστροουφίζικς] αστροφυσική.
astute (adj) [αστιούτ] έξυπνος,

οξυδερκής, πονηρός.
astuteness (n) [αστιούτνες] εξυπνάδα, πονηριά.
asunder (adv) [ασάν-ντα(ρ)] χωριστά, σε κομμάτια.
asylum (n) [ασάιλαμ] ασυλία.
asymmetric(al) (adj) [εϊσιμέτρικ(λ)] ασύμμετρος.
asymmetry (n) [εϊσίμετρι] ασυμμετρία.
at (pr) [ατ] επάνω, πάνω, προς, εις, σε, παρά, κατά.
at a distance (adv) [ατ α ντίστανς] μακριά, ξέμακρα.
ataraxy (n) [άταρακσι] αταραξία.
atavism (n) [άταβισμ] ομοιότητα.
atheism (n) [έιθεϊζμ] αθεϊσμός.
atheist (n) [έιθεϊστ] άθεος.
Athenaeum (n) [αθίινιαμ] Αθήναιο.
Athenian (adj) [Αθίνιαν] αθηναϊκός (n) Αθηναίος.
Athens (n) [Άθενζ] Αθήνα.
athermic (adj) [αθέρμικ] άθερμος.
athirst (adj) [αθέρστ] διψασμένος.
athlete (n) [άθλιτ] αθλητής.
athletic (adj) [αθλέτικ] αθλητικός.
athleticism (n) [αθλέτισιζμ] αθλητισμός.
athletics (n) [αθλέτικς] άθληση.
athwart (adv) [αθγουόοτ] δια μέσου, εγκάρσια (pr) δια.
Atlantean (adj) [ατλάν-τιαν] Ατλάντειος.
atlas (n) [άτλας] άτλας.
atmolisis (n) [ατμόλισις] ατμόλυση.
atmometer (n) [ατμόμιτα(ρ)] ατμόμετρο, ατμιδόμετρο.
atmosphere (n) [άτμοσφία(ρ)] ατμόσφαιρα, ατμοσφαίρα.
atmospheric (adj) [ατμοσφέρικ] ατμοσφαιρικός.
atom (n) [άτομ] άτομο.
atomic (adj) [ατόμικ] ατομικός.
atone (v) [ατόουν] εξιλεώνομαι.
atonement (n) [ατόουνμεν-τ] εξιλέωση, επανόρθωση.
atonic (adj) [ατόνικ] άτονος.
atop (pr) [ατόπ] επί (adv) στην κορυφή.
atrabilious (adj) [ατρα-μπίλιας] μελαγχολικός, υποχονδριακός.
atrocious (adj) [ατρόουσσιας] άγριος, απάνθρωπος.
atrocity (n) [ατρόσιτι] ωμότητα.
atrophic (adj) [ατρόφικ] ατροφικός.
atrophy (n) [άτροφι] ατροφία (v) ατροφώ.
atropine (n) [άτροπαϊν] ατροπίνη.
attach (v) [ατάτσ] συνδέω, συνοδεύω, προσκολλώ, κατάσχω.
attach to (v) [ατάτσς του] κολ-

λώ [σε κάποιον].
attaché (n) [ατασσέι] ακόλουθος [στρατ].
attached (adj) [ατάτσσ-τ] συνημμένος, αφοσιωμένος.
attached to (adj) [ατάτσσ-τ του] προσηλωμένος.
attaching (n) [ατάτσσινγκ] προσκόλληση.
attachment (n) [ατάτσσμεν-τ] σύνδεση, δεσμός, αφοσίωση.
attack (n) [ατάκ] επίθεση, προσβολή, (v) επιτίθεμαι.
attain (v) [ατέιν] επιτυγχάνω, κατορθώνω, πετυχαίνω.
attainable (adj) [ατέινα-μπλ] πραγματοποιήσιμος.
attainment (n) [ατέινμεν-τ] επίτευξη, πραγματοποίηση.
attaint (v) [ατέιν-τ] καταδικάζω σε στέρηση πολιτικών δικαιωμάτων, διαφθείρω, κηλιδώνω.
attar (n) [άταα(ρ)] έλαιο.
attemper (v) [ατέμ-πα(ρ)] αμβλύνω, απαλύνω, καταπραΰνω.
attempt (n) [ατέμ-π-τ] επιχείρημα, προσπάθεια (v) επιχειρώ.
attend (v) [ατέν-ντ] προσέχω, φροντίζω, περιθάλπω, παρίσταμαι.
attendance (n) [ατέν-ντανς] φροντίδα, παρουσία.
attendant (adj) [ατέν-νταν-τ] συνοδός (n) υπάλληλος.
attention (n) [ατένσσον] προσήλωση, επιμέλεια, προσοχή.
attentive (adj) [ατέν-τιβ] προσεκτικός, προσηλωμένος.
attenuate (adj) [ατένιουεϊτ] ισχνός, αραιωμένος (v) λεπτύνω.
attenuation (n) [ατενιουέισσον] εξασθένηση, αραίωση, μείωση.
attest (v) [ατέστ] επιβεβαιώ, πιστοποιώ, εγγυώμαι, βεβαιώνω.
attestation (n) [ατεστέισσον] επικύρωση, μαρτυρία, κατάθεση.
attic (n) [άτικ] σοφίτα, πατάρι.
Attica (n) [Άτικα] Αττική.
attire (n) [ατάια] περιβολή.
attitude (n) [άτιτιου-ντ] συμπεριφορά, διάθεση, στάση.
attorney (n) [ατέρνι] πληρεξούσιος.
Attorney General (n) [Ατέρνι ντζζένεραλ] Γενικός Εισαγγελέας.
attract (v) [ατράκτ] ελκύω, μαγεύω, γοητεύω, τραβώ.
attraction (n) [ατράκσσον] έλξη.
attractive (adj) [ατράκτιβ] ελκυστικός, μαγνητικός, νόστιμος.
attractiveness (n) [ατράκτιβνες] γοητεία, ελκυστικότητα.
attribute (v) [ατρί-μπιουτ] αποδίδω, καταλογίζω (n) [άτρι-μπιουτ] επιθετικός προσδιορισμός [γραμ], ιδιότης, χαρακτηριστικό [γνώρισμα], κατηγορούμενο.
attribution (n) [ατρι-μπιούσσον] απόδοση, αρμοδιότητα.
attributive (adj) [ατρί-μπιουτιβ]

επιθετικός (n) ιδιότητα.
attrition (n) [ατρίσσον] τριβή, φθορά [στρατ], συντριβή.
attune (v) [ατιούν] τονίζω, κουρδίζω, εναρμονίζω.
atypical (adj) [εϊτίπικλ] άτυπος.
aubergine (n) [όου-μπαντζζιιν] μελιτζάνα.
auburn (adj) [όου-μπερν] ερυθροκάστανος, πυρόξανθος.
auction (n) [όκσσον] δημοπρασία, πλειστηριασμός.
auctioneer (n) [οκσσονία(ρ)] εκπλειστηριαστής, δημοπράτης.
auctorial (adj) [οκτόριαλ] συγγραφικός.
audacious (adj) [οο-ντέισσιας] τολμηρός, παράτολμος.
audacity (n) [οο-ντάσιτι] αποθράσυνση, θράσος, αυθάδεια.
audibility (n) [οο-ντι-μπίλιτι] ακουστικότητα, ακουστότητα.
audible (adj) [όο-ντι-μπλ] ακουστός.
audience (n) [όο-ντιενς] ακροαματική διαδικασία, ακροατήριο.
audio-visual (adj) [οο-ντιοουβίζουαλ] οπτικο-ακουστικός.
audit (n) [όο-ντιτ] λογιστικός έλεγχος, περιοδικός έλεγχος.
auditing (n) [όο-ντιτινγκ] έλεγχος [λογαριασμού].
audition (n) [οο-ντίσσον] ακοή.
auditive (adj) [όο-ντιτιβ] ακουστικός.
auditor (n) [όο-ντιτα(ρ)] μαθητής, ελεγκτής λογαριασμών.
auditorium (n) [οο-ντιτόριουμ] αίθουσα θεάτρου, ακροατήριο.
auditory (adj) [όο-ντιτρι] ακουστικός.
augean (adj) [οοντζζίιαν] βρωμερός.
auger (n) [όογκα(ρ)] τρύπανο.
aught (n) [όοτ/άουτ] ό,τιδήποτε, τίποτε (adv) καθόλου.
augment (n) [όογκμεν-τ] αύξηση (v) αυξάνω, μεγαλώνω.
augmentation (n) [οογκμε-ντέισσον] αύξηση, μεγέθυνση,
augur (n) [όογκα(ρ)] οιωνοσκόπος, μάντις (v) προλέγω.
August (n) [Όογκαστ] Αύγουστος.
august (adj) [οογκάστ] σεβαστό.
aunt (n) [άαν-τ] θεία.
auntie (n) [άαν-τι] θεία, θείτσα.
aura (n) [όορα] πνοή, αύρα [ιατρ].
aural (adj) [όοραλ]ακουστικός.
aureola (n) [οορίολα] φωτοστέφανος, ηλιακό στέμμα [αστρον].
aurist (n) [όοριστ] ωτολόγος.
auspice (n) [όοσπις] αιγίδα.
auspicious (adj) [οοσπίσσιας] αίσιος, ευοίωνος, ευνοϊκός.
austere (adj) [οοστία(ρ)] αυστηρός, στυγνός, σοβαρός.
austerity (n) [οοστέριτι] αυστηρότητα, σοβαρότητα, λιτότητα.

authentic (adj) [οοθέν-τικ] αυθεντικός, γνήσιος, αξιόπιστο.
authenticate (v) [οοθέν-τικεϊτ] επικυρώνω, επισημοποιώ.
authenticity (n) [όοθεν-τίσιτι] αυθεντία, εγκυρότητα.
author (n) [όοθα(ρ)] συντάκτης.
authoritarian (adj) [όοθοριτάριαν] τυραννικός.
authoritarianism (adj) [οθοριτάριανιζμ] αυταρχισμός.
authoritative (adj) [οοθοριτέιτιβ] αυταρχικός, επιτακτικός.
authority (n) [οοθόριτι] αρχή [διοικ], αυθεντία, εξουσία, μαέστρος.
authorization (n) [οοθοραϊζέισσον] εξουσιοδότηση, εντολή.
authorship (n) [όοθορσσιπ] συγγραφή, πατρότητα.
autism (n) [όοτιζμ] αυτισμός.
autobiography (n) [όοτο-μπαϊόγκραφι] αυτοβιογραφία.
autocar (n) [όοτοκα(ρ)] αυτοκίνητο.
autocephalos (adj) [οοτοσέφαλας] αυτοκέφαλος [εκκλ].
autochthonic (adj) [οοτοκθόνικ] αυτόχθων.
autocracy (n) [οοτόκρασι] απολυταρχία, αυταρχικότητα.
autocrat (n) [όοτοκρατ] αυτοκράτορας, δικτάτορας.
autocratic (adj) [οοτοκράτικ] αυταρχικός, απολυταρχικός.
autogenesis (n) [οοτοντζζένεσις] αυτογονία, αυτογένεση.
autogenic (adj) [οοτοντζζένικ] αυτογενής.
autograph (n) [όοτογκραφ] αυτόγραφο.
autogravure (n) [οοτογραβουα(ρ)] αυτοχάραξη.
autolysis (n) [οοτοουλάισις] αυτόλυση, αυτολυσία.
automated (adj) [οοτομέιτι-ντ] αυτοματοποιημένος.
automatic (adj) [οοτομάτικ] αυτόματος (n) αυτόματο.
automation (n) [οοτομέισσον] αυτοματισμός.
automobile (n) [οοτομο-μπίιλ] αυτοκίνητο.
autonomist (n) [οοτόνομιστ] αυτονομιστής.
autonomous (adj) [οοτόνομας] αυτόνομος.
autonomy (n) [οοτόνομι] αυτονομία.
autopsy (n) [όοτοψι] αυτοψία.
autotrophic (adj) [οοτοτρόφικ] αυτότροφος, αυτοτροφικός.
autotype (n) [όοτοταϊπ] πανομοιότυπο, ακριβές αντίγραφο.
autumn (adj) [όοταμ] φθινοπωριάτικος (n) φθινόπωρο.
auxiliary (adj) [οονγκζίλιαρι] επικουρικός, βοηθητικός.
avail oneself (v) [αβέιλ ουάν-

σέλφ] επωφελούμαι.
availability (n) [αβεϊλα-μπίλιτι] διαθεσιμότητα.
available (adj) [αβέιλα-μπλ] διαθέσιμος, προσιτός, εύκαιρος.
avalanche (n) [άβαλααντς] χιονοστιβάδα, κατολίσθηση.
avarice (n) [άβαρις] γυφτιά, φιλαργυρία, τσιγγουνιά.
avaricious (adj) [αβαρίσσιας] φιλάργυρος, λαίμαργος.
avenge (v) [αβέν-ντζζ] εκδικούμαι.
avenger (n) [αβέν-ντζζα(ρ)] εκδικητής.
avenue (n) [άβενιου] λεωφόρος.
aver (v) [αβά(ρ)] βεβαιώ, ισχυρίζομαι, διατείνομαι.
average (adj) [άβεριντζζ] μέσος [όρος], μέτριος, συνήθης.
averse (adj) [αβέρς] αντίθετος, ενάντιος, αποστρεφόμενος.
aversion (n) [αβέρζζιον] αντιπάθεια, απέχθεια, αποστροφή.
avert (v) [αβέρτ] αποστρέφω, απομακρύνω, αποτρέπω.
avertable (adj) [αβέρτα-μπλ] αποτρέψιμος, φευκτός.
aviary (n) [έιβιερι] πτηνοτροφείο.
aviate (v) [ειβιεϊτ] ίπταμαι.
aviation (n) [εϊβιέισσον] αεροπλοΐα.
aviator (n) [εϊβιέιτα(ρ)] πιλότος.
aviculture (n) [εϊβικάλτσσα(ρ)] πτηνοτροφία.
avid (adj) [άβι-ντ] διακαής.
avidity (n) [αβί-ντιτι] πλεονεξία.
avoid (v) [αβόι-ντ] αποφεύγω.
avoidance (n) [αβόι-ντανς] αποφυγή, διαφυγή.
avow (v) [αβάου] δηλώ, πρεσβεύω, ομολογώ, παραδέχομαι.
avowal (n) [αβάουαλ] ομολογία.
avulsion (n) [αβάλσσον] απόσπαση.
avuncular (adj) [αβάνκιουλα(ρ)] καλόκαρδος.
await (v) [αουέιτ] αναμένω.
awake (adj) [αουέικ] άυπνος.
awakening (n) [αουέικενινγκ] αφύπνιση, έγερση [από ύπνο].
award (n) [αουόο-ντ] αποζημίωση, απονομή, επιδίκαση (v) κατακυρώνω, βραβεύω.
aware (adj) [αουέα(ρ)] ενήμερος, πληροφορημένος.
away (adv) [αουέι] μακριά.
awe (n) [όο] φόβος, δέος.
awful (adj) [όοφουλ] τρομακτικός.
awkward (adj) [όοκουα-ντ] αδέξιος, ατζαμής, ακατάλληλος.
awl (n) [οολ] τρυπητήρι.
awn (n) [όον] αιθέρας, άγανο.
awning (n) [όονινγκ] τέντα.
awry (adj) [αράι] στραβός.

axe (n) [αξ] μπαλτάς, πελέκι, τσεκούρι (v) πελεκώ, απολύω .
axial (adj) [άξιαλ] αξονικός.
axilla (n) [αξίλα] μασχάλη.
axiom (n) [άξιομ] αξίωμα.
axis (n) [άξις] άξονας.
axle (n) [αξλ] άξονας [οπτικά].
azalea (n) [αζέιλια] αζαλέα.
azimuth (n) [άζιμαθ] αζιμούθιο.
azoic (adj) [αζόικ] αζωικός.
azote (n) [αζόουτ] άζωτο.
Aztec (n) [άζτεκ] Ατζέκος.
azure (adj) [αζιούρ] κυανός.
azurine (adj) [άζιουριν] υποκύανος.
azyme (n) [άζαϊμ] άζυμο.

B

B, b (n) [μπι] το δεύτερο γράμμα του αγγλικού αλφαβήτου.
babble (n) [μπα-μπλ] φλυαρία, πολυλογία (v) μουρμουρίζω.
babbler (n) [μπά-μπλα(ρ)] λογάς.
babe (n) [μπέι-μπ] βρέφος, μωρό, νήπιο, αφελής, αθώος.
Babel (n) [Μπέι-μπλ] Βαβέλ, πανδαιμόνιο.
babouche (n) [μπά-μπουσς] παντόφλα, πασουμάκι.
baby (n) [μπέι-μπι] μπέμπης, μωρό, βρέφος (adj) βρεφικός.
baby-farmer (n) [μπέι-μπιφάαρμερ] βρεφοτρόφος.
baby-sit (v) [μπέι-μπισιτ] φυλάω νήπιο.
baby-sitter (n) [μπέιμπισίτα(ρ)] φύλακας νηπίων.
babyish (n) [μπέι-μπι-ισς] παιδαριώδης, νηπιώδης.
baby's bid (n) [μπέι-μπιζ μπιντ] σαλιάρα.
bacchant (n) [μπάκαντ] βακχευτής, μέθυσος, οργιαστής.
bacchic (adj) [μπάκικ] βακχικός.
baccy (n) [μπάκι] καπνός.
bachelor (n) [μπάτσσελα(ρ)] άγαμος, εργένης.
bachelorhood (n) [μπάτσσελαχου-ντ] αγαμία.
bacillary (adj) [μπασίλαρι] βακτηριακός.
bacilliform (adj) [μπασίλιφοομ] βακιλόμορφος, βακιλοειδής.
back (adv) [μπακ] ξοπίσω, πίσω, (n) νώτα, φόντο, πλάτη,(v) ποντάρω, υποστηρίζω.
back out (v) [μπακ άουτ] υποχωρώ.
back street (n) [μπακ στριτ] στενωπός.
back up (v) [μπακ απ] υποβοηθώ, ενισχύω, υποστηρίζω.
backchat (n) [μπάκ-τσσατ] αναίδεια, φλυαρία.
backdrop (n) [μπάκ-ντροπ] φόντο.
back-formation (n) [μπάκφορμέισσον] νεολογισμός.
back number (n) [μπακ-νάμμπα(ρ)] παλαιό τεύχος.
backpedal (v) [μπακ-πέ-ντλ] υποχωρώ, ανακαλώ.
back slang (n) [μπάκ-σλανγκ] κορακίστικα.
backslide (v) [μπάκ-σλαϊ-ντ] ξανακυλάω, κατρακυλάω.
backstroke (n) [μπάκστρόουκ] ανάσκελα, ύπια κολύμβηση.

backbite (v) [μπάκ-μπάιτ] κακολογώ, διασύρω [μεταφ].
backboard (n) [μπάκ-μπόορ-ντ] ακουμπιστήρι, ράχη, πλάτη.
backbone (n) [μπάκ-μπόουν] σπονδυλική στήλη, ράχη.
back door (adj) [μπάκ-ντοο(ρ)] κρυφός, παρασκηνιακός.
backer (n) [μπάκκα(ρ)] εγγυητής, χρηματοδότης.
backfire (v) [μπακφάια(ρ)] αποτυγχάνω, ανατρέπομαι.
backgammon (n) [μπάκ-γκάμον] τάβλι.
background (n) [μπάκ-γκράουν-ντ] πείρα, ιστορικό, φόντο .
backhand (n) [μπάκ-χάν-ντ] ανάποδο κτύπημα, γραφή.
backing (n) [μπάκινγκ] υποστήριξη, ενίσχυση, υποχώρηση.
backing out (n) [μπάκινγκ άουτ] υπαναχώρηση.
backlash (n) [μπάκλάσς] παίξιμο, τζόγος, αντίκτυπος [μεταφ].
backrest (n) [μπάκρέστ] οπίσθιο στήριγμ, πλάτη.
backset (n) [μπάκσετ] αναχαίτιση, εμπόδιο, αντιξοότητα.
backside (n) [μπάκσάιντ] οπίσθιο μέρος, κώλος, πισινά.
backstage (n) [μπάκστέιντζζ] παρασκήνια (adj).
backstairs (n) [μπάκστέαζ] σκάλα [υπηρεσίας] (adj) ύπουλος.
backstitch (n) [μπάκστίτσς] πισωβελονιά, πισοκέντι.
backsword (n) [μπάκσοο-ντ] σπάθα, ράβδος [ξιφασκίας].
backward (adj) [μπάκουόοντ] οπίσθιος, καθυστερημένος (adv) προς τα πίσω, ανάποδα.
backwardation (n) [μπακουοοντέισσον] μεταφορά.
backwash (n) [μπάκουάσς] αντιμάμαλο, πίτυλος.
backwater (n) [μπάκουότα(ρ)] ποταμολίμνη, τέλμα, νερά.
bacon (n) [μπέικον] χοιρομέρι.
bacony (adj) [μπέικονι] παχύς.
bacteria (n) [μπακτίιρια] βακτηρίδια.
bacterial (adj) [μπακτίιριαλ] βακτηριακός, μικροβιακός.
bactericide (n) [μπακτίιρισαϊντ] βακτηρικτόνο.
bacteriology (n) [μπακτιριόλοντζζι] βακτηριολογία.
bacterium (n) [μπακτίριαμ] βακτηρίδιο.
bad (n) [μπαντ] ατυχία, ζημιά, έλλειμμα, κακό (adj) κακός, ελαττωματικός, άσχημος.
bad-lands (n) [μπά-ντλαν-ντζ] ερημότοπος, ξεροτόπια.
baddish (adj) [μπάντισς] μάλλον κακός, κακούτσικος.
badge (n) [μπαντζζ] έμβλημα, κονκάρδα, σήμα, διακριτικό.
badger (n) [μπάντζζα(ρ)] ασβός (v) ενοχλώ, πειράζω.

badinage (n) [μπά-ντιναaζζ] α-στεϊσμός, ελαφρό πείραγμα.
baffle (v) [μπαφλ] μπλέκω, μπερδεύω, χαλώ (n) διάφραγμα
baffling (adj) [μπάφλινγκ] δυσνόντος, παραπλανητικός.
bag (n) [μπαγκ] σακούλα, τσάντα (v) τοποθετώ εντός σάκκου.
bagatelle (n) [μπαγκατέλ] ασήμαντο πράγμα, μπαγκατέλα.
baggage cart (n) [μπάγκιντζζ κaατ] σκευοφόρος.
baggy (adj) [μπάγκι] φαρδύς.
bagman (n) [μπάγκμάν] περιοδεύων αντιπρόσωπος, πλασιέ.
bagnio (n) [μπάνιοου] φυλακή, κάτεργο, μπάνιο, μπουρδέλο.
bagpipe (n) [μπάγκπαϊπ] τσαμπούνα, γκάιντα.
bail (n) [μπέιλ] εγγύηση, σέσουλα (v) εγγυώμαι, αδειάζω.
bailee (n) [μπεϊλίι] θεματοφύλακας, μεσεγγυούχος [νομ].
bailey (n) [μπέιλι] εξωτερικό τείχος.
bailie (n) [μπέιλι] δημοτικός σύμβουλος [σκωτ].
bailiff (n) [μπέιλιφ] κλητήρας, διαχειριστής, επιστάτης.
bailment (n) [μπέιλμεν-τ] παρακατάθεση, παροχή εγγύησης.
bailsman (n) [μπέιλζμαν] εγγυητής, εγγυοδότης.
bait (v) [μπέιτ] δελεάζω, δολώνω (n) δέλεαρ, δόλωμα.
baize (n) [μπέιζ] τσόχα.
bake (v) [μπέικ] φουρνίζω.
bakehouse (n) [μπέικχάους] αρτοποιείο, φούρνος.
bakery (n) [μπέικερι] φούρνος.
baking (n) [μπέικινγκ] ψήσιμο.
balance (n) [μπάλανς] εξισορρόπηση, ισοζύγιο, ζυγαριά (v) αντισταθμίζω, ζυγιάζω.
balance sheet (n) [μπάλανς σσίιτ] ισολογισμός.
balancing (n) [μπάλανσινγκ] εξίσωση, ισοζύγιο.
balcony (n) [μπάλκονι] μπαλκόνι, εξώστης.
bald (adj) [μπόολντ] φαλακρός, γυμνός, γουλί [μεταφ].
baldachin (n) [μπάλ-ντακιν] επιστέγασμα, κουβούκλιο.
baldric (n) [μπόολ-ντρικ] τελαμώνας, αορτήρας.
bale (n) [μπέιλ] δέμα [πάκο], δυστυχία, (v) αμπαλάρω.
baleen (n) [μπαλίιν] φάλαινα.
baleful (adj) [μπέιλφουλ] ολέθριος, απαίσιος, επιζήμιος.
balk (v) [μπόοκ] αποφεύγω, αγνοώ, εμποδίζω, ανατρέπω, χαλώ, απογοητεύω, δειλιάζω (n) ανάχωμα, καδρόνι, αφετηρία.
ball (n) [μπόολ] σφαίρα, μπάλα.
ball bearings (n) [μπόολ μπέαρινγκς] ρουλεμάν.
ballad-monger (n) [μπάλαντμόνγκα(ρ)] συνθέτης μπαλα-

ντών.
ballast (v) [μπάλαστ] σαβουρώνω, στραθεροποιώ (n) σαβούρα.
ballet (n) [μπάλεϊ] μπαλέτο.
ballistic (adj) [μπαλίστικ] βαλιστικός.
balloon (n) [μπαλούν] μπαλόνι (v) φουσκώνω.
ballot (n) [μπάλοτ] δελτίο [ψηφοδέλτιο], δέμα (v) ψηφίζω.
ballot box (n) [μπάλοτ μποξ] ψηφοδόχος, κάλπη.
ballot paper (n) [μπάλοτ πέιπα(ρ)] ψηφοδέλτιο.
balloting (n) [μπάλοτινγκ] ψηφοφορία.
ballroom (adj) [μπόολρουουμ] ευγενής [χορός] (n) αίθουσα.
balls (n) [μπόολζ] κουραφέξαλα.
balneal (adj) [μπάλνιαλ] λουτρικός.
balsam (n) [μπάαλσαμ] βάλσαμο.
baluster (n) [μπάλαστα(ρ)]κάγκελλο, κολονάκι.
balustrade (n) [μπάλαστρέι-ντ] κιγκλίδωμα, κάγκελο [σκάλας].
bamboo (n) [μπαμ-μπούου] ινδοκάλαμος, μπαμπού.
ban (n) [μπαν] κατάρας.
banal (adj) [μπανάαλ] κοινός.
banality (n) [μπανάλιτι] κοινοτοπία, πεζότητα.
band (n) [μπαν-ντ] σπείρα, συμμορία, ταινία, ιμάντας, μπάντα.
bandage (v) [μπάν-ντιντζζ] επιδένω (n) δέσιμο, επίδεσμος.
bandana (n) [μπάν-ντανα] φουλάρι.
bandbox (n) [μπάν-ντ-μποκς] χαρτοκούτα.
bandit (n) [μπάν-ντιτ] ληστής.
banditry (n) [μπάν-ντιτρι] ληστεία.
bandmaster (n) [μπάν-ντμάστα(ρ)] αρχιμουσικός.
bandog (n) [μπάν-ντογκ] μανδρόσκυλο, μολοσσός.
bandoleer (n) [μπαν-ντολίια(ρ)] φυσιγγιοθήκη, φυσεκλίκι.
bandsaw (n) [μπάν-ντσόο] πριονοκορδέλα, πριονοταινία.
bandstand (n) [μπάν-ντσταν-ντ] εξέδρα ορχήστρας.
bandy (v) [μπάν-ντι] ανταλλάσσω,(adj) στραβοπόδης.
bandy-legged (adj) [μπάν-ντιλεγκ-ντ] στραβοκάνης.
bane (n) [μπέιν] όλεθρος, πληγή, συμφορά, δηλητήριο.
baneful (adj) [μπέινφουλ] καταστροφικός, επιζήμιος, δηλητηριώδης.
bang (n) [μπανγκ] κτύπημα, εκπυρσοκρότηση, κρότος.
bangle (n) [μπανγκλ] βραχιόλι.
banian (n) [μπάνιαν] ινδός έμπορος, βανιανός, ρόμπα.
banish (v) [μπάνισς] προγρά-

φω, διώκω [μεταφ], διώχνω.
banishment (n) [μπάνισσμεντ] εκτόπιση, εξορία.
banister (n) [μπάνιστα(ρ)] κολονάκι.
bank (n) [μπανκ] όχθη, τράπεζα, (v) δένω, συσσωρεύω.
bankable (adj) [μπάνκα-μπλ] αποδεκτός, διαπραγματεύσιμος.
bankbill (n) [μπάνκ-μπιλ] τραπεζογραμμάτιο.
banker (n) [μπάνκα(ρ)] τραπεζίτης.
banking (adj) [μπάνκινγκ] τραπεζιτικός, τραπεζικός.
banknote (n) [μπάνκνόουτ] τραπεζογραμμάτιο.
bankrupt (n) [μπάνκραπτ] χρεωκοπημένος, ο πτωχεύσας.
bankruptcy (n) [μπάνκραπσι] πτώχευση, χρεωκοπία.
banner (n) [μπάνα(ρ)] σημαία.
banquet (n) [μπάνκουιτ] επίσημο γεύμα, πανδαισία, συμπόσιο.
banter (n) [μπάντα(ρ)] αστείο, πείραγμα (v), ειρωνεύομαι.
bantling (n) [μπάντλινγκ] κουτσούβελο, παιδάκι.
bap (n) [μπαπ] φρατζολάκι.
baptism (n) [μπάπτιζμ] βάπτισμα.
baptistery (n) [μπάπτιστρι] βαπτιστήριο, κολυμβήθρα.
baptize (v) [μπάπτάιζ] βαπτίζω.
bar (n) [μπάα] βέργα, μπάρα, μπιραρία, κάγκελο, σύρτης, μάνταλο, μπαρ (v) αμπαρώνω, κλείνω, φράζω (pr) εκτός, πλην.
barfly (n) [μπάαφλαϊ] ταβερνόβιος.
barb (n) [μπάα-μπ] δόντι.
barbarian (adj) [μπαα-μπέαριαν] βάρβαρος, άγριος.
barbaric (adj) [μπαα-μπάρικ] βαρβαρικός, τραχύς.
barbarism (n) [μπάα-μπαρισμ] βαρβαρότητα, αγριότητα.
barbarity (n) [μπαα-μπάριτι] βαρβαρότητα, αγριότητα.
barbarize (v) [μπάα-μπαραϊζ] διαφθείρω, βαρβαρίζω.
barbecue (n) [μπάαμπεκιου] σχάρα ψησίματος, ψησταριά.
barbed (adj) [μπαα-μπ-ντ] ακιδωτός, οδοντωτός.
barbed wire (n) [μπαα-μπ-ντ ουάιερ] συρματόπλεγμα.
barber (n) [μπάα-μπα(ρ)] κουρέας, μπαρμπέρης.
barbican (n) [μπάα-μπικαν] πύργος, πυργίσκος.
barbiturates (n) [μπαα-μπίτιουουριτς] βαρβιτουρικά [χημ].
bard (n) [μπάα-ντ] ποιητής.
bare (adj) [μπέα] γυμνός, φαλακρός (v) απογυμνώνω.
barefaced (adj) [μπέαρφεϊσ-τ] αδιάντροπος, ξετσίπωτος.
bareheaded (adj) [μπέαχέντι-ντ] ασκεπής, ξεσκούφωτος.

barely (adj) [μπέαλι] φτωχικά.
bargain (n) [μπάαγκεϊν] ευκαιρία, παζάρι (v) διαπραγματεύομαι.
bargain for (v) [μπάαγκεϊν φορ] υπολογίζω, αναμένω.
bargain-basement (n) [μπάαγκεϊν-μπέισμεν-τ] τμήμα εκπτώσεων.
bargainer (n) [μπάαγκεϊνα(ρ)] διαπραγματευτής, παζαρευτής.
bargaining (n) [μπάαγκεϊνινγκ] παζάρεμα, παζάρι.
bargainor (n) [μπάαγκεϊνορ] πωλητής.
barge (n) [μπάαντζζ] μαούνα.
barge-course (n) [μπάαντζζκοος] διάζωμα.
bargee (n) [μπάαντζζίι] μαουνιέρης.
bark (n) [μπάακ] γάβγισμα, βήχας, φλούδα (v) φωνάζω.
bark at (v) [μπάακ ατ] χουγιάζω.
barker (n) [μπάακα(ρ)] κράχτης, διαλαλητής, πιστόλι.
barking (n) [μπάακινγκ] γάβγισμα.
barley-sugar (n) [μπάαλι-σσούγκαρ] κάντιο, καραμέλα.
barm (n) [μπααμ] ζύμη, μαγιά.
barmy (adj) [μπάαμι] ανόητος.
barn (n) [μπάαν] σιταποθήκη.
barnacle (n) [μπάανακλ] τσιμπίδα, κολλητσίδα, τσιμπούρι.
barnstorm (v) [μπάανστόομ] περιοδεύω.
barometer (n) [μπαρόμιτα(ρ)] βαρόμετρο.
baron (n) [μπάρον] βαρόνος.
baronage (n) [μπάρονιντζζ] βαρώνοι, ευγενείς.
barony (n) [μπάρονι] βαρωνία.
barracks (n) [μπάρακς] στρατώνας, παραπήγματα, κατάλυμα.
barracoon (n) [μπάρακούουν] παράπηγμα, κλούβα.
barrage (n) [μπαράαζζ] φράγμα.
barrator (n) [μπάρατα(ρ)] φιλόδικος, κακόπιστος, διάδικος.
barratrous (adj) [μπάρατρας] φιλόδικος.
barratry (n) [μπάρατρι] ναυταπάτη, φιλοδικία, συναλλαγή.
barrel (n) [μπάρελ] βαρέλι.
barrel organ (n) [μπάρελ όργκαν] λατέρνα.
barren (adj) [μπάρεν] άγονος.
barrier (n) [μπάρια(ρ)] οδόφραγμα, φραγμός, κιγκλίδωμα.
barring (pr) [μπάαρινγκ] αποκλειομένου, εκτός, πλην.
barrister (n) [μπάριστα(ρ)] δικηγόρος.
barrow (n) [μπάροου] καροτσάκι.
barrulet (n) [μπάριουλετ] μικρή ράβδωση.
barter (n) [μπάατα(ρ)] ανταλλα-

γή (v) παραχωρώ [μεταφ], ξεπουλάω.
bartizan (n) [μπάατιζαν] σκοπιά.
baryphonia (n) [μπαριφόουνια] βαρυφωνία, βαρεία φωνή.
baryta (n) [μπαράιτα] βαρίτης.
bas-relief (n) [μπασριλίιφ] ανάγλυφο.
basal (adj) [μπέισλ] βασικός.
basalt (n) [μπάσολτ] βασάλτης.
basanite (n) [μπάσαναϊτ] λίθος.
bascule (n) [μπάσκιουλ] γεράνιο.
base (adj) [μπέις] μικροπρεπής, ταπεινός, παρακατιανός (n) βάση, αφετηρία (v) βασίζω.
baseborn (adj) [μπέισε-μποον] παρακατιανός, νόθος.
baseball (n) [μπέισ-μποολ] μπέιζμπολ [ΗΠΑ].
baseless (adj) [μπέιςλες] αβάσιμος.
basely (adv) [μπέιςλι] ταπεινά.
basement (n) [μπέισμεν-τ] υπόγειο.
baseness (n) [μπέισνες] χυδαιότητα, αναξιότητα, ταπεινότητα.
bash (v) [μπας] κτυπώ, τσακίζω, (n) προσπάθεια.
bashful (adj) [μπάσσφουλ] σεμνός, δειλός, ντροπαλός.
bashfulness (n) [μπάσσφουλνες] συστολή, ντροπή.
bashing (n) [μπάσσινγκ] δαρμός.
basic (adj) [μπέισικ] βασικός.
basicity (n) [μπασίσιτι] βασικότητα.
basilar (adj) [μπάσιλα(ρ)] της βάσεως.
basin (n) [μπέισιν] λεκάνη, νιπτήρας, κλειστή θάλασσα.
basinet (n) [μπάσινετ] κράνος.
basis (n) [μπέισις] βάση.
bask (v) [μπάασκ] λιάζομαι.
basket (n) [μπάασκετ] καλάθι.
basket-stitch (n) [μπάασκετστιτσ] σταυροβελονιά.
basket-work (n) [μπάασκετ-ουόρκ] καλαμωτή.
Basque (n) [μπάασκ] Βάσκος.
bass (n) [μπέις] μπάσος (adj) βαθύφωνος.
bass fish (n) [μπας φισς] λαβράκι.
basset (n) [μπάσετ] προεξοχή.
bastard (adj) (n) [μπάαστα-ντ] νόθος, μούλος, μπάσταρδος.
bastardize (v) [μπάαστα-νταϊζ] μπασταρδεύω.
baste (v) [μπέιστ] τρυπώνω.
bastion (n) [μπάστιον] προπύργιο.
bat (v) [μπατ] κτυπώ με ρόπαλο, βλεφαρίζω (n) νυχτερίδα.
batch (n) [μπατσ] φουρνιά, χαρμάνι, παρτίδα, ποσότητα.
bate (v) [μπέιτ] κόβω, μειώνω, (n) παρασκεύασμα [βυρσοδε-

ψίας].
bath (n) [μπααθ] λουτρό.
bathe (v) [μπέιδ] λούζω, πλένω, βουτάω (n) μπάνιο.
bathing (n) [μπέιδινγκ] μπάνιο.
bathing suit (n) [μπέιδινγκ σουτ] μαγιό, μπανιερό.
bathos (n) [μπέιθος] αντικλίμακα.
bathrobe (n) [μπάαθρόου-μπ] μπουρνούζι.
bathroom (n) [μπάαθρουμ] λουτρό [δωμάτιο], μπάνιο.
baths (n) [μπααθς] λουτρά.
bathyscaphe (n) [μπάαθισκεϊφ] βαθύσκαφος.
bathysphere (n) [μπάθισφία(ρ)] βαθύσφαιρα.
bating (pr) [μπέιτινγκ] εκτός.
batman (n) [μπάτμαν] ιπποκόμος.
baton (n) [μπάτον] ράβδος.
battalion (n) [μπατάλιον] τάγμα [στρατ], μεγάλη ομάδα, πλήθος.
batten (n) [μπάτεν] σανίδα, μπάρα, βέργα (v), παχαίνω.
battening (n) [μπάτενινγκ] σανίδωμα, ξυλόστρωση.
batter (v) [μπάτα(ρ)] κατακτυπώ, σφυρηλατώ (n) κουρκούτι.
battery (n) [μπάτερι] βιαιοπραγία, πυροβολαρχία.
battle (n) [μπατλ] μάχη, πάλη.
battle-cry (n) [μπάτλκραϊ] πολεμική κραυγή, σύνθημα.
battue (n) [μπατίουου] σφαγή.
batty (adj) [μπάτι] τρελός.
bauble (n) [μπόο-μπλ] μπιχλιμπίδι.
baulk (v) [μπόολκ] κωλώνω.
bauxite (n) [μπόοξάιτ] βωξίτης.
bawbee (n) [μπάου-μπιι] πεντάρα.
bawd (n) [μπόου-ντ] μαστροπός.
bawdy-house (n) [μπόο-ντιχάουσ] πορνείο, παλιόσπιτο.
bawl (v) [μπόουλ] ουρλιάζω, τσιρίζω, φωνάζω (n) κραυγή.
bay (n) [μπέι] δάφνη, όρμος.
bay tree (n) [μπέι τρίι] δάφνη.
bay-leaves (n) [μπέιλίιβζ] βάγια.
baying (n) [μπέιινγκ] γάβγισμα.
bayonet (n) [μπεϊγιονέτ] λόγχη, ξιφολόγχη (v) λογχίζω.
bayou (n) [μπάιου] βάλτος.
bazaar (n) [μπαζάα(ρ)] παζάρι.
bazooka (n) [μπαζούουκα] μπαζούκα [στρατ].
be (v) [μπιι] αποτελώ, διατελώ, είμαι, υπάρχω, ζω, βρίσκομαι.
beach (n) [μπίιτσ] ακτή, παραλία (v) προσαράσσω.
beachcomber (n) [μπίιτσκόουμερ] αλήτης, ακαμάτης.
beached (adj) [μπίιτσ-τ] προσπαραγμένος, καθισμένος [ναυτ].
beachhead (n) [μπίιτσχέ-ντ] προγεφύρωμα.

beacon (n) [μπίικον] φρυκτός, φάρος, πυρσός, ύψωμα, λόφος.
bead (n) [μπίι-ντ] περιδέριο.
beading (n) [μπίι-ντινγκ] σφαιροειδές [κόσμημα], αστράγαλος.
beak (n) [μπίικ] ράμφος.**beam** (n) [μπίιμ] δένδρο, ακτίνα, δοκάρι, ζυγός (v) ακτινοβολώ.
bean (n) [μπίιν] φασουλιά, κόκκος, σπέρμα, σπόρος, νόμισμα.
bear (v) [μπέα(ρ)] συνοδεύω, βαστώ, παράγω, υποφέρω, αντέχω, φορώ, έχω (n) αρκούδα.
bear arms (v) [μπέα(ρ) ααμς] οπλοφορώ.
bear (children) (v) [μπέαρ [τσίλντρεν]] τεκνοποιώ.
bear cub (n) [μπέα κα-μπ] αρκουδάκι.
bear up (v) [μπέαρ απ] αντέχω..
bear-leader (n) [μπέαλίι-ντα(ρ)] παιδαγωγός, φροντιστής.
bearable (adj) [μπέαρα-μπλ] υποφερτος, ανεκτός.
beard (n) [μπίε-ντ] γένι, μούσι.
bearded devil (n) [μπίεντι-ντ ντέβιλ] τραγογένης (adj) γενάτος.
beardless (adj) [μπίεντλες] σπανός, αγένειος.
bearer (n) [μπέαρα(ρ)] κομιστής.
bearing (n) [μπέαρινγκ] συμπεριφορά, διαγωγή, ύφος, στάση.
bearing fruit (adj) [μπέαρινγκ φρουτ] οπωροφόρος.
bearish (adj) [μπέαρισς] αγενής.
beast (n) [μπίιστ] κτήνος, ζώο.
beast of burden (n) [μπίιστ οβ μπε-ντν] υποζύγιο.
beastly (adj) [μπίιστλι] κτηνώδης.
beat (n) [μπίιτ] κτύπημα, τέμπο (v) δέρνω, κτυπώ, καταστρέφω.
beaten (adj) [μπίιτεν] κτυπημένος, δαρμένος, εξαντλημένος.
beater (n) [μπίιτα(ρ)] δάρτης, σφυρηλάτης, χτυπητήρι.
beatific (adj) [μπιατίφικ] μακάριος, ευδαίμων.
beating (n) [μπίιτινγκ] δάρσιμο.
beatitude (n) [μπιάτιτιου-ντ] μακαριότητα, ευδαιμονία.
beau (adj) [μπόου] ωραίος, φιλαράκος, μορφονιός.
beauteous (adj) [μπιουτιας] ωραίος, περικαλλής.
beautician (adj) [μπιουτίσσαν] αισθητικός.
beautification (n) [μπιουτιφικέισσον] καλλωπισμός.
beautiful (adj) [μπιούτιφουλ] πανέμορφος, (adv) ωραία.
beautify (v) [μπιούτιφάι] ομορφαίνω, ευπρεπίζω, στολίζω.
beauty (n) [μπιούτι] ομορφιά, καλλονή (adj) καλλωπιστικός.
becalm (v) [μπικάαμ] καθησυχάζω, κατευνάζω, ακινητοποιώ.
because of (adv) [μπικόζ οβ] ε-

ξαιτίας, για, ένεκα (conj) καθότι.
beck (n) [μπεκ] ρυάκι, νόημα.
beckon (v) [μπέκον] καλώ.
becloud (v) [μπικλάου-ντ] συννεφιάζω, σκοτεινιάζω, θολώνω.
become (v) [μπικάμ] καθίσταμαι.
become broken in (v) [μπικάμ μπρόκεν ιν] ψήνομαι.
bed (n) [μπε-ντ] κρεβάτι.
bed of vegetables (n) [μπεντ οβ βέντζζτα-μπλς] φυτεία.
bed-clothes (n) [μπε-ντκλόουδς] κλινοσκεπάσματα.
bed-rock (n) [μπέ-ντροκ] θεμέλιο [μεταφ] (adj) βασικός.
bedabble (v) [μπι-ντά-μπλ] καταβρέχω, λεκιάζω, πιτσιλίζω.
bedaub (v) [μπι-ντόο-μπ] ρυπαίνω, λερώνω, φορτώνω.
bedazzle (v) [μπι-ντάζλ] θαμβώνω, ζαλίζω, καταπλήσσω.
bedding (n) [μπέ-ντινγκ] στρωσίδι.
bedel (n) [μπι-ντλ] αρχικαμαριέρης.
bedevil (v) [μπι-ντέβιλ] δαιμονίζω, πειράζω, γοητεύω, μαγεύω.
bedew (v) [μπι-ντιού] δροσίζω.
bedfellow (n) [μπέ-ντφελοου] ομόκλινος, σύντροφος.
bedight (adj) [μπι-ντάιτ] στολισμένος.
bedim (v) [μπι-ντίμ] συννεφιάζω, σκοτεινιάζω, θαμπώνω.
bedizen (v) [μπι-ντίζεν] κοσμώ.
bedlam (n) [μπέ-ντλαμ] φρενοκομείο, τρελλοκομείο.
bedlamite (n) [μπέ-ντλαμαϊτ] τρελλός (v) τρελαίνομαι.
bedraggle (v) [μπι-ντράγκλ] λερώνω, λασπώνω, κουρελιάζω.
bedraggled (adj) [μπι-ντράγκλντ] λερωμένος, κουρελιάρης.
bedridden (adj) [μπέ-ντρίντεν] κατάκοιτος, κλινήρης.
bedroom (n) [μπέ-ντρουμ] κρεβατοκάμαρα, κοιτώνας.
bedstraw (n) [μπέ-ντστροο(ρ)] κολλητσίδα.
bee (n) [μπίι] μέλισσα.
bee-keeper (n) [μπίι-κίπα(ρ)] μελισσοκόμος.
beef (n) [μπίιφ] βοδινό.
beefy (adj) [μπίιφι] σωματώδης.
beehive (n) [μπίιχάιβ] κυψέλη.
beekeeping (n) [μπίικίπινγκ] μελισσοκομία.
beer (n) [μπία(ρ)] ζύθος, μπίρα.
beet (n) [μπίιτ] κοκκινογούλι.
beetle (n) [μπίιτλ] σκαθάρι, βαρειά, κόπανος, (adj) πυκνός.
beetle-crusher (n) [μπίιτλκράσσα] ποδάρα, χοντροπάπουτσο.
beetroot (n) [μπίιτρούτ] παντζάρι.
before (adv) [μπίιφόο(ρ)] μπροστά, πριν, πρώτα, ενώπιον.
beforehand (adv) [μπιιφό-

ο(ρ)χάν-ντ] προηγουμένως.
befoul (v) [μπιφάουλ] λερώνω, ρυπαίνω, σπιλώνω, δυσφημώ.
befriend (v) [μπιφρέ-ντ] παραστέκω, βοηθώ, φέρομαι φιλικά.
beg (v) [μπεγκ] ικετεύω, αιτούμαι, διακονεύω, επαιτώ.
beget (v) [μπιγκέτ] γεννώ, προκαλώ [μεταφ], δημιουργώ.
begettor (n) [μπιγκέττα(ρ)] δημιουργός, γεννήτωρας.
beggar (adj) [μπέγκα(ρ)] επαίτης, ζητιάνος (v) καταστρέφω.
begin (v) [μπιγκίν] αρχίζω.
beginner (adj) [μπιγκίνα(ρ)] αρχάριος, νεοφώτιστος.
beginning (n) [μπιγκίνινγκ] καταγωγή, (adj) αξιόπιστος.
begrudge (v) [μπιγκράντζζ] φθονώ, τσιγγουνεύομαι.
beguile (v) [μπιγκάιλ] απατώ, κοροϊδεύω, κοιμίζω, γοητεύω.
behalf (n) [μπιχάαφ] **on behalf of** για λογαριασμό, υπέρ, για.
behave (v) [μπιχέιβ] φέρομαι.
behaviour (n) [μπιχέιβια(ρ)] διαγωγή, συμπεριφορά.
behead (v) [μπιχέ-ντ] αποκεφαλίζω.
behest (n) [μπιχέστ] εντολή.
behind (adv) [μπιχάιν-ντ] αποπίσω, κατόπιν (n) οπίσθια.
behind the scenes (adj) [μπιχάιν-ντ δε σίινζ] παρασκηνιακός.
behindhand (adj) [μπιχάιν-ντχαν-ντ] καθυστερημένος.
behold! (ex) [μπιχόουλ-ντ] ιδού! (v) βλέπω, κοιτάζω.
beholden (adj) [μπιχόουλ-ντεν] οφειλέτης, υπόχρεος.
behove (v) [μπιχόουβ] επιβάλλεται, αρμόζει, προσήκει.
beige (n) [μπέιζζ] νήμα, μπεζ.
being (adv) [μπίι-ινγκ] καθόσο (n) οντότητα, ύπαρξη, ον.
bel (n) [μπελ] μπελ [μονάδα μέτρησης ακουστικής έντασης].
bel-esprit (n) [μπελέσπριτ] ευφυής, διάνοια.
belabour (v) [μπιλέι-μπα(ρ)] ξυλοφορτώνω, κατακρίνω .
belated (adj) [μπιλέιτι-ντ] αργοπορημένος, καθυστερημένος.
belay (v) [μπιλέι] προσδένω, σταμάτα [προσταγή], άκυρο.
belch (v) [μπελτσ] ρεύομαι.
belching (n) [μπέλτσινγκ] ρέψιμο.
beldam (n) [μπέλ-νταμ] παλιόγρια.
beleaguerment (v) [μπιλίιγκα(ρ)μεντ] πολιορκία.
belfry (n) [μπέλφράι] καμπαναριό.
belie (v) [μπιλάι] διαψεύδω, έρχομαι σε αντίθεση με, αδικώ.
belief (n) [μπιλίιφ] πίστη.
believable (adj) [μπιλίιβα-μπλ] αληθοφανής, πιστευτός.

believe (v) [μπιλίιβ] πιστεύω.
belike (adv) [μπιλάικ] πιθανώς.
belittle (v) [μπιλίτλ] μειώνω.
bell (n) [μπελ] καμπάνα (v) βρυχώμαι.
bell-ringer (n) [μπελρίνγκα(ρ)] κωδωνοκρούστης.
belle (n) [μπελ] καλλονή.
belles lettres (n) [μπελ λέτρ] λογοτεχνία [γαλλ], καλολογία.
bellicose (adj) [μπέλικόουζ] πολεμοχαρής, φιλοπόλεμος.
bellied (adj) [μπέλι-ντ] φουσκωμένος, κοιλαράς.
belligerence (n) [μπελίντζζερενς] επιθετικότητα.
belligerent (adj) [μπελί-ντζζερεν-τ] φιλοπόλεμος [μεταφ].
bellman (adj) [μπέλμαν] τελάλης.
bellow (v) [μπέλοου] ουρλιάζω.
belly (n) [μπέλι] στομάχι.
belly-button (n) [μπέλι-μπάτον] αφαλός.
bellyache (n) [μπέλι-εϊκ] γκρίνια.
bellying (adj) [μπέλιινγκ] φουσκωμένος, πρησμένος.
belong (v) [μπιλόνγκ] ανήκω, μέλος, κατάγομαι, αρμόζω.
belongings (n) [μπιλόνγκινγκζ] υπάρχοντα.
beloved (adj) [μπιλάβ-ντ ή μπιλάβι-ντ] πολυαγαπημένος.
below (adv) (pr) [μπιιλόου] υπό, αποκάτω, κάτω, κάτωθι.
belt (n) [μπελτ] λουρίδα.
belting (n) [μπέλτινγκ] ιμάντες.
bemuse (v) [μπιμιούουζ] καταπλήσσω, μπερδεύω, ζαλίζω.
ben (adj) [μπεν] εσωτερικός [σκωτ] (pr) (adv) μέσα (n) κορυφή βουνού.
bench (n) [μπέν-τσς] εδώλιο, θρανίο (v) τοποθετώ πάγκους.
bench-mark (n) [μπέν-τσομαακ] τοπογραφικό σημείο.
bend (n) [μπεν-ντ] στροφή (v) κλίνω, σκύβω, στραβώνω, γέρνω.
bended (adj) [μπέν-ντι-ντ] λυγισμένος, κεκαμμένος.
bender (n) [μπέν-ντα(ρ)] τανάλια, γλέντι, κύναιδος [χυδ].
bending (adj) [μπέν-ντινγκ] γερτός, σκυφτός (n) κάμψη.
bends (n) [μπεν-ντζ] αεραιμία, νόσος των δυτών.
beneath (adv) [μπινίιθ] από κάτω, κάτω από, υπό, χαμηλά.
benedict (n) [μπενε-ντίτ] νιόπαντρος.
benediction (n) [μπενε-ντίκσσον] ευλογία.
benefactor (n) [μπενεφάκτα(ρ)] ευεργέτης, δωρητής.
beneficial (adj) [μπενεφίσσαλ] χρήσιμος, ευεργετικός.
beneficiary (adj) [μπενεφίσσαρι] δικαιούχος, ωφελημένος.

benefit (v) [μπένεφιτ] ωφελούμαι (n) χρησιμότητα, καλό.
benefit by (v) [μπένεφιτ μπάι] καρπώνομαι [μεταφ].
benevolence (n) [μπενέβολενς] καλωσύνη, φιλανθρωπία.
benevolent (adj) [μπενέβολεν-τ] φιλανθρωπικός.
benighted (adj) [μπινάιτι-ντ] νυχτωμένος.
benign (adj) [μπινάιν] πράος.
benignant (adj) [μπινίγκναν-τ] ευμενής, καλοπροαίρετος.
benison (n) [μπένιζαν] ευχή.
bent (adj) [μπεν-τ] γυρτός, κύναιδος [χυδ], τρελλός (n) κλίση.
bent on (adj) [μπεν-τ ον] αποφασισμένος.
benumb (v) [μπινάμ] ναρκώνω.
benzedrine (n) [μπένζε-ντριιν] βενζεδρίνη [ιατρ], αμφεταμίνη.
benzine (n) [μπενζίιν] βενζίνη.
benzoin (n) [μπένζοουιν] βενζόη, αρωματική ρητίνη.
bequeath (v) [μπίκουίιθ] κληροδοτώ.
bequeathal (n) [μπικουίδαλ] κληροδότηση.
bequest (n) [μπικουέστ] δωρεά.
berate (v) [μπιρέιτ] επιπλήττω.
berate rudely (v) [μπιρέιτ ρούντλι] σκυλοβρίζω.
berceuse (n) [μπεασέζ] νανούρισμα.
bereave (v) [μπιρίιβ] στερώ.
bereavement (n) [μπιρίιβμεν-τ] απώλεια [θάνατος], πένθος.
beret (n) [μπέρεϊ] μπερές.
berg (n) [μπεργκ] παγόβουνο.
berhyme (v) [μπιράιμ] εξυμνώ.
berry (n) [μπέρι] ρόγα, μούρο (v) μαζεύω μούρα.
berserk (adj) [μπέσερκ] μανιακός.
berth (n) [μπερθ] θέση πλεύρισης πλοίου (v) πλευρίζω.
bertha (n) [μπέρθα] μπέρτα.
berthing (n) [μπέρθινγκ] πλεύρισμα, θέση πλευρίσματος.
beseech (v) [μπισίιτς] ικετεύω.
beset (v) [μπισέτ] περικυκλώνω, επιτίθεμαι, βασανίζω.
besetment (n) [μπισέτμεν-τ] πολιορκία, στενοχώρια.
besetting (adj) [μπισέτινγκ] επίμονος, κυρίαρχος, τυραννικός.
beshrew (v) [μπισσρούου] καταριέμαι.
beside (adv) [μπισάι-ντ] παραπλεύρως, παρά, δίπλα σε, πλάι σε.
beside oneself (adj) [μπισάι-ντ ουάνσέλφ] εκτός εαυτού.
besides (adv) [μπισάι-ντζ] άλλωστε, εκτός, εξάλλου.
besiege (v) [μπεσίιντζζ] πολιορκώ.
besieger (n) [μπεσίιντζζα(ρ)] πολιορκητής.
beslobber (v) [μπισλό-μπα(ρ)]

σαλιώνω, καταφιλώ.
beslave (v) [μπισλέιβ] υποδουλώνω.
besmear (v) [μπισμία(ρ)] πασαλείφω, κηλιδώνω [μεταφ].
besmirch (v) [μπισμέρτσς] βρωμίζω, λερώνω, βεβηλώνω.
besom (n) [μπίζομ] σκούπα από κλαδιά, παλιογύναικο [μεταφ].
besotted (adj) [μπισότι-ντ] ηλίθιος, ξετρελαμένος.
bespangle (v) [μπισπάνγκλ] στολίζω.
bespatter (v) [μπισπάτα(ρ)] λασπώνω, λερώνω, δυσφημώ.
bespectacled (adj) [μπισπέκτακλ-ντ], γυαλάκιας.
bespoke (adj) [μπισπόουκ] επί παραγγελία.
besprent (adj) [μπισπρέν-τ] ραντισμένος, σπαρμένος.
best (adj) [μπεστ] άριστος, καλύτερος, μεγαλύτερος, πρώτος.
best man (n) [μπεστ μαν] παράνυμφος, κουμπάρος [σε γάμο].
best-seller (n) [μπεστσέλα(ρ)] μπεστ-σέλερ.
bestead (v) [μπιστέ-ντ] ενισχύω.
bested (adj) [μπιστέ-ντ] κυκλωμένος, τοποθετημένος.
bestial (adj) [μπίιστιαλ] κτηνώδης.
bestiality (n) [μπιιστιάλιτι] κτηνωδία, θηριωδία, βάρβαρότητα.
bestially (adv) [μπίιστιαλι] κτηνωδώς, θηριωδώς, βάρβαρα.
bestir (v) [μπιστέρ] κινούμαι.
bestow (v) [μπιστόου] δίδω, παρέχω, εναποθέτω, χορηγώ.
bestowal (n) [μπιστόουαλ] χορήγηση, απονομή, παροχή.
bestower (n) [μπιστόουα(ρ)] απονεμητής, χορηγός.
bestowment (n) [μπιστόουμεν-τ] χορήγηση, απονομή, παροχή.
bet (v) [μπετ] στοιχηματίζω.
bet on (v) [μπετ ον] ποντάρω.
bethel (n) [μπέθελ] ευκτήριο.
bethink (v) [μπιθίνκ] συλλογίζομαι, αναπωλώ, ενθυμούμαι.
betide (v) [μπιτάι-ντ] λαχαίνω.
betimes (adv) [μπιτάιμζ] νωρίς.
betoken (v) [μπιτόουκεν] μαρτυρώ, υποδηλώ, προμηνύω.
betray (v) [μπιτρέι] προδίδω, καταδίδω, αποκαλύπτω.
betrayer (n) [μπιτρέια(ρ)] προδότης, καταδότης.
betroth (v) [μπιτρόουδ] αρραβωνιάζω, μνηστεύω.
betrothal (n) [μπιτρόουδαλ] αρραβώνας, υπόσχεση γάμου.
betrothed (adj) [μπιτρόουδ-ντ] αρραβωνιαστικός.
better (adj) [μπέτα(ρ)] καλύτερος, ανώτερος, (adv) καλύτερα (v) βελτιώνω (n) παίκτης.
betterment (n) [μπέτα(ρ)μεν-τ] βελτίωση, πρόοδος.
betting (n) [μπέτινγκ] στοίχημα.

between (adv) [μπιτουίν] μεταξύ.
betwixt (adv) [μπιτουίκστ] αναμεταξύ, μεταξύ, ανάμεσα.
bevel (n) [μπέβελ] λοξότμηση (v) λοξεύω, λοξοτομώ.
bevy (n) [μπέβι] παρέα, σμήνος.
beware (v) [μπίουέα(ρ)] προσέχω.
bewilder (v) [μπιουίλ-ντα(ρ)] τρελαίνω, μπερδεύω, ζαλίζω.
bewilderment (n) [μπιουίλ-νταμεν-τ] σύγχυση, αμηχανία.
bewitch (v) [μπιουίτς] μαγεύω, ματιάζω, γοητεύω.
bewray (v) [μπιρέι] προδίδω.
bey (n) [μπέι] μπέης.
beyond (adv) [μπιόον-ντ] πέρα.
bezel (n) [μπέζελ] λοξότμηση (v) λοξεύω, λοξοτομώ.
bhang (n) [μπανγκ] χασίς.
biannual (adj) [μπαϊάνιουαλ] εξαμηνιαίος.
bias (n) [μπάιας] κλίση, τάση, συμπάθεια, μεροληψία.
biased (adj) [μπάιασ-τ] μεροληπτικός, προκατειλημμένος.
bib (n) [μπι-μπ] βρύση, κάνουλα, σαλιάρα (v) πίνω.
bibelot (n) [μπί-μπελόου] μπιμπελό, κομψοτέχνημα.
Bible (n) [Μπάι-μπλ] Βίβλος.
bibliography (n) [μπι-μπλιόγκραφι] βιβλιογραφία.
bibliomania (n) [μπι-μπλιομέινια] βιβλιομανία.
bibulous (adj) [μπί-μπιουλας] μπεκρής, πότης.
bice (n) [μπάις] βαθύ κυανό.
bicentenary (n) [μπαϊσεντίιναρι] δισεκατονταετηρίδα.
bicentennial (adj) [μπαϊσεντένιαλ] δισεκατονταετής.
bicephalous (adj) [μπαϊσέφαλας] δικέφαλος.
bichloride (n) [μπαϊκλόοραϊ-ντ] διχλωριούχος [ένωση].
bicker (v) [μπίκα(ρ)] λογομαχώ (n) διαπληκτισμός, καυγάς.
bickering (n) [μπίκερινγκ] μικροκαυγάς.
biconcave (adj) [μπάικονκέιβ] αμφίκοιλος.
biconvex (adj) [μπάικονβέξ] αμφίκυρτος.
bicorn (adj) [μπάικορν] δικέρατος.
bicycle (n) [μπάισικλ] ποδήλατο.
bicyclist (n) [μπάισικλιστ] ποδηλάτης, ποδηλατιστής.
bid (n) [μπι-ντ] προσφορά, αγορά, δήλωση (v) διατάσσω, ζητώ.
bid farewell (v) [μπί-ντ φέαουέλ] αποχαιρετίζω, κατευοδώνω.
bid the lowest price (v) [μπι-ντ δε λόουεστ πράις] μειοδοτώ.
biddable (adj) [μπί-νταμπλ] πράος, πειθήνιος.
bidder (n) [μπί-ντα(ρ)] υπερθε-

ματιστής, πλειοδότης.
bidding (n) [μπί-ντινγκ] διαταγή, εντολή, πρόσκληση.
bide (v) [μπάι-ντ] ανέχομαι.
bidet (n) [μπίι-ντεϊ] μπιντές.
bier (n) [μπία(ρ)] φέρετρο.
biferous (adj) [μπάιφερας] δίφορος.
biff (n) [μπιφ] ράπισμα (v).
bifid (adj) [μπάιφι-ντ] διχαλωτός.
bifocal (adj) [μπαϊφόουκαλ] διεστιακός.
bifoliate (adj) [μπαϊφόουλιατ] δίφυλλος [βοτ].
bifurcate (v) [μπάεφερκεϊτ] διχάζω, διακλαδίζομαι.
bifurcation (v) [μπαϊφερκέισσον] διακλάδωση, διχασμός.
big (adj) [μπιγκ] μεγάλος, χοντρός (n) βαρβάτος [μεταφ].
big landowner (n) [μπιγκ λάντόουνα(ρ)] τσιφλικάς.
big talk (n) [μπιγκ τόοκ] καυχησιολογία, φούμαρα.
big-boned (adj) [μπίγκ-μπόουν-ντ] χονδροκόκαλος.
big-head (n) [μπίγκχε-ντ] φαντασμένος, καυχησιάρης.
big-mouth (n) [μπίγκμάουθ] μπούρδας.
bigamy (n) [μπίγκαμι] διγαμία.
bigger (adj) [μπίγκα(ρ)] μεγαλύτερος.
bight (n) [μπάιτ] καμπή, κολπίσκος, θηλειά, σπείρα, δίπλα.
bigot (n) [μπίγκοτ] θρησκόληπτος.
bigoted (adj) [μπίγκοτι-ντ] στενόμυαλος, αδιάλλακτος.
bigotry (n) [μπίγκοτρι] μισαλλοδοξία, αδιαλλαξία.
bigwig (adj) [μπιγκουίγκ] μεγαλόσχημος (n) σπουδαίο πρόσωπο.
bijou (n) [μπίιζζουου] κόσμημα (adj) μικρός, κομψός.
bike (n) [μπάικ] (v) ποδηλατώ.
bilateral (adj) [μπαϊλάτεραλ] αμφίπλευρος, διμερής.
bile (n) [μπάιλ] χολή.
bilge (n) [μπιλντζζ] υδροσυλλέκτης, (v) σπάζω, φουσκώνω.
bilk (v) [μπιλκ] κοροϊδεύω.
bilker (n) [μπίλκα(ρ)] απατεώνας.
bill (n) [μπιλ] αφίσα, λογαριασμός, ακρωτήριο, μύτη, συνάλλαγμα, τιμολόγιο, νομοσχέδιο, (v) πελεκίζω, τοιχοκολλώ.
billed (adj) [μπιλ-ντ] προγραμματισμένος.
billet (n) [μπίλετ] κούτσουρο, κατάλυμα (v) στρατωνίζω.
billhook (n) [μπίλχούκ] κλαδευτήρι.
billiard cue (n) [μπίλια-ντ κιου] στέκα μπιλιάρδου.
billing (n) [μπίλινγκ] χρέωση, χαϊδολογήματα, διαφήμιση.

bimetallic (adj) [μπαϊμετάλικ] διμεταλλικός.
bimonthly (adj) [μπάιμάνθλι] διμηνιαίος.
bin (n) [μπιν] δοχείο, (v) παλιώνω.
binate (adj) [μπάινεϊτ] διπλός.
bind (v) [μπάιν-ντ] δένω, περιορίζω, (n) δεσμός μπελάς.
binding (adj) [μπάιν-ντινγκ] δεσμευτικός, (n) σύνδεση.
bindweed (n) [μπάιν-ντ-ουίι-ντ] περικοκλάδα, χωνάκι.
binge (n) [μπίντζζ] γλέντι.
bingo (n) [μπίνγκο] μπίνγκο.
binnacle (n) [μπίνακλ] πυξιδοθήκη [ναυτ].
binoculars (n) [μπάινόκιουλαρς] διόπτρα, κιάλια.
bint (n) [μπιν-τ] κορίτσι.
biography (n) [μπαϊόγκραφι] βιογραφία.
biology (n) [μπαϊόλοντζζι] βιολογία.
bioplasm (n) [μπαϊοουπλάζμ] βιοπλάσμα, πρωτόπλασμα.
bioplast (n) [μπάιοουπλααστ] βιοπλάστης, βιογόνο.
biopsy (n) [μπάιοπσι] βιοψία
biotic (adj) [μπαϊότικ] βιοτικός.
bipartisan (adj) [μπαϊπάατιζαν] δικομματικός, διακομματικός.
bipartite (adj) [μπάιπάατάιτ] διμερής, αμφιμερής.
biped (n) [μπάιπε-ντ] δίποδο.
bird (n) [μπερ-ντ] πουλί, πτηνό.
bird of prey (v) [μπερ-ντ οβ πρέι] όρνεο, όρνιο.
bird-breeder (n) [μπερ-ντ-μπρίιντα(ρ)] πτηνοτρόφος.
bird-cage (n) [μπερ-ντκέιντζζ] κλουβί πουλιών.
birth (n) [μπερθ] τοκετός.
birthday (adj) [μπέρθ-ντεϊ] γενέθλιος (n) γενέθλια.
birthplace (n) [μπέρθπλέις] τόπος γεννήσεως, πατρίδα.
birthrate (n) [μπέρθρέιτ] ποσοστό γεννήσεων, γεννητικότητα.
birthright (n) [μπέρθράιτ] πατρογονικά δικαιώματα.
bis (adv) [μπις] δις, ξανά.
biscuit (n) [μπίσκιτ] μπισκότο.
bisect (v) [μπάισεκτ] διχοτομώ.
bisexual (adj) [μπαϊσέκσοουαλ] ερμαφρόδιτος.
bishopric (n) [μπίσσοπρικ] επισκοπή [εκκλ], δεσποτικό.
bishop's staff (n) [μπίσσοπ'ς σταaφ] πατερίτσα.
bison (n) [μπάισν] βίσων.
bissextile (n) [μπισέκσταϊλ] δίσεκτον έτος (adj) δίσεκτος.
bistoury (n) [μπίστορι] νυστέρι.
bit (n) [μπιτ] κόψη, ψίχα θρύψαλο, τεμάχιο, χαλινάρι, (v) χαλιναγωγώ [μεταφ].
bitch (n) [μπιτσ] σκύλα.
bite (n) [μπάιτ] δάγκωμα, τσίμπημα, (v) δαγκώνω, τρώω.

biting (adj) [μπάιτινγκ] σαρκαστικός, καυστικός, πικρός.
bitt (n) [μπιτ] ρίχνω.
bitter (adj) [μπίτα(ρ)] πικρός.
bitterness (n) [μπίτανες] πίκρα.
bittersweet (adj) [μπίτασουίιτ] γλυκόπικρος, γλυκόξινος.
bitts (n) [μπιτς] κίονες [ναυτ].
bitumen (n) [μπίτιουμεν] βιτούμιον, άσφαλτος.
bituminiferous (adj) [μπιτιουμινίφερας] ασφαλτούχος.
bituminous (adj) [μπιτιούμινας] ασφαλτούχος.
bivalent (adj) [μπιβέιλεν-τ] δισθενής [χημ].
bivalve (n) [μπάιβαλβ] δίθυρο.
bivouac (v) [μπίβουάκ] στρατοπεδεύω (n) καταυλισμός.
biz (n) [μπιζ] επιχειρήσεις.
bizarre (adj) [μπιζάα(ρ)] εκκεντρικός, παράξενος, αλλόκοτος.
blab (v) [μπλα-μπ] φλυαρώ.
black (adj) [μπλακ] μαύρος.
blackball (v) [μπλάκμπόολ] καταψηφίζω, αποκλείω.
blackboard (n) [μπλάκ-μποοντ] μαυροπίνακας.
blacken (v) [μπλάκεν] αμαυρώνω, δυσφημώ, κηλιδώνω.
blackguard (n) [μπλάκγκάαντ] αγύρτης, μόρτης.
blackhead (n) [μπλάκχε-ντ] μαύρο σπυρί, μπιμπίκι.
blacklead (n) [μπλάκλε-ντ] γραφίτης, μολυβδίτης, πλομπαγίνη.
blackleg (n) [μπλάκλέγκ] απεργοσπάστης, κατεργάρης.
blacklist (n) [μπλάκλίστ] μαυροπίνακας, μαύρη λίστα.
blackmailer (n) [μπλάκμέιλα(ρ)] εκβιαστής.
blackness (n) [μπλάκνες] μαυρίλα.
blackout (n) [μπλάκάουτ] συσκότιση.
blackshirt (n) [μπλάκοσέρτ] μελανοχιτώνας, φασίστας.
blacksmith (n) [μπλάκοσμίθ] πεταλωτής, σιδεράς, σιδηρουργός.
bladder (n) [μπλά-ντα(ρ)] κύστη, φούσκα.
blain (n) [μπλέιν] φλεγμονή.
blamable (adj) [μπλέιμα-μπλ] αξιόμεμπτος, επιλήψιμος.
blame (n) [μπλέιμ] φταίξιμο, καταδίκη (v) κατηγορώ.
blameless (adj) [μπλέιμλες] αθώος, άψογος, άμεμπτος.
blameworthy (adj) [μπλέιμουέρδι] επιλήψιμος, κατακριτέος.
blanch (v) [μπλαντς] ασπρίζω.
bland (adj) [μπλααντσς] πράος.
blandish (v) [μπλάν-ντισς] κολακεύω, χαϊδεύω, καλοπιάνω.
blank (adj) [μπλανκ] άγραφος, (n) κενή θέση, τζίφος.
blanket (n) [μπλάνκιτ] κουβέρτα.
blankly (adv) [μπλάνκλι] άτονα.
blare (n) [μπλέα(ρ)] σάλπισμα

(v) ηχώ, ουρλιάζω, διαλαλώ.
blarney (n) [μπλάνι] καλόπιασμα, κολακεία (v) κολακεύω.
blaspheme (v) [μπλάσφίιμ] βλαστημώ, εξυβρίζω.
blast (n) [μπλάαστ] ριπή, φύσημα, σφύριγμα, ήχηση, έκρηξη (v) καταστρέφω, θρυμματίζω.
blast-off (v) [μπλαστ-οφ] απογειώνομαι (n) εκτόξευση.
blasted (adj) [μπλάαστι-ντ] κατεστραμμένος, καμμένος.
blasting (n) [μπλάαστινγκ] ανατίναξη, συντριβή, γκρέμισμα.
blatant (adj) [μπλέιταν-τ] κατάφορος, οφθαλμοφανής, χυδαίος.
blatantly (adv) [μπλέιταν-τλι] κατάφορα, κραυγαλέα, χυδαία.
blaze (n) [μπλέιζ] φωτιά, λάμψη, ακτινοβολία, αίγλη σημάδι (v) λαμπαδιάζω, σημαδεύω.
blazon (n) [μπλέιζν] οικόσημο (v) διακοσμώ, εξυμνώ.
bleach (v) [μπλίιτσ] ασπρίζω.
bleak (adj) [μπλίικ] γυμνός, ψυχρός, σκοτεινός, θλιβερός.
blear (adj) [μπλέα(ρ)] δακρισμένος, θαμπός, (v) θολώνω.
bleat (v) [μπλίιτ] γκρινιάζω (n) βέλασμα.
bleed (v) [μπλίι-ντ] αιμορραγώ.
bleeding (adj) [μπλίι-ντινγκ] ματωμένος (n) αιμορραγία.
blemish (n) [μπλέμισς] ελλάττωμα, μουντζούρα (v) χαλώ.
blemishing (n) [μπλέμισσινγκ] ρύπανση, στιγματισμός.
blend (n) [μπλεν-ντ] χαρμάνι, μίγμα (v) ανακατεύω.
bless (v) [μπλες] δοξάζω.
blight (n) [μπλάιτ] στάχτη, πληγή (v) καταστρέφω, καίω.
blighter (n) [μπλάιτα(ρ)] τύπος.
blimey (ex) [μπλάιμι] ανάθεμά με!.
blind (adj) [μπλάιν-ντ] τυφλός (v) στραβώνω (n) παντζούρι.
blind man's bluff (n) [μπλάιν-ντ μανζ μπλαφ] τυφλόμυγα.
blind-side (n) [μπλάιν-ντσάι-ντ] αδυναμία, ασθενές σημείο.
blink (v) [μπλινκ] παιχνιδίζω, βλεφαρίζω (n) βλέμμα.
bliss (n) [μπλις] ευδαιμονία.
blissfulness (n) [μπλίσφουλνες] μακαριότητα, ευδαιμονία.
blister (n) [μπλίστα(ρ)] φουσκάλα, καντήλα (v) πληγιάζω.
blithering (adj) [μπλίδερινγκ] ανόητος, βλακώδης.
blizzard (n) [μπλίζα-ντ] χιονοθύελλα, χιονοστρόβιλος.
bloat (v) [μπλόουτ] καπνίζω, παστώνω, φουσκώνω.
bloated (n) [μπλόουτι-ντ] υπερμεγέθης, παραχαϊδεμένος.
block (n) [μπλοκ] δοκάρι, τροχαλία (v) μπλοκάρω.
block of flats (n) [μπλόκ οβ φλατς] πολυκατοικία.

block up (v) [μπλοκ απ] φράζω.
blockade (n) [μπλοκέι-ντ] πολιορκία, (v) μπλοκάρω.
blockhead (n) [μπλόκχέ-ντ] βλάκας, τούβλο, ζώον.
blockish (adj) [μπλόκισς] βλάκας, πεισματάρης, μουλάρι.
bloke (n) [μπλόουκ] μάγκας.
blond (adj) [μπλον-ντ] ξανθός.
blonde (adj) [μπλον-ντ] ξανθή.
blood (n) [μπλα-ντ] αίμα, φόνος, συγγένεια, σόι (v) παίρνω αίμα.
blood donation (n) [μπλα-ντ ντοουνέισσον] αιμοδοσία.
blood poisoning (n) [μπλα-ντ πόιζονινγκ] σηψαιμία.
blood-sucker (n) [μπλά-ντ-σάκα(ρ)] βδέλλα, παράσιτο.
bloodhound (n) [μπλά-ντχάουν-ντ] λαγωνικό.
bloodiness (n) [μπλά-ντινες] δυσάρεστη κατάσταση .
bloodless (adj) [μπλά-ντλες] αναίμακτος, αναιμικός, ωχρός.
bloodlust (n) [μπλά-ντλαστ] αιμοβορία, αιμοδιψία.
bloodshed (n) [μπλά-ντσσέντ] αιματοχυσία, μακελλιό.
bloody (adj) [μπλά-ντι] αιμοσταγής, φονικός, ματωμένος.
bloom (v) [μπλουμ] ανθίζω, ακμάζω (n) άνθος, λουλούδι.
bloomer (n) [μπλούουμα(ρ)] σφάλμα, γκάφα.
bloomers (n) [μπλούουμαζ] βράκα, φουφούλα.
blooming (adj) [μπλούουμινγκ] ανθηρός (n) άνθηση.
blossom (v) [μπλόσομ] ανθώ (n) λουλούδι, άνθισμα.
blot (n) [μπλοτ] κηλίδα, μουντζούρα (v) λερώνω.
blotch (n) [μπλοτσς] κηλίδα (v) κοκκινίζω, μουντζουρώνω.
blotter (n) [μπλότα(ρ)] στυπόχαρτο, ταμπόν.
blotto (adj) [μπλότοου] σκνίπα.
blouse (n) [μπλάουζ] μπλούζα.
blow (n) [μπλόου] βολή, μπουνιά (v) φυσώ, διώχνω, ανθίζω.
blow up (v) [μπλόου απ] ανατινάζω, μεγεθύνω, φουσκώνω.
blowfly (n) [μπλόουφλάι] κρεατόμυγα.
blowzy (adj) [μπλάουζι] ασουλούπωτος, βρωμιάρης.
blubber (v) [μπλά-μπα(ρ)] σκούζω (adj) πρησμένος.
bludjeon (n) [μπλά-ντζζον] ρόπαλο, στειλιάρι (v) ξυλοκοπώ.
blue (adj) [μπλου άκεφος, γαλάζιος, γαλανός (n) μπλε.
blue-gum (n) [μπλούουγκαμ] ευκάλυπτος.
blueprint (n) [μπλούουπριντ] σχεδιάγραμμα [μεταφ].
blues (n) [μπλούουζ] μπλουζ.
bluff (n) [μπλαφ] κάβος, μπλόφα, απάτη, (v) εξαπατώ.

bluffly (adv) [μπλάφλι] ντόμπρα.

bluish (adj) [μπλούις] γαλαζωπός, ουρανής.

blunder (n) [μπλάν-ντα(ρ)] γκάφα (v) προσκρούω.

blunderer (n) [μπλάν-νταρα(ρ)] αδαής, αδέξιος, γκαφατζής.

blunt (adj) [μπλαντ] βραδύς, αναίσθητος (v) στομώνω (n) σακκοράφα.

blur (n) [μπλερ] κηλίδα, μουντζούρα, (v) θαμπώνω.

blurred (adj) [μπλερ-ντ] θολός.

blurt out (v) [μπλερτ άουτ] ξεφουρνίζω [μεταφ].

blush (n) [μπλασς] ρόδισμα, κοκκινάδα (v) ντρέπομαι.

bluster (n) [μπλάστα(ρ)] νταηλίκι, θόρυβος (v) λυσσομανώ.

boa (n) [μπόα] βόας.

boar (n) [μπόο(ρ)] χοίρος.

board (n) [μπόο-ντ] τροφή, σανίδα, συμβούλιο, πλευρό (v) τρέφω, πλευρίζω.

boarder (n) [μπόο-ντα(ρ) τρόφιμος.

boarding (n) [μπόο-ντινγκ] επιβίβαση, σανίδωμα.

boarding house (n) [μπόο-ντινγκ χάουζ] οικοτροφείο.

boast (n) [μπόουστ] καύχημα, καμάρι (v) περιαυτολογώ.

boaster (adj) [μπόουστα(ρ)] καυχησιάρης (n) σκαρπέλο.

boastfulness (n) [μπόουστφουλνες] αλαζονεία.

boat (n) [μπόουτ] καράβι, πλοίο, (v) λεμβοδρομώ.

boathook (n) [μπόουτχουκ] κοντός, κοντάρι, γάντζος, σταλίκι.

boatman (n) [μπόουτμαν] λεμβούχος, βαρκάρης.

boatswain (n) [μπόουτσουέιν] λοστρόμος, ναύκληρος.

bob (n) [μπο-μπ] δέσμη,πήδημα, τίναγμα, καμπάνισμα, πατίνι (v) κουρεύω, αναπηδώ, υποκλίνομαι, κρούω.

bobbery (n) [μπό-μπρι] ταραχή, θόρυβος, (adj) ευέξαπτος.

bobbin (n) [μπό-μπιν] πηνίο, μασούρι, μπομπίνα.

bobbish (adj) [μπό-μπισς] εύθυμος, ζωηρός, κεφάτος.

bobby-sock (n) [μπό-μπισοκ] καλτσάκι, σοσόνι.

bobby-soxer (n) [μπό-μπισόκσα(ρ)] κοριτσόπουλο.

bode (v) [μπόου-ντ] υπόσχομαι.

bodeful (adj) [μπόου-ντφουλ] δυσοίωνος, απειλητικός.

bodega (n) [μποοντίιγκα] οινοπωλείο, καπηλιό.

bodice (n) [μπό-ντις] μπούστος.

bodiless (adj) [μπόντιλες] άϋλος.

bodily (adv) [μπόντιλι] αυτοπροσώπως (adj) σωματικός.

bodkin (n) [μπό-ντκιν] σουβλί.

body (n) [μπό-ντι] σώμα, κορμός, αμάξωμα, συμμορία.
bodyguard (n) [μπό-ντιγκάαντ] σωματοφυλακή, συνοδεία.
bog (n) [μπογκ] έλος, τουαλέτα.
bogey (n) [μπόουγκι] μπαμπούλας, δαίμωνας, σκιάχτρο.
boggle (v) [μπόγκλ] διστάζω, σταματώ, κακοφτιάχνω.
boggy (adj) [μπόγκι] βαλτώδης, τελματώδης.
bogle (n) [μπογκλ] μπαμπούλας, φάντασμα, φόβητρο.
boil (n) [μπόιλ] σπυρί (v) βράζω, κοχλάζω.
boiled (adj) [μπόιλ-ντ] βραστός.
boiler (n) [μπόιλα(ρ)] βραστήρας.
boiler-room (n) [μπόιλα-ρουμ] λεβητοστάσιο.
boiling (adj) [μπόιλινγκ] ζεματιστός (n) ζέση, βράσιμο.
boisterous (adj) [μπόιστερας] βίαιος, δυνατός, ταραχώδης.
bold (adj) [μπόουλ-ντ] θρασύς.
boldly (adv) [μπόουλ-ντλι] παλληκαρίσια, τολμηρά, θαρραλέα.
boldness (n) [μπόουλ-ντνες] τόλμη, θάρρος, αναίδεια.
bole (n) [μπόουλ] στέλεχος.
boll (n) [μπόουλ] κάψα.
bollard (n) [μπόλαα-ντ] δέστρα.
bollocks (n) [μπάλοκς] όρχεις.
bolster (n) [μπόλστα(ρ)] σκαρπέλο (v) υποστυλώνω.
bolt (v) [μπόουλτ] φεύγω, κλείνω, κοσκινίζω, (n) σύρτης.
bolt-hole (n) [μπόουλτ-χόουλ] κρύπτη, κρυψώνας, καταφύγιο.
bolting (n) [μπόουλτινγκ] κλείδωμα, εξόρμηση.
bomb (n) [μπομ] μπόμπα.
bombard (v) [μπομ-μπάαντ] κανονιοβολώ, βομβαρδίζω.
bombast (n) [μπόμ-μπάαστ] στόμφος.
bona fide (adj) [μπόουναφάιντ] αξιόπιστος, πραγματικός.
bonbon (n) [μπόν-μπόν] ζαχαρωτό.
bond (n) [μπον-ντ] εγγυοδοσία, χρεόγραφο, δεσμός (v) συνδέω, αποθηκεύω, κρατώ (adj) δούλος.
bondage (n) [μπόν-ντιντζζ] υποδούλωση, σκλαβιά.
bonded (adj) [μπόν-ντι-ντ] δεσμευμένος, υποκείμενος.
bondmaid (n) [μπόν-ντμεϊ-ντ] σκλάβα, δούλη.
bonds (n) [μπον-ντζ] δεσμά.
bondsman (n) [μπόν-ντσμαν] δούλος, σκλάβος.
bone (adj) [μπόουν] κοκάλινος (n) κόκαλο, οστούν.
bone-dry (adj) [μπόουν-ντράι] κατάξερος, ολόστεγνος.
bonehead (adj) [μπόουνχε-ντ] ξεροκέφαλος, κουτός.
boneless (adj) [μπόουνλες] ακό-

καλος, άψυχος [μεταφ].
bonhomie (n) [μπόνομι] καλοκαγαθία, καλοσύνη.
bonnet (n) [μπόνετ] καπέλλο, γείσο, καπό (v) φορώ σκούφο.
bonny (adj) [μπόνι] όμορφος.
bony (adj) [μπόουνι] κοκαλιάρης.
boo! (ex) [μπούου] γιούχα! (v) σφυρίζω, αποδοκιμάζω.
book (n) [μπουκ] βιβλίο, κιτάπι (v) εγγράφω, καπαρώνω.
book in advance (v) [μπουκ ιν αντβάανς] εξασφαλίζω.
bookbinder (n) [μπούκ-μπάιν-ντα(ρ)] βιβλιοδέτης.
booked (adj) [μπουκ-τ] κλεισμένος, κρατημένος.
booking office (n) [μπούκινγκ όφις] εκδοτήριο, ταμείο.
bookish (adj) [μπούουκισ] μελετηρός, λόγιος, θεωρητικός.
bookkeeper (n) [μπούουκκίιπα(ρ)] λογιστής.
bookseller (n) [μπούκσέλα(ρ)] βιβλιοπώλης.
bookworm (n) [μπούκουέρμ] βιβλιόψειρα, βιβλιοσκώληκας.
boom (n) [μπουμ] φράγμα, βόμβος, (v) βροντώ, προοδεύω.
boon (n) [μπούουν] όφελος, αγαθό, (adj) χαρούμενος.
boor (adj) [μπόο(ρ)] χοντράνθρωπος (n) χωριάτης.
boorish (adj) [μπόορισ] αγροίκος, άξεστος, πρόστυχος.
boost (v) [μπούουστ] αναπτερώνω, προώθηση.
booster (n) [μπούουστα(ρ)] ενισχυτής.
boot (n) [μπουτ] υπόδημα (v) κλωτσώ.
boot polish (n) [μπούουτ πόλισ] μπογιά [παπουτσιών].
booted (n) [μπούουτι-ντ] ενυπόδυτος, παπουτσωμένος.
bootee (n) [μπουουτίι] μποτίνι.
booth (n) [μπούουδ] παράγκα.
bootlace (n) [μπούουτλεϊς] κορδόνι.
bootleg (v) [μπούουτλεγκ] μεταφέρω, πωλώ.
bootlegger (n) [μπούουτλεγκα(ρ)] λαθρέμπορος.
bootless (adj) [μπούουτλες] ανωφελής, άσκοπος, μάταιος.
bootlicker (n) [μπούουτλίκα(ρ)] κόλακας.
bootmaker (n) [μπούουτμέικα(ρ)] παπουτσής.
boots (n) [μπούουτς] καμαριέρης.
booty (n) [μπούουτι] λεία.
booze (v) [μπούουζ] πίνω.
border (v) [μπόο-ντα(ρ)] πλαισιώνω, (n)άκρο, πλευρό, ποδόγυρος, όριο (adj) μεθοριακός.
borderline (adj) [μπόο-ντελάιν] οριακός, μεθόριος.
bore (n) [μπόο(ρ)] διάμετρος,

οπή (v) διατρυπώ, κουράζω.
bored (adj) [μπόο-ντ] βαριεστημένος.
boring (n) [μπόορινγκ] τρύπημα, γεώτρηση (adj) ανιαρός.
borrow (v) [μπόροου] δανείζομαι.
borrower (n) [μπόροουα(ρ)] δανειζόμενος, οφειλέτης.
borrowing (n) [μπόροουινγκ] δανεισμός.
bosh (n) [μποσς] ανοησία.
bosom (n) [μπούζαμ] κόλπος, μπούστος, στήθος [γυναίκας].
boss (n) [μπος] εργοδότης, αφέντης, αφεντικό.
bossy (adj) [μπόσι] αυταρχικός.
botanize (v) [μπόταναϊζ] βοτανολογώ, βοτανίζω.
botany (n) [μπότανι] φυτολογία, βοτανική, βοτανολογία.
botch (v) [μποτς] μπαλώνω, αποτυγχάνω (n) ελάττωμα.
botchy (adj) [μπότσι] τσαπατσούλικος.
both (adj) (pron) [μπόουθ] αμφότεροι, και οι δύο.
bother (n) [μπόδα(ρ)] αναστάτωση, ενόχληση (v) πειράζω.
botheration (n) [μποδερέισσον] αναστάτωση, μπελάς, ταραχή.
bothersome (adj) [μπόδερσαμ] ενοχλιτικός, στενάχωρος.
bothy (n) [μπόδι] καλύβα.
bottle (n) [μποτλ] μπουκάλι.
bottom (n) [μπότομ] βάση, κώλος, βάθος (adj) τελευταίος (v) πατώνω, εμβαθύνω.
bottomless (adj) [μπότομλες] άπατος, τρίσβαθος, απύθμενος.
bottommost (adj) [μπότομμόουστ] κατώτατος, βαθύτατος.
bottomry (n) [μπότομρι] ναυτικό δάνειο, θαλασσοδάνειο.
bough (n) [μπάου] παρακλάδι.
bought up (adj) [μπόοτ απ] ανάρπαστος.
boulevard (n) [μπούλεβάα-ντ] λεωφόρος [ΗΠΑ].
boulter (n) [μπόουλτα(ρ)] παραγάδι.
bounce (v) [μπάουνς] αναπηδώ, κτυπώ, ορμώ (n) παλμός.
bounceable (adj) [μπάουνσαμπλ] ελαστικός, αναπηδητικός.
bouncer (n) [μπάουνσα(ρ)] φαφλατάς, πορτιέρης [σε μαγαζί].
bound (v) [μπάουν-ντ] ορίζω, σκιρτώ (n) αναπήδημα, σάλτο.
boundary (adj) [μπάουν-νταρι] μεθόριος, σύνορο, όριο.
bounden (adj) [μπάουν-ντεν] υποχρεωμένος, δεσμευμένος.
boundless (adj) [μπάουν-ντλες] άμετρος, άπειρος, απέραντος.
bounteous (adj) [μπάουντιας] μεγαλόψυχος, πλούσιος.
bountiful (adj) [μπάουντιφουλ] ευεργετικός, γενναιόδωρος.
bounty (n) [μπάουντι] πριμο-

δότηση, γενναιοδωρία.
bouquet (n) [μπουκέι] ανθοδέσμη.
bourgeois (n) [μπούαζζουα] μεσοαστός, αστός, μπουρζουάς.
bourgeoisie (n) [μπούαζουαζίι] αστική τάξη, μεσαία τάξη.
bourn (n) [μπόον] ρυάκι.
bout (n) [μπάουτ] κρίση, προσβολή, συνάντηση, πάλη.
bow (n) [μπόου] πεταλούδα , υπόκλιση, φιόγκος, τόξο, χαιρετισμός (v) [μπάου] υποχωρώ, σκύβω.
bow-backed (adj) [μπόου-μπακτ] καμπούρης, κυρτωμένος.
bowdlerize (v) [μπόου-ντλεραϊζ] περικόπτω, ευνουχίζω.
bowels (n) [μπάουελζ] σωθικά.
bower (n) [μπάουα(ρ)] περγουλιά, κιόσκι, κρεβατίνα.
bowl (n) [μπόουλ] κούπα, μπολ (v) ρίχνω, σερβίρω [μπάλα].
box (n) [μποξ] θήκη, πυξίδα, κιβώτιο, κάσα (v) πακετάρω.
boxer (n) [μπόξα(ρ)] μποξέρ.
boy (n) [μπόι] αγόρι, νεαρός.
boyfriend (n) [μπόι φρεν-ντ] φίλος [κοπέλας], αγόρι.
boy scout (n) [μπόι σκάουτ] πρόσκοπος.
boyish (adj) [μπόιισς παιδιάστικος, νεανικός, ζωηρός.
bra (n) [μπράα] σουτιέν.
brassy (adj) [μπράασι] σκληρός, ξεδιάντροπος, οξύς.
brace (n) [μπρέις] στήριγμα, ορθοστάτης, μπράτσο (v) δυναμώνω, συνδέω, αναζωογονώ.
braces (n) [μπρέισιζ] τιράντα.
bracing (adj) [μπρέισινγκ] ζωογόνος, τονωτικός.
bracket (n) [μπράκετ] υποστήριγμα, αγκύλη, απλίκα, παρένθεση, κατηγορία (v) παρενθέτω.
brackish (adj) [μπράκισς] υφάλμυρος, γλυφός.
brae (n) [μπρέι] βουνοπλαγιά.
brag (n) [μπραγκ] φούμαρα (v) καυχώμαι, ξιπάζομαι.
braggart (adj) [μπράγκαατ] καυχησιάρης, φανφαρόνος.
braid (n) [μπρέι-ντ] πλεξούδα, πλοκάμι, σειρίτι, γαϊτάνι (v) πλέκω, γαρνίρω, επενδύω.
brain (adj) [μπρέιν] εγκεφαλικός (n) εγκέφαλος, φαντασία (v) ανοίγω το κεφάλι.
brain-storm (n) [μπρέινστοομ] σύγχυση, υστερική κρίση, ιδέα.
brainchild (n) [μπρέιντσσάιλντ] δημιούργημα.
braised (adj) [μπρέιζ-ντ] κοκκινιστός.
brake (v) [μπρέικ] φρενάρω (n) φρένο, τροχοπέδη.
bran (n) [μπραν] πίτουρο.
branch (adj) [μπράαντσς] περιφερειακός (n) διακλάδωση.
brand (n) [μπραν-ντ] δαυλί,

στίγμα, εμπορικό σήμα(v) σφραγίζω, καυτηριάζω.
brandied (adj) [μπράν-ντι-ντ] εμποτισμένος, δυναμωμένος.
brandish (v) [μπράν-ντισς] σείω, κραδαίνω, επισείω.
brandy (n) [μπράν-ντι] κονιάκ.
brash (adj) [μπρασς] φουριόζος, επιδεικτικός, αναιδής, χυδαίος (n) χάλικες, πύρωση.
brashy (adj) [μπράσσι] εύθραυστος, εύθρυπτος.
brass (adj) [μπραας] μπρούντζινος(n) χαλκός, παραδάκι.
brass hat (n) [μπραας χατ] ανώτερος αξιωματικός, γαλονάς.
brass mortar (n) [μπραας μόοτα(ρ)] χαϊβάνι.
brassard (n) [μπράσαα-ντ] περιβραχιόνιο.
brat (n) [μπρατ] μπόμπιρας, κουτσούβελο, παλιόπαιδο.
bravado (n) [μπραβάα-ντοου] ψευτοπαλλικαριά.
brave (adj) [μπρέιβ] θαραλλέος, ανδρείος, γενναίος, (v) αψηφώ.
bravo! (ex) [μπράβο] μπράβο!.
braw (adj) [μπροο] ομορφοντυμένος, ωραίος, ευχάριστος.
brawl (n) [μπρόολ] καυγάς (v) καυγαδίζω, φωνάζω.
brawler (n) [μπρόολα(ρ)] καβγατζής, φωνακλάς.
brawn (n) [μπρόον] «πηχτή».
brawny (adj) [μπρόονι] μυώδης.
bray (v) [μπρέι] ουρλιάζω.
braze (v) [μπρέιζ] συγκολλώ.
brazen (adj) [μπρέιζεν] θρασύς.
brazier (n) [μπρέιζα(ρ)] μαγκάλι, χαλκωματάς.
breach (n) [μπρίιτς] αθέτηση, ρήξη (v) διαρρηγνύω.
breach of the law (n) [μπρίιτς οβ δε λόο] παρανομία.
breach of trust (n) [μπρίιτς οβ τραστ] κατάχρηση.
bread (n) [μπρε-ντ] ψωμί.
bread-winning (adj) [μπρεντγουίνινγκ] βιοποριστικός.
breadcrust (n) [μπρέ-ντκράστ] κόρα ψωμιού.
breadth (n) [μπρε-ντθ] ευρύτητα.
breadwinner (n) [μπρέ-ντουίνα(ρ)] βιοπαλαιστής.
break (v) [μπρέικ] κομματιάζω, ξημερώνω, χαλώ, χρεοκοπώ (n) θλάση, άνοιγμα, ρεπό.
break away (v) [μπρέικ αουέι] αποσκιρτώ, ξεκόβω.
break down (v) [μπρέικ ντάουν] αναλύω, αποσυνθέτω, χαλάω.
break in (v) [μπρέικ ιν] διακόπτω.
break into (v) [μπρέικ ίντου] κάνω διάρρηξη.
break off (v) [μπρέικ οφ] λύω, λύνω [καταργώ].
break open (v) [μπρέικ όπεν]

παραβιάζω [πόρτα κτλ], βιάζω.
break up (v) [μπρέικ απ] σαραβαλιάζω, τεμαχίζω.
break wind (v) [μπρέικ γουίντ] κλάνω, πέρδομαι.
breakable (adj) [μπρέικα-μπλ] εύθραυστος.
breakage (n) [μπρέικιντζζ] θράυση, σπάσιμο, ράγισμα.
breakaway (n) [μπρέικαουεϊ] δραπέτευση (adj) αποσπασθείς.
breakdown (n) [μπρέικ-ντάουν] κατάρρευση, υπερκόπωση.
breaker (n) [μπρέικα(ρ)] θραύστης, παραβάτης [νόμου].
breakfast (n) [μπρέκφάστ] πρόγευμα, πρωινό [πρόγευμα].
breaking (n) [μπρέικινγκ] διάρρηξη κατάρριψη, τσάκισμα.
breakneck (adj) [μπρέικνεκ] ιλιγγιώδης, επικίνδυνος.
breakwater (n) [μπρέικουότερ] κυματοθραύστης, μώλος.
breast (n) [μπρεστ] θώρακας.
breastplate (n) [μπρέστπλέιτ] πανοπλία θώρακα, θώρακας.
breastwork (n) [μπρέστουερκ] πρόχειρο πρόχωμα.
breath (n) [μπρεθ] αναπνοή.
breathless (adj) [μπρέθλες] λαχανιασμένος, ξεψυχισμένος.
breeches (n) [μπρίιτσσις] γλουτός, κυλότα, βράκα.
breed (n) [μπρίι-ντ] ράτσα, γενεά (v) γεννώ εκτρέφω.
breeding (n) [μπρίι-ντινγκ] αναπαραγωγή.
breeze (n) [μπρίιζ] αεράκι.
breezy (adj) [μπρίιζι] ανεμοδαρμένος, αεράτος, αλέγρος.
brevet (adj) [μπρέβιτ] τιμητικός.
breviary (n) [μπρέβιαρι] σύνοψη [εκκλ].
brevity (n) [μπρέβιτι] συντομία.
brew (v) [μπριού] βράζω.
brewage (n) [μπρούουιντζζ] μπύρα, ζύθος, ζυθοποιΐα.
brewery (n) [μπρούερι] ζυθοποιείο, ποτοποιείο.
briar (n) [μπράια(ρ)] βάτος.
bribable (adj) [μπράι-μπα-μπλ] δωροδοκούμενος.
bribe (n) [μπράι-μπ] δωροδοκία (v) λαδώνω [μεταφ].
brick (adj) [μπρικ] τούβλινος (n) τούβλο, λεβέντης.
bricklayer (n) [μπρίκλέια(ρ)] πλινθοκτίστης, χτίστης.
brickwork (n) [μπρίκουέρκ] τοιχοποιία, πλιθόκτισμα.
bridal (adj) [μπράι-νταλ] γαμήλιος (n) γάμος, γαμήλιο δείπνο.
bridal chamber (n) [μπράι-νταλ τσέιμ-μπα(ρ)] παστάδα.
bride (n) [μπράι-ντ] νύφη.
bridegroom (n) [μπράι-ντγκρούμ] νιόπαντρος.
bridesmaid (n) [μπράι-ντζμέιντ] παράνυμφος.
bridge (n) [μπριντζζ] γέφυρα

(v) γεφυρώνω.
bridge house (n) [μπριντζζ χάους] πύργος [ναυτ].
bridle (n) [μπράι-ντλ] ζεύξη, χαλινάρι (v) καπιστρώνω.
brief (adj) [μπρίιφ] βραχύς, (n) δικογραφία (v) προετοιμάζω.
briefing (n) [μπρίιφινγκ] ενημέρωση, οδηγίες, εντολές.
briefness (n) [μπρίιφνες] συντομία, βραχύτητα.
briefs (n) [μπρίιφς] σώβρακο.
brigade (n) [μπρίγκέι-ντ] ταξιαρχία, σώμα, υπηρεσία.
brigand (n) [μπρίγκαν-ντ] ληστής.
bright (adj) [μπράιτ] φωτεινός.
brighten (v) [μπράιτεν] φωτίζω, ευθυμώ, ζωντανεύω.
brilliance (n) [μπρίλιανς] λαμπρότητα, αίγλη, ανταύγεια,
brim (n) [μπριμ] άκρη, χείλος.
brimful (adj) [μπρίμφουλ] ολόγιομος, υπερπλήρης.
brimming over (adv) [μπρίμινγκ όουβα(ρ)] φίσκα.
brine (n) [μπράιν] άλμη.
bring (v) [μπρινγκ] τραβώ.
bring a charge (v) [μπρινγκ α τσσάαντζζ] καταγγέλλω.
bring about (v) [μπρινγκ αμπάουτ] επιφέρω, μηχανεύομαι, παρέχω [ευκαιρία], προξενώ.
bring forth (v) [μπρίνγκ φοοθ] φέρνω [παράγω], γεννώ.
bring in (v) [μπρινγκ ιν] αποφέρω, δίδω, φέρνω [παράγω].
bring round (v) [μπρινγκ ράουν-ντ] συνεφέρνω.
bring shame on (v) [μπρινγκ σσέιμ ον] καταντροπιάζω.
bring to (v) [μπρινγκ του] καταντώ.
bring to a head (v) [μπρινγκ του α χε-ντ] αποκορυφώνω.
bring to mind (v) [μπρινγκ του μάιν-ντ] αναπολώ.
bring together (v) [μπρινγκ τουγκέδα(ρ)] συγκεντρώνω.
brink (n) [μπρινκ] χείλος [μτφ].
briny (adj) [μπράινι] γλυφός, αλμυρός (n) θάλασσα.
brio (n) [μπρίιοου] ζωντάνια.
brisk (adj) [μπρισκ] ταχύς, βιαστικός, ζωηρός (v) δυναμώνω.
bristle (n) [μπρισλ] σκληρη τρίχα, γουρουνότριχα, τρίχα.
brittle (adj) [μπριτλ] εύθραυστος.
broach (v) [μπρόουτσς] ανοίγω, τρυπώ, εισάγω, θίγω.
broad (adj) [μπρόο-ντ] ευρύς.
broad-minded (adj) [μπρόο-ντμάιν-ντιντ] φιλελεύθερος.
broadcast (v) [μπρόο-ντκάαστ] εκπέμπω (n) εκπομπή.
broaden (v) [μπρόο-ντεν] ευρύνω, πλατύνω.
brochure (n) [μπρόουσσα(ρ)] διαφημιστικό φυλλάδιο.

brock (n) [μπροκ] τρόχος.
broil (v) [μπρόιλ] καψαλίζω, ψήνω (n) συμπλοκή, φασαρία.
broiler (n) [μπρόιλα(ρ)] μάγειρας, ψησταριά, καυγατζής.
broke (adj) [μπρόουκ] αδέκαρος.
broken (adj) [μπρόουκεν] τεθλασμένος, σπασμένος.
broken in pieces (adj) [μπρόουκεν ιν πίισιζ] διαλυμένος.
brokerage (n) [μπρόουκεριντζζ] μεσιτεία, προμήθεια.
bronchitis (n) [μπρόνκάιτις] βρογχίτιδα.
bronze (adj) [μπρονζ] μπρούντζινος, (n) ορείχαλκος.
brood (v) [μπρούου-ντ] κλωσώ, (n) κουτσούβελα.
brooding (n) [μπρούου-ντινγκ] επώαση.
brook (n) [μπρούκ] ρυάκι (v) ανέχομαι, υπομένω, επιδέχομαι.
brooklet (n) [μπρούκλετ] ρυάκι.
broom (n) [μπρουμ] σκούπα.
broomstick (n) [μπρούμστίκ] σκουπόξυλο.
broth (n) [μπροθ] ζωμός.
brothel (n) [μπρόθελ] πορνείο.
brother (n) [μπράδα(ρ)] αδελφός.
brother-in-law (n) [μπράδα(ρ)-ινλόο] κουνιάδος.
brotherliness (n) [μπράδαλινες] αδελφικότητα, αδελφοσύνη.
brow (n) [μπράου] φρύδι.
browbeat (v) [μπράου-μπίιτ] πτοώ, φοβίζω, υβρίζω.
brown (adj) [μπράουν] καφετής, καστανός, μελαχρινός (v) σκουραίνω, ροδίζω, τσιγαρίζω.
bruise (n) [μπρουζ] μαύρισμα, μελανιά (v) μωλωπίζω.
brumal (adj) [μπρούουμαλ] χειμερινός, χειμέριος.
brume (n) [μπρούουμ] ομίχλη.
brunette (n) [μπρουουνέτ] μελαχρινή [γυναίκα].
brunt (n) [μπραντ] ορμή.
brush (v) [μπρασ] καθαρίζω (n) βούρτσα.
brushwood (n) [μπράσσου-ντ] χαμόκλαδα, θάμνοι.
brushy (adj) [μπράσσι] φουντωτός, τριχωτός, θαμνώδης.
brusque (adj) [μπρουσκ] απότομος, κοφτός, τραχύς.
brutal (adj) [μπρούταλ] κτηνώδης, ζωώδης, σκληρός.
brute (n) [μπρουτ] ζώο [άνθρ], θηρίο, κτήνος, τετράποδο.
bubble (n) [μπα-μπλ] φουσκάλα (v) αφρίζω, βράζω.
bubble-bath (n) [μπά-μπλ-μπάαθ] αφρόλουτρο.
bubbly (adj) [μπά-μπλι] αφρώδης (n) σαμπάνια [αργκό].
buccal (adj) [μπούκαλ] στοματικός, παρειακός.

bucket (n) [μπάκιτ] κουβάς.
bbuckle (n) [μπακλ] πόρπη (v) κουμπώνω, κάμπτω.
buckle on (v) [μπακλ ον] ζώνω.
buckled (adj) [μπακλ-ντ] φέρων αγκράφα, στρεβλωμένος.
bucolic (adj) [μπιουκόλικ] ποιμενικός, βουκολικός.
bud (n) [μπα-ντ] βλαστάρι (v) φύομαι.
buddy (n) [μπά-ντι] σύντροφος, συνάδελφος, κολέγας.
budge (v) [μπα-ντζζ] κινούμαι, υποχωρώ, αναδεύω, σαλεύω.
budget (n) [μπάντζζετ] προϋπολογισμός (v) προϋπολογίζω.
buff (n) [μπαφ] βουβαλόδερμα, τροχός λειάνσεως (v) στιλβώνω.
buffalo (n) [μπάφαλο] βουβάλι.
buffer (n) [μπάφα(ρ)] αποσβεστήρας, παλιόφιλος.
buffet (n) [μπάφετ] ράπισμα, κυλικείο (v) θαλασσοδέρνω.
buffoon (n) [μπαφούν] παλιάτσος.
bug (n) [μπαγκ] κοριός, ιός, μανία, τρέλλα, ελάττωμα, βλάβη (v) κατασκοπεύω, ενοχλώ.
bugaboo (n) [μπάγκαμπουου] φόβητρο, μπαμπούλας.
bugbear (n) [μπάγκ-μπέα(ρ)] μπαμπούλας, εφιάλτης.
bugger (n) [μπάγκα(ρ)] σοδομίτης, ομοφυλόφιλος, παιδεραστής, κτηνοβάτης, πούστης.
buggy (n) [μπάγκι] αμαξάκι.
bugle (n) [μπιούγκλ] σάλπιγγα.
build (v) [μπιλ-ντ] κάνω, εγείρω, κατασκευάζω, κτίζω.
builder (n) [μπίλ-ντα(ρ)] κτίστης.
building (adj) [μπίλ-ντινγκ] οικοδομικός (n) έγερση.
building site (n) [μπίλ-ντινγκ σάιτ] οικόπεδο.
built-in (adj) [μπίλτιν] χωνευτός.
bulb (n) [μπαλ-μπ] λάμπα.
bulbous (adj) [μπάλ-μπας] βολβοειδής, σφαιρικός.
bulge (n) [μπαλ-ντζζ] εξόγκωμα (v) διογκώνω, προεξέχω.
bulk (n) [μπαλκ] όγκος, μάζα, μπούγιο (v) στοιβάζω.
bull (n) [μπουλ] ταύρος, σαχλαμάρα (v) (adj) υψωτικός.
bullate (adj) [μπούλεϊτ] φυσαλλιδώδης, φουσκαλισμένος.
bulldozer (n) [μπούλ-ντοουζα(ρ)] μπουλντόζα.
bullet (n) [μπούλιτ] βολίδα.
bullet-proof (adj) [μπούλιτπρουουφ] αλεξίσφαιρος.
bulletin (n) [μπούλετιν] ανακοινωθέν, δελτίο ειδήσεων.
bullfight (n) [μπούλφάιτ] ταυρομαχία.
bullish (adj) [μπούλισς] υψωτικός.
bullshit (n) [μπούλσσίτ] μπούρ-

δες.

bully (n) [μπούλι] νταής, παλικαράς (v) τρομοκρατώ.

bulrush (n) [μπούλράσς] ψάθα.

bulwark (n) [μπούλουακ] προπύργιο (v) αμύνομαι.

bum (n) [μπαμ] μάγκας, ποπός (v) ζητιανεύω (adj) άχρηστος.

bumbledom (n) [μπάμ-μπλντομ] γραφειοκρατία.

bump (n) [μπαμ-π] κτύπος, τίναγμα(v) προσκρούω.

bumper (n) [μπάμ-πα(ρ)] κανάτα, (adj) γεμάτος.

bumpiness (n) [μπάμ-πινες] επιφανειακή ανωμαλία.

bumpkin (n) [μπάμ-πκιν] άξεστος.

bumptious (adj) [μπάμσσας] υπεροπτικός, φαντασμένος.

bumpy (adj) [μπάμ-πι] ανώμαλος.

bun (n) [μπαν] κουλουράκι.

bunch (n) [μπαντσς] δέσμη, τούφα, μάτσο, μπουκέτο.

bunco (v) [μπάνκοου] εξαπατώ.

bundle (n) [μπαν-ντλ] μπόγος, δέμα, μάτσο, πάκο (v) σωριάζω.

bung (v) [μπανγκ] βουλώνω, κλείνω, (n) βύσμα.

bungle (v) [μπανγκλ] χαλνώ (n) λάθος, αποτυχία.

bungler (adj) [μπάνγκλα(ρ)] αδέξιος, σκιτζής, άπειρος.

bunk (n) [μπανκ] κουκέτα, φούμαρα (v) πλαγιάζω, φεύγω.

bunker (n) [μπάνκα(ρ)] καρβουνιέρα, οχυρό (v) ανθρακεύω, φορτώνω [καύσιμα].

bunny (n) [μπάνι] κουνελάκι.

buoy (n) [μπόι] σημαδούρα (v) επιπλέω.

buoyancy (n) [μπόιανσι] άνωση, αισιοδοξία [μεταφ], κέφι.

buoyant (adj) [μπόιαν-τ] ελαφρός, κεφάτος [μεταφ].

bur (n) [μπαρ] κολλητσίδα.

burble (v) [μπερ-μπλ] φλυαρώ.

burden (v) [μπέρ-ντεν] βαρύνω, καταπιέζω, επιβαρύνω (n) φόρτος.

burdensome (adj) [μπέρ-ντενσάμ] φορτικός, οχληρός.

bureaucrat (n) [μπιούροκρατ] γραφειοκράτης.

burgeoning (n) [μπέρντζζιονινγκ] φούντωμα.

burgess (n) [μπέρντζζις] πολίτης.

burgle (n) [μπέργκλ] παραβιάζω, διαρρηγνύω.

burial (adj) [μπέριαλ] νεκρώσιμος (n) εκφορά, ταφή, θάψιμο.

burin (n) [μπιούριν] καλέμι.

burinist (n) [μπιούρινιστ] χαράκτης.

burke (v) [μπερκ] αποσιωπώ.

burl (n) [μπερλ] κόμπος, ρόζος.

burlesque (n) [μπερλέσκ] παρωδία (adj) γελοίος (v) παρω-

δώ.
burly (n) [μπέρλι] γεροδεμένος.
burn down (v) [μπερν ντάουν] αποτεφρώνω, πυρπολώ.
burner (n) [μπέρνα(ρ)] εστία [σόμπας], μπεκ, ράμφος.
burnish (v) [μπέρνις] γυαλίζω, (n) λούστρο, βερνίκι.
burnous (n) [μπερνόουζ] μπουρνούζι, κελεμπία.
burp (n) [μπερπ] ρέψιμο (v).
burr (n) [μπερ] κολλιτσίδα.
bursary (n) [μπέρσαρι] λογιστήριο, υποτροφία.
bursar's office (n) [μπέρσα'ζ όφις] λογιστήριο.
burst (v) [μπερστ] διαρρηγνύω (n) έκρηξη, ριπή.
bury (v) [μπέρι] ενταφιάζω, θάβω, κηδεύω, κουκουλώνω.
burying (n) [μπέριινγκ] χώσιμο.
bus (n) [μπας] λεωφορείο.
bus owner (n) [μπας όουνα(ρ)] λεωφορειούχος.
bush (n) [μπουσς] θάμνος, δάσος, δακτύλιος,(v) φουντώνω.
bushy (adj) [μπούσσι] δασύς.
busily (adv) [μπίζιλι] δραστήρια.
business (adj) [μπίζνις] επιχειρηματικός (n) ασχολία, πράγμα.
businessman (n) [μπίζνισμαν] επιχειρηματίας.
busk (n) [μπασκ] έλασμα (v) ετοιμάζω, βιάζομαι.
buskin (n) [μπάσκιν] τραγωδία.
bust (n) [μπαστ] προτομή, μπούστο, γλέντι, πτώχευση, μπουνιά (v) σπάζω, ρίχνω, (adj) σπασμένος, ταπί.
bustle (n) [μπασλ] μαξιλαράκι, φασαρία (v) βιάζω, σπρώχνω.
busy (adj) [μπίζι] περαστικός, πολυσύχναστος, (v) απασχολώ.
but (prep) [μπατ] παρά, δε (conj) αλλά, μα, όμως, πλην.
butcher (n) [μπούτσσα(ρ)] κρεοπώλης (v) κρεουργώ.
butler (n) [μπάτλερ] οικονόμος.
butt (n) [μπατ] κορόιδο, κουτουλιά (v) κερατίζω, εφορμώ.
butt in (v) [μπατ ιν] πετάγομαι.
butt on (v) [μπατ ον] εφάπτομαι, προεξέχω.
butter (n) [μπάτα(ρ)] βούτυρο, κολακεία (v) βουτυρώνω.
butterfly (n) [μπάταφλάι] πεταλούδα, άστατος.
buttock (n) [μπάτοκ] γλουτός (v) ανατρέπω αντίπαλο.
button (n) [μπάτον] κουμπί.
buttress (n) [μπάτρες] αντιστήριγμα (v) στηρίζω.
butty (n) [μπάτι] σύντροφος.
buy (v) [μπάι] ψωνίζω.
buyable (adj) [μπάια-μπλ] αγοραζόμενος, εξαγοραζόμενος.
buzz (v) [μπαζ] βουίζω, ψιθυρίζω, μεταβιβάζω (n) βούισμα.
buzzer (n) [μπάζα(ρ)] σειρήνα.

buzzing (n) [μπάζινγκ] βόμβος.
by (adv) [μπάι] κοντά, εδώ, υπό, δίπλα, παρά (adj) περασμένος (pr) πλησίον, μέσω, από, κατά, διά, εκ, με, παρά (conj) μα.
by chance (adv) [μπάι τσσαανς] κουτουρού, τυχαίως, τυχόν.
by night (n) [μπάι νάιτ] νύχτα.
by the way (adv) [μπάι δε ουέι] παρεμπιπτόντως.
by train (adv) [μπάι τρέιν] σιδηροδρομικώς.
by-product (n) [μπάιπρόντακτ] παράγωγο, υποπροϊόν.
bygone (adj) [μπάιγκόν] παλιός.
byre (n) [μπάια(ρ)] σταύλος.
bystander (n) [μπάισταν-ντα(ρ)] θεατής.
byword (n) [μπάιουερ-ντ] περίγελος, παροιμία, ρητό.

C, c (n) [σιι] το τρίτο γράμμα του αγγλικού αλφαβήτου.
cab (n) [κα-μπ] ταξί.
cabal (n) [κα-μπάλ] σκευωρία (v) συνωμοτώ.
cabbage (n) [κά-μπιντζζ] λάχανο, βλάκας (v) σουφρώνω.
cabby (n) [κά-μπι] ταξιτζής.
cabin (n) [κά-μπιν] καμπίνα.
cabin boy (n) [κά-μπιν μπόι] θαλαμηπόλος, καμαρότος.
cabinet (n) [κά-μπινετ] ντουλάπι.
cabinet-maker (n) [κά-μπινετ-μέικερ] επιπλοποιός.
cable (n) [κέι-μπλ] παλαμάρι, καλώδιο (v) τηλεγραφώ.
cable-car (n) [κέι-μπλ-κααρ] τελεφερίκ.
cabman (n) [κά-μπμαν] αμαξάς.
cabotage (n) [κά-μποτιντζζ] ακτοπλοΐα, ακτοπλοϊκό εμπόριο.
cacao (n) [κακάοου] κακάο.
cache (n) [κασς] κρύπτη (v) κρύπτω, κρύβω, φυλάττω.
cachet (n) [κάσσεϊ] σφραγίδα, στάμπα, διακριτικό σήμα.
cachectic (adj) [καχεκτίκ] καχεκτικός.
cackle (n) [κακλ] φλυαρία.
cactus (n) [κάκτας] κάκτος.
cad (n) [κα-ντ] παλιάνθρωπος.
cadastral (adj) [κα-ντάστραλ] κτηματολογικός.
cadaverous (adj) [κα-ντάαβαρας] κιτρινιάρης, ισχνός.
cadence (n) [κέι-ντενς] ρυθμός.
cadet (n) [κα-ντέτ] υστερότοκος.
cadge (v) [καντζζ] ζητιανεύω.
cadger (n) [κάντζζα(ρ)] τρακαδόρος.
cadish (adj) [κά-ντισς] πρόστυχος, αχρείος, αλήτικος.
cadre (n) [κάα-ντα(ρ)] σχέδιο.
caducity (n) [κα-ντιούσιτι] φθαρτότητα, προσωρινότητα.
caducous (adj) [κα-ντιούκας] φθαρτός, προσωρινός, παροδικός, εφήμερος, βραχύβιος.
café (n) [καφέι] καφενείο.
caff (n) [καφ] καφενείο.
caffeic (adj) [καφίικ] καφεϊκός.
caffeine (n) [κάφιιν] καφεΐνη.
cage (n) [κέιντζζ] (adj) κλούβα, κλουβί (v) φυλακίζω.
cagey (adj) [κέιντζζι] κρυψίνους.
caique (n) [καΐκ] πλοιάριο, καΐκι.
cairn (n) [κέαν] τύμβος.
caitiff (adj) [κέιτιφ] δειλός.
cajole (v) [καντζζόουλ] καλο-

πιάνω, ρίχνω, σαγηνεύω.
cajoler (n) [καντζζόουλα(ρ)] καταφερτζής, μαλαγανιά.
cake (n) [κέικ] κέικ, πίττα, γλυκό (v) πήζω, ξεραίνομαι.
calaboose (n) [καλα-μπούουζ] φυλακή, στενή, φρέσκο.
calamitous (adj) [καλάμιτας] τραγικός, ολέθριος, μοιραίος.
calamus (n) [κάλαμας] καλάμι.
calcareous (adj) [καλκέαριας] ασβεστούχος, ασβεστολιθικός.
calcium (n) [κάλσιαμ] ασβέστιο.
calculable (adj) [κάλκιουλαμπλ] υπολογίσιμος, μετρήσιμος.
calculate (v) [κάλκιουλεϊτ] λογαριάζω, εκτιμώ, σταθμίζω.
calculating (adj) [καλκιουλέιτινγκ] συμφεροντολόγος.
calendar (adj) [κάλεν-ντα(ρ)] ημερολογιακός (n) ημερολόγιο (v) γράφω σε ημερολόγιο.
calender (adj) [κάλεν-ντερ] στιλβωτικός κύλινδρος.
calendula (n) [καλέν-ντιουλα] νεκρολούλουδο, νεκράνθεμο.
calf (n) [κααφ] μοσχάρι, γάμπα.
calibrate (v) [κάλι-μπρεϊτ] διαβαθμίζω, διαμετρώ.
call (n) [κόολ] κραυγή, φωνή, τηλεφώνημα, έλξη, επίσκεψη (v) αποκαλώ, φωνάζω, καλώ.
caller (n) [κόολα(ρ)] επισκέπτης (adj) νωπός, φρέσκος.
calligrapher (n) [καλίγκραφα(ρ)] καλλιγράφος.
calling (n) [κόολινγκ] απασχόληση, ασχολία, εργασία.
callisthenics (n) [καλισθένικς] γυμναστική, σωματική αγωγή.
callosity (n) [καλόσιτι] κονδύλωμα, αφύσικη σκληρότητα.
callous (adj) [κάλας] ροζιασμένος, πωρωμένος, σκληρός.
callow (adj) [κάλοου] άπτερος.
callus (n) [κάλας] τύλος, κάλος.
calm (adj) [κάαμ] ήρεμος, φιλήσυχος (n) γαλήνη, κάλμα (v) ηρεμώ.
calmative (n) [κάαματιβ] καταπραϋντικό (adj).
calmly (adv) [κάαμλι] ήσυχα.
calorie (n) [κάλορι] θερμίδα.
calorifier (n) [καλόριφαϊα(ρ)] θερμαντικό σώμα, καλοριφέρ.
calory (n) [κάλορι] θερμίδα.
calumniate (v) [καλάμνιεϊτ] συκοφαντώ, κακολογώ, διαβάλλω.
calvary (n) [κάλβαρι] Γολγοθάς,
cam (n) [καμ] έκκεντρο, δόντι.
camaraderie (n) [καμαράα-ντερι] συναδελφικότητα.
camber (n) [κάμ-μπα(ρ)] κύρτωμα, κυρτότητα, καμπυλότητα.
camel (n) [κάμελ] καμήλα.
camellia (n) [καμίιλια] καμέλια.
cameo (n) [κάμιοου] καμέα.
camera (n) [κάμερα] φωτογραφική μηχανή.
cami-knickers (n) [καμι-νίκαζ]

κομπιναιζόν.
camion (n) [κάμιον] καμιόνι.
camisole (n) [κάμισοουλ] πουκάμισο.
camomile (n) [κάμομαϊλ] χαμομήλι.
camouflage (n) [κάμαφλάαζζ] καμουφλάζ (v) καμουφλάρω.
camp (n) [καμ-π] στρατώνας, κατασκήνωση (v).
camp-follower (n) [κάμ-π-φόλοουα(ρ)] άμαχος, αμύντος.
campaign (n) [καμ-πέιν] εξόρμηση (v) εκστρατεύω.
campanile (n) [καμ-πανίιλι] κωδωνοστάσιο, καμπαναριό.
camping (n) [κάμ-πινγκ] διαμονή σε κατασκήνωση.
campion (n) [κάμ-πιον] λυχνίδα, σιληνή [βοτ].
campus (n) [κάμ-πας] πανεπιστημιούπολη.
can (v) [καν] μπορώ, κονσερβοποιώ (conj) (part) (adv) τάχα (n) μπιτόνι, παγούρι, κονσέρβα.
canal (n) [κανάλ] κανάλι.
canalization (n) [καναλαϊζέισσον] διοχέτευση, σωλήνωση.
canary (n) [κανέαρι] καναρίνι.
cancel (v) [κάνσελ] ακυρώνω, διαγράφω, ματαιώνω, καταργώ.
cancer (n) [κάνσα(ρ)] καρκίνος.
candela (n) [κάν-ντελα] κερί.
candelabrum (n) [κάν-ντιλάαμπραμ] κηροπήγιο.
candescence (n) [καν-ντέσενς] πυράκτωση, εκτύφλωση.
candid (adj) [κάν-ντι-ντ] ευθύς, ντόμπρος (n) στιγμιότυπο.
candidate (adj) [κάν-ντι-ντέιτ] υποψήφιος.
candied (adj) [κάν-ντι-ντ] σακχαρόπηκτος, μελιστάλαχτος.
candle (n) [καν-ντλ] κερί.
candlestick (n) [κάν-ντλστίκ] καντηλέρι, μικρό κεράκι.
candour (n) [κάν-ντα] ευθύτητα.
candy (n) [κάν-ντι] κουφέτο.
cane (adj) [κέιν] καλαμένιος (n) κάλαμος, ψάθα, μπαστούνι (v) ραβδίζω.
cane sugar (n) [κέιν σσούγκα(ρ)] καλαμοζάχαρο.
canine (n) [κέιναϊν] κυνικός.
canker (n) [κάνκα(ρ)] έλκος, πληγή, γάγγραινα, σκώρος,(v) κατατρώγω, διαφθείρω.
cannabis (n) [κάνα-μπις] κάνναβις, χασίς, μαριχουάνα.
canned (n) [καν-ντ] μεθυσμένος, αποχαυνωμένος.
cannellure (n) [κάνελιουα(ρ)] αυλάκι, ράβδωση.
canner (n) [κάνερ] κονσερβοποιός.
cannibal (n) [κάνι-μπαλ] κανίβαλος, ανθρωποφάγος.
canniness (n) [κάνινις] επιφυλακτικότητα, σωφροσύνη.

cannon (n) [κάνον] κανόνι.
canny (adj) [κάνι] προσεκτικός, σώφρων, ξύπνιος, πονηρός.
canoe (n) [κανού] μονόξυλο, κανό (v) κωπηλατώ.
canon (n) [κάνον] κανόνας [εκκλ].
canonicity (n) [κανονίσιτι] κανονικότητα, αυθεντικότητα.
canonize (v) [κάνοναϊζ] αγιοποιώ, ανακηρύσσω άγιο.
canoodle (v) [κανού-ντλ] χαϊδολογώ, κανακεύω, τρίβομαι.
canopy (n) [κάνοπι] ουρανός.
cant (n) [καν-τ] πλάγιασμα, τίναγμα, (v) γέρνω, πλαγιάζω.
cantankerous (adj) [καν-τάνκερας] ανάποδος, δύστροπος.
canteen (n) [καν-τίιν] καντίνα.
canter (n) [κάν-τα(ρ)] καλπασμός.
canticle (n) [κάν-τικλ] ύμνος.
canting (adj) [κάν-τινγκ] υποκριτικός, ανειλικρινής.
canto (n) [κάν-τοου] μελωδία.
canton (n) [κάν-τον] καντόνιο (v) διαιρώ σε καντόνια.
cantor (n) [κάν-το(ρ)] κορυφαίος χορωδία, σολίστας.
canvas (n) [κάνβας] καμβάς.
canvass (n) [κάνβας] ψηφοθηρία, αναζήτηση πελατείας, έρευνα (v) συζητώ, εξετάζω.
canyon (n) [κάνιον] κάνιο.
caoutchouc (n) [κάουτσσουουκ] καουτσούκ.
cap (n) [κάπ] προφυλακτικό, σκούφια, τραγιάσκα, (v) καλύπτω, σκεπάζω, πωματίζω.
capability (n) [κεϊπα-μπίλιτι] ικανότητα, επιδεξιότητα.
capacious (adj) [καπέισσας] περιεκτικός, εκτεταμένος.
capacitate (v) [καπάσιτεϊτ] εξουσιοδοτώ.
capacity (n) [καπάσιτι] αντίληψη, αποδοτικότητα.
cape (n) [κέιπ] μπέρτα, κάβος.
caper (n) [κέιπα(ρ)] κάπαρη, χοροπήδημα (v) χοροπηδώ.
capillarity (n) [καπιλάριτι] τριχοειδές.
capital (adj) [κάπιταλ] θανατικός, κεφαλαιουχικός, ουσιώδης (n) πρωτεύουσα, κεφάλαιο.
capitalism (n) [κάπιταλίζμ] κεφαλαιοκρατία, καπιταλισμός.
capitation (n) [καπιτέισσον] χαράτσι, κεφαλικός φόρος.
capitulate (v) [καπίτιουλέιτ] συνθηκολογώ, υποχωρώ.
caprice (n) [καπρίις] καπρίτσιο.
capriciousness (n) [καπρίσσιασνες] ιδιοτροπία, παραξενιά.
capsize (v) [καπσάιζ] ανατρέπω [βάρκα κτλ], αναποδογυρίζω.
captain (n) [κάπτεν] αρχηγός, καπετάν (v) ηγούμαι, διοικώ.
caption (n) [κάπσσον] τίτλος, επικεφαλίδα, λεζάντα.

captious (adj) [κάπσιας] φιλοκατήγορος, δύστροπος.
captivate (v) [κάπτιβεϊτ] γοητεύω, αιχμαλωτίζω, μαγνητίζω.
capture (n) [κάπτσα(ρ)] άλωση, κατάληψη, σύλληψη (v) παίρνω, αιχμαλωτίζω.
car (n) [καα(ρ)] αυτοκίνητο.
caracole (v) [κάρακοουλ] περιστρέφω [ίππον].
carafe (n) [καράφ] καράφα.
carat (n) [κάρατ] καράτι.
carbohydrate (n) [καα-μποχάιντρέιτ] υδατάνθρακας.
carbonize (v) [κάα-μποναϊζ] ανθρακώ, απανθρακώνω.
carbuncle (n) [κάα-μπάνκλ] πολύτιμος λίθος, ρουμπίνι.
carburetted (adj) [καα-μπιουρέττι-ντ] ανθρακούχος.
carburettor (n) [κάα-μπιουρέτα(ρ)] καρμπιρατέρ.
carburize (v) [κάα-μπιουραϊζ] ανθρακώ, ενώνω με άνθρακα.
carcass (n) [κάακας] ψοφίμι.
card (v) [κάα-ντ] ξαίνω, λαναρίζω (n) κάρτα, τραπουλόχαρτο, αγγελτήριο, δελτάριο.
cardsharper (n) [κάα-ντ-σσάαρπερ] χαρτοκλέφτης.
cardinal (n) [κάα-ντιναλ] απόλυτος [αριθμός], καρδινάλιος.
cardiology (n) [καα-ντιόλοντζζι] καρδιολογία.
care (n) [κέα(ρ)] φροντίδα, πρόνοια (v) νοιάζομαι, ανησυχώ.
care for (v) [κέα φοο(ρ)] μεριμνώ, σκοτίζομαι, φροντίζω.
careen (v) [καρίιν] καλαφατίζω.
careenage (n) [καρίινιντζζ] καρνάγιο, κατάκλιση.
career (n) [καρία(ρ)] καριέρα.
careerist (n) [καρίαριστ] αρριβιστής, αρριβίστας.
carefree (adj) [κέαφρίι] ξέγνοιαστος.
careful (adj) [κέαφούλ] επιμελής, προφυλακτικός.
carelessness (n) [κέαλεσνές] αμέλεια, αστοχία, παραδρομή.
caress (v) [καρές] θωπεύω, χαϊδεύω, χαϊδολογώ (n) χάδι.
caressing (adj) [καρέσινγκ] χαδιάρικος, (n) χάιδεμα.
caretaker (n) [κέατέικα(ρ)] επιστάτης, θυρωρός, φύλακας.
cargo (n) [κάαγκοου] φορτίο.
caricature (n) [καρίκατσσιούα(ρ)] (v) γελοιογραφώ.
caries (n) [κέαριιζ] τερηδόνα.
carious (adj) [κέαριας] σάπιος.
carking (adj) [κάακινγκ] βασανιστικός, ενοχλητικός.
carman (n) [κάαμαν] οδηγός.
carnage (n) [κάανιντζζ] σφαγή.
carnal (adj) [κάαναλ] σαρκικός.
carnality (n) [καανάλιτι] φιληδονία.
carnation (n) [καανέισσον] γαριφαλιά, γαρούφαλο.

carnivora (n) [κααvίβορα] σαρκοφάγα [ζωολ].
carols (n) [κάρολζ] κάλαντα.
carotin (n) [κάροτιν] καροτίνη.
carouse (n) [καράουζ] γλέντι, οινοποσία (v) μεθοκοπώ.
carp (n) [κάαπ] κυπρίνος (v) επικρίνω, κατσαδιάζω.
carpenter (n) [κάαπεν-τα(ρ)] μαραγκός, ξυλουργός.
carpet (n) [κάαπετ] τάπητας, χαλί (v) στρώνω.
carping (adj) [κάαπινγκ] κακόβουλος, γκρινιάρικος.
carpus (n) [κάαπες] καρπός.
carriage (n) [κάριντζζ] αμάξι, μεταφορά, κόμιστρο.
carriage fees (n) [κάριντζζ φίιζ] κόμιστρα, μεταφορικά.
carrier (n) [κάρια(ρ)] κομιστής.
carrion (n) [κάριον] ψοφίμι (adj) βρώμικος, σάπιος.
carrot (n) [κάροτ] καρότο.
carry (v) [κάρι] μεταφέρω, φέρνω, φορώ, βαστώ, πάω, συγκινώ (n) βεληνεκές.
carry away (v) [κάρι αουέι] ενθουσιάζομαι, αποκομίζω.
carry out (v) [κάρι άουτ] εκπληρώνω, πραγματοποιώ, εκτελώ.
carry-cot (n) [κάρι-κοτ] φορητό λίκνο βρέφους, πορτ-μπεμπέ.
carryings-on (n) [κάριινγκζ-όν] καμώματα, σαχλαμαρίσματα.
cart (n) [κάατ] αραμπάς, καροτσάκι, σούστα [όχημα], κάρο.
cartage (n) [κάατιντζζ] μεταφορικά, αμαξαγώγιο.
carte (n) [κάατ] μενού.
cartel (n) [κaατέλ] καρτέλ.
cartilage (n) [κάατιλιντζζ] χόνδρος, τραγανό.
cartography (n) [κάατόγκραφι] χαρτογραφία.
carton (n) [κάατν] κούτα.
cartoon (n) [κaατούν] κινούμενα σχέδια, σκίτσο.
cartouche (n) [καρτούουσς] φυσίγγιο, διακοσμητικό πλαίσιο.
cartridge (n) [κάατριντζζ] φυσέκι, κάλυκας [στρατ], φισέκι.
carve (v) [κάαβ] γλύφω, πελεκώ, πετσοκόβω, σκάπτω.
cascade (n) [κάσκέι-ντ] καταρράκτης, υδατόπτωση (adj) κλιμακωτός, διαδοχικός (v) πίπτω.
case (n) [κέις] δίκη,κάσα, κρούσμα (v) περικλείω, επενδύω.
casement (n) [κέισμεν-τ] θυρίδα.
cash (adj) [κασς] ταμιακός (n) μετρητά, (v) εξαργυρώνω.
cashable (adj) [κάσσα-μπλ] εξαργυρώσιμος.
cashier (v) [κασσία(ρ)] αποτάσσω [στρατ] (n) ταμίας.
casing (n) [κέισινγκ] επένδυση, αμπαλλάρισμα, καλούπωμα.
casino (n) [κασίνο] καζίνο.

cask (n) [κάασκ] βυτίο, βαρέλι.
casket (n) [κάασκιτ] κασετίνα.
casque (n) [κάασκ] κράνος.
cassation (n) [κασέισσν] ακύρωση.
casserole (n) [κάσερόουλ] κατσαρόλα, τέντζερης.
cassock (n) [κάσοκ] ράσο.
cast (adj) [κααστ] χυτός (n) ρίψη, απόσταση, φόρμα (v) απορρίπτω, αποβάλλω.
cast off (v) [κααστ οφ] απορρίπτω, λασκάρω (adj) πεταμένος.
castaway (n) [κάασταγουεϊ] ναυαγός, απόβλητος [μεταφ].
caste (n) [κάαστ] κάστα.
castellated (adj) [κάστελεϊτι-ντ] πυργωτός, οδοντωτός.
caster (n) [κάαστα(ρ)] κατασκευαστής εκμαγείων, τροχίσκος, καρούλι, αλατιέρα.
castigation (n) [καστιγκέισσον] τιμωρία, σωφρονισμός.
casting (n) [κάαστινγκ] τήξη, καλούπωμα, πέταμα, ρίξιμο.
castle (n) [κaασλ] φρούριο.
castor (n) [κάστο(ρ)] κάστορας.
castrate (v) [καστρέιτ] ευνουχίζω, εκτέμνω, ακρωτηριάζω.
castration (n) [καστρέισσον] εκτομή, ευνούχιση, ευνουχισμός.
casual (adj) [κάζζιουαλ] συμπτωματικός, περιστασιακός.
casualty (n) [καζζιουάλτι] τραυματίας, θύμα.
casuist (n) [κάζουιστ] σοφιστής, στρεψόδικος, δικολάβος.
casuistry (n) [κάζουιστρι] σοφιστεία, στρεψοδικία, καζουισμός.
cat (n) [κατ] γάτα (v) ξερνώ.
catalogue (n) [κάταλόουγκ] λίστα, κατάλογος (v) καταρτίζω πίνακα.
catamaran (n) [καταμαράν] καταμαράν, στρίγγλα, μέγαιρα.
catamenia (n) [καταμίινια] έμμηνος ροή, έμμηνα.
catapult (n) [κάταποουλτ] καταπέλτης, σφεντόνα [παιδιού] (v) εκτοξεύω, εξακοντίζω.
cataract (n) [κάταρακτ] καταρράκτης, πλημμύρα [μεταφ].
catarrh (n) [κατάα(ρ)] καταρροή.
catch (v) [κάτσς] αρπάζω, πιάνω, προσελκύω, φτάνω (n) σύλληψη, πιάσιμο, μπετούγια.
catch on (v) [κατσς ον] μπαίνω.
catch up (v) [κατσς απ] καταφθάνω, μπουρδουκλώνω.
catchiness (n) [κάτσσινες] πονηρία, παγίδα, ελκυστικότητα.
catching (n) [κάτσσινγκ] πιάσιμο, τσάκωμα (adj) κολλητικός.
catchment (n) [κάτσσμεν-τ] συλλογή νερού.
catchpole (n) [κάτσσποουλ] δικαστικός κλητήρας.
catchword (n) [κάτσσουέρ-ντ] λέξη-οδηγός, σύνθημα.

catchy (adj) [κάτσσι] πονηρός, ελκυστικός, παραπλανητικός.
catechism (n) [κάτικιζμ] κατήχηση, διαλεκτική, μαιευτική.
catechize (v) [κάτικάιζ] κατηχώ.
categorical (adj) [κατιγκόρικαλ] κατηγορηματικός, απόλυτος.
category (n) [κάτιγκορι] κλάση.
caterer (n) [κέιτερα(ρ)] προμηθευτής, τροφοδότης.
caterpillar (n) [κάτεπιλα(ρ)] ερπύστρια, κάμπια.
catfish (n) [κάτφισς] γατόψαρο.
cathartic (n) [καθάατικ] καθαρτικό (adj) καθαρτικός.
cathedral (n) [καθίι-ντραλ] μητρόπολη, καθεδρικός .
catholic (adj) (n) [κάθολικ] γενικός, καθολικός, παγκόσμιος.
catholicity (n) [καθολίσιτι] καθολικότητα, ορθοδοξία.
catnap (v) [κάτνάπ] λαγοκοιμούμαι.
cattily (adv) [κάτιλι] μοχθηρά.
cattish (adj) [κάτισς] γατίσιος, μοχθηρός, στριμμένος.
cattle (n) [κατλ] κτήνη.
catty (adj) [κάτι] γατίσιος, μοχθηρός, κακεντρεχής, ύπουλος, στριμμένος, ευκίνητος.
catwalk (n) [κάτ-ουόοκ] στενή επιμήκης γέφυρα, πεζοδρόμιο.
caucus (n) [κόοκας] κλίκα.
caul (adj) [κοολ] κουκούλα.
cauldron (n) [κόολ-ντρον] καζάνι, χύτρα, κακάβι, λέβητας.
cauliflower (n) [κολιφλάουα(ρ)] κουνουπίδι.
caulk (v) [κόοκ] καλαφατίζω.
causal (adj) [κόοζαλ] αιτιώδης.
causation (n) [κοοζέισσον] πρόσκληση, αιτία, αιτιότητα.
causative (adj) [κόοζατίβ] αιτιολογικός, μεταβατικός.
cause (n) [κόοζ] αιτία, υπαίτιος, δικαιολογία, αιτιολογία, σπέρμα, (v) προκαλώ, επιφέρω.
caustic (adj) [κόοστικ] καυστικός, σαρκαστικός.
cauter (n) [κόοτα(ρ)] καυτήρας.
cautery (n) [κόοτερι] καυτήρι.
caution (n) [κόοσσον] περίσκεψη, προσοχή (v) προειδοποιώ.
cautious (adj) [κόοσσιας] επιφυλακτικός, προσεχτικός.
cautiousness (n) [κόοσσιασνες] προφύλαξη.
cavalcade (n) [καβαλκέι-ντ] καβαλλαρία, πομπή, παρέλαση.
cavalier (n) [καβαλία(ρ)] ιππέας, ιππότης, καβαλιέρος (adj) αυθαίρετος, υπεροπτικός.
cave (n) [κέιβ] σπηλιά, σπήλαιο.
cave in (v) [κέιβ ιν] υποχωρώ.
caveat (n) [κάβιατ] προειδοποίηση, ανακοπή.
cavern (n) [κάβερν] σπήλαιο.
cavernous (adj) [κάβερνας] σπηλαιώδης, κούφιος.
caviar (n) [κάβιαα(ρ)] χαβιάρι.

cavil (v) [κάβιλ] μικρολογώ, στρεψοδικώ (n) στρεψοδικία.
cavity (n) [κάβιτι] κοιλότητα, κουφάλα, λακούβα, κοίλωμα.
caw (v) [κόο] κράζω .
cay (n) [κέι] αμμόλοφος.
cease (v) [σίις] διακόπτω, παύω.
cease-fire (n) [σίισ-φάι(ρ)] ανακωχή, εκεχειρία.
ceaseless (adj) [σίισλες] ακατάπαυστος, αδιάκοπος.
cecity (n) [σίισιτι] τύφλωση.
cede (v) [σίι-ντ] εκχωρώ, παραχωρώ, μεταβιβάζω.
ceiling (n) [σίλινγκ] ταβάνι.
celebrate (v) [σέλε-μπρέιτ] εορτάζω, υμνώ, ψάλλω, δοξάζω.
celebrated (adj) [σέλε-μπρέιτιντ] διάσημος, ένδοξος.
celebration (n) [σελε-μπρέισσον] λειτουργία, τελετή.
celestial (adj) [σελέστιαλ] θείος, θεσπέσιος, εξαίσιος.
celibate (adj) [σέλι-μπατ] άγαμος.
cell (n) [σελ] κελί, πυρήνας.
cellar (n) [σέλα(ρ)]κελάρι.
celliform (n) [σέλιφοομ] κυψελοειδής, κυτταροειδής.
cellular (adj) [σέλιουλα(ρ)] κυτταρικός, πορώδης.
celluloid (n) [σέλιουλόι-ντ] ζελατίνη.
cellulose (n) [σέλιουλοϊς] κυτταρίνη.
cement (v) [σιμέν-τ] τσιμεντάρω (n) τσιμέντο, κονίασμα.
cementation (n) [σεμεν-τέισσον] επίστρωση, στερέωση.
cemetery (n) [σέμετρι] νεκροταφείο.
cemotaph (n) [σέμοταφ] μνημείο.
cenotaph (n) [σένοταφ] κενοτάφιο.
cense (v) [σενσ] θυμιατίζω.
censer (n) [σένσα(ρ)] θυμιατήρι.
censor (n) [σένσο(ρ)] λογοκριτής, τιμητής (v) λογοκρίνω.
censorious (adj) [σένσοριας] επικριτικός, φιλοκατήγορος.
censure (n) [σένσσα(ρ)] μομφή, καταδίκη, (v) επιπλήττω.
census (n) [σένσας] απογραφή.
centenary (n) [σεν-τίιναρι] εκατονταετηρίδα, εκατόχρονα.
centering (n) [σέν-τερινγκ] κεντράρισμα, θολότυπος.
central (adj) [σέν-τραλ] κεντρικός.
centralism (n) [σέν-τραλισμ] συγκεντρωτισμός.
centralize (v) [σέν-τραλάιζ] συγκεντρώνω, κεντράρω.
centre (n) [σέν-τα(ρ)] καρδιά, ομφαλός, πυρήνας, κέντρο (v) κεντράρω, συγκεντρώνομαι (adj) κεντρικός.
centripetal (adj) [σεν-τριπέταλ] κεντρομόλος.

century (n) [σέν-τσιουρι] εκατονταετηρίδα, αιώνας.
ceraceous (adj) [σερέισσας] κηρώδης, κηροειδής.
cereals (n) [σίαριαλς] δημητριακά.
cerebellum (n) [σερι-μπέλεμ] παρεγκεφαλίς [ανατ].
ceremonial (adj) [σερεμόουνιαλ] τυπικός, τελετουργικός (n) εθιμοτυπία, εθιμοταξία.
ceremony (n) [σέρεμονι] παράταξη, τελετή, εθιμοτυπία.
ceresin (n) [σέρεσιν] κηροζίνη.
cert (n) [σερτ] βεβαιότητα.
certain (adj) [σέρτεν] ασφαλής, αλάνθαστος, σίγουρος.
certainly (adv) [σέρτενλι] ασφαλώς, πώς, βεβαίως, αναμφιβόλως, ναι, εννοείται (conj) δα.
certes (adv) [σέρτιζ] βεβαίως.
certifiable (adj) [σερτιφάιαμπλ] βεβαιώσιμος.
certificate (n) [σερτίφικατ] τίτλος, ενδεικτικό, πιστοποιητικό, πτυχίο, βεβαίωση (v) [σερτίφικέιτ] απονέμω πτυχίο, χορηγώ.
cervine (adj) [σέρβαϊν] ελαφίσιος.
cervix (n) [σέρβιξ] αυχένας, τράχηλος της μήτρας.
cessation (n) [σεσέισσον] κατάπαυση, παύση, λήξη, διακοπή.
cession (n) [σέσσιον] εκχώρηση.
cesspit (n) [σέσπιτ] βόθρος.
cesspool (n) [σέσπουλ] βόθρος.
chafe (v) [τσσέιφ] θερμαίνω, πληγιάζω, φθείρω, ερεθίζω, συγκαίω (n) προστριβή, τρίψιμο.
chaff (n) [τσσάφ] άχυρο, χόρτο, (v) πειράζω, κοροϊδεύω.
chafing (n) [τσσέιφινγκ] τριβή.
chagrin (n) [σσάγκραν] πικρία, λύπη, σκασίλα (v) στενοχωρώ.
chain (n) [τσσέιν] αλυσίδα, δεσμά, συνοχή (v) δένω.
chain store (n) [τσσέιν στόο(ρ)] υποκατάστημα.
chains (n) [τσσσέινζ] δεσμά.
chair (n) [τσσέα(ρ)] καθέδρα, προεδρείο, σκαμνί, έδρα, καρέκλα (v) προεδρεύω.
chaise (n) [σσεζ] μόνιππο.
chalice (n) [τσσάλις] δισκοπότηρο.
chalk (n) [τσόοκ] κιμωλία.
challenge (n) [τσσάλεν-ντζζ] επερώτηση (v) προκαλώ.
challenging (n) [τσσάλεν-ντζζινγκ] προκλητικός.
chamber (n) [τσσέιμ-μπα(ρ)] δωμάτιο, θαλάμη, βουλή (v) εγκλείω, διαμένω.
chamber of commerce (n) [τσέιμ-μπα(ρ) οβ κόμερς] επιμελητήριο.
chambermaid (n) [τσσέιμμπερμέιν-ντ] καμαριέρα.
chameleon (n) [σσεμίλιαν] χα-

μαιλέων (adj) ευμετάβλητος.
chamfer (n) [τσσάμφερ] λοξότμητη γωνία (v) λοξοτομώ.
champ (v) [τσσαμ-π] μασώ, ανυπομονώ (n) πρωταθλητής.
champagne (n) [σσαμ-πέιν] σαμπάνια, καμπανίτης οίνος.
champion (adj) [τσσάμπιον] πρωταθλητης (n) μαχητής (v) προασπίζω, διαφεντεύω.
championship (n) [τσσάμπιονσσιπ] πρωτάθλημα.
chance (adj) [τσσανς] τυχαίος (n) σύμπτωση (v) τολμώ.
chancel (n) [τσσάνσελ] ιερό.
chanciness (n) [τσσάανσινες] αβεβαιότητα.
chandelier (n) [σσάν-ντελία(ρ)] πολυέλαιος, πολύφωτο.
chandler (n) [τσσάν-ντλα(ρ)] κηροποιός, κηροπώλης.
chandlery (n) [τσσάν-ντλερι] αποθήκη κεριών, κηροπλαστικής.
change (adv) [τσσέιν-ντζζ] λιανά (n) αλλαγή, τροπή, ρέστα, φάση (v) αλλάζω, μεταβάλλω.
changeable (adj) [τσσέιν-ντζζαμπλ] ακατάστατος, ρευστός.
changeless (n) [τσσέιν-ντζζλες] αμετάβλητος.
changeover (n) [τσσέιν-ντζζόουβερ] ριζική αλλαγή.
channel (n) [τσσάνελ] αυλάκι, πορθμός (v) αυλακώνω.
chant (n) [τσάαν-τ] άσμα, τραγούδι, ψαλμός (v) τραγουδώ.
chantilly (n) [σσόν-τιλι] σαντιγί.
chaos (n) [κέιος] χάος.
chaotic (adj) [κέιότικ] χαώδης.
chap (n) [τσσαπ] τύπος, σαγόνι, φιλαράκος (v) σκάζω.
chapel (n) [τσσάπελ] εξωκλήσι.
chaperon (v) [σσάπεροουν] οδεύω, συνοδεύω (n) συνοδός.
chapfallen (adj) [τσσάπφοολεν] κατηφής, αποθαρρυμένος.
chaplet (n) [τσσάπλιτ] στεφάνι, γιρλάντα, ροζάριο.
chapman (n) [τσσάπμαν] έμπορος.
chapter (n) [τσσάπτα(ρ)] κεφάλαιο [βιβλίου], θέμα, νόμος.
char (v) [τσσάαρ] καίω, μαυρίζω, ξενοδουλεύω (n) καθαρίστρια, παραδουλεύτρα, τσάι.
charabanc (n) [σσάρα-μπανγκ] τουριστικό λεωφορείο.
character (n) [κάρακτα(ρ)] μορφή, στυλ, πάστα, φύση, τύπος, χαρακτήρας, ήθος, γράμμα (v) χαρακτηρίζω, χαράσσω.
characteristic (adj) [καρακτερίστικ] χαρακτηριστικός.
characterize (v) [κάρακτεραϊζ] χαρακτηρίζω, διακρίνω.
charcoal (n) [τσσάακόουλ] κάρβουνο, ξυλάνθρακας.
charge (n) [τσσααντζζ] γέμισμα, βάρος, φορτίο, έφοδος, κατηγο-

ρία, μήνυση, ριξιά, χρέωση (v) γεμίζω, φορτώνω, χρεώνω.
chargé d'affaires (adj) [σσάαζζεϊ ντ'αφέα] επιτετραμμένος.
charge-sheet (n) [τσσάατσ-σσιιτ] βιβλίο συμβάντων.
chargeable (adj) [τσσάαντζζαμπλ] φορολογήσιμος.
charger (n) [τσσάαντζζερ] πιατέλα.
charging (n) [τσσάαντζζινγκ] γέμισμα [όπλου].
charily (adv) [τσσέαριλι] επιφυλακτικά, λιτά, φειδωλά.
chariness (n) [τσσέαρινες] επιφυλακτικότητα, περίσκεψη.
chariot (n) [τσσάριοτ] άρμα.
charioteer (n) [τσσάριοτίερ] αρματηλάτης, ηνίοχος.
charitable (adj) [τσσάριτα-μπλ] ελεήμων, καλοκάγαθος.
charity (n) [τσσάριτι] έλεος, ευσπλαχνία, αγαθοεργία, ελεημοσύνη (adj) φιλανθρωπικός.
charivari (n) [σσααριβάαρι] ψευτοσερενάτα, κακοφωνία.
charlady (n) [τσσάαλεϊ-ντι] καθαρίστρια.
charlatan (n) [σσάαλαταν] κομπογιαννίτης, τσαρλατάνος.
charm (n) [τσσάαμ] γοητεία, έλξη, μαγεία, χάρη, χαϊμαλί (v) ελκύω, θέλγω, μαγεύω.
charmer (n) [τσσάαμερ] γόης.
charming (adj) [τσσάαμινγκ] θελκτικός, νόστιμος.
charmingly (adv) [τσσάαμινγκλι] μαγευτικά, σαγηνευτικά.
charnel (n) [τσσάανελ] οστεοφυλάκιο.
chart (v) [τσσάατ] χαρτογραφώ (n) χάρτης, διάγραμμα.
charter (n) [τσσάατα(ρ)] καταστατικό, προνόμιο, ναύλωση, σύνταγμα (v) ναυλώνω.
charthouse (n) [τσσάατχαους] θάλαμος χαρτών.
charting (n) [τσσάατινγκ] χαρτογράφηση.
charwoman (n) [τσσάαο΄γουμαν] παραδουλεύτρα.
chary (adj) [τσσέαρι] επιφυλακτικός, προσεκτικός, λιτός.
chase (n) [τσσέις] κυνήγι, δίωξη, προτομή, αυλάκι, σελιδοθέτης (v) διώκω, διώχνω, κυνηγώ.
chaser (v) [τσσέισα(ρ)] διώκτης.
chasm (n) [καζμ] γκρεμός, ρωγμή, κενό, παράλειψη.
chassis (n) [σσάσι] σκελετός.
chaste (adj) [τσσέιστ] αγνός.
chasten (v) [τσσέισν] τιμωρώ, παιδεύω, κολάζω, απαλύνω.
chastening (n) [τσσέισνινγκ] τιμωρία, ποινή (adj) πειθαρχικός.
chastisement (n) [τσσάσταϊζμεν-τ] τιμωρία.
chat (n) [τσσατ] συνομιλία.
chattel (n) [τσσάτελ] κινητή περιουσία, δούλος, κτήμα.

chatter (n) [τσσάτα(ρ)] φλυαρία (v) λιμάρω, σαλιαρίζω.
chatterbox (n) [τσσάτα(ρ)-μπόξ] φλύαρος, πολυλογάς.
chatty (adj) [τσσάτι] ομιλητικός.
chauvinism (n) [σσόουβανισμ] σωβινισμός, εθνικισμός.
cheap (adj) [τσσίιπ] ευτελής, οικονομικός, φτηνός (adv) φτηνά.
cheap-jack (n) [τσσίιπ-ντζζακ] γυρολόγος, μικροέμπορος.
cheapen (v) [τσσίιπεν] εξευτελίζω.
cheaply (adv) [τσσίιπλι] φτηνά.
cheat (n) [τσσίιτ] κατεργάρης, απατεώνας, ψεύτης (v) ξεγελώ.
check (n) [τσσεκ] εμπόδιο, έλεγχος, καρό (v) ελέγχω, σταματώ.
checker (n) [τσσέκερ] ελεγκτής.
checking (n) [τσσέκινγκ] σταμάτημα, ανακοπή, καταστολή.
checkmate (n) [τσσέκμέιτ] ματ [σκάκι], πανωλεθρία, αποτυχία.
cheek (n) [τσσίιk] παρειά, τουπέ (v) αυθαδιάζω.
cheekbone (n) [τσσίικ-μπόουν] ζυγωματικό, μήλο [πρόσωπο].
cheeky (adj) [τσσίικι] αναιδής.
cheep (n) [τσσίιπ] τιτίβισμα, τσίριγμα ποντικού (v) τσιρίζω.
cheer (n) [τσσία(ρ)] διάθεση, κέφι, ιαχή (v) ενθαρρύνω.
cheer-leader (n) [τσσίαρ-λίιντερ] αρχηγός ομάδας.
cheerful (adj) [τσσίαρφουλ] γελαστός, περιχαρής, φαιδρός.
cheerfulness (n) [τσσίαφουλνες] ευθυμία, φαιδρότητα.
cheerily (adv) [τσσίαριλι] κεφάτα, γελαστά, χαρούμενα.
cheering (adj) [τσσίαρινγκ] ενθαρρυντικός (n) επευφημία.
cheerio (ex) [τσσίριοου] γειάχαρά!.
cheers! (ex) [τσσίας] εβίβα!.
cheery (adj) [τσσίιρι] κεφάτος.
cheese (n) [τσσίιζ] τυρί.
cheesed (adj) [τσσίιζ-ντ] αποκαρδιωμένος, δυσαρεστημένος.
cheeseparing (n) [τσσίιζπέαρινγκ] τσιγγουνιά (adj) τσιγγούνης.
cheesy (n) [τσσίιζι] τυρώδης.
chef (n) [σσεφ] αρχιμάγειρος.
cheiroptera (n) [καϊρόπτερα] νυκτερίδες, χειρόπτερα.
chemical (adj) [κέμικαλ] χημικός.
chemise (n) [σσεμίιζ] φανέλα.
chemist (n) [κέμιστ] χημικός.
chemotherapy (n) [κιμοουθέραπι] χημειοθεραπεία.
chemurgy (n) [κέμουρτζι] γεωργική χημεία.
cheque (n) [τσσεκ] επιταγή.
cheque-book (n) [τσσέκμπούκ] βιβλιάριο επιταγών
chequer (n) [τσσέκερ] σχήμα σκακιέρας (v) διαφοροποιώ.
cherish (v) [τσσέρισς] τρέφω,
cherry (n) [τσσέρι] κεράσι.

cherub (n) [τσέρα-μπ] χερουβείμ, αγγελούδι, ωραίο παιδί.
cherubic (adj) [τσερά-μπικ] χερουβικός, παχουλός, αθώος.
chesil (n) [τσέζιλ] χαλίκια.
chessmen (n) [τσέσμεν] τεμάχια, κομμάτια, του σκακιού.
chest (adj) [τσέστ] θωρακικός (n) μπαούλο, στέρνο, στήθος.
chest of drawers (n) [τσεστ οβ ντρόοζ] σιφονιέρα, κομό.
chevalier (n) [σοέβαλιεϊ] ιππότης.
chew (v) [τσιού] μασώ, στοχάζομαι (n) μάσημα.
chiaroscuro (n) [κιααροσκούροου] φωτοσκίαση.
chic (n) [σικ] κομψότητα (adj) κομψός, αριστοκρατικός, σικ.
chicane (n) [σικέιν] δικολαβισμός (v) εξαπατώ.
chicanery (n) [σικέινερι] στρεψοδικία, απάτη, κατεργαριά.
chichi (adj) [σιίσσιι] εξεζητημένος, επιτηδευμένος.
chick (n) [τσικ] πιτσιρίκα.
chicken (n) [τσίκεν] όρνιθα, άπειρος νέος ή κοπέλλα, δειλός.
chickpea (n) [τσίκπίι] ρεβίθι.
chicle (n) [τσικλ] τσίχλα.
chicly (adv) [σίκλι] κομψά,
chide (v) [τσάι-ντ] μαλώνω.
chief (adj) [τσίιφ] κορυφαίος, κύριος (n) προϊστάμενος.
chiefly (adv) [τσίιφλι] κυρίως, προ παντός, πάνω απ' όλα.
chieftain (n) [τσίιφτεν] ηγέτης.
chiffon (n) [σσίφον] σιφόν.
chignon (n) [σσίνιον] κότσος.
chilblain (n) [τσίλ-μπλέιν] χιονίστρα.
child (n) [τσάιλ-ντ] παιδί.
childbearing (n) [τσάιλ-ντμπέαρινγκ] τεκνοποιΐα.
childbirth (n) [τσάιλ-ντμπέρθ] τοκετός, γέννα.
childhood (n) [τσάιλ-ντχουντ] παιδική ηλικία.
childish (adj) [τσάιλ-ντισς] παιδικός, ανόητος, αφελής.
childless (adj) [τσάιλ-ντλές] άτεκνος, άκληρος.
childlike (adj) [τσάιλ-ντλαϊκ] αθώος, ευθύς, ειλικρινής.
chill (n) [τσιλ] ρίγος, κρύο, μούδιασμα (v) κρυώνω (adj) κρύος, αυστηρός.
chillily (adv) [τσίλιλι] κρύα.
chilling (n) [τσίλινγκ] ψύξη.
chillness (n) [τσίλνες] ψύχος.
chilly (adj) [τσίλι] κρύος.
chime (n) [τσάιμ] κτύπος, μελωδία, αρμονία (v) κτυπώ.
chimera (n) [κιμίαρα] ουτοπία.
chimerical (adj) [κιμίρικαλ] φανταστικός, απραγματοποίητος.
chimney (n) [τσίμνι] τσιμινιέρα.
chimney-sweep (n) [τσίμνισουίιπ] καπνοδοχοκαθαριστής.

chimp (n) [τσιμ-π] χιμπατζής.
chin (n) [τσιν] πηγούνι.
china (n) [τσάινα] πορσελάνη.
chinaware (n) [τσάιναουέα(ρ)] πορσελάνη (adj) πορσελάνινος.
chine (n) [τσάιν] φαράγγι, ράχη (v) κόβω, σχίζω.
chink (n) [τσινκ] σχισμή, κουδούνισμα, λεφτά (v) κτυπώ.
chintz (n) [τσιν-τς] κρετόν.
chip (n) [τσιπ] σκλήθρα, σχίζα, τρίμμα (v) πελεκώ, κόβω, τηγανίζω.
chip in (v) [τσιπ ιν] συνεισφέρω.
chip-carving (n) [τσιπ-κάαβινγκ] ξυλογλυπτική.
chipper (adj) [τσίπα(ρ)] ζωηρός.
chippy (adj) [τσίπι] ανιαρός.
chiromancy (n) [κάιρομανσι] χειρομαντεία.
chiropodist (n) [κιρόπο-ντιστ] πεντικιουρίστας.
chirp (v) [τσερπ] κελαηδώ.
chirpy (adj) [τσέρπι] αλέγρος.
chirr (v) [τσερ] τρίζω (n) τερετισμός.
chirurgeon (n) [καϊρέρτζον] χειρούργος.
chisel (n) [τσιζλ] κοπίδι, καλέμι, τομέας (v) λαξεύω, σκάβω.
chit (n) [τσιτ] νιάνιαρο, επιστολή, υπόμνημα.
chiton (n) [κάιτον] χιτώνας.
chivalrous (adj) [σσίβαλρας] προστατευτικός, γενναίος.
chivalrousness (n) [σσίβαλρασνες] ιπποτισμός, ευγένεια.
chivy (v) [τσίβι] κυνηγώ, γκρινιάζω (n) αμπάριζα.
chloral (n) [κλόραλ] χλωράλη.
chloric (adj) [κλόρικ] χλωρικός.
chlorine (n) [κλόριιν] χλώριο.
chloroform (n) [κλόροφόομ] χλωροφόρμιο.
chlorophyll (n) [κλόροφιλ] χλωροφύλλη.
chock (n) [τσοκ] σφήνα.
chocolate (n) [τσόκλιτ] σοκολάτα (adj) σοκολατένιος.
choice (adj) [τσόις] διαλεχτός (n) εκλογή, επιλογή.
choiceness (n) [τσόισνες] υπεροχή, ανωτερότητα.
choir (n) [κουάια(ρ)] χορωδία.
choke (v) [τσόουκ] πνίγω, φράσσω (n) στραγγαλισμός.
choler (n) [κόλα(ρ)] οργή.
cholera (n) [κόλερα] χολέρα.
cholesterol (n) [κολέστερόλ] χοληστερίνη.
choline (n) [κόουλιιν] χολίνη.
choose (v) [τσοούουζ] διαλέγω.
choosy (adj) [τσοούουζι] μίζερος.
chop (n) [τσοπ] τσεκουριά, μπριζόλα (v) κόβω, μεταπίπτω.
chorale (n) [κοράαλ] χορικό.
chord (n) [κόο-ντ] χορδή.

chore (n) [τσόο(ρ)] αγγαρεία.
choreographer (n) [κοριόγκραφα(ρ)] χορογράφος.
chorology (n) [κορόλοντζζι] χωρολογία, βιογεωγραφία.
chortle (v) [τσοοτλ] γελώ.
chorus (n) [κόορας] χορωδία.
chose (n) [τσόουζ] αντικείμενο.
chosen (adj) [τσόουζεν] διαλεκτός, περιούσιος, διαλεγμένος.
chrism (n) [κριζμ] χρίσμα.
chrisom (n) [κρίζαμ] χρίσμα.
Christ (n) [Κράιστ] Χριστός.
christen (v) [κρισν] βαπτίζω.
christening (n) [κρίσνινγκ] βάφτιση.
Christian (n) [κρίστιαν] Χριστιανός (adj) χριστιανικός.
Christianity (n) [κριστιάνιτι] χριστιανισμός.
Christmas (n) [κρίσμας] Χριστούγεννα.
chromatic (adj) [κρομάτικ] χρωματικός.
chromatography (n) [κροουματόγκραφι] χρωματογραφία.
chrome (n) [κρόουμ] χρώμιο.
chromosome (n) [κρόουμασόουμ] χρωματόσωμα.
chronic (adj) [κρόνικ] χρόνιος.
chronicle (n) [κρόνικλ] χρονικό (v) εξιστορώ.
chronography (n) [κρονόγκραφι] χρονογραφία.
chronology (n) [κρονόλοντζζι] χρονολογία.
chthonian (n) [θόουνιαν] υποχθόνιος.
chubby (adj) [τσά-μπι] στρουμπουλος, παχουλός.
chuck (v) [τσακ] αφήνω, εγκαταλείπω, ρίχνω, πετώ (n) ρίψη, τσοκ, σφικτήρας τόρνου.
chuckle (n) [τσακλ] καγχασμός (v) κρυφογελώ.
chug (v) [τσαγκ] αγκομαχώ.
chum (n) [τσαμ] παλιόφιλος (v) συγκατοικώ, συνοικώ.
chumy (n) [τσάμι] φιλικός.
chunk (n) [τσανκ] τεμάχιο.
chunky (adj) [τσάνκι] κοντόχοντρος.
church (n) [τσερτσ] ναός.
church service (n) [τσερτσ σέρβις] ακολουθία [εκκλ].
church-goer (n) [τσερτς-γκόουα(ρ)] εκκλησιαζόμενος.
churchyard (n) [τσσέρτσσιαα-ντ] νεκροταφείο, κοιμητήριο.
churl (n) [τσερλ]μούργος.
churlish (adj) [τσέρλισ] αγροίκος, άξεστος, βάναυσος.
churn (v) [τσερν] βουτυροποιώ, αναδεύω, (n) βούτη,
chute (n) [τσιούτ] τσουλήθρα.
chutney (n) [τσιάτ-νι] τουρσί.
chyle (n) [κάιλ] χυλός.
chyme (n) [κάιμ] χυμός.
ciborium (n) [σι-μπόριαμ] αρτοφόριο, δισκοπότηρο.

cicala (n) [σικάαλα] ακρίδα.
cicatrice (n) [σίκατριις] ουλή.
cicatrization (n) [σίκατραϊζέισσον] επούλωση.
cicerone (n) [τσσιτσσερόουνι] ξεναγός.
cider (n) [σάι-ντα(ρ)] μηλίτης.
cigar (n) [σιγκάα(ρ)] πούρο.
cilia (n) [σίλια] βλεφαρίδες.
cilice (n) [σίλις] κιλίκιο, ύφασμα από τρίχες κατσίκας.
cimmerian (adj) [σιμίριαν] κατασκότεινος, ταρτάρειος.
cinch (n) [σιντσς] καταζώστης, (v) στριμώχνω .
cincture (n) [σίνκτσσα(ρ)] τείχος, ζώνη, (v) ζώνω, περιζώνω.
cinders (n) [σίν-νταζ] στάκτη.
cinema (n) [σίνεμα] σινεμά.
cinematography (n) [σινιματόγκραφι] κινηματογραφία.
cinereous (adj) [σινίαριας] σταχτής.
cipher (n) [σάιφα(ρ)] τζίφρα, μηδέν (v) λογαριάζω.
circa (adv) [σέρκα] περίπου.
circle (n) [σερκλ] κύκλος (v) περικλύω, περιέχω.
circling (adj) [σέρκλινγκ] περιστρεφόμενος.
circs (n) [σερκς] συνθήκες.
circuit (n) [σέρκιτ] περίμετρος, έκδοση (v) περιτρέχω.
circular (adj) [σέρκιουλα(ρ)] περιφερειακός, κυκλικός.
circularize (v) [σέρκιουλαράιζ] αποστέλλω εγκύκλιο.
circulate (v) [σέρκιουλέιτ] διαδίδω, κυκλοφορώ, εκδίδω.
circulation (n) [σερκιουλέισσον] κυκλοφορία, διανομή.
circulatory (adj) [σερκιουλέιτορι] κυκλοφοριακός.
circumambient (adj) [σερκαμάμ-μπιεν-τ] περιβάλλων.
circumambulate (v) [σερκαμάμ-μπιουλεϊτ] περιφέρομαι.
circumcise (v) [σέρκομσαϊζ] περιτέμνω, εξαγνίζω [μεταφ].
circumference (n) [σέρκάμφερανς] περιφέρεια, περίμετρος.
circumflexion (n) [σέρκαμφλέκσσον] κάμψη.
circumnavigate (v) [σέρκαμνάβιγκέιτ] περιπλέω.
circumscribe (v) [σερκαμσκράιμπ] πρεριγράφω, περικλύω.
circumscription (n) [σερκαμσκρίπσσον] καθορισμός.
circumspect (adj) [σέρκαμσπέκτ] επιφυλακτικός.
circumstance (n) [σέρκαμστάανς] συμβάν, περιστατικό.
circumvent (v) [σέρκαμβέν-τ] εξαπατώ, καταστρατηγώ.
circumvolution (n) [σερκαμβολούσον] κυκλοφορία, διανομή, έκδοση, στροφή, έλιγμα.
circus (n) [σέρκας] τσίρκο.
cirrus (adj) [σίρας] θυσανοει-

δής, ελικοειδής (n) έλιξ.
cistern (n) [σίστερν] δεξαμενή.
citadel (n) [σίτα-ντελ] ακρόπολη.
citation (n) [σαϊτέισσον] παραπομπή, μνεία, απόσπασμα.
cite (v) [σάιτ] προσκομίζω, παραθέτω, προβάλλω, αναφέρω.
citer (n) [σάιτε(ρ)] κατήγορος.
cithara (n) [σίθαρα] κιθάρα.
citified (adj) [σίτιφάι-ντ] πρωτευουσιάνικος.
citizen (n) [σίτιζεν] αστός.
citizenship (n) [σίτιζενσσιπ] υπηκοότητα, ιθαγένεια.
citric (adj) [σίτρικ] κιτρικός.
citrine (adj) [σίτριν] κίτρινος, λεμονής (n) κιτρίνης [ορυκτ].
city (n) [σίτι] άστυ, πόλη.
city hall (n) [σίτι χόολ] δημαρχείο.
civic (adj) [σίβικ] αστικός.
civil (adj) [σίβιλ] ανθρώπινος, εμφύλιος, ευγενής, αστικός.
civil guard (n) [σίβιλ γκάα-ντ] πολιτοφύλακας, πολιτοφυλακή.
civil servant (n) [σίβιλ σέρβαν-τ] δημόσιος υπάλληλος.
civil war (n) [σίβιλ ουόο(ρ)] εμφύλιος πόλεμος.
civilian (adj) [σιβίλιαν] πολιτικός (n) πολίτης, ιδιώτης.
civility (n) [σιβίλιτι] ευγένεια.
civvies (n) [σίβιζ] πολιτικά.
clack (n) [κλακ] κτύπημα, φλυαρία, (v) κροτώ, φλυαρώ.
clad (adj) [κλα-ντ] ενδεδυμένος.
claim (n) [κλέιμ] τίτλος, δικαίωμα, αξίωση, απαίτηση, διεκδίκηση (v) αξιώνω, απαιτώ.
claimant (n) [κλέιμαν-τ] διεκδικητής, ενάγων, μνηστήρας.
clam (n) [κλαμ] αχιβάδα, μύδι, χτένι, στρείδι, ολιγόλογος.
clamant (adj) [κλέιμαν-τ] κραυγαλέος, θορυβώδης, επείγων.
clamber (v) [κλάμ-μπερ] αναρριχώμαι (n) σκαρφάλωμα.
clammy (adj) [κλάμι] υγρός, ιδρωμένος, ψυχρός, γλοιώδης.
clamorous (adj) [κλάμορας] κραυγαλέος, θορυβώδης.
clamorously (adv) [κλάμορασλι] κραυγαλέα, θορυβωδώς.
clamour (n) [κλάμα(ρ)] θόρυβος (v) φωνασκώ.
clamp (n) [κλαμ-π] μάγκανο, λαβίδα, σύνδεσμος (v) σφίγγω.
clamper (n) [κλάμ-πα(ρ)] τεχνίτης καρφωτής, πέταλο.
clan (n) [κλαν] γενιά, φυλή, κλίκα (v) συσπειρώνομαι.
clandestine (adj) [κλαν-ντέστιν] κρυφός, μυστικός, λαθραίος.
clang (n) [κλανγκ] κρότος, αντήχηση (v) αντηχώ, συνηχώ.
clank (n) [κλανκ] κρότος.
clap (v) [κλαπ] κροτώ, κρούω, κολλώ, κλείνω (n) κτύπος, παλαμάκι, γλώσσα, πλήκτρο.
clapboard (n) [κλάπ-μποο-ντ]

σανίδα, τάβλα.
clapper (n) [κλάπα(ρ)] χειροκροτών, κρόταλο, ροκάνα.
claptrap (n) [κλάπτράπ] φλυαρία, ανοησίες, μπούρδα.
claque (n) [κλακ] κλάκα.
claret (n) [κλάρετ] κόκκινο κρασί (adj) μπορντώ, ερυθρός.
clarification (n) [κλαριφικέισσον] διασαφήνιση, διασάφηση.
clarify (v) [κλάριφάι] αποσαφηνίζω, διασαφηνίζω, επεξηγώ.
clarinet (n) [κλαρινέτ] κλαρίνο.
clarion (adj) [κλάριον] διαυγής, πηχηρός (n) σάλπιγκα.
clash (n) [κλασς] κρότος, σύγκρουση, συμπλοκή (v) κρούω.
clasp (n) [κλαασπ] αγκράφα, πόρπη, σούστα (v) πορπώ.
class (adj) [κλάας] ταξικός (n) είδος, γένος, τάξη (v) ταξινομώ.
classifiable (adj) [κλασιφάιαμπλ] ταξινομήσιμος.
classification (n) [κλάσιφικέισσον] κατάταξη, ταξινόμηση.
classified (adj) [κλάσιφαϊ-ντ] ταξινομημένος, απόρρητος.
classily (adv) [κλάασιλι] κομψά.
classiness (n) [κλάασινις] αριστοκρατικότητα, κομψότητα.
classy (adj) [κλάασι] κομψός.
clatter (v) [κλάτα(ρ)] κτυπώ, κινούμαι, φλυαρώ (n) σαματάς.
clause (n) [κλόοζ] άρθρο, πρόταση, ρήτρα.
claustrophobia (n) [κλόστροφόμπια] κλειστοφοβία.
clavier (n) [κλάβια(ρ)] πιάνο.
claviform (adj) [κλάβιφοομ] ροπαλοειδής, κορινοειδής.
claw (n) [κλόο] δαγκάνα, νύχι [ζώου] (v) σχίζω, αρπάζω.
clawed (adj) [κλόο-ντ] νυχάτος.
clay (n) [κλέι] άργιλος, πηλός (v) αναμιγνύω με πηλό.
clayey (adj) [κλέιι] θνητός.
clean (adj) [κλίιν] καθαρός, άγραφος (v) παστρεύω, καθαρίζω (adv) απόλυτα, πλήρως
cleaning (n) [κλίινινγκ] καθαρισμός (adj) καθαριστικός.
cleanse (v) [κλένζ] εξαγνίζω.
cleansing (n) [κλένζινγκ] κάθαρση (adj) απορρυπαντικός.
clear (adj) [κλία(ρ)] καθαρός, σαφής, φανερός, φωτεινός, αθώος, βέβαιος, ελεύθερος, άδειος (v) καθαρίζω, διυλίζω, διαλύω, ανοίγω (adv) σαφώς, ευκρινώς, φανερά, τελείως.
clearage (n) [κλίαριντζζ] εκχέρσωση, καθάρισμα.
clearance (n) [κλίαρανς] καθαρισμός, εκχέρσωση, τζόγος.
clearing (n) [κλίαρινγκ] ξέφωτο, καθάρισμα, απαλλαγή.
clearly (adv) [κλίαλι] καθαρά.
clearway (n) [κλία(ρ)ουεϊ] οδός απαγορεύεται η στάθμευση.
cleat (n) [κλίιτ] τάκος, σφήνα,

δέστρα (v) στερεώνω με τάκο.
cleave (v) [κλίιβ] σκίζω, σχίζω.
cleaver (n) [κλίιβα(ρ)] μπαλτάς.
cleek (n) [κλίικ] γάντζος.
clef (n) [κλεφ] κλειδί [μουσ].
cleft (n) [κλεφτ] χαραμάδα (adj) σχιστός, διηρημένος.
cleft-graft (v) [κλέφτ-γκρααφτ] εγκεντρίζω, εμβολιάζω.
cleg (n) [κλεγκ] αλογόμυγα.
clem (v) [κλεμ] λιμοκτονώ.
clement (adj) [κλέμεν-τ] επιεικής.
clench (v) [κλεν-τσς] σφίγγω, στερεώνω.
clergy (n) [κλέρντζζι] ιερατείο.
clergyman (n) [κλέρντζζιμαν] κληρικός, ιερωμένος.
cleric (adj) [κλέρικ] κληρικός.
clerk (n) [κλερκ] γραφέας, κλητήρας, υπάλληλος.
clever (adj) [κλέβα(ρ)] έξυπνος, επιτήδειος, δεινός, σπιρτόζος.
clevis (n) [κλέβις] αγκύλιο.
clew (n) [κλούου] κουβάρι νήματος (v) κουβαριάζω, νετάρω.
cliche (n) [κλισσέι] κοινοτυπία, στερεότυπο, τσιγκογραφία.
click (v) [κλικ] κτυπώ.
clicker (n) [κλίκα(ρ)] αρχιστοιχειοθέτης.
client (n) [κλάιεν-τ] εντολοδότης.
clientele (n) [κλαϊεν-τέλ] πελατεία.
cliff (n) [κλιφ] γκρεμός.
climate (n) [κλάιμετ] κλίμα.
climatic (adj) [κλαϊμάτικ] κλιματικός, κλιματολογικός.
climatize (v) [κλάιματαϊζ] εγκλιματίζω.
climatology (n) [κλαϊματόλοντζζι] κλιματολογία.
climax (n) [κλάιμαξ] αποκορύφωμα, κλίμακα [ρητ].
climb (v) [κλάιμ] ανεβαίνω, σκαλώνω, σκαρφαλώνω (n) ανάβαση, σκαρφάλωμα.
climbing (n) [κλάιμινγκ] ορειβασία (adj) ανερχόμενος.
climbing vine (n) [κλάιμινγκ βάιν] κληματαριά.
clime (n) [κλάιμ] κλίμα, τόπος.
clinch (v) [κλιντσ] σφίγγω, ασφαλίζω, στερεώνω, καρφώνω, πιάνομαι (n) σφίξιμο, λαβή.
clincher (n) [κλίντσσα(ρ)] ακαταμάχητο επιχείρημα.
cling (v) [κλίνγκ] κολλώ.
clinging (adj) [κλίνγκινγκ] επίμονος, κολλητός, εφαρμοστός.
clingingly (adv) [κλίνγκινγκλι] προσκολλημένα, επίμονα.
clingy (adj) [κλίνγκι] κολλώδης.
clinic (n) [κλίνικ] κλινική.
clink (n) [κλινκ] κουδούνισμα, χάψη, ψειρού (v) κροταλίζω.
clint (n) [κλιν-τ] πυρολιθικός.
clip (n) [κλιπ] σούστα, κοπή, απόκομμα, κουρά, φάπα, γροθιά (v) ακροτομώ, συνδέω, σφίγγω.

clipper (n) [κλίπα(ρ)] κουρέας ζώων, νομισματοκόπος, επιβατηγό αεροσκάφος, ταχύπλοο.
clippers (n) [κλίπερς] κλαδευτική ψαλίδα, κουρευτική μηχανή.
clique (n) [κλιικ] σπείρα [ομάδα], κλίκα, φατρία, φάρα.
clitoris (n) [κλίτερις] κλειτορίδα.
cloaca (n) [κλοουέικα] οχετός.
cloacal (adj) [κλοουέικαλ] των υπονόμων, περιττωματικός.
cloak (n) [κλόουκ] επενδυτής, μανδύας (v) συγκαλύπτω.
cloakroom (n) [κλόουκρουμ] ιματιοθήκη, γκαρνταρόμπα.
clobber (n) [κλό-μπα(ρ)] κόλλα μαύρη, ρούχα, εφόδια (v) ρίχνομαι, κτυπώ, συντρίβω.
clock (n) [κλοκ] ρολόι (adj) ωρολογιακός (v) χρονομετρώ.
clod (n) [κλο-ντ] βόλος.
clodhopper (adj) [κλό-ντχόπα(ρ)] αγροίκος, χωριάτης.
clog (n) [κλογκ] τσόκαρο, εμπόδιο, βάρος (v) εμποδίζω, στενοχωρώ, φράσσω, γεμίζω.
cloister (n) [κλόιστα(ρ)] μονή, μοναστήρι, σκήτη (v) μονάζω.
cloistral (adj) [κλόιστραλ] μοναστικός, μοναστηριακός.
clop (n) [κλοπ] ποδοβολητό.
close (adj) [κλόουσ] πλησίον προσεχτικός, πυκνός, στενός, συμπαγής (pr) παρά (v) κλείω, σφαλίζω [κλείνω] (n) αυλή, τέλος (adv) κοντά, σφιχτά, δίπλα.
closely (adv) [κλόουσλι] κάργα, επισταμένως, λεπτομερώς.
closeness (n) [κλόουσνες] οικειότητα, στενότητα, εγγύτητα.
closer (adv) [κλόουσα(ρ)] παραδώθε (adj) πλησιέστερος.
closet (n) [κλόζιτ] καμαράκι.
closing day (n) [κλόουζινγκ ντέι] αργία.
clot (n) [κλοτ] θρόμβος, σβώλος (v) θρομβούμαι, πήζω.
cloth (n) [κλοθ] πανί, ρούχο.
clothe (v) [κλόουδ] ενδύω.
clothes (n) [κλόουδζ] ένδυμα.
clothes peg (n) [κλόουδζ πεγκ] μανταλάκι.
clothing (n) [κλόουδινγκ] ενδύματα, ιματισμός, ρουχικά.
clotted (adj) [κλότι-ντ] πηγμένος.
cloud (n) [κλάου-ντ] σύννεφο, νέφος, σμήνος, πλήθος [μεταφ] (v) συννεφιάζω, θολώνω.
cloud burst (n) [κλάου-ντμπέρστ] νεροποντή, μπόρα.
cloud over (v) [κλάου-ντ όουβα(ρ)] επισκιάζω, σκοτεινιάζω.
clouded (adj) [κλάου-ντι-ντ] νεφελώδης, θολός, κατηφής.
cloudless (adj) [κλάου-ντλες] αίθριος, ξάστερος, ανέφελος.
cloudy (adj) [κλάου-ντι] θαμπός.

clout (n) [κλάουτ] μπάλωμα, κουρέλι, πέταλο, χαστούκι (v) καρπαζώνω, μπαλώνω.
clout nail (n) [κλάουτνεϊλ] πλατυκέφαλο κοντό καρφί.
clove (n) [κλόουβ] γαρύφαλλο, καρυοφύλλι, σκελίδα.
clown (n) [κλάουν] κλόουν.
clowning (n) [κλάουνινγκ] γελοία συμπεριφορά.
clownish (adj) [κλάουνισς] άξεστος, χοντρός, γελοίος, αδέξιος.
cloy (v) [κλόι] μπουχτίζω.
club (n) [κλα-μπ] κλομπ, όμιλος, ρόπαλο (v) οργανώνω.
clubable (adj) [κλά-μπα-μπλ] κοινωνικός, ευχάριστος.
cluck (v) [κλακ] κακαρίζω.
clue (n) [κλου] ένδειξη, ίχνος.
clump (n) [κλαμπ] όγκος, μάζα, κομμάτι, φάπα (v) μαζεύω.
clumsiness (n) [κλάμζινες] αδεξιότητα, ατζαμοσύνη.
clumsy (adj) [κλάμζι] αδέξιος.
cluster (n) [κλάστα(ρ)] ομάδα, όμιλος, τούφα, τσαμπί.
clustered (adj) [κλάστα-ντ] συγκεντρωμένος.
clutch (n) [κλατσς] ομάδα, παρέα, δέσμη, μάτσο, λαβή, πιάσιμο, συμπλέκτης (v) αρπάζω.
clutter (n) [κλάτα(ρ)] σωρός (v) βρωμίζω.
clyster (n) [κλίστα(ρ)] κλύσμα.
co-axial (adj) [κοου-άκσιαλ] ομοαξονικός.
co-belligerent (adj) [κόου-μπελίντζζερεν-τ] συνεμπόλεμος.
co-operative (n) [κόου-όπερατιβ] κοινοπραξία.
co-signatory (adj) [κόου-σίγκνατρι] συνυπογράφων.
coach (n) [κόουτσς] αμάξι, βαγόνι, λεωφορείο, προπονητής (v) πηγαίνω με αμαξι, προπονώ.
coach-office (n) [κόουτσσ-οφις] πρακτορείο λεωφορείων.
coach-work (n) [κόουτσσ-ουέρκ] κατασκευή αμαξωμάτων.
coaching (n) [κόουτσσινγκ] φροντιστήριο.
coachman (n) [κόουτσσμαν] αμαξάς, καροτσιέρης, δόλωμα.
coaction (n) [κόουάκσσον] αλληλενέργεια, αλληλεπίδραση.
coadjutant (adj) [κοουάντζζαταν-τ] αλληλοβοηθητικός
coagulation (n) [κοουαγκιουλέισσον] πήξη.
coal (n) [κόουλ] άνθρακας, κάρβουνο (v) ανθρακεύω.
coal-gas (n) [κόουλ-γκας] ανθρακαέριο, φωταέριο, γκάζι.
coal-mine (n) [κόουλ-μάιν] ανθρακωρυχείο.
coal-tar (n) [κόουλ-ταα(ρ)] πίσσα.
coalesce (v) [κοουαλές] συγκολλώμαι, συγχωνεύομαι.

coalescence (n) [κοουαλέσενς] συνασπισμός.
coalfield (n) [κόουλφιιλ-ντ] ανθρακοφόρα περιοχή, κοίτασμα.
coaling (n) [κόουλινγκ] ανθράκευση, φόρτωση γαιανθράκων.
coalition (n) [κόαλίσσον] συμμαχία.
coarse (adj) [κόος] τραχύς, αγροίκος, χοντρός, χυδαίος.
coarsely (adv) [κόοσλι] χυδαία.
coast (n) [κόουστ] ακτή, παραλία (v) παραπλέω, κατηφορίζω.
coastal (adj) [κόουσταλ] παράκτιος, παραθαλάσσιος.
coastal shipping (n) [κόουσταλ σσίπινγκ] ακτοπλοΐα.
coastguard (n) [κόουστγκάα-ντ] ακτοφυλακή.
coat (n) [κόουτ] παλτό, τρίχωμα, μαλλί, επίστρωση, στρώμα, μεμβράνη (v) επενδύω, ντύνω.
coatee (n) [κοουτίι] ζακέττα.
coax (v) [κόουξ] κολακεύω, πείθω, παρασύρω (n) κόλακας.
cob (n) [κο-μπ] τεμάχιο, πλιθιά, γλάρος, καλαμπόκι (v) ρίχνω.
cob-loaf (n) [κό-μπ-λοουφ] καρβέλι ψωμί.
cobble (n) [κο-μπλ] βότσαλο, άτεχνο μπάλωμα (v) λιθοστρώνω.
cobblestone (n) [κό-μπλστο-ουν] κροκάλη, βότσαλο.
cobbly (adj) [κό-μπλι] λιθόστρωτος, ανώμαλος.
cobra (n) [κόου-μπρα] κόμπρα.
cobweb (n) [κό-μπουε-μπ] ιστός αράχνης, αράχνη.
coca (n) [κόουκα] κόκα.
cocaine (n) [κόουκέιν] κοκαΐνη.
coccus (n) [κόκας] κόκκος.
coccyx (n) [κόκσικς] κόκκυξ.
cochlea (n) [κόκλια] κοχλίας.
cock (n) [κοκ] κόκορας, βαλβίδα, κάνουλα, δείκτης, σωρός, βελόνα, γλωσσίδι (v) ανασηκώνω, ορθώνω, οπλίζω, σωριάζω.
cock up (v) [κοκαπ] χαλάω.
cock-a-hoop (adj) [κοκ-α-χούουπ] θριαμβευτικός (adv).
cockcrow (n) [κόκρόου] λάλημα πετεινού, χαραυγή.
cocked (adj) [κοκ-τ] τεντωμένος, στητός, οπλισμένος.
cocker (v) [κόκα(ρ)] χαϊδεύω (n) κόκερ [σκύλος ισπανικός].
cockeyed (adj) [κοκάι-ντ] αλλήθωρος, λοξός, στραβός.
cockily (adv) [κόκιλι] κορδωτά.
cockiness (n) [κόκινες] αναίδεια, θράσος, κόρδωμα.
cockle (n) [κοκλ] αγριοκουκιά, κολλητσίδα [βοτ], παπαρούνα [βοτ], αχιβάδα (v) ζαρώνω.
cockleshell (n) [κόκλσσελ] κοχύλι.
cockloft (n) [κόκλοφτ] σοφίτα.
cockroach (n) [κόκροουτσς] κατσαρίδα.

cocksure (adj) [κόκσιουα(ρ)] γεμάτος αυτοπεποίθηση.
cocktail (n) [κόκτέιλ] κοκτέιλ.
cocoa (n) [κόουκοου] κακάο.
cod (n) [κο-ντ] βακαλάος (v) εμπαίζω, κοροϊδεύω, δουλεύω.
coddle (v) [κο-ντλ] κανακεύω.
code (adj) [κόου-ντ] κωδικός (n) κώδικας (v) κωδικοποιώ.
codex (n) [κόου-ντεξ] κώδικας.
codger (n) [κόντζζα(ρ)] γεροπαράξενος.
codicil (n) [κό-ντισιλ] παράρτημα.
codling (n) [κό-ντλινγκ] μπακαλιαράκι, άγουρο μήλο, φηρίκι.
coed (n) [κόουε-ντ] μαθήτρια.
coeducation (n) [κόε-ντουκέισσον] μικτή εκπαίδευση.
coefficient (n) [κόεφίσσιεν-τ] συντελεστής (adj) συνεργός.
coemption (n) [κοέμ-πσον] μονοπώληση.
coequal (n) [κοουίικουαλ] ίσος (adj) ισότιμος.
coerce (v) [κοουέρς] αναγκάζω.
coercion (n) [κοουέρσσον] εξαναγκασμός, πίεση.
coessential (adj) [κόουισένσσλ] ομοούσιος, εξ ίσου ουσιώδης.
coeval (adj) [κόουίιβαλ] σύγχρονος.
coexist (v) [κόουεγκ-ζίστ] συμβαδίζω, συνυπάρχω.
coffee (n) [κόφι] καφές.
coffer (n) [κόφερ] κορβανάς.
cofferdam (n) [κόφερ-νταμ] φράγμα στεγανοποίησης.
coffin (n) [κόφιν] κάσα, φέρετρο, σορός (v) ενταφιάζω.
coffle (n) [κοφλ] καραβάνι.
cog (n) [κογκ] δόντι [μηχανής] (v) βαραίνω, φτιάχνω, κλέβω.
cogency (n) [κόουντζζενσι] πειστικότητα, ισχύς, δύναμη.
cogitate (v) [κόντζζιτεϊτ] σκέπτομαι, σχεδιάζω, επινοώ.
cogitation (n) [κοντζζιτέισσον] διαλογισμός, σκέψη, συλλογισμός.
cogitative (adj) [κόντζζιτεϊτιβ] στοχαστικός, βαθύνους.
cognac (n) [κόνιακ] κονιάκ.
cognizance (n) [κόγκνιζανς] γνώση, αντίληψη, έμβλημα.
cognomen (n) [κογκνόουμεν] επώνυμο., παρατσούκλι.
cognovit (adj) [κογκνόουβιτ] αναγνώριση, ομολογία.
cogwheel (n) [κόγκουίιλ] οδοντωτός τροχός, γρανάζι.
coheir (n) [κοουέα(ρ)] συγκληρονόμος.
cohere (v) [κοουχία(ρ)] συνεννούμαι, συνδέομαι, κολλώ.
cohesion (n) [κόουχίιζζιον] συνάφεια, συνάρτηση, συνοχή.
coif (n) [κόιφ] σκούφος.

coiffeur (n) [κουαφα] κομμωτής.
coign (n) [κόιν] ακρογωνιαίος.
coil (n) [κόιλ] κουλούρα, έλικας, σπείρα, θόρυβος, αναταραχή (v) κουλουριάζω, ελίσσω.
coin (n) [κόιν] νόμισμα (v) κόπτω.
coincidence (n) [κοΐνσι-ντενς] συγκυρία, σύμπτωση.
coiner (n) [κόινα(ρ)] νομισματοκόπος, παραχαράκτης.
coir (n) [κόια(ρ)] ίνα ψάθας.
coition (n) [κοΐσσον] συνουσία.
coitus (n) [κόιτας] συνουσία.
coke (n) [κόουκ] κόκα, κωκ.
col (n) [κολ] διάσελο, αυχένας.
cola (n) [κόουλα] κόλα [βοτ].
colander (n) [κόλαν-ντα(ρ)] σουρωτήρι, στραγγιστήρι.
cold (adj) [κόουλ-ντ] κρύος, ασυγκίνητος, αδιάφορος (n) κρύο, πούντα, συνάχι.
cole (n) [κόουλ] λάχανο.
coleen (n) [κολίιν] κορίτσι.
colic (n) [κόλικ] κωλικός [πόνος] (adj) κολικός, κωλικός.
colicky (adj) [κόλικι] κωλικός.
colitis (n) [κολάιτις] κολίτιδα.
collaborate (v) [κολά-μπορέιτ] συνεργάζομαι, συμπράττω.
collaboration (n) [κολα-μπορέισσον] συνεργασία.
collapse (n) [κολάπς] συντριβή, λιποθυμία, πτώση, γκρέμισμα (v) καταρρέω, σωριάζομαι.
collapsible (adj) [κολάπσι-μπλ] πτυσσόμενος, αναδιπλούμενος.
collar (n) [κόλα(ρ)] γιακάς, κολάρο (v) αρπάζω, μπαγλαρώνω.
collar-bone (n) [κόλα-μπόουν] κλειδοκόκκαλο, κλείδωση.
collateral (adj) [κολάτεραλ] παράλληλος, πλάγιος, βοηθητικός.
collation (n) [κολέισσον] ταξινόμηση, παραβολή, κολατσιό.
colleague (n) [κόλιιγκ] συνεργάτης, συνάδελφος, συνέταιρος.
collect (v) [κολέκτ] εισπράττω, μαζεύω, συνάγω (n) συναπτή.
collected (adj) [κολέκτι-ντ] συγκεντρωμένος, ήρεμος.
collectedness (n) [κολέκτιντνες] αυτοκυριαρχία.
collection (n) [κολέκσσον] συνάθροιση, συλλογή, έρανος.
collective (adj) [κολέκτιβ] μαζικός, ομαδικός, συλλογικός.
collector (n) [κολέκτο(ρ)] εισπράκτορας, συλλέκτης.
college (n) [κόλιντζζ] κολέγιο.
collet (n) [κόλιτ] δακτύλιος, στεφάνι, κρίκος.
collie (n) [κόλι] κόλλι [σκύλος].
collier (n) [κόλια(ρ)] ανθρακωρύχος, καρβουνιάρης.
collimate (v) [κόλιμεϊτ] παραλληλίζω, ευθυγραμμίζω.

collision (n) [κολίζιον] πρόσκρουση, σύγκρουση, τράκο.
collocation (n) [κολοκέισσον] σύνθεση, παράθεση, σύνταξη.
collop (n) [κόλοπ] τεμάχιο.
colloquial (n) [κολόουκουιαλ] ομιλουμένη (adj) κοινολεκτικός.
colloquy (n) [κόλουκουι] διάλογος, διάλεξη, σύσκεψη.
collusion (n) [κολιούζν] συμπαιγνία.
collusive (adj) [κολιούσιβ] δόλιος.
collywobbles (n) [κόλιουομπλζ] κοιλόπονος, διάρροια.
colonial (adj) [κολόνιαλ] αποικιακός (n) άποικος.
colonist (n) [κόλονιστ] άποικος.
colonnade (n) [κόλονέι-ντ] περιστύλιο, δεντροστοιχία, στοά.
colony (n) [κόλονι] αποικία.
colophon (n) [κόλοφον] κορωνίδα.
colorific (adj) [καλερίφικ] χρωματιστός.
colossal (adj) [κολόσαλ] θεόρατος, μνημειώδης, κολοσσιαίος.
colossally (adv) [κολόσαλι] τεράστια, καταπληκτικά.
colour (n) [κάλα(ρ)] χρώμα, χροιά (v) χρωματίζω.
colour-blindness (n) [κάλαμπλάι-ντνες] αχρωματοψία.
colourable (adj) [κάλορα-μπλ] αληθοφανής, εύλογος.
coloured (adj) [κάλα-ντ] έγχρωμος, χρωματιστός.
colouring (adj) [κάλαινγκ] χρωστικός (n) χρώμα, βαφή.
colourless (adj) [κάλαλες] ωχρός, χλωμός (n) άχνα.
coltish (adj) [κόουλτισς] ζωηρός, τρελλούτσικος, αρχάριος.
column (n) [κόλαμ] κολόνα, κίονας, στήλη, στύλος.
columnist (n) [κόλαμνιστ] χρονογράφος.
coma (n) [κόουμα] κώμα [ιατρ], λήθαργος, κόμη [αστρον].
comb (n) [κόουμ] χτένι, χτένα, κηρήθρα (v) χτενίζω, ξαίνω.
combat (n) [κόμ-μπατ] αγώνας, αερομαχία, μάχη (v) μάχομαι.
comber (n) [κόουμα(ρ)] χάνος.
combinable (adj) [κομ-μπάιναμπλ] συνδυαζόμενος.
combination (n) [κομ-μπινέισσον] συνδυασμός, ένωση.
combine (v) [κομ-μπάιν] συνδυάζω, συνενώνω (n) κοινοπραξία, συνδικάτο, καρτέλ.
combiner (n) [κομ-μπάινα(ρ)] συνδυαστής.
combing (n) [κόουμινγκ] χτένισμα.
combustibility (n) [κομ-μπαστιμπίλιτι] ευφλεκτικότητα.
combustible (adj) [κομ-μπάστιμπλ] εύφλεκτος (n) καύσιμο.

combustion (n) [κόμ-μπά-στσσον] ανάφλεξη.
come (ex) [καμ] έλα! (v) έρχομαι, φθάνω, γίνομαι, κατάγομαι.
come about (v) [καμ α-μπάουτ] συμβαίνω, γίνομαι, επιφέρω.
come across (v) [καμ ακρός] βρίσκω [τυχαίως], λαχαίνω.
comedian (n) [κομίι-ντιαν] κωμωδός, κωμικός.
comely (adj) [κάμλι] όμορφος, χαριτωμένος, ευχάριστος.
comer (n) [κάμα(ρ)] ερχόμενος.
comet (n) [κόμετ] κομήτης.
comfit (n) [κάμφιτ] ζαχαρωτό.
comfort (n) [κάμφατ] ανακούφιση, παρηγοριά, άνεση (v) τονώνω, αναπαύω, βαλσαμώνω.
comfortable (adj) [κάμφτα-μπλ] άνετος, αναπαυτικός.
comfortless (adj) [κάμφατλες] στενόχωρος, απαρηγόρητος.
comfy (adj) [κάμφι] άνετος, βολικός, αναπαυτικός.
comic (adj) [κόμικ] κωμικός, αστείος (n) κωμικός.
coming (n) [κάμινγκ] άφιξη, έλευση (adj) ερχόμενος, μέλλων.
comity (n) [κόμιτι] ευγένεια.
command (n) [κομάαν-ντ] υπεροχή, ισχύς, έλεγχος, αρχηγία, διαταγή (v) εξουσιάζω, επικρατώ, κυριαρχώ, ελέγχω.
commandeer (v) [κομααν-ντία(ρ)] παίρνω αυθαίρετα.
commander (n) [κομάαν-ντα(ρ)] διοικητής, κυβερνήτης.
commando (n) [κομάαν-ντο] καταδρομέας.
commemorate (v) [κομέμορεϊτ] τιμώ τη μνήμη, μνημονεύω.
commence (v) [κομένς] αρχίζω.
commencement (n) [κομέν-σμεν-τ] αρχή, έναρξη.
commend (v) [κομέν-ντ] επαινώ, συνιστώ, αναγορεύω.
commensurate (adj) [κομένσσε-ριτ] σύμμετρος, ισόμετρος.
comment (v) [κόμεν-τ] σχολιάζω (n) σχόλιο, σημείωση.
commentate (v) [κόμεν-τεϊτ] σχολιάζω, περιγράφω.
commentation (n) [κομεν-τέισ-σον] σχολίαση, περιγραφή.
commentator (n) [κόμεν-τέι-το(ρ)] σχολιαστής.
commercial (adj) [κομέρσσαλ] εμπορεύσιμος, εμπορευματικός.
commiserate (v) [κομίζερεϊτ] συμπονώ, συλλυπούμαι.
commiseration (n) [κομιζερέισ-σον] ψυχοπόνια, λύπη.
commission (n) [κομίσσον] εντολή, επιτροπή, παραγγελία, προμήθεια (v) αναθέτω.
commissure (n) [κόμισσουα(ρ)] σύνδεσμος, ταινία, δεσμίδα.
commit (v) [κομίτ] κάνω, εμπιστεύομαι, παραδίδω, αναθέτω, φυλακίζω, υπόσχομαι.

commitment (n) [κομίτμεν-τ] διάπραξη, δέσμευση, φυλάκιση.
committee (n) [κομίτιι] επιτροπή.
commodious (adj) [κομόουντιας] άνετος, πρόσφορος.
commodity (n) [κομό-ντιτι] εμπόρευμα, προϊόν, είδος.
commodore (n) [κόμο-ντοο(ρ)] μοίραρχος, αρχιπλοίαρχος.
common (adj) [κόμον] κοινόχρηστος, δημόσιος, αγοραίος (n) βοσκότοπος.
commoner (n) [κόμονα(ρ)] αστός, λαός, δημότης, πολίτης.
commons (n) [κομάνζ] λαός.
commonwealth (n) [κόμονουελθ] πολιτεία, κράτος.
commotion (n) [κομόουσσον] αναστάτωση, αναταραχή.
communal (adj) [κομιούναλ] κοινός, δημόσιος, κοινόχρηστος.
commune (n) [κομιούν] κοινότητα, κοινόβιο (v) συνομιλώ.
communicate (v) [κομιούνικέιτ] ανακοινώνω, επικοινωνώ.
communion (n) [κομιούνιον] σχέση, κοινωνία, Θεία Μετάληψη, Θεία Κοινωνία.
communiqué (n) [κόμιουνίκεϊ] ανακοινωθέν.
communism (n) [κόμιουνιζμ] κομμουνισμός.
commutable (adj) [κομιούταμπλ] μετατρέψιμος.
commute (v) [κομιούτ] ανταλλάσσω, εναλλάσσω.
commuter (n) [κομιούτα(ρ)] κάτοχος διαρκούς εισιτηρίου.
compact (adj) [κόμ-πακτ] στερεός, συμπαγής, πυκνός, συμπυκνωμένος (n) συμφωνία, συμβόλαιο (v) συμπτύσσω.
companion (n) [κομ-πάνιον] σύντροφος, φίλος, συνταξιδιώτης, συνοδός (adj) συμπληρωματικός, συνοδός (v) συνοδεύω.
companionable (adj) [κομ-πάνιονα-μπλ] κοινωνικός.
company (adj) [κόμ-πανι] εταιρικός (n) ομήγυρις, κομπανία, λόχος (v) συναιτερίζομαι.
comparable (adj) [κόμ-περαμπλ] ανάλογος, παρεμφερής, συγκρίσιμος, ισάξιος, εφάμιλος.
compare (v) [κομ-πέα(ρ)] συγκρίνω, σχετίζω (n) σύγκριση.
comparison (n) [κομ-πάρισον] παραβολή, παρομοίωση.
compartment (n) [κομ-πάατμεν-τ] χώρισμα, διαμέρισμα.
compass (n) [κάμ-πας] πυξίδα, περιοχή (v) περιβάλλω, περιλαμβάνω, σχεδιάζω.
compassion (n) [κο-μπάσσον] συμπάθεια, οίκτος, πόνος.
compassionate (adj) [κομ-πάσσονιτ] ευσπλαχνικός, ψυχόπονος (v) λυπούμαι, συμπονώ.

compatibly (adv) [κομ-πάτι-μπλι] αρμονικά, ευσυμβίβαστα.
compatriot (n) [κομ-πάτριοτ] συμπατριώτης.
compel (v) [κομ-πέλ] αναγκάζω, υποχρεώνω.
compensate (v) [κόμ-πενσεϊτ] αποκαθιστώ, αναπληρώ.
compensation (n) [κομπενσέισσον] αποζημίωση.
compensational (adj) [κομ-πενσέισσοναλ] αναπληρωματικός.
compete (v) [κομ-πίιτ] ανταγωνίζομαι, διαγωνίζομαι.
competence (n) [κόμ-πιτενς] ικανότητα, αποδοτικότητα, επάρκεια, εμπειρία.
competition (n) [κομ-πετίσσον] συναγωνισμός, διαγωνισμός.
compilation (n) [κομ-πιλέισσον] σύνταξη, συλλογή.
compile (v) [κομπάιλ] συντάσσω, συμπιλώ, συλλέω.
complacent (adj) [κομ-πλέισεν-τ] ικανοποιημένος, μακάριος.
complain (v) [κομ-πλέιν] γκρινιάζω, οδύρομαι, κλαίγομαι.
complaint (n) [κομ-πλέιν-τ] πάθηση, παράπονο, νόσημα.
complement (n) [κόμ-πλιμεν-τ] συμπλήρωμα, σύνολο, κατηγορούμενο (v) συμπληρώνω.
complete (adj) [κομ-πλίιτ] πλήρης, ακέραιος, αμέριστος, ολομερής (v) περατώνω, συντελώ.
completion (n) [κομ-πλίισσον] συμπλήρωση, τέλεση.
complex (adj) [κόμ-πλεξ] σύνθετος (n) πολύπλοκο, ψύχωση.
complexion (n) [κομ-πλέξιον] επιδερμίδα, θωριά, χροιά.
compliance (n) [κομ-πλάιανς] ελαστικότητα, συμμόρφωση.
complicate (v) [κόμ-πλικειτ] δυσχεραίνω, μπλέκω (adj) συνεπτυγμένος.
complication (n) [κομ-πλικέισσον] επιπλοκή, μπερδεψιά.
compliment (n) [κόμ-πλιμεν-τ] έπαινος, φιλοφρόνηση (v) [κομ-πλιμέν-τ] συγχαίρω.
comply (v) [κομ-πλάι] συμμορφώνομαι, υπακούω, υποχωρώ.
component (adj) [κομ-πόουνεν-τ] συνθετικός, συστατικός (n) συντελεστής, στοιχείο.
comport (v) [κομ-πόοτ] συμπεριφέρομαι, αρμόζω, ταιριάζω.
compose (v) [κομ-πόουζ] απαρτίζω, αποτελώ, γράφω.
composed (adj) [κομ-πόουζ-ντ] συνιστώμενος, ατάραχος.
composer (n) [κομ-πόουζα(ρ)] μουσικοσυνθέτης, συνθέτης.
composite (adj) [κόμ-ποζιτ] μικτός, σύνθετος (n) σύνθετο.
compost (n) [κόμ-ποουστ] κοπρόχωμα, φουσκί, λίπασμα.
composure (n) [κομ-πόουζ-ζα(ρ)] ηρεμία, γαλήνη.

compound (adj) [κόμ-παουν-ντ] πολυσύνθετος (v) αναμιγνύω, ρυθμίζω (n) μίγμα.
comprehend (v) [κομ-πρεχέν-ντ] κατανοώ, νοώ.
comprehensiveness (n) [κομ-πρεχένσιβνες] περιεκτικότητα.
compress (n) [κόμ-πρες] κομπρέσα (v) [κομ-πρές] πιέζω.
compression (n) [κομ-πρέσσον] συμπίεση, πίεση, θλίψη.
comprise (v) [κομ-πράιζ] περιλαμβάνω, συμπεριλαμβάνω.
compromise (n) [κόμ-προμάιζ] συμβιβασμός (v) διακυβεύω.
compulsion (n) [κομ-πάλσιον] εξαναγκασμός, πίεση.
compulsive (adj) [κομ-πάλσσιβ] ακάθεκτος, ισχυρός.
compulsory (adj) [κομ-πάλσορι] υποχρεωτικός.
compunction (n) [κομ-πάνκσσον] δισταγμός, τύψη.
computable (adj) [κομ-πιούταμπλ] υπολογίσιμος.
computerize (v) [κομ-πιούτεραϊζ] υπολογίζω, ελέγχω, αυτοματοποιώ με υπολογιστή.
comrade (n) [κόμρεϊ-ντ] σύντροφος, συνάδελφος, φίλος.
con (adv) [κον] ενάντια (n) ενάντιος (v) μαθαίνω.
concave (adj) [κόνκεϊβ] κοίλος (n) κοίλωμα (v) βαθουλώνω.
conceal (v) [κονσίιλ] κρύβω.
concede (v) [κονσίι-ντ] παραχωρώ, ομολογώ, παραδέχομαι.
conceit (n) [κονσίιτ] οίηση, αλαζονεία, έπαρση, εγωισμός.
conceivable (adj) [κονσίιβαμπλ] νοητός, αντιληπτός.
conceive (v) [κονσίιβ] σκέπτομαι, συλλαμβάνω [ιδέες].
concept (n) [κόνσεπτ] έννοια.
conception (n) [κονσέπσσον] σύλληψη [ιδέας], αντίληψη.
concern (n) [κονσέρν] ενδιαφέρον, φροντίδα, έννοια, σκέψη (v) αφορώ, ανησυχώ, ενέχομαι.
concerned (adj) [κονσέρν-ντ] ενδιαφερόμενος, ανεχόμενος.
concert (n) [κόνσερτ]κονσέρτο.
concert (v) [κονσέρτ] συμφωνώ, εναρμονίζομαι.
concertina (n) [κονσερτίνα] κονσερτίνα, φυσαρμόνικα.
concession (n) [κονσέσσον] παραδοχή, παραχώρηση.
conch (n) [κον-τσς] κογχύλη.
concierge (n) [κόνσιερντζζ] θυρωρός, φύλακας, επιστάτης.
conciliate (v) [κονσίλιεϊτ] συμβιβάζω, συμφιλιώνω.
concise (adj) [κονσάις] σαφής, σύντομος, περιληπτικός.
conclusion (n) [κονκλούουζον] τέλος, επίλογος, λήξη, πόρισμα.
concoct (v) [κονκόκτ] κατασκευάζω.

concord (n) [κόνκοο-ντ] αρμονία, ενότητα, ομόνοια.
concourse (n) [κόνκοος] συμβολή, συγκέντρωση, πλήθος.
concrete (adj) [κόνκριιτ] συγκεκριμένος (n) μπετόν.
concurrent (adj) [κονκάρεν-τ] σύγχρονος, σύμφωνος.
concussion (n) [κονκάσσον] διάσειση, κλονισμός.
condemn (v) [κον-ντέμ] καταδικάζω, κατακρίνω.
condemnation (n) [κον-ντεμνέισσον] καταδίκη, επίκριση.
condensation (n) [κον-ντενσέισσον] υγροποίηση.
condense (v) [κον-ντένς] συμπυκνώ.
condensed (adj) [κον-ντένσ-ντ] επίτομος.
condescend (v) [κον-ντισέ-ντ] συγκατατίθεμαι, καταδέχομαι.
condiment (n) [κόν-ντιμεν-τ] καρύκευμα [το μπαχαρικό].
condition (n) [κον-ντίσσον] προϋπόθεση, περίπτωση, όρος.
conditional (adj) [κον-ντίσσοναλ] υποθετικός [γραμμ].
conditioned (adj) [κον-ντίσσον-ντ] ορισμένος, υπό όρους.
condolences (n) [κον-ντόουλενσιζ] συλλυπητήρια.
condom (n) [κόν-ντόμ] προφυλακτικό.
conduct (n) [κόν-ντακτ] διεύθυνση, καθοδήγηση, φέρσιμο, αγωγή, τρόπος (v) [κον-ντάκτ] διαχειρίζομαι, διοικώ, άγω.
conductor (n) [κον-ντάκτο(ρ)] μαέστρος, οδηγός, αγωγός.
conduit (n) [κόν-ντιτ] αγωγός, οχετός, λαγούμι, λούκι.
cone (n) [κόουν] κώνος, χωνί.
confection (n) [κονφέκσσον] κατασκευή, γλύκισμα.
confectionary (n) [κονφέκσσονρι] γλύκισμα (adj) κατασκευασμένος.
confectioner (n) [κονφέκσσονα(ρ)] ζαχαροπλάστης.
confectionery (n) [κονφέκσσονρι] προϊόν ζαχαροπλαστικής, γλύκισμα, ζαχαροπλαστείο.
confederacy (n) [κονφέ-ντρασι] ομοσπονδία, συνεργία.
confederate (adj) [κονφέ-ντερατ] ομόσπονδος (n) σύμμαχος, συνεργός (v) συνασπίζω.
confer (v) [κονφέρ] παρέχω, απονέμω, συσκέπτομαι.
confess (v) [κονφές] εκμυστηρεύομαι, ομολογώ.
confessor (n) [κονφέσο(ρ)] πνευματικός, εξομολογητής.
confidant (n) [κονφι-ντάν-τ] έμπιστος φίλος.
confide (v) [κονφάι-ντ] εμπιστεύομαι, εκμυστηρεύομαι.
confidence (n) [κόνφι-ντενς] πεποίθηση, θάρρος, σιγουριά.

confident (adj) [κόνφι-ντεν-τ] βέβαιος, τολμηρός.
confine (v) [κονφάιν] περιορίζω, φυλακίζω, εγκλείω.
confirm (v) [κονφέρμ] σταθεροποιώ, εδραιώνω, βεβαιώνω.
confiscate (v) [κόνφισκέιτ] κατάσχω (adj) δημευμένος.
confiscation (n) [κονφισκέισσον] δήμευση, κατάσχεση.
conflagration (n) [κονφλαγκρέισσον] πυρκαγιά.
conflict (n) [κόνφλικτ] σύγκρουση, αγώνας, πάλη, ρήξη (v) συγκρούομαι, αντιτίθεμαι.
conform (v) [κονφόομ] προσαρμόζω, συμμορφώνω.
conformable (adj) [κονφόομαμπλ] σύμφωνος, υπάκουος.
conformity (n) [κονφόομιτι] ομοιομορφία, προσαρμογή.
confound (v) [κονφάουν-ντ] μπερδεύω, ταράσσω, συγχέω.
confounded (adj) [κονφάουντιντ] συγχυσμένος.
confront (v) [κονφρόν-τ] αντιμετωπίζω.
confuse (v) [κονφιούζ] ταράσσω, καταπλήσσω, ζαλίζω, μπερδεύω, περιπλέκω, ανακατεύω.
confusion (n) [κονφιούζιον] σύγχυση, ταραχή, παραζάλη, κυκεώνας, συσκότιση.
confute (v) [κονφιούτ] ανατρέπω, αντικρούω, ανασκευάζω.
congenial (adj) [κον-ντζζίνιαλ] συγγενής, ομοειδής, ταιριαστός.
congest (n) [κον-ντζζέστ] συσσωρεύω, φράσσω.
congratulations (n) [κονγκράτσσιουλέισσονζ] συγχαρητήρια.
congress (n) [κόνγκρες] σύνοδος, κογκρέσο, συνέδριο.
conic (adj) [κόνικ] κωνικός.
conical (adj) [κόνικαλ] κωνικός.
conifer (n) [κόνιφα(ρ)] κωνοφόρο.
conjecture (n) [κον-ντζζέκτσσα(ρ)] εικασία, πιθανολογία, υπόθεση (v) εικάζω.
conjugate (v) [κόνντζζουγκεϊτ] κλίνομαι, είμαι κλιτός, κλίνω.
conjunct (adj) [κον-ντζζάνκτ] συναφής, συνδεδεμένος.
conjunction (n) [κον-ντζζάνκσσον] σύνδεση, συνδρομή.
conjunctivitis (n) [κον-ντζζανκτιβάιτις] επιπεφυκίτις.
conjure (v) [κονζούα(ρ)] εξορκίζω, ικετεύω, επικαλούμαι.
conjurer (n) [κόν-ντζζερα(ρ)] ταχυδακτυλουργός.
conman (n) [κόνμαν] απατεώνας.
connect (v) [κονέκτ] συνδέω, συνενώνω, συναρτώ, ενώνω.
connexion (n) [κονέκσσον] σύνδεση, συγγένεια, σχέση.
connive (v) [κονάιβ] ανέχομαι.

connoisseur (n) [κονισέ(ρ)] ειδήμονας, τεχνοκρίτης, γνώστης.
connote (v) [κονόουτ] υπονοώ.
conqueror (n) [κόνκερερ] κατακτητής, πορθητής.
conquest (n) [κόνκουεστ] κατάκτηση, άλωση.
conscious (adj) [κόνσσες] συνειδητός, ενσυνείδητος.
consciousness (n) [κόνσσιουσνες] συναίσθηση.
conscript (n) [κόνσκριπτ] στρατολογημένος, κληρωτός (v) επιστρατεύω.
consecrate (v) [κόνσεκρέιτ] ευλογώ, καθιερώ, αφιερώνω.
consecutive (adj) [κονσέκιουτιβ] διαδοχικός, συνεχής.
consensus (n) [κονσένσας] ομοφωνία, αποδοχή, συγκατάθεση.
consent (n) [κονσέν-τ] συμφωνία (v) συναινώ, συμφωνώ.
consequence (n) [κόνσικουενς] συνέπεια, αποτέλεσμα.
consequently (adv) [κόνσικουεν-τλι] ακολούθως, (conj) άρα.
conservation (n) [κονσερβέισσον] διατήρηση, συντήρηση.
conservatory (n) [κονσέρβατρι] ωδείο, σχολή καλών τεχνών.
conserve (v) [κονσέρβ] προφυλάττω, διατηρώ, συντηρώ.
consider (v) [κονσί-ντα(ρ)] σκέφτομαι, έχω, κοιτάζω, κρίνω.
considerable (adj) [κονσί-ντεραμπλ] αξιόλογος, (pron) κάμποσος.
considerate (adj) [κονσί-ντερετ] διακριτικός, περιποιητικός.
consideration (n) [κονσι-ντερέισσον] σκέψη, στοχασμός.
considering (pr) [κονσί-ντεριν-γκ] δεδομένου, αναλόγως.
consign (v) [κονσάιν] παραδίδω, εμπιστεύομαι, αποστέλλω.
consignment (n) [κονσάινμεν-τ] αποστολή, διεκπεραίωση.
consist of (v) [κονσίστ οβ] αποτελούμαι, συνίσταμαι.
consistence (n) [κονσίστενς] συνέπεια, σύσταση, πυκνότητα.
consistent (adj) [κονσίστεν-τ] συνεπής, σταθερός.
console (v) [κονσόουλ] παρηγορώ, βαλσαμώνω (n) [κόνσοουλ] κονσόλα, αγκώνας, χειριστήριο.
consolidate (v) [κονσόλι-ντέιτ] σταθεροποιώ, εμπεδώνω.
consonance (n) [κόνσονανς] συμφωνία, ομοφωνία.
consonant (n) [κόνσοναν-τ] σύμφωνο (adj) σύμφωνος.
consort (n) [κονσόοτ] σύζυγος, συμβία (v) συναναστρέφομαι.
consortium (n) [κονσόοτιαμ] κοινοπραξία, ένωση.
conspicuous (adj) [κονσπίκιας] εμφανής, ορατός, περίοπτος.
conspiracy (n) [κονσπίρασι] επιβουλή, συνωμοσία, σκευωρία.

conspire (v) [κονσπάια(ρ)] συνυφαίνω [μεταφ], συνωμοτώ.
constable (adj) [κόνστα-μπλ] αστυφύλακας, χωροφύλακας.
constabulary (n) [κοντστά-μπιουλαρι] αστυνομία (adj).
constant (adj) [κόνσταν-τ] σταθερός, πιστός, επίμονος (n) σταθερά, παράμετρος.
constantly (adv) [κόνσταν-τλι] συνεχώς, διαρκώς, ολοένα.
constellation (n) [κονστελέισσον] αστερισμός.
consternation (n) [κονστερνέισσον] κατάπληξη, τρόμος.
constipation (n) [κονστιπέισσον] δυσκοιλιότητα.
constituency (n) [κονστίτουενσι] εκλογείς, διαμέρισμα.
constituent (adj) [κονστίτιουεντ] ψηφίζων, συνθετικός (n) συνθετικό, ψηφοφόρος.
constitute (v) [κόνστιτιουτ] συνιστώ, καθιστώ, οργανώνω.
constitution (n) [κονστιτιούσσον] κατασκευή, δομή.
constitutional (adj) [κονστιτιούσσοναλ] καταστατικός., συνταγματικός.
constrain (v) [κονστρέιν] αναγκάζω, συγκρατώ, περιορίζω.
constrained (adj) [κονστρέιννт] βεβιασμένος, αφύσικος.
constraint (n) [κονστρέιν-τ] ανάγκη, βία, εξαναγκασμός.
constrict (v) [κονστρίκτ] συσφίγγω, στενεύω, μικραίνω.
construct (v) [κονστράκτ] κατασκευάζω, κτίζω, οικοδομώ (n) [κόνστρακτ] κατασκευή, δημιούργημα, έννοια, ιδέα.
construe (v) [κονστρού] αναλύω, συντάσσομαι, ερμηνεύω.
consul (n) [κόνσαλ] πρόξενος.
consulate (n) [κόνσιουλετ] αξίωμα του προξένου, προξενείο.
consult (v) [κονσάλτ] συμβουλεύομαι, προστρέχω.
consultant (n) [κονσάλταν-τ] εμπειρογνώμονας, σύμβουλος.
consultation (n) [κονσαλτέισσον] προσφυγή, σύσκεψη.
consulting (n) [κονσάλτινγκ] συμβουλεύων, σύμβουλος.
consume (v) [κονσιούμ] καταστρέφω, δαπανώ, χαλώ, σώνω.
contact (n) [κόν-τακτ] επαφή, σχέση, συνάντηση, επικοινωνία (v) [κον-τάκτ] επικοινωνώ.
contagion (n) [κον-τέιντζζιον] μόλυσμα, μετάδοση.
contagious (adj) [κον-τέιντζζας] κολλητικός, λοιμώδης.
contain (v) [κον-τέιν] παίρνω, περιέχω, πιάνω, χωρώ.
container (n) [κον-τέινα(ρ)] περιέχων, συγκρατών, δοχείο.
containment (n) [κον-τέινμεντ] συγκράτηση, περιορισμός.
contaminate (v) [κον-τάμινεϊτ]

μιαίνω, μολύνω.
contemplate (v) [κόν-τεμπλεϊτ] ατενίζω, θωρώ, αναπολώ.
contempt (n) [κον-τέμ(π)τ] καταφρόνηση, περιφρόνηση.
contemptibility (n) [κον-τεμπτι-μπίλιτι] χυδαιότητα.
contend (v) [κον-τέν-ντ)] μάχομαι, αγωνίζομαι, αντιπαλεύω.
content (n) [κόν-τεν-τ] περιεχόμενο, ουσία, περιεκτικότητα.
content(ed) (adj) [κον-τέν-τ(ιντ)] ευχαριστημένος.
contention (n) [κον-τένσσον] έρις, φιλονικία, διαφωνία.
contest (n) [κόν-τεστ] αγώνας, αμφισβήτηση, πάλη [μεταφ].
contestant (n) [κον-τέσταν-τ] αγωνιστής, αντίπαλος, διάδικος.
context (n) [κόν-τεκστ] συμφραζόμενα, απόσπασμα.
continence (n) [κόν-τινενς] εγκράτεια, αγνότητα.
continent (n) [κόν-τινεν-τ] ήπειρος (adj) εγκρατής, αγνός.
continental (adj) [κον-τινένταλ] ηπειρωτικός (n) Ευρωπαίος.
contingency (n) [κον-τίν-ντζζενσι] δυνατότητα, τύχη.
continual (adj) [κον-τίνιουαλ] συνεχής, επίμονος, συχνός.
continuation (n) [κον-τινιουέισσον] συνέχιση, επέκταση.
continue (v) [κον-τίνιου] επεκτείνω, παρατείνω, διαρκώ.
continuity (n) [κον-τινιούιτι] αδιάκοπο, συνεχές, συνέχεια.
continuous (adj) [κον-τίνιουας] αδιάκοπος, διαρκής, συνεχής.
contortion (n) [κον-τόοσσον] στρέβλωση, παραμόρφωση.
contour (n) [κόν-τοο(ρ)] περίμετρος (v) περιγράφω.
contraband (n) [κόν-τρα-μπάν-ντ] λαθρεμπόριο, λαθρεμπορία.
contraception (n) [κον-τρασέπσσον] αντισύλληψη.
contract (n) [κόν-τρακτ] σύμφωνο, σύμβαση, συμβόλαιο (v) [κον-τράκτ] συμβάλλομαι.
contractor (n) [κον-τράκτο(ρ)] ανάδοχος, εργολήπτης.
contradict (v) [κον-τρα-ντίκτ] διαψεύδω, αντικρούω.
contraption (n) [κον-τράπσσον] μηχάνημα, σύνεργο.
contrary (adj) [κόν-τραρι] ενάντιος, αντίθετος (n) αντίθετο.
contrast (v) [κον-τράαστ] παραθέτω, συγκρίνω, ξεχωρίζω (n) [κόν-τρααστ] αντίθεση.
contretemps (n) [κόν-τρατομ] ατύχημα, αναποδιά, εμπόδιο.
contribute (v) [κον-τρί-μπιουτ] εισφέρω, καταβάλλω, δίδω.
contributor (n) [κον-τρί-μπιουτα(ρ)] συνεργάτης, συντελεστής.
contrite (adj) [κόν-τραϊτ] συντετριμμένος, μετανιωμένος.

contrive (v) [κον-τράιβ] επινοώ.
control (n) [κον-τρόουλ] εξουσία, έλεγχος, κουμάντο (v) ελέγχω, ρυθμίζω, διευθύνω.
controller (n) [κον-τρόουλα(ρ)] ελεγκτής, διαχειριστής.
controversial (adj) [κον-τροβέρσσαλ] αμφιλεγόμενος.
controversy (n) [κον-τρόβερσι] διένεξη, συζήτηση, διαμάχη.
convalescence (n) [κονβαλέσενς] ανάρρωση (v) αναρρώνω.
convene (v) [κονβίιν] συγκαλώ.
convenient (adj) [κονβίινιεν-τ] κατάλληλος, εύθετος, εύκολος, πρόσφορος (n) βολικό.
convent (n) [κόνβεν-τ] μονή.
convention (n) [κονβένσσον] συμφωνία, σύμβαση.
conventional (adj) [κονβένσσοναλ] κατά συνθήκη.
converge (v) [κονβέρντζζ] συγκλίνω, συμπίπτω, συντρέχω.
conversation (n) [κονβερσέισσον] συζήτηση, ομιλία.
converse with (v) [κονβέρς ουίδ] συνομιλώ (n) [κόνβερς] συνομιλία (adj) αντίστροφος.
conversion (n) [κονβέρζζιον] επεξεργασία, οικειοποίηση.
convert (v) [κονβέρτ] μεταποιώ, (adj) [κόνβερτ] νεοφώτιστος.
converter (n) [κονβέρτερ] μετατροπέας, προσηλυτιστής.
convertible (adj) [κονβέρτιμπλ] μετατρεπτός.
convex (adj) [κόνβεξ] κυρτός.
convey (v) [κονβέι] μεταβιβάζω, διοχετεύω, υποδηλώνω.
conveyance (n) [κονβέιανς] μεταβίβαση, διαπεραίωση.
conviction (n) [κονβίκσσον] πειθώ, πεποίθηση, καταδίκη.
convince (v) [κονβίνς] πείθω.
convincible (adj) [κονβίνσιμπλ] εύπιστος.
convivial (adj) [κονβίβιαλ] εορταστικός, εύθυμος, γλεντζές.
convoy (n) [κόνβοϊ] εφοδιοπομπή (v) συνοδεύω, οδεύω.
convulse (v) [κονβάλς] συγκλονίζω, συνταράσσω, συσπώ.
cony (n) [κόουνι] κουνέλι.
coo (v) [κου] γουργουρίζω.
cook (n) [κουκ] μάγειρας (v) μαγειρεύω, βράζω.
cooker (n) [κούκα(ρ)] κουζίνα.
cool (adj) [κουλ] ψυχρός, ήρεμος, δροσερός (v) ψύχω, ηρεμώ, φρεσκάρω, χαλαρώνω, ψυχραίνω (n) δροσιά, θράσος.
coolie (n) [κούουλι] εργάτης.
coolness (n) [κούουλνες] φρεσκάδα, αταραξία, ψυχραιμία.
cooper (n) [κούουπα(ρ)] βαρελοποιός, βυτιοποιός, βαρελάς.
cooperate (v) [κοου-όπερεϊτ] συνεργάζομαι, συμπράττω.
coordinate (n) [κοου-όο-ντινετ]

ίσος, συντεταγμένη (v) [κοουόρ-ντινέιτ] συντονίζω (adj) [κοουό-ντινεϊτ] ίσος.

cope (v) [κόουπ] αντεπεξέρχομαι.

copier (n) [κόπια(ρ)] αντιγραφέας.

copious (adj) [κόουπιας] άφθονος.

copper (n) [κόπα(ρ)] χαλκός, (v) μπακιρώνω (adj) χάλκινος.

coppice (n) [κόπις] αλσύλλιο.

copulate (v) [κόπιουλεϊτ] συνευρίσκομαι, συνουσιάζομαι.

copy (n) [κόπι] αντίγραφο, κόπια (v) αντιγράφω, κοπιάρω.

copyright (n) [κόπιραϊτ] πνευματική ιδιοκτησία.

coquet (n) [κόκετ] κοκέτης.

coquetry (n) [κόκετρι] χαριεντισμός, κοκεταρία, τσαχπινιά.

coquette (n) [κόκετ] κοκέτα.

coral (adj) [κόοραλ] κοραλένιος (n) κοράλλιο, κοράλι.

cord (n) [κόο-ντ] σπάγγος, χορδή, σχοινί (v) δεματιάζω.

corded (adj) [κόο-ντι-ντ] σχοινόδετος, κοτλέ ύφασμα.

cordial (adj) [κόο-ντιαλ] φιλικός, θερμός, εγκάρδιος.

cordon (n) [κόο-ντον] κορδόνι, στεφάνη, ζώνη (v) περιζώνω.

core (n) [κόο(ρ)] κέντρο, ψυχή, πυρήνας (v) εκπυρηνίζω.

cork (n) [κόοκ] τάπα, φελός (adj) φελώδης (v) κλείνω.

corkscrew (n) [κόοκσκριου] ανοικτήρι, τιρμπουσόν.

corky (adj) [κόοκι] φελλώδης.

corm (n) [κομ] βολβός.

corn (n) [κόον] δημητριακά, καλαμπόκι, κάλος (v) σπείρω, παστώνω.

corn cob (n) [κόον κο-μπ] κότσαλο καλαμποκιού.

cornea (n) [κόονια] κερατοειδής.

corner (adj) [κόονα(ρ)] γωνιακός (n) στροφή, καμπή, μπάντα (v) παγιδεύω, στρίβω.

cornet (n) [κοονέτ] κλειδοσάλπιγγα, κορνέτα, χάρτινο χωνί.

cornflakes (n) [κόονφλεϊκς] νιφάδες καλαμποκιού.

cornflour (n) [κόονφλαουρ] ριζάλευρο, αραβοσιτάλευρο.

cornice (n) [κόονις] κορνίζα.

corny (adj) [κόονι] σιτοπαραγωγός, τετριμμένος, φτηνός.

corona (n) [κορόουνα] φωτοστέφανο, κορώνα, στεφάνη.

coronal (n) [κόρουναλ] διάδημα, γιρλάντα (adj) μετωπικός.

coroner (n) [κόρονα(ρ)] ιατροδικαστής.

corporal (n) [κόοπαραλ] δεκανέας (adj) σωματικός.

corporate (adj) [κόοποριτ] ενσωματωμένος, συναιτερικός.

corporation (n) [κοοπορέισσον] σύλλογος, σωματείο.
corpse (n) [κόοπς] κουφάρι.
corpulent (adj) [κόοπιουλέν-τ] παχύσαρκος, σωματώδης.
corpus (n) [κόοπας] γραμματολογία, κώδικας, συλλογή.
correct (adj) [κορέκτ] ορθός, σωστός (v) διορθώνω, επανορθώνω, επιτιμώ, νουθετώ.
correctness (n) [κορέκτνες] ακρίβεια, ευστοχία, πιστότητα.
correlate (v) [κόριλεϊτ] συγγενεύω (n) αντίστοιχο.
correlative (adj) [κορέλατιβ] σχετιζόμενος, διαζευκτικός (n) συνακόλουθο.
correspond (v) [κόρεσπον-ντ] αλληλογραφώ, συμφωνώ.
correspond to (v) [κόρεσπον-ντ του] αναλογώ, ανταποκρίνομαι.
corridor (n) [κόρι-ντοο(ρ)] διάδρομος.
corroborate (v) [κορό-μπορέιτ] επιβεβαιώνω, υποστηρίζω.
corrode (v) [κορόου-ντ] οξειδώ, διαβρώνω, σκουριάζω.
corrugate (v) [κόραγκεϊτ] συρρικνώνω, ζαρώνω, συμπτύσσω.
corrugated (adj) [κοραγκέιτ-ντ] κυματοειδής, αυλακωτός.
corrupt (adj) [κοράπτ] χαλασμένος, διεφθαρμένος (v) δηλητηριάζω, διαφθείρω, φθείρω.
corrupt dealer (n) [κοράπτ ντίιλε(ρ)] ρουσφετολόγος.
corruptness (n) [κοράπτνες] διαφθορά, φαυλότητα.
corruptor (n) [κοράπτο(ρ)] διαφθορέας, εκμαυλιστής.
corsage (n) [κοοσάα] μπούστος.
corse (n) [κόος] πτώμα [ποιητ].
corset (n) [κόοσιτ] κορσές.
cortege (n) [κοοτέζζ] συνοδεία.
cortex (n) [κόοτεκς] φλούδα.
cortisone (n) [κόοτιζοουν] κορτιζόνη.
coruscation (n) [κορεσκέισσον] λάμψη, σπινθηροβόλημα.
cosily (adv) [κόουζιλι] αναπαυτικά, άνετα, ζεστά, χουζούρικα.
cosiness (n) [κόουζινες] άνεση.
cosmetician (n) [κοσμετίσσαν] αισθητικός.
cosmic (adj) [κόζμικ] κοσμικός.
cosmocracy (n) [κοζμόκρασι] κοσμοκρατορία.
cosmopolitan (n) [κοζμοπόλιταν] κοσμοπολίτης (adj) κοσμοπολιτικός.
cosmos (n) [κόζμος] κόσμος.
cosset (v) [κόσιτ] κανακεύω.
cost (n) [κοστ] κόστος, τίμημα (v) αξίζω, έχω, στοιχίζω.
costal (n) [κόοσταλ] πλευρικός.
costly (adj) [κόστλι] ακριβός.
costume (n) [κόστιουμ] στολή (v) ντύνω, κουστουμάρω.
costumer (n) [κοστιούμα(ρ)] εν-

δυματολόγος, μοδίστρα.
cosy (adj) [κόουζι] αναπαυτικός (n) κάλυμμα τσαγιέρας.
cot (n) [κοτ] κούνια, καλύβα.
cote (n) [κόουτ] κοτέτσι.
cottage (n) [κότιντζζ] καλύβα, σπιτάκι, εξοχικό σπίτι.
cottier (n) [κότιε(ρ)] χωρικός.
cotton (n) [κότον] βαμβάκι.
couch (n) [κάουτσς] καναπές, σοφάς, ντιβάνι, στρώμα.
couchant (adj) [κάουτσσαν-τ] πρηνής, κατακεκλιμένος.
cough (n) [κοφ] βήχας (v) βήχω.
coulisse (n) [κουλίις] αυλάκι.
councillor (n) [κάουνσιλο(ρ)] σύμβουλος, γνωμοδότης.
counsel (n) [κάουνσελ] καθοδήγηση, νουθεσία (v) συμβουλεύω, συνιστώ.
count (n) [κάουν-τ] κόντες, λογαριασμός, μέτρημα (v) λογαριάζω, μετρώ.
count on (v) [κάουν-τ ον] βασίζομαι, στηρίζομαι, λογαριάζω.
countenance (n) [κάουν-τενανς] όψη, ύφος (v) εγκρίνω.
counter (n) [κάουν-τα(ρ)] πάγκος, γκισές, κόντρα (adj) αντίθετος (adv) αντίθετα (v) αντιδρώ, κοντράρω.
counter-proposal (n) [κάουντερπροπόουζαλ] αντιπρόταση.
counteract (v) [κάουν-τεράκτ] αντενεργώ, αντιδρώ.
counterattack (n) [κάουν-τερατακ] αντεπίθεση.
counterbalance (n) [κάουν-τερμπάλανς] αντιστάθμισμα, ισοφάριση (v) συμψηφίζω.
countercheck (n) [κάουν-τατσσεκ] αναχαίτιση, εμπόδιο.
counterclaim (n) [κάουν-τακλέιμ] ανταπαίτηση, απαίτηση.
counterfeit (adj) [κάουν-ταφιτ] ψευδής, κίβδηλος (v) πλαστογραφώ (n) απομίμηση.
counterfeiter (n) [κάουν-τερφιτα(ρ)] παραχαράχτης.
countermand (v) [κάουν-τερμαν-ντ] ανακαλώ (n) ακύρωση.
countermarch (v) [κάουν-τερμάατσς] αντιβαδίζω.
countermove (n) [κάουν-τεμουουβ] αντίδραση.
counterpane (n) [κάουν-τερπέιν] κάλυμα κρεβατιού.
counterpart (n) [κάουν-ταπάατ] ισότιμο, αντίτυπο, σωσίας.
counterplea (n) [κάουν-τερπλιι] ανταπάντηση.
counterpoise (n) [κάουν-ταπόιζ] αντίβαρο, ισορροπία.
countersign (v) [κάουν-τασάιν] προσυπογράφω (n) παρασύνθημα.
countersink (v) [κάουν-τασινκ] φρεζάρω, βυθίζω (n) τρυπάνι.

counterweight (n) [κάουν-ταουέιτ] αντίρροπο, αντίβαρο.
countess (n) [κάουν-τες] κοντέσσα.
countless (adj) [κάουν-τλες] αμέτρητος, αναρίθμητος.
countrified (adj) [κάν-τριφαϊντ] επαρχιώτικος, χωριάτικος.
country (adj) [κάν-τρι] εξοχικός, χωρικός (n) πολιτεία.
country house (n) [κάν-τρι χάους] έπαυλη, θέρετρο.
county (n) [κάουν-τι] κομητεία (adj) αριστοκρατικός.
coup (n) [κούου] αιφνιδιασμός, βολή, κόλπο.
couple (n) [καπλ] ζευγάρι.
couplet (n) [κάπλετ] δίστιχο.
coupling (n) [κάπλινγκ] ένωση.
coupon (n) [κούπον] απόκομμα.
courage (n) [κάριντζζ] ανδρεία.
courageous (adj) [καρέιντζζας] θαρραλέος, ανδρείος, εύψυχος.
courgette (n) [κοοζζέτ] κολοκυθάκι.
courier (n) [κούρια(ρ)] αγγελιοφόρος, ταχυδρόμος.
course (n) [κόος] διεύθυνση, πορεία, φορά (v) κυνηγώ, ρέω.
coursing (n) [κόοσινγκ] καταδίωξη.
court (adj) [κόοτ] ανακτορικός (n) αυλή (v) ερωτοτροπώ.
court of appeal (n) [κόοτ οβ απίιλ] εφετείο.
court of first instance (n) [κόοτ οβ φερστ ίνστανς] πρωτοδικείο.
court of justice (n) [κόοτ οβ ντζζάστις] δικαστήριο.
court-martial (n) [κόοτ-μάασσαλ] στρατοδικείο.
courteous (adj) [κέρτιας] αβρός, ευγενής, ευγενικός.
courtesy (n) [κέρτεσι] ευγένεια.
courting (n) [κόοτινγκ] φλερτ, κόρτε.
courtliness (n) [κόοτλινες] ευγένεια, κομψότητα, φιλοκαλία.
courtly (adj) [κόοτλι] ευγενής.
courtship (n) [κόοτσσιπ] ερωτοτροπία, φλερτάρισμα.
cousin (n) [καζν] εξαδέλφη.
couth (adj) [κούουθ] ευγενής.
couvalent (adj) [κοουβάλεν-τ] ομοιοπολικός.
cove (n) [κόουβ] λιμανάκι, όρμος, χαράδρα (v) αψιδώ.
covenant (n) [κάβεναν-τ] συνθήκη, σύμφωνο, συμβόλαιο.
covenanter (n) [κάβεναν-τα(ρ)] συμβαλλόμενος, οφειλέτης.
cover (n) [κάβα(ρ)] περιτύλιγμα, σκέπη, φάκελος, πώμα, στέγασμα (v) καλύπτω, ντύνω.
coverage (n) [κάβεριντζζ] ασφάλεια.
covering (n) [κάβερινγκ] κά-

λυμμα, επένδυση (adj).
coverlet (n) [κάβαλετ] κουβέρτα.
covert (adj) [κάβερτ] κρυφός.
coverture (n) [κάβερτσσα(ρ)] κάλυψη, σκέπη, μεταμφίεση.
covet (v) [κάβιτ] λιγουρεύομαι.
covetous (adj) [κάβιτας] εποφθαμιών, φιλοκερδής.
covetousness (n) [κάβιτασνες] απληστία.
covin (n) [κάβιν] σκευωρία.
coving (n) [κόουβινγκ] θόλος.
cow (n) [κάου] αγελάδα, φάλαινα, φώκια (v) φοβίζω.
cowardly (adj) [κάουα-ντλι] δειλός, άνανδρος (adv) δειλά.
cower (v) [κάουα(ρ)] μαζεύομαι.
cowhide (n) [κάουχαϊ-ντ] μαστίγιο.
cowl (n) [κάουλ] κουκούλα.
cowshed (n) [κάουσσέ-ντ] στάβλος, σταύλος, βουστάσιο.
cox (n) [κοκς] πηδαλιούχος.
coy (adj) [κόι] δειλός.
coyness (n) [κόινες] νάζι.
coyote (n) [κάιοουτ] λύκος.
cozen (v) [κάζν] εξαπατώ, κλέβω.
crab (n) [κρα-μπ] κάβουρας, καρκίνος, ξυνόμηλο (v) καταστρέφω, εμποδίζω.
crabbed (adj) [κρα-μπ-ντ] δύστροπος, γκρινιάρης.
crack (n) [κρακ] κτύπημα, χαραμάδα, ρήγμα (v) θραύω, ραΐζω, σκάω, τρίζω.
cracked (adj) [κρακ-ντ] μισοσπασμένος, ραγισμένος.
cracker (n) [κράκα(ρ)] κροτίδα.
cracking (n) [κράκινγκ] πυρόλυση, σκάσιμο (adj) ταχύτατος.
crackle (v) [κρακλ] κροταλίζω, τρίζω (n) κροτάλισμα, τρίξιμο.
crackling (n) [κράκλινγκ] ξεροψημένη πέτσα γουρουνιού.
crackpot (adj) [κράκποτ] τρελός.
cradle (n) [κρέι-ντλ] κοιτίδα, κούνια (v) κουνώ, ξεπλένω.
cradling (n) [κρέι-ντλινγκ] αψιδότυπος, ξυλότυπος.
craft (n) [κράαφτ] πλεούμενο, πονηρία, ικανότητα, τέχνη.
craftiness (n) [κράαφτινες] πονηρία, κατεργαριά, πανουργία.
craftsman (n) [κράαφτσμαν] τεχνίτης, χειροτέχνης.
crafty (adj) [κράαφτι] πανούργος, κατεργάρης, πονηρός.
crag (n) [κραγκ] γκρεμνός.
cragsman (n) [κράγκζμαν] ορειβάτης.
cram (v) [κράμ] συνωθώ, στοιβάζω, χώνω, παραγεμίζω.
cramp (n) [κραμπ] σύσπαση.
cramped (adj) [κραμ-π-ντ] πιασμένος, στενόχωρος.
crane (n) [κρέιν] λέλεκας, γερα-

νός [μηχάνημα].
cranium (n) [κρέινιαμ] κρανίο.
crank (n) [κρανκ] μανιβέλλα, βίδα (adj) ασταθής (v) λυγίζω.
cranky (adj) [κράνκι] ασταθής.
cranny (n) [κράνι] σχισμή.
crap (v) [κραπ] χέζω (n) σκατά.
craps (n) [κραπς] μπαρμπούτι.
crapulence (n) [κράπιουλενς] κραιπάλη, μέθη, παραλυσία.
crash (n) [κρασς] χρεοκοπία, κραχ, κρότος (v) καταπίπτω.
crashing (n) [κράσσινγκ] κρότος (adj) καταπίπτων.
crasis (n) [κρέισις] κράση .
crass (adj) [κρας] ηλίθιος.
cratch (n) [κρατσς] φάτνη.
crate (n) [κρέιτ] καφάσι.
crater (n) [κρέιτα(ρ)] κρατήρας.
cravat (n) [κραβάτ] λαιμοδέτης.
crave (v) [κρέιβ] παρακαλώ.
crave for (v) [κρέιβ φοο(ρ)] νοσταλγώ.
craven (adj) [κρέιβν] δειλός.
craving (n) [κρέιβινγκ] πόθος, επιθυμία, δίψα για κάτι.
craw (n) [κροο] πρόλοβος.
crawl (v) [κρόολ] έρπω, βρίθω (n) ερπυσμός, σύρσιμο, κρόουλ, ιχθυοτροφείο, καλαμωτή.
crawling (adj) [κρόολινγκ] συρόμενος, αργοκίνητος.
crayon (n) [κρέιγιόν] κιμωλία.
craze (n) [κρέιζ] ψύχωση (v) τρελαίνω, μωραίνω, ραγίζω.
crazily (adv) [κρέιζιλι] άφρονα.
craziness (n) [κρέιζινες] τρέλα.
crazy (adj) [κρέιζι] τρελός.
creak (v) [κρίικ] τρίζω.
cream (n) [κρίιμ] κρέμα (v) ξαφρίζω, αφρίζω.
creamy (adj) [κρίιμι] παχύς, κρεμ.
crease (n) [κρίις] ζάρα, σούφρα, τσάκιση (v) ζαρώνω.
create (v) [κριιέιτ] πλάθω.
creation (n) [κριιέισσον] δημιουργία, κατασκεύασμα.
credence (n) [κρι-ντενς] πίστη.
credentials (n) [κρι-ντένσσιαλζ] διαπιστευτήρια.
credibility (n) [κρε-ντι-μπίλιτι] αξιοπιστία.
credit (adj) [κρέ-ντιτ] πιστωτικός (n) πίστωση (v) πιστεύω.
creditably (adv) [κρέ-ντιταμπλι] αξιόπιστα, αξιέπαινα.
creditor (n) [κρέ-ντιτο(ρ)] πιστωτής, δανειστής, πίστωση.
credulous (adj) [κρέ-ντιουλας] εύπιστος, μωρόπιστος.
creed (n) [κρίι-ντ] πίστη.
creek (n) [κρίικ] ρυάκι.
creel (n) [κρίιλ] ψαροκόφινο.
creep (v) [κρίιπ] γλυστρώ, έρπω (n) διόγκωση.
creepily (adv) [κρίιπιλι] αργά.
creeping (adj) [κρίιπινγκ] συρό-

μενος (n) μυρμηκίαση.
creepy (adj) [κρίιπι] έρπων.
cremate (v) [κριμέιτ] καίω.
crematorium (n) [κρεματόριαμ] κρεματόριο, αποτεφρωτήριο.
crêpe (n) [κρεπ] ύφασμα κρεπ.
crepitate (v) [κρέπιτεϊτ] τρίζω.
crepuscular (adj) [κρεπάσκιουλα(ρ)] δειλινός, θαμπός.
crescent (n) [κρέσεν-τ] μισοφέγγαρο, μηνίσκος.
cress (n) [κρες] κάρδαμο.
crest (n) [κρεστ] λόφος.
crestfallen (adj) [κρέστφοολεν] απογοητευμένος, ταπεινωμένος.
crevasse (n) [κρεβάς] ρωγμή.
crevice (n) [κρέβις] σχισμή.
crew (n) [κρούου] φάρα.
crib (n) [κρι-μπ] κούνια (v) αντιγράφω.
cribbing (n) [κρί-μπινγκ] σανίδωμα, αντιγραφή.
crick (n) [κρικ] στραβολαίμιασμα (v) νευροκαβαλικεύω.
crier (n) [κράια(ρ)] κλητήρας.
crime (n) [κράιμ] αδίκημα, αμαρτία, κρίμα (v) παραπέμπω.
criminal (adj) [κρίμιναλ] κακοποιός (n) κακούργος.
criminal court (n) [κρίμιναλ κόοτ] κακουργοδικείο.
criminal lawyer (n) [κρίμιναλ λόοϊα(ρ)] ποινικολόγος.
criminalist (n) [κρίμιναλιστ] εγκληματολόγος.
criminate (v) [κρίμινεϊτ] κατηγορώ, ενοχοποιώ, καταδικάζω.
criminological (adj) [κριμινολόντζζικαλ] εγκληματολογικός.
crimp (n) [κριμ-π] πτύχωση (v) κατσαρώνω (adj) σγουρός.
crimson (adj) [κρίμζον] κατακόκκινος (n) πορφυρούν.
crinkle (v) [κρινκλ] τσαλακώνω (n) πτυχή, ζαρωματιά (adj) ρυτιδωμένος.
cripple (n) [κριπλ] ανάπηρος, παράλυτος (v) ακρωτηριάζω, κουτσαίνω.
crisis (n) [κράισις] κρίση.
crisp (adj) [κρισπ] τραγανός, ξηρός (n) τσιπς (v) κατσαρώνω.
criterion (n) [κραϊτίιριον] κριτήριο, γνώμων [μεταφ].
critic (n) [κρίτικ] κριτικός.
critique (n) [κριτίικ] κριτική.
critter (n) [κρίτερ] πλάσμα, ον.
croak (n) [κρόουκ] κρωγμός (v) κοάζω, κράζω, κρώζω.
croaker (n) [κρόουκα(ρ)] ζωό που κράζει, γκρινιάρης.
crock (n) [κροκ] πήλινο αγγείο.
crockery (n) [κρόκερι] πιατικά.
crocus (n) [κρόουκας] κρόκος.
crofter (n) [κρόφτα(ρ)] μικροκτηματίας.
crony (n) [κρόουνι] στενός φίλος.

crook (n) [κρουκ] τσιγγέλι, γάντζος, μαγκούρα, πατερίτσα (adj) ανέντιμος, άκεφος.
crooked (adj) [κρούκι-ντ] αγκυλωτός, ζαβός, κυρτός, πλάγιος.
crookedness (n) [κρούκι-ντνες] μοχθηρία, ανειλικρίνεια.
croon (v) [κρούουν] σιγοτραγουδώ, μουρμουρίζω.
crop (n) [κροπ] (v) θερίζω, κόβω, κουρεύω, κλαδεύω.
crop up (v) [κροπ απ] ξεφυτρώνω, ξετρυπώνω.
cropper (n) [κρόπα(ρ)] κόφτης.
crops (n) [κροπς] δημητριακά.
croquette (n) [κροουκέτ] κροκέτα.
cross (adj) [κρος] διαγώνιος, εγκάρσιος, διασταυρούμενος, κακόκεφος, θυμωμένος, νευριασμένος (n) σταυρός (v) τέμνω, διαγράφω, υπερβαίνω, διασχίζω (adv) αντίπερα.
crossbar (n) [κρόσ-μπάα(ρ)] τραβέρσα, διάζευγμα, δοκάρι.
crossing (n) [κρόσινγκ] διάβαση, διασταύρωση, σταυροδρόμι.
crotch (n) [κροτσ] διχάλα.
crow (v) [κρόου] κράζω, λαλώ (n) κοράκι, κράχτης.
crow bar (n) [κρόου μπαα(ρ)] μοχλός, μπάρα, λοστός.
crowd (n) [κράου-ντ] όχλος, κοπάδι, σμήνος (v) στριμώχνω.
crowded (adj) [κράου-ντι-ντ] κατάμεστος, γεμάτος.
crown (n) [κράουν] διάδημα, στέμμα (v) στεφανώνω.
crowning (n) [κράουνινγκ] στέψη, κορυφή (adj) τελικός.
crucial (adj) [κρούουσσαλ] κρίσιμος, αποφασιστικός.
Crucifix (n) [Κρούσιφίξ] σταυρός, Εσταυρωμένος.
crude (adj) [κρούου-ντ] ανώριμος, άτεχνος, χυδαίος.
cruel (adj) [κρούουελ] ανελέητος, αιμοβόρος, σκληρός, ωμός.
cruelty (n) [κρούουελτι] ασπλαχνία, απανθρωπιά, σκληρότητα.
crumb (n) [κραμ] θρύψαλο.
crumbly (adj) [κράμ-μπλι] ετοιμόρροπος, εύθρυπτος.
crumpet (n) [κράμ-πιτ] φρυγανιά.
crumple (v) [κραμ-πλ] ζαρώνω.
crumpled (adj) [κραμ-πλ-ντ] ζαρωμένος, ρυτιδωμένος.
crunch (v) [κραν-τσ] κριτσανίζω (n) τρίξιμο, τραγάνισμα.
crupper (n) [κράπερ] οπίσθια.
crush (n) [κρασ] συντριβή, στρίμωγμα, πλάκωμα (v) θλίβω, καταπιέζω, πλακώνω.
crusher (n) [κράσσερ] κόπανος.
crushing (adj) [κράσσινγκ] συντριπτικός (n) θλίψη, συντριβή.
crust (n) [κραστ] κόρα, κέλυ-

φος, κρούστα, τσίπα.
crusty (adj) [κράστι] φλοιώδης.
crutch (n) [κρατς] πατερίτσα.
crux (n) [κρακς] επίκεντρο.
cry (n) [κράι] βοή, κλάμα, ικεσία, φωνή (v) κλαίω, φωνάζω.
crying (adj) [κράιινγκ] γοερός, κραυγαλέος (n) κλάμα.
crypt (n) [κριπτ] κρύπτη.
cryptic (adj) [κρίπτικ] μυστικός.
crystalline (adj) [κρίσταλαϊν] κρυστάλλινος, κρυσταλλικός.
cube (n) [κιού-μπ] κύβος.
cubic (adj) [κιού-μπικ] κυβικός.
cubicle (n) [κιού-μπικλ] θαλαμίσκος.
cuckold (v) [κάκολ-ντ] κερατώνω (n) απατημένος σύζυγος.
cuckoo (n) [κούκουου] κούκος.
cucumber (n) [κιούκαμ-μπα(ρ)] αγγούρι, αγγουριά, αγγουράκι.
cucurbit (n) [κιούκερ-μπιτ] κολοκύθα, κολοκύθι.
cuddle (v) [κα-ντλ] αγκαλιάζω.
cudgel (n) [κάντζζελ] ρόπαλο, στειλιάρι (v) ξυλοκοπώ.
cuff (v) [καφ] χαστουκίζω (n) ρεβέρ παντελονιού, μανικέτι.
cuirass (n) [κουιράς] θώρακας πανοπλίας.
cull (v) [καλ] επιλέγω, διαλέγω, δρέπω, μαζεύω (n) σκάρτο.
cully (n) [κάλι] στενός φίλος.
culm (n) [καλμ] καλάμη.
culmination (n) [καλμινέισσον] αποκορύφωμα.
culottes (n) [κουλότς] κυλότες.
culpability (n) [καλπα-μπίλιτι] ενοχή, υπαιτιότητα.
culpable (adj) [κάλπα-μπλ] κατακριτέος, αξιοκατάκριτος.
culprit (n) [κάλπριτ] ένοχος.
cult (n) [καλτ] λατρεία, συρμός.
cultivable (adj) [κάλτιβα-μπλ] αρόσιμος, καλλιεργήσιμος.
cultivator (n) [καλτιβέιτορ] καλλιεργητής.
cultural (adj) [κάλτσσεραλ] καλλιεργητικός, εκπολιτιστικός.
culture (n) [κάλτσσερ] καλλιέργεια, κουλτούρα.
culvert (n) [κάλβερτ] οχετός, αγωγός καλωδίων, κανάλι.
cumber (v) [κάμ-μπα(ρ)] εμποδίζω, βαραίνω (n) κώλυμα.
cumbersome (adj) [κάμ-μπασαμ] βαρύς, δυσκίνητος.
cumin (n) [κιούμιν] κύμινο.
cummerbund (n) [κάμα-μπαν-ντ] πλατειά ζώνη, ζωνάρι.
cumulate (v) [κιούμιουλεϊτ] συσσωρεύω, επισωρεύω.
cuneiform (adj) [κιούνιφοομ] σφηνοειδής γραφή.
cunning (adj) [κάνινγκ] πονηρός, ύπουλος (n) μαγκιά, πανουργία (v) πονηρεύομαι.
cunt (n) [καν-τ] μουνί [χυδ].

cup (n) [καπ] κύπελλο (v) κοιλαίνω, χουφτιάζω.
cupboard (n) [κάμπα-ντ] σκευοθήκη, ντουλάπι.
cupidity (n) [κιουπί-ντιτι] φιλοχρηματία, πλεονεξία.
cupola (n) [κιούπολα] θόλος.
cur (n) [κερ] κοπρόσκυλο, φοβιτσιάρης, κοπρίτης, μούργος.
curable (adj) [κιούρα-μπλ] θεραπεύσιμος, ιάσιμος.
curator (n) [κιούρέιτορ] κηδεμόνας, έφορος, φύλακας.
curb (v) [κερ-μπ] καταστέλλω, χαλιναγωγώ (n) κράσπεδο.
curd (n) [κερ-ντ] σβόλος.
curdle (v) [κερ-ντλ] πήζω.
cure (n) [κιούρ] νοσηλεία, κούρα (v) θεραπεύω, παστώνω.
curer (n) [κιούρερ] θεραπευτής.
curio (n) [κιούριoου] μπιμπελό.
curious (adj) [κιούριας] περίεργος, παράδοξος, παράξενος.
curl (n) [κερλ] μπούκλα (v) κατσαρώνω, φριζάρω.
curly (adj) [κέρλι] κατσαρός.
currant (n) [κάραν-τ] σταφίδα.
currency (n) [κάρενσι] νόμισμα.
current (adj) [κάρεν-τ] ισχύων, τρεχούμενος (n) ρεύμα, ροή.
currently (adv) [κάρεν-τλι] γενικά.
curriculum vitae (n) [καρίκιουλαμ βίτάι] βιογραφικό.
curry (v) [κάρι] καρυκεύω.
curse (n) [κερς] βλαστήμια (v) καταριέμαι (adj) καταραμένος.
curt (adj) [κερτ] απότομος.
curtail (v) [κερτέιλ] κονταίνω.
curtain (n) [κέρτεν] κουρτίνα.
curtness (n) [κέρτνες] απότομο.
curtsey (n) [κέρτσι] ρεβερέντζα, υπόκλιση.
curtsy (n) [κέρτσι] υπόκλιση.
curve (n) [κερβ] καμπύλη.
cusp (n) [κασπ] ακμή, άκρο.
cuss (n) [κας] βλαστήμια, μάγκας, τύπος (v) βλαστημώ.
cussed (adj) [κάσ-τ] πείσμων.
custody (n) [κάστο-ντι] επιτήρηση.
custom (n) [κάστομ] μόδα, έθιμο, σύστημα, έξη, τελωνειακοί δασμοί, πελατεία.
customary (adj) [κάστομέρι] πατροπαράδοτος, συνήθης.
customer (n) [κάστομερ] καταναλωτής, μουστερής, πελάτης.
customs (adj) [κάστομζ] δασμολογικός (n) ήθη.
customs house (n) [κάστομζ χάους] τελωνείο.
cut (n) [κατ] κόψιμο, τομή (adj) κομμένος (v) τρυπώ, πληγώνω.
cut off (v) [κατ οφ] διακόπτω.
cut up (v) [κατ απ] κομματιάζω.
cut-throat (n) [κατ-θρόουτ] μαχαιροβγάλτης.

cute (adj) [κιούτ] (n) μινιόν.
cutlet (n) [κάτλιτ] κοτολέτα.
cutoff (n) [κάτοφ] κατατομή.
cutter (n) [κάτερ] κοφτήρι.
cutting (adj) [κάτινγκ] κοφτερός (n) κοπή, θερισμός.
cuttlefish (n) [κάτλφίσς] σουπιά.
cutty (adj) [κάτι] μικρός.
cyanic (adj) [σαϊάνικ] κυανούς.
cyanide (n) [σάιανάι-ντ] κυάνιο (v) εναvθρακώ.
cycle (n) [σάικλ] κύκλος ποδήλατο (v) ανακυκλώνομαι.
cyclic (adj) [σάικλικ] κυκλικός.
cyclone (n) [σάικλόουν] κυκλώνας.
cyclop (n) [σάικλόπ] κύκλωπας.
cylinder (n) [σίλιν-ντερ] κύλινδρος.
cyma (n) [σάιμα] κύμα.
cynical (adj) [σίνικαλ] κυνικός.
cynosure (n) [σίνοσσουα(ρ)] στόχος, επίκεντρο προσοχής.
cyst (n) [σιστ] κύστη.
cystic (adj) [σίστικ] κυστικός.
cystitis (n) [σιστάιτις] κυστίτιδα.
cytoplasm (n) [σάιτοπλαζμ] κυτταρόπλασμα, κυτόπλασμα.
czar (n) [ζάα(ρ)] Τσάρος.
czarina (n) [ζααρίνα] τσαρίνα.

D, d (n) [ντι] το τέταρτο γράμμα του αγγλικού αλφαβήτου.
dab (v) [ντα-μπ] κτυπώ χαϊδευτικά (n) τσίμπημα, επάλειψη.
dable (v) [ντα-μπλ] πιτσιλίζω.
dable in (v) [ντα-μπλ ιν] ανακατεύομαι.
dad (n) [ντα-ντ] μπαμπάς.
daddy (n) [ντά-ντι] μπαμπάς.
daft (adj) [ντάαφτ] ανόητος.
dagger (n) [ντάγκερ] στιλέτο.
daily (adj) [ντέιλι] ημερήσιος.
dainty (adj) [ντέιν-τι] νόστιμος, κομψός (n) εύγεστο, λιχουδιά.
dairy farming (n) [ντέρι φάαμινγκ] γαλακτοκομία.
dais (n) [ντέιιζ] εξέδρα, βάθρο.
daisy (n) [ντέιζι] μαργαρίτα.
dale (n) [ντέιλ] κοιλάδα.
dalliance (n) [ντάλιενς] χαριεντισμός, ερωτοτροπία.
dally (v) [ντάλι] χαριεντίζομαι.
daltonism (n) [ντάλτονιζμ] δαλτωνισμός, αχρωματοψία.
dam (n) [νταμ] υδατοφράκτης.
damage (n) [ντάμιντζζ] βλάβη, φθορά [**v**) ζημιώνω.
damask (adj) [ντάμασκ] δαμασκηνός.
dame (n) [ντέιμ] κυρία.
damnable (adj) [ντάμνα-μπλ] επικατάρατος, απαίσιος.
damp (adj) [νταμ-π] υγρός (v) υγραίνω, νοτίζω (n) υγρασία.
dampen (v) [ντάμ-πεν] απογοητεύω, σαλιώνω, βρέχω.
dampness (n) [ντάμ-πνες] υγρασία, υγρότητα.
damsel (n) [ντάμζελ] δεσποινίδα.
dance (n) [ντάανς] χορός.
dandified (adj) [ντάν-ντιφαϊ-ντ] κομψευόμενος, φιλάρεσκος.
dandruff (n) [ντάν-ντραφ] πιτυρίδα.
dangerous (adj) [ντέιν-ντζζαρας] επικίνδυνος.
dangle (v) [ντανγκλ] ταλαντεύω.
dank (adj) [ντανκ] υγρός.
dapper (adj) [ντάπερ] κομψός.
dappled (adj) [ντάπλ-ντ] παρδαλός.
dare (v) [ντέαρ] τολμώ.
daring (adj) [ντέαρινγκ] ριψοκίνδυνος, τολμηρός (n) θάρρος.
dark (adj) [ντάακ] σκοτεινός.
darken (v) [ντάακεν] μαυρίζω.
darkly (adv) [ντάακλι] σκοτεινά.
darn (v) [ντάαν] μαντάρω
dart (n) [ντάατ] βλήμα, βέλος, πένσα [ραπτική], σαΐτα (v) χιμώ.
dash (n) [ντασς] έφοδος, κτύ-

πημα, παύλα, στάλα (v) πετώ.
dashing (adj) [ντάσσινγκ] δραστήριος, ζωηρός, λεβέντικος.
data (n) [ντέιτα] δεδομένα.
data validation (n) [ντέιτα βαλιντέισσον] επικύρωση δεδομένων.
date (n) [ντέιτ] ραντεβού, ημερομηνία, χουρμάς (**v**) ορίζω.
date-palm (n) [ντέιτ-πάαμ] χουρμαδιά, φοινικιά.
dated (n) [ντέιτι-ντ] παλιός.
daub (v) [ντόο-μπ] επικαλύπτω.
daughter (n) [ντόοτερ] θυγατέρα.
daunt (v) [ντόον-τ] τρομάζω.
davit (n) [ντάβιτ] καπόνι.
dawdle (v) [ντόοντλ] τεμπελιάζω.
dawn (n) [ντόον] αρχή, αυγή, (v) χαράζω, ξημερώνω.
dawning (n) [ντόονινγκ] αυγή.
day (n) [ντέι] ημέρα, ξημέρωμα.
day-tripper (n) [ντέι-τρίπερ] εκδρομέας.
daze (n) [ντέιζ] ζάλισμα, σάστισμα (v) βουβαίνω.
de-escalation (n) [ντίι-εσκαλέισσον] αποκλιμάκωση.
deacon (n) [ντίικον] διάκονος.
dead (adj) [ντε-ντ] ψόφιος.
deaden (v) [ντε-ντν] νεκρώνω.
deadline (n) [ντέ-ντλαϊν] χρονικό όριο, τελευταία προθεσμία.
deadlock (n) [ντέ-ντλόκ] αδιέξοδο.
deadly (adj) [ντέ-ντλι] φονικός, καίριος [πλήγμα], θανάσιμος.
deaf (adj) [ντεφ] κουφός.
deafen (v) [ντέφεν] κουφαίνω.
deal (n) [ντίιλ] ποσό, δοσοληψία (v) καταφέρω, διανέμω.
dealer (n) [ντίιλερ] έμπορος.
dealing (n) [ντίιλινγκ] σχέση, νταραβέρι, συναλλαγή.
dean (n) [ντίιν] πρύτανης.
dear (adj) [ντία(ρ)] αγαπητός, ακριβός (n) φίλος.
dearly (adv) [ντίαλι] ακριβά.
dearth (n) [ντερθ] ανεπάρκεια.
deary (n) [ντίιρι] χρυσό μου.
death (n) [ντεθ] θάνατος, χάρος.
deathless (adj) [ντέθλες] αθάνατος.
deathly (adv) [ντέθλι] νεκρικά.
debar (v) [ντι-μπάα] αποκλείω.
debase (v) [ντι-μπέις] υποτιμώ.
debate (n) [ντι-μπέιτ] διαμάχη, συζήτηση (v) συζητώ, μελετώ.
debauch (n) [ντι-μπόοτσ] όργιο, ασωτία (v) διαφθείρω.
debauchery (n) [ντι-μπόοτσερι] ακολασία, ασέλγεια, παραλυσία.
debenture (n) [ντι-μπέντσσερ] ομόλογο [δανείου], χρεόγραφο.
debilitate (v) [ντι-μπίλιτεϊτ] εξασθενίζω, καταβάλλω.
debit (adj) [ντέ-μπιτ] παθητικός (n) χρέωση (v) χρεώνω.
debonair (adj) [ντέ-μπονέα(ρ)]

εγκάρδιος, προσηνής, ανέμελος.
debouch (v) [ντι-μπάουτς] εξέρχομαι, ξεχύνω, εξορμώ.
debris (n) [ντέ-μπριι] μπάζα.
debt (n) [ντετ] οφειλή, χρέος.
debtor (n) [ντέτο(ρ)] οφειλέτης.
debts (n) [ντετς] βερεσέδια.
debunk (v) [ντι-μπάνκ] αποκαλύπτω, απομυθοποιώ.
decade (n) [ντέκεϊ-ντ] δεκαετία.
decadent (n) [ντέκα-ντεν-τ] παρακμάζων, διεφθαρμένος.
Decalogue (n) [Ντέκαλόγκ] δέκα εντολές, δεκάλογος.
decamp (v) [ντικάμ-π] αποστρατοπεδεύω, απέρχομαι.
decant (v) [ντικάν-τ] μεταγγίζω.
decanter (n) [ντικάν-τερ] καράφα.
decapitate (v) [ντικάπιτέιτ] αποκεφαλίζω, καρατομώ.
decarbonize (v) [ντικάα-μποναϊζ] ξεκαρβουνιάζω.
decay (n) [ντικέι] παρακμή, σαπίλα, φθορά, λιώσιμο, σάπισμα, μαρασμός [μεταφ], ρέψιμο (v) εκφυλίζω, λιώνω, φθίνω.
decease (v) [ντισίις] αποθνήσκω, αποβιώ (n) θάνατος.
deceit (n) [ντισίιτ] ανειλικρίνεια, απάτη, δολιότητα, εξαπάτηση.
deceive (v) [ντισίιβ] απατώ.
decelerate (v) [ντισέλερεϊτ] επιβραδύνω.
decency (n) [ντίισενσι] κοσμιότητα.
decent (adj) [ντίισεν-τ] αξιοπρεπής, σεμνός (n) μετριόφρονας.
decentralization (n) [ντιισεντραλαϊζέισσον] αποκέντρωση.
deception (n) [ντισέπσσον] εξαπάτηση, κατεργαριά, μπλόφα.
decided (adj) [ντισάι-ντι-ντ] οριστικός, σαφής, αποφασισμένος.
deciduous (adj) [ντισίντιας] αποπίπτων, φυλλοβόλος.
decimal point (n) [ντέσιμαλ πόιν-τ] υποδιαστολή.
decimate (v) [ντέσιμέιτ] αποδεκατίζω.
decipher (v) [ντισάιφα(ρ)] αποκρυπτογραφώ, ερμηνεύω.
decision (n) [ντισίζιον] απόφαση.
decisive (adj) [ντισάισιβ] καθοριστικός, αποφασιστικός.
deck (n) [ντεκ] κατάστρωμα, πάτωμα (v) κοσμώ, στολίζω.
deck hand (n) [ντεκ χαν-ντ] μούτσος.
declaim (v) [ντικλέιμ] αγορεύω.
declarable (adj) [ντικλέαραμπλ] φορολογήσιμος.
declaration (n) [ντεκλαρέισσον] δήλωση, ανακήρυξη.
declare (v) [ντικλέαρ] δηλώνω, ισχυρίζομαι, αγγέλλω.
declassification (n) [ντικλασιφικέισσον] αποχαρακτηρισμός.
declension (n) [ντικλένσσιον]

παρακμή, φθορά (v) κλίνω.
declination (n) [ντεκλινέισσον] κλιση, κατωφέρεια, απόκλιση.
decline (n) [ντικλάιν] πτώση, εξασθένηση, (v) κλίνω, γέρνω.
declivity (n) [ντεκλίβιτι] κλιτύς.
decoder (n) [ντίικόου-ντερ] αποκρυπτογράφος.
decompose (v) [ντίικομ-πόουζ] διαλύω, σαπίζω, σήπομαι.
decompress (v) [ντιικομ-πρές] αποσυμπιέζω.
decongestion (n) [ντίικον-ντζζέστσσον] αποσυμφόρηση.
decontaminate (v) [ντιικον-τάμινεϊτ] απολυμαίνω.
decor (n) [ντίκο(ρ)] ντεκόρ.
decoration (n) [ντεκορέισσον] διακόσμηση, παράσημο.
decorous (adj) [ντέκορας] σεμνός.
decorously (adv) [ντέκορασλι] ευπρεπώς, κόσμια, σεμνά.
decoy (n) [ντίικόι] κράχτης.
decrease (n) [ντίκριις] μείωση (v) [ντικρίις] ελαττώνω.
decree (n) [ντικρίι] ψήφισμα (v) διατάσσω, θεσπίζω.
decrepit (adj) [ντίκρεπιτ] ερειπωμένος.
decry (v) [ντικράι] κατηγορώ.
dedication (n) [ντε-ντικέισσον] αφοσίωση, εμμονή, αφιέρωση.
deduce (v) [ντι-ντιούς] συμπεραίνω, εξάγω [φιλοσ].
deduct (v) [ντι-ντάκτ] αφαιρώ.
deduction (n) [ντι-ντάκσσον] αφαίρεση, παρακράτηση.
deductive (adj) [ντι-ντάκτιβ] παραγωγικός, συμπερασματικός.
deed (n) [ντίι-ντ] έργο, άθλος.
deem (v) [ντίιμ] θεωρώ, κρίνω.
deep (adj) [ντίιπ] μυστηριώδης, βαθύς, (adv) βαθιά.
deep in debt (adj) [ντίιπ ιν ντετ] καταχρεωμένος (n) κατάχρεος.
deepen (v) [ντίιπεν] βαθαίνω.
deeply (adv) [ντίιπλι] βαθύτατα.
deer (n) [ντίιρ] ελάφι.
deescalate (v) [ντίεσκελέιτ] αποκλιμακώνω.
deface (v) [ντιφέις] λερώνω.
defalcation (n) [ντιφαλκέισσον] κατάχρηση, σφετερισμός.
defamation (n) [ντεφαμέισσον] δυσφήμιση, συκοφαντία.
defame (v) [ντιφέιμ] κακολογώ, συκοφαντώ, διαβάλλω.
default (n) [ντιφόολτ] αθέτηση (v) παραβαίνω.
defaulter (adj) [ντιφόολτα(ρ)] φυγόδικος (n) καταχραστής.
defeat (n) [ντίφίιτ] ήττα (v) καταβάλλω, ρίχνω, νικώ.
defecation (n) [ντεφεκέισον] αφόδευση, χέσιμο [χυδ].
defect (n) [ντίφέκτ] ελάττωμα, κουσούρι (v) αποστατώ.
defects (n) [ντιφέκτς] τρωτό.

defence (n) [ντιφένς] άμυνα, απολογία, υπεράσπιση.
defendant (adj) [ντιφέν-νταν-τ] εναγόμενος, κατηγορούμενος.
defender (n) [ντιφέν-ντερ] υπέρμαχος, προασπιστής.
defer (v) [ντιφέρ] αναβάλλω.
deference (n) [ντέφερενς] συμόρφωση, σεβασμός, σέβας.
defiant (adj) [ντιφάιαν-τ] απειθής.
deficiency (n) [ντιφίσσιενσι] ανεπάρκεια, ατέλεια.
deficient (adj) [ντιφίσσιεν-τ] ελλιπής, ανεπαρκής, λειψός.
defile (n) [ντιφάιλ] λαγκάδι, δίοδος, στενωπός (v) ρυπαίνω.
define (v) [ντιφάιν] καθορίζω, ορίζω, προσδιορίζω, ρυπαίνω.
definitely (adv) [ντέφινιτλι] οριστικά, συγκεκριμένα.
definition (n) [ντέφινίσσον] καθορισμός, προσδιορισμός.
definitive (adj) [ντεφίνιτιβ] οριστικός, τελειωτικός.
definitude (n) [ντιφίνιτιουτ-ντ] σαφήνεια, ευστοχία.
deflagration (n) [ντεφλαγκρέισσον] ανάφλεξη, κατάκαυση.
deflate (v) [ντιφλέιτ] ξεφουσκώνω.
deflationary (adj) [ντιφλέισσοναρι] αντιπληθωριστικός.
deflect (v) [ντιφλέκτ] εκτρέπω.
deflower (v) [ντιφλάουα(ρ)] διακορεύω, απογυμνώνω.
defoliate (v) [ντιφόουλιεϊτ] μαδώ.
deformed (adj) [ντιφόομ-ντ] δύσμορφος, σκεβρός, στρεβλός.
deformity (n) [ντιφόομιτι] ασχήμια, παραμόρφωση.
defray (v) [ντιφρέι] πληρώνω.
defrost (v) [ντιφρόστ] ξεπαγώνω.
deft (adj) [ντεφτ] σβέλτος.
deftly (adv) [ντέφτλι] επιδέξια.
defunct (n) [ντιφάνκτ] νεκρός.
defuse (v) [ντιφιούζ] εκτονώνω.
defy (v) [ντιφάι] προκαλώ.
degenerate (adj) [ντιντζζένερετ] έκφυλος (v) [ντιντζζενερέιτ] επιδεινώνομαι, διαφθείρομαι.
degradation (n) [ντεγκρα-ντέισσον] υποβιβασμός, εξαθλίωση.
degrade (adj) [ντιγκρέι-ντ] καθαιρώ.
degree (n) [ντιγκρίι] βαθμός.
dehumanize (v) [ντιχιούμαναϊζ] αποκτηνώνω.
dehydrate (v) [ντιχάι-ντρεϊτ] αφυδατώνω.
deify (v) [ντίιφαϊ] θεοποιώ.
deign (v) [ντέιν] ευδοκώ.
deity (n) [ντέι-ιτι] θεότητα.
dejected (adj) [ντιντζζέκτι-ντ] αποκαρδιωμένος.
dejection (n) [ντιντζζέκσον] ακεφιά, ατονία, μελαγχολία.
delay (n) [ντιλέι] άργητα, αργο-

πορία, χασομέρι (v) αναβάλλω.
delectable (adj) [ντιλέκτα-μπλ] ευχάριστος, απολαυστικός.
delegate (n) [ντέλιγκετ] αντιπρόσωπος (adj) απεσταλμένος (v) [ντέλιγκέιτ] εξουσιοδοτώ.
delete (v) [ντιλίιτ] διαγράφω.
deleterious (adj) [ντελιτίιριας] επιβλαβής.
deliberate (adj) [ντελί-μπερετ] εσκεμμένος (v) [ντελί-μπερέιτ] σκέφτομαι, μελετώ.
deliberately (adv) [ντελί-μπερετλι] σκόπιμα, εσκεμμένα.
deliberation (n) [ντελι-μπερέισον] σκέψη, μελέτη, σύσκεψη.
delicate (adj) [ντέλικετ] λεπτός, ευγενής, ντελικάτος.
delicious (n) [ντελίσσιας] νοστιμότατος, υπέροχος.
delight (n) [ντιλάιτ] χάζι, χάρμα, ηδονή, τέρψη (v) αρέσω.
delimit (v) [ντιλίμιτ] οριοθετώ.
delineate (v) [ντιλίνιεϊτ] διαγράφω.
delineation (n) [ντιλινιέισσον] περιγραφή.
delinquency (n) [ντιλίνκουενσι] εγκληματικότητα.
delirious (adj) [ντιλίριους] παραληρών, παραμιλών, έξαλλος.
deliver (v) [ντιλίβερ] απαλλάσω, διασώζω, γλιτώνω.
deliverance (n) [ντιλίβερενς] απελευθέρωση, απαλλαγή, απολύτρωση, διάσωση, λύτρωση.
delivery (n) [ντιλίβερι] απελευθέρωση, επίδοση, παράδοση.
dell (n) [ντελ] λαγκάδα, λόγγος.
delta (n) [ντέλτα] δέλτα.
delude (v) [ντιλού-ντ] εξαπατώ.
deluge (n) [ντέλιουντζζ] καταρρακτώδης βροχή.
delusion (n) [ντιλούζζιον] εξαπάτηση, ψευδαίσθηση.
delve (v) [ντελβ] ερευνώ.
demagnetization (n) [ντιμαγνεταϊζέισσον] απομαγνήτιση.
demand (n) [ντιμάαν-ντ] αξίωση, απαίτηση (v) απαιτώ, ζητώ.
demean (v) [ντιμίιν] ξεπέφτω.
demeanour (n) [ντιμίινα(ρ)] συμπεριφορά, διαγωγή.
demented (adj) [ντιμέν-τι-ντ] τρελός.
demerit (n) [ντιμέριτ] κακή διαγωγή, σφάλμα, μειονέκτημα.
demilitarize (v) [ντιιμίλιτεράιζ] αποστρατικοποιώ, αφοπλίζω.
deminish (v) [ντιμίνισς] μετριάζω.
demise (n) [ντιμάις] θάνατος.
demo (n) [ντέμοου] διαδήλωση.
demobilize (v) [ντίιμόου-μπιλαϊζ] αποστρατεύω.
democracy (n) [ντιμόκρασι] δημοκρατία.
demography (n) [ντιμόγκραφι] δημογραφία.
demolish (v) [ντιμόλισς] κατε-

δαφίζω, ρίχνω, γκρεμίζω.
demolished (adj) [ντιμόλισσ-ντ] χαλασμένος, κατεδαφισμένος.
demolition (n) [ντεμολίσσον] καταστροφή, γκρέμισμα.
demon (n) [ντίιμον] δαίμονας.
demonstrate (v) [ντέμονστρέιτ] διαδηλώνω, αποδεικνύω.
demonstrator (n) [ντεμονστρέιτορ] διαδηλωτής.
demoralization (n) [ντιμοραλαϊζέσσον] αποθάρρυνση.
demoralize (n) [ντιμόραλαϊζ] εξαχρειώνω, διαφθείρω.
demote (v) [ντιμόουτ] υποβιβάζω.
demotion (n) [ντιμόουσσον] υποβιβασμός.
demur (n) [ντιμέρ] ενδοιασμός, εναντίωση (v) διστάζω, αντιτίθεμαι.
demure (adj) [ντιμιούα(ρ)] σεμνότυφος, κόσμιος, σοβαρός.
demystify (v) [ντιιμίστιφαϊ] απομυθοποιώ.
den (n) [ντεν] τρώγλη, λημέρι.
den of vice (n) [ντεν οβ βάις] καταγώγιο, διαφθορείο.
denationalize (v) [ντινασσιοναλάιζ] απεθνικοποιώ.
denial (n) [ντινάιαλ] άρνηση.
denigrate (v) [ντένιγκρεϊτ] αμαυρώ, κακολογώ, δυσφημώ.
denigration (n) [ντενιγκρέισσον] δυσφήμιση.
denominate (v) [ντινόμινεϊτ] ονομάζω, επονομάζω, αποκαλώ.
denomination (n) [ντινομινέισσον] ονομασία, θρήσκευμα.
denote (v) [ντινόουτ] σημαίνω.
denouement (n) [ντεϊνούουμον] τελική έκβαση, λύση.
denounce (v) [ντινάουνς] κατηγορώ, προδίνω, καταγγέλλω.
dense (adj) [ντενς] αργόστροφος.
density (n) [ντένσιτι] πυκνότητα.
dent (n) [ντεν-τ] βαθούλωμα.
dental clinic (n) [ντέν-ταλ κλίνικ] οδοντιατρείο.
dentex (n) [ντέν-τεκς] συναγρίδα.
dentifrice (n) [ντέν-τιφρις] οδοντόπαστα.
dentist (n) [ντέν-τιστ] οδοντίατρος.
denture (n) [ντέν-τσσα(ρ)] μασέλα.
denude (v) [ντινιού-ντ] εκγυμνώνω, απογυμνώνω.
denunciation (n) [ντίινανσιέισσον] αποκήρυξη, καταγγελία.
deny (v) [ντινάι] αποκρούω, αρνούμαι, διαψεύδω, απέχω.
deodorant (n) [ντιόου-ντοραντ] αποσμητικός, αποσμητικό.
deontology (n) [ντιον-τόλοντζζι] δεοντολογία.
depart (v) [ντιπάατ] απέρχομαι.

department (n) [ντιπάατμεν-τ] τμήμα, κλάδος, υπηρεσία.
departure (n) [ντιπάατσσα(ρ)] ξεκίνημα, αναχώρηση, εκκίνηση.
depend on (v) [ντιπέν-ντ ον] εξαρτούμαι, εξαρτώμαι.
dependable (adj) [ντιπέν-νταμπλ] έγκυρος, αξιόπιστος.
dependant (adj) [ντιπέν-νταν-τ] εξαρτώμενος, προστατευόμενος.
depict (v) [ντιπίκτ] παριστάνω.
depilate (v) [ντέπιλεϊτ] αποτριχώνω.
deplete (v) [ντιπλίιτ] μειώνω.
deplorable (adj) [ντιπλόραμπλ] αξιοθρήνητος.
deplore (v) [ντιπλόο(ρ)] θρινώ.
deploy (v) [ντιπλόι] αναπτύσσω.
depopulate (v) [ντιπόπιουλεϊτ] ερημώνω, απογυμνώνω.
deport (v) [ντιπόοτ] απελαύνω.
deportment (v) [ντιπόοτμεν-τ] συμπεριφορά, διαγωγή.
depose (v) [ντιπόουζ] καθαιρώ.
deposit (n) [ντιπόζιτ] απόθεμα, παράβολο, κατάθεση (v) τοποθετώ.
deposition (n) [ντιποζίσσον] απόθεση, εκθρόνιση, μαρτυρία.
depot (n) [ντέποου] σταθμός.
depraved (adj) [ντιπρέιβ-ντ] σάπιος, φαύλος, εξαχρειωμένος.
deprecate (v) [ντέπρικεϊτ] αποδοκιμάζω.
depreciate (v) [ντιπρίσσιέιτ] υποβιβάζω.
depress (v) [ντιπρές] κατεβάζω.
depressed (adj) [ντιπρέσ-ντ] πιεσμένος, μελαγχολικός.
depressive (adj) [ντιπρέσιβ] νευρασθενικός.
deprivation (n) [ντεπριβέισσον] στέρηση, καθαίρεση, απόλυση.
depth (n) [ντεπθ] βαθύτητα.
deputation (n) [ντεπιουτέισσον] εξουσιοδότηση, αντιπροσωπεία.
deputy (n) [ντέπιουτι] αναπληρωτής, αντικαταστάτης, εκπρόσωπος, πληρεξούσιος βουλευτής.
deputy chairman (n) [ντέπιουτι τσέαμαν] αντιπρόεδρος.
derail (v) [ντιρέιλ] εκτροχιάζω.
derange (v) [ντιρέιν-ντζζ] αναστατώνω, διαταράσσω.
derating (n) [ντιρέιτινγκ] μείωση απόδοσης.
derelict (adj) [ντέριλικτ] εγκαταλειμμένος, αδέσποτος, ερειπωμένος (n) ναυάγιο, απόκληρος.
deride (v) [ντιράι-ντ] χλευάζω.
derisive (adj) [ντιράιζιβ] χλευαστικός, κοροϊδευτικός.
derivation (n) [ντεριβέισσον] σχηματισμός.
derive (v) [ντιράιβ] αποκομίζω.
dermatitis (n) [ντερματάιτις] δερματίτιδα.

derogate (v) [ντέρογκέιτ] αφαιρώ.
derogation (n) [ντερογκέισσον] προσβολή, υποτίμηση.
derrick (n) [ντέρικ] γερανός.
dervish (n) [ντέρβισς] δερβίσης.
descendant (n) [ντισέν-νταν-τ] απόγονος, επίγονος.
descent (n) [ντισέν-ντ] κατηφοριά.
descrepancy (n) [ντισκρέπανσι] ασυμφωνία.
describe (v) [ντισκράι-μπ] περιγράφω.
descry (v) [ντισκράι] διακρίνω.
desecrate (v) [ντέσικρέιτ] βεβηλώνω.
desert (n) [ντέζερτ] έρημος (v) [ντιζέρτ] εγκαταλείπω.
desert island (n) [ντέζερτ άιλαντ] ερημονήσι, ξερονήσι.
deserve (v) [ντιζέρβ] δικαιούμαι.
deserving (adj) [ντιζέρβινγκ] άξιος.
design (n) [ντιζάιν] σχέδιο, σκοπός, πρόθεση (v) σχεδιάζω.
designate (v) [ντέζιγκνέιτ] υποδείχνω [ορίζω], καθορίζω.
designation (n) [ντεζιγκνέισσον] χαρακτηρισμός, ονομασία.
desirable (adj) [ντιζάιρα-μπλ] επιθυμητός, ζηλευτός.
desire (n) [ντιζάια(ρ)] όρεξη, πόθος, θέλημα (v) γουστάρω.
desist (v) [ντεζίστ] σταματώ.
desk (n) [ντεσκ] έδρα, γραφείο.
desolate (adj) [ντέσολετ] ακατοίκητος, ερημικός (v) μαστίζω.
desperate (adj) [ντέσπερετ] αλόγιστος, απεγνωσμένος.
despicable (adj) [ντισπίκα-μπλ] αξιοκαταφρόνητος, ευτελής.
despise (v) [ντισπάιζ] περιφρονώ, καταφρονώ, οικτίρω.
despite (pr) [ντισπάιτ] παρά, παρ' όλο (n) κακία, μοχθηρία.
despoil (v) [ντισπόιλ] ληστεύω.
despondency (n) [ντισπόν-ντενσι] αποθάρρυνση, απελπισία.
despot (n) [ντέσποτ] δεσπότης.
despotism (n) [ντέσποτιζμ] απολυταρχία, αυταρχικότητα.
dessert (n) [ντιζέρτ] επιδόρπιο.
destine (v) [ντέστιν] προορίζω.
destiny (adj) [ντέστινι] ριζικό, μοίρα, τύχη, γραφτό, τυχερό.
destitute (adj) [ντέστιτιουτ] στερημένος, άμοιρος.
destitution (n) [ντεστιτιούσσον] ανέχεια, ένδεια, φτώχεια.
destocking (n) [ντιστόκινγκ] πώληση αποθεμάτων.
destroy (v) [ντιστρόι] εξολοθρεύω.
destruction (n) [ντιστράκσσον] καταστροφή, φθορά, χαλασμός.
desuetude (n) [ντεσουίτιουντ] αχρηστία, διακοπή.
desultory (adj) [ντέσλτερι] α-

σύνδετος, ξεκάρφωτος.
detached (adj) [ντιτάτσο-τ] απεσταλμένος, αμερόληπτος.
detail (n) [ντίιτεϊλ] λεπτομέρεια.
detailed (adj) [ντίιτεϊλ-ντ] αναλυτικός, λεπτομερειακός.
details (n) [ντίιτεϊλζ] καθέκαστα.
detain (v) [ντιιτέιν] σταματώ, προφυλακίζω, καθυστερώ.
detained (adj) [ντιιτέιν-ντ] κρατούμενος.
detect (v) [ντιιτέκτ] εντοπίζω.
detection (n) [ντιιτέκσσον] αναζήτηση, ανακάλυψη, ανίχνευση.
detective (n) [ντιιτέκτιβ] ντετέκτιβ (adj) ανιχνευτικός.
detente (n) [ντεϊτάαν-τ] ύφεση, εκτόνωση.
deter (v) [ντιτέρ] εμποδίζω.
detergent (n) [ντιτέρντζζεν-τ] καθαριστικό, απορρυπαντικό.
deteriorate (v) [ντιτίριορέιτ] χειροτερεύω, επιδεινώνω.
determination (n) [ντιτέρμινέισσον] σκοπός, θεληματικότητα, πυγμή, καθορισμός.
determinative (adj) [ντιτέρμινατιβ] αποφασιστικός.
determined (adj) [ντιτέρμιν-ντ] καθοριστικός, αποφασιστικός.
determinism (n) [ντιτέρμινιζμ] αιτιοκρατία, νομοτέλεια.
deterrent (adj) [ντιτέρεν-τ] αποτρεπτικός (n) προληπτικό.
detest (v) [ντιτέστ] απεχθάνομαι, αποστρέφομαι, μισώ.
detestable (adj) [ντιτέστα-μπλ] αποκρουστικός, απεχθής.
dethrone (v) [ντιθρόουν] εκθρονίζω.
detonate (v) [ντετόνεϊτ] πυροκροτώ, εκπυρσοκροτώ.
detonation (n) [ντετονέισσον] έκρηξη, εκτόνωση.
detour (n) [ντιιτούρ] παρακαμπτήριος οδός, λοξοδρόμηση.
detoxification (n) [ντιτοξιφικέισσον] αποτοξίνωση.
detract (v) [ντιτράκτ] αφαιρώ.
detraction (n) [ντιτράκσσον] μείωση, υποτίμηση.
detractor (n) [ντιτράκτορ] δυσφημιστής.
detrimental (adj) [ντετριμένταλ] καταστρεπτικός.
detuning (n) [ντιτιούνινγκ] αποσυντονισμός.
devalue (v) [ντιβάλιου] υποτιμώ.
devastate (v) [ντέβαστέιτ] ερημώνω, καταστρέφω.
devastation (n) [ντεβαστέισσον] ερήμωση, καταστροφή.
develop (v) [ντιβέλοπ] αναπτύσσω, αξιοποιώ, τελούμαι.
developed (adj) [ντιβέλοπ-τ] εξελιγμένος, προηγμένος.
development (n) [ντιβέλοπμεντ] πρόοδος, αξιοποίηση.

deviate (v) [ντίιβιέιτ] παρεκκλίνω.
device (n) [ντιβάις] επινόηση, φάμπρικα, μέσο, τέχνασμα.
devil (n) [ντέβιλ] δαίμονας.
devilish (adj) [ντέβιλισς] σατανικός, διαβολεμένος.
devious (adj) [ντίιβιας] λοξός.
devise (v) [ντιβάιζ] επινοώ.
devisor (n) [ντιβάιζορ] κληροδότης.
devitalize (v) [ντιβάιταλαϊζ] νεκρώνω, αφαιρώ, απονεκρώνω.
devoid (adj) [ντιβόι-ντ] στερημένος, απηλλαγμένος.
devolution (n) [ντεβολούουσσον] μεταβίβαση.
devoted (adj) [ντιβόουτι-ντ] πιστός, αφοσιωμένος, αφιερωμένος.
devotee (n) [ντιβόουτίι] λάτρης.
devour (v) [ντιβάουα(ρ)] καταπρώγω, καταβροχθίζω.
devout (adj) [ντιβάουτ] ευλαβής, κατανυκτικός, ευσεβής.
dew (n) [ντιού] δροσιά, δρόσος.
dewlap (n) [ντιούλαπ] λωγάνιο.
dexterity (n) [ντεκστέριτι] τέχνη, επιδεξιότητα, σβελτάδα.
dexterous (adj) [ντέκστερας] ευκίνητος, επιδέξιος, σβέλτος.
diabetes (n) [νταϊα-μπίιτιζ] υπεργλυκαιμία, ζάχαρο.
diabolic (adj) [νταϊα-μπόλικ] πονηρός, σατανικός.
diadem (n) [ντάια-ντιμ] στέμμα.
diagnosis (n) [ντάιαγκνόουσις] διάγνωση.
diagonal (adj) [νταϊάγκοναλ] διαγώνιος.
dial (n) [ντάιαλ] ηλιακό ωρολόγι, πλάκα ωρολογιού, ταμπλό.
diamond (adj) [ντάιαμον-ντ] αδαμάντινος (n) διαμάντι, καρό.
diaper (n) [ντάιπερ] λινό ή βαμβακερό ύφασφα, πάνα [ΗΠΑ].
diaphanous (adj) [νταϊάφανας] διάφανος.
diarist (n) [ντάιαριστ] χρονικογράφος.
diarrhoea (n) [ντάιαρία] διάρροια.
diary (n) [ντάιαρι] ημερολόγιο.
diastole (n) [ντάιαστόουλ] διαστολή [καρδιάς].
dice (n) [ντάις] κύβοι, ζάρια.
dicey (adj) [ντάισι]παρακινδυνευμένος, αναξιόπιστος.
dichotomy (v) [νταϊκότομι] διχοτόμηση, διχοτομία.
dick (n) [ντικ] φιλαράκος.
dictate (v) [ντικτέιτ] υπαγορεύω.
dictator (n) [ντικτέιτορ] δικτάτορας, υπαγορεύων.
diction (n) [ντίκσσον] λεκτικό.
dictionary (n) [ντίκσσονρι] λεξικό.
dictum (n) [ντίκταμ] ρητό.
didactic (adj) [ντιντάκτικ] διδα-

κτικός, δασκαλίστικος.
diddle (v) [ντι-ντλ] εξαπατώ.
die (n) [ντάι] κύβος (v) αποθνήσκω, πεθαίνω.
die out (v) [ντάι άουτ] εκλείπω, εξαφανίζομαι, ξεκληρίζω.
diesel (n) [ντίζελ] ντίζελ.
diet (n) [ντάιετ] δίαιτα.
dietary (n) [ντάιεταρι] διαιτολόγιο.
differ (v) [ντίφερ] διίσταμαι.
difference (n) [ντίφερενς] διαφωνία, διάσταση, ανομοιότητα.
differential (adj) [ντιφερένσιαλ] διαφορικός [**n)** διαφορετικό.
difficulty (n) [ντίφικαλτι] δυσχέρεια, δυσκολία, στενοχώρια.
diffidence (n) [ντίφι-ντενς] έλλειψη αυτοπεποίθησης.
diffract (v) [ντιφράκτ] διαθλώ.
diffuse (adj) [ντιφιούζ] διάχυτος (v) διαχέω, εκδίδω.
diffusion (n) [ντιφιούζον] διάχυση, διασπορά, διασκόρπιση.
dig (n) [ντιγκ] ανασκαφή, σπόντα (v) σκάπτω, σκαλίζω.
dig out (v) [ντιγκ άουτ] ξεθάβω.
dig up (v) [ντιγκ απ] ξεχώνω.
digest (v) [νταϊντζζέστ] χωνεύω, τακτοποιώ (n) περίληψη.
digestion (n) [νταϊντζζέστιον] πέψη, χώνευση, χώνεψη.
digger (n) [ντίγκερ] σκάπτης, χρυσοθήρας, φαγάνα.
digit (n) [ντίντζζιτ] αριθμός, δάχτυλο, ψηφίο.
dignified (adj) [ντίγκνιφάι-ντ] αξιοπρεπής, επιβλητικός.
dignify (adj) [ντίγκνιφάι] τιμώ.
dignity (n) [ντίγκνιτι] αξιοπρέπεια, σεμνότητα, φιλοτιμία.
digression (n) [ντίγκρέσσον] εκτροπή, απομάκρυνση.
dike (n) [ντάικ] χαντάκι.
dilapidated (adj) [ντιλαπιντέιτιντ] ρημαγμένος, ετοιμόρροπος.
dilate (v) [νταϊλέιτ] διαστέλλω.
dilatory (adj) [ντιλέιτορι] επιβραδυντικός, αναβλητικός.
dilemma (n) [ντιλέμα] δίλημμα.
dilettante (n) [ντιλιτάν-τι] ερασιτέχνης.
diligent (adj) [ντίλιντζζεν-τ] εργατικός, επιμελής, φιλόπονος.
dill (n) [ντιλ] άνηθος.
dillydally (v) [ντίλι-ντάλι] χρονοτριβώ, χασομερώ, διστάζω.
dilutant (n) [νταϊλούταν-τ] διαλυτικό.
diluvial (adj) [ντιλούβιαλ] κατακλυσμιαίος.
dim (adj) [ντιμ] σκοτεινός, θαμπός, μουντός (v) θαμπώνω.
dime (n) [ντάιμ] δεκάρα.
dimension (n) [ντιμένσσον] διάσταση, μέγεθος, έκταση.
diminish (v) [ντιμίνις] ελαττώνω, καταπίπτω, λιγοστεύω.
diminutive (n) [ντιμίνιουτιβ] υποκοριστικό [γραμ].

dimness (n) [ντίμνες] αμυδρότητα, σκοτεινότητα, θαμπάδα.
dimple (n) [ντιμ-πλ] λακκάκι.
din (n) [ντιν] βαβούρα, ντόρος.
dine (v) [ντάιν] τρώγω, δειπνώ.
dinghy (n) [ντίν-γκι] βάρκα.
dingle (n) [ντιγκλ] φαράγγι.
dingy (adj) [ντίνντζζι] μουντός.
dinky (adj) [ντίνκι] κομψός.
dinner (n) [ντίνερ] δείπνο.
dinosaur (n) [ντάινοσόορ] δεινόσαυρος.
diocese (n) [ντάιοσίι] επισκοπή.
diopter (n) [νταϊόπτερ] διόπτρα.
dip (v) [ντιπ] βαπτίζω, βουτώ.
diphthong (n) [ντίφθονγκ] δίφθογγος.
diploma (n) [ντιπλόουμα] δίπλωμα, πτυχίο, απολυτήριο
diplomat (n) [ντίπλοματ] διπλωμάτης.
diplomatic (adj) [ντιπλομάτικ] διπλωματικός, εύστροφος.
dipper (n) [ντίπερ] άρκτος.
dipsomania (n) [ντιπσομέινια] διψομανία.
diptych (n) [ντίπτικ] δίπτυχο.
dire (adj) [ντάιρ] τρομερός, φοβερός, κακός, έσχατος.
direct (v) [νταϊρέκτ] διοικώ, διατάζω, διευθύνω, στέλνω (adj) ευθύς, ειλικρινής, ντόμπρος.
direction (n) [νταϊρέκσσον] διοίκηση, διεύθυνση, οδηγία.
directly (adv) [ντιρέκτλι] αμέσως, απόλυτα, τέλεια, ακριβώς.
director (n) [νταϊρέκτορ] διευθυντής, μέλος ΔΣ, έφορος.
directory (n) [νταϊρέκτορι] οδηγός, τηλεφωνικός κατάλογος.
direful (adj) [ντάιρφουλ] τρομερός, φοβερός.
dirge (n) [ντερντζζ] θρήνος.
dirk (n) [ντερκ] εγχειρίδιο, στιλέτο.
dirt (n) [ντερτ] ακαθαρσία.
dirty (adj) [ντέρτι] ρυπαρός, ακάθαρτος, βρώμικος, λερωμένος (v) λασπώνω, λερώνω.
disability (n) [ντισα-μπίλιτι] ανικανότητα, αναπηρία.
disadvantage (n) [ντισα-ντβάντιντζζ] μειονέκτημα, ελάττωμα.
disaffected (adj) [ντισαφέκτι-ντ] δυσαρεστημένος.
disagree (v) [ντισαγκρίι] διίσταμαι, διαφωνώ.
disagreeable (adj) [ντισαγκρίιαμπλ] άνοστος [μεταφ], δυσάρεστος.
disallow (v) [ντισαλάου] αρνούμαι.
disappoint (v) [ντισαπόιν-τ] απογοητεύω, διαψεύδω.
disapprobation (n) [ντισαπρομπέισσον] αποδοκιμασία.
disapprove of (v) [ντισαπρούβ οβ] αποδοκιμάζω, καταδικάζω.
disarm (v) [ντισάαρμ] αφο-

πλίζω.
disarrange (v) [ντισαρέιν-ντζζ] αναστατώνω, ανατρέπω.
disarranged (adj) [ντισαρέιν-ντζζ-ντ] ασυγύριστος.
disarray (n) [ντισαρέι] αναστάτωση, αταξία, σύγχυση.
disaster (n) [ντιζάαστερ] καταστροφή, συμφορά.
disastrous (adj) [ντιζάαστρους] ολέθριος, πάνδεινος.
disavow (v) [ντισαβάου] αποκηρύσσω, απαρνιέμαι.
disband (v) [ντισ-μπάν-ντ] απολύω, διαλύω [εχθρό].
disbelieve (v) [ντισ-μπιλίιβ] δυσπιστώ.
disbursement (n) [ντισ-μπέρσμεν-τ] εκταμίευση.
disc (n) [ντισκ] δίσκος.
discard (v) [ντισκάαρ-ντ] απορρίπτω.
discern (v) [ντισέρν] διαβλέπω, διακρίνω, ξεχωρίζω, γνωρίζω.
discernible (adj) [ντισέρνι-μπλ] ορατός, αισθητός, ευδιάκριτος.
discerning (adj) [ντισέρνινγκ] κριτικός, παρατηρητικός.
discharge (n) [ντισ-τσάαντζζ] απόλυση, εκφόρτωση, άφεση, χύσιμο, εκπλήρωση, εξόφληση, παύση (v) απαλλάσσω, αποτάσσω, ξεχρεώνω, καθαιρώ.
disciple (n) [ντισάιπλ] οπαδός.
discipline (n) [ντίσιπλιν] πειθαρχία, ευπείθεα (v) πειθαρχώ.
disclaim (v) [ντισκλέιμ] αποποιούμαι, αποκηρύσσω, αρνούμαι.
disclose (v) [ντισκλόουζ] αποκαλύπτω, ξεσκεπάζω.
discolour (v) [ντισκόλορ] αποχρωματίζω, ξεθωριάζω.
discomfit (v) [ντισκάμφιτ] νικώ.
discomfort (n) [ντισκόμφορτ] ανησυχία, στενοχώρια.
discomposure (n) [ντισκομπόουζζα(ρ)] διατάραξη, σύγχυση.
disconnect (v) [ντισκονέκτ] αποσυνδέω, διακόπτω, κόβω.
discontinuance (n) [ντισκον-τίνιουανς] παύση, διακοπή.
discontinue (v) [ντισκον-τίνιου] διακόπτω, σταματώ.
discord (n) [ντισκόορ-ντ] διαφωνία, διχόνοια.
discount (n) [ντισκάουν-τ] έκπτωση, υφαίρεση, σκόντο.
discounting (n) [ντισκάουν-τινγκ] προεξόφληση.
discourage (v) [ντισκάριντζζ] αποθαρρύνω, αποκαρδιώνω.
discourse (n) [ντισκόορς] ομιλία.
discourteous (adj) [ντισκέρτιας] αγενής, άξεστος.
discover (v) [ντισκάβερ] ανακαλύπτω, πληροφορούμαι.
discredit (n) [ντισκρέ-ντιτ] δυσφήμιση, (v) ντροπιάζω.

discreet (adj) [ντισκρίιτ] διακριτικός, εχέμυθος.
discrepancy (n) [ντισκρέπανσι] διαφορά, αντίφαση.
discretion (n) [ντισκρέσσον] επιφυλακτικότητα, εχεμύθεια.
discriminate (v) [ντισκρίμινέιτ] διακρίνω.
discursive (adj) [ντισκάρσιβ] απεραντολόγος, ασυνάρτητος.
discus (n) [ντίσκας] δίσκος.
discuss (v) [ντισκάς] διαπραγματεύομαι, κουβεντιάζω.
disdain (n) [ντισ-ντέιν] περιφρόνηση (v) καταφρονώ.
disdained (adj) [ντισ-ντέιν-ντ] παραπεταμένος [μεταφ].
disease (n) [ντιζίιζ] νόσος.
diseconomy (n) [ντισικόνομι] αντιοικονομία.
disembark (v) [ντισεμ-μπάαρκ] αποβιβάζω, αποβιβάζομαι.
disembarrass (v) [ντισεμ-μπάρας] ανακουφίζω, ξεμπλέκω.
disembogue (v) [ντισεμ-μπόουγκ] εκβάλλω, χύνομαι.
disembowel (v) [ντίσεμ-μπάουελ] ξεκοιλιάζω.
disengage (v) [ντισενγκέιντζζ] απαλλάσσω, απελευθερώνω.
disesteem (v) [ντισεστίιμ] καταφρονώ, δεν εκτιμώ.
disfavour (n) [ντισφέιβορ] δυσμένεια, αποδοκιμασία.
disfiguration (n) [ντισφιγκιουρέισσον] παραμόρφωση.
disgorge (v) [ντισγκόοντζζ] ξερνώ.
disgrace (n) [ντισγκρέις] ατιμία, αίσχος (v) ατιμάζω, στιγματίζω.
disguise (n) [ντισγκάιζ] μεταμορφώνω, (v) μασκαρεύω.
disgust (n) [ντισγκάστ] αηδία, αναγούλα (v) μπουχτίζω.
dish (n) [ντισς] έδεσμα, πιάτο.
dishabituate (v) [ντισχα-μπίτσιουέιτ] ξεμαθαίνω, ξεσυνηθίζω.
dishearten (v) [ντισχάαρτεν] αποκαρδιώνω.
dished (adj) [ντισστ] βαθουλωτός.
dishevelled (adj) [ντισσέβελ-ντ] απεριποίητος, ξεμαλλιασμένος.
dishonest (adj) [ντισόνεστ] δόλιος, κακοήθης, ανέντιμος.
dishonesty (n) [ντισόνεστι] σαπίλα.
dishonour (n) [ντισόνορ] ατιμία (v) ατιμάζω, ντροπιάζω.
dishwasher (n) [ντίισσγουόσσερ] λαντζιέρης.
dishwater (n) [ντίισσγουότερ] ξέπλυμα, νερόπλυμα.
disillusion (v) [ντισιλούζν] απογοητεύω.
disincentive (n) [ντισινσέντιβ] αντικίνητρο, αποτρεπτικός.
disinclination (n) [ντισινκλινέισσον] απροθυμία, δισταγμός.
disinfect (v) [ντισινφέκτ] απο-

λυμαίνω, αποστειρώνω.
disinflation (n) [ντισινφλέισ-σον] αντιπληθωρισμός.
disinherit (v) [ντισινχέριτ] αποκληρώνω.
disintegrate (v) [ντισίν-τιγκρέιτ] θρυμματίζω, σκορπώ, τρίβομαι.
disintegration (n) [ντισιν-τι-γκρέισσον] φάγωμα.
disinter (v) [ντισιν-τέρ] ξεθάβω.
disinterested (adj) [ντισίν-τρε-στιντ] ανιδιοτελής, αδιάφορος.
disjoin (v) [ντισντζζόιν] αποσυνδέω, αποσυνδέομαι.
disjoint (v) [ντισντζζόιν-τ] τεμαχίζω, αποχωρίζω, σπάω.
disk (n) [ντισκ] δίσκος.
dislike (v) [ντισλάικ] αντιπαθώ.
dislocate (v) [ντισλοουκέιτ] εξαρθρώνω, βγάζω [πόδι, χέρι].
dislodge (v) [ντισλόντζζ] εκδιώκω.
dismal (adj) [ντίζμαλ] μελαγχολικός, θλιβερός, πένθιμος.
dismantle (v) [ντισμάν-τλ] απογυμνώ, κατεδαφίζω, διαλύω.
dismay (v) [ντισμέι] φοβίζω.
dismember (v) [ντισμέμ-μπερ] διαμελίζω, κομματιάζω.
dismiss (v) [ντισμίς] διαλύω, αποδιώχνω, παύω, ξαποστέλνω.
dismount (v) [ντισμάουν-τ] ξεπεζεύω, ξεκαβαλικεύω.
disnatured (adj) [ντισνέιτσερ-ντ] αφύσικος, άστοργος.
disobedience (n) [ντίσο-μπίι-ντιενς] ανυπακοή, παρακοή.
disobey (v) [ντισο-μπέι] παραβαίνω, απειθαρχώ, παρακούω.
disoblige (v) [ντισο-μπλάιντζζ] προσβάλλω, πληγώνω, ενοχλώ.
disorder (n) [ντισόορ-ντερ] ακαταστασία, μπέρδεμα.
disorientate (v) [ντισοριεν-τέιτ] αποπροσανατολίζω.
disown (v) [ντισόουν] αποκηρύσσω, αρνούμαι, απαρνιέμαι.
disparate (adj) [ντίσπαριτ] αταίριαστος, άνισος, ανόμοιος.
disparity (n) [ντισπάριτι] ανισότητα, ανομοιότητα, διαφορά.
dispatch (v) [ντισπάτς] χαλάω, εξαποστέλλω, στέλνω (n) αποστολή, διεκπεραίωση.
dispel (v) [ντισπέλ] διασκεδάζω.
dispensable (adj) [ντισπένσα-μπλ] επουσιώδης, περιττός.
dispensary (n) [ντισπένσερι] ιατρείο, κλινική, θεραπευτήριο.
dispensation (n) [ντισπενσέισ-σον] άφεση, διανομή, απονομή.
dispense (v) [ντισπένς] χορηγώ.
dispenser (n) [ντισπένσερ] αποθηκάριος, φαρμακοποιός.
disperse (v) [ντισπέρς] διαλύω.
dispirited (adj) [ντισπίριτιντ] αποθαρρυμένος.
displacement (n) [ντισπλέισμεν-τ] μετακίνηση, μετατόπιση.
display (n) [ντισπλέι] εκδή-

λωση, επίδειξη, ρεκλάμα (v) εκθέτω.
displease (v) [ντισπλίιζ] ενοχλώ.
displeased (adj) [ντισπλίιζ-ντ] δυσαρεστημένος.
disposable (adj) [ντισπόουζαμπλ] διαθέσιμος.
disposal (n) [ντισπόουζαλ] πώληση, σειρά, διάθεση.
dispose (v) [ντισπόουζ] τακτοποιώ, διατάσσω, ρυθμίζω.
disproof (v) [ντισπρούφ] αναίρεση.
disproportion (n) [ντισπροπόορσσον] δυσαναλογία.
disprove (v) [ντισπρούβ] αποδεικνύω, αναιρώ, ανασκευάζω.
disputable (adj) [ντισπιούταμπλ] αμφισβητήσιμος.
disputant (n) [ντισπιούταν-τ] ερίζων, φιλονεικών, καυγατζής.
dispute (n) [ντισπιούτ] ρήξη, διαμάχη, φαγωμάρα, φιλονικία, διαπληκτισμός (v) συζητώ.
disqualification (n) [ντισκουολιφικέισσον] ανικανότητα.
disquiet (n) [ντισκουάιετ] ανησυχία, ταραχή.
disregard (v) [ντισριγκάαρ-ντ] αγνοώ, αψηφώ, παραμελώ.
disrepair (n) [ντισριπέαρ] ερείπωση, ρήμαγμα.
disreputable (adj) [ντισρέπιουταμπλ] αισχρός, άτιμος.
disrespect (n) [ντισρισπέκτ] ασέβεια, αναίδεια, αυθάδεια.
disrobe (v) [ντισρόου-μπ] εκδύω, γδύνω, ξεντύνω.
disrupt (v) [ντισράπτ] αποδιοργανώνω, εξαρθρώνω [μεταφ].
dissatisfy (v) [ντισάτισφάι] δυσαρεστώ, κακοκαρδίζω.
dissect (v) [ντισέκτ] διαμελίζω.
dissection (n) [ντισέκσσον] ανατομή, τεμαχισμός, διαμελισμός.
dissemble (v) [ντισέμ-μπλ] αποκρύπτω, συγκαλύπτω.
dissembler (n) [ντισέμ-μπλερ] υποκριτής.
disseminate (v) [ντισέμινέιτ] διαδίδω, κυκλοφορώ.
dissension (n) [ντισένσιον] διαφορά, διχογνωμία, σχίσμα.
dissenter (adj) [ντισέν-τερ] αντικαθεστωτικός (n) αμφισβητίας.
dissertation (n) [ντισερτέισσον] διατριβή, πραγματεία.
disservice (n) [ντισέρβις] ζημιά.
dissident (adj) [ντίσι-ντεν-τ] διαφωνών.
dissillusionment (n) [ντισιλούζιονμεν-τ] απογοήτευση.
dissimilar (adj) [ντισίμιλαρ] ανομοιόμορφος, διαφορετικός.
dissipate (v) [ντίσιπέιτ] σκορπίζω [περιουσία], διώχνω.
dissipation (n) [ντισιπέισσον] διάλυση, εξαφάνιση, ασωτία.
dissociate (v) [ντισσόουσιεϊτ] αποσπώ, διασπώ, απομακρύνω.

dissoluble (adj) [ντισόλιου-μπλ] διαλυτός, ευδιάλυτος.
dissolute (adj) [ντίσολουτ] ακόλαστος, άσωτος, έκλυτος.
dissolve (v) [ντιζόλβ] διαλύω.
dissonance (n) [ντίσονανς] διαφωνία, κακοφωνία, φάλτσο.
dissuade (v) [ντίσσουέι-ντ] μεταπείθω, αποτρέπω.
distaff (n) [ντίσταφ] ρόκα.
distance (n) [ντίστανς] απόσταση, διάστημα, διαδρομή.
distant (adj) [ντίσταν-τ] μακρινός.
distaste (n) [ντιστέιστ] αντιπάθεια.
distemper (n) [ντιστέμ-περ] ασβεστόχρωμα, ασβέστωμα.
distend (v) [ντιστέν-τ] διαστέλλω.
distich (n) [ντίστιτς] δίστιχο.
distil (v) [ντιστίλ] αποστάζω.
distill (v) [ντιστίλ] διυλίζω.
distinct (adj) [ντιστίνκτ] ξεχωριστός, χωριστός.
distinction (n) [ντιστίνκσσον] αρχοντιά, διάκριση, διαστολή.
distinguish (v) [ντιστίνγκουισς] διακρίνω, διαστέλλω, ξεχωρίζω.
distinguished (adj) [ντιστίνγκουισσ-ντ] αξιόλογος.
distortion (n) [ντιστόορσσον] διαστροφή, παραμόρφωση.
distract (v) [ντιστράκτ] αποσπώ, απομακρύνω, περισπώ.
distrain (v) [ντιστρέιν] κατάσχω.
distraught (adj) [ντιστρότ] ταραγμένος, αναστατωμένος.
distress (n) [ντιστρές] αγωνία, ανησυχία, απελπισία, (v) πικραίνω.
distribute (v) [ντιστρί-μπιουτ] διανέμω, μοιράζω, διαδίδω.
distributed (adj) [ντιστρίμπιουτι-ντ] καταμεριζόμενος.
distributor (n) [ντιστρί-μπιουτορ] αποκλειστικός αντιπρόσωπος.
district (adj) [ντίστρικτ] περιφερειακός (n) περιοχή, μαχαλάς.
district attorney (n) [ντίστρικτ ατέρνι] εισαγγελέας [ΗΠΑ].
distrust (n) [ντιστράστ] δυσπιστία, καχυποψία (v) δυσπιστώ.
disturb (v) [ντιστέρ-μπ] αναστατώνω, θορυβώ, ταράζω.
disturbance (n) [ντιστέρ-μπανς] διαταραχή, φασαρία, χαλασμός.
disunite (v) [ντισγιουνάιτ] διαχωρίζω, διασπώ, διχάζω.
disuse (n) [ντισγιούζ] αχρησία.
ditch (n) [ντιτς] τάφρος.
dither (v) [ντίδερ] τρέμω.
dittany (n) [ντίτανι] δίκταμο.
ditto marks (n) [ντίτοου μαρκς] ομοιωματικά.
ditty (n) [ντίτι] τραγουδάκι.
diuretic (adj) [ντάιουρέτικ] διουρητικός.

divan (n) [ντιβάαν] σοφάς, ντιβάνι, καφενείο, καπνοπωλείο.
dive (n) [ντάιβ] κατάδυση, κουτούκι (v) καταδύομαι.
diverge (v) [ντάιβέρντζζ] διχάζομαι, χωρίζομαι, αποκλίνω.
divergence (n) [νταϊβέρντζζενς] εκτροπή, απομάκρυνση.
diverse (adj) [νταϊβέρς] διάφορος.
diversified (adj) [νταϊβέρσιφάιντ] πολυμερής.
diversify (v) [νταϊβέρσιφάι] διαφοροποιώ, παραλλάσσω.
diversion (adj) [νταϊβέρζιον] παρακαμπτήριος.
diversity of form (n) [νταϊβέρσιτι οβ φόρμ] ποικιλομορφία.
divert (v) [νταϊβέρτ] διοχετεύω, εκτρέπω, διασκεδάζω.
divest (v) [νταϊβέστ] γδύνω.
dividend (adj) [ντίβιντεν-ντ] διαιρετέος (n) μέρισμα, διαιρέτης.
dividers (n) [ντιβάι-ντερζ] διαβήτης.
divination (n) [ντίβαϊνέισσον] μαντεία, μαντική, χρησμός.
divine (adj) [ντιβάιν] δαιμόνιος.
divinity (n) [ντιβίνιτι] θειότητα.
division (n) [ντιβίζιον] διανομή, κατηγορία, μερισμός.
divisor (n) [ντιβάιζορ] διαιρέτης.
divorce (n) [ντιβόουρς] διαζύγιο.
divulge (v) [ντιβάλντζζ] αποκαλύπτω, κάνω γνωστό.
dizziness (n) [ντίζινες] ζαλάδα.
dizzy (adj) [ντίζι] ιλιγγιώδης.
do (n) [ντόου] ντο.
do (v) [ντου] ασχολούμαι, προκαλώ, δρω, κάνω, φτιάνω.
do away with (v) [ντου αγουέι γουίδ] καταργώ, καταστρέφω.
do up (v) [ντου απ] ανακαινίζω.
docile (adj) [ντόσαϊλ] πειθήνιος.
docility (n) [ντοσίλιτι] ευπείθεια, υπακοή.
dock (n) [ντοκ] δεξαμενή (v) περικόπτω.
docker (n) [ντόκερ] εκφορτωτής.
docket (n) [ντόκιτ] επικεφαλίδα, περίληψη (v) καταγράφω.
dockyard (n) [ντόκγιάρντ] ναύσταθμος, ναυπηγείο, νεώριο.
doctor (n) [ντόκτορ] ιατρός.
doctrine (n) [ντόκτριν] δόγμα.
document (n) [ντόκιουμεν-τ] τεκμήριο, ντοκουμέντο.
doe (n) [ντόου] ελαφίνα.
dog (n) [ντογκ] σκύλος.
dogma (n) [ντόγκμα] δόγμα.
doing (n) [ντούινγκ] έργο, δράση, ενέργεια, πράξη, σκηνή.
doldrums (n) [ντόλ-ντραμς] μελαγχολία, εκκρεμότητα.
dole (n) [ντόουλ] βοήθημα.
doleful (adj) [ντόουλφούλ] λυπηρός, πένθιμος.

doll (n) [ντολ] κούκλα.
dollar (n) [ντόλαρ] δολάριο.
dolly (n) [ντόλι] κουκλίτσα.
dolose (adj) [ντολόους] δόλιος.
dolour (n) [ντόλερ] θλίψη.
dolphin (n) [ντόλφιν] δελφίνι.
dolt (n) [ντολτ] πλίθιος, βλάκας.
dome (n) [ντόουμ] θόλος.
domestic (adj) [ντομέστικ] οικογενειακός, εγχώριος.
domesticate (v) [ντομέστικέιτ] εξημερώνω, ημερεύω.
dominant (adj) [ντόμιναν-τ] υπερισχύων, κυριαρχικός.
dominate (v) [ντόμινέιτ] δεσπόζω, εξουσιάζω, κυριαρχώ.
dominion (n) [ντομίνιον] εξουσία.
dona (n) [ντόουνα] γκόμενα.
donate (v) [ντόουνέιτ] δωρίζω.
donation (n) [ντόουνέισσον] προσφορά, παραχώρηση.
donator (n) [ντοουνέιτορ] δότης.
done (adj) [νταν] ψημένος.
donkey (n) [ντόνκι] γαιδούρι.
donor (n) [ντόουνερ] δότης.
don't (part) [ντόουν-τ] μη.
doom (n) [ντουμ] κρίση, απόφαση, μοιραίο (v) δικάζω.
door (n) [ντόορ] θύρα, πόρτα.
door frame (n) [ντόορ φρέιμ] περβάζι, τελάρο [θύρας].
dope (v) [ντόουπ] ναρκώνω.
dopey (adj) [ντόουπι] χασικλωμένος, φτιαγμένος.
dormancy (n) [ντόορμανσι] νάρκη, ναρκοβίωση.
dormant (adj) [ντόορμαν-τ] κοιμώμενος, κοιμισμένος.
dorsal (adj) [ντόρσλ] νωτιαίος.
dorsally (adv) [ντόρσλι] κυρτά.
dose (n) [ντόους] δόση.
doss down (v) [ντος ντάουν] κοιμάμαι στρωματσάδα.
doss out (v) [ντος άουτ] λημεριάζω.
dossier (n) [ντόσιερ] φάκελος.
dot (n) [ντοτ] τελεία, στίξη.
dotard (adj) [ντόουταρ-ντ] ξεκούτης, ξεμωραμένος.
dotted (adj) [ντότι-ντ] διάστικτος.
double (adj) [ντα-μπλ] διπλάσιος, ζευγαρωτός (v) διπλώνω.
double entry (n) [ντα-μπλ έντρι] διπλογραφία.
double up (v) [ντα-μπλ απ] κουλουριάζομαι.
double-edged (adj) [ντά-μπλ-έ-ντζζντ] δίστομος, δίκοπος.
doubly (adv) [ντά-μπλι] διπλά.
doubt (n) [ντάουτ] αβεβαιότητα, δισταγμός, (v) αμφιβάλλω.
doubtful (adj) [ντάουτφουλ] αναποφάσιστος, διστακτικός.
doubtless (adv) [ντάουτλες] αναμφιβόλως, αναμφισβητήτως.
dough (n) [ντόου] ζύμη, πάστα.

dove (n) [νταβ] περιστερά.
dovetail (v) [ντάβτεϊλ] συνδέω.
dower (v) [ντάουερ] προικίζω.
down! (ex) [ντάουν] κάτω, γιούχα, χάμω (n) πούπουλο, χνούδι.
down to (adv) [ντάουν του] μέχρι (conj) ως.
downfall (n) [ντάουνφόολ] πτώση.
downing (n) [ντάουνινγκ] κατάρριψη.
downpour (n) [ντάουνπουρ] νεροποντή.
downtrodden (adj) [ντάουντρό-ντεν] καταπατηθείς.
downward (adj) [ντάουνγουόρ-ντ] καθοδικός, κατηφορικός.
downy (adj) [ντάουνι] χνουδάτος.
dowry (n) [ντάουρι] χάρη.
doxology (n) [ντοξόλοντζζι] δοξολογία.
dozen (n) [νταζν] δωδεκάδα.
drachma (n) [ντράκμα] δραχμή.
draconian (adj) [ντρακόνιαν] δρακόντειος, αυστηρότατος.
draft (v) [ντράαφτ] στρατολογώ, συντάσσω (n)συνάλλαγμα.
drafter (n) [ντράαφτερ] συντάκτης.
drag (v) [ντραγκ] σύρω, τραβώ.
drag on (v) [ντραγκ ον] χρονίζω.
dragged (adj) [ντραγκ-ντ] συρτός.
dragnet (n) [ντράγκνέτ] γρίπος, ανεμότρατα, μπλόκο αστυνομίας.
dragoman (n) [ντράγκομαν] δραγουμάνος, διερμηνέας.
dragon (n) [ντράγκον] δράκοντας.
drail (n) [ντρέιλ] συρτή.
drain (n) [ντρέιν] αγωγός, υπόνομος, χαντάκι (v) ξηραίνω.
drape (v) [ντρέιπ] επενδύω, καλύπτω, τυλίγω, ντύνω.
draught (n) [ντράαφτ] έλξη, γουλιά, πούλι, ρεύμα.
draughtsman (n) [ντράαφτσμαν] σχεδιαστής.
draw (n) [ντρόο] έλξη, ισοπαλία, κράχτης (v) τραβώ, εξάγω, ξεκοιλιάζω, πλησιάζω.
draw in (v) [ντρόο ιν] ρουφώ.
draw near (v) [ντρόονίαρ] σιμώνω, εγγίζω, ζυγώνω, φθάνω.
draw on (v) [ντρόο ον] αντλώ.
draw up (v) [ντρόο απ] καταστρώνω, συντάσσω, ανασύρω.
drawer (n) [ντρόοερ] συρτάρι.
drawers (n) [ντρόοερς] σώβρακο.
drawing (n) [ντρόοινγκ] σχέδιο, έλξη, ζωγραφιά, μακέτα.
drawn (adj) [ντρόον] κουρασμένος.
dread (n) [ντρε-ντ] δέος, λαχτάρα, τρόμος, φόβος (v) τρέμω.
dream (v) [ντρίιμ] ονειρεύομαι,

υποθέτω (n) όνειρο.
dredger (n) [ντρέντζζερ] φαγάνα.
dregs (n) [ντρεγκς] ονειροπόλος, υποστάθμη, κατακάθι.
dress (n) [ντρες] ενδυμασία, φορεσιά, (v) ενδύω, επενδύω.
dress up (v) [ντρες απ] διακοσμώ.
dresser (n) [ντρέσερ] ντουλάπι.
dressing (n) [ντρέσινγκ] διακόσμηση, καρύκευμα, επίδεση.
dressmaker (n) [ντρέσμέικερ] μοδίστρα, ράπτρια, ράφτρα.
dressy (adj) [ντρέσι] φιλάρεσκος, λουσάτος, φιγουράτος.
dribble (v) [ντρί-μπλ] στάζω.
dribblet (v) [ντρί-μπλετ] στάλα.
drier (n) [ντράιερ]στεγνωτήρας.
drift (n) [ντριφτ] προώθηση, κίνηση (v) παρασέρνω.
driftage (n) [ντρίφτιντζζ] παρέκλιση, έκπτωση, ξεπεσμός.
drill (v) [ντριλ] γυμνάζω, τρυπανίζω (n) τρυπάνι.
drink (v) [ντρινκ] απορροφώ, πίνω (n) αναψυκτικό, ποτό.
drinker (n) [ντρίνκερ] πότης.
drip (n) [ντριπ] σάχλας (v) στάζω.
dripping (n) [ντρίπινγκ] στάξιμο (adj) βουτηγμένος.
drive (n) [ντράιβ] παρόρμηση, περίπατος, οδηγώ.
drive mad (v) [ντράιβ μα-ντ] μουρλαίνω, τρελαίνω.
drive off (v) [ντράιβ οφ] ξεκινώ.
drivel (n) [ντρίβελ] αερολογία, μπούρδα, παραλογισμός (v) αερολογώ, σαλιαρίζω.
driver (n) [ντράιβερ] οδηγός.
driving wheel (n) [ντράιβινγκ γουίιλ] βολάν, τροχός.
drizzle (n) [ντριζλ] ψιλή βροχή.
droit (n) [ντρόιτ] δικαίωμα.
droll (adj) [ντρόουλ] κωμικός, αστείος, γελοίος (n) παλιάτσος.
drone (n) [ντρόουν] κηφήνας, χαραμοφάης, (v) βουίζω.
drooling (n) [ντρούουλινγκ] σαλιαρίσματα.
droop (n) [ντρούουπ] μαρασμός, κατάπτωση, χαμήλωμα.
drop (n) [ντροπ] παστίλια, πτώση, στάλα, κάμψη (v) ρίχνω.
droppings (n) [ντρόπινγκς] κοτσιλιά, κουτσουλιά.
dropsy (n) [ντρόπσι] υδρωπικία.
drought (n) [ντράουτ] ξηρασία.
drove (n) [ντρόουβ] κοπάδι.
drown (v) [ντράουν] πνίγομαι.
drowse (v) [ντράουζ] αποκοιμίζω, νυστάζω (n) νύστα, νάρκη.
drowsy (adj) [ντράουζι] νυσταγμένος, νυσταλέος.
drubbing (n) [ντρά-μπινγκ] ξυλοκόπημα.
drudgery (n) [ντράντζζερι] μόχθος, αγγαρεία, σκλαβιά.

drug (v) [ντραγκ] αφιονίζω, ντοπάρω (n) ναρκωτικό.
drug addict (adj) [ντραγκ άντι-κτ] τοξικομανής, χασικλής.
drugs (n) [ντραγκς] ναρκωτικά.
drum (n) [ντραμ] νταούλι.
drunk (adj) [ντρανκ] πιωμένος.
dry (adj) [ντράι] άβρεχτος, μπρούσκος (v) ξηραίνω.
dry cleaner's (n) [ντράι κλί-νερ'ς] καθαριστήριο.
dry land (n) [ντράι λαντ] ξηρά.
dry up (v) [ντράι απ] ξεραίνω.
dryasdust (adj) [ντράιαζ-νταστ] βαρετός (n) σχολαστικός.
dryly (adv) [ντράιιλι] ξερά.
dryness (n) [ντράινες] ξεραΐλα.
drysalter (n) [ντράισολτερ] αλλαντοπώλης, χρωματοπώλης.
dub (v) [ντα-μπ] ανακηρύσσω.
dubious (adj) [ντιού-μπιους] διστακτικός, αβέβαιος.
duchess (n) [ντάτσες] δούκισσα.
duchy (adj) [ντάτσι] δουκικός.
duck (n) [ντακ] νήσσα, πάπια.
ductile (adj) [ντάκτάιλ] εύπλαστος.
due (adj) [ντιού] πληρωτέος, οφειλόμενος, εισπρακτέος.
duel (n) [ντιούελ] μονομαχία.
duet (n) [ντιουέτ] ντουέτο.
duffel (n) [νταφλ] καμηλό.
duffer (n) [ντάφερ] αργόστροφος.
dug (n) [νταγκ] μαστός, βυζί.
dug-up (adj) [νταγκαπ] ορυκτός.
dugout (n) [νταγκάουτ] πιρόγα.
duke (n) [ντιούκ] δούκας.
dulcet (adj) [ντάλσιτ] μελωδικός.
dulcify (n) [ντάλσιφαϊ] καταπραΰνω, απαλύνω, κατευνάζω.
dull (adj) [νταλ] ανάλατος, βλάκας, θολός, μουντός, (v) αποβλακώνω, χαζεύω, ναρκώνω.
dumb (adj) [νταμ] μουγγός.
dummy (n) [ντάμι] ανδρείκελο.
dumpy (n) [ντάμ-πι] κοντοστούμπης.
dune (n) [ντιούν] αμμόλοφος.
dung (n) [ντανγκ] κοπριά.
dungeon (n) [ντάν-ντζζον] μπουντρούμι.
dungy (adj) [ντάνγκι] βρωμερός.
dunk (v) [ντανκ] εμβαπτίζω.
duodenum (n) [ντιουοντίναμ] δωδεκαδάκτυλο.
duotone (adj) [ντιούοουτοουν] δίχρωμος (n) διχρωμία.
dupe (n) [ντιούπ] χάνος [μεταφ], κορόιδο (v) εξαπατώ.
duplicate (adj) [ντιού-μπλικέιτ] διπλός (n) διπλότυπο (v) διπλασιάζω.
duplicator (n) [ντιούπλικέιτορ] πολύγραφος.
duplicity (n) [ντιουπλίσιτι] υποκρισία, δολιότητα.

durable (adj) [ντιούρα-μπλ] διαρκής, στέρεος, μόνιμος.
duration (n) [ντιουρέισσον] διάρκεια, χρόνος, μάκρος.
during (pr) [ντιούρινγκ] κατα.
dusk (n) [ντασκ] ημίφως, σκοτεινιά, λυκόφως, σούρουπο.
dusky (adj) [ντάσκι] ακαθόριστος, σκοτεινός, μελαχροινός.
dust (n) [νταστ] χώμα, σκόνη, τέφρα (v) ξεσκονίζω, ραντίζω.
dust-cart (n) [νταστ-καρτ] σκουπιδιάρικο.
dustbin (n) [ντάστ-μπιν] σκουπιδοτενεκές.
dustiness (n) [ντάστινες] σκόνη.
dustpan (n) [ντάστπαν] φαράσι.
duteous (adj) [ντιούτιους] υπάκουος, πειθαρχικός, ευπειθής.
dutiable (adj) [ντιούτια-μπλ] φορολογήσιμος.
duties (n) [ντιούτις] καθήκοντα.
dutiful (adj) [ντιούτιφουλ] υπάκουος, πειθαρχικός, ευπειθής.
duty (n) [ντιούτι] οφειλή [γραμμ], υπηρεσία, υποχρέωση, καθήκον, φόρος, μέλημα, βάρδια, δασμός, τέλος [φόρος].
duty-free (adj) [ντιούτι-φρίι] αδασμολόγητος, αφορολόγητος.
dwarf (n) [ντουόορφ] νάνος.
dwell (v) [ντουέλ] ζω, διαμένω.
dwell on (v) [ντουέλ ον] σκέπτομαι επί μακρόν, στοχάζομαι.
dwelling (n) [ντουέλινγκ] στέγη.
dye (n) [ντάι] μπογιά (v) βάφω.
dyed (adj) [ντάι-ντ] βαμμένος.
dyeing (n) [ντάιινγκ] βαφή.
dying (adj) [ντάιινγκ] ετοιμοθάνατος.
dyke (n) [ντάικ] ανάχωμα.
dynamic (adj) [νταϊνάμικ] δραστήριος, ενεργητικός, ενεργός.
dynamite (n) [ντάιναμάιτ] δυναμίτιδα, δυναμίτης.
dynamometer (n) [νταϊναμόμιτερ] δυναμόμετρο.
dynastic (adj) [νταϊνάστικ] δυναστικός.
dysentery (n) [ντισέν-τερι] δυσεντερία.
dyspepsia (n) [ντισπέπσια] δυσπεψία.

E, e (n) [ιϊ] το πέμπτο γράμμα του αγγλικού αλφαβήτου.
each (pron) [ίτσς] έκαστος.
eager (adj) [ίγκα(ρ)] ανυπόμονος, διψασμένος, άπληστος.
eager to excel (adj) [ίγκα(ρ) του εξέλ] φιλότιμος.
eagerness (n) [ίιγκανες] ζήλος.
eaglet (n) [ίιγκλετ] αετόπουλο.
ear (n) [ία(ρ)] αυτί, λαβή.
earl (n) [ερλ] κόμης.
earlier (adj) [έρλια(ρ)] πρωινός.
early (adv) [έρλι] νωρίς (adj) πρώιμος.
earn (v) [ερν] αποσπώ, κερδίζω.
earnest (n) [έρνιστ] καπάρο, εγγύηση, ένδειξη, γεύση, τεκμήριο (adj) ειλικρινής, επίμονος.
earth (n) [ερθ] υδρόγειος, γη.
earthen (adj) [έρθεν] πήλινος.
earthenware (n) [έρθενουα(ρ)] πιατικά, γαβάθα.
earthly (adj) [έρθλι] επίγειος.
earthquake (n) [έρθκουεϊκ] σεισμός.
earthworm (n) [έρθουερμ] γεωσκώληκας, σκουληκαντέρα.
earthy (adj) [έρθι] γήινος.
earwax (n) [ίαουάξ] κυψελίδα.
ease (n) [ίιζ] απόλαυση, άνεση, ευκολία (v) καθησυχάζω.
ease up (v) [ίιζ απ] χαλαρώνω.
easeful (adj) [ίιζφουλ] ήρεμος.
easel (n) [ίιζελ] τρίποδο.
easily (adv) [ίιζιλι] εύκολα.
east (n) [ιιστ] ανατολή.
Easter (adj) [Ίιστα(ρ)] (n) Πάσχα.
easy (adj) [ίιζι] άνετος, βολικός.
easy-going (adj) [ίιζιγκόουινγκ] καλόβολος, ανέμελος.
eat (v) [ίιτ] τρώω, φθείρω.
eat away (v) [ίιτ αουέι] καταβροχθίζω, κατατρώγω.
eat into (v) [ίιτ ίν-του] διαβρώνω.
eat up (v) [ίιτ απ] αποτρώγω.
eatable (adj) [ίιτα-μπλ] φαγώσιμος.
eaten (adj) [ίιτεν] φαγωμένος.
eater (n) [ίιτα(ρ)] φαγάς.
eaves (n) [ίιβζ] μαρκίζα, γείσο.
eavesdrop (v) [ίιβζ-ντροπ] αφουγκράζομαι, κρυφακούω.
eccentric (adj) [εκσέν-τρικ] εκκεντρικός, ιδιότροπος.
eccentricity (n) [εκσεν-τρίσιτι] εκκεντρικότητα, χούι [λαϊκ].
ecclesiastical (adj) [εκλιιζιάστικαλ] εκκλησιαστικός.
eccrinology (n) [εκρινόλοντζζι] εκκρινολογία.

echelon (n) [έσσελον] κλιμάκιο.
echo (n) [έκοου] αντήχηση, ηχώ (v) αντηχώ, αντιλαλώ.
eclipse (n) [ικλίπς] έκλειψη.
ecological (adj) [ικολόντζζικαλ] οικολογικός.
economical (adj) [εκονόμικαλ] οικονομικός, λιτός, προσιτός.
ecstasy (n) [έκστασι] ξέσπασμα.
ecumenical (adj) [ικουμένικαλ] οικουμενικός.
eczema (n) [έκιμα] έκζεμα.
edacious (adj) [ι-ντέισσες] λαίμαργος, αδηφάγος.
edge (n) [εντζζ] ακμή, άκρη, κόψη, όχθη.
edible (adj) [έ-ντι-μπλ] φαγώσιμος.
edict (n) [ιι-ντίκτ] διάταγμα.
edifice (n) [έ-ντιφις] οικοδόμημα.
edify (v) [έ-ντιφάι] διαπαιδαγωγώ.
edifying (adj) [έ-ντιφάιινγκ] εποικοδομητικός, ηθοπλαστικός.
edit (v) [έ-ντιτ] εκδίδω.
editor (n) [έ-ντιτο(ρ)] διευθυντής, εκδότης, σχολιαστής.
educate (v) [έντζζιουκεϊτ] ανατρέφω, εκπαιδεύω, διαπλάσσω.
eel (n) [ίιλ] χέλι [ζωολ].
eerie (adj) [ίιρι] τρομαχτικός.
efface (v) [ιφέις] ξεγράφω.
effect (n) [εφέκτ] αποτέλεσμα, συνέπεια (v) πραγματοποιώ.
effeminacy (n) [εφέμινασι] θηλυπρέπεια, έλλειψη ανδρισμού.
effeminate (adj) [εφέμινέιτ] θηλυπρεπής, μαλθακός.
efficacious (adj) [εφικέισσας] δραστικός, αποτελεσματικός.
efficiency (n) [εφίσσενσι] αποδοτικότητα, ικανότητα.
effigy (n) [έφιντζζι] ομοίωμα.
effluent (n) [έφλουεν-τ] απόβλητα.
effort (n) [έφατ] προσπάθεια.
effuse (v) [ιφιούζ] διαχέω, ξεχύνω, εκβάλλω, αναπηδώ.
egg (n) [εγκ] αβγό.
ego (n) [ίιγκοου] εγώ, έπαρση.
egocentric (adj) [ίιγκοουσέντρικ] εγωκεντρικός.
egoistical (adj) [ίιγκοουίστικαλ] εγωιστικός.
egomania (n) [ιιγκοουμέινια] εγωκεντρισμός.
egotism (n) [ίιγκατιζμ] εγωισμός.
egress (n) [ίιγκρες] έξοδος.
egret (n) [ίιγκρετ] ψαροφάγος.
eight (num) [έιτ] οκτώ [αριθ].
eighth (adj) [ειτθ] όγδοος.
either (adj) (pron) [ίιδε(ρ)] εκάτερος, ή ο ένας ή ο άλλος.
ejaculate (v) [ιντζζάκιουλεϊτ] αναφωνώ, εκσπερματώνω.
ejection (n) [ιτζέκσσον] εκβολή.
elaborate (adj) [ιλά-μπορετ] λεπτομερής (v) [ιλά-μπορέιτ] κα-

τεργάζομαι.
elaboration (n) [ιλα-μπορέισσον] επεξεργασία.
elapse (v) [ιλάπς] παρέρχομαι.
elastic (adj) [ελάστικ] ελαστικός (n) λάστιχο.
elated (adj) [ιλέιτι-ντ] περίχαρος.
elation (n) [ιλέισσον] αγαλλίαση.
elbow (n) [έλ-μπoου] γωνία, αγκώνας (v) σπρώχνω.
eldest (adj) [έλ-ντεστ] μεγαλύτερος.
elect (v) [ιλέκτ] αποφασίζω, αναδείχνω, εκλέγω.
elected (adj) [ιλέκτι-ντ] αιρετός.
election (n) [ιλέκσσον] απόφαση, αναγόρευση, εκλογή.
elective (adj) [ιλέκτιβ] αιρετός, εκλεγόμενος, εκλογικός.
elector (n) [ιλέκτο(ρ)] εκλογέας.
electoral fraud (n) [ιλέκτοραλ φρόο-ντ] καλπονοθεία.
electric fitter (n) [ιλέκτρικ φίτα(ρ)] ηλεκτροτεχνίτης.
electrician (n) [ιλεκτρίσσαν] ηλεκτρολόγος.
electrify (v) [ιλέκτριφάι] εξηλεκτρίζω, ηλεκτρίζω.
electronic (adj) [ιλεκτρόνικ] ηλεκτρονικός.
elegance (n) [έλεγκανς] κομψότητα, καλαισθησία, καλλιέπεια.
elegant (adj) [έλεγκαν-τ] κομψός, καλαίσθητος, γλαφυρός.
elegiac (adj) [έλιντζζάιακ] ελεγειακός, θρηνητικός.
elementary (adj) [ελεμέν-ταρι] πρώτος, στοιχειώδης, απλός.
elevated (adj) [ελεβέιτι-ντ] ανυψωμένος, υψηλός, ευγενής.
elevator (n) [έλεβεϊτορ] ανυψωτήρας, αναβατήρας, ασανσέρ.
eleven (num) [ιλέβεν] ένδεκα.
elf (n) [ελφ] ξωτικό, αερικό.
elicit (v) [ιλίσιτ] εξάγω.
eligible (adj) [έλιντζζι-μπλ] εκλέξιμος, εκλόγιμος.
elimination (n) [ελιμινέισσον] αποβολή, εξαφάνιση, εξάλειψη.
elision (n) [ιλίζζιον] έκθλιψη.
elite (n) [ελίιτ] εκλεκτοί.
elixir (n) [ιλίκσα(ρ)] ελιξήριο.
ellipse (n) [ελίπς] έλλειψη.
elocution (n) [έλοκιούσσον] άρθρωση, ορθοφωνία.
elongate (v) [ιλονγκγκέιτ] προεκτείνω, επιμηκύνω.
elope (v) [ιλόουπ] κλέβομαι.
eloquence (n) [έλοκουενς] ευγλωττία, ευφράδεια.
else (adv) [ελς] αλλιώς (adj) άλλος (conj) διαφορετικά.
elsewhere (adv) [έλσουέα(ρ)] αλλαχού, αλλού.
elucidate (v) [ιλούσι-ντέιτ] διευκρινίζω, επεξηγώ, ξεκαθαρίζω.
elude (v) [ιλιού-ντ] αποφεύγω.
emaciated (adj) [ιμάσιέιτι-ντ] ι-

σχνός, αδύνατος, ατροφικός.
emancipate (v) [ιμάνσιπέιτ] χειραφετώ, απελευθερώνω.
embalm (v) [εμ-μπάαμ] ταριχεύω.
embank (v) [εμ-μπάνκ] επιχωματώνω, τοιχοποιώ.
embarkation (n) [εμ-μπαακέισσον] επιβίβαση, μπαρκάρισμα.
embarrass (v) [εμ-μπάρας] στενοχωρώ, σαστίζω, ταπεινώνω.
embarrassment (n) [εμ-μπάρασμεν-τ] αμηχανία, μπελάς.
embassy (n) [έμ-μπασι] πρεσβεία.
embay (v) [ιμ-μπέι] εγκλείω.
embayment (n) [ιμ-μπέιμεν-τ] κόλπος.
embed (v) [ιμ-μπέ-ντ] στερεώνω.
embellish (v) [ιμ-μπέλισς] κοσμώ.
embers (n) [έμ-μπαζ] ανθρακιά.
embezzle (v) [εμ-μπέζλ] υπεξαιρώ.
embezzler (n) [εμ-μπέζλα(ρ)] καταχραστής.
emblem (n) [έμ-μπλεμ] έμβλημα.
embodiment (n) [εμ-μπό-ντιμεν-τ] ενσάρκωση.
emboss (v) [εμ-μπός] αναγλυφώ.
embrace (n) [εμ-μπρέις] αγκάλιασμα, (v) φιλώ.
embrasure (n) [εμ-μπρέιζζα(ρ)] κούφωμα, πολεμίστρα.
embrocate (v) [έμ-μπροκεϊτ] εντρίβω, κάνω εντριβή.
embroidery (n) [εμ-μπρόι-ντερι] κέντημα, εργόχειρο.
embryo (n) [έμ-μπριο] έμβρυο.
embryonic (adj) [εμ-μπριόνικ] εμβρυϊκός, εμβρυώδης.
emerge (v) [εμέρντζζ] εμφανίζομαι, αναδύομαι, ανακύπτω.
emergency (adj) [εμέρντζζενσι] επείγων, έκτακτος.
emery (n) [έμρι] σμύριδα.
emetic (adj) [εμέτικ] εμετικός.
emigrant (n) [ίμιγκραν-τ] απόδημος, μετανάστης.
emigration (n) [εμιγκρέισσον] αποδημία, μετανάστευση.
eminence (n) [έμινενς] ύψος, ψήλωμα, εξοχή, περιωπή.
eminent (adj) [έμινεν-τ] διαπρεπής, επιφανής, υπέροχος.
emir (n) [εμίρ] εμίρης.
emirate (n) [έμιρατ] εμιράτο.
emission (n) [ιμίσσον] έκλυση.
emit (v) [ιμίτ] εκπέμπω.
emollient (adj) [ιμόλιεν-τ] μαλακτικός.
emotion (n) [ιμόουσσον] συναίσθημα, συγκίνηση, αίσθημα.
emotional (adj) [ιμόουσσοναλ] συγκινησιακός.
emotions (n) [ιμόουσσονζ] συναισθήματα.

emperor (n) [έμ-περα(ρ)] αυτοκράτορας.
emphasis (n) [έμφασις] τόνος, έμφαση, υπογράμμιση.
empire (n) [έμ-πάιερ] εξουσία, αυτοκρατορία.
empirical (adj) [εμ-πίρικαλ] εμπειρικός.
employ (n) [έμ-πλοι] απασχόληση, υπηρεσία
employer (n) [εμ-πλόια(ρ)] χρήστης, αφεντικό, εργοδότης.
employment (n) [εμ-πλόιμεν-τ] εργασία, μεταχείριση.
empower (v) [εμ-πάουα(ρ)] εξουσιοδοτώ.
empty (adj) [έμ-πτι] έρημος, κούφιος (v) αδειάζω.
emulation (n) [εμιουλέισσον] συναγωνισμός, άμιλλα.
emulsion (n) [ιμάλσιον] γαλάκτωμα.
enact (v) [ενάκτ] θεσπίζω.
enactment (n) [ενάκτμεν-τ] νόμος.
enamel (n) [ίναμελ] εφυάλωμα, εμαγέ, σμάλτο.
encage (v) [ινκέιντζζ] εγκλωβίζω.
encamp (v) [ενκάμ-π] στρατοπεδεύω, κατασκηνώνω.
encephalic (adj) [ενσεφάλικ] εγκεφαλικός.
enchant (v) [εν-τσσάαν-τ] αλυσοδένω, θέλγω, καταγοητεύω.
enchanting (adj) [εν-τσσάαντινγκ] γοητευτικός, μαγευτικός.
enchantress (n) [εν-τσσάαντρες] μαγεύτρα, μάγισσα.
encircle (v) [ενσέρκλ] κυκλώνω.
encirclement (n) [ενσέρκλμεντ] περικύκλωση, κύκλωμα.
enclose (v) [ενκλόουζ] εγκλείω.
enclosed (adj) [ενκλόουζ-ντ] εσώκλειστος, συνημμένος.
enclosure (n) [ενκλόουζζα(ρ)] κλείσιμο, φράκτης, φράγμα.
encomium (n) [ενκόουμιαμ] εγκώμιο, πανηγυρικός, ύμνος.
encompass (v) [ινκάμ-πας] περιβάλλω, συμπεριλαμβάνω.
encore (n) [όνκοο] ανάκληση.
encounter (v) [ενκάουν-τα(ρ)] συναντώ (n) εμπλοκή.
encourage (v) [ενκάριντζζ] εγκαρδιώνω, εμψυχώνω, ενθαρρύνω.
encroach upon (v) [ινκρόουτσς απόν] καταπατώ.
encroachment (n) [ινκρόουτσμεν-τ] αντιποίηση.
encyclopaedia (n) [ενσάικλοουπίιντια] εγκυκλοπαίδεια.
end (n) [εν-ντ] λήξη, άκρη, όρος (v) τερματίζω.
endanger (v) [εν-ντέιν-ντζζερ] κινδυνεύω, ριψοκινδυνεύω.
endeavour (n) [εν-ντέβερ] απόπειρα, (v) προσπαθώ.
ending (n) [έν-ντινγκ] τερματι-

σμός, αποπεράτωση, κατάληξη.
endive (n) [έν-ντιβ] αντίδι.
endless (adj) [έν-ντλες] άπειρος, διαρκής, απέραντος.
endlessly (adv) [έν-ντλεσλι] συνεχώς, ακατάπαυστα.
endorse (v) [εν-ντόος] προσυπογράφω [επιδοκιμάζω].
endorsement (n) [εν-ντόορσμεν-τ] οπισθογράφηση.
endurable (adj) [εν-ντιούραμπλ] ανεκτός, υποφερτός, ανθεκτικός.
endurance (n) [εν-ντιούρανς] σθένος, καρτερία, αντοχή.
endure (v) [εν-ντιούρ] αντέχω.
enema (n) [ένιμα] κλύσμα.
enemy (n) αντίπαλος.
energetic (adj) [ενερντζζέτικ] δραστήριος, ενεργητικός.
energy (n) [ένερντζζι] δραστηριότητα, ενέργεια, σθένος.
enervation (n) [εναβέισσον] αποχαύνωση, μαλάκυνση.
enfeeble (v) [ενφίι-μπλ] εξασθενίζω, αδυνατίζω, τσακίζω.
enforce (v) [ενφόος] επιβάλλω.
enforceable (adj) [ενφόρσαμπλ] εκτελεστός.
engage (v) [ινγκέιντζζ] δεσμεύω, κρατώ, μνηστεύω.
engage upon (v) [ινγκέιντζζ απόν] καταπιάνομαι.
engaged (adj) [ινγκέιντζζ-ντ] μνηστευμένος, απασχολημένος.
engagement (n) [ινγκέιντζζμεν-τ] υποχρέωση, πρόσληψη.
engaging (adj) [ινγκέιντζζιν] θελκτικός, χαριτωμένος.
engender (v) [ιννιτζζέν-ντερ] προξενώ, επιφέρω, γεννώ.
engine (n) [έν-ντζζιν] μηχανή.
engine-room (n) [έν-ντζζινρουμ] μηχανοστάσιο.
engineer (n) [έν-ντζζινίιρ] μηχανικός (v) κατασκευάζω.
engorge (v) [ινγκόοντζζ] καταβροχθίζω, μπουκώνω.
engraft (v) [ινγκράαφτ] εμβολιάζω, εμφυτεύω.
engrave (v) [ενγκρέιβ] χαράζω.
engross (v) [ενγκρόους] αντιγράφω.
engrossed (adj) [ενγκρόουσ-τ] απορροφημένος, βυθισμένος.
engulf (v) [ενγκάλφ] καταπίνω.
enhance (v) [ενχάανς] αυξάνω.
enharmonic (adj) [ενχααμόνικ] εναρμόνιος.
enigma (n) [ενίγκμα] αίνιγμα.
enjoyment (n) [έν-ντζζόιμεν-τ] τέρψη, ευχαρίστηση, απόλαυση.
enlarge (v) [ενλάαντζζ] διευρύνω, επαυξάνω, μεγαλώνω.
enlighten (v) [ενλάιτεν] ενημερώνω, διαφωτίζω, φωτίζω.
enlist (v) [ενλίστ] στρατολογώ.
enliven (v) [ενλάιβεν] αναζωογονώ, εμψυχώνω, φαιδρύνω.
enmity (n) [ένμιτι] έχθρα.

enormous (adj) [ινόομας] θεόρατος, πελώριος, τεράστιος.
enough (adv) [ινάφ] αρκετά (adj) ικανός, (pron) κάμποσος.
enrage (v) [ενρέιντζζ] εξοργίζω.
enrapture (v) [ενράπτσσα(ρ)] εκστασιάζω, γοητεύω.
enrich (v) [ενρίτσ] πλουτίζω.
enrol (v) [ενρόουλ] εγγράφω.
ensign (n) [ενσάιν] έμβλημα.
enslave (v) [ενσλέιβ] σκλαβώνω.
ensnaring (n) [ενσνέαρινγκ] παγίδευμα.
ensue (v) [ινσιούου] προκύπτω.
entail (v) [ιντέιλ] συνεπάγομαι.
entanglement (n) [εν-τάνγκλμεν-τ] εμπλοκή, περιπλοκή.
enter (v) [έν-τα(ρ)] εισχωρώ, αναγράφω, μπαίνω, καταχωρίζω.
enter upon (v) [έν-τερ απόν] καταπιάνομαι.
enterprise (n) [έν-ταπράιζ] εγχείρημα, τόλμημα.
enterprising (adj) [έν-ταπράιζινγκ] τολμηρός, δραστήριος.
entertain (v) [εν-τατέιν] διασκεδάζω, υποθάλπω, φιλεύω, φιλοξενώ.
enthral (v) [ινθρόολ] συναρπάζω.
enthrone (v) [ενθρόουν] ενθρονίζω.
enthusiasm (n) [ενθούζιασμ] ζήλος, ενθουσιασμός.
entice (v) [ιν-τάις] παγιδεύω.
entire (adj) [εν-τάιερ] ολόκληρος, σώος, σωστός, άρτιος.
entitle (v) [εν-τάιτλ] τιτλοφορώ.
entity (n) [έν-τιτι] ύπαρξη.
entomb (v) [ιν-τούουμ] ενταφιάζω.
entrails (n) [έν-τρέιλζ] εντόσθια.
entrance (n) [έν-τρανς] είσοδος, μπούκα (v) συναρπάζω.
entrant (n) [έν-τραν-τ] εισερχόμενος, διαγωνιζόμενος.
entrap (v) [ιν-τράπ] παγιδεύω.
entreat (v) [ιν-τρίιτ] ικετεύω.
entrench (v) [εν-τρέν-τσ] οχυρώνω.
entresol (n) [όν-τρεσολ] ημιώροφος.
entrust (v) [εν-τράστ] αναθέτω.
entry (n) [έν-τρι] αναγραφή, εισδοχή, είσοδος, καταχώρηση.
entwine (v) [ιν-τουάιν] περιελίσσω, συνυφαίνω.
enumerate (v) [ινιούμερεϊτ] απαριθμώ, αραδιάζω.
envelop (v) [ενβέλοπ] περικυκλώνω, περιβάλλω, κυκλώνω.
envelope (n) [ένβελοουπ] περιτύλιγμα, περίβλημα, φάκελος.
envied (adj) [ένβι-ντ] επίζηλος.
envious (adj) [ένβιας] ζηλιάρης, ζηλόφθονος, φθονερός.
environment (n) [ενβάιρονμεν-

τ] περίγυρος, περιβάλλον.
envoy (adj) [ένβοϊ] απεσταλμένος.
envy (n) [ένβι] ζήλια (v) φθονώ.
enzyme (n) [ένζαϊμ] ένζυμο.
epaulette (n) [έπολετ] επωμίδα.
ephemeral (adj) [ιφέμεραλ] βραχύβιος, εφήμερος.
epic (adj) [έπικ] (n) έπος.
epicurean (adj) [επικιούριαν] επικούρειος, φιλήδονος.
epidemic (n) [επι-ντέμικ] επιδημία.
epidermis (n) [επι-ντέρμις] επιδερμίδα.
epigram (n) [έπιγκραμ] επίγραμμα.
epileptic (adj) [επιλέπτικ] επιληπτικός.
epilogue (n) [έπιλογκ] επίλογος.
Epiphany (n) [Επίφανι] Θεοφάνεια.
epoch (n) [ίιποκ] εποχή.
epoch-making (adj) [ίιποκμέικινγκ] κοσμοϊστορικός.
equal (v) [ίικουαλ] ισοφαρίζω.
equal in force (adj) [ίικουαλ ιν φοος] ισοδύναμος.
equally (adv) [ίικουαλι] εξίσου.
equals (n) [ίικουαλς] ίσον.
equate (v) [ιικουέιτ] εξισώνω.
equation (n) [ιικουέισσον] εξίσωση, εξομοίωση, ταύτιση.
equator (n) [ιικουέιτα(ρ)] ισημερινός.
equerry (n) [ίικουερι] αυλικός.
equestrian (adj) [ιικουέστριαν] ιππικός, έφιππος, ιππευτικός.
equilateral (adj) [εκουιλάτεραλ] ισόπλευρος.
equilibrist (n) [ικουιλί-μπριστ] ισορροπιστής, ακροβάτης.
equip (v) [εκουίπ] αρματώνω.
equipment (n) [ικουίπμεν-τ] οπλισμός, εφόδιο, εξοπλισμός.
equivalent (adj) [ικουίβαλεν-τ] ισότιμος, ισάξιος.
era (n) [ίιρα] εποχή.
erase (v) [ιρέιζ] εξαλείφω.
erect (adj) [ιρέκτ] ίσιος, όρθιος (v) ανορθώνω, κτίζω, στήνω.
ergo (adv) [έργκοου] ώστε.
ermine (n) [έρμιν] ερμίνα.
erode (v) [ιρόου-ντ] διαβρώνω.
erotic (adj) [ιρότικ] ερωτικός.
errata (n) [ιράατα] παροράματα.
erratic (adj) [ιράτικ] ασταθής, ανεύθυνος, ανώμαλος.
erroneous (adj) [ιρόουνιας] λανθασμένος, άστοχος.
error (n) [έρα(ρ)] αμάρτημα, λάθος, φταίξιμο.
eruct (v) [ιράκτ] ρεύομαι.
erudite (adj) [έρου-νταϊτ] πολυμαθής, ευρυμαθής, .
erupt (v) [ιράπτ] εκρήγνυμαι, ξεσπώ, αναφαίνομαι, αναπηδώ.
escalate (v) [έσκαλεϊτ] κλιμα-

κώνω.
escape (n) [εσκέιπ] απόδραση, φυγή (v) δραπετεύω, φεύγω.
escape notice (v) [εσκέιπ νόουτις] λανθάνω.
escapee (n) [έσκαπίι] δραπέτης.
eschatological (adj) [έσκατολόντζζικαλ] εσχατολογικός.
eschew (v) [ιστσσιούου] αποφεύγω, απέχω από κάτι.
escort (n) [έσκοοτ] κουστωδία, συνοδεία (v) πηγαίνω.
esculent (adj) [έσκιουλεν-τ] εδώδιμος.
escutcheon (n) [εσκάτσσον] θυρεός.
esoteric (adj) [εσοτέρικ] εσωτερικός, απόκρυφος.
especially (adv) [εσπέσσαλι] ειδικώς, ιδιαιτέρως, κυρίως.
espionage (n) [έσπιονάαζζ] κατασκοπεία.
espousal (n) [ισπάουζλ] γάμος.
essayist (n) [έσεϊιστ] δοκιμιογράφος.
essence (n) [έσενς] ουσία.
essential (adj) [εσένσσαλ] αναγκαίος, ουσιώδης, αιθέριος.
establish (v) [εστά-μπλισς] δημιουργώ, εδραιώνω, ιδρύω.
estate (adj) [εστέιτ] ακίνητος [περιουσία] (n) κτήμα.
esteem (n) [εστίιμ] σεβασμός, υπόληψη (v) εκτιμώ, σέβομαι.
esteemed (adj) [εστίιμ-ντ] δόκιμος.
estimate (n) [έστιματ] προϋπολογισμός (v) [εστιμέιτ] εκτιμώ.
estimated (adj) [έστιμεϊτι-ντ] προβλεπόμενος.
estimation (n) [εστιμέισσον] εκτίμηση, κρίση, γνώμη.
estrange (v) [εστρέιν-ντζζ] απομακρύνω, αποξενώνω.
estrangement (n) [εστρέιν-ντζζμεν-τ] ψύχρανση.
estuary (n) [έσστουέρι] στόμιο, εκβολή [ποταμού].
eternal (adj) [ιτέρναλ] αιώνιος.
eternity (n) [ιτέρνιτι] αθανασία.
ether (n) [έθερ] αιθέρας [χημ].
ethical (adj) [έθικαλ] ηθικός.
ethics (n) [έθικς] ηθική.
ethnology (n) [εθνόλοντζζι] εθνολογία.
etiquette (n) [έτικέτ] ετικέτα.
etymological (adj) [ετιμολόντζζικαλ] ετυμολογικός.
eucalyptus (n) [ιουκαλίπτας] ευκάλυπτος.
eudemonism (n) [ιου-ντέμονιζμ] ευδαιμονισμός.
eulogist (n) [ιούλοντζζιστ] υμνητής, εγκωμιαστής.
eunuch (n) [ιούνοκ] ευνούχος.
eureka (ex) [ιουρίικα] εύρηκα.
eurhythmics (n) [ιουρίθμικς] ρυθμική [γυμναστική].
Europe (n) [ιούραπ] Ευρώπη.
European (adj) [ιούραπίιαν] ευ-

ρωπαϊκός (n) Ευρωπαίος.
euthanasia (n) [ιουθανέιζια] ευθανασία.
evacuation (n) [ιβακιουέισσον] εκκένωση, διακομιδή.
evade (v) [ιβέι-ντ] αποφεύγω.
evaluator (n) [ιβαλιουέιτορ] εκτιμητής.
evangelist (n) [εβάν-ντζζελιστ] ευαγγελιστής, ιεροκήρυκας.
evaporate (v) [εβάπορεϊτ] αχνίζω, εξατμίζω.
evasion (n) [ιβέιζον] αποφυγή.
eve (n) [ίιβ] παραμονή.
even (conj) [ίιβεν] καν (adv) ομαλώς, ακόμη, κιόλας, μάλιστα (adj) απλός, επίπεδος, (n) πάτσι.
evening (n) [ίιβνινγκ] βράδυ (adv) βράδυ (adj) βραδινός.
event (n) [ιβέν-τ] περίσταση, αγώνισμα, συμβάν, γεγονός.
events (n) [ιβέν-τς] διατρέξαντα.
eventual (adj) [ιβέν-τσσουαλ] τελικός, πιθανός, ενδεχόμενος.
ever (adv) [έβερ] αεί, ποτέ.
evergreen oak (n) [έβεργκρίιν όουκ] πουρνάρι (adj) αειθαλής.
everlasting (adj) [έβερλάαστινγκ] παντοτινός, αδιάκοπος, .
every (pron) [έβρι] κάθε.
everybody (pron) [έβρι-μπόντι] καθένας (n) όλοι, πάντες.
everywhere (adv) [έβριουέα(ρ)] ολούθε, πανταχού, παντού.
evict (v) [ιβίκτ] εκδιώκω.
eviction (n) [ιβίκσσον] έξωση.
evidence (n) [έβι-ντενς] μαρτυρία.
evidently (adj) [έβι-ντεν-τλι] προδήλως, προφανώς.
evil (n) [ίιβιλ] πληγή, κακό.
evil eye (n) [ίιβιλ άι] μάτιασμα.
evolve (v) [ιβόλβ] εξελίσσομαι.
evulsion (n) [ιβάλσσον] απόσπαση, ξερίζωμα.
evzone (n) [έβζόουν] τσολιάς.
ewe (n) [ιού] προβατίνα.
ex officio (adj) [έξ οφίσσιο] αυτεπάγγελτος.
exact (adj) [εκζάκτ] ακριβής, πιστός, λεπτολόγος (v) απαιτώ.
exactitude (n) [εκζάκτιτιου-ντ] ευστοχία, ορθότητα, πιστότητα.
exactor (n) [εκζάκτο(ρ)] εκβιαστής, απαιτητής.
exaggerate (v) [εξάντζζερεϊτ] μεγαλοποιώ, παρακάνω.
exalt (v) [εξόολτ] εξυψώνω [μεταφ], μεγαλώνω, υπερυψώνω.
examination (n) [εξαμινέισσον] ακτινοσκόπηση, εξέταση.
examine (v) [εξάμιν] ανακρίνω.
example (n) [εξάαμ-πλ] δείγμα.
exasperate (v) [εξάασπερεϊτ] ερεθίζω, εξοργίζω, εκνευρίζω.
exasperation (n) [εξαασπερέισσον] απόγνωση, εξοργισμός.
excavate (v) [έξκαβέιτ] ανασκάπτω, ορύσσω, σκάβω [τάφρο].

exceed (v) [εξίι-ντ] πλεονάζω, υπερβαίνω, υπερτερώ.
excel (v) [εξέλ] θριαμβεύω [μεταφ], αριστεύω, διαπρέπω.
excellence (n) [έξελενς] υπεροχή, ανωτερότητα, εξοχότητα.
excellent (ex) [έξελεν-τ] λαμπρώς, εξαίσιος, υπέροχος.
except (adv) [εξέπτ] παρεκτός (conj) πλην (v) εξαιρώ.
exceptional (adj) [εξέπσοναλ] εκλεκτός, έξοχος, σπουδαίος.
excerpt (n) [εξέρπτ] απόσπασμα.
excess (adj) [εξές] υπερβολικός (n) υπέρβαση, κατάχρηση.
excessive (adj) [εξέσιβ] υπερβολικός, υπέρμετρος.
exchange (n) [εξτσσέιν-ντζζ] ανταλλαγή (v) εναλλάσσω.
excitable (adj) [εξάιτα-μπλ] ευερέθιστος, ευέξαπτος, νευρικός.
excitation (n) [εξιτέισσον] διέγερση, ερεθισμός.
excite (v) [εξάιτ] προκαλώ, διεγείρω, εξάπτω, ερεθίζω.
exclaim (v) [εξκλέιμ] αναφωνώ.
exclude (v) [εξκλούου-ντ] αποκλείω, παραλείπω.
excommunicate (v) [εξκομιούνικέιτ] αναθεματίζω, αφορίζω.
excrement (n) [έξκριμεν-τ] κόπρανα, περιττώματα.
excretion (adj) [έξκρίισσον] έκκριμα, απέκκριση, έκκριση.
excursion (adj) [εξκέζζιον] εκδρομικός (n) εκδρομή.
excursive (adj) [εκσκέρσιβ] αμεθόδευτος, περιπλανώμενος.
excusable (adj) [εξκιούζα-μπλ] συγχωρητέος, δικαιολογημένος.
excuse (n) [εξκιούς] απολογία, (v) [εξκιούζ] δικαιολογώ.
execrate (v) [έκσικρεϊτ] απεχθάνομαι, βδελύσσομαι, καταρώμαι.
execute (v) [έξεκιουτ] εκτελώ.
exegesis (n) [εκσιντζζίισις] εξήγηση, ερμηνεία.
exegetic (adj) [εκσιντζζέτικ] ερμηνευτικός, εξηγητικός.
exemplify (v) [εξέμ-πλιφάι] παραδειγματίζω.
exempt (adj) [εξέμ-πτ] αμέτοχος (v) απαλλάσσω, εξαιρώ.
exemption (n) [εξέμ-πσον] απαλλαγή, εξαίρεση, ατέλεια.
exercise (n) [έξασάιζ] άσκηση, χρήση (v) γυμνάζω, εξασκώ.
exert (v) [εξέρτ] ασκώ, καταβάλλω.
exhalation (n) [εξαλέισσον] εξαγωγή, εξουθένωση.
exhale (v) [εξχέιλ] εκπνέω.
exhaust (n) [ιγκζόοστ] εξάτμιση (v) εξαντλώ, ξεθεώνω.
exhausted (adj) [ιγκζόοστι-ντ] κατάκοπος, κομμένος.
exhausting (adj) [ιγκζόοστινγκ] εξαντλητικός, εξουθενωτικός.

exhaustion (n) [ιγκζόοστσσον] εξάντληση, τελείωμα.
exhibit (v) [εξί-μπιτ] επιδεικνύω, προσάγω (n) έκθεμα.
exhort (v) [εξόοτ] παρακινώ, παροτρύνω, προτρέπω.
exhume (v) [έξχιουμ] ξεθάβω.
exigence (n) [έκσιντζζενς] ανάγκη.
exigent (adj) [έκσιντζζεν-τ] πιεστικός, απαιτητικός.
exile (v) [έξαϊλ] εκτοπίζω, εξορίζω (n) εκτόπιση, εξόριστος.
exist (v) [εξίστ] υπάρχω.
existence (n) [εξίστενς] ύπαρξη.
exit (n) [έξιτ] έξοδος [πόρτα].
exodus (n) [έξοντας] έξοδος.
exonerate (v) [εξόνερεϊτ] αθωώνω.
exorcism (n) [έξοοσιζμ] ξόρκι.
exotic (adj) [εξότικ] εξωτικός.
expand (v) [εξπάν-ντ] αυξάνω, διευρύνω, επεκτείνομαι.
expanse (n) [εξπάνς] περιοχή.
expansionism (n) [εξπάνσιονιζμ] επεκτατισμός.
expatriate (adj) [εξπάτριετ] εκπατρισμένος (v) εκπατρίζω.
expect (v) [εξπέκτ] αναμένω.
expectation (n) [εξπεκτέισσον] αναμονή, ελπίδα.
expedience (n) [εξπίι-ντιενς] σκοπιμότητα, καταλληλότητα.
expedition (n) [εξπε-ντίσσον] αποστολή, εκστρατεία.
expel (v) [εξπέλ] εκβάλλω, απελαύνω, διώχνω.
expend (v) [εξπέν-ντ]δαπανώ.
expense (n) [εξπένς] δαπάνη.
expensive (adj) [εξπένσιβ] ακριβός, δαπανηρός.
expert (n) [έξπερτ] δεξιοτέχνης, τεχνίτης (adj) έμπειρος.
expiate (v) [έξπιεϊτ] εξιλεώνομαι, επανορθώνω, πληρώνω για.
expiration (n) [εξπαϊρέισσον] εκπνοή, λήξη, τέλος.
expire (v) [εξπάιρ] ξεψυχώ.
expiry (n) [εξπάιρι] λήξη.
explain (v) [έξπλέιν] εξηγώ.
explanation (n) [εξπλανέισσον] αιτιολογία, διευκρίνιση.
expletive (n) [εξπλίιτιβ] επιφώνημα, βλαστήμια.
explicit (adj) [εξπλίσιτ] σαφής.
explode (v) [εξπλόου-ντ] σκάω.
exploit (v) [εξπλόιτ] αξιοποιώ (n) ανδραγάθημα.
explore (v) [εξπλόο] εξερευνώ.
explosion (n) [εξπλόουζζιον] έκρηξη, ανατίναξη.
export (adj) [έξποοτ] εξαγωγικός (v) [εξπόοτ] εξάγω.
expose (v) [εξπόουζ] γυμνώνω.
exposure (n) [εξπόουζζα(ρ)] έκθεση, επίδειξη, αποκάλυψη.
express (v) [εξπρές] διατυπώνω, εκφράζω (n) εξπρές.
expression (n) [εξπρέσσον] διατύπωση, εκδήλωση, έκφραση.
expressive (adj) [εξπρέσιβ] εκδηλωτικός, εκφραστικός.

expropriate (v) [εξπροούπριεϊτ] απαλλοτριώνω.
expulsion (n) [εξπάλσσιον] απέλαση, αποπομπή, διώξιμο.
exquisite (adj) [έξκουίζιτ] εξαίσιος, έξοχος, πανέμορφος.
exstant (adj) [εξτάν-τ] θετικός, παρών, πραγματικός.
extemporary (adj) [εξτέμ-πορέρι] αυτοσχέδιος, πρόχειρος.
extend (v) [εξτέν-ντ] επεκτείνω.
extensive (adj) [εξτένσιβ] διεξοδικός, εκτενής, εκτεταμένος.
extent (n) [εξτέν-τ] έκταση, μέγεθος, περιοχή (v) επεκτείνω.
extenuate (v) [εξτένιουέιτ] ελαφρύνω, μετριάζω, μειώνω.
exterior (n) (adj) [εξτίριο(ρ)] απέξω.
exterminate (v) [εξτέρμινέιτ] εξοντώνω, ξεκάνω.
external (adj) [εξτέρναλ] ορατός, υλικός, επιφανειακός.
extinct (adj) [εξτίνκτ] εκλείψας.
extinction (n) [εξτίνκσσον] κατάσβεση, σβήσιμο.
extol (v) [εξτόολ] εξυμνώ, επαινώ, δοξάζω.
extort (v) [εξτόοτ] εκβιάζω.
extra (adj) [έξτρα] πρόσθετος (n) έξτρα, παράρτημα.
extract (n) [έξτραακτ] περικοπή, εκχύλισμα (v) [εξτράακτ] αποσπώ, εκβάλλω.
extradition (n) [εξτρα-ντίσσον] έκδοση [εγκληματία κτλ].
extrajudicial (adj) [έξτραντζζιου-ντίσαλ] εξώδικος.
extramarital (adj) [εξτραμάριταλ] εξωσυζυγικός.
extraordinary (adj) [έξτρόο-ντινέρι] έκτακτος, σπάνιος.
extravagance (n) [εξτράβαγκανς] υπερβολή, σπατάλη.
extreme (adj) [εξτρίιμ] ακραίος, έσχατος (n) άκρο.
extremist (adj) [εξτρίιμιστ] εξτρεμιστικός (n) εξτρεμιστής.
extricate (v) [έξτρικεϊτ] εξάγω, διαχωρίζω, απελευθερώνω.
extroversion (n) [εξτροβέρσσιον] εξωστρέφεια.
exuberance (n) [εγκζιού-μπερανς] ζωντάνια, ευρωστία.
exult (n) [εξάαλτ] αγάλλομαι, πανηγυρίζω, θριαμβολογώ.
exuviate (v) [εγκζιούβιέιτ] απορρίπτω, αποβάλλω.
eye (n) [άι] οφθαλμός, ματιά, τρύπα [βελόνας], μάτι, βλέμμα.
eye specialist (n) [άι σπέσσιαλιστ] οφθαλμίατρος.
eye-wash (n) [άι-ουόσς] κολλύριο.
eyelash (n) [άιλασς] βλεφαρίδα.
eyeless (n) [άιλες] τυφλός.
eyelid (n) [άιλι-ντ] βλέφαρο.
eyewitness (n) [άιουίτνες] αυτόπτης μάρτυρας.

F, f (n) [εφ] το έκτο γράμμα του αγγλικού αλφαβήτου.
fab (adj) [φα-μπ] υπέροχος, απίθανος, καταπληκτικός.
fable (n) [φέι-μπλ] φαντασίωση.
fabric (n) [φά-μπρικ] δομή.
fabricate (v) [φά-μπρικεϊτ] σκαρώνω, σκευωρώ, σκηνοθετώ.
fabrication (n) [φα-μπρικέισσον] κατασκευή, σκηνοθεσία.
fabulist (n) [φά-μπιουλιστ] μυθογράφος, ψεύτης, παραμυθάς.
fabulous (adj) [φά-μπιουλας] μυθικός, αμύθητος, θαυμάσιος.
face (n) [φέις] μορφή, μούρη, όψη (v) αντιμετωπίζω.
face-to-face (adj) [φέις-του-φέις] αντιμέτωπος.
facetious (adj) [φασίισας] κωμικός, περιπεκτικός, ευτράπελος.
facies (n) [φεϊσσί-ιιζ] όψη.
facile (adj) [φασάιλ] εύκολος.
facilitate (v) [φασίλιτεϊτ] διευκολύνω, προάγω, ευκολύνω.
facing (adv) [φέισινγκ] αντίκρυ (adj) αντικρινός (n) επίστρωση.
facsimile (n) [φάκσιμίλι] πανομοιότυπο, ακριβές αντίτυπο.
fact (n) [φακτ] γεγονός.
faction (n) [φάκσσον] κλίκα.
factitious (adj) [φακτίσσας] προσποιητός, ψεύτικος.
factor (n) [φάκτορ] παράγοντας.
factory (n) [φάκτορι] εργοστάσιο.
facts (n) [φακτς] δεδομένα.
faculty (n) [φάκαλτι] ικανότητα.
fade (v) [φέι-ντ] μαραίνω, ξασπρίζω, ξεβάφω.
faded (adj) [φέι-ντι-ντ] ξέθωρος.
fading (n) [φέι-ντινγκ] απόχρωση.
fag (n) [φαγκ] χαμαλίκι.
fag end (n) [φαγκ εν-ντ] υπόλειμα.
faggot (n) [φάγκοτ] δεμάτι.
fail (v) [φέιλ] αποτυγχάνω.
failing (n) [φέιλινγκ] αδυναμία.
failure (n) [φέιλια(ρ)] αποτυχία.
fain (adj) [φέιν] πρόθυμος, διατεθειμένος (adv) ευχάριστα.
faint (adj) [φέιν-τ] εξασθενημένος (n) λιγοθυμία (v) λιποθυμώ.
fainthearted (adj) [φέιν-τχάατιντ] άτολμος, δειλός, χαύνος.
faintness (n) [φέιν-τνες] ατονία.
fair (adj) [φέα(ρ)] ωραίος, δίκαιος (n) παζάρι, πρίμα.

fairy (n) [φέαρι] νεράϊδα.
fairy tale (n) [φέαρι τέιλ] μύθος.
faith (n) [φέιθ] εμπιστοσύνη, δόγμα, μπέσα, πίστη.
faithless (adj) [φέιθλες] άπιστος.
fake (n) [φέικ] παραχάραξη.
fakir (n) [φακίιρ] φακίρης.
fall (n) [φόολ] πέσιμο (v) ρέω.
fall for (v) [φόολ φο(ρ)] χάβω.
fall in (v) [φόολ ιν] υποχωρώ.
fall out (v) [φόολ άουτ] χαλάω.
fall through (v) [φόολ θρου] αποτυγχάνω, ναυαγώ [μεταφ].
fallacious (adj) [φαλέισσες] εσφαλμένος, παραπλανητικός.
fallacy (n) [φάλασι] πλάνη.
fallen (adj) [φόολεν] αμαρτωλός.
falling (adj) [φόολινγκ] ξεχαρβαλωμένος (n) πέσιμο.
fallow (adj) [φάλοου] ακαλλιέργητος (n) αγρανάπαυση.
false (adj) [φόολς] αναληθής, ψευδής, απατηλός.
false witness (n) [φόολς ουίτνες] ψευδομάρτυρας.
falsehood (n) [φόολσχου-ντ] ψέμα, ψεύδος.
falseness (n) [φόλσνες] απάτη.
falsification (n) [φοολσιφικέισσον] διαστρέβλωση, νοθεία.
falsify (v) [φόολσιφάι] παραποιώ.
falter (v) [φόλτερ] παραπαίω.
fame (n) [φέιμ] φήμη.
familiarity (n) [φαμιλιάριτι] εγκαρδιότητα, οικειότητα.
familiarize (v) [φαμίλιαραϊζ] εξοικειώνω, συνηθίζω.
family (n) [φάμιλι] οικογένεια.
famine (n) [φάμιν] πείνα, λιμός.
famish (v) [φάμισς] λιμοκτονώ.
famous (adj) [φέιμας] ξακουστός, διάσημος, περίφημος.
fan (n) [φαν] ανεμιστήρας, θαυμαστής (v) ριπίζω.
fanaticism (n) [φανάτισιζμ] φανατισμός, θρησκοληψία.
fanciful (adj) [φάνσιφουλ] φαντασιόπληκτος, παράδοξος.
fancy (n) [φάνσι] φαντασία, λόξα (v) νομίζω.
fanlight (n) [φάνλαϊτ] φεγγίτης.
fantastic (adj) [φαν-τάστικ] φαντασιώδης, αφύσικος.
far (adv) [φάα(ρ)] άπω, μακριά.
far off (adv) [φάαρ οφ] αλάργα, μακριά (adj) μακρινός.
farce (n) [φάας] φάρσα (v) παραγεμίζω.
farcical (adj) [φάασικλ] γελοίος.
fare (n) [φέαρ] ναύλος, αγώγι.
fare-dodger (n) [φέα-ντόντζζα(ρ)] τζαμπατζής.
farewell (adj) [φέαουέλ] αποχαιρετιστήριος.
farina (n) [φαρίινα] φαρίνα.
farm (n) [φάαμ] φάρμα.
farmer (n) [φάαμερ] κτηνοτρό-

φος, καλλιεργητής, αγρότης.
farming (adj) [φάαμινγκ] καλλιεργητικός (n) γεωργία.
farraginous (adj) [φαρέιντζζινας] ετερόκλητος, ανάμικτος.
farrier (n) [φάριερ] πεταλωτής.
farsighted (adj) [φάασάιτι-ντ] πρεσβύωπας, υπερμέτρωπας.
farsightedness (n) [φάασάιτιντνες] προβλεπτικότητα.
fart (n) [φάατ] πορδή.
fascinate (v) [φάσινεϊτ] συναρπάζω, μαγεύω, θέλγω.
fascist (adj) [φάσσιστ] φασιστικός (n) φασίστας.
fashion (n) [φάσσον] μόδα, νεωτερισμός (v) διαπλάθω.
fast (adj) [φάαστ] γερός, γρήγορος (n) νηστεία (v) νηστεύω.
fast-moving (adj) [φάαστμούβινγκ] γοργοκίνητος.
fasten (v) [φάαστεν] δένω.
fastidious (adj) [φαστί-ντιας] απαιτητικός, δύστροπος.
fasting (n) [φάαστινγκ] νηστεία.
fat (adj) [φατ] χονδρός (n) λίγδα, πάχος.
fatal (adj) [φέιταλ] θανατηφόρος.
fate (n) [φέιτ] ριζικό, τύχη.
father (n) [φάαδερ] πατέρας.
father-in-law (n) [φάαδεριν-λόο] πεθερός.
fatherhood (n) [φάαδερχου-ντ] πατρότητα.
fathom (n) [φάδομ] οργυιά [ναυτ] (v) μαντεύω, βυθομετρώ.
fathomless (adj) [φάδομλες] ανεξήγητος, ακατανόητος.
fatigue (n) [φατίιγκ] εξάντληση.
fatless (adj) [φάτλες] άπαχος.
fatling (n) [φάτλινγκ] θρεφτάρι.
fatten (v) [φάτεν] παχαίνω.
fatty (adj) [φάτι] λιπώδης, παχύσαρκος, λιπαρός.
faucet (n) [φόοσετ] στρόφιγγας, κρούνος, βρύση, κάνουλα.
fault (n) [φόολτ] λάθος.
faultless (adj) [φόολτλες] τέλειος.
faulty (adj) [φόολτι] στραβός.
fauna (n) [φόονα] πανίδα.
favour (n) [φέιβορ] χατίρι, καλό (v) ευνοώ, προτιμώ.
favus (n) [φέιβας] κασίδα.
fawn upon (v) [φόον απόν] κολακεύω, χαϊδεύω.
fay (n) [φέι] νεράιδα.
fealty (n) [φίιαλτι] πίστη.
fear (n) [φίαρ] τρόμος, δειλία, ανησυχία, φόβος (v) φοβούμαι.
fearless (adj) [φίαλες] γενναίος.
feasible (adj) [φίιζι-μπλ] εφικτός, βιώσιμος (n) βολετό.
feast (n) [φίιστ] πανυγήρι, γλέντι (v) ξεφαντώνω.
feast day (n) [φίιστ ντέι] αργία.
feat (n) [φίιτ] άθλος, ανδραγάθημα (adj) έντεχνος, εύτακτος.
feather (n) [φέδερ] πούπουλο.

feature (n) [φίιτσα(ρ)] γνώρισμα.
febrile (adj) [φίι-μπραϊλ] πυρετικός.
feckless (adj) [φέκλες] ανίκανος.
fecundate (v) [φέκαν-ντεϊτ] γονιμοποιώ.
federal (adj) [φέ-ντεραλ] ομοσπονδιακός.
fee (n) [φίι] αμοιβή, δικαίωμα.
feeble (adj) [φίι-μπλ] ασθενικός, ανίσχυρος, πλαδαρός.
feed (n) [φίι-ντ] τάϊσμα (v) τρέφω, σιτίζω.
feedbag (n) [φίι-ντ-μπάγκ] ντορβάς.
feeding (n) [φίι-ντινγκ] τάισμα.
feeding bottle (n) [φίι-ντινγκ μποτλ] μπιμπερό, θήλαστρο.
feeding up (n) [φίι-ντινγκ απ] υπερσιτισμός.
feel (v) [φίιλ] αγγίζω, εξετάζω, αισθάνομαι (n) αφή, άγγιγμα.
feel anxious (v) [φίιλ άνξιας] καρδιοχτυπώ.
feel like (v) [φίιλ λάικ] γουστάρω.
feeling (adj) [φίιλινγκ] ευαίσθητος (n) αφή, εντύπωση.
fees (n) [φίιζ] δίδακτρα.
feeze (v) [φίιζ] βιδώνω, ανησυχώ (n) ταραχή, αναστάτωση.
feign (v) [φέιν] προσποιούμαι.
felicity (n) [φελίσιτι] ευδαιμονία.
fell (v) [φελ] καταρίπτω (n) προβιά (adj) άγριος, απαίσιος.
fellah (n) [φέλα] φελλάχος.
feller (n) [φέλερ] ξυλοκόπος.
fellow (n) [φέλοου] σύντροφος.
fellow citizen (n) [φέλοου σίτιζεν] συμπολίτης.
fellowship (n) [φέλοουσσιπ] αλληλεγγύη, αδελφότητα.
felonious (adj) [φελόουνιας] κακούργος, ποινικός.
felony (n) [φέλονι] έγκλημα.
felt (adj) [φελτ] (n) τσόχα.
female (adj) [φίιμέιλ] γυναικείος, θηλυκός (n) γυναικάκι.
femur (n) [φίιμερ] μηρός.
fen (n) [φεν] έλος, βάλτος.
fence (n) [φενς] φράκτης (v) ξιφομαχώ, περιφράζω.
fencer (n) [φένσερ] ξιφομάχος.
fend off (v) [φεν-ντ οφ] παραμερίζω.
fennel (n) [φένελ] μάραθος.
ferial (adj) [φίιριαλ] εορτάσιμος.
ferine (adj) [φιιράιν] ανήμερος.
ferity (n) [φέριτι] αγριότητα.
ferment (v) [φέρμεν-τ] ζυμώνομαι.
fern (n) [φερν] φτέρη [βοτ].
ferocity (n) [φερόσσιτι] αγριότητα.
ferret (n) [φέριτ] κουνάβι, νυφίτσα (v) ερευνώ εξονυχιστικά .

ferryman (n) [φέριμαν] πορθμέας.
fertile (adj) [φέρταϊλ] εύφορος.
fertility (n) [φερτίλιτι] ευφορία.
fertilize (v) [φερτιλάιζ] λιπαίνω.
fervent (adj) [φέρβεν-τ] θερμός.
fervour (n) [φέρβερ] θέρμη, πάθος, ζήλος, ζέση, μένος.
fess up (v) [φες απ] ομολογώ.
fester (v) [φέστερ] σαπίζω, μολύνω (n) έλκος, φλεγμονή.
festival (n) [φέστιβαλ] γιορτή, φεστιβάλ (adj) πανηγυρικός.
festivity (n) [φεστίβιτι] γιορτή.
fetch (v) [φετς] αποδίδω.
fetching (adj) [φέτσσινγκ] ελκυστικός, γοητευτικός.
fete (v) [φέιτ] πανηγυρίζω (n) γιορτή, πανυγήρι.
fetid (adj) [φίιτι-ντ] δύσοσμος.
fetishism (n) [φίιτισσιζμ] ειρηνοποιός.
fetters (n) [φέτας] δεσμά.
feudal (adj) [φιού-νταλ] φεουδαρχικός.
fever (n) [φίιβερ] πυρετός.
few (n) [φιού] ολίγοι.
few and far between (adj) [φιού εν-ντ φάα μπιτουίν] σπάνιος.
few in number (adj) [φιού ιν νάμ-μπερ] ολιγάριθμος.
fey (adj) [φέι] ετοιμοθάνατος.
fez (n) [φεζ] φέσι.
fiance (n) [φιόνσεϊ] μνηστήρας.
fiancee (n) [φιονσέι] μνηστή.
fiasco (n) [φιάσκοου] φιάσκο.
fib (v) [φι-μπ] ψεύδομαι.
fibber (n) [φί-μπερ] ψεύτρα.
fiberglass (n) [φάι-μπαγκλάας] υαλοβάμβακας.
fibre (n) [φάι-μπερ] κλωστή.
fickle (adj) [φικλ] αλλοπρόσαλλος.
fickleness (n) [φίκλνες] αστάθεια.
fictile (adj) [φίκταϊλ] εύπλαστος.
fiction (n) [φίκσσον] μύθευμα.
fiddle (n) [φι-ντλ] λύρα, βιολί.
fiddler (n) [φί-ντλερ] απατεώνας.
fidelity (n) [φι-ντέλιτι] αφοσίωση.
fidget (n) [φίντζζετ] νευρόσπαστο.
fief (n) [φίιφ] τιμάριο, φέουδο.
field (adj) [φίιλ-ντ] υπαίθριος (n) λιβάδι, χωράφι.
field mouse (n) [φίιλ-ντ μάους] αρουραίος.
field of battle (n) [φίιλ-ντ οβ μπατλ] πεδίο μάχης.
fiend (n) [φίιν-ντ] δαίμονας.
fierce (adj) [φίας] ανήμερος.
fiery (adj) [φάιρι] φλογερός.
fiesta (n) [φιέστα] εορτή.
fife (n) [φάιφ] φλογέρα.
fig (n) [φιγκ] σύκο [βοτ], συκή.
fight (n) [φάιτ] πάλη, μάχη, αγώνας (v) παλεύω, πολεμώ.

figuration (n) [φιγκιουρέισσον] διαμόρφωση, σχήμα, μορφή.
figurative (adj) [φίγκιουρατιβ] συμβολικός, εικονικός.
figure (n) [φίγκιουρ] φιγούρα.
filch (n) [φιλτσς] κλέβω.
file (n) [φάιλ] φάκελος, λίμα (v) λιμάρω.
filing cabinet (n) [φάιλινγκ κάμπινετ] αρχειοθήκη, κλασέρ.
filings (n) [φάιλινγκς] ρινίσματα.
fill (v) [φιλ] πληρώ, σφραγίζω.
fill up (v) [φιλ απ] γεμίζω.
filling (adj) [φίλινγκ] χορταστικός (n) πλήρωση, γέμισμα.
fillister (n) [φίλιστα(ρ)] εντομή.
filly (n) [φίλι] φοραδίτσα.
film (n) [φιλμ] μεμβράνη, πέτσα, φιλμ (v) κινηματογραφώ.
filtering (n) [φίλτερινγκ] διύλιση.
filth (n) [φιλθ] ακαθαρσία.
filthy (adj) [φίλθι] ακάθαρτος.
filthy talk (n) [φίλθι τόοκ] αισχρολογία.
filtrate (n) [φίλτρεϊτ] διήθημα (v) φιλτράρω, διυλίζω, διηθώ.
fiment (n) [φίμεν-τ] εξάρτημα.
fin (n) [φιν] πτερύγιο.
final (adj) [φάιναλ] τελειωτικός.
finale (n) [φινάαλι] φινάλε.
finality (n) [φαϊνάλιτι] τελικό.
finally (adv) [φάιναλι] τελικώς.
finance (v) [φαϊνάνς] πιστοδοτώ.
finances (n) [φάινανσιζ] οικονομικά.
financial (adj) [φαϊνάνσσιαλ] περιουσιακός.
financial year (n) [φαϊνάνσσιαλ γία(ρ)] χρήση [οικον].
financier (n) [φαϊνάνσιερ] κεφαλαιούχος, χρηματοδότης.
find (v) [φάιν-ντ] ευρίσκω, οικονομώ (n) εύρημα.
find out (v) [φάιν-ντ άουτ] διαπιστώνω, μαντεύω.
finding (n) [φάιν-ντινγκ] ανακάλυψη, ανεύρεση, εύρεση.
fine (adj) [φάιν] άριστος, φίνος (n) πρόστιμο, πρίμα (v) καθαρίζω, τιμωρώ.
finesse (n) [φινές] φινέτσα.
finger (adj) [φίνγκερ] δαχτυλικός (v) πασπατεύω (n) δάκτυλο.
finicky (n) [φίνικι] λεπτολόγος.
finish (n) [φίνισς] λήξη, τέλος, πέρας (v) περατώνω, τελειώνω.
Finn (n) [Φιν] Φινλανδός.
fir (n) [φιρ] ελάτι, έλατο.
fire (adj) [φάιερ] πυροσβεστικός (n) φωτιά, πυρετός (v) ανάβω, βάλλω.
fire brigade (n) [φάιερ μπριγκέι-ντ] πυροσβεστική.
firebrand (n) [φάιερ-μπράν-ντ] δαυλός, εμπρηστής [μεταφ].
firefly (n) [φάιερφλάι] πυγολαμπίδα.

fireman (n) [φάιερμαν] πυροσβέστης.
firepan (n) [φάιερπαν] μαγκάλι.
fireplace (n) [φάιερπλέις] τζάκι.
fireship (n) [φάιερσσίπ] μπουρλότο.
fireside (n) [φάιασάι-ντ] γωνιά.
firewood (n) [φάιερου-ντ] δαδί.
firework (n) [φάιερουέρκ] πυροτέχνημα, βαρελότο.
firing (adj) [φάιερινγκ] πυροδοτικός (n) πυρ, τουφεκισμός.
firm (adj) [φέρμ] σταθερός, πάγιος, συμπαγής (n) φίρμα (v) στερεώνω.
firman (n) [φέρμεν] φιρμάνι.
firry (adj) [φέρι] ελάτινος.
first (adv) [φερστ] πρώτα (adj) αρχικός (n) πρωτιά, φόρμουλα.
fiscal (adj) [φίσκαλ] ταμιακός.
fish (n) [φισς] ιχθύς (v) αλιεύω.
fishery (n) [φίσσερι] ψάρεμα.
fishily (adv) [φίσσιλι] ύποπτα.
fishiness (n) [φίσσινες] ψαρίλα.
fishmonger (n) [φίσσμόνγκερ] ιχθυοπώλης, ψαράς.
fissure (n) [φίσσιερ] ρήγμα, σκάσιμο, χαραμάδα (v) σχίζω.
fist (n) [φιστ] γροθιά, πυγμή.
fistular (adj) [φίσσιουλαρ] σωληνοειδής, συριγγώδης.
fit (adj) [φιτ] κατάλληλος (n) κρίση, έκρηξη (v) εναρμονίζω.
fit in (v) [φιτ ιν] ταιριάζω.
fit into (v) [φιτ ίν-του] χωράω.
fit of anger (n) [φιτ οβ άνγκερ] έξαψη, μπουρίνι.
fit out (v) [φιτ άουτ] εφοδιάζω, εξοπλίζω (n) εξοπλισμός.
fitly (adv) [φίτλι] δεόντως.
fitness (n) [φίτνες] ορθότητα.
fitter (n) [φίτερ] μονταδόρος.
fitting (adj) [φίτινγκ] προσφυής (n) εφαρμογή.
fix (v) [φιξ] στερεώνω, ορίζω, καθηλώνω (n) στίγμα.
fix up (v) [φιξ απ] οργανώνω.
fixate (v) [φιξέιτ] στερεώνω.
fixed (adj) [φιξ-τ] σταθερός, ακίνητος, πάγιος, τακτός.
fixer (n) [φίξερ] διακανονιστής.
fixture (n) [φίξτσσα(ρ)] αγώνας.
fizz (n) [φιζ] τσίριγμα.
fizzy (adj) [φίζι] αφρώδης.
fjord (n) [φγιόο-ντ] φιόρδ.
flabbergast (v) [φλά-μπαγκαα-στ] καταπλήσσω, αναστατώνω.
flabbiness (n) [φλά-μπινες] πλαδαρότητα, χαλαρότητα.
flabby (adj) [φλά-μπι] χαλαρός.
flag (n) [φλαγκ] παντιέρα, μπαϊράκι, σημαία (v) ατονώ.
flagellate (v) [φλάντζζελεϊτ] μαστιγώνω.
flagging (n) [φλάγκινγκ] λιθόστρωτο πεζοδρόμιο.
flagon (n) [φλάγκον] καράφα.
flagrant (adj) [φλέιγκραν-τ] σκανδαλώδης, κατάφωρος.

flair (n) [φλέαρ] διαίσθηση, οξυδέρκεια, διορατικότητα.
flake (n) [φλέικ] ράφι, βάση.
flaky (adj) [φλέικι] λεπτοειδής.
flamboyance (n) [φλαμ-μπόιανς] φανφαρονισμός.
flame (n) [φλέιμ] φλόγα, ζωηρή λάμψη, έντονο φως, θέρμη.
flaming (adj) [φλέιμινγκ] φλεγόμενος, πυριφλεγής.
flange (n) [φλανντζζ] στεφάνη.
flank (v) [φλανκ] πλευροκοπώ (n) πλευρό (adj) πλευρικός.
flannel (n) [φλάνελ] φανέλα.
flap (v) [φλαπ] κτυπώ, φτερουγίζω (n) ράπισμα, ανέμισμα, βαλβίδα, κλαπέτο, πανικός.
flare (n) [φλέαρ] αναλαμπή.
flare up (v) [φλέαρ απ] θεριεύω, θυμώνω (n) φούντωμα.
flash (n) [φλασς] αστραπή (v) φωτίζω, σπινθηροβολώ.
flashily (adv) [φλάσσιλι] επιδεικτικά, φανταχτερά.
flask (n) [φλαασκ] φιάλη.
flat (adj) [φλατ] επίπεδος, σαχλός (n) ρηχά, διαμέρισμα.
flatly (adv) [φλάτλι] σαφώς.
flatten (v) [φλάτεν] ισοπεδώνω.
flatter (v) [φλάτερ] καλοπιάνω.
flatus (n) [φλέιτας] αέριο.
flaunt (v) [φλόον-τ] επιδεικνύω.
flavour (v) [φλέιβορ] αρωματίζω, νοστιμεύω (n) γεύση.
flaw (n) [φλόο] ρωγμή, ψεγάδι, ατέλεια (v) θραύω, ραγίζω.
flax (n) [φλαξ] λινάρι.
flay (v) [φλέι] γδέρνω.
flea (n) [φλίι] ψύλλος.
fleam (n) [φλίιμ] νυστέρι.
fleck (n) [φλεκ] στίγμα, κηλίδα.
fled (adj) [φλε-ντ] φευγάτος.
fledgeling (n) [φλέντζζλινγκ] ξεπεταρούδι, αρχάριος.
flee (v) [φλίι] φεύγω.
fleece (v) [φλίις] αρμέγω, μαδώ, τρυγώ, γδέρνω (n) δέρας, μαλλί.
fleet (adj) [φλίιτ] ταχύς (n) στόλος.
fleeting (adj) [φλίιτινγκ] σύντομος.
flench (v) [φλεντσ] γδέρνω.
flesh (n) [φλεσς] σάρκα, κρέας.
fleshy (adj) [φλέσσι] παχύς.
flex (v) [φλεξ] κάμπτω, λυγίζω.
flexible (adj) [φλέξι-μπλ] ελαστικός, εύκαμπτος, ευλύγιστος.
flight (n) [φλάιτ] σκάλα.
flimsy (adj) [φλίμσι] ψιλός.
flinch (v) [φλιν-τσ] υποχωρώ.
fling (n) [φλινγκ] πέταγμα, εκτίναξη (v) ρίπτω, ορμώ.
flint (n) [φλιν-τ] πυρίτης.
flip (v) [φλιπ] κτυπώ, ρίχνω, ξεσηκώνω, (adj) επιπόλαιος.
flipper (n) [φλίπερ] πτερύγιο.
flirt (v) [φλερτ] φλερτάρω.
flite (v) [φλάιτ] μαλώνω.
flitter (v) [φλίτερ] φτερουγίζω.

float (n) [φλόουτ] πλωτήρας, σχεδία (v) πλέω, κυλώ, γλιστρώ.
flock (v) [φλοκ] συνέρχομαι, μαστιγώνω (n) κοπάδι.
flog (v) [φλογκ] μαστιγώνω, δέρνω, κτυπιέμαι, παραδέρνω.
flood (n) [φλα-ντ] πλημμύρα, ροή (v) ξεχειλίζω, κατακλύζω.
floor (n) [φλόο] όροφος, δάπεδο, πάτωμα (v) σανιδώνω.
flop (n) [φλοπ] φιάσκο.
flora (n) [φλόορα] χλωρίδα.
floral (adj) [φλόοραλ] ανθοστόλιστος, λουλουδάτος.
florist (n) [φλόριστ] ανθοπώλης.
flounder (v) [φλάου-ντα(ρ)] παλεύω, τσαλαβουτώ.
flour (n) [φλάουα(ρ)] φαρίνα, αλεύρι, άχνη (v) αλευρώνω.
flow (n) [φλόου] ρεύμα (v) ρέω.
flow in (v) [φλόου ιν] εισρέω.
flower (adj) [φλάουερ] λουλουδένιος (n) άνθος (v) ανθίζω.
flowerpot (n) [φλάουαπότ] ανθοδοχείο, γλάστρα.
flowing (adj) [φλόουιν γκ] ρέων, άνετος, απαλός (n) τρέξιμο.
flu (n) [φλούου] γρίππη.
fluctuate (v) [φλάκτσσουέιτ] κυμαίνομαι, ανεβοκατεβαίνω.
flue (n) [φλου] φουγάρο, πούπουλο (v) διευρύνω.
fluent (adj) [φλούεν-τ] άνετος.
fluff (n) [φλαφ] χνούδι, λάθος.
fluid (adj) [φλούι-ντ] αβίαστος, ρευστός, υγρός (n) υγρό.
fluky (adj) [φλούουκι] τυχαίος.
flume (n) [φλούουμ] αυλάκι.
flunkey (n) [φλάνκι] χαμερπής.
fluoresce (v) [φλούορες] φθορίζω.
flurry (n) [φλάρι] αναστάτωση.
flush (v) [φλας] σηκώνω, αναπηδώ, ξεχύνομαι (n) χείμαρρος, εκροή, υπεραιμία, φούντωμα (adj) ισόπεδος, ομαλός.
flute (n) [φλουτ] φλογέρα.
fluted (adj) [φλούτι-ντ] ραβδωτός.
flutist (n) [φλούτιστ] αυλητής.
flutter (v) [φλάτερ] φτερουγίζω (n) φτερούγισμα, κυματισμός, παλμός.
flux (n) [φλαξ] αστάθεια, ροή (v) ρέω, ρευστοποιώ, τήκομαι.
fly (n) [φλάι] μύγα (v) πετώ.
flyer (n) [φλάιερ] ιπτάμενος.
flying (n) [φλάιινγκ] πτήση.
foal (n) [φόοαλ] πουλάρι.
foam (n) [φόομ] αφρός.
fob off (v) [φο-μπ οφ] πασάρω.
focal (adj) [φόουκαλ] εστιακός.
fodder (n) [φό-ντερ] ζωοτροφή.
foe (n) [φόου] εχθρός.
foetus (n) [φίιτας] έμβρυο.
fog (n) [φογκ] ομίχλη, πούσι.
foggy (adj) [φόγκι] ομιχλώδης.
foil (n) [φόιλ] έλασμα (v) μαται-

ώνω.

fold (n) [φολ-ντ] δίπλα, πτυχή, μαντρί (v) κουλουριάζω.

folder (n) [φόλ-ντερ] φάκελλος.

foliage (n) [φόλιντζζ] φύλλωμα.

folk (adj) [φόουκ] δημώδης.

folk customs (n) [φόουκ κάστομζ] ηθογραφία.

folklore (n) [φόουλκλόο] λαογραφία.

follicular (adj) [φολίκιουλαρ] θυλακοειδής.

follow (v) [φόλοου] ακολουθώ.

following (adv) [φόλοουινγκ] κάτωθι (adj) ακόλουθος.

folly (n) [φόλι] τρέλα, ζούρλα.

foment (v) [φοουμέν-τ] ενθαρρύνω, υποθάλπω.

fondle (v) [φον-ντλ] χαϊδεύω.

font (n) [φον-τ] κολυμβήθρα.

food (adj) [φούου-ντ] τροφικός (n) διατροφή, τροφή, φαΐ.

fool (n) [φουλ] βλάκας.

foolhardly (adj) [φούουλχααντλι] τολμηρός, απερίσκεπτος.

foolish (adj) [φούουλισ] ανόντος, κουτός, χαζός (n) άφρων.

foot (n) [φουτ] βήμα, πόδι.

foothold (n) [φούτχοουλ-ντ] βάση, πάτημα, στήριγμα.

footnote (n) [φούτνοουτ] παραπομπή, υποσημείωση.

footprint (n) [φούτπρίν-τ] ίχνος.

footstep (n) [φούτστέπ] βήμα.

fop (adj) [φοπ] λιμοκοντόρος.

for (adv) [φοο] υπέρ (pr) δια, εξ αιτίας, λόγω, χάριν, ούτως ώστε να, έναντι, αντί, επί, πρός, για, επί [διάρκεια] (conj) λόγω του ότι, διότι, επειδή, αντί [τιμή].

for heaven's sake (ex) [φορ χέβενς σέικ] για όνομα του Θεού!.

for instance (adv) [φορ ίνστανς] αίφνης, λόγου χάρη.

forage (n) [φόριντζζ] τροφή.

foray (n) [φόρεϊ] επιδρομή, πλιάτσικο (v) διαρπάζω.

forbearance (n) [φοο-μπέαρανς] αποχή, υπομονή.

forbid (v) [φοο-μπί-ντ] απαγορεύω, εμποδίζω, αποκλείω.

forbidding (adj) [φοο-μπί-ντινγκ] αυστηρός, εχθρικός.

force (n) [φόος] βία, ζόρι, φορά, φόρα, καταναγκασμός (v) αναγκάζω, εκβιάζω, ζορίζω, πιέζω, φορτσάρω, χώνω, εξωθώ.

forceps (n) [φόοσεπς] πένσα.

forces (n) [φόοσις] στρατός.

forcible (adj) [φόσι-μπλ] βίαιος.

ford (n) [φόο-ντ] διάβαση.

fore (adj) [φόο(ρ)] μπροστινός.

forearm (n) [φόοάαμ] βραχίονας.

foreboding (n) [φοο-μπόουντινγκ] προαίσθηση.

forecast (n) [φόοκάαστ] πρό-

βλεψη, πρόγνωση.
forecourt (n) [φόοκόοτ] προαύλιο.
forefather (n) [φόοφάαδερ] πρόγονος, προπάτορας.
forefinger (n) [φόοφίνγκερ] δείχτης, δείκτης [χεριού].
foregone (adj) [φοογκόν] προκαθορισμένος, τακτοποιηθείς.
foreground (n) [φόογκραουν-ντ] πρώτη σειρά, πρώτο πλάνο.
foreign (adj) [φόριν] ξένος.
foreign currency (n) [φριν κάρενσι] συνάλλαγμα.
foreigner (adj) [φόρινερ] αλλοδαπός (n) ξένος.
foreman (n) [φόομαν] επιστάτης.
foremost (adj) [φόομόουστ] πρώτιστος, πρώτος.
forensic medicine (n) [φορένσικ μέ-ντισιν] ιατροδικαστική.
foreordain (v) [φόοροο-ντέιν] προκαθορίζω, προορίζω.
forerunner (adj) [φόοράνερ] πρωτοπόρος, πρόδρομος.
foresee (v) [φόοσίι] προλαμβάνω.
foreshadow (v) [φοοσσά-ντοου] προαγγέλλω.
forest (adj) [φόρεστ] δασικός (n) δρυμός, δάσος.
forestall (v) [φόοστόολ] προλαβαίνω, προφθάνω.
forester (n) [φόρεστερ] δασοφύλακας, δασοκόμος.
foretell (v) [φόοτέλ] προφητεύω.
forever (adv) [φορέβερ] αιώνια.
foreword (n) [φόοουα-ντ] πρόλογος, εισαγωγή, προλεγόμενα.
forge (v) [φόοντζζ] απομιμούμαι, νοθεύω (n) κάμινος.
forger (n) [φόοντζζερ] παραχαράχτης, πλαστογράφος.
forget (v) [φοογκέτ] ξεχνώ.
forgetfulness (n) [φοογκέτφουλνες] λήθη, λησμονιά.
forgive (v) [φοογκίβ] συγχωρώ.
forgiving (adj) [φοογκίβινγκ] επιεικής, ανεξίκακος.
forgotten (adj) [φοογκότεν] ξεχασμένος.
fork (n) [φόοκ] διακλάδωση, διχάλα, πιρούνι, καβάλος (v) σηκώνω, σκαλίζω.
forkful (n) [φόοκφουλ] πιρουνιά.
forlorn (adj) [φόολόον] εγκαταλελειμμένος, απροστάτευτος.
form (n) [φόομ] διάγραμμα, διάταξη, δομή, σχήμα, φόρμα, καλούπι (v) αποτελώ, μορφώνω, οργανώνω, σχηματίζω.
formal (adj) [φόομαλ] επίσημος.
format (n) [φόοματ] σχήμα.
formation (n) [φοομέισσον] κατάρτιση, πλάση, σύσταση.
formerly (adv) [φόομαλι] ποτέ,

πρώτα, τέως, άλλοτε [πρόθεμα].
formidable (adj) [φοομί-ντα-μπλ] τρομακτικός, τρομερός.
forming (n) [φόομινγκ] σχηματισμός.
formula (n) [φόομιουλα] υπόδειγμα, συνταγή, φόρμουλα.
forsake (v) [φοοσέικ] αφήνω.
forsaken (adj) [φοοσέικεν] εγκαταλειμμένος, έρημος.
fort (n) [φόοτ] φρούριο, οχυρό.
forthcoming (adj) [φόοθκάμινγκ] ερχόμενος, επερχόμενος.
forthright (adj) [φόοθραϊτ] ευθύς, ειλικρινής, ντόμπρος.
forthwith (adv) [φόοθγουίδ] αμέσως, πάραυτα.
fortify (v) [φόοτιφαϊ] ενισχύω, ενθαρρύνω, κατοχυρώνω.
fortitude (n) [φόοτιτιου-ντ] ευψυχία, ψυχικό σθένος.
fortnight (n) [φόοτναϊτ] δεκαπενθήμερο.
fortuity (n) [φοοτιούιτι] δυστύχημα, πάθημα, ξαφνικό.
fortunate (adj) [φόοτσσιουνετ] καλότυχος, ευτυχής, μακάριος.
fortune (n) [φόοτσσιουν] ριζικό.
fortune hunter (n) [φόοτσσιουν χάν-τερ] τυχοδιώκτης.
fortune-teller (n) [φόοτσσιουν-τέλερ] χαρτορίχτρα.
forty (num) [φόοτι] σαράντα [αριθ] (n) σαρανταριά.
forward (adj) [φόοουα-ντ] μπροστινός, πρώιμος, έτοιμος, πρόθυμος, προοδευτικός (v) [φοοργουέρ-ντ] στέλνω, διεισδύω, (conj) (adv) εμπρός.
forwarding (n) [φόοουα-ντινγκ] διαβίβαση, διεκπεραίωση.
fossa (n) [φόσα] βόθρος.
fossick (v) [φόσικ] ψάχνω.
fossil (n) [φόσιλ] απολίθωμα.
foster (adj) [φόστα(ρ)] θετός (v) θρέφω [ελπίδα], τρέφω.
foul (adj) [φάουλ] ρυπαρός, βρομερός (v) μολύνω, μιαίνω.
foul language (n) [φάουλ λάνγκουιντζζ] χυδαιότητα.
foul-mouthed (adj) [φάουλμάουθ-τ] αισχρολόγος.
founder (n) [φάουν-ντερ] θεμελιωτής, ιδρυτής (v) βυθίζω.
foundry (n) [φάουν-ντρι] μεταλλοχοΐα, χώνευση, χύτευση.
fountain (n) [φάουν-τιν] βρύση.
fountain pen (n) [φάουν-τιν πεν] στυλογράφος, στυλό.
four (num) [φόο(ρ)] τέσσερα.
fourth (adj) [φόοθ] τέταρτος.
fowl (n) [φάουλ] πτηνό, κότα.
fraction (n) [φράκσσον] τεμαχισμός, κλάση, κλάσμα.
fracture (n) [φράκτσσα(ρ)] θλάση [ιατρ], θραύση, κάταγμα, σπάσιμο.
fragile (adj) [φράντζζαϊλ] εύθραυστος, ευπρόσβλητος.

fragment (n) [φράγκμεν-τ] θραύσμα, κέρμα, κλάσμα.
fragrance (n) [φρέιγκρενς] άρωμα, ευωδιά, μυρωδιά.
fragrant (adj) [φρέιγκρααν-τ] ευωδιαστός, μυροβόλος.
frail (adj) [φρέιλ] εύθραυστος.
frame (n) [φρέιμ] σκελετός, περβάζι, κορνίζα (v) κατασκευάζω, πλαισιώνω.
franc (n) [φρανκ] φράγκο [οικ].
frank (adj) [φρανκ] ειλικρινής.
frankincense (n) [φράνκινσένς] λιβάνι, μοσκολίβανο.
frankly (adv) [φράνκλι] ειλικρινά.
fraternal (adj) [φρατέρναλ] αδελφικός.
fraud (n) [φρόο-ντ] δόλος.
fraudulence (n) [φρόο-ντιουλενς] δολιότητα, δόλος.
fray (v) [φρέι] φαγώνομαι.
fray out (v) [φρέι άουτ] τρίβω.
frayed (adj) [φρέι-ντ] ξεφτισμένος.
freak (n) [φρίικ] έκτρωμα.
freakish (adj) [φρίικισς] ιδιότροπος, εκκεντρικός.
freckle (n) [φρεκλ] πανάδα.
free (adv) [φρίι] χάρισμα, δωρεάν, τζάμπα (v) απαλλάσω, λυτρώνω (adj) ανεξάρτητος.
freedom (n) [φρίι-ντομ] ελευθερία, άνεση, ανεξαρτησία.
freely (adv) [φρίιλι] ελεύθερα.
freeze (n) [φρίιζ] ψύξη, κατάψυξη, πάγωμα, καθήλωση (v) καταψύχω, παγώνω, ψύχω.
freezer (n) [φρίιζερ] κατάψυξη.
freezing (adj) [φρίιζινγκ] ψυκτικός, παγερός, πάγωμα.
freight (n) [φρέιτ] φορτίο, ναύλος (v) φορτώνω, ναυλώνω.
frenzied (adj) [φρένζι-ντ] αλλόφρωνας, έξαλλος, μανιακός.
frenzy (n) [φρένζι] παραφροσύνη.
frequency (n) [φρίικουενσι] συχνότητα [φυσ], πυκνότητα.
frequent (adj) [φριικουέν-τ] συχνός, διαδεδομένος (v) [φριικουέν-τ] συχνάζω.
frequented (adj) [φριικουέν-τιντ] πολυσύχναστος, περαστικός.
frequently (adv) [φρίικουεντλι] συχνά, τακτικά.
fresco (n) [φρέσκοου] φρέσκο.
fresh (adj) [φρεσς] φρέσκος.
freshen (v) [φρέσσεν] δροσίζω.
freshly (adv) [φρέσσλι] πρόσφατα.
fret (v) [φρετ] χαλώ, φθείρω, ερεθίζω (n) μαίανδρος.
fretful (adj) [φρέτφουλ] δυσαρεστημένος, γκρινιάρης.
friction (n) [φρίκσσον] εντριβή.
fried (adj) [φράι-ντ] τηγανητός.
friend (n) [φρεν-ντ] φίλη.
frieze (n) [φρίιζ] διάζωμα.
frigate (n) [φρίγκιτ] φρεγάτα.

fright (n) [φράιτ] δέος, τρόμος.
frill (n) [φριλ] φραμπαλάς.
frills (n) [φριλζ] μπιχλιμπίδια.
fringe (adj) [φριν-ντζζ] περιθωριακός (n) φράντζα.
frivolous (adj) [φρίβολας] ανόητος, επιπόλαιος, κούφιος.
frizz (n) [φριζ] κατσάρωμα, μπουκλίτσα (v) κατσαρώνω.
frizzle up (v) [φριζλ απ] τσιτσιρίζω, ξεροτηγανίζω.
frock (n) [φροκ] φόρεμα, ράσο.
frog (n) [φρογκ] βάτραχος.
from (pr) [φρομ] εκ, από.
front (adj) [φραν-τ] μπροστινός, μέτωπο (v) αντικρίζω.
frontal (adj) [φρόν-ταλ] μετωπικός, εμπρόσθιος, της πρόσοψης.
frontier (adj) [φρόν-τίερ] παραμεθόριος (n) όριο, σύνορο.
frost (n) [φροστ] πάχνη, πάγος, παγετός, παγωνιά (v) παγώνω.
frostbite (n) [φρόστ-μπαϊτ] κρυοπάγημα.
froth (n) [φροθ] αφρός, ρηχότητα, καϊμάκι (v) αφροκοπώ.
frown (v) [φράουν] κατσουφιάζω.
frugal (adj) [φρούγκαλ] οικονομικός, λιτοδίαιτος, λιτός.
fruit (n) [φρουτ] καρπός, οπωρικό, φρούτο (v) καρπίζω.
frustrate (v) [φραστρέιτ] ανατρέπεω, διαψεύδω, ματαιώνω.
fry (v) [φράι] τηγανίζω.
fuchsia (n) [φιούσσια] φούξια.
fuck (v) [φακ] γαμώ.
fuel (n) [φιούελ] καύσιμα, προσάναμμα, τροφή [μεταφ].
fuel oil (n) [φιούελ όιλ] μαζούτ.
fugitive (n) [φιούντζζιτιβ] φυγάς, πρόσφυγας, πλάνης.
fulcrum (n) [φούλκραμ] υπομόχλιο, υποστήριγμα.
fulfil (v) [φουλφίλ] εκπληρώ.
fulgurating (adj) [φάλγκιουρέιτινγκ] αστραφτερός, σουβλερός.
full (adj) [φουλ] πλήρης, γεμάτος (v) σουρώνω, πτυχώνω.
full stop (n) [φουλ στοπ] τελεία.
full up (adv) [φουλ απ] κομπλέ, τίγκα (adj) κορεσμένος.
fullness (n) [φούλνες] αφθονία.
fully (adv) [φούλι] εντελώς, πληρέστατα, τελείως.
fulsome (adj) [φούλσαμ] κακόγουστος, αηδής, σιχαμερός.
fumble (v) [φαμ-μπλ] ψηλαφίζω.
fume (v) [φιούμ] καπνίζω.
fun (n) [φαν] διασκέδαση, κέφι.
function (n) [φάνκσσον] λειτουργία, σκοπός (v) εργάζομαι.
functions (n) [φάνκσσονζ] καθήκοντα.
fund (n) [φαν-ντ] πηγή.
fundamental (adj) [φαν-ταμέν-ταλ] ουσιαστικός.
funds (n) [φαν-ντζ] κεφάλαια.

funeral (n) [φιούνεραλ] κηδεία, (adj) νεκρώσιμος, νεκρικός.
fungus (n) [φάνγκας] μύκητας.
funicular (n) [φιουνίκιουλαρ] σχοινοκίνητος, σχοινικός.
funnel (n) [φάνελ] φουγάρο.
funny (adj) [φάνι] διασκεδαστικός.
fur (n) [φερ] τρίχα, γούνα.
furbish (v) [φέρ-μπισς] ξεσκουριάζω, γυαλίζω, καθαρίζω.
furious (adj) [φιούριας] θυμωμένος.
furnace (n) [φέρνις] φούρνος.
furnish (v) [φέρνισς] προμηθεύω.
furniture-shop (n) [φέρνιτσερσσοπ] επιπλοπωλείο.
furrier (n) [φέριερ] γουναράς.
furrow (n) [φάροου] αυλάκι, χαντάκι (v) αυλακώνω, οργώνω.
further (adv) [φέρδερ] μακρύτερο (adj) περαιτέρω, επιπλέον (v) υποστηρίζω, προβάλλω, προχωρώ (adv) μακρύτερα.
further education (n) [φέρδερ εντζζιουκέισσον] επιμόρφωση.
furthermore (adv) [φέρδερμόο] επιπλέον, εξάλλου, ύστερα.
furtive (adj) [φέρτιβ] κρυφός.
fury (n) [φιούρι] οργή, λύσσα.
fuse (n) [φιούζ] ασφάλεια (v) κολλώ.
fuss (n) [φας] ταραχή, φασαρία (v) ανησυχώ, ενοχλώ.
fussy (adj) [φάσι] ψείρας.
futile (adj) [φιούταϊλ] ασήμαντος.
future (adj) [φιούτσσερ] μέλλων, μεταθανάτιος (n) μέλλον.
future (tense) (n) [φιούτσερ τενς] μέλλοντας [γραμμ].
fuzz (n) [φαζ] χνούδι, κατσαρά.
fuzzy (adj) [φάζι] χνουδωτός.

G, g (n) [τζίι] το έβδομο γράμμα του αγγλικού αλφαβήτου.
gab (n) [γκα-μπ] πολυλογία.
gabble (v) [γκα-μπλ] φλυαρώ (n) φλυαρία.
gable (n) [γκέι-μπλ] αέτωμα.
gad (v) [γκα-ντ] περιπλανώμαι, τριγυρίζω (n) περιπλάνηση.
gadfly (n) [γκά-ντφλαϊ] αλογόμυγα, οίστρος.
gag (v) [γκαγκ] φιμώνω [μεταφ] (n) φίμωτρο.
gaiety (n) [γκέιιτι] διάχυση, ευθυμία, κέφι.
gain (n) [γκέιν] κέρδος, αύξηση, προσθήκη, βελτίωση, απολαβή, διάφορο, ωφέλημα, καζάντι (v) επιτυγχάνω, αποκτώ, απολαμβάνω κερδίζω.
gainful (adj) [γκέινφουλ] σύμφορος, ωφέλιμος, επικερδής
gait (n) [γκέιτ] βηματισμός.
gall (n) [γκοολ] χολή [ζώου], πικρία (v) πικάρω.
gallant (adj) [γκάλαν-τ] γενναίος, θαρραλέος, ευγενής, ιπποτικός (n) μνηστήρας, εραστής.
gallery (n) [γκάλερι] μακρύς στενός διάδρομος, αίθουσα τέχνης, στοά [ορυχείου], θεωρείο, γαλαρία, γκαλερί.
galley (n) [γκάλι] κάτεργο.
gallon (n) [γκάλον] γαλόνι.
gallop (n) [γκάλοπ] καλπασμός.
gallows (n) [γκάλοουζ] κρεμάλα.
galvanize (v) [γκάλβαναϊζ] γαλβανίζω, επιμεταλλώνω.
gamble (v) [γκαμ-μπλ] ποντάρω, διακυβεύω, χαρτοπαίζω.
gambler (n) [γκάμ-μπλερ] παίκτης, τζογαδόρος.
gambling (adj) [γκάμ-μπλινγκ] χαρτοπαιχτικός (n) χαρτοπαιξία, τζόγος, παίξιμο [παιχνίδι].
gambol (v) [γκάμ-μπολ] σκιρτώ, χοροπηδώ (n) σκίρτημα.
game (n) [γκέιμ] παιδιά, διασκέδαση, αγώνας [αθλητ], άθλημα, θήραμα, κυνήγι.
gaming (adj) [γκέιμινγκ] χαρτοπαιχτικός (n) παίξιμο [παιχνίδι].
gang (n) [γκανγκ] όμιλος, παρέα, μπάντα [συμμορία], ομάδα, συμμορία, φατρία, συνεργείο (v) περπατώ, πηγαίνω.
gangling (adj) [γκάνγκλινγκ] ψηλόλιγνος.
gangplank (n) [γκάνγκπλανκ] μαδέρι, σανιδόσκαλα.
gangster (n) [γκάνγκστερ] συμμορίτης, κακοποιός, γκάγκστερ.
gap (n) [γκαπ] άνοιγμα, ρήγμα,

οπή, διάμεσο, κενό, χάσμα.
gape (v) [γκέιπ] ανοίγω το στόμα, χασμουριέμαι, χαζεύω.
garage (n) [γκαράαζζ] σταθμός [αυτοκινήτου], γκαράζ.
garbage (n) [γκάα-μπιντζζ] αποορρίμματα, ακαθαρσίες.
garble (v) [γκάα-μπλ] διαστρεβλώνω, παραμορφώνω, διαψεύδω, αδικώ, παραποιώ.
garden (n) [γκάα-ντεν] κήπος.
gargle (n) [γκάαγκλ] γαργαρισμός, γαργάρα (v) γαργαρίζω.
garish (adj) [γκέαισς] χτυπητός.
garland (n) [γκάαλαν-ντ] στεφάνι, γιρλάντα.
garlic (n) [γκάαλικ] σκόρδο.
garment (n) [γκάαμεν-τ] περιβολή, ένδυμα, φόρεμα.
garnish (v) [γκάανισς] διακοσμώ, στολίζω, γαρνίρω.
garret (n) [γκάρετ] σοφίτα.
garrison (n) [γκάρισον] φρουρά.
garrulous (adj) [γκάριλας] πολυλογάς.
garter (n) [γκάατερ] περικνημίδα, καλτσοδέτα.
gas (n) [γκας] αέριο, υδρατμός, αεριόφως, γκάζι, αερολογία (v) θανατώνω ή δηλητηριάζω με αέριο, αερολογώ.
gasbag (n) [γκάσ-μπαγκ] ασκός αερίου, πολυλογάς, αερολόγος.
gash (n) [γκασς] τομή.
gasket (n) [γκάσκετ] φλάντζα.
gasp (v) [γκάασπ] λαχανιάζω, ξεφυσώ.
gate (n) [γκέιτ] καγκελόπορτα, φράκτης, υδροφράκτης, είσοδος, αυλόπορτα, θύρα, πόρτα.
gates (n) [γκέιτς] πρόθυρα.
gateway (n) [γκέιτουέι] είσοδος, εξώθυρα, πόρτα.
gather (v) [γκάδερ] συναθροίζω, συγκεντρώνω, μαζεύω.
gauge (n) [γκόοντζζ] μέτρο, βασική μονάδα μέτρησης (v) υπολογίζω, καταμετρώ, μετρώ.
gaunt (adj) [γκόον-τ] κάτισχνος, κοκκαλιάρης, απελπισμένος.
gauze (n) [γκόοζ] γάζα.
gawky (adj) [γκόοκι] αδέξιος.
gay (adj) [γκέι] εύθυμος, ζωηρός, ομοφυλόφιλος.
gaze (n) [γκέιζ] ματιά (v) κοιτάζω, ατενίζω.
gazette (n) [γκαζέτ] εφημερίδα.
gear (n) [γκίαρ] εργαλεία, σύνεργα, εξαρτήματα (v) συνδέω, προσαρμόζω, συμπλέκω, συμπλέκομαι, εφοδιάζω.
geisha (n) [γκέισσα] γκέισα.
geld (v) [γκελ-ντ] ευνουχίζω.
gem (n) [ντζζεμ] πέτρα, διαμάντι.
gene (n) [ντζζίιν] γονίδιο.
genealogy (n) [ντζζινιάλοντζζι] γενεαλογία.
general (adj) [ντζζένεραλ] γενι-

κός, συνήθης (n) στρατηγός, στρατιωτικός διοικητής, γενική.

generality (n) [ντζζενεράλιτι] γενικότητα, πλειονότητα, αοριστία, γενική δήλωση.

generation (n) [ντζζενερέισσον] γέννηση, δημιουργία, ράτσα.

generosity (n) [ντζζενερόσιτι] γεναιοψυχία, μεγαλοψυχία, απλοχεριά, γενναιοδωρία.

generous (adj) [ντζζένερας] μεγάθυμος, μεγαλόψυχος, φιλότιμος, υψηλόφρονας, γενναιόδωρος, γενναίος, γενναιόψυχος.

Genesis (n) [Τζένεσις] γένεση.

genial (adj) [ντζζίνιαλ] πρόσχαρος, προσηνής, εγκάρδιος, καλοσυνάτος, μαλακός.

genius (n) [ντζζίνιας] ιδιοφυΐα, μεγαλοφυΐα, ταλέντο, φυσική κλίση, δαιμόνιο, πνεύμα.

genocide (n) [ντζζένοσάι-ντ] γενοκτονία.

gentility (n) [ντζζεν-τίλιτι] αριστοκρατικότητα, αρχοντιά.

gentle (adj) [ντζζεν-τλ] ευγενικός, καλόκαρδος, απαλός, μαλακός, μειλίχιος, πράος.

gentleman (n) [ντζζέν-τλμάν] κύριος, άνδρας καλής ανατροφής, ιππότης λεβέντης.

gentleness (n) [ντζζέν-τλνες] καλωσύνη, ανεκτικότητα, απαλότητα, πραότητα, γλυκύτητα.

gentry (n) [ντζζέν-τρι] μικρή αριστοκρατία, καλή κοινωνία, αρχοντολόι.

genuine (adj) [ντζζένιουιν] πραγματικός, αυθεντικός, αληθινός, βέρος, γνήσιος.

geography (n) [ντζζιόγκραφι] γεωγραφία.

geology (n) [ντζζιόλοντζζι] γεωλογία.

geometry (n) [ντζζιόμετρι] γεωμετρία.

geranium (n) [ντζζεράνιαμ] γεράνι, πελαργόνιο.

geriatrics (n) [ντζζεριάτρικς] γηριατρική, γεροντολογία.

germ (adj) [ντζζερμ] μικροβιολογικός (n) μικρόβιο.

gerund (n) [ντζζέραν-ντ] γερούνδιο.

gest (n) [ντζζεστ] ανδραγάθημα.

gesture (n) [ντζζέστσσερ] σχήμα, χειρονομία (v) χειρονομώ.

get (v) [γκετ] λαμβάνω, επιτυγχάνω, κερδίζω, κολλώ [αρρώστεια], παίρνω, πετυχαίνω, προμηθεύομαι, καθίσταμαι.

get in (v) [γκετ ιν] μπαίνω.

get into (v) [γκετ ίν-του] φορώ.

get lost (v) [γκετ λοστ] χάνομαι.

get married (v) [γκετ μάρίι-ντ] παντρεύομαι, στεφανώνομαι.

get on (v) [γκετ ον] διεισδύω, οδεύω [προς], προάγω, προβαίνω, προελαύνω, προχωρώ.

get out of (v) [γκετ άουτ οβ] ξε-

κόβω, βγάζω [εξαλείφω].
get rid of (v) [γκετ ρι-ντ οβ] ξεμπερδεύω, εξαποστέλλω, ξεβγάζω [προπέμπω], ξεφορτώνομαι.
get tanned (v) [γκετ ταν-ντ] μαυρίζω [από ήλιο].
get tired (v) [γκετ τάια-ντ] αποσταίνω, κουράζομαι.
get up (v) [γκετ απ] ορθώνομαι, σηκώνομαι, [αφυπνίζω].
ghastly (adj) [γκάαστλι] τρομακτικός, τρομερός, απαίσιος.
ghost (n) [γκόουστ] πνεύμα.
giant (n) [ντζζάιαν-τ] κολοσσός, γίγας (adj) γιγαντιαίος.
gibbet (n) [ντζζί-μπιτ] αγχόνη.
gibe (n) [ντζζάι-μπ] περιγέλασμα.
giddiness (n) [γκί-ντινες] ζαλάδα, ίλιγγος.
giddy (adj) [γκί-ντι] άμυαλος.
gift (n) [γκιφτ] δωρεά, χάρισμα.
gifted (adj) [γκίφτι-ντ] ιδιοφυής, μεγαλοφυής.
gigantic (adj) [ντζζαϊγκάν-τικ] γιγάντιος, τεράστιος.
giggle (n) [γκίγκλ] χάχας.
gigolo (n) [ντζζίγκολοου] καβαλιέρος επι πληρωμή, ζιγκολό.
gild (v) [γκιλ-ντ] επιχρυσώνω.
gills (n) [γκιλς] σπάραχνα.
gilt (adj) [γκιλτ] επίχρυσος.
gipsy (n) [ντζζίπσι] γύφτος.
girdle (n) [γκέρ-ντλ] ζώνη.
girl (n) [γκερλ] κοπέλα, κόρη.
gist (n) [γκιστ] κύρια σημεία.
give (v) [γκιβ] δωρίζω, μεταβιβάζω, αναθέτω, κατανέμω, δίδω, δίνω, προσπορίζω.
give birth to (v) [γκιβ μπερθ του] τεκνοποιώ, γεννώ.
give in (v) [γκιβ ιν] υποχωρώ.
give out (v) [γκιβ άουτ] διαχέω.
give up (v) [γκιβ απ] ξεκόβω.
give way (v) [γκιβ ουέι] ενδίδω, υποχωρώ, γονατίζω [μεταφ].
gladden (v) [γκλά-ντεν] χαροποιώ, ευχαριστώ.
glade (n) [γκλέι-ντ] ξέφωτο.
glance (n) [γκλάανς] εποστρακισμός, ματιά, κοίταγμα, βλέμμα.
glare (n) [γκλέαρ] αντηλιά (v) λαμποκοπώ, ακτινοβολώ.
glass (adj) [γκλάας] γυάλινος (n) ποτήρι, κούπα, γυαλί.
glasses (n) [γκλάασιζ] γυαλιά.
glasshouse (n) [γκλάασχάους] θερμοκήπιο, σέρα.
glaucoma (n) [γκλοουκόουμα] γλαύκωμα.
glaze (n) [γκλέιζ] λούστρο, γυαλάδα (v) βάζω τζάμια.
gleam (n) [γκλίιμ] αντιφεγγιά, ακτίνα (v) ακτινοβολώ, λάμπω.
glib (adj) [γκλι-μπ] εύστροφος.
glide (v) [γκλάι-ντ] γλιστρώ.
glimmer (n) [γκλίμερ] αμυδρό φως (v) θαμποφέγγω.
glinding (n) [γκλί-ντινγκ] κατολίσθηση.

glint (n) [γκλιν-τ] ακτίνα (v) λάμπω.
glissade (n) [γκλισάα-ντ] ολίσθηση, γλίστρημα.
glitter (v) [γκλίτερ] σπιθοβολώ, αστράφτω (n) λαμποκόπημα.
gloat (over) (v) [γκλόουτ όουβερ] επιχαίρω, θριαμβολογώ.
globe (n) [γκλόου-μπ] υδρόγειος.
gloom (n) [γκλουμ] ακεφιά, κατήφεια, σκότος, νέφος.
glorify (v) [γκλόριφάι] λατρεύω, τιμώ, δοξάζω.
glorious (adj) [γκλόριας] λαμπρός, υπέροχος, ένδοξος.
glory (n) [γκλόρι] πομπή, δόξα.
gloss (n) [γκλος] γυαλάδα, (v) λουστράρω.
glove (n) [γκλαβ] γάντι.
glow (n) [γκλόου] αντιφεγγιά, φέγγος (v) πυρακτώνω.
glow-worm (n) [γκλόου-ουέρμ] κωλοφωτιά, πυγολαμπίδα.
glower (v) [γκλόουερ] αγριοκοιτάζω.
glue (n) [γκλου] κόλλα (v) κολλώ.
glum (adj) [γκλαμ] σκυθρωπός.
glut (n) [γκλατ] κορεσμός.
gluttony (n) [γκλάτονι] αδηφαγία, λαιμαργία, πολυφαγία.
glycerine (n) [γκλίσεριιν] γλυκερίνη.
gnash (v) [νασς] τρίζω [δόντια].
gnat (n) [νατ] κουνούπι.
gnaw (v) [νόο] κατατρώγω.
gnome (n) [νόουμ] καλλικάντζαρος, τελώνιο, γνωμικό.
go (v) [γκόου] μεταβαίνω.
go about (v) [γκόου α-μπάουτ] περιέργομαι, κυκλοφορώ.
go across (v) [γκόου ακρός] περπατώ, διαβαίνω, διασχίζω.
go after (v) [γκόου άφτερ] παρακολουθώ.
go against (v) [γκόου αγκέινστ] αντιστρατεύομαι, αντιβαίνω.
go ahead (v) [γκόου αχέ-ντ] προπορεύομαι.
go at (v) [γκόου ατ] επιτίθεμαι.
go down (v) [γκόου ντάουν] κατέρχομαι, φτηναίνω, συμβαίνω.
go forward (v) [γκόου φόοουαντ] προχωρώ.
go off (v) [γκόου οφ] εκπυρσοκροτώ, ξεκόβω [σταματώ].
go out (v) [γκόου άουτ] βγες.
go over (v) [γκόου όουβερ] προσχωρώ, μεταπηδώ.
go through (v) [γκόου θρου] περονιάζω, δεινοπαθώ, διανύω.
goad (v) [γκόου-ντ] κεντώ, προτρέπω (n) βουκέντρα.
goal (n) [γκόουλ] στόχος, επιδίωξη, σκοπός, τέρμα [αθλητ].
goalkeeper (n) [γκόουλκίιπερ] τερματοφύλακας.
goat (n) [γκόουτ] τράγος.
gob (n) [γκο-μπ] στόμα.

gobbet (n) [γκό-μπιτ] μπουκιά.
gobble (v) [γκο-μπλ] καταβροχθίζω, χάφτω (n) λαρυγγισμός.
goblet (n) [γκό-μπλετ] κούπα.
goblin (n) [γκό-μπλιν] ξωτικό.
God (n) [Γκο-ντ] Θεός.
god-forsaken (adj) [γκο-ντφορσέικεν] παντέρημος.
godchild (n) [γκο-νττσάιλ-ντ] βαπτιστικός, βαφτιστήρι.
goddaughter (n) [γκο-ντ-ντόοτερ] αναδεξιμιά.
goddess (n) [γκό-ντες] θεά.
goggle (v) [γκογκλ] γουρλώνω.
going (n) [γκόουινγκ] μετάβαση, πηγαιμός, αναχώρηση.
gold (adj) [γκόολ-ντ] χρυσός, μαλαματένιος (n) χρυσός.
gold digger (n) [γκόουλντ-ντίγκερ] χρυσοθήρας.
gold-plated (adj) [γκόουλντπλέιτιντ] επίχρυσος.
goldminer (n) [γκόουλ-ντμάινερ] χρυσωρύχος.
golf (n) [γκολφ] γκολφ.
gonorrhea (n) [γκονορίια] βλεννόρροια, γονόρροια.
good (adj) [γκου-ντ] κατάλληλος, χρήσιμος, υγιεινός, ευχάριστος, αγαθός, ωραίος (n) καλό.
good turn (n) [γκου-ντ τερν] εκδούλευση, χατίρι.
good-for-nothing (adj) [γκουντ-φοο-νάθινγκ] ανεπρόκοπος (n) χαραμοφάης.
goodness (n) [γκού-ντνες] καλοσύνη, χρηστότητα, αρετή.
goodwill (n) [γκού-ντουίλ] ευμένεια, εύνοια, προθυμία.
goose (n) [γκους] χήνα [ζωολ].
gore (v) [γκοο(ρ)] ξεκοιλιάζω.
gorge (n) [γκόοντζζ] χαράδρα.
gorilla (n) [γκορίλα] γορίλας.
gospel (n) [γκόσπελ] ευαγγέλιο.
gossamer (adj) [γκόσαμερ] αραχνοΰφαντος.
gossip (n) [γκόσιπ] σπερμολογία, κουτσομπολιό (v) φλυαρώ.
Gothic (adj) [Γκόθικ] γοτθικός.
gourd (n) [γκόο-ντ] κολοκύθα.
gourmand (n) [γκόομον] καλοφαγάς, λαίμαργος.
gourmet (n) [γκοόμεϊ] γαστρονόμος, καλοφαγάς.
gout (n) [γκάουτ] ουρική αρθρίτιδα [ιατρ].
govern (v) [γκάβαν] άρχω, ελέγχω, διέπω, συγκρατώ.
governess (n) [γκάβανες] παιδαγωγός, γκουβερνάντα.
government (n) [γκάβαμεν-τ] κυβέρνηση.
governor (n) [γκάβανορ] άρχοντας, κυβερνήτης, αφεντικό.
gown (n) [γκάουν] φόρεμα, ρόμπα (v) ντύνω.
gownsman (n) [γκάουνζμαν] τακτικός καθηγητής.
grab (n) [γκρα-μπ] αρπαγή (v) αρπάζω, τσακώνω, γραπώνω.

grace (n) [γκρέις] χάρη, ομορφιά, φιλοφροσύνη (v) κοσμώ.
graceful (adj) [γκρέισφουλ] ευχαρίς, χαριτωμένος, λυγερός.
grade (v) [γκρέι-ντ] διαβαθμίζω, ταξινομώ (n) σκαλί, τάξη.
gradual (adj) [γκράντζζουαλ] προοδευτικός, σταδιακός.
graduate (adj) [γκράντζζουετ] απόφοιτος, πτυχιούχος (v) [γκράντζζουέιτ] βαθμολογώ.
graduation (n) [γκραντζζουέισσον] αποφοίτηση, διαβάθμιση.
graft (v) [γκρααφτ] ενοφθαλμίζω, κεντρώνω (n) δωροδοκία.
grain (n) [γκρέιν] κόκκος, δημητριακά, σίτος.
gramme (n) [γκραμ] γραμμάριο.
granary (n) [γκράναρι] σιταποθήκη, σιτοβολώνας.
grand (adj) [γκραν-ντ] ονειρώδης.
grandchild (n) [γκράν-ντтσσαϊλ-ντ] εγγόνι.
grandeur (n) [γκράν-ντιαρ] μεγαλείο.
grandfather (n) [γκράν-ντφάαδερ] παππούς.
grandiloquent (adj) [γκράν-ντιλάκουεν-τ] μεγαλόστομος.
grandiose (adj) [γκράν-ντιόουζ] μεγαλοπρεπής, επιβλητικός.
grandmother (n) [γκράν-ντμάδερ] γιαγιά.
granite (n) [γκρανιτ] γρανίτης.
granny (n) [γκράνι] κυρούλα.
grant (v) [γκρααν-τ] δίνω, χορηγώ (n) χορήγημα.
granular (adj) [γκράνιουλα(ρ)] κοκκώδης, κοκκωτός.
grape (n) [γκρέιπ] σταφύλι.
grapefruit (n) [γκρέιπφρουουτ] γκρέιπ φρούτ, αγριόφραπα.
graphic (n) [γκράφικ] γραφίστας.
grapple (n) [γκραπλ] αγκίστρωση.
grasp (v) [γκράασπ] πιάνω, αρπάζω (n) λαβή, πιάσιμο.
grass (adj) [γκράας] χορταρένιος (n) χλόη, γρασίδι.
grasshopper (n) [γκράασχόπερ] ακρίδα.
grate (v) [γκρέιτ] ξύνω, τρίβω.
grateful (adj) [γκρέιτφούλ] ευγνώμονας.
gratification (n) [γκρατιφικέισσον] ικανοποίηση, αμοιβή.
gratify (v) [γκράτιφάι] ευαρεστώ.
grating (adj) [γκρέιτινγκ] ενοχλητικός, κακόηχος (n) δικτυωτό, τρίψιμο.
gratis (adv) [γκράτις] δωρεάν.
gratuitous (adj) [γκρατιούιτας] δωρεάν, χαριστικός, μάταιος.
gratuity (n) [γκράτιουιτι] φιλοδώρημα.
grave (adj) [γκρέιβ] κρίσιμος,

σοβαρός, (n) λάκκος, τάφος, τύμβος.
gravedigger (n) [γκρέιβ-ντίγκερ] νεκροθάφτης.
gravely (adv) [γκρέιβλι] σοβαρά.
gravitation (n) [γκραβιτέισσον] βαρύτητα, παγκόσμια έλξη.
gravity (n) [γκράβιτι] κρισιμότητα, σημασία, σοβαρότητα.
gravy (n) [γκρέιβι] σάλτσα.
gray (n) [γκρέι] γκρι [ΗΠΑ].
graze (v) [γκρέιζ] ξεγδέρνω, βόσκω (n) εκδορά, αμυχή.
grease (n) [γκρίις] λίγδα, ξύγκι, γράσο (v) γρασάρω, λιπαίνω.
greasy (adj) [γκρίισι] λιπώδης.
great (adv) [γκρέιτ] πολύ (adj) σπουδαίος, άριστος, μέγας.
great-grandmother (n) [γκρέιτγκράν-ντμάδα(ρ)] προγιαγιά.
greatcoat (n) [γκρέιτκόουτ] χλαίνη, μανδύας [στρατ].
greater (adj) [γκρέιτα(ρ)] μεγαλύτερος (adv) πιο.
greatly prized (adj) [γκρέιτλι πράιζντ] περιζήτητος.
greatness (n) [γκρέιτνες] μεγαλείο, μέγεθος.
Greece (n) [Γκρίις] Ελλάδα.
greed (adj) [γκρίι-ντ] άπληστος (n) πλεονεξία, απληστία.
green (adj) [γκρίιν] άγουρος, αμάθητος, πρωτόπειρος, χλωρός (n) λαχανικό, πράσινο.
greenfly (n) [γκρίινφλάι] μελίγκρα.
greengrocer (n) [γκρίινγκρόουσα(ρ)] οπωροπώλης, μανάβης.
greenness (n) [γκρίιννες] χλόη.
greens (n) [γκρίινζ] χορταρικά.
greet (v) [γκρίιτ] δέχομαι [δεξιούμαι], υποδέχομαι, χαιρετίζω.
greeting (adj) [γκρίιτινγκ] χαιρετιστήριος (n) ασπασμός, χαιρέτισμα, χαιρετισμός.
gregarious (adj) [γκριγκέριας] αγελαίος, κοπαδιαστός.
grenade (n) [γκρένεϊ-ντ] βόμβα.
grey (adj) [γκρέι] σταχτύς, φαιός (n) γκρι.
grid (n) [γκρι-ντ] πλέγμα.
grief (n) [γκρίιφ] θλίψη [μεταφ], λύπη, οδύνη, πίκρα.
grievance (n) [γκρίιβανς] παράπονο.
grieve (v) [γκρίιβ] θλίβω, πικραίνω, χολοσκάζω.
grievous (adj) [γκρίιβας] οδυνηρός, λυπηρός, θλιβερός.
grill (n) [γκριλ] φαγητό της σχάρας (v) ψήνω στη σκάρα.
grille (n) [γκρίιλ] γρίλια.
grim (adj) [γκριμ] αγριωπός.
grimace (n) [γκρίμας] γκριμάτσα, μορφασμός (v) μορφάζω.
grime (v) [γκράιμ] λερώνω.
grimy (adj) [γκράιμι] ρυπαρός.
grin (n) [γκριν] γκριμάτσα.
grind (n) [γκράιν-ντ] σπασίλας

(v) αλέθω, φθείρω, λειαίνω, κοπανίζω, τραγανίζω, τροχίζω (n) τριγμός, άλεσμα, λείανση.
grindstone (n) [γκράιν-ντστόουν] τροχός, ακόνι.
grip (n) [γκριπ] σφίξιμο, λαβή, χειρολαβή (v) κατακτώ, αδράχνω, μαγγώνω.
gripe (v) [γκράιπ] κλαίγομαι.
grist (n) [γκριστ] άλεσμα.
grit (n) [γκριτ] αμμοχάλικο, χόνδρος (v) τρίζω [δόντια].
grits (n) [γκριτς] μπλιγούρι.
groan (n) [γκρόουν] στεναγμός, βογκητό (v) μουγκρίζω.
groats (n) [γκρόουτς] αποφλοιωμένα δημητριακά, μπλιγούρι.
grocer (n) [γκρόουσα(ρ)] μπακάλης, παντοπώλης.
grocery (n) [γκρόουσερι] μπακάλικο, παντοπωλείο.
groggy (adj) [γκρόγκι] ασταθής, εξασθενημένος, ετοιμόρροπος.
groin (n) [γκρόιν] αχαμνά.
groom (n) [γκρούουμ] ιπποκόμος, νεόνυμφος, γαμπρός.
groomsman (n) [γκρούουμζμαν] παράνυμφος.
grope (v) [γκρόουπ] ψηλαφίζω.
gross (adj) [γκροους] σωματώδης, παχύς, αγενής, μεικτός (n) σύνολο, όγκος, γρόσσα.
grotesque (adj) [γκροουτέσκ] αφύσικος, τερατώδης.
ground (n) [γκράουν-ντ] βάθος, έδαφος, πάτωμα, γη, χώμα (adj) τριμμένος (v) θεμελιώνω.
ground floor (n) [γκράουν-ντ φλόο(ρ)] ισόγειο.
grounded (adj) [γκράουν-ντιντ] προσπραγμένος, καθισμένος.
grounding (n) [γκράουν-ντινγκ] στήριξη, κατάρτιση, γείωση.
grounds (n) [γκράουν-ντζ] αιτιολογικό, σκεπτικό.
group (n) [γκρουπ] συγκρότημα, ομάδα, όμιλος, γκρουπ.
grove (n) [γκρόουβ] αλσύλλιο.
grovel (v) [γκροβλ] σέρνομαι.
grow (v) [γκρόου] μεγαλώνω, αυξάνω, ψηλώνω, ριζώνω.
grow quiet (v) [γκρόου κουάιετ] πουχάζω, κοπάζω.
grow too much (v) [γκρόου τούου ματσ] παραγίνομαι.
grower (n) [γκρόουερ] καλλιεργητής, παραγωγός.
growl (n) [γκράουλ] ψίθυρος.
growth (n) [γκρόουθ] ανάπτυξη, επέκταση, εξέλιξη.
grub (n) [γκρα-μπ] μαμούνι.
grubber (n) [γκρά-μπερ] σκαφτιάς, εκριζωτής, ερευνητής.
grudge (v) [γκραντζζ] φθονώ.
gruesome (adj) [γκρούουσαμ] φρικιαστικός, απαίσιος.
gruff (adj) [γκραφ] τραχύς.
grumble (n) [γκραμ-μπλ] μουρμούρα, γκρίνια (v) γογγύζω.
grumpy (adj) [γκράμ-πι] σκυ-

θρωπός, κατσούφης.
grunt (v) [γκραν-τ] γρυλίζω.
guarantee (n) [γκαραν-τίι] ενέχυρο, ασφάλεια (v) εγγυούμαι.
guard (n) [γκάα-ντ] προστασία, άμυνα, φρουρά (v) φυλάσσω.
guard-room (n) [γκάα-ντ-ρουμ] πειθαρχείο.
guarded (adj) [γκάα-ντι-ντ] εφεκτικός, επιφυλακτικός.
guardian (n) [γκάα-ντιαν] κηδεμόνας, (v) επιτροπεύω.
guardroom (n) [γκάα-ντρουουμ] φυλάκιο, πειθαρχείο.
gudgeon (n) [γκά-ντντζζαν] γωβιός, κοκκοβιός.
guerrilla (n) [γκερίλα] ανταρτοπόλεμος, άτακτος πολεμιστής.
guess (n) [γκες] εικασία, μάντευμα (v) εικάζω, μαντεύω.
guest (n) [γκεστ] φιλοξενούμενος, ξένος, μουσαφίρης.
guffaw (n) [γκάφαου] θορυβώδες γέλιο, (v) καγχάζω.
guidance (n) [γκάι-ντανς] καθοδήγηση, προσανατολισμός.
guide (v) [γκάι-ντ] ξεναγώ, κατευθύνω, άγω (n) οδηγός, σύμβουλος, παράδειγμα.
guild (n) [γκίλ-ντ] σωματείο.
guile (n) [γκάιλ] πανουργία.
guillotine (n) [γκίλοτίιν] λαιμητόμος, καρμανιόλα, γκιλοτίνα.
guilt (n) [γκίλτ] ενοχή, κρίμα.
guilty (adj) [γκίλτι] ένοχος.
guinea pig (n) [γκίνι πιγκ] πειραματόζωο.
guitar (n) [γκιτάα(ρ)] κιθάρα.
gulf (n) [γκαλφ] κόλπος.
gullet (n) [γκάλετ] οισοφάγος.
gullibility (n) [γκαλι-μπίλιτι] ευπιστία, ευήθεια, αφέλεια.
gully (n) [γκάλι] ρεματιά.
gulp (n) [γκαλπ] ρούφηγμα.
gulp down (v) [γκαλπ ντάουν] καταπίνω, ρουφώ, χάβω.
gum (n) [γκαμ] κόλλα, γόμα.
gun (n) [γκαν] κανόνι.
gunboat (n) [γκαν-μπόουτ] κανονιοφόρος.
gunfire (n) [γκάν-φαϊα(ρ)] πυρ.
gunman (n) [γκάν-μαν] κακοποιός, κουμπούρας, πιστολάς.
gunnel (n) [γκάνελ] κουπαστή.
gunner (n) [γκάνερ] οπλίτης.
gunpowder (n) [γκάν-παουντερ] πυρίτιδα, μπαρούτι.
gunshop (n) [γκάν-σσοπ] οπλοπωλείο.
gunshot (n) [γκάν-σσοτ] κουμπουριά, πιστολιά, τουφεκιά.
gunsmith (n) [γκάν-σμιθ] οπλουργός, οπλοποιός.
gup (n) [γκαπ] κουτσομπολιό.
gurgle (v) [γκεργκλ] γαργαρίζω.
gush (v) [γκασς] ρέω, αναβλύζω, παφλάζω (n) εκροή, ανάβλυση, ορμητική ροή.
gusset (n) [γκάσιτ] τσόντα.
gust (n) [γκαστ] ριπή, σπιλιάδα.

guts (n) [γκατς] κότσια, έντερο.
gutsy (adj) [γκάτσι] ψυχωμένος.
gutter (n) [γκάτερ] λούκι, χαντάκι, οχετός, ρείθρο.
guttersnipe (n) [γκάτερσνάιπ] αλητόπαιδο, αλανιάρης.
guttural (adj) [γκάτεραλ] λαρυγγικός, λαρυγγώδης.
guzzle (v) [γκαζλ] καταβροχθίζω, τρώγω, περιδρομιάζω.
guzzler (n) [γκάζλερ] φαγάνα.
gymnastics (n) [ντζζιμνάστικς] γυμναστική, σωματική αγωγή.
gynecologist (n) [γκαϊνεκόλοντζζιστ] γυναικολόγος.
gypsy (adj) [ντζζίπσι] γύφτικος (n) αθίγγανος, ατσίγγανος.
gyration (n) [ντζζαϊρέισσον] περιστροφή, κυκλοφορία.
gyre (n) [ντζζάιρ] κυκλική κίνηση, περιστροφή, γύρος, έλικα.

H

H, h (n) [έιτς] το όγδοο γράμμα του αγγλικού αλφαβήτου.
H-bomb (n) [Έιτσς-Μπομ-μπ] υδρογονοβόμβα.
ha (ex) [χάα] έκπληξης κλπ.
haberdasher (n) [χά-μπα-ντάσ-σα(ρ)] έμπορος ψιλικών.
haberdashery (n) [χά-μπα-ντάσσερι] ψιλικατζίδικο.
habit (n) [χά-μπιτ] έξη, φυσική κατάσταση, μόδα, συνήθεια.
habitable (adj) [χά-μπιτα-μπλ] κατοικήσιμος, οικήσιμος.
habits (n) [χά-μπιτς] συνήθειες.
habitual (adj) [χα-μπίτσσουαλ] συνήθης, συνηθισμένος.
habituation (n) [χα-μπιτσσιου-έισσον] εξοικείωση, εθισμός.
habitué (n) [χα-μπίτσουέι] θαμώνας.
hackney carriage (n) [χάκνι κάριντζζ] άμαξα, μόνιππο.
hacksaw (n) [χάκσόο] μεταλλοπρίονο, σιδηροπρίονο, πριόνι.
haemorrhage (n) [χέμοριντζζ] αιμορραγία.
haemorrhoids (n) [χέμοροϊ-ντς] αιμορροΐδες, ζοχάδες.
haft (n) [χααφτ] λαβή, χερούλι.
hag (n) [χαγκ] γρηά στρίγγλα.
haggard (adj) [χάγκα-ντ] καταβεβλημένος, τσακισμένος.
haggle (v) [χαγκλ] διαπραγματεύομαι, παζαρεύω.
hail (n) [χέιλ] χαλάζι (v) χαιρετίζω, ζητωκραυγάζω.
hailstorm (n) [χέιλστοομ] χαλαζοθύελλα.
hair (n) [χέα(ρ)] κόμη, μαλλιά.
hair-raising (adj) [χέαρρέιζινγκ] ανατριχιαστικός.
hair-remover (n) [χέαρριμούβερ] αποτριχωτικό.
hair-splitting (n) [χέασπλίτινγκ] λεπτολογία.
hairdresser (n) [χέα-ντρέσα(ρ)] κομμωτής, κουρέας.
hairpin (n) [χέαπιν] φουρκέτα.
hairstylist (n) [χέαστάιλιστ] κομμωτής.
hairy (adj) [χέαρι] τριχωτός.
halcyon (n) [χάλσιαν] αλκυόνα, ψαροπούλι (adj) γαλήνιος.
half (adj) [χάαφ] μισός.
half-baked (adj) [χάαφ-μπέικ-τ] μισοψημένος, ατελής, ημιτελής.
half-brother (adj) [χάαφ-μπράδερ] ετεροθαλής.
halfwit (n) [χάαφουίτ] βλάκας.
halidom (n) [χάλι-ντομ] ιερός τόπος, παρεκκλήσιο.
hall (n) [χόολ] σάλα, διάδρομος, χολ, αίθουσα.
hallelujah (n) [χάλελούια] αλληλούια.
hallo (ex) [χαλόου] γειάσου!, ε!.

hallow (v) [χάλοου] καθαγιάζω.
hallucination (n) [χαλουσινέισσον] παραίσθηση, οπτασιασμός.
hallucinatory (adj) [χαλουσινέιτερι] ψευδαισθησιακός.
halo (n) [χέιλοου] φωτοστέφανος, ιερότητα, αγιότητα.
halt (n) [χόολτ] στάση, παύση (v) σταματώ, παύω, σταυθμεύω.
halter (n) [χόολτερ] καπίστρι.
halting (n) [χόολτινγκ] κατάπαυση, σταμάτημα.
halva (n) [χάλβα] χαλβάς.
halve (v) [χάαφ] χωρίζω.
ham (n) [χαμ] ζαμπόν.
hamlet (n) [χάμλετ] χωριουδάκι.
hammer (n) [χάμα(ρ)] σφύρα, κόκορας [όπλου], σφυρί, βαριά (v) σφυρηλατώ, κτυπώ βίαια.
hand (n) [χαν-ντ] χέρι, ανάμιξη, πάσα, μπάζα, δείχτης (v) εγχειρίζω, επιδίδω.
hand over (v) [χαν-ντ όουβα(ρ)] μεταβιβάζω, παραδίδω, δίδω.
hand-operated (adj) [χάν-ντοπερέιτι-ντ] χειροκίνητος.
handful (n) [χάν-ντφουλ] δράκα, φούχτα, χεριά, χούφτα.
handicap (n) [χάντικαπ]εμπόδιο, μειονέκτημα, αναπηρία.
handicraft (n) [χάν-ντικρααφτ] χειροτεχνία, βιοτεχνία.
handiwork (n) [χάν-ντιουερκ] χειροτεχνία, δημιούργημα.
handle (n) [χαν-ντλ] χερούλι, λαβή (v) ψηλαφώ, διευθύνω.
handling (n) [χάν-ντλινγκ] αντιμετώπιση, διαχείριση.
handrail (n) [χάν-ντρεϊλ] χειραγωγός, κουπαστή, χειρολαβή.
handsaw (n) [χάν-ντσόο] πριόνι.
handsome (adj) [χάν-ντσομ] ανδροπρεπής, αδρός, όμορφος.
handstitch (n) [χάν-ντστίτς] γαζί.
handwoven material (n) [χάννουόβεν ματίαριαλ] υφαντό.
handy (adj) [χάν-ντι] ευπρόσιτος, χρήσιμος, (adv) κοντά.
hang (v) [χανγκ] κρεμνώ.
hangar (n) [χάνγκα(ρ)] υπόστεγο.
hangdog (adj) [χάνγκ-ντογκ] ένοχος, κακόμοιρος.
hanger-on (n) [χάνγκερον] φορτικός άνθρωπος, παράσιτος.
hanging (n) [χάνγκινγκ] ανάρτηση, κρέμασμα, φούρκισμα.
hangman (n) [χάνγκμαν] δήμιος.
hangnail (n) [χάνγκνέιλ] παρανυχίδα, παρωνυχίδα.
hanky (n) [χάνκι] μαντίλι.
hansom (n) [χάνσομ] μόνιππο.
hap (n) [χαπ] τύχη, σύμπτωση, ατύχημα, συμβάν (v) τελούμαι.
haphazardly (adv) [χάπχάζαντλι] τυχαία, στα κουτουρού.
hapless (adj) [χάπλες] ατυχής, κακομοίρης, δύσμοιρος.
happen (v) [χάπεν] τυχαίνω,

στέκομαι, συμβαίνω, συμπίπτω.
happenings (n) [χάπενινγκς] διατρέξαντα.
happily (adv) [χάπιλι] ευτυχώς.
happy (adj) [χάπι] ευχαριστημένος, καλότυχος, ευτυχής.
harangue (v) [χαράνγκ] ρητορεύω.
harass (v) [χαράς] φουρκίζω, ξεθεώνω, συγχύζω.
harbinger (n) [χάαμπίντζζα(ρ)] προάγγελος.
harbour (n) [χάα-μπα] λιμήν (v) περιθάλπω, στεγάζω.
hard (adv) [χάα-ντ] γερά, δυνατά (adj) δυσνόητος, αυστηρός, άκαμπτος, πικρός, ωμός.
hard-core (adj) [χάα-ντκόο(ρ)] σκληροπυρηνικός.
hard-hit (adj) [χάα-ντχιτ] δοκιμασμένος.
hard-up (adj) [χάαρ-νταπ] στενοχωρημένος.
harden (v) [χάα-ντεν] σκληρύνω, σκληραίνω, στομώνω.
hardened (adj) [χάα-ντεν-ντ] αδιόρθωτος, αμετανόητος.
hardening (n) [χάα-ντενινγκ] σκληραγωγία, πώρωση.
hardihood (n) [χάα-ντιχου-ντ] αντοχή, θάρρος, τόλμη, θράσος.
hardness (n) [χάα-ντνες] σκληρότητα, αυστηρότητα.
hardship (n) [χάα-ντσσιπ] δεινοπάθεια, κάκωση, ταλαιπωρία.
hardware shop (n) [χάα-ντουέα(ρ) σσοπ] σιδηροπωλείο.
hardy (adj) [χάα-ντι] σκληραγωγημένος, ανθεκτικός.
hare (n) [χέα(ρ)] λαγός.
harebell (n) [χέα-μπέλ] κωδωνίσκος, καμπανούλα.
harebrained (adj) [χέα-μπρέινντ] απερίσκεπτος, άμυαλος.
haricot bean (n) [χάρικοτ μπίιν] φασόλι [βοτ], εντεράδα.
harlot (n) [χάαλοτ] πόρνη.
harm (n) [χάαμ] βλάβη, ζημιά, κακό (v) ζημιώνω.
harmful (adj) [χάαμφουλ] βλαβερός, επιβλαβής, επιζήμιος.
harmonious (adj) [χααμόουνιας] αρμονικός, ισόρροπος.
harmonize (v) [χάαμονάιζ] συνδιαλλάσσω, συμβιβάζω.
harness (n) [χάανες] χάμουρα, σαγή (v) ζεύω.
harp (n) [χάαπ] άρπα.
harrow (n) [χάροου] βωλοκόπος, σβάρνα (v) σβαρνίζω.
harrowing (adj) [χάροουινγκ] βασανιστικός, οδυνηρός.
harry (v) [χάρι] εισβάλω, λεηλατώ, διαρπάζω, παρενοχλώ.
harsh (adj) [χάασς] τραχύς, κακόφωνος, σκληρός, πικρός, στρυφνός, τραχύς, τσουχτερός.
harvest (n) [χάαβεστ] θερισμός, τρύγος, σοδειά, συγκομιδή.
haste (n) [χέιστ] σπουδή, ταχύτητα, βιασύνη (v) σπεύδω.
hasten (v) [χέισεν] επισπεύδω.
hastily (adv) [χέιστιλι] πεταχτά.
hasty (adj) [χέιστι] βιαστικός, α-

περίσκεπτος, οξύθυμος.
hat (n) [χατ] καπέλο.
hatch (v) [χατσ] κλωσώ (n) καταπακτή, επώαση.
hatcher (n) [χάτσσερ] κλώσσα.
hatchery (n) [χάτσσερι] εκκολαπτήριο, ιχθυοτροφείο.
hatchet (n) [χάτσσετ] μπαλτάς.
hate (v) [χέιτ] μάχομαι, μισώ.
hated (adj) [χέιτι-ντ] μισητός.
hatred (n) [χέιτρι-ντ] έχθρα.
hatter (n) [χάτερ] πιλοποιός.
haughtiness (n) [χόοτινες] έπαρση.
haughty (adj) [χόοτι] υπερήφανος, (n) περιφρονητικός.
haul (v) [χόολ] ρυμουλκώ.
haulage (n) [χόολιντζζ] έλξη.
haulage contractor (n) [χόολιντζζ κον-τράκτορ] μεταφορέας.
haunch (n) [χόον-τσς] ισχίο.
haunt (v) [χόον-τ] συχνάζω.
have (v) [χαβ] αποκτώ, έχω.
have a bad time (v) [χαβ α μπαντ τάιμ] κακοπερνώ.
have a liking for (v) [χαβ α λάικινγκ φοο] συμπαθώ.
have a part (in) (v) [χαβ α πάαρτ [ιν]] συμμερίζομαι.
have a relapse (v) [χαβ α ρίιλάπς] υποτροπιάζω.
have a turn (v) [χαβ α τερν] λαχταρίζω.
have an affair (v) [χαβ αν αφέαρ] νταραβερίζομαι ερωτικά.
have faith in (v) [χαβ φέιθ ιν] πιστεύω.
have mercy on (v) [χαβ μέρσι ον] ευσπλαχνίζομαι.
have pity on (v) [χαβ πίτι ον] σπλαχνίζομαι.
have recourse to (v) [χαβ ρικόος του] προσφεύγω.
haven (n) [χέιβεν] λιμένας.
havoc (n) [χάβοκ] θραύση.
hawk (n) [χόοκ] γεράκι [ζωολ].
hay (n) [χέι] σανός, άχυρο.
hayloft (n) [χέιλοφτ] αχερώνας.
haystack (n) [χέιστάκ] θημωνιά.
hazard (n) [χάζα-ντ] κίνδυνος, τύχη, μπαρμπούτι (v) θαρρεύω.
hazardous (adj) [χάζα-ντας] επικίνδυνος, παρακινδυνευμένος.
haze (n) [χέιζ] ελαφριά ομίχλη, καταχνιά (v) δυναστεύω.
haziness (n) [χέιζινες] θαμπάδα.
hazy (adj) [χέιζι] ομιχλώδης.
he (pron) [χι] αυτός, εκείνος.
head (n) [χε-ντ] κεφάλι.
head of the family (n) [χε-ντ οβ δε φάμιλι] οικογενειάρχης.
head start (n) [χε-ντ σταατ] αβάντα, ωφέλεια, κέρδος, προσόν.
headache (n) [χέ-ντέικ] ζαλάδα.
header (n) [χέ-ντα(ρ)] κεφαλιά.
heading (n) [χέ-ντινγκ] πορεία.
headlong (adv) [χέ-ντλόνγκ] κατακέφαλα (adj) ραγδαίος.
headquarters (n) [χέ-ντκουόοταζ] διοικητήριο, αρχηγείο.
headscarf (n) [χέ-ντσκάαφ] μαντίλα, μπόλια, φακιόλι.
headstrong (adj) [χέ-ντστρόνγκ] ξεροκέφαλος (n) ισχυρο-

γνώμονας.
heady (adj) [χέ-ντι] μεθυστικός.
heal (v) [χίιλ] θεραπεύω.
healing (adj) [χίιλινγκ] φαρμακευτικός (n) επούλωση, ίαση.
health (n) [χελθ] υγεία, υγιεινή.
healthy (adj) [χέλθι] υγιεινός, υγιής, ενεργητικός.
heap (n) [χίιπ] πληθώρα.
hear (v) [χία(ρ)] ακροάζομαι, ακούω, εκδικάζω.
hearing (n) [χίιρινγκ] ακοή, άκουσμα, ακρόαση, εκδίκαση.
hearse (n) [χερς] νεκροφόρα.
heart (n) [χάατ] αγάπη, καρδιά, ανθρωπιά, ψυχή, κέντρο.
heart attack (n) [χάατ ατάκ] έμφραγμα.
heart condition (n) [χάατ κοντίσσον] καρδιοπάθεια.
heartbeat (n) [χάατ-μπίιτ] καρδιοχτύπι.
heartbreak (n) [χάατ-μπρέικ] σπαραγμός.
heartbroken (adj) [χάατ-μπρόουκεν] τεθλιμμένος.
heartburn (n) [χάατ-μπέρν] καούρα.
hearten (v) [χάατεν] ενθαρρύνω.
hearth (n) [χάαθ] εστία.
heartless (adj) [χάατλες] αναίσθητος, άκαρδος, άπονος.
hearty (adj) [χάατι] εγκάρδιος.
heat (n) [χίιτ] καύσωνας, οργασμός, ζέστη (v) πυρώνω.
heat up (v) [χίιτ απ] ζεσταίνω.
heat-stroke (n) [χίιτστρόουκ] θερμοπληξία.
heated (adj) [χίιτι-ντ] βίαιος.
heater (n) [χίιτερ] θερμοσίφωνας.
heath (adj) [χίιθ] χερσότοπος, θαμνότοπος, ρείκι [βοτ].
heathen (adj) [χίιδεν] εθνικός.
heating (adj) [χίιτινγκ] θερμαντικός (n) θέρμανση, ζέσταμα.
heave (v) [χίιβ] σηκώνω.
heaven (n) [χέβεν] παράδεισος.
heaven-sent (adj) [χέβενσεν-τ] ουρανοκατέβατος.
heavenly (adj) [χέβενλι] επουράνιος.
heavy (adj) [χέβι] σοβαρός, ανιαρός, σθεναρός, βίαιος.
hecatomb (n) [χέκατουουμ] εκατόμβη, μεγάλη σφαγή.
hectare (n) [χέκταρ] εκτάριο.
hectic (adj) [χέκτικ] ταραχώδης.
hector (v) [χέκτορ] καταπιέζω.
hedge (n) [χεντζζ] περίφραγμα, φράχτης (v) φράζω, φράσσω.
hedgehog (n) [χέντζζχογκ] σκαντζόχοιρος.
heed (v) [χίι-ντ] προσέχω.
heedless (adj) [χίι-ντλες] αμέριμνος.
heel (n) [χίιλ] φτέρνα, τακούνι.
hegemony (n) [χιντζζέμονι] ηγεμονία.
height (n) [χάιτ] λόφος, μέγεθος, μπόι, ύψος.
heighten (v) [χάιτεν] υψώνω.
heinous (adj) [χέινας] στυγερός.

heir (n) [έιρ] κληρονόμος.
heirloom (n) [έιρλούμ] οικογενειακό κειμήλιο.
helicopter (n) [χέλικόπτερ] ελικόπτερο.
hell (n) [χελ] κατάρα [μεταφ], κόλαση, Άδης, βασίλειο των νεκρών.
Hellenist (n) [Χέλενιστ] ελληνιστής.
hello (ex) [χάλοου] χαίρετε!.
helm (n) [χελμ] κράνος, τιμόνι.
helot (n) [χέλοτ] είλωτας.
help (n) [χελπ] βοήθεια, αρωγή (v) εξυπηρετώ, παραστέκω.
helping (n) [χέλπινγκ] μερίδα.
helpmate (n) [χέλπμέιτ] ταίρι.
helter-skelter (adv) [χέλτασκέλτα(ρ)] ατάκτως, φύρδην μίγδην.
helve (n) [χελβ] χειρολαβή.
hem (n) [χεμ] στρίφωμα, ούγια, ποδόγυρος (v) στριφώνω.
hem in (v) [χεμ ιν] εγκλωβίζω.
hemlock (n) [χέμλοκ] κώνειο.
hemming (n) [χέμινγκ] στρίφωμα.
hemp (n) [χεμ-π] καννάβι.
hen (n) [χεν] κότα, όρνιθα.
hence (adv) [χενς] εντεύθεν, εξ ου, ως εκ τούτου.
henceforth (adv) [χένσφόοθ] εντεύθεν, από τούδε, στο εξής.
henchman (n) [χέντσσμαν] μπράβος, τσιράκι.
hennery (n) [χένερι] πτηνοτροφείο, ορνιθοτροφείο, κοτέτσι.
herald (n) [χέραλ-ντ] αγγελιοφόρος, κήρυκας, προάγγελος.
herb (adj) [χερ-μπ] ποίμνιο.
herbivorous (adj) [χερ-μπίβορους] χορτοφάγος [ζώο].
herd (n) [χερ-ντ] αγέλη, κοπάδι.
herdsman (n) [χέρ-ντζμαν] βοσκός.
here (adv) [χία(ρ)] εδώ, ενταύθα, προς τα εδώ, ιδού να.
hereditary (adj) [χερέ-ντιτρι] κληρονομικός.
heresy (n) [χέρεσι] αίρεση.
heritage (n) [χέριτιντζζ] κληρονομιά, παρακαταθήκη.
hermetic (adj) [χερμέτικ] απόκρυφος.
hermetical (adj) [χερμέτικαλ] στεγανός.
hermit (n) [χέρμιτ] ερημίτης.
hermitage (n) [χέρμιταντζζ] ερημητήριο, ησυχαστήριο.
hernia (n) [χέρνια] κήλη.
hero (n) [χίιροου] ήρωας.
heroic (adj) [χιρόικ] ηρωικός.
heroics (n) [χιρόικς] στόμφος.
heroin (n) [χέροουιν] ηρωίνη.
heroin addict (n) [χέροουιν άντικτ] ηρωινομανής.
herring (n) [χέρινγκ] ρέγγα.
herringbone (n) [χέρινγκ-μπόουν] ψαροκόκαλο [σχέδιο].
hesitant (adj) [χέζιταν-τ] απρόθυμος, διστακτικός, μετέωρος.
hesitate (v) [χέζιτεϊτ] διστάζω.
hessian (n) [χέσιαν] κανναβάτσο, τσουβάλι, λινάτσα.
heterosexual (adj) [χετεροσέ-

ξουαλ] ετερόφυλος.
hew (v) [χιού] κόπτω, τεμαχίζω.
hey! (ex) [χέι] ε!, βρε!.
heyday (n) [χέι-ντέι] ακμή.
hiatus (n) [χαϊέιτας] κενό, χάσμα.
hiccup (n) [χίκαπ] λόξυγγας.
hidden (adj) [χί-ντεν] μυστικός.
hide (n) [χάι-ντ] τομάρι, πετσί, φυλάχτρα (v) αποκρύπτω.
hide-and-seek (n) [χάι-ντ-εν-σίικ] κρυφτούλι, κρυφτό.
hideaway (n) [χάι-νταουέι] κρησφύγετο.
hideous (adj) [χί-ντιας] αποτρόπαιος.
hideout (n) [χάι-ντάουτ] κρυψώνα, καταγώγιο, λημέρι.
hiding place (n) [χάι-ντινγκ πλέις] κρύπτη, καταφύγιο.
hierarchical (adj) [χαϊεράακικαλ] ιεραρχικός.
hieroglyphic (adj) [χαϊερογκλίφικ] ιερογλυφικός.
high (adj) [χάι] ισχυρός, ευγενής, ψηλός, αντικυκλώνας.
high blood pressure (n) [χάι μπλα-ντ πρέσσερ] υπέρταση.
high temperature (n) [χάι τέμπρατσσα(ρ)] πυρετός.
high up (adv) [χάι απ] ψηλά.
high-handedness (n) [χάι-χάν-ντι-ντνες] αυταρχικότητα.
high-mindedness (n) [χάι-μάιν-ντι-ντνες] υψηλοφροσύνη.
high-speed (adj) [χάισπίι-ντ] πολύστροφος [μηχανή].
higher (adj) [χάια(ρ)] ανώτερος.
highest (adj) [χάιεστ] ύπατος, υπέρτατος, ύψιστος.
highhanded act (adj) [χάιχάν-ντι-ντ άακτ] αυθαίρετος.
hight (adj) [χάιτ] καλούμενος.
highway (n) [χάιουέι] δημοσιά, αυτοκινητόδρομος.
hijinks (n) [χάιντζζινκς] γλέντι.
hike (v) [χάικ] πεζοπορώ.
hiker (n) [χάικερ] πεζοπόρος.
hilarious (adj) [χιλέιριας] εύθυμος, κωμικός, ξεκαρδιστικός.
hilarity (n) [χιλάριτι] ευθυμία.
hill (n) [χιλ] λόφος, ύψωμα.
hillock (n) [χίλλοκ] λοφίσκος.
hillside (n) [χίλσάι-ντ] πλαγιά.
hilly (adj) [χίλι] λοφώδης, ορεινός.
hind (adj) [χάιν-ντ] οπίσθιος.
hinder (v) [χίν-ντα] δυσχεραίνω.
hinge (n) [χιν-ντζζ] μεντεσές.
hinny (n) [χίνι] ημίονος.
hint (n) [χιν-τ] υπαινιγμός.
hinterland (n) [χίν-ταλαν-ντ] ενδοχώρα.
hip (n) [χιπ] ισχίο, γοφός, μελαγχολία [κοιν] (v) μελαγχολώ.
hippocampus (n) [χιπόκαμπας] ιππόκαμπος.
hire (n) [χάια(ρ)] αμοιβή, ενοικίαση (v) προσλαμβάνω.
hirer (n) [χάιερερ] μισθωτής.
His Holiness (n) [Χιζ Χόουλινες] παναγιότατος.
His Majesty (n) [Χιζ Μάντζζε-

στι] μεγαλειότατος.
His/Your Highness (n) [Χιζ-*Ι*όο Χάινες] υψηλότατος.
His/Your Reverence (n) [Χιζ-ιόο Ρέβερενς] σεβασμιότατος.
hiss (v) [χις] σφυρίζω.
historian (adj) [χιστόοριαν] ι-στορικός, ιστοριοδίφης.
histrionics (n) [χιστριόνικζ] θε-ατρινισμοί, μελοδραματισμός.
hit (v) [χιτ] χτυπώ (n) χτύπημα.
hitch (v) [χιτος] τραβώ, αγκι-στρώνω (n) κόμβος, τράβηγμα.
hoard up money (v) [χόο-ντ απ μάνεϊ] χρηματίζομαι.
hoarfrost (n) [χόοφρόστ] πά-χνη.
hoarse (adj) [χόος] βραχνός.
hoax (n) [χόουξ] φάρσα, απάτη.
hobble (v) [χο-μπλ] κουτσαίνω.
hobby (n) [χό-μπι] χόμπυ.
hobnob (v) [χό-μπνό-μπ] ντα-ραβερίζομαι.
hocus-pocus (n) [χόουκασπό-ουκας] ταχυδακτυλουργία.
hod (n) [χο-ντ] πηλοφόρι.
hodja (n) [χό-ντντζζαα] χότζας.
hoe (n) [χόου] τσάπα (v) σκα-λίζω.
hoeing (n) [χόουινγκ] σκάλι-σμα.
hog (n) [χογκ] χοίρος.
hoggish (adj) [χόγκισς] άπλη-στος.
hoist (v) [χόιστ] έρω, ανεβάζω (n) ανύψωση βίντσι.
hoisterous (adj) [χόιστερας] θο-ρυβώδης.
hold (n) [χόουλ-ντ] λαβή, στή-ριγμα, πιάσιμο (v) συγκρατώ.
hold back (v) [χόουλ-ντ μπακ] συγκρατώ, εμποδίζω, κρύβω.
hold in custody (v) [χόουλ-ντ ιν κάστο-ντι] προφυλακίζω.
holding (n) [χόουλ-ντινγκ] πιά-σιμο, συγκράτηση, κλήρος.
hole (n) [χόουλ] οπή, κενό.
holey (adj) [χόουλι] τρυπητός.
holiday (n) [χόλι-ντέι] διακο-πές.
holiness (n) [χόουλινες] αγιό-τητα.
hollow (adj) [χόλοου] διάκενος, κούφιος (n) γούβα, τρύπα.
hollow out (v) [χόλοου άουτ] κοιλαίνω, κουφώνω, βαθύνω.
holocaust (n) [χόλοουκοοστ] ο-λοκαύτωμα.
holy (adj) [χόουλι] άγιος, ιερός.
Holy Communion (n) [Χόουλι Κομιούνιον] μετάληψη.
Holy Week (n) [Χόουλι *Ο*υίικ] μεγάλη εβδομάδα.
holy-oil (n) [χόουλιόιλ] μύρο.
home (adj) [χόουμ] οικιακός (n) οικία, οικογένεια, πατρίδα.
home-made (adj) [χόουμμέι-ντ] σπιτικός, σπιτίσιος.
homeless (adj) [χόουμλες] άστε-γος.
homeopathic (adj) [χοουμιοπά-θικ] ομοιοπαθητικός.
Homer (n) [Χόουμερ] Όμηρος.
homesick (adj) [χόουμσίκ] νο-

σταλγικός.
homestead (n) [χόουμστέ-ντ] αγροτική κατοικία, σπίτι, φάρμα.
hometown (n) [χόουμτάουν] χωριό [μεταφ].
homicide (n) [χόμισαϊ-ντ] φόνος.
homily (n) [χόμιλι] ομιλία.
homing (n) [χόμινγκ] παλινόστηση (adj) παλινοστών.
homogeneity (n) [χομοντζζενεϊ-ιτι] ομογένεια, ομοιογένεια.
homosexual (adj) [χοουμοουσέξουαλ] ομοφυλόφιλος.
hone (n) [χόουν] ακόνι.
honest (adj) [όνεστ] έντιμος.
honey (n) [χάνι] μέλι, βάλσαμο.
honour (n) [όνορ] τιμή, υπόληψη, αξιοπρέπεια (v) σέβομαι.
hood (n) [χου-ντ] αισχρός.
hoodlum (n) [χού-ντλαμ] κακοποιός [US].
hoodoo (v) [χού-ντού] γρουσουζεύω, καταριέμαι.
hoodwink (v) [χού-ντουινκ] τυφλώνω, κοροϊδεύω, εξαπατώ.
hoof (n) [χουφ] οπλή, νύχι.
hook (v) [χουκ] αγκιστρώνω (n) αρπαγή, κόρακας, αγκίστρι.
hook up (v) [χουκ απ] κρεμώ.
hookah (n) [χούκαα] λουλάς.
hooked (adj) [χουκ-ντ] γαμψός.
hooker (n) [χούκερ] πόρνη.
hooligan (n) [χούουλιγκαν] αλήτης, μάγκας, ταραξίας.
hoop (n) [χούουπ] γύρος [βαρελιού], στεφάνι [βαρελιού].
hoot (v) [χούουτ] κορνάρω.
hooter (n) [χούουτερ] σειρήνα.
hop (n) [χοπ] πυροστιά.
hope (n) [χόουπ] ελπίδα (v) ευελπιστώ, εύχομαι, προσδοκώ.
hopeless (adj) [χόουπλες] απεγνωσμένος, απελπιστικός.
hopscotch (n) [χόπσκοτσς] κουτσό.
horizon (n) [χοράιζον] ορίζοντας.
horizontal (adj) [χοριζόν-νταλ] οριζόντιος.
hormone (n) [χόομοουν] ορμόνη.
horn (adj) [χόον] κοκάλινος (n) κέρας, κλάξον, κόρνο, χωνί.
horn-owl (n) [χόον-άουλ] μπούφος.
horoscope (n) [χόροσκοουπ] ωροσκόπιο.
horrible (adj) [χόρι-μπλ] τρομακτικός, απαίσιος, φρικαλέος.
horrid (adj) [χόρι-ντ] φρικτός.
horror (n) [χόρα(ρ)] απέχθεια.
horse (n) [χόος] ίππος, ιππικό.
horse-grooming (n) [χόοςγκρούμινγκ] ιπποκομία.
horse-race (n) [χόος-ρέις] ιπποδρομία.
horse-whip (n) [χόος-ουίπ] καμουτσίκι.
horsemanship (n) [χόοςμανσσιπ] ιππασία, ιππική.
horsepower (n) [χόοςπαουερ] ιπποδύναμη.
horseshoe (n) [χόοςσσου] πέταλο.

horsetail (n) [χόοςτεϊλ] αλογο-ουρά.
horsy (adj) [χόοσι] φίλιππος.
hortative (adj) [χόοτατιβ] προτρεπτικός.
horticultural (adj) [χοοτικάλτσσεραλ] κηπουρικός.
hosanna (ex) [χοουζάνα] ωσανά.
hose (n) [χόουζ] σωλήνας.
hospitable (adj) [χόσπιτα-μπλ] φιλόξενος, γενναιόδωρος.
hospital (adj) [χόσπιταλ] νοσοκομειακός (n) θεραπευτήριο.
hospitality (n) [χόσπιτάλιτι] φιλοξενία.
host (n) [χόουστ] πλήθος.
hostel (n) [χοστλ] πανδοχείο.
hostess (n) [χοουστές] ξενοδόχος.
hostile (adj) [χόσταϊλ] εχθρικός.
hostility (n) [χοστίλιτι] έχθρα.
hot (adj) [χοτ] ζεστός.
hot springs (n) [χοτ σπρινγκς] θέρμες, λουτρά.
hot-blooded (adj) [χοτ-μπλάντι-ντ] θερμόαιμος.
hot-tempered (adj) [χοτ-τέμπαντ] θυμώδης, ορμητικός.
hot-water bottle (n) [χοτ-ουότα μποτλ] θερμοφόρος, θερμοφόρα.
hotel (n) [χοουτέλ] ξενοδοχείο.
hounding (n) [χάουν-ντινγκ] καταδίωξη.
hour (n) [άουα(ρ)] ώρα.
hourly (adj) [άουαλι] ωριαίος.
house (n) [χάους] σπίτι, ξενοδοχείο, πανσιόν (v) σπιτώνω.
house agency (n) [χάους έιντζζενσι] μεσιτικό γραφείο.
house of worship (n) [χάους οβ ουέρσσιπ] τέμενος.
house-painter (n) [χάουςπέιντερ] σοβατζής.
householder (n) [χάουςχόολντερ] σπιτονοικοκύρης.
housekeeping (n) [χάουςκίιπινγκ] οικοκυρική, νοικοκυριό.
housewife (n) [χάουςουάιφ] οικοδέσποινα, νοικοκυρά.
hovel (n) [χόβλ] καλύβι.
hover (v) [χόουβερ] πλανόμαι, ζυγιάζομαι, ισοζυγίζω.
how (adv) [χάου] πώς, με ποιό τρόπο, μέχρι ποιού βαθμού, τί.
however (conj) [χάουέβερ] όμως, αλλά.
howl (v) [χάουλ] κραυγάζω.
howler (n) [χάουλερ] λάθος.
howling (adj) [χάουλινγκ] κραυγαλέος (n) σκούξιμο.
howsoever (adv) [χάουσοουέβερ] με οποιοδήποτε μέσο.
hoy (n) [χόι] μαούνα, βάρκα.
hoyden (n) [χόι-ντεν] αγοροκόριτσο, τρελοκόριτσο.
hubbub (n) [χά-μπ-μπα-μπ] φασαρία.
hubby (n) [χάμπι] άντρας [αργκό], σύζυγος.
hubris (n) [χιού-μπρις] αυθάδεια.
huddle up (v) [χα-ντλ απ] κου-

βαριάζομαι, κουλουριάζομαι.
hue (n) [χιού] όψη, χρώμα.
huff (n) [χαφ] θυμός, τσαντίλα.
hug (n) [χαγκ] αγκάλιασμα.
huge (adj) [χιούντζζ] πελώριος.
hulking (adj) [χάλκινγκ] ογκώδης και αδέξιος.
hull (n) [χαλ] σκάφος.
hullabaloo (n) [χάλα-μπαλούου] θόρυβος, πανδαιμόνιο.
hulled oats (n) [χαλ-ντ όουτς] πλιγούρι.
hum (v) [χαμ] ζουζουνίζω, τραγουδώ, ψιλοτραγουδώ (n) βοή.
human (adj) [χιούμαν] ανθρώπινος.
human sacrifice (n) [χιούμαν σάκριφάις] ανθρωποθυσία.
humane (adj) [χιουμέιν] ανθρωπιστικός, εύσπλαχνος.
humanism (n) [χιούμανιζμ] ανθρωπισμός.
humble (adj) [χαμ-μπλ] ταπεινός (n) ταπεινόφρονας.
humble abode (n) [χαμ-μπλ αμπόου-ντ] φτωχικό.
humbug (n) [χάμ-μπάγκ] απάτη.
humdrum (adj) [χάμ-ντράμ] ανιαρός.
humid (adj) [χιούμι-ντ] υγρός.
humidity (n) [χιουμί-ντιτι] υγρασία.
humiliate (v) [χιουμίλιεϊτ] εξευτελίζω, στραπατσάρω.
humility (n) [χιουμίλιτι] ταπεινότητα, ταπεινοφροσύνη.
humming (n) [χάμινγκ] σφύριγμα.
humour (n) [χιούμα(ρ)] διάθεση [κέφι], χιούμορ.
hump (n) [χαμ-π] καμπούρα.
hunch (v) [χαν-τσς] κυρτώνω (n) διαίσθηση, καμπούρα.
hundred (num) [χάν-ντρε-ντ] εκατό [αριθ], εκατοντάδα.
hunger (n) [χάνγκερ] πείνα.
hungry (adj) [χάνγκρι] πεινασμένος, πτωχός, αχόρταγος.
hunk (n) [χανκ] μεγάλο κομμάτι.
hunt (n) [χαν-τ] κυνήγι.
hunter (n) [χάν-τερ] κυνηγός.
hurdle (n) [χερ-ντλ] φράκτης.
hurl (v) [χερλ] εκσφενδονίζω.
hurrah (v) [χουουράα] ζητωκραυγάζω.
hurricane (n) [χάρικέιν] καταιγίδα.
hurry (v) [χάρι] τρέχω (n) βιασύνη.
hurt (adj) [χερτ] πειραγμένος (v) πονώ, τραυματίζω.
hurt oneself (v) [χερτ ουάνσέλβ] χτυπώ, προσβάλλω.
husband (n) [χάσ-μπαν-ντ] σύζυγος, άντρας.
husband-to-be (n) [χάσ-μπαν-ντ-του-μπίι] μελλόνυμφος.
husbandry (n) [χάσ-μπα-ντρι] οικονομία, γεωργία.
hush (ex) [χασς] σουτ [επιφ] (n) σιωπή, ησυχία (v) φιμώνω.
husk (n) [χασκ] φλοιός (v) ξε-

φλουδίζω.
hussy (n) [χάσι] παλιοθήλυκο.
hustle (n) [χασλ] σπρωξιά.
hustler (n) [χάσλερ] δραστήριος.
hut (n) [χατ] καλύβα, υπόστεγο.
hut encampment (n) [χατ ενκάμ-πμεν-τ] παραπήγματα.
hyacinth (n) [χαϊάσινθ] ζουμπούλι.
hybrid (adj) [χάι-μπρί-ντ] νόθος [για ζώα κτλ] (n) διασταύρωση.
hydraulic (adj) [χάι-ντρόλικ] υδραυλικός [υδρ].
hydrocarbon (n) [χαϊ-ντρωουκάαμπον] υδρογονάθρακας.
hydrocephalous (adj) [χαϊντροουσέφαλας] υδροκέφαλος.
hydrochloric (adj) [χαϊ-ντροουκλόρικ] υδροχλωρικός [χημ].
hydrodynamics (n) [χαϊ-ντροουνταϊνάμικς] υδροδυναμική.
hydroelectric (adj) [χαϊ-ντροουιλέκτρικ] υδροηλεκτρικός.
hydrogen (n) [χάι-ντραντζζεν] υδρογόνο.
hydrography (n) [χάι-ντρόγκραφι] υδρογραφία.
hydrology (n) [χαϊ-ντρόλοντζζι] υδρολογία.
hydrophobia (n) [χαϊ-ντροουφόμπια] υδροφοβία, λύσσα.
hydrostatic (adj) [χαϊ-ντροουστάτικ] υδροστατικός.
hydrotherapy (n) [χαϊ-ντροουθέραπι] υδροθεραπεία.
hyena (n) [χαϊίνα] ύαινα.
hygiene (n) [χάιντζζιιν] υγιεινή.
hymen (n) [χάιμεν] υμένας.
hymeneal (adj) [χαϊμενίιαλ] υμέναιος, νυμφικός, γαμήλιος.
hymn (n) [χιμ] ύμνος.
hymn(-singing) (n) [χιμ[σίνγκινγκ]] υμνολογία.
hyperbola (n) [χάιπερ-μπόολα] υπερβολή [γεωμ].
hypersensitive (adj) [χαϊπερσένσιτιβ] υπερευαίσθητος.
hypertensive (adj) [χάιπερτένσιβ] υπερτασικός.
hypertrophy (n) [χάιπερτρόουφι] υπερτροφία [ιατρ].
hypnosis (n) [χιπνόουσις] ύπνωση, υπνωτισμός.
hypochondria (n) [χαϊποκόντρια] υποχοντρία.
hypocrisy (n) [χιπόκρισι] υποκρισία, φαρισαϊσμός.
hypodermic (adj) [χαϊπουντέρμικ] ενδοδερμικός.
hypostatic (adj) [χαϊποστάτικ] υποστατικός.
hypotenuse (n) [χαϊπότενιουζ] υποτείνουσα [γεωμ].
hypothermy (n) [χαϊπόθερμι] υποθερμία.
hypothetical (adj) [χαϊποθέτικαλ] υποθετικός [υποθ].
hysteria (n) [χιστίιρια] υστερία.

I, i [άι] το ένατο γράμμα του αγγλικού αλφαβήτου.
I (pron) [άι] εγώ.
I am (I'm) (v) [άι αμ [άι'μ]] είμαι.
I say! (ex) [άι σέι] μπα!.
iambus (n) [άιαμ-μπας] ίαμβος.
ice (n) [άις] πάγος, παγωτό (v) παγώνω, ψύχω, γκλασάρω.
ice bucket (n) [άις μπάκετ] παγωνιέρα.
ice-boat (n) [άισ-μπόουτ] παγοθραυστικό.
ice-cold (adj) [άισσκόουλ-ντ] ξεπαγιασμένος (n) μπούζι.
iceberg (n) [άις-μπεργκ] παγόβουνο.
icebox (n) [άισ-μποξ] ψυγείο.
icebreaker (n) [άισ-μπρέικερ] παγοθραύστης, παγοθραυστικό.
iceskate (n) [άισκεϊτ] παγοπέδιλο.
icicle (n) [άισικλ] παγάκι.
icon (n) [άικον] εικόνα [εκκλ].
icon-painter (n) [άικονπέιντα(ρ)] αγιογράφος.
icon-stand (n) [άικονσταν-ντ] προσκυνητάρι.
iconography (n) [άικονόγκραφι] εικονογραφία.
icy (adj) [άισι] κατεψυγμένος.
icy cold (adj) [άισι κόουλ-ντ] παγερός, παγετώδης.
idea (n) [αϊ-ντία] ιδέα, γνώση.
ideal (adj) [αϊ-ντίιλ] ιδανικός (n) ιδανικό, ιδεώδες.
idealistic (adj) [αϊ-ντιιλίστικ] ιδεαλιστικός, εξιδανικευμένος.
ideally (adv) [αϊ-ντίιλι] ιδανικά.
identical (adj) [αϊ-ντέν-τικαλ] απαράλλακτος.
identification (n) [αϊ-ντεν-τιφικέισσον] αναγνώριση, ταύτιση.
identify (v) [αϊ-ντέν-τιφαϊ] αναγνωρίζω, ταυτίζω.
ideogram (n) [αϊ-ντίαγκράμ] ιδεόγραμμα.
idicant (n) [ίν-ντικαν-τ] ένδειξη, σύμπτωμα (adj) ενδεικτικός.
idiocy (n) [ί-ντιοσι] ηλιθιότητα.
idiomatic (adj) [ι-ντιομάτικ] ιδιωματικός.
idiosyncrasy (n) [ι-ντιοσίνγκρασι] ιδιοσυγκρασία, ιδιορρυθμία.
idiot (n) [ί-ντιοτ] ηλίθιος.
idiotic (adj) [ι-ντιότικ] ηλίθιος.
idle (adj) [άι-ντλ] τεμπέλης.
idler (n) [άι-ντλερ] άεργος.
idling (n) [άι-ντλινγκ] ραχάτι.
idly (adv) [άι-ντλι] τεμπέλικα.
idol (n) [άι-ντολ] είδωλο.
idolater (n) [αϊ-ντόλατερ] ειδω-

λολάτρης, θαυμαστής [μεταφ].
idolize (v) [άι-ντολάιζ] ειδωλοποιώ, θεοποιώ, λατρεύω.
idyll (n) [άι-ντιλ] ειδύλλιο.
if (adv) [ιφ] σαν (conj) ανίσως, άμα, εάν, αν.
if not (adv) [ιφ νοτ] ειδάλλως.
ignite (v) [ιγκνάιτ] ανάβω.
ignition spark (n) [ιγκνίσσον σπάακ] σπινθήρας.
ignominious (adj) [ιγκνομίνιας] ατιμωτικός.
ignorance (n) [ίγκνορανς] αμάθεια.
ignore (v) [ιγκνόο(ρ)] αγνοώ [περιφρονώ], αντιπαρέρχομαι, παραβλέπω, παραγνωρίζω.
Iliad (n) [Ίλια-ντ] Ιλιάδα.
ill (n) [ιλ] κακό, ατυχία (adj) ασθενής.
ill at ease (adj) [ιλ ατ ίιζ] στενοχωρημένος.
ill feeling (n) [ιλ φίλινγκ] εμπάθεια.
ill-bred (adj) [ιλ-μπρέ-ντ] ανάγωγος, κακομαθημένος.
ill-considered (adj) [ιλκονσίνταντ] αψυχολόγητος.
ill-fated (adj) [ιλφέιτιντ] κακορίζικος.
ill-mannered (adj) [ιλμάνα-ντ] ανάγωγος, πρόστυχος.
ill-natured (n) (adj) [ιλνέιτσσιαντ] κακόψυχος.
ill-omened (adj) [ιλόουμεν-ντ] δυσοίωνος.
ill-treatment (n) [ιλτρίιτμεν-τ] κακομεταχείριση, κάκωση.
illdoer (adj) [ιλ-ντούα(ρ)] κακοποιός.
illegal (adj) [ιλλίιγκαλ] αθέμιτος.
illegality (n) [ιλιγκάλιτι] αδίκημα.
illegible (adj) [ιλλέντζζι-μπλ] δυσανάγνωστος.
illegitimate (adj) [ιλλεντζζίτιματ] νόθος, νοθογενής, άνομος.
ill-humoured (adj) [ιλχιούμαντ] κακόκεφος, στριμμένος.
illicit (adj) [ιλίσιτ] παράνομος.
illness (n) [ίλνες] νόσος, πάθος.
illogical (adj) [ιλόντζζικαλ] άλογος, παράλογος.
illuminate (v) [ιλιούμινεϊτ] φωταγωγώ, φωτίζω.
illusion (n) [ιλιούζζιον] ίνδαλμα.
illusory (adj) [ιλιούζζορι] ψευδαισθητικός, πλασματικός.
illustrate (v) [ίλαστρέιτ] επεξηγώ.
illustrated (adj) [ίλαστρέιτι-ντ] εικονογραφημένος.
illustration (n) [ιλαστρέισσον] εικονογραφία, εικονογράφηση.
illustrious (adj) [ιλάστριας] επιφανής, ένδοξος.
image (n) [ίμιντζζ] είδωλο.
imagery (n) [ίμιντζζρι] αγάλ-

ματα.
imaginary (adj) [ιμάντζζινερι] υποθετικός, φανταστικός.
imaginative (adj) [ιμάντζζινατιβ] δημιουργικός, επινοητικός.
imagine (v) [ιμάντζζιν] εικάζω.
imbalance (n) [ιμ-μπάλανς] ανισορροπία, ανισομέρεια.
imbecile (n) [ίμ-μπισιλ] ηλίθιος.
imitable (adj) [ίμιτα-μπλ] μιμητός.
imitate (v) [ίμιτεϊτ] μιμούμαι.
immaculate (adj) [ιμάκιουλετ] αμόλυντος, αγνός, άμωμος.
immaterial (adj) [ιματίιριαλ] άυλος, πνευματικός.
immature (adj) [ιματσσιούα(ρ)] ανώριμος, ανήλικος.
immeasurable (adj) [ιμέζζερα-μπλ] αμέτρητος, άμετρος.
immediacy (n) [ιμίι-ντιασι] αμεσότητα.
immense (adj) [ιμένς] απέραντος.
immersed (adj) [ιμέρσ-ντ] απορροφημένος, βυθισμένος.
immigrate (v) [ίμιγκρέιτ] μεταναστεύω, μετοικώ, εποικώ.
imminent (adj) [ίμινεν-τ] επικείμενος, επικρεμάμενος.
immobility (n) [ιμο-μπίλιτι] ακινησία, σταθερότητα.
immodest (adj) [ιμό-ντεστ] άσεμνος, απρεπής, αναιδής.
immorality (n) [ίμοράλιτι] ανηθικότητα, ακολασία.
immortality (n) [ιμοοτάλιτι] αθανασία, αιώνια ζωή, αφθαρσία, μεταθανάτιος δόξα.
immortalize (v) [ιμόοταλάιζ] απαθανατίζω, διαιωνίζω.
immovable (adj) [ιμούουβα-μπλ] ακίνητος, αμετακίνητος.
immune (adj) [ιμιούν] απαλλαγμένος, απρόσβλητος.
immunity (from) (n) [ιμιούνιτι [φρομ]] απαλλαγή, εξαίρεση.
immutable (adj) [ιμιούτα-μπλ] αμετάβλητος, αναλλοίωτος.
imp (n) [ιμ-π] διαβολάκι.
impaired (adj) [ιμ-πέα-ντ] πεσμένος.
impale (v) [ιμ-πέιλ] διαπερνώ.
impart (v) [ιμ-πάατ] μεταδίδω.
impartial (adj) [ιμ-πάασσαλ] δίκαιος, αμερόληπτος.
impassable (adj) [ιμ-πάσα-μπλ] αδιάβατος, αδιαπέραστος.
impasse (n) [ιμ-πάς] αδιέξοδος.
impassioned (adj) [ιμ-πάσσιον-ντ] εμπαθής, ένθερμος.
impatient (adj) [ιμ-πέισσεν-τ] ανυπόμονος (v) αδημονώ.
impeach (v) [ιμ-πίιτσς] κατηγορώ.
impeccability (n) [ιμ-πεκα-μπίλιτι] εντέλεια, τελειότητα.
impeccable (adj) [ιμ-πέκα-μπλ] άψογος, άμεμπτος.

impeccant (adj) [ιμ-πέκαν-τ] αναμάρτητος.
impede (v) [ιμ-πίι-ντ] δυσχεραίνω.
impediment (n) [ιμ-πέ-ντιμεν-τ] κώλυμα.
impel (v) [ιμ-πέλ] σπρώχνω.
impend (v) [ιμ-πέν-ντ] επίκειμαι.
impenetrable (adj) [ιμ-πένετραμπλ] αδιαπέραστος.
imperative (adj) [ιμ-πέρατιβ] αυταρχικός, επιτακτικός.
imperative (mood) (n) [ιμ-πέρατιβ μου-ντ] προσταγή.
imperceptible (adj) [ιμ-περσέπτι-μπλ] αδιάκριτος, αδιόρατος.
imperfect tense (n) [ιμ-πέρφεκτ τενς] παρατατικός [γραμμ].
imperfection (n) [ιμ-περφέκσσον] ατέλεια [χαρακτήρα].
imperial (adj) [ιμ-πίιριαλ] αυτοκρατορικός, μεγαλοπρέπης.
imperialism (n) [ιμ-πίιριαλιζμ] ιμπεριαλισμός, επεκτατισμός.
imperil (v) [ιμ-πέριλ] εκθέτω.
impersonal (adj) [ιμ-πέρσοναλ] απρόσωπος, αμερόληπτος.
impersonate (v) [ιμ-πέρσονεϊτ] παριστάνω, υποκρίνομαι.
impersonation (n) [ιμ-περσονέισσον] προσωποποίηση.
impersonator (n) [ιμ-περσονέιτορ] μιμητής, θεατρίνος.
impertinence (n) [ιμ-πέρτινενς] αναίδεια, αυθάδεια, θρασύτητα.
impetuosity (n) [ιμ-πετιουόσιτι] βιαιότητα, ορμητικότητα.
impetuous (adj) [ιμ-πέτιουας] βίαιος, βιαστικός, ορμητικός.
impetus (n) [ίμ-πιτας] ώθηση.
impiety (n) [ιμ-πάιετι] ασέβεια.
impious (adj) [ίμ-πιας] αθεόφοβος, ανευλαβής, ασεβής.
impish (adj) [ίμ-πισς] διαβολικός.
implacable (adj) [ιμ-πλάκαμπλ] αδιάλλακτος, αμείλικτος.
implanted (adj) [ιμ-πλάαν-τιντ] ριζωμένος.
implement (n) [ίμ-πλιμεν-τ] εργαλείο, όργανο, σκεύος.
implicate (v) [ίμ-πλικεϊτ] ενοχοποιώ, αναμιγνύω.
imploring (adj) [ιμ-πλόορινγκ] ικετευτικός, παρακλητικός.
impolite (adj) [ιμ-πολάιτ] αγενής.
impolitic (adj) [ιμ-πολίτικ] αδέξιος.
import (v) [ιμ-πόοτ] εισάγω.
importable (adj) [ιμ-πόοταμπλ] εισαγώγιμος.
importance (n) [ιμ-πόοτανς] σοβαρότητα, σημασία.
important (adj) [ιμ-πόοταν-τ] σοβαρός, πολύτιμος.
importunate (adj) [ιμ-πόοτσσιουνεϊτ] πειστικός, επίμονος.
importunity (n) [ιμ-ποοτσσιού-

νιτι] φορτικότητα.
impose (v) [ιμ-πόουζ] θέτω.
imposition (n) [ιμ-ποζίσσον] επιβολή, φόρος, δασμός.
impossible (adj) [ιμ-πόσι-μπλ] ακατόρθωτος, αδύνατος.
impostor (n) [ίμ-πόστερ] αγύρτης, ψεύτης, μασκαράς [μεταφ].
imposture (n) [ιμ-πόστσα(ρ)] απάτη, δολία, εξαπάτηση.
impotent (adj) [ίμ-ποτεν-τ] ανίκανος, ανίσχυρος.
impoverish (v) [ιμ-πόβερισς] φτωχαίνω, εξασθενίζω.
impoverished (adj) [ιμ-πόβερισσ-τ] ξεπεσμένος.
imprecation (n) [ιμ-πρικέισσον] κατάρα, αναθεματισμός.
imprecise (adj) [ιμ-πρισάις] συγκεχυμένος [λόγος], ανακριβής.
impregnable (adj) [ιμ-πρέγκναμπλ] απόρθητος.
impregnation (n) [ιμ-πρεγκνέισσον] γονιμοποίηση.
impresario (n) [ιμ-πρεσάαριο] θιασάρχης, ιμπρεσάριος.
imprescriptible (adj) [ιμ-πρισκρίπτι-μπλ] απαραβίαστος.
impress (v) [ιμ-πρές] αποτυπώνω, επιστρατεύω (n) τύπος.
impression (n) [ιμ-πρέσσον] στάμπα.
impressionable (adj) [ιμ-πρέσσονα-μπλ] ευαίσθητος.
impressive (adj) [ίμ-πρέσιβ] εντυπωσιακός, εντυπωτικός.
imprint (n) [ίμ-πριν-τ] σφραγίδα (v) [ιμ-πρίν-τ] αποτυπώνω.
imprisonment (n) [ιμ-πρίζονμεν-τ] έγκλειση, φυλάκιση.
improbable (adj) [ιμ-πρό-μπαμπλ] απίθανος.
impromptu (adj) [ιμ-πρόμ-πτιου] πρόχειρος, αυτοσχέδιος.
improper (adj) [ιμ-πρόπα] άκοσμος, ακατάλληλος.
impropriety (n) [ιμ-προπράιετι] ατόπημα, απρέπεια.
improve (v) [ιμ-προύουβ] τελειοποιώ, καλυτερεύω, βελτιώνω.
improvidence (n) [ιμ-πρόβιντενς] απροβλεψία.
improvise (v) [ίμ-προβάιζ] αυτοσχεδιάζω.
improvised (adj) [ίμ-προβάιζ-ντ] αυτοσχέδιος.
imprudence (n) [ιμ-προύντενς] απερισκεψία.
imprudent (adj) [ίμ-πρού-ντεν-τ] αστόχαστος, ασύνετος.
impulse (n) [ίμ-παλς] ορμή.
impulsion (n) [ιμ-πάλσσιον] ώθηση, παρακίνηση.
impulsive (adj) [ιμ-πάλσιβ] αυθόρμητος, αδιάντροπος.
impulsiveness (n) [ιμ-πάλσιβνες] αμεριμνησία.
impunity (adv) [ιμ-πιούνιτι] ατιμωρητί, ατιμωρησία.
impute (v) [ιμ-πιούτ] καταλο-

γίζω.
imputed (adj) [ιμ-πιούτι-ντ] τεκμαρτός.
in (adv) [ιν] εντός, μέσα.
in a fluster (adj) [ιν α φλάστερ] εκνευρισμένος.
in a hurry (adv) [ιν α χάρι] άρον άρον, μάνι μάνι, βιαστικά.
in a rage (adj) [ιν α ρέιντζζ] μανιασμένος.
in accord (adj) [ιν ακόο-ντ] σύμφωνος.
in addition (adv) [ιν α-ντίσσον] επιπλέον.
in advance (adv) [ιν α-ντβάανς] προκαταβολικώς.
in any case (adv) [ιν ένι κέις] πάντα, πάντως.
in bulk (adj) [ιν μπαλκ] χοντρικός.
in case (conj) [ιν κέις] μήπως.
in detail (adv) [ιν ντίιτέιλ] λεπτομερώς.
in disorder (adj) [ιν ντισόοντερ] ανάστατος.
in distress (adj) [ιν ντιστρές] πονεμένος.
in fact (adv) [ιν φακτ] πράγματι.
in fancy dress (n) [ιν φάνσι ντρες] μασκέ.
in great demand (adj) [ιν γκρέιτ ντιμάαν-ντ] περιζήτητος.
in mid-air (n) [ιν μι-ντέα(ρ)] μεσούρανα.
in no time (adv) [ιν νόου τάιμ] μάνι μάνι, αυτοστιγμεί.
in order to (conj) [ιν όορ-ντα(ρ) του] να, για να, έτσι ώστε.
in other words (adv) [ιν άδερ ουέρ-ντς] άλλως.
in poor taste (adj) [ιν πούουα τέιστ] άκομψος.
in prose (adj) [ιν πρόουζ] πεζός.
in question (adj) [ιν κουέστσον] προκείμενος, επίδικος.
in tears (adj) [ιν τίιαζ] κλαμένος.
in truth (adv) [ιν τρουθ] όντως.
in turn (adv) [ιν τερν] εναλλάξ.
in vain (adv) [ιν βέιν] μάταια.
in writing (adv) [ιν ράιτινγκ] εγγράφως (adj) έγγραφος.
in-laws (n) [ινλόοζ] πεθερικά.
inability (n) [ινα-μπίλιτι] αδυναμία.
inaccessibility (n) [ιναξεσι-μπίλιτι] ασυγκινησία, απρόσιτο.
inaccessible (adj) [ιναξέσι-μπλ] απροσπέλαστος, δύσβατος.
inaccurate (adj) [ινάκιουρεϊτ] ανακριβής, ασαφής, σφαλερός.
inaction (n) [ινάκσσον] απραξία.
inactivate (v) [ινάκτιβεϊτ] αδρανώ.
inadaptable (adj) [ινα-ντάπταμπλ] απροσάρμοστος.
inadequacy (n) [ινά-ντικουασι] ανεπάρκεια, ανικανότητα.

inadvertence (n) [ινα-ντβέρ-τενς] αμέλεια, αβλεψία.
inalienable (adj) [ινέιλιενα-μπλ] αναφαίρετος, αναπόσπαστος.
inalterable (adj) [ινόλτερα-μπλ] αναλλοίωτος, αμετάβλητος.
inanity (n) [ινάνιτι] ανοησία.
inappeasable (adj) [ιναπίιζα-μπλ] ακαταπράυντος.
inapplicable (adj) [ιναπλίκα-μπλ] άσχετος, ακατάλληλος.
inappreciable (adj) [ιναπρίσ-σια-μπλ] πολύτιμος.
inapproachable (adj) [ιναπρό-ουτσσα-μπλ] απλησίαστος.
inappropriate (adj) [ιναπρόου-πριετ] ακατάλληλος.
inapt (adj) [ινάπτ] άτεχνος.
inaptitude (n) [ινάπτιτιου-ντ] αδεξιότητα, ανικανότητα.
inartificial (adj) [ιναρτιφίσ-σιαλ] άτεχνος.
inattention (n) [ινατένσσον] α-προσεξία, αφηρημάδα, αμέλεια.
inaudible (adj) [ινόο-ντι-μπλ] ανεπαίσθητος, μη ακουόμενος.
inaugurate (v) [ινόογκιουρέιτ] εγκαθιστώ, εγκαινιάζω.
inauspicious (adj) [ινοοσπίσ-σιας] ατυχής, δυσοίωνος.
inborn (adj) [ιν-μπόον] έμφυ-τος.
incalculable (adj) [ινκάλκιου-λα-μπλ] ανυπολόγιστος.
incapable (adj) [ινκέιπα-μπλ] α-νίκανος, αδύναμος, ανίσχυρος.
incarcerate (v) [ινκάασερεϊτ] φυλακίζω, εγκλείω.
incarnate (v) [ινκααν έιτ] ενσαρ-κώνω.
incase (v) [ινκέις] εγκλείω.
incendiarism (n) [ινσέν-ντια-ριζμ] εμπρησμός, πυρπόληση.
incendiary (adj) [ινσέν-ντιαρι] εμπρηστικός (n) εμπρηστής.
incense (v) [ινσένς] εξαγριώνω, προκαλώ, λιβανίζω .
incentive (adj) [ινσέν-τιβ] ερεθι-στικός (n) κίνητρο.
incessant (adj) [ινσέσαν-τ] συνε-χής.
incest (n) [ίνσεστ] αιμομειξία.
inch (n) [ιν-τσς] ίντσα, δάκτυλο.
inchoate (adj) [ίνκοοέιτ] πρω-τάρης, ατελής, νεοσύστατος.
incident (n) [ίνσι-ντεν-τ] συμ-βάν.
incidental (adj) [ινσι-ντέν-ταλ] συμπτωματικός, τυχαίος.
incidious (adj) [ινσί-ντιας] επί-βουλος.
incinerate (v) [ινσίνερέιτ] απο-τεφρώνω, κατακαίω.
incinerator (n) [ινσινερέιτορ] κλίβανος, κρεματόριο.
incipient (adj) [ινσίπιεν-τ] αρχι-κός, αρχόμενος.
incise (v) [ινσάιζ] σχίζω.
incision (n) [ινσίζζιον] εγκοπή.
incitation (n) [ινσαϊτέισσον]

παρακίνηση, προτροπή.
incite (v) [ινσάιτ] κεντώ, ωθώ.
incivil (adj) [ινσίβιλ] αγροίκος.
inclement (adj) [ινκλέμεν-τ] ανεπιεικής, ανηλεής, δριμύς καιρός.
inclination (n) [ινκλινέισσον] γέρσιμο, διάθεση, κλίση, ροπή.
inclosure (n) [ινκλόουζζα(ρ)] περίφρακτο.
include (v) [ινκλιού-ντ] περικλείνω, συγκαταλέγω.
including (pr) [ινκλιού-ντινγκ] συμπεριλαμβανομένου.
incognito (adv) [ινκογκνίιτοου] ινκόγκνιτο, ανωνύμως.
incoherence (n) [ίνκοουχίιρενς] ασυναρτησία, έλλειψη συνοχής.
incoherent (adj) [ινκοουχίιρεν-τ] ασυνάρτητος, ασύνδετος.
incombustible (adj) [ινκο-μπάστι-μπλ] άφλεκτος, άκαυστος.
income (n) [ίνκαμ] απολαβή.
income tax (n) [ίνκαμτακς] φόρος εισοδήματος.
incoming (adj) [ινκάμινγκ] εισερχόμενος, προερχόμενος.
incomings (n) [ινκάμινγκζ] εισοδήματα.
incommensurable (adj) [ινκομένσσαρα-μπλ] ασύγκριτος.
incommode (v) [ινκομόου-ντ] ανησυχώ (n) ασφαλιστής.
incommunicable (adj) [ινκομιούνικα-μπλ] μη ανακοινώσιμος.
incommunicado (adj) [ινκομιουνικάα-ντο] απομονωμένος.
incommutability (n) [ινκομιουτα-μπίλιτι] αναλλοίωτο.
incomparable (adj) [ινκόμ-πραμπλ] απαράμιλλος, ασύγκριτος.
incompatible (adj) [ινκομ-πάτιμπλ] αδιάλλακτος, ασύφωνος.
incompetent (adj) [ινκόμ-πιτεν-τ] αναρμόδιος, ανίκανος.
incomplete (adj) [ινκομ-πλίιτ] ημιτελής, ελλιπής, ατελής.
inconceivable (adj) [ίνκονσίιβαμπλ] αδιανόητος, ακατανόητος.
inconsiderable (adj) [ινκονσίντεραμπλ] ασήμαντος.
inconsiderate (adj) [ινκονσίντερετ] αναίσθητος, αδιάκριτος.
inconsistency (n) [ινκονσίστενσι] ανακολουθία, ασυνέπεια.
inconsistent (adj) [ινκονσίστεν-τ] αντιφατικός, ασυνεπής.
inconsolable (adj) [ινκονσόουλαμπλ] απαρηγόρητος.
inconspicuous (adj) [ινκονσπίκιουους] διακριτικός, σεμνός.
inconstant (adj) [ινκόνσταν-τ] ασταθής, ευμετάβλητος.
incontinent (adj) [ινκόν-τινεν-τ] ακρατής, άσωτος.
inconvenience (n) [ινκονβίινιενς] ανησυχία (v) στενοχωρώ.
inconvenient (adj) [ίνκονβίινιεν-τ] άβολος, δύσχρηστος.
incorporate (v) [ινκόοπορεϊτ]

ενσωματώνω, συγχωνεύω.
incorporeal (adj) [ινκοοπόοριαλ] ψυχικός, άυλος.
incorrect (adj) [ινκορέκτ] απρεπής.
incorrigible (adj) [ινκόριντζζιμπλ] αδιόρθωτος [χαρακτήρας].
incorruptible (adj) [ινκοράπτιμπιλ] ακατάλυτος, αιώνιος.
incorruption (n) [ινκοράπσσον] αφθαρσία, αιωνιότητα.
incorruptness (n) [ινκοράπτνες] τιμιότητα, ακεραιότητα.
increase (n) [ίνκριις] ανάπτυξη (v) [ινκρίις] αυγατίζω, αυξάνω.
incredible (adj) [ινκρέ-ντι-μπλ] αφάνταστος, απίστευτος.
incredulity (n) [ινκρε-ντιούλιτι] δυσπιστία, ολιγοπιστία, απιστία.
increment (n) [ίνκριμέν-τ] προσαύξηση, συμπλήρωμα.
incremental (adj) [ινκριμένταλ] επαυξητικός.
incriminate (v) [ινκρίμινεϊτ] ενοχοποιώ.
incubation (n) [ινκιου-μπέισσον] εκκόλαψη, επώαση.
inculcate (v) [ίνκαλκεϊτ] εντυπώνω.
inculpate (v) [ίνκαλπεϊτ] ενοχοποιώ, κατηγορώ.
incur (v) [ινκέρ] διατρέχω, υφίσταμαι, συνάπτω [δάνειο].
incurable (adj) [ινκιούρα-μπλ] αθεράπευτος, αγιάτρευτος.
indecent (adj) [ιν-ντίισεν-τ] πρόστυχος, απρεπής, άσεμνος.
indecision (n) [ιν-ντισίζζιον] διστακτικότητα, δυστοκία.
indeed (adv) [ιν-ντίι-ντ] αλήθεια, μάλιστα, ναι.
indefatigable (adj) [ιν-ντιφάτιγκαμπλ] άοκνος, ακούραστος.
indefinite (adj) [ιν-ντέφινιτ] αόριστος, απροσδιόριστος.
indelible (adj) [ιν-ντέλι-μπλ] ανεξίτηλος, αναπόσβεστος.
indemnify (v) [ιν-ντέμνιφαϊ] εξασφαλίζω, αποζημιώνω.
indemnity (n) [ιν-ντέμνιτι] αποζημίωση, εξασφάλιση.
indentation (n) [ιν-ντεν-τέισσον] εσοχή.
indented (adj) [ιν-ντέν-τι-ντ] δαντελωτός.
independence (n) [ιν-ντιπένντενς] ανεξαρτησία.
indescribable (adj) [ιν-ντισκράι-μπα-μπλ] ανέκφραστος.
indestructible (adj) [ιν-ντιστράκτιμπλ] ακατάλυτος, άφθαρτος.
index (n) [ίν-ντεξ] ευρετήριο, δείχτης (v) αποδελτιώνω.
indication (n) [ιν-ντικέισσον] υπόδειξη, ένδειξη, υποδήλωση.
indicatory (adj) [ιν-ντίκατρι] ενδεικτικός.
indict (v) [ιν-ντάιτ] κατηγορώ.
indictment (n) [ιν-ντάιτμεν-τ] έγκληση, κατηγορητήριο.

indifference (n) [ιν-ντίφερενς] αδιαφορία, ψυχρότητα.
indigenous (adj) [ίν-ντίντζζε-νας] εντόπιος (n) αυτόχθονας.
indigestible (adj) [ιν-νταϊντζζέ-στιμπλ] αχώνευτος, δύσπεπτος.
indigestion (n) [ιν-νταϊντζζέσ-στσσον] δυσπεψία.
indignant (adj) [ιν-ντίγκναν-τ] αγανακτισμένος.
indignity (n) [ιν-ντίγκνιτι] ανα-ξιοπρέπεια.
indigo (n) [ίν-ντιγκοου] λου-λάκι.
indirect (adj) [ιν-νταϊρέκτ] έμ-μεσος.
indirectly (adv) [ιν-νταϊρέκτλι] πλαγίως.
indiscreet (adj) [ιν-ντισκρίιτ] α-διάκριτος.
indispensable (adj) [ιν-ντισπέν-σαμπλ] αναπόφευκτος.
indisposed (adj) [ιν-ντισπόουζ-ντ] ανήμπορος.
indisposition (n) [ιν-ντισποζίσ-σον] αδιαθεσία, αντιπάθεια.
indisputable (adj) [ιν-ντισπιού-ταμπλ] αναμφισβήτητος.
indissoluble (adj) [ιν-ντισόλιου-μπλ] διαρκής, αδιάλυτος.
indistinct (adj) [ιν-ντιστίνκτ] δυσδιάκριτος, ωχρός.
individual (n) [ιν-ντιβί-ντζζουαλ] υποκείμενο.
individualism (n) [ιν-ντιβί-ντζζουαλιζμ] ατομικισμός.
individualize (v) [ιν-ντιβί-ντζζουαλάιζ] χαρακτηρίζω.
individually (adv) [ιν-ντιβί-ντζζουαλι] χώρια, χωριστά.
indivisible (adj) [ιν-ντιβίζι-μπλ] αδιαίρετος, αδιαχώριστος.
indoctrination (n) [ιν-ντοκτρι-νέισσον] διαπαιδαγώγηση.
indolence (n) [ίν-ντολενς] α-δράνεια [μεταφ], ραθυμία.
indolent (adj) [ίν-ντολεν-τ] νω-θρός, αργός, τεμπέλης.
indomitable (adj) [ιν-ντόμιτα-μπλ] ακατάβλητος.
induction (n) [ιν-ντάκσσον] ε-παγωγή, κατάταξη [στρατ].
indulge (v) [ιν-ντάλντζζ] χαρί-ζομαι, ικανοποιώ.
indulge in (v) [ιν-ντάλντζζ ιν] παραδίνομαι.
indulgent (adj) [ιν-ντάλντζζεν-τ] ανεκτικός, επιεικής, ήπιος.
industrial (adj) [ιν-ντάστριαλ] βιομηχανικός.
industrious (adj) [ιν-ντάστριας] επιμελής, εργατικός, φίλεργος.
industry (n) [ίν-νταστρι] βιομη-χανία, φιλοπονία, επιμέλεια.
inebriate (n) [ινίι-μπριετ] μέθυ-σος (v) μεθώ (adj) μεθυσμένος.
ineffective (adj) [ινεφέκτιβ] ά-καρπος, πλαδαρός.
inefficient (adj) [ινεφίσσιεν-τ] ανίκανος, ανάξιος, πλημμελής.

inelegant (adj) [ινέλεγκαν-τ] κακόζηλος, άκομψος.
inept (adj) [ινέπτ] ανάρμοστος.
inequal (adj) [ινίκουαλ] άνισος.
inert (adj) [ινέρτ] αδρανής.
inertia (n) [ινέρσσια] αδράνεια.
inescapable (adj) [ινεσκέιπα-μπλ] ανεκτίμητος.
inevitable (adj) [ινέβιτα-μπλ] μοιραίος, αναπόφευκτος.
inexcusable (adj) [ινεξκιούζα-μπλ] αδικαιολόγητος.
inexhaustible (adj) [ινεξόοστι-μπλ] ακατάβλητος, ακένωτος.
inexorable (adj) [ινέξερα-μπλ] ανηλεής, αδυσώπητος.
inexpensive (adj) [ινεξπένσιβ] αδάπανος, ανέξοδος.
inexperience (n) [ινεξπίιριενς] απειρία, έλλειψη πείρας.
inexplicable (adj) [ινεξπλίκα-μπλ] ασυγχώρητος, ανεξήγητος.
inextricable (adj) [ινεξτρίκα-μπλ] αδιέξοδος, αξεδιάλυτος.
infallible (adj) [ινφάλι-μπλ] αλάθητος, αλάνθαστος, σίγουρος.
infamous (adj) [ίνφαμας] ανήθικος, αισχρός, άτιμος.
infant (n) [ίνφαν-τ] βρέφος, νήπιο, παιδάκι, μωρό.
infanticide (n) [ινφάν-τισάι-ντ] βρεφοκτονία, νηπιοκτονία.
infantile (adj) [ίνφαν-ταϊλ] παιδικός, βρεφικός, νηπιακός.
infantry (n) [ίνφαν-τρι] πεζικό.
infantryman (n) [ίνφαν-τριμαν] φαντάρος.
infatuate (v) [ινφάτσσουέιτ] αποβλακώνω, ξετρελλαίνω.
infect (v) [ινφέκτ] διαφθείρω.
infection (n) [ινφέκσσον] λοίμωξη, μόλυνση, μίασμα.
infectious (adj) [ινφέκσσας] λοιμώδης, κολλητικός.
infer (v) [ινφέρ] συμπεραίνω, συνάγω [συμπεραίνω], υπονοώ.
inferiority (n) [ινφιιριόριτι] κατωτερότητα, μειονεκτικότητα.
infernal (adj) [ινφέρναλ] αβυσσαλέος, καταχθόνιος.
infertile (adj) [ίνφερταϊλ] άγονος.
infest (v) [ινφέστ] μαστίζω.
infidel (adj) [ίνφι-ντελ] άθεος.
infiltrate (v) [ίνφιλτρεϊτ] διεισδύω.
infinite (adj) [ίνφινιτ] άπειρος.
infinitesimal (adj) [ινφινιτέσιμαλ] απειροελάχιστος.
infinitive (n) [ινφίνιτιβ] απαρέμφατο [γραμμ].
infinity (n) [ινφίνιτι] απειρία.
infirm (adj) [ινφέρμ] ασθενικός.
infirmary (n) [ινφέρμερι] νοσοκομείο.
infix (v) [ίνφιξ] καρφώνω (n) επενθετικό.
inflammable (adj) [ινφλάμα-μπλ] ευερέθιστος, εύφλεκτος.

inflammation (n) [ινφλαμέισσον] ανάφλεξη, φλεγμονή.
inflate (v) [ινφλέιτ] εμφυσώ.
inflated (adj) [ινφλέιτι-ντ] διογκωμένος, πληθωρικός.
inflexible (adj) [ινφλέξι-μπλ] άκαμπος, δύσκαμπτος.
inflict (v) [ινφλίκτ] επιβάλλω.
inflow (n) [ίνφλοου] συρροή.
influence (n) [ίνφλουενς] επίδραση (v) επηρεάζω, επιδρώ.
influent (n) [ίνφλουουεν-τ] παραπόταμος.
influential (adj) [ινφλουένσσαλ] σημαίνων, ισχυρός.
influenza (n) [ινφλουένζα] γρίπη.
influx (n) [ίνφλαξ] εισροή, συρροή.
inform (v) [ινφόομ] ειδοποιώ, πληροφορώ, προδίδω.
informal (adj) [ινφόομαλ] ανεπίσημος, φιλικός, άτυπος.
informant (n) [ινφόομαν-τ] πληροφοριοδότης.
information (n) [ινφοομέισσον] πληροφόρηση.
infrastructure (n) [ινφραστράκτσσα(ρ)] υποδομή.
infrequent (adj) [ινφρίικουεν-τ] σπάνιος, σποραδικός, ανάριος.
infringe (v) [ινφρίν-ντζζ] παραβιάζω [νόμο], παραβαίνω.
infuse (v) [ινφιούζ] εμφυσώ.
ingenious (adj) [ιν-ντζζίνιους] ευφυής, σπιρτόζος.
ingenuous (adj) [ιν-ντζζίνιουας] απονήρευτος, αφελής.
inglorious (adj) [ινγκλόοριας] άδοξος, ντροπιασμένος.
ingrate (adj) [ινγκρέιτ] αγνώμων.
ingredient (n) [ινγκρίι-ντιεν-τ] συστατικό, υλικό.
ingredients (n) [ινγκρίι-ντιεντς] συστατικά.
inhabit (v) [ινχάμ-μπιτ] κατοικώ.
inhale (v) [ινχέιλ] εισπνέω.
inherent (adj) [ίνχερεν-τ] έμφυτος.
inherit (v) [ινχέριτ] κληρονομώ.
inhibited (adj) [ινχί-μπιτι-ντ] ανασταλείς, ανασχεθείς.
inhuman (adj) [ινχίουμαν] απάνθρωπος, άσπλαχνος.
inimical (adj) [ινίμικαλ] εχθρικός.
inimitable (adj) [ινίμιτα-μπλ] αμίμητος, ασυναγώνιστος.
initial (adj) [ινίσσαλ] αρχικός, (n) τζίφρα (v) μονογραφώ.
initiate (n) [ινίσσιέιτ] μύστης (v) αρχίζω, εισάγω, μυώ.
initiative (n) [ινίσσατιβ] πρωτοβουλία.
injection (n) [ιν-ντζζέκσσον] ένεση.
injure (v) [ίν-ντζζερ] βλάπτω.
injuring (n) [ίν-ντζζαρινγκ] τραυματισμός.

injury (n) [ίν-ντζζουρι] ατύχημα, ζημιά (v) ζημιώνω.
ink (n) [ινκ] μελάνι.
ink-pad (n) [ινκ-πα-ντ] ταμπόν.
inky (adj) [ίνκι] μελανωμένος.
inland (adj) [ίνλαν-ντ] εγχώριος.
inlay (n) [ίνλεϊ] ψηφίδα.
inlet (n) [ίνλετ] όρμος, είσοδος.
inmate (adj) [ίνμεϊτ] τρόφιμος.
inn (n) [ιν] ταβέρνα, πανδοχείο.
innards (n) [ίναα-ντζ] σπλάχνα.
innate (adj) [ίνεϊτ] έμφυτος.
inner (adj) [ίνερ] ενδότερος.
inner tube (n) [ίνα τιού-μπ] σαμπρέλα, θάλαμος [ποδηλάτου].
innermost (adj) [ίναμόουστ] ενδόμυχος.
innkeeper (n) [ίνκίιπερ] ξενοδόχος.
innocence (n) [ίνοσενς] αθωότητα.
innovation (n) [ινοβέισσον] νεωτερισμός (adj) νεωτεριστικός.
innovator (adj) [ινοβέιτορ] πρωτοπόρος (n) νεωτεριστής.
innumerable (adj) [ινιούμεραμπλ] αναρίθμητος.
inoculate (v) [ινόκιουλεϊτ] εμβολιάζω [άνθρωπο].
inoculation (n) [ινοκιουλέισσον] ενοφθαλμισμός.
inoffensive (adj) [ινοφένσιβ] άκακος, αγαθός.
inopportune (adj) [ινόπορτσσουν] άκαιρος, ανεπίκαιρος.
inordinate (adj) [ινόο-ντινετ] υπέρμετρος, άμετρος.
inorganic (adj) [ινοογκάνικ] ανόργανος.
input (n) [ίνπουτ] είσοδος.
inquest (n) [ίνκουεστ] ανάκριση.
inquire (v) [ίνκουάια(ρ)] ερωτώ.
inquiring (adj) [ίνκουάιρινγκ] ερευνητικός, περίεργος.
inquiry (n) [ινκουάιρι] ανάκριση.
inquisitive (adj) [ινκουίζιτιβ] αδιάκριτος, φιλοπερίεργος.
inquisitor (n) [ίνκουίζιτα(ρ)] ανακριτής.
insane (adj) [ινσέιν] παλαβός (n) παράφρονας.
insanity (n) [ίνσάνιτι] τρέλα.
insatiable (adj) [ινσέισσα-μπλ] αχόρταγος, άπληστος (n) βουλιμία.
inscribe (v) [ίνσκράι-μπ] χαράσσω, αναγράφω.
inscrutable (adj) [ινσκρούταμπλ] ανεξιχνίαστος.
insect (n) [ίνσεκτ] έντομο.
insecticide (adj) [ινσέκτισαϊ-ντ] εντομοκτόνος (n) εντομοκτόνο.
insecure (adj) [ινσεκιούα] επισφαλής, επίφοβος.
insecurity (n) [ινσεκιούριτι] ανασφάλεια, αβεβαιότητα.

insensibility (n) [ινσενσι-μπίλιτι] λιποθυμία, αναισθησία.
inseparable (adj) [ινσέπεραμπλ] αδιάσπαστος.
insertion (n) [ινσέρζζον] εισαγωγή, καταχώριση, παρένθεση.
inset (n) [ίνσετ] παρεμβολή.
inside (adv) [ινσάι-ντ] απομέσα, εντός, έσω, μέσα.
inside out (adv) [ινσάι-ντ άουτ] ανάποδα [μέσα έξω].
insignia (n) [ινσίγκνια] διάσημα.
insignificant (adj) [ινσιγκνίφικαν-τ] ασήμαντος, άσημος.
insincere (adj) [ινσινσία(ρ)] απατηλός, ανειλικρινής.
insipid (adj) [ινσίπι-ντ] ανούσιος.
insist (v) [ινσίστ] επιμένω.
insoluble (adj) [ινσόλιου-μπλ] ανεξιχνίαστος [έγκλημα].
insolvency (n) [ινσόλβενσι] πτώχευση.
insolvent (adj) [ινσόλβεν-τ] αναξιόχρεος, αφερέγγυος.
insomnia (n) [ινσόμνια] αϋπνία.
inspect (v) [ινσπέκτ] επιθεωρώ.
inspector (n) [ινσπέκτορ] ελεγκτής, επιθεωρητής, έφορος.
inspiration (n) [ινσπιρέισσον] πνοή [μεταφ], φώτιση, οίστρος.
inspire (v) [ινσπάια(ρ)] εμπνέω.
inspired (adj) [ινσπάια-ντ] μεγαλόπνευστος, εμπνευσμένος.
inspirid (adj) [ινσπίρι-ντ] ανούσιος.
instability (n) [ινστα-μπίλιτι] αστάθεια, ρευστότητα.
install (v) [ινστόολ] καθιστώ.
installation (n) [ινσταλέισσον] εγκατάσταση, εγκαθίδρυση.
installment (n) [ινστόολμεν-τ] δόση [πληρωμή].
instance (n) [ίνστανς] λόγος.
instant (n) [ίνσταν-τ] στιγμή.
instantaneous (adj) [ινσταν-τέινιας] ακαριαίος, άμεσος.
instigate (v) [ίνστιγκεϊτ] εξωθώ.
instigation (n) [ινστιγκέισσον] πρόκληση, υποβολή.
instigator (n) [ινστιγκέιτορ] μοχλός.
instill (v) [ινστίλ] εμφυσώ.
instinct (n) [ίνστινκτ] ένστικτο (adj) πλήρης, γεμάτος.
institute (n) [ίνστιτιουτ] ινστιτούτο.
institution (n) [ινστιτιούσσον] θεσμός, ίδρυμα, παράδοση.
institutional (adj) [ινστιτιούσσοναλ] θεσμικός, οργανωμένος.
instruct (v) [ινστράκτ] διδάσκω.
instruction (n) [ινστράκσσον] διδασκαλία, παιδεία, ορισμός.
instructor (n) [ινστράκτορ] διδάσκαλος, εκπαιδευτής.
instrument (n) [ίνστρουμεν-τ] εργαλείο, όργανο [μουσ].

instrumental (adj) [ίνστρουμενταλ] συντελεστικός, ενόργανος.
insubordinate (adj) [ινσα-μπόοντινετ] ανυπάκουος.
insubordination (n) [ινσα-μπόοντινέισσον] απειθαρχία.
insufficient (adj) [ινσαφίσσιεντ] ανεπαρκής, ελλιπής.
insular (adj) [ίνσιουλα(ρ)] νησιώτικος, απομονωμένος.
insulation (n) [ινσιουλέισσον] μόνωση, απομόνωση.
insulin (n) [ίνσιουλιν] ινσουλίνη.
insult (n) [ινσάλτ] προσβολή, βρισιά (v) θίγω, βρίζω.
insuperable (adj) [ινσούπεραμπλ] ανυπέρβλητος.
insurance (adj) [ινσσούρανς] ασφαλιστικός (n) ασφάλιση.
insurance policy (n) [ινσσούρανς πόλισι] ασφαλιστήριο.
insure (v) [ινσσούα] ασφαλίζω.
insurgent (n) [ινσέρντζζεν-τ] αντάρτης, στασιαστής.
insurmountable (adj) [ινσερμάουν-τα-μπλ] αξεπέραστος.
intact (adj) [ιν-τάκτ] ανέπαφος.
intake (n) [ίν-τεϊκ] εισαγωγή.
intangible (adj) [ιν-τάν-ντζζιμπλ] άυλος, ακατάληπτος.
integral (adj) [ίν-τεγκραλ] ακέραιος (n) ολοκλήρωμα.
integration (n) [ιν-τεγκρέισσον] ολοκήρωση, ένταξη.
integrity (n) [ιν-τέγκριτι] πληρότητα, ακεραιότητα.
intellect (n) [ίν-τελεκτ] ευφυΐα.
intelligent (adj) [ιν-τέλιντζζεντ] έξυπνος, ευφυής, νοήμων.
intelligible (adj) [ιν-τέλιντζζιμπλ] νοητός, κατανοητός.
intemperance (n) [ιν-τέμ-περανς] ακράτεια, υπερβολή.
intend (v) [ιν-τέν-ντ] εννοώ, μέλλω, σχεδιάζω.
intense (adj) [ιν-τένς] έντονος.
intensification (n) [ιν-τενσιφικέισσον] ένταση, δυνάμωμα.
intensity [ιν-τένσιτι] (n) ένταση.
intent (adj) [ιν-τέν-τ] προσηλωμένος, (n) σκοπός.
intention (n) [ιν-τένσσον] πρόθεση, βλέψη, σκοπός.
intentional (adj) [ιν-τένσσοναλ] σκόπιμος, εσκεμμένος.
inter (v) [ιν-τέρ] ενταφιάζω.
interaction (n) [ιν-τεράκσσον] αλληλεπίδραση.
intercede (v) [ιν-τερσίι-ντ] επεμβαίνω, μεσάζω.
interception (n) [ιν-τερσέπσσον], αναχαίτιση.
interchange (n) [ίν-τερτσσέινντζζ] εναλλαγή.
intercommunal (adj) [ιν-τερκομιούναλ] διακοινοτικός.
intercontinental (adj) [ιν-τερκον-τινέν-ταλ] διηπειρωτικός.
intercourse (n) [ίν-τακοος] συ-

ναναστροφή, συνουσία, σχέση.
interdependence (n) [ιν-τα-ντι-πέν-ντενς] αλληλεξάρτηση.
interest (n) [ίν-τερεστ] τόκος, ενδιαφέρον (v) ενδιαφέρω.
interfere (v) [ιν-ταφία(ρ)] ανακατεύω, χώνομαι.
interior (adj) [ιν-τίιρια(ρ)] ενδότερος, εσωτερικός, ντόπιος.
interjection (n) [ιν-τερντζζέκσσον] αναφώνηση, επιφώνημα.
interlace (v) [ιν-τερλέις] συμπλέκω, περιπλέκω.
interlocutor (n) [ιν-τερλόκιουτα(ρ)] συνομιλητής.
interlude (n) [ίν-τερλιου-ντ] ιντερμέτζο, ενδιάμεσο.
intermarriage (n) [ίν-τερμάριντζζ] επιγαμία, επιμειξία.
intermediate (adj) [ιν-τερμίιντιετ] ενδιάμεσος (n) διάμεσος (v) [ιν-τερμίι-ντιεϊτ] μεσολαβώ.
interminable (adj) [ιν-τέρμιναμπλ] ατελεύτητος.
intermingle (v) [ιν-τερμίνγκλ] ανακατεύω, αναμιγνύω.
intermission (n) [ιν-ταμίσσον] διάλειμμα, ανάπαυλα, παύση.
internal (adj) [ιν-τέρναλ] εσωτερικός.
international (adj) [ιν-τανάσσοναλ] διεθνής.
internecine (adj) [ιν-τερνίισαϊν] αλληλοκτόνος, φονικός.
internee (n) [ιν-τερνίι] έγκλειστος.
interplanetary (adj) [ιν-ταπλάνιτρι] διαπλανητικός.
interplay (n) [ίν-ταπλέι] αλληλεπίδραση.
interpose (v) [ίν-ταπόουζ] παρεμβάλλω, παρενθέτω.
interpret (v) [ιν-τερπρέτ] διερμηνεύω, εξηγώ, ερμηνεύω.
interpretation (n) [ιν-τερπριτέισσον] σημασία, εκδοχή.
interpreter (n) [ιν-τέρπριτερ] διερμηνέας, ερμηνευτής.
interrogate (v) [ιν-τέρογκεϊτ] ερωτώ, ανακρίνω, εξετάζω.
interrupt (v) [ιν-τεράπτ] διακόπτω, εμποδίζω [θέα].
intersection (n) [ιν-τασέκσσον] τομή, τμήση, διχοτόμηση.
interval (n) [ίν-ταβαλ] χώρος, διάλειμμα, διάμεσο, διάστημα.
intervene (v) [ιν-ταβίιν] ανακατεύω, μεσολαβώ.
intestinal (adj) [ιν-τέστιναλ] εντερικός.
intimacy (n) [ίν-τιμασι] οικειότητα, στενή φιλία, γνωριμία.
intimate (adj) [ίν-τιμετ] φιλικός, μύχιος, οικείος, στενός.
intimation (n) [ιν-τιμέισσον] γνωστοποίηση, αναγγελία.
intimidate (v) [ιν-τίμι-ντεϊτ] τρομοκρατώ, εκφοβίζω, πτοώ.
into (adv) [ίν-του] εντός (pr) εις.
intolerable (adj) [ιν-τόλερα-

μπλ] ανυπόφορος, αφόρητος.
intolerance (n) [ιν-τόλερανς] αδιαλλαξία, μισαλλοδοξία.
intoxicate (v) [ιν-τόξικεϊτ] μεθώ.
intramuscular (adj) [ιν-τραμάσκιουλα(ρ)] ενδομυϊκός.
intransigence (n) [ιν-τράνσιντζζενς] αδιαλλαξία.
intransitive (adj) [ιν-τράνσιτιβ] αμετάβατος.
intravenous (adj) [ιν-τραβίινας] ενδοφλέβιος.
intrepid (adj) [ιν-τρέπι-ντ] απτόητος, άφοβος.
intricate (adj) [ίν-τρικιτ] περίπλοκος (n) δαίδαλος, σύνθετος.
intrigue (n) [ιν-τρίιγκ] δολοπλοκία (v) σκανδαλίζω.
intriguer (n) [ιν-τρίιγκα(ρ)] μηχανορράφος.
introduce (v) [ιν-τρο-ντιούς] εισάγω, παρουσιάζω, μυώ.
introductions (n) [ιν-τρο-ντάκσσονς] συστάσεις.
introjection (n) [ιν-τροντζζέκσσον] παρεμβολή.
introvert (n) [ίν-τροβερτ] εσωστρεφής.
intrude (v) [ιν-τρού-ντ] επεμβαίνω.
intrusive (adj) [ιν-τρούσιβ] οχληρός, παρείσακτος, φορτικός.
intuition (n) [ιν-τιουίσσον] διαίσθηση, ενόραση.
inundate (v) [ιναν-ντέιτ] πλημμυρίζω, κατακλύζω.
inure (v) [ινιούα(ρ)] εξοικειώνω.
inutility (n) [ινιουτίλιτι] αχρηστία.
invade (v) [ινβέι-ντ] εισβάλλω, κατακλύζω [μεταφ].
invalid (adj) [ινβάλι-ντ] άκυρος.
invalidate (v) [ινβάλι-ντεϊτ] αναιρώ.
invaluable (adj) [ινβάλιουαμπλ] ανεκτίμητος, ατίμητος.
invariable (adj) [ινβέρια-μπλ] αμετάβλητος, στερεότυπος.
inveigh (v) [ινβέι] καταφέρομαι.
invention (n) [ινβένσσον] ανακάλυψη, πλάσμα, σκάρωμα.
inventory (n) [ίνβεν-τρι] απογραφή [εμπορ], κατάλογος.
inversion (n) [ινβέρζζιον] αντιστροφή, αναστροφή.
invert (v) [ινβέρτ] αναστρέφω.
invest (v) [ινβέστ] επενδύω.
investigate (v) [ινβέστιγκέιτ] εξετάζω.
investigation (n) [ινβεστιγκέισσον] διερεύνηση, έρευνα.
investing (n) [ινβέστινγκ] τοποθέτηση [οικον].
inveterate (adj) [ινβέτερετ] μανιακός, αθεράπευτος.
invigilation (n) [ινβιντζζιλέισσον] επίβλεψη.
invigorate (v) [ινβίγκορέιτ] α-

ναζωογονώ, τονώνω.
invincible (adj) [ινβίνσι-μπλ] ακαταμάχητος, ακατανίκητος.
inviolability (n) [ινβάιολα-μπίλιτι] ασυλία.
inviolate (adj) [ινβάιολέιτ] απαραβίαστος.
invisible (adj) [ινβίζι-μπλ] αθέατος, αόρατος, άφαντος.
invitation (n) [ινβιτέισσον] κάλεσμα, πρόσκληση.
inviting (adj) [ινβάιτινγκ] ελκυστικός.
invocatory (adj) [ινβόκατρι] παρακλητικός.
invoice (v) [ίνβοϊς] τιμολογώ (n) τιμολόγιο.
involuntary (adj) [ινβόλον-τρι] αθέλητος.
involvement (n) [ινβόλβμεν-τ] ανάμιξη, εμπλοκή.
invulnerable (adj) [ινβάλνεραμπλ] απρόσβλητος, άτρωτος.
inwardly (adv) [ίνουα-ντλι] απομέσα, ενδομύχως.
iodine (n) [άιο-ντάιν] ιώδιο.
ionosphere (adj) [αϊόνοσφία(ρ)] ιονόσφαιρα.
irascible (adj) [ιράσι-μπλ] θυμώδης.
irate (adj) [αιρέιτ] θυμώδης.
ire (n) [άιρ] οργή, θυμός.
iridium (n) [ιρί-ντιαμ] ιρίδιο.
iris (n) [άιρις] ίριδα [ματιού], είδος κρίνου.
irk (v) [ερκ] στενοχωρώ.
irksome (adj) [έρκσαμ] ζόρικος.
iron (n) [άιον] σίδηρος (v) σιδερώνω (adj) σιδερένιος.
Iron Curtain (n) [Άιον Κέρτεν] παραπέτασμα [πολιτ].
iron industry (n) [άιον ίν-ντα-στρι] σιδηροβιομηχανία.
iron-clad (adj) [άιον-κλα-ντ] θωρακισμένος, σιδερόφραχτος.
ironical (adj) [αϊρόνικαλ] ειρωνικός.
ironing board (n) [άιονινγκ μπόο-ντ] σανίδα [σιδερώματος].
ironist (n) [άιονιστ] είρωνας.
irony (n) [άιρονι] ειρωνεία.
irrational (adj) [ιράσσοναλ] άλογος, ακαταλόγιστος.
irreconcilable (adj) [ιρεκονσάιλαμπλ] ασυμβίβαστος.
irregular (adj) [ιρέγκιουλα(ρ)] αντικανονικός, άτακτος.
irregularity (n) [ιρεγκιουλάριτι] αταοθαλία, διάλειψη.
irrelevant (adj) [ιρέλεβαν-τ] ξεκάρφωτος, άσχετος.
irreligious (adj) [ιριλίντζζιας] άθρησκος.
irremovable (adj) [ιριμούβαμπλ] αμετακίνητος.
irreparable (adj) [ιρέπερα-μπλ] αδιόρθωτος, ανεπανόρθωτος.
irreplaceable (adj) [ιριπλέισαμπλ] δυσαναπλήρωτος.
irrepressible (adj) [ιριπρέσι-

μπλ] ακατάσχετος.
irreproachable (adj) [ιριπρόουτσαμπλ] αδιάβλητος, άψογος.
irreputable (adj) [ιρεπιούταμπλ] ακαταμάχητος.
irresolute (adj) [ιρέζολιουτ] άβουλος, αναποφάσιστος.
irresolution (n) [ιρεζελιούσσον] αναποφασιστικότητα.
irresponsibility (n) [ιρισπονσιμπίλιτι] ανευθυνότητα.
irreverent (adj) [ιρέβερεν-τ] ανευλαβής.
irrevocability (n) [ιρεβοκα-μπίλιτι] αμετάκκλητο, ανέκλητο.
irrigable (adj) [ίριγκα-μπλ] αρδεύσιμος.
irrigate (v) [ίριγκεϊτ] ποτίζω.
irritable (adj) [ίριτα-μπλ] ευέξαπτος, οξύθυμος.
irritating (adj) [ιριτέιτινγκ] ερεθιστικός, εκνευριστικός.
irritation (n) [ιριτέισσον] οργή.
ischemia (n) [ισκίιμια] ισχαιμία.
island (adj) [άιλαν-ντ] νησιώτικος (n) νήσος, νησί.
islet (n) [άιλετ] νησίδα, νησάκι.
ism (n) [ιζμ] θεωρία, ιδεολογία.
isobar (n) [άισο-μπαα] ισοβαρής.
isolated (adj) [αϊσολέιτι-ντ] μεμονωμένος, χωριστός.
isolation (n) [αϊσολέισσον] μοναξιά, μόνωση, απομόνωση.
issue (n) [ίσσιου] δημοσίευση, φύλλο (v) εκδίδω, προέρχομαι.
issues (n) [ίσσιους] παρεπόμενα.
isthmus (n) [ίσθμας] ισθμός.
it (pron) [ιτ] το [γραμ].
italics (n) [ιτάλικς] λοξά στοιχεία τυπογραφίας.
itch (n) [ιτσ] κνησμός.
itchd (v) [ιτσ-ντ] έχω φαγούρα.
item (n) [άιτεμ] αντικείμενο.
itemize (v) [άιτεμάιζ] αναλύω.
iterate (v) [ιτερέιτ] επαναλαμβάνω.
itinerant (adj) [αιτίνεραν-τ] οδοιπορικός, περιπλανώμενος.
itinerary (n) [αϊτίνερερι] δρομολόγιο.
its (pron) [ιτς] αυτού, του.
itself (pron) [ιτσέλφ] το ίδιο.
ivory-turner (n) [άιβορι τέρνερ] ελεφαντουργός.
ivy (n) [άιβι] κισσός.

J, j (n) [ντζζέι] το δέκατο γράμμα του αγγλικού αλφαβήτου.
jab (n) [ντζζα-μπ] μπηχτή.
jabber (v) [ντζζά-μπερ] φλυαρώ.
jack (n) [ντζζακ] γρύλος, βαλές.
jackal (n) [ντζζάκαλ] τσακάλι.
jackanapes (n) [ντζζάκανεϊπς] παλιόπαιδο, πειραχτήρι.
jackass (n) [ντζζάκας] ζώο.
jacket (n) [ντζζάκετ] ζακέτα.
jacks (n) [ντζζακς] πεντόβολα.
jacktation (n) [ντζζακτέισσον] καυχησιολογία, κομπασμός.
Jacob (n) [Ντζζέικο-μπ] Ιακώβ.
jaded (adj) [ντζζέιντιντ] κουρασμένος, εξαντλημένος.
jag (v) [ντζζαγκ] σχίζω, κόβω.
jagged (adj) [ντζζαγκιντ] δαντελωτός, ακανόνιστος, οδοντωτός.
jail (n) [ντζζέιλ] φυλακή.
jam (n) [ντζζαμ] μαρμελάδα.
janitor (n) [ντζζάνιτορ] θυρωρός.
January (n) [Ντζζένιουαρι] Ιανουάριος.
jar (n) [ντζζάαρ] κακοφωνία.
jargon (n) [ντζζάαγκον] αργκό.
jarring (adj) [ντζζάαρινγκ] τραχύς, δυσάρεστος, παράτονος.
jasmine (n) [ντζζάσμιν] γιασεμί.
jaundice (n) [ντζζόον-ντις] ίκτερος.
jaunty (adj) [ντζζόον-ντι] άνετος.
javelin (n) [ντζζάβελιν] ακόντιο.
jaw (n) [ντζζόο] επίπληξη.
jawbone (n) [ντζζόο-μπόουν] γναθιαίο οστούν, σιαγόνα.
jazz (n) [ντζζαζ] τζαζ.
jazzy (adj) [ντζζάζι] φιγουράτος.
jealous (adj) [ντζζέλας] ζηλιάρης.
jeans (n) [ντζζίινζ] μπλού-τζην.
jeep (n) [ντζζίιπ] τζιπ.
jeer (n) [ντζζίιρ] χλεύη.
jeer at (v) [ντζζίιρ ατ] μυκτηρίζω.
jeering (adj) [ντζζίιρινγκ] σαρκαστικός (n) γιουχάισμα.
jejune (adj) [ντζζιντζζούουν] πληκτικός, βαρετός, ανούσιος.
jell (v) [ντζζελ] πήζω.
jelly (n) [ντζζέλι] ζελέ, μπελτές.
jellyfish (n) [ντζζέλιφισ] τσούχτρα.
jeopardy (n) [ντζζέπα-ντι] κίνδυνος.
jerk (n) [ντζζερκ] τίναγμα, τικ .
jerky (adj) [ντζζέρκι] ανώμα-

λος.
jerry (n) [ντζζέρι] ουροδοχείο.
jersey (n) [ντζζέρζιι] φανέλλα.
jest (v) [ντζζεστ] αστειεύομαι.
jesting (n) [ντζζέστινγκ] σκέρτσο.
Jesus (n) [Ντζζίιζας] Ιησούς.
jet (n) [ντζζετ] εκτόξευση.
jet black (adj) [ντζζετ-μπλάκ] στιλπνός, κατάμαυρος.
jettison (n) [ντζζέτισον] απόρριψη.
jetty (n) [ντζζέτι] προβλήτα.
jewel (n) [ντζζιούελ] κόσμημα.
jewel-case (n) [ντζζιούελ κέις] κοσμηματοθήκη.
jeweller (n) [ντζζιούλερ] κοσμηματοπώλης.
jewels (n) [ντζζιούλς] τιμαλφή.
jib (n) [ντζζι-μπ] κοψιά (v) κωλώνω.
jilt (v) [ντζζίλτ] εγκαταλείπω εραστή.
jingle (v) [ντζζινγκλ] κουδουνίζω (n) κροτάλισμα.
jinx (n) [ντζζινξ] γρουσουζιά.
jitters (n) [ντζζίτερς] νευρικότητα.
job (n) [ντζζο-μπ] δουλειά.
jockey (n) [ντζζόκιι] τζόκεϋ.
jocular (adj) [ντζζόκιουλα(ρ)] αστείος.
joggle (v) [ντζζογκλ] σκουντώ.
john (n) [ντζζον] ουρητήριο.
join (v) [ντζζόιν] ενώνω, σμίγω.
joinder (n) [ντζζόιν-ντερ] συγχώνευση, συνεκδίκαση.
joiner (n) [ντζζόινερ] ξυλουργός.
joint (adj) [ντζζόιν-τ] κοινός, ενιαίος (n) ένωση, κλείδωση.
joist (n) [ντζζόιστ] μαδέρι.
joke (n) [ντζζόουκ] ανέκδοτο, αστείο (v) αστειεύομαι.
jolly (adj) [ντζζόλι] ευχάριστος.
jolt (v) [ντζζόολτ] σκουντώ (n) ξάφνιασμα, τίναγμα.
jolting (n) [ντζζόολτινγκ] τράνταγμα, ταρακούνημα.
Jonah (adj) [Τζόουνα] άτυχος.
jostle (n) [ντζζοσλ] συνωστισμός (v) σπρώχνω, σκουντώ.
jot down (v) [ντζζοτ ντάουν] σημειώνω.
journal (n) [ντζζέρναλ] εφημερίδα, ημερολόγιο, περιοδικό.
journalism (n) [ντζζέρναλιζμ] δημοσιογραφία.
journey (n) [ντζζέρνι] διαδρομή, οδοιπορία, ταξίδι.
joust (n) [ντζζάουστ] κονταρομαχία.
jovial (adj) [ντζζόουβιαλ] εύθυμος, φαιδρός, κεφάτος.
joy (n) [ντζζόι] χαρά, ευθυμία.
joyride (n) [ντζζόιραϊντ] αυτοκινητάδα.
jubilant (adj) [ντζζιού-μπιλαντ] χαρούμενος, περίχαρος.
judge (n) [ντζζαντζζ] διαιτητής,

κριτής (v) δικάζω, εκδικάζω.
judgment (n) [ντζζάντζζμεν-τ] κρίση, σύνεση.
judicatory (adj) [ντζζούου-ντικεϊτερι] δικαστικός.
judicature (n) [ντζζούου-ντικατσερ] δικαιοσύνη.
judicious (adj) [ντζζουντίσσιας] συνετός.
jug (n) [ντζζαγκ] στάμνα, φυλακή.
jugal (adj) [ντζζούουγκαλ] ζυγωματικός.
jugate (adj) [ντζζούουγκεϊτ] συνεζευγμένος.
juggler (n) [ντζζάγκλα(ρ)] ταχυδακτυλουργός.
juice (n) [ντζζιούς] χυμός.
jujube (n) [ντζζούντζζουμπ] τζιτζιφιά [βοτ], καραμέλα.
jumble (v) [ντζζάμ-μπλ] ανακατεύω.
jump (v) [ντζζαμ-π] πηδώ (n) άλμα.
jump for joy (v) [ντζζαμ-π φοο ντζζόι] πετώ [από χαρά].
jump over (v) [ντζζαμ-π όουβερ] πηδώ, υπερπηδώ.
jumper (n) [ντζζάμ-περ] πουλόβερ, άλτης.
jumpiness (n) [ντζζάμ-πινες] σπασμωδικότητα.
junction (n) [ντζζάνκσσον] ζεύξη.
jungle (n) [ντζζανγκλ] ζούγκλα.
junk (n) [ντζζανκ] σαβούρα.
junk dealer (n) [ντζζανκ ντίιλερ] παλιατζής.
junky (n) [ντζζάνκι] τοξικομανής.
jurisdiction (n) [ντζζουρισντίκσσον] αρμοδιότητα.
jurisprudence (n) [ντζζούρισπρού-ντενς] νομολογία.
jurist (adj) [ντζζούριστ] νομικός.
juror (n) [ντζζούρορ] κριτής.
jury (n) [ντζζούρι] ένορκοι (adj) αυτοσχέδιος, προσωρινός.
jussive (adj) [ντζζούσιβ] προστακτικός [γραμμ].
just (adv) [ντζζαστ] μόλις (adj) δίκαιος, σωστός (conj) δα.
justice of peace (n) [ντζζάστις οβ πίις] ειρηνοδίκης.
justifiable (adj) [ντζζαστιφάιαμπλ] εύλογος, δικαιολογημένος.
justify (v) [ντζζάστιφαϊ] αιτιολογώ, οχυρώνομαι.
jut out (v) [ντζζατ άουτ] προέχω.
juvenile (adj) [ντζζιούβεναϊλ] εφηβικός, νεανικός, ανήλικος.
juvenility (n) [ντζζιουβενίλιτι] νεανικότητα.
juxtapose (v) [ντζζάξταπουυζ αντιπαραθέτω.

K, k (n) [κέι] το ενδέκατο γράμμα του αγγλικού αλφαβήτου.
kale (n) [κέιλ] λαχανίδα.
kangaroo (n) [κανγκαρούοου] καγκουρό.
karate (n) [καράατι] καράτε.
kathetometer (n) [καθετόμιτερ] καθετόμετρο.
kathode (n) [κάθοου-ντ] κάθοδος [ηλεκτρ].
katoptrics (n) [κατόπτρικς] κατοπτρική.
keel (n) [κίιλ] καρίνα.
keen (adj) [κίιν] κοφτερός.
keenness (n) [κίινες] σπουδή.
keep (v) [κίιπ] κρατώ, φυλάγω.
keep up (v) [κίιπ απ] συντηρώ.
keeper (n) [κίιπα(ρ)] φύλακας.
keepsake (n) [κίιπσεϊκ] ενθύμιο.
keg (n) [κεγκ] βαρελάκι.
kennels (n) [κένελζ] κυνοτροφείο.
kepi (n) [κέπι] πηλήκιο.
kerb (n) [κερ-μπ] κράσπεδο.
kernel (n) [κέρνελ] κουκούτσι.
kettle (n) [κετλ] κατσαρόλα.
key (n) [κίι] τόνος, κλειδί.
keyboard (n) [κίι-μπόο-ντ] πληκτρολόγιο.
keyhole (n) [κίιχόουλ] κλειδαρότρυπα.
khaki (n) [κάακι] χακί.
kick (v) [κικ] κλοτσώ .
kid (n) [κι-ντ] πιτσιρίκος, τραγί.
kidnap (v) [κί-ντναπ] απάγω.
kidnapping (n) [κί-ντναπινγκ] απαγωγή [παιδιού].
kidney (n) [κί-ντνιι] νεφρό.
kidskin (n) [κί-ντσκιν] κατσικόδερμα.
kill (v) [κιλ] ξεκάνω, φονεύω.
kill off (v) [κιλ οφ] ξεκαθαρίζω.
killer (n) [κίλα(ρ)] φονιάς.
killjoy (n) [κίλντζζοϊ] γρουσούζης, γκρινιάρης.
kiln (n) [κιλν] καμίνι, κλίβανος.
kilogram (n) [κίλογκραμ] κιλό.
kilometre (n) [κίλομιτερ] χιλιόμετρο.
kilowatt (n) [κίλοουοτ] κιλοβάτ.
kilt (n) [κιλτ] φουστανέλλα.
kind (adj) [κάιν-ντ] καλός, αγαθός (n) είδος, γένος.
kind-hearted (adj) [κάιν-ντ-χάατιντ] καλόψυχος, χρυσός.
kind-natured (adj) [κάιν-ντ-νέιτσσα-ντ] καλοκάγαθος.
kindergarten (n) [κίν-νταγκάατεν] νηπιαγωγείο.
kindle (v) [κιν-ντλ] ανάβω.
kindly (adj) [κάιν-ντλι] καλός,

φιλικός (adv) εγκάρδια, καλά.
kindness (n) [κάιν-ντνες] ευγένεια.
kinetic (adj) [κινέτικ] κινητικός.
king (n) [κινγκ] ρήγας.
king-fisher (n) [κίνγκ-φισσερ] ψαροφάγος.
kingdom (n) [κίνγκ-ντομ] βασίλειο.
kink (n) [κινκ] συστροφή, χούι.
kinship (n) [κίνσσιπ] ομοιότητα.
kinsman (adj) [κίνζμαν] συγγενής.
kiosk (n) [κίοσκ] περίπτερο.
kip (n) [κιπ] ύπνος.
kismet (n) [κίζμετ] μοίρα.
kiss (n) [κις] φιλί (v) φιλώ.
kissing (n) [κίσινγκ] φίλημα.
kit (n) [κιτ] σύνεργα, δοχείο.
kitchen (n) [κίτσσεν] κουζίνα.
kitchen sink (n) [κίτσσεν σινκ] νεροχύτης.
kitchen-hood (n) [κίτσσεν-χουου-ντ] απορροφητήρας.
kite (n) [κάιτ] χαρταετός.
kitten (n) [κίτεν] γατάκι.
kitty (n) [κίτι] ψιψίνα.
kleptomaniac (n) [κλέπτομέινιακ] κλεπτομανής.
knack (n) [νακ] ικανότητα.
knapsack (n) [νάπσακ] γυλιός.
knave (n) [νέιβ] απατεώνας.
knead (v) [νίι-ντ] ζυμώνω.
knee (n) [νίι] καμπή, γόνατο.
kneel (v) [νίιλ] γονατίζω.
kneeling (adv) [νίιλινγκ] γονατιστά (n) γονυκλισία, γονάτισμα.
knickers (n) [νίκαζ] βράκα.
knife (n) [νάιφ] κάμα, μαχαίρι.
knight (n) [νάιτ] ιππότης.
knit (v) [νιτ] πλέκω [κάλτσες].
knitted (adj) [νίτι-ντ] πλεκτός.
knock (v) [νοκ] βαρώ, συγκρούομαι (n) χτύπημα.
knock about (v) [νοκ α-μπάουτ] παραδέρνω, βολοδέρνω.
knock against (v) [νοκ αγκέινστ] σκοντάφτω, τρακάρω.
knock down (v) [νοκ ντάουν] κατακυρώνω (adj) εξευτελιστικός.
knock in (v) [νοκ ιν] μπήγω.
knock on (v) [νοκ ον] κρούω.
knocker (n) [νόκερ] χτυπητήρι.
knoll (n) [νόουλ] λοφίσκος.
knop (n) [νοπ] διόγκωση.
knot (n) [νοτ] δυσκολία, κόμπος, ρόζος, ναυτικό μίλι.
knotty (adj) [νότι] οζώδης.
know (v) [νόου] ξέρω, κατέχω.
know in advance (v) [νόου ιν αντβάανς] προδικάζω.
knowable (adj) [νόουα-μπλ] αναγνωρίσιμος.
knowing (adj) [νόουινγκ] πονηρός, έξυπνος.
knowledge (n) [νόλεντζζ] είδηση, επίγνωση, φως, γνώση.
known (adj) [νόουν] γνώριμος.
knuckle (n) [νακλ] άρθρωση

δακτύλου, κλείδωση, ρόζος.
knur (n) [νερ] ρόζος δένδρου.
kolkhoz (n) [κόλχαουζ] κολχόζ, συλλογικό αγρόκτημα.
kooky (adj) [κούουκι] υπερμοντέρνος, μποέμικος.
kopeck (n) [κόουπεκ] καπίκι.
kopje (n) [κόπι] λοφίσκος.
Koran (n) [Κοράν] κοράνι.
kosher (adj) [κόουσσα] αγνός.
kowtow (n) [κόουτόου] κινέζικη υπόκλιση, τεμενάς.
krona (n) [κρόουνα] κορώνα.
kudos (n) [κιού-ντος] φήμη.
kyle (n) [κάιλ] στενό, δίοδος.

L, l [ελ] το δωδέκατο γράμμα του αγγλικού αλφαβήτου.
lab (n) [λα-μπ] εργαστήριο.
label (n) [λέι-μπλ] ετικέτα.
labial (adj) [λέι-μπιαλ] χειλικός.
labile (adj) [λέι-μπίιλ] ασταθής.
laboratory (n) [λά-μπορατρι] παρασκευαστήριο, εργαστήριο.
laborious (adj) [λα-μπόοριας] κοπιαστικός, επίπονος.
labour (n) [λέι-μπα] εργασία, κόπος (v) κοπιάζω, μοχθώ.
labour over (v) [λέι-μπαρ όου-βα(ρ)] εκπονώ.
laboured (adj) [λέι-μπα-ντ] επίπονος, βαρύς, αφύσικος, άκομψος.
labourer (n) [λέι-μπορα(ρ)] εργάτης.
labyrinth (n) [λά-μπρινθ] λαβύρινθος.
lace (n) [λέις] δαντέλα, νταντέλα.
lace-up shoe (n) [λέις αποσου] σκαρπίνι.
lacerate (v) [λάσερεϊτ] ξεσχίζω.
laceration (n) [λασερέισσον] σκίσιμο.
lack (n) [λακ] απουσία, έλλειψη (v) απολείπω, χρειάζομαι.
lackey (n) [λάκι] λακές.
laconic (adj) [λακόνικ] λακωνικός.
lactic (adj) [λάκτικ] γαλακτικός.
lacuna (n) [λακιούνα] χάσμα, κενό.
ladder (n) [λά-ντερ] κινητή σκάλα.
laddie (n) [λά-ντιι] αγοράκι.
ladle (n) [λέι-ντλ] κουτάλα.
lady (n) [λέι-ντι] κυρία, λαίδη.
lady of the house (n) [λέι-ντι οβ δε χάους] οικοδέσποινα.
ladybird (n) [λέι-ντι-μπέρ-ντ] παπαδίτσα [εντομ].
lag behind (v) [λαγκ μπιιχάιν-ντ] αργοπορώ, υστερώ.
lagoon (n) [λαγκούουν] λιμνοθάλασσα.
lair (n) [λέα(ρ)] σφηκοφωλιά, σπηλιά, φωλιά, άντρο (v) φωλιάζω.
laird (n) [λάια-ντ] κτηματίας.
laity (n) [λέιτι] λαϊκοί, κοσμικοί.
lake (n) [λέικ] λίμνη.
lam (v) [λαμ] κτυπώ, κοπανίζω.
lamb (n) [λαμ] αμνός, αρνάκι.
lame (adj) [λέιμ] κουτσός.
lament (v) [λαμέν-τ] θρηνολογώ.
lamentable (adj) [λαμέν-ταμπλ] αξιοθρήνητος, οικτρός.
lamentation (n) [λαμεν-τέισ-

σον] θρήνος, οδυρμός, μοιρολόγι, γόος.
lamp (n) [λαμ-π] λάμπα, καντήλα.
lamp-post (n) [λαμ-πόουστ] φανοστάτης.
lampmaker (n) [λάμ-πμέικερ] φαναρτζής.
lampoon (n) [λαμ-πούουν] σάτιρα, σάτυρα, λίβελος.
lampoonist (n) [λαμ-πούουνιστ] λιβελογράφος.
lampshade (n) [λάμ-πσοεϊ-ντ] αμπαζούρ.
lance (n) [λάανς] λόγχη.
lance-corporal (n) [λάανς-κόοπραλ] υποδεκανέας.
lancer (n) [λάανσα(ρ)] λογχοφόρος.
lancet (n) [λάανσιτ] νυστέρι.
lanciform (adj) [λάνσιφοομ] λογχοειδής.
lancination (n) [λανσινέισσον] σχάση, τομή, νυστεριά, σουβλιά.
land (n) [λαν-ντ] ξηρά, κτήμα, γη (v) ξεμπαρκάρω, προσγειώνω.
land at (v) [λα-ντ ατ] προσεγγίζω.
land registrar (n) [λαν-ντ ρέντζζιστράαρ] υποθηκοφύλακας.
landed (adj) [λάν-ντιντ] κτηματικός.
landfill (n) [λάν-ντφιλ] επιχωμάτωση.
landing (n) [λάν-ντινγκ] αποβίβαση, προσγείωση, απόβαση.
landing stage (n) [λάν-ντινγκ στέιντζζ] σκάλα [αποβάθρα].
landlady (n) [λάν-ντλέι-ντι] γυναίκα ξενοδόχος, σπιτονοικοκυρά.
landless (n) [λάν-ντλες] ακτήμονας.
landlord (n) [λάν-ντλοο-ντ] σπιτονοικοκύρης, ιδιοκτήτης.
landmark (n) [λάν-ντμαακ] σταθμός.
landowner (n) [λάν-ντόουνα(ρ)] κτηματίας, γαιοκτήμονας.
landscape (n) [λάν-ντσκέιπ] τοπίο.
landslide (n) [λάν-ντσλάι-ντ] κατάπτωση, κατολίσθηση.
lane (n) [λέιν] πάροδος, σοκάκι.
language (n) [λάνγκουιντζζ] γλώσσα.
languid (adj) [λάνγκουι-ντ] χαυνός, άτονος, οκνός, ράθυμος.
languish (v) [λάνγκουισς] μαραζώνω, ασθενώ.
languor (n) [λάνγκερ] ατονία.
lank (adj) [λανκ] μαλακός, ισχνός.
lanky (adj) [λάνκι] ξερακιανός.
lanoline (n) [λάνολιν] λανολίνη.
lantern (n) [λάν-ταν] φανάρι.
lap (v) [λαπ] παφλάζω, πλατα-

γίζω.
Lapland (n) [Λάπλαν-ντ] Λαπωνία.
Lapp (n) [Λαπ] Λάπωνας.
lapse (n) [λαπς] παράβαση, λάθος.
lapse into (v) [λαπς ίν-του] ολισθαίνω [μεταφ].
lard (n) [λάα-ντ] λαρδί, λίπος.
larder (n) [λάα-ντα(ρ)] κελάρι.
large (adj) [λάαρντζζ] χονδρός, μέγας, τρανός, φαρδύς.
larger (adj) [λάαντζζερ] μεγαλύτερος.
largesse (n) [λααντζζές] απλοχεριά.
largest (adj) [λάαντζζεστ] μέγιστος.
largish (adj) [λάαντζζισ] μεγαλούτσικος.
lark (n) [λάακ] αστείο, (v) αστειεύομαι.
larva (n) [λάαβα] νύμφη [ζωολ].
laryngitis (n) [λάριν-ντζζάιτις] λαρυγγίτιδα.
larynx (n) [λάρινξ] λάρυγγας.
lasagne (n) [λασάνια] λαζάνια.
lascivious (adj) [λασίβιας] λάγνος.
laser (n) [λέιζερ] λέιζερ.
lash (v) [λασς] εξαγριώνω, μαστιγώνω (n) ματόκλαδο, βίτσα, βούρδουλας.
lash out (v) [λασς άουτ] λακτίζω.
lashing (n) [λάσσινγκ] δαρμός.
lass (n) [λας] κορίτσι, αγαπημένη.
lassie (n) [λάσι] κοπελιά.
lassitude (n) [λάσιτιου-ντ] κόπωση, εξάντληση, ατονία.
lasso (n) [λάσοου] λάσο.
last (adj) [λάαστ] τελικός, τελευταίος (v) αντέχω, κρατώ, τραβώ (n) καλαπόδι (adv) τελευταία, πρόσφατα.
last but one (adj) [λάαστ μπατ ουάν] προτελευταίος.
lasting (adj) [λάαστινγκ] διαρκής.
latch (v) [λατσ] μανταλώνω (n) μάνταλο, κλειδαριά.
late (adj) [λέιτ] αργοπορημένος (n) αείμνηστος, μακαρίτης, τέως.
latency (n) [λέιτενσι] εκκρεμότητα.
lateness (n) [λέιτνες] αργοπορία.
latent (adj) [λέιτεν-τ] λανθάνων.
later (adj) [λέιτερ] νεότερος (adv) αργότερα, ύστερα.
lateral (adj) [λάτεραλ] πλάγιος.
latest (adj) [λέιτεστ] τελευταίος.
lathe (n) [λέιδ] τόρνος, τροχός αγγειοπλάστου.
lather (n) [λάαδα(ρ)] σαπουνάδα, αφρός (v) σαπουνίζω.
Latin (adj) [Λάτιν] λατινικός (n)

λατινικά.
latitude (n) [λάτιτιου-ντ] πλάτος.
latrine (n) [λατρίιν] απόπατος.
latticed (adj) [λάτισ-ντ] καφασωτός.
Latvia (n) [Λάτβια] Λετονία.
laud (v) [λόο-ντ] θεοποιώ, επαινώ, υμνώ, δοξάζω (n) έπαινος, ύμνος.
laudable (adj) [λόο-ντα-μπλ] αξιέπαινος.
laudanun (n) [λόο-νταναμ] λάβδανο.
laugh (v) [λάαφ] γελώ (n) γέλιο.
laugh at (v) [λάαφ ατ] περιγελώ.
laughing stock (n) [λάαφινγκ στοκ] περίγελος, κορόιδο, ρεζίλης.
laughter (n) [λάαφτερ] γέλιο.
launch (n) [λόον-τσς] λέμβος, πλοιάριο (v) λανσάρω, καθελκύω.
launch a campaign (v) [λόοντσς α καμ-πέιν] εξορμώ.
launching (n) [λόον-τσινγκ] εξαπόλυση, καθέλκυση, εκτόξευση.
launching out (n) [λόον-τσινγκ άουτ] ξάνοιγμα.
laundry (n) [λόον-ντρι] μπουγάδα.
laundry room (n) [λόον-ντρι ρουμ] πλυντήριο, πλυσταριό.
laurel (n) [λόορελ] δάφνη.
lava (n) [λάαβα] λάβα.
lavatory (n) [λάβατρι] τουαλέτα.
lavender (n) [λάβεν-ντερ] λεβάντα.
lavish (adj) [λάβισς] γενναιόδωρος (v) επιδαψιλεύω, σπαταλώ.
lavishness (n) [λάβισσνες] σπατάλη.
law (n) [λόο] νόμος, δίκαιο.
law court (n) [λόο κόοτ] δικαστήριο.
law practice (n) [λόο πράκτις] δικηγορία.
law abiding (adj) [λόο-μπάιντινγκ] φιλόνομος, νομοταγής.
law-making (n) [λόο-μέικινγκ] νομοπαρασκευή.
lawful (adj) [λόοφουλ] έγκυρος, έννομος, νόμιμος.
lawgiver (n) [λόογκίβερ] νομοθέτης.
lawless (adj) [λόολες] παράνομος.
lawlessness (n) [λόολεσνες] ανομία.
lawn (n) [λόον] χλόη, γκαζόν.
lawn tennis (n) [λόον τένις] αντισφαίριση.
lawsuit (n) [λόοσούτ] δίκη, αγωγή.
lawyer (n) [λόοιερ] δικηγόρος.
lax (adj) [λαξ] αμελής, χλιαρός.
laxative (adj) [λάξατιβ] ευκοί-

λιος.
laxity (n) [λάξιτι] αμέλεια.
lay (adj) [λέι] λαϊκός (v) θέτω, κατευνάζω, βάζω, στρώνω, γαμώ [χυδ] (n) γκόμενα.
lay down (v) [λέι ντάουν] αποθέτω.
lay out (v) [λέι άουτ] εκθέτω, σελιδοποιώ, φυτεύω, χαράζω.
lay the foundations (v) [λέι δε φαουν-ντέισσονς] θεμελιώνω.
lay up (v) [λέι απ] αποταμιεύω.
layabout (n) [λέια-μπαουτ] αλήτης, χασομέρης.
layer (n) [λέιιερ] στρώση, κοίτασμα (v) καταβολιάζω.
layette (n) [λέιέτ] μωρουδιακά.
laying out (n) [λέιινγκ άουτ] χάραξη [δρόμου].
layman (n) [λέιμάν] λαϊκός, ιδιώτης.
layout (n) [λέιαουτ] σελιδοποίηση, διάταξη.
laziness (n) [λέιζινες] τεμπελιά.
lazy (adj) [λέιζι] αμελής, οκνηρός.
lazybones (n) [λέιζι-μπόουνζ] κηφήνας, σπάρος, τεμπελόσκυλο.
lead (v) [λίι-ντ] ανοίγω, οδηγώ, σέρνω, φέρνω, τείνω (n) πρωτιά.
lead (adj) [λε-ντ] μολύβδινος (n) μολύβι, μόλυβδος.
lead astray (v) [λίι-ντ αστρέι] ξεμυαλίζω.
lead to (v) [λίι-ντ του] συνεπάγομαι.
leaden (adj) [λέ-ντεν] μολύβδινος.
leader (adj) [λίι-ντερ] κορυφαίος (n) κεφαλή, αρχηγός, ηγέτης.
leadership (n) [λίι-ντερσσιπ] αρχηγία, ηγεσία.
leading (adj) [λίι-ντινγκ] ηγετικός (n) διεύθυνση, διοίκηση.
leading lady (n) [λίι-ντινγκ λέιντι] πρωταγωνίστρια.
leading person (n) [λίι-ντινγκ πέρσον] κορυφή [μεταφ].
leady (adj) [λέ-ντι] μολυβδοειδής.
leaf (n) [λίιφ] φύλλο.
leafy (adj) [λίιφι] φυλλώδης.
league (n) [λίιγκ] συνασπισμός.
leak (n) [λίικ] διαφυγή (v) τρέχω.
leak out (v) [λίικ άουτ] διαφεύγω.
leakage (n) [λίικιντζζ] απώλεια.
leal (adj) [λίιλ] πιστός [σκωτ].
lean (adj) [λίιν] ισχνός (v) σκύβω.
lean meat (n) [λίιν μίιτ] ψαχνό.
lean on (v) [λίιν ον] στηρίζομαι.
leaning (adj) [λίινινγκ] γερτός.
leanness (n) [λίινες] ισχνότητα.
leap (v) [λίιπ] αναπηδώ, σκιρτώ

(n) άλμα, σάλτο.
leap about (v) [λίιπ α-μπάουτ] χοροπηδώ.
leap year (n) [λίιπ γίαρ] δίσεκτο έτος.
learn (v) [λερν] διδάσκομαι.
learn by heart (v) [λερν μπάι άατ] απομνημονεύω, αποστηθίζω.
learning (n) [λέρνινγκ] εκμάθηση, παιδεία, σοφία.
lease (n) [λίις] μίσθωση (v) εκμισθώνω.
leasehold (n) [λίισχοουλ-ντ] μίσθιο.
leash (n) [λίισς] λουρί (v) δένω.
leasing (n) [λίισινγκ] εκμίσθωση.
least (adj) [λίιστ] ελάχιστος.
leather (adj) [λέδερ] δερμάτινος (v) ξυλοφορτώνω (n) δέρμα.
leave (n) [λίιβ] άδεια (v) αναχωρώ, παραιτώ, φεύγω.
leave behind (v) [λίιβ μπιιχάιν-ντ] αφήνω φεύγοντας, ξεχνώ.
leave out (v) [λίιβ άουτ] ξεχνώ, παραλείπω, πηδώ [παραλείπω].
leaven (n) [λέβεν] ζύμη, μαγιά.
leavings (n) [λίιβινγκζ] αποφάγια.
Lebanese (n) [Λέ-μπανίιζ] Λιβανέζος.
Lebanon (n) [Λέ-μπανον] Λίβανος.
lecherous (adj) [λέτσσερας] λάγνος, ακόλαστος, ασελγής.
lechery (n) [λέτσσερι] ακολασία.
lecture (n) [λέκτσσερ] ομιλία.
lecturer (n) [λέκτσσερερ] λέκτορας.
ledge (n) [λεντζζ] μαρκίζα.
ledger (n) [λέντζζερ] καθολικό.
lee (adj) [λίι] υπήνεμος.
leech (n) [λίιτσς] βδέλλα.
leek (n) [λίικ] πράσο.
leer (n) [λίιρ] λοξοκοιτάζω.
left (adj) [λεφτ] αριστερός.
left overs (n) [λεφτ όουβαζ] απομεινάρια.
left-wing (adj) [λεφτ-ουίνγκ] αριστερός.
lefthanded (adj) [λέφτχάν-ντιντ] αριστερός, ζερβός.
leftist (n) [λέφτιστ] αριστεριστής.
leg (n) [λεγκ] κνήμη, μηρός, πόδι.•
legacy (n) [λέγκασι] κληρονομιά.
legal (adj) [λίιγκαλ] ένδικος, νόμιμος.
legal inquiry (v) [λίιγκαλ ινκουάιρι] διαδικασία.
legality (n) [λιιγκάλτι] νομιμότητα.
legalize (v) [λίιγκαλαϊζ] επικυρώ.
legate (n) [λέγκετ] απεσταλμέ-

νος.
legate (v) [λιγκέιτ] κληροδοτώ.
legation (n) [λιγκέισσον] πρεσβεία.
legend (n) [λέντζζεν-ντ] θρύλος.
legendary (adj) [λέντζζεν-ντρι] θρυλικός, μυθικός.
legging (n) [λέγκινγκ] περικνημίδα.
legible (adj) [λέντζζι-μπλ] ευανάγνωστος.
legion (n) [λίιντζζιον] λεγεώνα.
legionary (n) [λίιντζζιονέρι] λεγεωνάριος.
legislate (v) [λέντζζισλεϊτ] θεσμοθετώ, θεσπίζω, νομοθετώ.
legislation (n) [λέντζζισλέισσον] νομοθεσία.
legislative (adj) [λέντζζισλατιβ] νομοθετικός.
legislator (n) [λέντζζισλεϊτορ] νομοθέτης.
legislature (n) [λέντζζισλεϊτσσερ] νομοθετικό σώμα.
legist (adj) [λίιντζζιστ] νομομαθής.
legitimacy (n) [λεντζζίτιμασι] νομιμότητα, γνησιότητα.
legitimate (adj) [λεντζζίτιμετ] νόμιμος, θεμιτός, έννομος.
legitimatize (v) [λεντζζίτιματάιζ] νομιμοποιώ.
legs (n) [λεγκζ] κανιά, πόδια.
leisure (n) [λέζζα] αργία.
lemma (n) [λέμα] λήμμα.
lemon (n) [λέμον] λεμόνι.
lemonade (n) [λέμονέι-ντ] γκαζόζα.
lend (v) [λεν-ντ] δανείζω.
lendable (adj) [λέν-ντα-μπλ] δανείσιμος.
lender (n) [λέν-ντερ] δανειστής.
lending (adj) [λέν-ντινγκ] δανειστικός (n) δανεισμός.
length (n) [λενγκθ] μάκρος.
lengthen (v) [λένγκθεν] μακραίνω.
lengthy (adj) [λένγκθι] διεξοδικός.
leniency (n) [λίινιενσι] επιείκεια.
lenient (adj) [λίινιεν-τ] επιεικής.
lens (n) [λενζ] φακός, κάτοπτρο.
Lent (n) [Λεν-τ] σαρακοστή [εκκλ].
lent (adj) [λεν-τ] δανεικός.
lentils (n) [λέν-τιλζ] φακή [βοτ].
leonine (adj) [λίιοναϊν] λεόντιος.
leopard (n) [λέπα-ντ] λεοπάρδαλη.
leper (n) [λέπερ] λεπρός.
leprosy (n) [λέπροσι] λέπρα.
lesbian (n) [λέσ-μπιαν] λεσβία.
less (adv) [λες] λιγότερο, (pr)

πλην, μείον, εκτός (adj) μικρότερος.
lessee (n) [λέσιι] μισθωτής.
lessen (v) [λέσεν] μειώνω, μικραίνω.
lessening (n) [λέσενινγκ] πάρσιμο.
lesson (n) [λέσον] παράδειγμα.
lessor (n) [λέσοο] εκμισθωτής.
lest (conj) [λεστ] μη, μήπως, μη τυχόν, μπας και.
let (n) [λετ] μίσθωση (ex) ας (v) αφήνω, εκμισθώνω.
let down (v) [λετ ντάουν] κατεβάζω, ξεπλέκω [μαλλιά].
let go of (v) [λετ γκόου οβ] αφήνω.
let it be known (v) [λετ ιτ μπι νόουν] γνωρίζω.
let on (v) [λετ ον] αποκαλύπτω, μαρτυράω, ομολογώ.
let out (v) [λετ άουτ] διατυμπανίζω, μισθώνω, ξεσκεπάζω.
lethargic (adj) [λαθάαντζζικ] αργός, κοιμισμένος.
lethargy (n) [λέθαντζζι] νάρκη, υπνηλία, αδράνεια.
letter (n) [λέτερ] γραφή, επιστολή.
letter-case (n) [λέτα-κεϊς] χαρτοφυλάκιο.
letter-writer (n) [λέτα-ράιτερ] αλληλογράφος.
letterbox (n) [λέτα-μπόξ] γραμματοκιβώτιο.
lettered (adj) [λέτα-ντ] σοφός.
lettuce (n) [λέτις] μαρούλι.
leukaemia (n) [λουκίιμια] λευχαιμία [παθολ].
Levantine (n) [Λέβαν-ταϊν] λεβαντίνος.
level (adj) [λέβελ] λείος, επίπεδος (v) κατεδαφίζω, λειαίνω (n) επίπεδο, στάθμη.
level down (v) [λέβελ ντάουν] εξισώνω, ισοπεδώνω.
level up (v) [λέβελ απ] εξισώνω, ισοπεδώνω.
levelling (n) [λέβελινγκ] ισοπέδωση.
lever (n) [λίιβερ] μανιβέλα, λεβιές.
leverage (n) [λίβεριντζζ] μόχλευση.
leveret (n) [λέβερετ] λαγουδάκι.
leviable (adj) [λέβια-μπλ] επιβλητέος, εισπρακτέος.
levitation (n) [λεβιτέισσον] μετεώρηση.
levity (n) [λέβιτι] ελαφρότητα.
lewd (adj) [λιού-ντ] άσεμνος.
lewdness (n) [λιού-ντνες] ασέλγεια.
lexical (adj) [λέξικαλ] λεξικολογικός.
lexicographer (n) [λεξικόγκραφα(ρ)] λεξικογράφος.
lexicography (n) [λεξικόγκρα-

φι] λεξικογραφία.
lexicon (n) [λέξικον] λεξικό.
liability to (n) [λαϊα-μπίλιτι του] τάση, επιρρέπεια, ευπάθεια.
liable (n) [λάια-μπλ] υπεύθυνος [νομ], υπόλογος.
liaison (n) [λιέιζον] παράνομος ερωτικός δεσμός.
liar (n) [λάια(ρ)] ψεύτρα, ψεύτης.
libation (n) [λάι-μπέισσον] σπονδή.
libel (n) [λάι-μπελ] λίβελος (v) δυσφημώ.
libeller (n) [λάι-μπελερ] λιβελογράφος.
liberal (adj) [λί-μπεραλ] γενναιόδωρος, γενναίος (n) φιλελεύθερος.
liberalism (n) [λί-μπεραλιζμ] φιλελευθερισμός, ανεκτικότητα.
liberality (n) [λι-μπεράλιτι] ελευθεροφροσύνη, ελευθεριότητα.
liberalization (n) [λι-μπεραλαϊζέισσον] φιλελευθεροποίηση.
liberate (v) [λί-μπερέιτ] ελευθερώνω, απελευθερώνω, αποδεσμεύω.
liberation (adj) [λι-μπερέισσον] απελευθερωτικός (n) απελευθέρωση.
liberator (n) [λι-μπερέιτορ] απελευθερωτής, σωτήρας.
liberty (n) [λί-μπατι] ελευθερία, άδεια, θάρρος, αναίδεια, τόλμη.
librarian (n) [λαϊ-μπρέαριαν] βιβλιοθηκάριος.
library (n) [λάι-μπρερι] βιβλιοθήκη.
Libya (n) [Λί-μπια] Λιβύη.
Libyan (n) [Λί-μπιαν] Λίβυος (adj) λιβυκός.
licence (n) [λάισενς] άδεια [γάμου]
licence plate (n) [λάισενς πλέιτ] πινακίδα.
license (v) [λάισενς] δίνω άδεια.
licensed (adj) [λάισενσ-ντ] εξουσιοδοτημένος, εγκεκριμένος.
lichen (n) [λίτσσεν] λειχήνα [παθολ].
lick (v) [λικ] λείχω, ξυλοφορτώνω.
lid (n) [λιντ] κάλυμμα, καπάκι.
lie (n) [λάι] ψέμα (v) ψεύδομαι.
lie down (v) [λάι ντάουν] ξαπλώνω.
lie flat (v) [λάι φλατ] κατάκειμαι.
lie hidden (v) [λάι χί-ντεν] υποβόσκω.
lie in (v) [λάι ιν] χουζουρεύω.
lie in wait (v) [λάι ιν ουέιτ] καιροφυλακτώ.
lieu (n) [λιού] τόπος, θέση.
lieutenant (n) [λιουτέναν-τ] αναπληρωτής, αντικαταστάτης.

lieutenant commander (n) [λιουτέναν-τ κομάαν-ντερ] πλωτάρχης.
lieutenant-colonel (n) [λιουτέναν-τ-κέρνελ] αντισυνταγματάρχης.
lieutenant-general (n) [λιουτέναν-τ-ντζζένεραλ] αντιστράτηγος.
life (n) [λάιφ] ζωή, ύπαρξη, βίος.
life giving (adj) [λάιφ γκίβινγκ] ζωοδότης, ζωογόνος.
life jacket (n) [λάιφ ντζζάκιτ] σωσίβιο.
life-belt (n) [λάιφ-μπελτ] σωσίβιο.
lifeboat (n) [λάιφ-μπόουτ] ναυαγοσωστικό.
lifebuoy (n) [λάιφ-μπόι] κουλούρα [ναυτ].
lifeguard (n) [λάιφγκάα-ντ] ναυαγοσώστης.
lifeless (adj) [λάιφλες] νεκρός.
lifelong (adj) [λάιφλόννγκ] ισόβιος.
lifer (n) [λάιφερ] ισοβίτης.
lifetime (n) [λάιφταϊμ] ζωή.
lift (n) [λιφτ] ασανσέρ, ύψωση (v) αίρω, ορθώνω.
lift up (v) [λιφτ απ] ανασηκώνω, ανεβάζω, ανορθώνω, ορθώνω, σηκώνω.
lifting (n) [λίφτινγκ] σήκωμα.
ligament (n) [λίγκαμεν-τ] σύνδεσμος.
ligature (n) [λίγκατσσερ] σύνδεσμος, δεσμός, σύνδεση, λιγκατούρα, σύμπλεγμα.
light (adj) [λάιτ] ελαφρός, φωτεινός, ξανθός (n) λάμψη, φως, φανάρι (v) ανάβω, φωτίζω.
light breeze (n) [λάιτ μπρίιζ] ζέφυρος.
light up (v) [λάιτ απ] καταυγάζω, φωτίζω.
light-coloured (adj) [λάιτ-κάλαντ] ανοιχτόχρωμος.
light-footed (adj) [λάιτ-φούτιντ] αλαφροπόδης.
lighten (v) [λάιτεν] ελαφρώνω.
lightening (adj) [λάιτενινγκ] ελαφρυντικός (n) ελάφρυνση.
lighter (n) [λάιτερ] μαούνα, αναπτήρας.
lighterman (n) [λάιταμαν] μαουνιέρης.
lighthouse (n) [λάιτχάους] φάρος.
lighthouse-keeper (n) [λάιτχαους-κίιπερ] φαροφύλακας.
lighting (adj) [λάιτινγκ] φωτιστικός (n) αστραπή, φωτισμός.
lightly (adv) [λάιτλι] απαλά, σιγά.
lightness (n) [λάιτνες] ελαφρότητα.
lightning (n) [λάιτνινγκ] αστραπή.
lightning and thunder (n)

[λάιτνινγκ εν-ντ θάν-ντερ] αστραπόβροντα.
lightning conductor (n) [λάιτνινγκ κον-ντάκτορ] αλεξικέραυνο.
lignite (n) [λίγκναϊτ] λιγνίτης.
lignite mine (n) [λίγκναϊτ μάιν] λιγνιτωρυχείο.
like (conj) [λάικ] καθώς, όπως, σαν (adj) συναφής (v) συμπαθώ, αγαπώ, αρέσω, καλαρέσω.
like that (adv) [λάικ δατ] έτσι.
like this (adv) [λάικ δις] έτσι.
likeable (adj) [λάικα-μπλ] ευχάριστος, αξιαγάπητος, συμπαθής.
likelihood (n) [λάικλιχου-ντ] πιθανότητα.
likely (adv) [λάικλι] πιθανώς (adj) ευλογοφανής.
liken (v) [λάικεν] παρομοιάζω.
likeness (n) [λάικνες] ομοιότητα.
likewise (adv) [λάικουάιζ] επίσης.
liking (n) [λάικινγκ] όρεξη.
lilac (n) [λάιλακ] πασχαλιά.
Lilliputian (adj) [Λιλιπιούσσν] λιλιπούτειος.
lily (n) [λίλι] κρίνος, κρίνο.
limb (n) [λιμ] μέλος, κλώνος, άκρη, χείλος.
limber (n) [λίμ-μπα(ρ)] εύκαμπτος, ευλύγιστος, ευκίνητος.
limber up (v) [λίμ-μπερ απ] εξασκούμαι.
lime (n) [λάιμ] ασβέστης, τίτανος, κίτρο, μοσχολέμονο, γλυκολέμονο.
limelight (n) [λάιμλάιτ] προβολέας, δημοσιότητα [μεταφ].
limestone (n) [λάιμστόουν] ασβεστόλιθος.
limit (n) [λίμιτ] σύνορο, απροχώρητο, όριο (v) περιορίζω.
limitary (adj) [λίμιτερι] οριακός.
limitation (n) [λιμιτέισσον] περιστολή, περιορισμός.
limited (adj) [λίμιτι-ντ] στενόχωρος.
limitless (adj) [λίμιτλες] αστείρευτος.
limits (n) [λίμιτς] εσχατιά.
limousine (n) [λιμουζίιν] λιμουζίνα.
limp (v) [λιμ-π] κουτσαίνω.
limpet (n) [λίμ-πετ] πεταλίδα.
limpid (adj) [λίμ-πι-ντ] διαφανής.
limply (adv) [λίμ-πλι] χαλαρά.
linden (n) [λίν-ντεν] φλαμουριά.
line (n) [λάιν] σπάγγος, όριο, αράδα (v) σημειώνω, ριγώνω, χαρακώνω.
line up (v) [λάιν απ] παρατάσσω.

lineage (n) [λίνιντζζ] καταγωγή, σόι, γενεαλογία, φύτρα [μεταφ].
linear (adj) [λίνια(ρ)] γραμμικός.
lined (adj) [λάιν-ντ] ραβδωτός, ριγωτός.
linen (adj) [λίνεν] λινός (n) λινό.
liner (n) [λάινερ] πλοίο [γραμμής], αεροπλάνο, υπερωκεάνιο.
linesman (n) [λάινζμαν] επόπτης γραμμών.
linger (v) [λίνγκα(ρ)] καθυστερώ.
linger about (v) [λίνγκερ αμπάουτ] κλωθογυρίζω.
linguist (n) [λίνγκουιστ] πολύγλωσσος, γλωσσομαθής.
linguistic (adj) [λινγκουίστικ] γλωσσολογικός, γλωσσικός.
linguistics (n) [λινγκουίστικς] γλωσσολογία.
lining (n) [λάινινγκ] επένδυση.
link (n) [λινκ] δεσμός, κρίκος (v) δένω, συνδέω.
linked (adj) [λινκ-ντ] συναφής.
linnet (n) [λίνετ] σπίνος, φλώρος.
linoleum (n) [λινόουλιαμ] μουσαμάς.
linotype (n) [λάινοουταϊπ] λινοτυπία.
linseed (n) [λίνσιι-ντ] λιναρόσπορος.
linseed oil (n) [λίνσιι-ντ όιλ] λινέλαιο.
lion (n) [λάιον] λεοντάρι, λιοντάρι.
lion-cub (n) [λάιον-κά-μπ] λεονταράκι.
lion-hearted (adj) [λάιον-άαρτι-ντ] λεοντόκαρδος, λιονταρόψυχος.
lioness (n) [λάιονες] λέαινα.
lip (n) [λιπ] χείλος (v) αγγίζω με τα χείλη.
lipid (n) [λίπι-ντ] λιποειδής [βιοχ].
lipstick (n) [λίπστικ] κραγιόν.
liquefy (v) [λίκουιφαϊ] υγροποιώ.
liqueur (n) [λικιούα(ρ)] λικέρ.
liquid (adj) [λίκουι-ντ] ρευστός (n) υγρό.
liquid paste (n) [λίκουι-ντ πέιστ] χυλός.
liquidate (v) [λίκουι-ντεϊτ] εξοφλώ, ξεπουλώ.
liquidation (n) [λίκουι-ντέισον] ρευστοποίηση, δολοφονία, ξεπούλημα.
liquidity (n) [λικιουί-ντιτι] ρευστότητα.
liquidize (v) [λίκουι-νταϊζ] πολτοποιώ [φρούτα κλπ].
liquidizer (n) [λίκουι-ντάιζερ] μίξερ.
liquor (n) [λίκερ] ποτό, υγρό [ΗΠΑ].

liquor shop (n) [λίκερ σοοπ] ποτοπωλείο [ΗΠΑ].
liquorice (n) [λίκερισς] γλυκόριζα.
lira (n) [λίιρα] λιρέττα [νομισμ].
Lisbon (n) [Λίζ-μπον] Λισαβόνα.
lisp (v) [λισπ] τραυλίζω (n) ψεύδισμα.
lissom (adj) [λίσαμ] ευλύγιστος.
list (n) [λιστ] λίστα (v) αναγράφω.
listen (v) [λισν] υπακούω.
listen to (v) [λισν του] ακούω.
listener (n) [λίσνερ] ακροατής.
listening (n) [λίσνινγκ] ακρόαση.
listless (adj) [λίστλες] αδιάφορος.
lit up (adj) [λιτ απ] μισοπιωμένος.
literal (adj) [λίτεραλ] επακριβής.
literary (adj) [λίτερερι] φιλολογικός.
literate (adj) [λίτερετ] εγγράματος.
literature (n) [λίτρατσσα(ρ)] λογοτεχνία, φιλολογία.
lithe (adj) [λάιδ] ευλύγιστος.
lithographer (n) [λιθόγκραφα(ρ)] λιθογράφος.
lithography (n) [λιθόγκραφι] λιθογραφία.
litigant (adj) [λίτιγκαν-τ] διάδικος.
litigious (adj) [λιτίντζζιας] επίδικος.
litre (n) [λίιτα(ρ)] λίτρα, λίτρο.
litter (n) [λίτερ] απορρίμματα, βρομιά (v) ρυπαίνω, γεννώ [επί ζώων].
little (adj) [λιτλ] κοντός, μικρός.
Little Red Riding Hood (n) [Λιτλ Ρε-ντ Ράι-ντινγκ Χου-ντ] κοκκινοσκουφίτσα.
liturgy (n) [λίταντζζι] ιερουργία.
livable (adj) [λίβα-μπλ] βιώσιμος.
live (v) [λιβ] διάγω, μένω (adj) [λάιβ] ζωηρός, ενεργός, ηλεκτρισμένος (adv) ζωντανά.
live in poverty (v) [λιβ ιν πόβατι] φυτοζωώ, κακοπερνώ.
live together (v) [λιβ τουγκέδερ] συγκατοικώ, συζώ.
livelihood (n) [λάιβλιχου-ντ] πόρος ζωής, βιοπορισμός.
liveliness (n) [λάιβλινες] ζωηράδα, ζωντάνια.
lively (adj) [λάιβλι] εύθυμος, ξύπνιος.
liven (v) [λάιβν] ζωντανεύω.
liver (v) [λίβερ] ήπαρ, συκώτι.
livery (n) [λίβερι] περιβολή [μεταφ].
livestock (n) [λάιβστόκ] ζωντανά.

livid (adj) [λίβι-ντ] πολύ ωχρός.
living (adj) [λίβινγκ] ζωντανός (n) μισθός, ζωή.
living image (n) [λίβινγκ ίμα-ντζζ] σωσίας.
living together (n) [λίβινγκ του-γκέδερ] συμβίωση.
living-room (n) [λίβινγκρουμ] σαλόνι.
lizard (n) [λίζα-ντ] σαύρα.
load (v) [λόου-ντ] φορτώνω (n) φορτίο, γομάρι, βάρος.
loaded (adj) [λόου-ντι-ντ] γεμάτος.
loading (n) [λόου-ντινγκ] φόρτωση, γέμισμα [όπλου].
loaf (v) [λόουφ] τεμπελιάζω (n) ψωμί.
loafer (n) [λόουφερ] χασομέρης.
loafing (n) [λόουφινγκ] χασομέρι.
loan (v) [λόουν] δανείζω (n) δάνειο, δανεισμός.
loath (adj) [λόουδ] ακούσιος.
loathe (v) [λόουδ] απεχθάνομαι.
loathing (n) [λόουδινγκ] απέχθεια.
loathsome (adj) [λόουδσαμ] αηδής.
lobe (n) [λόου-μπ] λοβός.
lobster (n) [λό-μπστερ] αστακός.
local (adj) [λόουκαλ] εγχώριος.
locality (n) [λόουκάλιτι] τοπίο.
localize (v) [λόουκαλαϊζ] εντοπίζω.
location (n) [λοουκέισσον] τοποθεσία.
lock (n) [λοκ] κλειδαριά (v) κλείνω.
lock up (v) [λοκ απ] φυλακίζω.
locking (n) [λόκινγκ] κλείσιμο.
lock-out (n) [λόκ-άουτ] ανταπεργία.
locksmith (n) [λόκσμιθ] κλειδαράς.
lockup (n) [λόκαπ] κρατητήριο.
locomotive (n) [λόουκαμόουτιβ] ατμομηχανή.
locus (n) [λόουκας] τόπος, θέση.
locust (n) [λόουκαστ] ακρίδα.
lode (n) [λόου-ντ] κοίτασμα.
lodge (v) [λοντζζ] εγκαθίσταμαι.
lodge a complaint (v) [λοντζζ α κομ-πλέιν-τ] καταγγέλλω.
lodger (adj) [λόντζζερ] ένοικος.
lodging (n) [λόντζζινγκ] στέγαση.
lodging house (n) [λόντζζινγκ χάους] χάνι.
lodgment (n) [λόντζζμεν-τ] στέγαση, ενοίκηση, διαμονή.
loft (n) [λοφτ] σοφίτα, εξώστης.
lofty (adj) [λόφτι] επιβλητικός.
log (n) [λογκ] κούτσουρο.

logarithm (n) [λόγκαριθμ] λογάριθμος.
logbook (n) [λόγκ-μπουκ] ημερολόγιο [πλοίου ή αεροσκάφους].
logic (n) [λόντζζικ] λογική.
logical (adj) [λόντζζικαλ] λογικός.
logistics (n) [λοντζζίστικς] επιμελητεία [στρατ].
loins (n) [λόινζ] οσφύς.
loiter (v) [λόιτερ] χαζεύω.
loll about (v) [λολ α-μπάουτ] ραχατεύω.
lollipop (v) [λόλιποπ] ματζούνι.
lolly (n) [λόλι] παραδάκι.
London (n) [Λάν-ντον] Λονδίνο.
Londoner (n) [Λάν-ντονα] Λονδρέζος.
lone (adj) [λόουν] μονάχος, έρημος.
loneliness (n) [λόουνλινες] μοναξιά.
lonely (adj) [λόουνλι] έρημος.
long (adj) [λονγκ] μακρύς, μέγας, πολύς (v) λαχταρώ, ποθώ.
long for (v) [λονγκ φοο] αποζητώ.
long time (n) [λονγκ τάιμ] πολυκαιρία.
long-distance (adj) [λονγκ-ντίστανς] υπεραστικός.
long-haired (adj) [λονγκ-χέαντ] μακρυμάλλης.
long-lasting (adj) [λονγκ-λάαστινγκ] μακροχρόνιος.
long-lived (adj) [λόνγκ-λίβ-ντ] μακρόβιος.
long-sighted (n) [λόνγκ-σάιτιντ] πρεσβύωπας.
long-sightedness (n) [λόνγκσάιτι-ντνες] πρεσβυωπία.
long-term (adj) [λόνγκ-τέρμ] μακροπρόθεσμος.
longevity (n) [λον-ντζζίβιτι] μακροβιότητα, μακροζωία.
longing (n) [λόνγκινγκ] καημός.
longish (adj) [λόνγκισ] μακρουλός.
longitude (n) [λόνντζζιτιου-ντ] μήκος [γεωγραφικό].
look (n) [λουκ] ματιά, ύφος, όψη, εμφάνιση (v) κοιτάζω, προσέχω (adv) ιδού.
look after (v) [λουκ άαφτερ] μεριμνώ, περιθάλπω, φροντίζω.
look at (v) [λουκ ατ] κοιτάζω.
look for (v) [λουκ φοο] ψάχνω.
look forward to (v) [λουκ φόοουα-ντ του] αποβλέπω, αδημονώ.
look into (v) [λουκ ίν-του] διερευνώ, εξετάζω.
look like (v) [λουκ λάικ] μοιάζω.
look out for (v) [λουκ άουτ

φοο] καραδοκώ.
look up to (v) [λουκ απ του] υπολήπτομαι.
looker (n) [λούκερ] θεατής.
looking-glass (n) [λούκινγκ-γκλάας] καθρέπτης, καθρέφτης.
lookout (n) [λούκαουτ] επιφυλακή, σκοπιά, φρουρά.
loom (n) [λούουμ] αργαλειός (v) διαφαίνομαι.
loon (n) [λούουν] χωριάτης.
loop (n) [λουπ] βρόχος, θηλιά.
loophole (n) [λούπχοουλ] πολεμίστρα.
loose (adj) [λούους] άδετος, λυτός, μπόλικος, χαλαρός (n) αποδέσμευση, χύμα.
loose thread (n) [λούους θρεντ] ξέφτι.
loose-tongued (adj) [λούους-τάνγκ-ντ] ελευθερόστομος.
loosely (adv) [λούουσλι] χαλαρά.
loosen (v) [λούουσεν] λασκάρω.
looseness (n) [λούουσνες] αστάθεια, ασάφεια, ελευθεριότητα.
loosening (n) [λούουσενινγκ] λύσιμο, έκλυση.
loosening up (n) [λούσενινγκ απ] προθέρμανση [αθλ].
loot (n) [λούουτ] λεία, λάφυρο (v) λεηλατώ, τρυγώ [μεταφ].
looting (n) [λούουτινγκ] αρπαγή.
lop (v) [λοπ] κλαδεύω, κρεμάω (n) αποκλάδι.
lope (v) [λόουπ] καλπάζω.
lopsided (adj) [λόπσάι-ντι-ντ] ετεροκλινής, μονόπαντος.
loquacity (n) [λοκουέσιτι] πολυλογία.
loquat (n) [λόουκουατ] μούσμουλο.
lord (n) [λόο-ντ] λόρδος, κύριος.
lordy (adj) [λόο-ντι] αρχοντικός.
lorn (adj) [λοον] μονάχος, έρημος.
lorry (n) [λόρι] καμιόνι, φορτηγό.
lose (v) [λούουζ] χάνω.
lose consciousness (v) [λούουζ κόνσσιεσνες] λιποθυμώ.
lose courage (v) [λούουζ κάριντζζ] δειλιάζω.
lose heart (v) [λούουζ χάατ] αποκαρδιώνομαι, λιγοψυχώ.
lose one's bearings (v) [λούουζ ουάν'ς μπέαρινγκς] αποπροσανατολίζομαι.
lose one's nerve (v) [λούουζ ουάν'ς νερβ] λιγοψυχώ.
lose one's temper (v) [λούουζ ουάν'ς τέμ-περ] παραφέρομαι.
lose one's way (v) [λούουζ ουάν'ς ουέι] πελαγώνω, περιπλανιέμαι.
lose weight (v) [λούουζ ουέιτ]

αδυνατίζω, σουρώνω, φυραίνω.
loser (adj) [λούουζερ] ηττημένος.
losing (adj) [λούουζινγκ] χαμένος.
loss (n) [λος] βλάβη, ζημιά, φθορά, χαμός.
lost (adj) [λοστ] χαμένος.
lot (n) [λοτ] ριζικό, τύχη.
lotion (n) [λόουσσον] λοσιόν.
lots (adj) [λοτς] μπόλικος.
lottery (adj) [λότερι] λαχειοφόρος (n) λοταρία, λαχείο.
lotus (n) [λόουτας] λωτός.
lotus-eater (n) [λόουτας ίιτερ] λωτοφάγος, ονειροπόλος.
loud (adj) [λάου-ντ] δυνατός, ηχηρός, σκαστός, χτυπητός.
loudhailer (n) [λάου-ντχέιλερ] τηλεβόας.
loudly (adv) [λάου-ντλι] δυνατά.
loudspeaker (n) [λάου-ντσπίικερ] τηλεβόας, μεγάφωνο.
lounge (v) [λάουν-ντζζ] ραχατεύω (n) εντευκτήριο.
lounge about (v) [λάουν-ντζζ α-μπάουτ] ραχατεύω.
louse (n) [λάους] ψείρα.
lout (adj) [λάουτ] αγροίκος.
lovable (adj) [λάβα-μπλ] συμπαθής.
love (n) [λαβ] έρωτας, αγάπη (v) αγαπώ.
love affair (n) [λαβ αφέα(ρ)] ειδύλλιο, ερωτοδουλειά.
love-letter (n) [λάβλέτερ] ραβασάκι.
lovebirds (n) [λάβ-μπέρ-ντς] πιτσουνάκια [μεταφ].
love child [n] [λαβ τσσάιλ-ντ] εξώγαμος, μπάσταρδος.
loved (adj) [λαβ-ντ] προσφιλής.
loveless (adj) [λάβλες] ανέραστος.
lovelorn (adj) [λάβλόον] ερωτοχτυπημένος.
lovely (adj) [λάβλι] αξιαγάπητος.
love nest (n) [λαβ νεστ] ερωτική φωλιά.
lover (n) [λάβερ] λάτρης, εραστής.
lovey-dovey (adj) [λάβι-ντάβι] ερωτευμένος [αργκό].
loving (adj) [λάβινγκ] αγαπητικός.
low (adj) [λόου] ταπεινός, κοντός, χαμηλός (v) μουγκανίζω.
low blood pressure (n) [λόου μπλα-ντ πρέσσερ] υπόταση.
lower (adj) [λόουερ] χαμηλότερος (v) εξευτελίζω, κατεβάζω.
lower down (adj) [λόουερ ντάουν] παρακάτω.
lower oneself (v) [λόουα ουάνσελφ] ταπεινώνομαι.

lowering (n) [λόουερινγκ] χαμήλωμα, κατέβασμα.
lowermost (adj) [λόουαμοουστ] χαμηλότατος, κατώτατος.
lowest (adj) [λόουεστ] κατώτατος.
lowly (adj) [λόουλι] ταπεινός.
loyal (adj) [λόιαλ] πιστός, έμπιστος, ευθύς, έντιμος.
loyalty (n) [λόιαλτι] πίστη, αφοσίωση, πιστότητα.
lozenge (n) [λόζεν-ντζζ] παστίλια, ρόμβος [γεωμ], ρομβοειδές σχέδιο.
lubricant (n) [λού-μπρικαν-τ] γράσο, λιπαντικό, ορυκτέλαιο.
lubricate (v) [λού-μπρικεϊτ] γρασάρω, λαδώνω, λιπαίνω.
lubrication (n) [λου-μπρικέισσον] λίπανση, λάδωμα.
lucid (adj) [λιούσι-ντ] σαφής, ευκρινής, διαφανής, διαυγής.
lucidity (n) [λιουσί-ντιτι] σαφήνεια.
Lucifer (n) [Λιούσιφα(ρ)] Εωσφόρος.
luck (n) [λακ] τύχη, τυχερό.
lucky (adj) [λάκι] ευτυχής, τυχερός.
lucrative (adj) [λούκρατιβ] επικερδής, σύμφορος, ωφέλιμος.
lucre (n) [λουκρ] χρήμα, κέρδος.
ludicrous (adj) [λού-ντικρας] παράλογος, γελοίος.
lues (n) [λούουιιζ] σύφιλη.
lug (v) [λαγκ] τραβώ, σέρνω (n) έλξη, τράβηγμα, σύρσιμο.
luggage (n) [λάγκιντζζ] μπαγκάζια.
lukewarm (adj) [λιούκουόομ] χλιαρός, αδιάφορος [μεταφ].
lull (n) [λαλ] ανάπαυλα, κάλμα (v) γαληνεύω, κοιμίζω.
lulling (adj) [λάλινγκ] λικνιστικός.
lumbago (n) [λάμ-μπέιγκοου] οσφυαλγία, λουμπάγκο.
lumber (n) [λάμ-μπερ] σαράβαλα.
lumberjack (n) [λάμ-μπαντζζακ] υλοτόμος, ξυλοκόπος.
luminary (n) [λούμινέρι] φωτοδότης.
luminosity (n) [λουμινόσιτι] φωτεινότητα.
luminous (adj) [λούμινας] φωτεινός, λαμπρός, φωτοβόλος.
lump (n) [λαμ-π] μάζα, όγκος.
lunacy (n) [λούνασι] ζούρλα.
lunar (adj) [λούνα(ρ)] σεληνιακός.
lunatic (n) [λούνατικ] τρελλός.
lunatic asylum (n) [λούνατικ ασάιλαμ] φρενοκομείο.
lunch (v) [λαν-τς] γευματίζω.
lung (n) [λανγκ] πνεύμονας.
lurch (v) [λερτς] ταλαντεύομαι.
lure (v) [λιού(ρ)] παρασέρνω

(n) δόλωμα, δέλεαρ, δόκανο [μεταφ].
lurid (adj) [λιούρι-ντ] τρομακτικός.
lurk (v) [λερκ] κρύβομαι, ενεδρεύω.
lust (n) [λαστ] ηδονή, λαγνεία, πόθος (v) ποθώ, λιμπίζομαι.
lust for (v) [λαστ φοο] ορέγομαι.
lusty (adj) [λάστι] ρωμαλέος, υγιής.
lute (n) [λιούτ] λαούτο.
luxuriant (adj) [λαγκζζιούριαν-τ] άφθονος, πλούσιος, πληθωρικός.
luxuriate (v) [λαγκζζιούριεϊτ] εντρυφώ, ζω πολυτελώς, ευδοκιμώ.
luxurious (adj) [λαγκζζιούριας] πολυτελής, ακριβός (n) λουξ.
luxury (n) [λάκσσερι] πολυτέλεια.
lyceum (n) [λαϊσίιαμ] λύκειο.
lye (n) [λάι] σταχτόνερο.
lying (adj) [λάιινγκ] ψευδής.
lymph (n) [λιμφ] λύμφη.
lymphatic (adj) [λιμφάτικ] λυμφατικός.
lynch (v) [λιν-τσ] λιντσάρω.
lyre (n) [λάιρ] λύρα.
lyric (adj) [λίρικ] λυρικός.
lyrical (adj) [λίρικαλ] λυρικός.

M, m (n) [εμ] το δέκατο τρίτο γράμμα του αγγλικού αλφαβήτου.
macabre (adj) [μακάα-μπα(ρ)] μακάβριος.
macaroni (n) [μακαρόουνι] μακαρόνια.
macaroon (n) [μακαρούουν] αμυγδαλωτό.
mace (n) [μέις] ραβδος.
Macedonia (n) [Μασε-ντόουνια] Μακεδονία.
machiavellian (adj) [μακιαβέλιαν] πανούργος.
machinate (v) [μάκινεϊτ] μηχανορραφώ, ραδιουργώ.
machine (n) [μασσίιν] μηχανή.
machine gun (n) [μασσίιν γκαν] πολυβόλο.
machine-made (adj) [μασσίινμέιντ] μηχανοποίητος.
machine-operated (adj) [μασσίιν-όπερέιτε-ντ] μηχανοκίνητος.
mackintosh (n) [μάκιν-τοσς] αδιάβροχο, πανοφόρι.
mad (adj) [μα-ντ] τρελός.
mad about (adj) [μα-ντ α-μπάουτ] ξελογιασμένος.
madam (n) [μά-νταμ] μαντάμ.
madcap (n) [μά-ντκάπ] τρελλάρας.
madden (v) [μά-ντεν] βουρλίζω.
maddening (adj) [μά-ντενινγκ] εκνευριστικός, εξωφρενικός.
made (adj) [μέι-ντ] φτιαγμένος.
madhouse (n) [μά-ντχαους] τρελοκομείο, φρενοκομείο.
madman (n) [μά-ντμαν] τρελός.
mafia (n) [μάφια] μαφία.
magazine (n) [μάγκαζίιν] περιοδικό.
maggot (n) [μάγκοτ] σκουλήκι.
magic (n) [μάντζζικ] μαγεία.
magical (adj) [μάντζζικαλ] μαγικός, μαγευτικός, γοητευτικός.
magistrate (n) [μάντζζιστρεϊτ] δικαστικός, ειρηνοδίκης.
magnanimity (n) [μαγκνανίμιτι] μεγαλοψυχία, μεγαθυμία.
magnesium (n) [μαγκνίιζιαμ] μαγνήσιο [χημ].
magnet (n) [μάγκνετ] μαγνήτης.
magnetic (adj) [μαγκνέτικ] μαγνητικός, ελκυστικός.
magnetize (v) [μάγκνεταϊζ] μαγνητίζω, υπνωτίζω.
magnificent (adj) [μαγκνίφισεν-τ] λαμπρός, μεγαλειώδης.
magnifier (n) [μαγκνιφάιερ] μεγεθυντικός φακός.

magnify (v) [μάγκνιφαϊ] μεγαλοποιώ, μεγεθύνω, υπερβάλλω.
magnitude (n) [μάγκνιτιου-ντ] μέγεθος, έκταση, σπουδαιότητα.
magpie (n) [μάγκπαϊ] κίσσα.
magus (n) [μέιγκας] μάγος.
maharajah (n) [Μαχαράαντζζα] μαχαραγιάς.
maid (n) [μέι-ντ] οικιακή βοηθός.
maiden (adj) [μέι-ντεν] παρθενικός (n) παρθένος, κόρη.
maidenhood (n) [μέι-ντενχούντ] παρθενικός υμένας.
mail (adj) [μέιλ] ταχυδρομικός (v) ταχυδρομώ (n) ταχυδρομείο.
maim (v) [μέιμ] ακρωτηριάζω.
maimed (adj) [μέιμ-ντ] σημαδεμένος.
main (adj) [μέιν] κύριος.
mainland (n) [μέινλαν-ντ] ξηρά, στεριά.
mainly (adv) [μέινλι] κυρίως.
mainstay (n) [μέινστεϊ] στάντζος [ναυτ], στύλος.
maintain (v) [μεϊν-τέιν] ισχυρίζομαι, συντηρώ, υπερασπίζω.
maintenance (n) [μέιν-τενανς] διατήρηση, συντήρηση.
maisonnette (n) [μεϊζονέτ] μαιζονέτα, μονοκατοικία.
maize (n) [μέιζ] καλαμπόκι.
majestic (adj) [μαντζζέστικ] μεγαλειώδης, μεγαλοπρεπής.
majesty (n) [μάντζζεστι] μεγαλείο, εξοχότητα, μεγαλειότητα.
major (n) [μέιντζζορ] ταγματάρχης [στρατ].
major-general (n) [μέιντζζοντζζένεραλ] υποστράτηγος.
majority (n) [μαντζζόριτι] πλειοψηφία, πλειονότητα.
make (n) [μέικ] κατασκευή, μορφή, (v) κατασκευάζω.
make up (v) [μέικ απ] ετοιμάζω, αποτελώ, μακιγιάρω, βάφω.
maker (n) [μέικα] βιομήχανος, δημιουργός, κατασκευαστής.
makeshift (adj) [μέικσσίφτ] πρόχειρος, προσωρινός.
makeweight (n) [μέικουέιτ] συμπλήρωμα βάρους, κατιμάς.
maladjusted (adj) [μαλαντζζάστι-ντ] απροσάρμοστος.
malady (n) [μάλα-ντι] ασθένεια.
malaise (n) [μαλάιζ] εξάντληση.
malapropos (adv) [μαλαπροπόου] ακατάλληλα, άκαιρα, άτοπα.
malar (adj) [μέιλα] ζυγωματικός.
malaria (n) [μαλέαρια] ελονοσία.
male (adj) [μέιλ] αρσενικός.
malediction (n) [μαλι-ντίκσσον] κατάρα.
malevolence (n) [μαλέβολενς] μοχθηρία, κακοβουλία.
malingerer (n) [μαλίνγκερερ]

κατά προσποίηση ασθενής.
malleable (adj) [μάλια-μπλ] μαλακός, εύπλαστος.
malnutrition (n) [μαλνιουτρίσσον] υποσιτισμός.
malt (n) [μόολτ] βύνη.
maltreat (v) [μαλτρίιτ] κακοποιώ.
mammal (n) [μάμαλ] θηλαστικό.
mammogram (n) [μάμαγκραμ] μαστογραφία.
mammoth (adj) [μάμοθ] πελώριος, τεράστιος, (n) μαμούθ.
man (n) [μαν] άνθρωπος, άντρας, άτομο, (v) επανδρώνω.
manage (v) [μάνιντζζ] διευθύνω, καταφέρνω, ρυθμίζω.
management (n) [μάνιντζζμεντ] διαχείριση, διεύθυνση.
manager (n) [μάναντζζερ] διευθυντής, προϊστάμενος.
mandarin (n) [μάν-νταριν] μανταρίνι, γραφειοκράτης.
mandate (n) [μάν-ντεϊτ] εντολή.
mandolin (n) [μάν-ντολιν] μαντολίνο.
mane (n) [μέιν] χαίτη.
manger (n) [μέιν-ντζζερ] φάτνη.
manhandling (n) [μάνχάνντλινγκ] κακοποίηση.
manhood (n) [μάνχου-ντ] ανδρισμός.
mania (n) [μέινια] μανία.
manifest (adj) [μάνιφεστ] έκδηλος (v) εμφανίζω, διαδηλώνω.
manifestation (n) [μανιφεστέισσον] αποκάλυψη, διαδήλωση.
manifesto (n) [μανιφέστοου] μανιφέστο, διακύρηξη.
manifold (adj) [μάνιφοουλ-ντ] πολύτροπος, πολυπληθής.
manipulate (v) [μανίπιουλεϊτ] μαγειρεύω, χειρίζομαι.
manipulation (n) [μανιπιουλέισσον] χειρισμός.
mankind (n) [μάνκαϊν-ντ] ανθρωπότητα, ντουνιάς.
manliness (n) [μάνλινες] λεβεντιά.
manly (adj) [μάνλι] ανδρικός, ανδροπρεπής, αντρίκειος.
manned (adj) [μαν-ντ] επανδρωμένος.
manner (n) [μάνερ] τρόπος.
mannerism (n) [μάνεριζμ] εκζήτηση, επιτήδευση.
manoeuvre (n) [μανούουβερ] μανούβρα (v) μηχανορραφώ.
manor lord (n) [μάνορ λόο-ντ] κτηματίας, τσιφλικάς.
manservant (n) [μάνσέρβαν-τ] θαλαμηπόλος, υπηρέτης.
mansion (n) [μάνσσιον] μέγαρο.
mantilla (n) [μαν-τίλα] μαντίλα.
mantle (n) [μαν-τλ] μανδύας.

manual (n) [μάνιουαλ] εγκόλπιο.
manufacture (n) [μάνιουφάκτσσα(ρ)] βιομηχανία.
manufacturing (adj) [μανιουφάκτσερινγκ] μεταποιητικός.
manumit (v) [μανιουμίτ] απελευθερώνω, χειραφετώ.
manure (n) [μανιούρ] φουσκί, λίπασμα, κοπριά (v) λιπαίνω.
manuscript (n) [μάνιουσκριπτ] χειρόγραφο.
many (adj) (pron) [μένι] πολυάριθμοι, πολλοί, πολλές, πολλά.
map (n) [μαπ] χάρτης [γεωγραφικός] (v) χαρτογραφώ.
mar (v) [μάα] καταστρέφω.
marble (adj) [μάα-μπλ] μαρμάρινος, κρύος, (n) μπίλια.
marbles (n) [μάα-μπλζ] βόλοι.
march (ex) [μάατσς] μαρς (εμπρός) (n) προέλαση, πρόοδος, οδοιπορία (v) οδεύω, προχωρώ.
marchioness (n) [μάατσσονές] μαρκησία.
mare (n) [μέαρ] φοράδα.
margarine (n) [μάαντζζερίιν] μαργαρίνη.
margin (n) [μάαντζζιν] άκρη, χείλος, παρυφή, περιθώριο.
marginal (adj) [μάαντζζιναλ] περιθωριακός, οριακός.
marigold (n) [μάριγκοολ-ντ] κατιφές, χρυσάνθεμο.
marina (n) [μαρίινα] μαρίνα.
marine (adj) [μαρίιν] ναυτικός (n) ναυτικό, πεζοναύτης.
marine underwriter (n) [μαρίιν άνντερράιτερ] ναυτασφαλιστής.
mariner (n) [μάρινερ] ναυτικός.
marital (adj) [μάριταλ] συζυγικός.
marjoram (n) [μάαντζζοραμ] μαντζουράνα.
mark (n) [μάακ] μάρκα [νόμισμα], δείγμα, στόχος, σημείο, τεκμήριο (v) προσέχω, δείχνω.
marked (adj) [μάακ-τ] φανερός, σαφής, έκδηλος, έντονος.
marker pen (n) [μάακα πεν] μαρκαδόρος.
market (n) [μάακετ] αγορά.
market town (n) [μάακετ τάουν] κωμόπολη.
marketable (adj) [μάακετα-μπλ] εμπορεύσιμος.
marksman (n) [μάακσμαν] σκοπευτής.
marmelade (n) [μάαμελεϊ-ντ] μαρμελάδα.
maroon (adj) [μαρόουν] καστανός.
marquee (n) [μάακιι] αντίσκοινο.
marquis (n) [μάακουις] μαρκήσιος.
marriage (n) [μάριντζζ] πατρειά.

married couple (n) [μάρι-ντ καπλ] ανδρόγυνο, αντρόγυνο.
marrow (n) [μάροου] μυελός.
marry (v) [μάρι] παντρεύω.
marsh (n) [μάασς] έλος, βάλτος.
marshal (n) [μάασσαλ] στρατάρχης [στρατ] (v) τακτοποιώ.
marsupial (adj) [μαασιούπιαλ] μαρσιποφόρος.
marten (n) [μάατεν] κουνάβι.
martial (adj) [μάασσαλ] μαχητικός.
martin (n) [μάατιν] χελιδώνι.
martyr (n) [μάατια] μάρτυρας.
marvellous (adj) [μάαβελες] εκπληκτικός, θαυμάσιος.
Marxist (adj) [Μάαξιστ] μαρξιστικός (n) μαρξιστής.
mascot (n) [μάσκοτ] φυλακτό.
masculine (adj) [μάσκιουλιν] ρωμαλέος, ανδροπρεπής.
mash (v) [μασς] λιώνω.
mask (n) [μαασκ] λεοντή, μάσκα (v) μασκαρεύω, καλύπτω.
masked (adj) [μαασκ-τ] μασκοφορεμένος (n) μασκέ.
masochism (n) [μάσοκιζμ] μαζοχισμός.
mason (n) [μέισον] μασόνος.
masquerade (n) [μασκερέι-ντ] υπόκριση, μασκαράτα.
Mass (n) [Μας] Θεία Λειτουργία.
mass (adj) [μας] πάνδημος (n) λειτουργία, μάζα, σωρός.
massacre (n) [μάσακα(ρ)] σφαγή (v) κατασφάζω, σφάζω.
massage (n) [μασάαζζ] εντριβή, μασάζ (v) μαλάζω.
masses (n) [μάσιζ] λαός, μάζες.
massive (adj) [μάσιβ] συμπαγής.
mast (n) [μάαστ] ιστός.
mastectomy (n) [μαστέκτομι] μαστεκτομή.
master (n) [μάαστα(ρ)] άρχοντας, αφέντης, κύριος (v) υπερνικώ.
masterly (adj) [μάαστερλι] αριστοτεχνικός, μαστορικός.
mastery (n) [μάαστερι] έλεγχος, υπεροχή, νίκη, μαεστρία.
mastic (n) [μάστικ] μαστίχα.
masticate (v) [μάστικεϊτ] μασώ.
mastiff (n) [μάστιφ] μολοσσός.
masturbate (v) [μάστα-μπεϊτ] αυνανίζομαι.
mat (n) [ματ] ψάθα, χαλάκι.
matador (n) [μάτα-ντοο(ρ)] ταυρομάχος.
match (v) [ματς] συμφωνώ (n) όμοιος, ματς.
matched (adj) [ματσσ-τ] ταιριαστός.
matchmaker (n) [μάτσσμέικερ] προξενητής, προξενήτρα.
mate (n) [μέιτ] συνάδελφος, ταίρι (v) ζευγαρώνω.

material (adj) [ματίιριαλ] υλικός, ουσιαστικός (n) ύλη.
materially (adv) [ματίιριαλι] υλιστικά, υλικά, σημαντικά.
maternal (adj) [ματέρναλ] μητρικός.
maternity hospital (n) [ματέρνιτι χόσπιταλ] μαιευτήριο.
matey (adj) [μέιτι] φιλικός.
mathematic (adj) [μαθεμάτικ] μαθηματικός.
mating (n) [μέιτινγκ] ζευγάρωμα.
matriarchal (adj) [μεϊτριάακαλ] μητριαρχικός.
matricide (n) [μεϊτρισάι-ντ] μητροκτονία, μητροκτόνος.
matrimony (n) [μάτριμοουνι] παντρειά, γάμος.
matrix (n) [μέιτριξ] φόρμα.
matron (n) [μέιτρον] οικοδέσποινα.
matron of honour (n) [μέιτρον οβ όνα] κουμπάρα.
matt (adj) (n) [ματ] ματ.
matted (adj) [μάτι-ντ] μπερδεμένος, ανακατωμένος.
matter (v) [μάτερ] σημαίνω (n) σημασία, ουσία, ύλη.
mattock (n) [μάτοκ] αξίνα.
mattress (n) [μάτρες] στρώμα.
mature (adj) [ματσσούρ] ώριμος (v) λήγω, ωριμάζω.
maudlin (adj) [μόο-ντλιν] μισοκακόμοιρος, κλαψιάρικος.
mausoleum (n) [μοοσολίιαμ] μαυσωλείο.
mauve (adj) [μόουβ] μαβής.
mawkish (adj) [μόοκισς] ευκολοσυγκίνητος.
maxim (n) [μάξιμ] αξίωμα.
maximize (v) [μάξιμαϊζ] μεγιστοποιώ, μεγαλοποιώ.
may (ex) [μέι] άμποτες!, είθε!, ας (v) δύναμαι, μπορώ.
May Day (adj) [Μέι Ντέι] (n) Πρωτομαγιά, κίνδυνος στα πλοία [sos].
maybe (adv) [μέι-μπιι] πιθανώς.
maybug (n) [μέι-μπάγκ] χρυσόμυγα.
mayor (n) [μέ-ιο(ρ)] δήμαρχος.
maze (n) [μέιζ] λαβύρινθος.
me (pron) [μίι] εμένα, μου.
meadow (n) [μέ-ντοου] λιβάδι.
meagre (adj) [μίιγκα(ρ)] φτωχικός.
meal (n) [μίιλ] φαρίνα, φαγητό.
mealy-mouthed (adj) [μίιλι-μάουθ-ντ] ανειλικρινής.
mean (adj) [μιιν] μίζερος, φτωχικός (v) σκοπεύω (n) στεναγμός.
meander (n) [μίαν-ντα(ρ)] μαίανδρος.
means (n) [μίινζ] μέθοδος.
means of transport (n) [μίινζ οβ τράανσποοτ] συγκοινωνία.

measles (n) [μίιζλζ] ιλαρά.
measly (adj) [μίιζλι] ασήμαντος.
measurable (adj) [μέζζερα-μπλ] καταμετρητός, μετρητός.
measure (n) [μέζζερ] ρέγουλα (v) υπολογίζω, εκτιμώ.
measured (adj) [μέζζα-ντ] μετρημένος, μελετημένος.
measureless (adj) [μέζζαλες] απεριόριστος, ατελείωτος.
measurements (n) [μέζζαμεντς] μέτρα, καταμετρήσεις.
mechanical (adj) [μεκάνικαλ] μηχανιστικός, μηχανικός.
medal (n) [μέ-νταλ] αριστείο.
medallion (n) [με-ντάλιον] μενταγιόν.
meddle (v) [με-ντλ] παρεμβαίνω.
mediation (n) [μίι-ντιέισσον] μεσίτευση, μεσολάβηση.
medical (adj) [μέ-ντικαλ] ιατρικός.
medical attendance (n) [μέ-ντικαλ ατέν-ντανς] κούρα.
medical charges (n) [μέ-ντικαλ τσσάαρντζζιζ] νοσήλια.
medicinal (adj) [με-ντίσιναλ] φαρμακευτικός, ιατρικός.
medieval (adj) [μίι-ντιίιβαλ] μεσαιωνικός.
mediocre (adj) [μίι-ντιόουκερ] μέτριος, υποδεέστερος.
meditate (v) [μί-ντιτεϊτ] αυτοσυγκεντρώνομαι, στοχάζομαι.
Mediterranean (adj) [Με-ντιτερέινιαν] μεσογειακός.
medium (adj) [μίι-ντιαμ] μέσος (n) μέτρο, φορέας, περιβάλλον.
medley (n) [μέ-ντλι] κυκεώνας.
meet (v) [μίιτ] αντικρύζω, συναντώ, συντρέχω, εκβάλλω.
megacycle (n) [μέγκασάικλ] μεγάκυκλος.
melancholy (adj) [μέλανκολι] σκοτεινός (n) μελαγχολία.
mellow (adj) [μέλοου] χυμώδης, ώριμος (v) απαλύνω.
melodious (adj) [μελόου-ντιας] μελωδικός, ωδικός, μουσικός.
melody (n) [μέλο-ντι] μελωδία.
melon (n) [μέλον] πεπόνι.
melt (v) [μελτ] λιώνω, σβήνω.
melting (n) [μέλτινγκ] τήξη.
member (n) [μέμ-μπερ] στέλεχος.
membrane (n) [μέμ-μπρέιν] μεμβράνη, υμένας, περγαμηνή.
memento (n) [μεμέν-τοου] αναμνηστικό, ενθύμιο.
memoirs (n) [μέμουααζ] βιβλιογραφία, απομνημονεύματα.
memorable (adj) [μέμορα-μπλ] αξιομνημόνευτος, μνημειώδης.
memorandum (n) [μεμοράννταμ] σημείωμα, μνημόνιο.
memorial (adj) [μεμόοριαλ] αναμνηστικός, επιμνημόσυνος.

memorize (v) [μέμοοραϊζ] απομνημονεύω, αποστηθίζω.
menace (n) [μένις] απειλή, φοβέρα (v) φοβερίζω.
menagerie (n) [μενάντζζερι] ζωοτροφείο [θηρίων].
mend (v) [μεν-ντ] μαντάρω.
mendacious (adj) [μεν-ντάσιας] αναληθής, ψευδολόγος.
mending (n) [μέν-ντινγκ] επιδιόρθωση, επισκευή.
meningitis (n) [μενιν-ντζζάιτις] μηνιγγίτιδα.
menopause (n) [μέναποοζ] εμμηνόπαυση.
menstrual (adj) [μένστραλ] έμμηνος, εμμηνορροϊκός.
mental (adj) [μέν-ταλ] νοερός.
mental hospital (n) [μέν-ταλ χόσπιταλ] ψυχιατρείο.
mentality (n) [μεν-τάλιτι] νοοτροπία.
mention (n) [μένσσον] μνεία, λόγος (v) θίγω, αναφέρω.
menu (n) [μένιου] μενού.
mercantile (adj) [μέρκαν-ταϊλ] εμπορικός.
mercenary (n) [μέρσενρι] άπληστος.
merchandise (n) [μέρτσσαν-νταϊς] εμπόρευμα, πραμάτεια.
merciful (adj) [μέρσιφουλ] ελεητικός, πανάγαθος, σπλαχνικός.
mercury (n) [μέρκιουρι] υδράργυρος.
Mercury (n) [Μέρκιουρι] Ερμής.
mercy (n) [μέρσι] λύπηση.
mercy killing (n) [μέρσι κίλινγκ] ευθανασία.
merely (adv) [μίιρλι] απλώς.
merge (v) [μερντζζ] συγχωνεύω.
meridian (n) [μερί-ντιαν] ζενίθ.
merit (v) [μέριτ] αξίζω (n) προσόν.
mermaid (n) [μέρμέι-ντ] γοργόνα.
merriment (n) [μέριμεν-τ] ευθυμία, κέφι, διασκέδαση.
merry (adj) [μέρι] εύθυμος.
merrymaking (n) [μέριμέικινγκ] διασκέδαση, πανηγύρι.
mesh (n) [μες] πλέγμα, δίκτυ.
mess (adv) [μες] κουλουβάχατα (n) μπέρδεμα, βρομιά.
mess up (v) [μες απ] σαραβαλιάζω, (n) θαλάσσωμα.
message (n) [μέσιντζζ] μήνυμα.
messroom (n) [μέσρούμ] καρέ.
messy (adj) [μέσι] βρώμικός.
met (adj) [μετ] μετεωρολογικός.
metabolic (adj) [μετα-μπόλικ] μεταβολικός.
metabolism (n) [μετά-μπολιζμ] μεταβολισμός.
metal (n) [μέταλ] μέταλλο.
metalled (adj) [μέταλ-ντ] χαλκό-

στρωτος.
metallic (adj) [μετάλικ] μεταλλικός.
metaphor (n) [μέταφοο] μεταφορά [γραμμ].
metaphysics (n) [μεταφίζικς] μεταφυσική.
mete (n) [μίιτ] όριο, σύνορο.
meteor (n) [μίιτιοο] μετέωρο.
meteorite (n) [μίιτιοράιτ] αερόλιθος.
meteorologist (n) [μίιτιορόλοντζζιστ] μετεωρολόγος.
meter (n) [μίιτερ] μετρητής.
method (n) [μέθο-ντ] μέθοδος.
methodical (adj) [μεθό-ντικαλ] μεθοδικός, συστηματικός.
metope (n) [μέτοουπ] μετόπη.
metre (n) [μίιτερ] μέτρο.
metric (n) [μέτρικ] μετρική.
metropolis (n) [μετρόπολις] μητρόπολη, πρωτεύουσα.
mettle (n) [μετλ] θάρρος, κουράγιο, ψυχή.
mew (v) [μιού] περιορίζω.
miaow (v) [μιάου] νιαουρίζω.
miasma (n) [μιάζμα] μίασμα.
micro-organism (n) [μάικροουόογκανιζμ] μικροοργανισμός.
microbe (n) [μάικροου-μπ] μικρόβιο.
microcosm (n) [μάικροκοζμ] μικρόκοσμος, μικρογραφία.
microphone (n) [μάικροουφοουν] μικρόφωνο.
microscope (adj) [μάικροσκόουπ] μικροσκοπικός.
microwave (n) [μάικρογουέιβ] μικροκύμα [φυσ].
midday (adj) [μί-ντντέι] μεσημεριανός (n) μεσημέρι.
middle (adj) [μι-ντλ] κεντρικός, μεσαίος (n) μέση, μέσο.
Middle Ages (n) [Μι-ντλΈιντζζις] μεσαίωνας.
middle-aged (adj) [μί-ντλέιντζζ-ντ] μεσήλικος, μεσόκοπος.
middleman (n) [μί-ντλμάν] μεσάζοντας, ενδιάμεσος.
midge (n) [μι-ννтζζ] σκνίπα.
midnight (n) [μί-ντνάιτ] μεσάνυχτα, μεσονύχτι.
midst (n) [μι-ντστ] μέσο, μέση.
midwife (n) [μί-ντγουάιφ] μαία.
might (n) [μάιτ] δύναμη.
mighty (adj) [μάιτι] ισχυρός.
migraine (n) [μάιγκρεϊν] ημικρανία.
migrant (adj) [μάιγκράν-τ] απόδημος.
mild (adj) [μάιλ-ντ] μαλακός.
mildew (n) [μίλ-ντιου] μούχλα.
mildness (n) [μάιλ-ντνες] ηπιότητα, πραότητα, γλυκύτητα.
mile (n) [μάιλ] μίλι.
militancy (n) [μίλιτανσι] μαχητικότητα, αγωνιστικότητα.
militant (n) [μίλιταν-τ] (adj) μα-

χτικός, αγωνιστικός.
militarism (n) [μίλιταριζμ] στρατοκρατία, μιλιταρισμός.
militiaman (n) [μιλίσιαμαν] εθνοφρουρός, εθνοφύλακας.
milk (v) [μιλκ] αρμέγω.
milksop (n) [μίλκσοπ] μαμόθρεφτο, βουτυρόπαιδο.
milky (adj) [μίλκι] γαλακτερός.
Milky Way (n) [Μίλκι ουέι] Γαλαξίας.
mill (n) [μιλ] μύλος (v) κόβω.
miller (n) [μίλερ] μυλωνάς.
millet (n) [μίλετ] κεχρί.
milliner (n) [μίλινερ] καπελού.
million (n) [μίλιον] εκατομμύριο.
mime (n) [μάιμ] μίμος.
mimic (n) [μίμικ] μίμος (v) κοπιάρω, μιμούμαι.
mimicry (n) [μίμικρι] μιμική.
mimosa (n) [μιμόουζα] μιμόζα.
minaret (n) [μίναρετ] μιναρές.
mince (v) [μινς] εκφράζομαι.
mind (n) [μάιν-ντ] μυαλό, πνεύμα (v) προσέχω.
minder (n) [μάιν-ντερ] επιτηρητής.
mindful (adj) [μάιν-ντφουλ] προσεκτικός, επιμελής.
mine (n) [μάιν] νάρκη, μεταλλείο (v) ανοίγω, ναρκοθετώ.
miner (n) [μάινερ] ανθρακωρύχος.
mineral (adj) [μίνεραλ] ανόργανος, ορυκτός (n) ορυκτό.
mineralogist (n) [μινεράλοντζζιστ] μεταλλειολόγος.
mingle (v) [μινγκλ] ανακατεύω.
miniature (n) [μίνιατσσουρ] μικρογραφία, μινιατούρα.
mining (adj) [μάινινγκ] μεταλλευτικός (n) μετάλλευση.
minister (n) [μίνιστερ] πάστορας, πρεσβευτής, υπουργός (adj) απεσταλμένος.
minium (n) [μίνιαμ] μίνιο.
minor (adj) [μάινα(ρ)] ολιγώτερος.
mint (n) [μιν-τ] μέντα, δυόσμος (v) νομισματοποιώ, επινοώ.
minus (adv) [μάινας] μείον.
minute (n) [μίνιτ] στιγμή.
minutes (n) [μίνιτς] πρακτικά.
minx (n) [μινξ] διαβολοθήλυκο.
miracle (n) [μίρακλ] θαύμα.
mirage (n) [μιράαζζ] αντικατοπτρισμός, αυταπάτη.
mire (n) [μάιρ] τέλμα, βούρκος.
mirror (n) [μίρα(ρ)] καθρέφτης (v) καθρεφτίζω.
mirthful (adj) [μίρθφούλ] φαιδρός, κεφάτος, χαρούμενος.
misadventure (n) [μισα-ντβέντσσα(ρ)] ατύχημα.
misanthrope (n) (adj) [μίσανθροουπ] μισάνθρωπος.

misappropriate (v) [μισαπρόουπριέιτ] καταχρώμαι.
misbehave (v) [μισ-μπιχέιβ] ασχημονώ, παρεκτρέπομαι.
miscarriage (n) [μίσκαριντζζ] αποτυχία, ναυάγιο, σφάλμα.
miscarry (v) [μίσκάρι] αποβάλλω.
miscellaneous (adj) [μισιλέινιας] ποικίλος, ανάμικτος.
mischance (n) [μιστσσάανς] ατυχία, στραβομάρα.
mischief (n) [μιστσσίιφ] αταξία, διαβολιά, κακό.
miscible (adj) [μίσι-μπλ] αναμίξιμος.
misconduct (v) [μισκον-ντάκτ] κακοδιαχειρίζομαι, μοιχεύω.
misconstrue (v) [μισκονστριού] παρερμηνεύω, παρεξηγώ.
miser (n) [μάιζερ] τσιγκούνης.
miserable (adj) [μίζερα-μπλ] κακόμοιρος, καημένος.
miserly (adj) [μάιζερλι] τσιγκούνης, τσιγκούνικος.
misfire (v) [μισφάια(ρ)] σφάλλω.
misfortune (n) [μισφόορτσσουν] ατυχία, κακοδαιμονία.
misgiving (n) [μισγκίιβινγκ] φόβος, ανησυχία, αμφιβολία.
mishap (n) [μίσχαπ] ατύχημα.
misinterpret (v) [μισιν-τερπρίτ] παραγνωρίζω, παρεξηγώ.
mislay (v) [μισλέι] χάνω.
mislead (v) [μισλίι-ντ] εξαπατώ.
misleading (adj) [μισλίι-ντινγκ] (n) παραπλάνηση.
mismanagement (n) [μισμάναντζζμεν-τ] κακοδιοίκηση.
misogynist (n) [μισόντζζινιστ] μισογύνης.
misrepresent (v) [μισρεπριζέντ] παραποιώ, διαστρέφω.
Miss (n) [Μις] δεσποινίδα.
miss (v) [μις] αναζητώ.
missile (n) [μίσάιλ] βλήμα.
missing (adj) [μίσινγκ] απών.
mission (n) [μίσσον] αποστολή.
missionary (n) [μίσσιονερι] ιεραπόστολος, ιεροκήρυκας.
misspell (v) [μισπέλ] ανορθογράφω.
missus (n) [μίσαζ] κυρά.
mist (n) [μιστ] αντάρα, ομίχλη.
mistake (n) [μιστέικ] παρανόηση, πλάνη, λάθος.
mistaken (adj) [μιστέικεν] παρεξηγημένος (v) λαθεύω.
Mister (n) [μίστα] κύριος.
mistletoe (n) [μίσλτόου] ιξός, γκι.
mistress (n) [μίστρες] οικοδέσποινα, κυρία, ερωμένη.
mistrust (n) [μιστράστ] δυσπιστία, καχυποψία (v) δυσπιστώ.
misty (adj) [μίστι] ομιχλώδης, καταχνιασμένος, βουρκωμένος.

misunderstand (v) [μισαν-ντα-στάν-ντ] παρανοώ, παρεξηγώ.
misuse (n) [μισιούς] κατάχρηση (v) [μισιούζ] καταχράζω.
mite (n) [μάιτ] πιστρίκος, ψιχίο.
mitigating (adj) [μίτιγκέιτινγκ] ελαφρυντικός.
mitre (n) [μάιτερ] μίτρα [εκκλ].
mix (v) [μιξ] αναμιγνύω.
mix with (v) [μιξ ουίδ] συναναστρέφομαι, προσθέτω.
mix-up (v) [μιξ-απ] συγχέω.
mixed (adj) [μιξ-τ] ανάκατος.
mixing (n) [μίξινγκ] μίξη.
mixture (n) [μίξτσερ] μίγμα.
moan (n) [μόουν] στεναγμός.
moat (n) [μόουτ] χαντάκι.
mob (adj) [μο-μπ] (n) μπουλούκι.
mobile (adj) [μόου-μπαΐλ] κινητός.
mobilize (v) [μόου-μπιλαΐζ] επιστρατεύω, κινητοποιώ.
mobster (n) [μό-μπστα] κακοποιός.
mock (v) [μοκ] εμπαίζω.
mock attack (n) [μοκ ατάκ] ψευδεπίθεση.
mocker (n) [μόκερ] χλευαστής.
mockery (n) [μόκερι] γελοιοποίηση, κοροϊδία, χλεύη.
modal (adj) [μόου-νταλ] τροπικός.
mode (n) [μόου-ντ] μέθοδος, τρόπος, τεχνοτροπία, συρμός.
model (adj) [μό-ντελ] πρότυπος (v) διαπλάθω (n) μοντέλο.
moderate (adj) [μό-ντερετ] μέτριος (v) [μο-ντερέιτ] συγκρατώ.
modern (adj) [μό-ντερν] μοντέρνος, σημερινός, νέος.
modernize (v) [μό-ντaναΐζ] εκσυγχρονίζω, συγχρονίζω.
modest (adj) [μό-ντεστ] ηθικός, ντροπαλός (n) μετριόφρονας.
modicum (n) [μό-ντικαμ] ελάχιστο, μικρή ποσότητα.
modification (n) [μό-ντιφικέισσον] διασκευή, τροποποίηση.
module (n) [μό-ντιουλ] θαλαμίσκος.
moist (adj) [μόιστ] υγρός.
moisten (v) [μόισεν] σαλιώνω.
moisture (n) [μόιτσσερ] υγρασία.
molar (n) [μόουλα] γομφίος.
mole (n) [μόουλ] ελιά, μώλος.
molest (v) [μολέστ] ενοχλώ.
mollycoddle (v) [μολικοντλ] μαμοθρέφω.
mollify (v) [μόλιφάι] μαλακώνω.
mom (n) [μομ] μανούλα.
moment (n) [μόουμεν-τ] στιγμή.
momentous (adj) [μομέν-τας] κρίσιμος, σημαντικός, βαρυσήμαντος.

monarch (n) [μόναακ] μονάρχης.
monastery (n) [μόναστρι] μονή.
monastic (adj) [μονάστικ] μοναχικός.
monetary (adj) [μάνιτρι] χρηματικός, νομισματικός.
money (n) [μάνιι] λεφτά.
money market (n) [μάνιι μάακετ] χρηματαγορά.
money-box (n) [μάνιι-μποξ] κορβανάς, κουμπαράς.
money-broker (n) [μάνιι-μπρόουκα] χρηματομεσίτης.
moneymaking (adj) [μάνιιμέικινγκ] σύμφορος, ωφέλιμος.
monger (n) [μάνγκερ] έμπορος.
monk (n) [μανκ] καλόγερος.
monkey (n) [μάνκιι] πίθηκος.
monochrome (adj) [μόνοκρόουμ] μονόχρωμος.
monogram (n) [μόνογκραμ] τζίφρα, μονόγραμμα.
monolithic (adj) [μονολίθικ] μονολιθικός.
monopolistic (adj) [μονοπολίστικ] μονοπωλιακός.
monosyllabic (adj) [μονοσιλάμπικ] μονοσύλλαβος, απότομος.
monotheism (n) [μόνοθιιζμ] μονοθεϊσμός.
monotonous (adj) [μονότονας] μονότονος, μονοτονικός.
monsoon (n) [μονσούουν] μουσώνας.
monster (n) [μάνστερ] έκτρωμα.
month (n) [μανθ] μήνας.
monument (n) [μόνιουμεν-τ] μνημείο, ιστορικό έγγραφο [αρ].
moo (v) [μούου] μουγκανίζω.
mooch (v) [μοούουτσ] περιπλανώμαι, σουλατσάρω.
mood (n) [μούου-ντ] έγκλιση, διάθεση [κέφι], αθυμία.
moody (adj) [μούου-ντι] άκεφος, δύσθυμος, οξυθυμος.
moon (adj) [μούουν] σεληνιακός (n) σελήνη, φεγγάρι.
moonless (adj) [μούουνλες] αφέγγαρος.
moonstruck (adj) [μούουνστρακ] τρελός, παλαβός.
moony (adj) [μούουνι] ονειροπόλος.
moor (v) [μόο(ρ)] αράζω, δένω.
moorhen (n) [μόοχεν] νερόκοτα.
mooring (n) [μόορινγκ] άραγμα.
mooring place (n) [μόορινγκ πλέις] αγκυροβόλιο.
mop (v) [μοπ] σκουπίζω.
moped (n) [μόουπεντ] μηχανάκι.
moral (adj) [μόραλ] χρηστός, αγνός, ηθικός (n) ήθος.
morals (n) [μόραλζ] ήθη, ήθος.
morass (n) [μοράς] έλος.
moratorium (n) [μορατόοριαμ] δικαιοστάσιο, χρεωστάσιο.

moray eel (n) [μόρεϊ ίιλ] σμέρνα.
morbid (adj) [μόο-μπι-ντ] νοσηρός, αρρωστημένος.
more (adj) [μόο] περισσότερος (adv) παραπάνω (n) άλλος.
more than (adv) [μόο δαν] παραπάνω.
moreover (adv) [μόορόουβερ] περαιτέρω, πλέον, εξάλλου.
morgue (n) [μόογκ] νεκροτομείο.
moribund (adj) [μόρι-μπάν-ντ] ετοιμοθάνατος.
morning (adj) [μόονινγκ] πρωινός (n) πρωί, πρωινό.
morning star (n) [μόονινγκ στάα] Αυγερινός.
morning twilight (n) [μόονινγκ τουάιλάιτ] λυκαυγές.
moron (n) [μόορον] μωρός.
morose (adj) [μορόους] κατηφής.
morphine (n) [μόοφιιν] μορφίνη.
morphological (adj) [μοοφολόντζζικαλ] μορφολογικός.
morse (n) [μόος] τριχοφόρος.
morsel (n) [μόοσελ] μπουκιά.
mortal remains (n) [μόοταλ ριμέινζ] λείψανο.
mortality (n) [μοοτάλιτι] θνησιμότητα, θάνατος, θανατικό.
mortarboard (n) [μόοτα-μπόοντ] πηλοφόρι.
mortgage (n) [μόογκιντζζ] υποθήκη (v) υποθηκεύω.
mortify (v) [μόοτιφάι] ταπεινώνω.
mortuary (n) [μόοτσσερι] νεκροθάλαμος, νεκροτομείο.
mosaic (adj) [Μοοζέικ] μωσαϊκός (n) μωσαϊκό, ψηφιδωτό.
Moses (n) [Μόουζες] Μωυσής.
moslem (n) [μόζλεμ] μουσουλμάνος, μωαμεθανός.
mosque (n) [μόοκ] τέμενος.
mosquito (n) [μοσκίιτοου] κουνούπι.
moss (n) [μος] μούσκλο.
most (adj) [μόουστ] μέγιστος.
Most Reverend (adj) [Μόουστ Ρέβερε-ντ] πανιερότατος.
motel (n) [μοουτέλ] μοτέλ.
moth (n) [μοθ] σκώρος.
moth-eaten (adj) [μοθ-ίιτεν] σκοροφαγωμένος.
mothballs (n) [μόθ-μπόολζ] ναφθαλίνη.
mother (n) [μάδα(ρ)] μητέρα (v) γεννώ.
mother-in-law (n) [μάδερ-ινλόο] πεθερά.
motherhood (n) [μάδαχου-ντ] μητρότητα.
motif (n) [μοουτίιφ] μοτίβο.
motion (n) [μόουσσον] νόημα (v) γνεύω.

motionless (adj) [μόουσσονλες] ακίνητος, στάσιμος.
motive (n) [μόουτιβ] αιτία, αφορμή, ελατήριο, κίνητρο.
motley (adj) [μότλι] πολύχρωμος.
motor (n) [μόουτα] κινητήρας.
motorbike (n) [μόουτα-μπάικ] μοτοσικλέτα.
motorboat (n) [μόουτα-μπόουτ] βενζινάκατος.
motorcycle (n) [μόουτασάικλ] μοτοσικλέτα.
motoring (n) [μόουτορινγκ] οδήγηση, αυτοκινητάδα.
motorway (n) [μόουταουεϊ] αυτοκινητόδρομος.
motto (n) [μότο] ρητό.
mould (n) [μόουλ-ντ] γόνιμο έδαφος, μούχλα (v) πλάθω.
moulding (n) [μόουλ-ντινγκ] πλάση, διαμόρφωση, διάπλαση.
mound (n) [μάουν-ντ] λοφίσκος, ύψωμα, ανάχωμα.
mount (v) [μάουν-τ] ανέρχομαι.
Mount Athos (n) [Μάουν-τ Άθος] Άγιον όρος.
mountain (n) [μάουν-τιν] όρος.
mourn (v) [μόον] θρηνώ.
mournful (adj) [μόονφουλ] πένθιμος, καταθλιπτικός.
mourning (n) [μόονινγκ] οδύνη.
mouse (n) [μάους] ποντικός.
mousetrap (n) [μάουστράπ] φάκα.
mousse (n) [μούους] μους.
moustache (n) [μουστάασς] μουστάκι.
mouth (n) [μάουθ] στόμα.
mouth organ (n) [μάουθ όογκαν] φυσαρμόνικα.
mouth-to-mouth (n) [μάουθ-του-μάουθ] τεχνητή αναπνοή.
mouthful (n) [μάουθφουλ] μπουκιά, ρουφηξιά, χαψιά.
mouthpiece (n) [μάουθπίις] επιστόμιο, μικρόφωνο.
move (v) [μουβ] κινώ, σείω (n) κίνηση, ενέργεια, διάβημα.
movement (n) [μούβμεν-τ] κίνηση, ρεύμα, τάση.
mover (n) [μούβερ] εισηγητής.
movie (adj) [μούβι] κινηματογραφικός.
mow (v) [μόου] θερίζω.
Mr (n) [μίστα] κύριος.
Mrs (n) [Μίσιζ] κυρία.
much (adv) [ματσς] πολύ (adj) πολύς, πολλή, πολύ.
muck (v) [μακ] φουσκίζω (n) φουσκί, βρομιά, βόρβορος.
muck about (v) [μακ αμπάουτ] κοπροσκυλιάζω.
muck up (v) [μακ απ] βρομίζω.
mucus (n) [μιούκας] μίξα.
mud (n) [μα-ντ] λάσπη, πηλός.
muddle (n) [μα-ντλ] μπερδεψιά

(v) ζαλίζω.
muddy (adj) [μά-ντι] λασπερός (v) θολώνω.
muesli (n) [μούουζλι] μούσλι.
muffled (adj) [μαφλ-ντ] κούφιος.
muffler (n) [μάφλερ] κασκόλ.
mug (n) [μαγκ] μούτρο, κούπα.
muggy (adj) [μάγκι] αποπνικτικός.
mulatto (n) [μιουλάτοου] μιγάδας.
mulberry (n) [μάλ-μπερι] μούρο.
mule (n) [μιούλ] ημίονος.
mullet (n) [μάλετ] κέφαλος.
multicoloured (adj) [μάλτικαλαντ] παρδαλός, πολύχρωμος.
multifarious (adj) [μάλτιφεαριας] πολύπλευρος.
multilingual (adj) [μαλτιλίνγκουαλ] πολύγλωσσος.
multinational (adj) [μαλτινάσσοναλ] πολυεθνικός.
multiple (adj) [μάλτιπλ] πολλαπλάσιος (n) πολλαπλάσιο.
multiplicity (n) [μαλτιπλίσιτι] πολλαπλότητα, πλήθος.
mumble (v) [μά-μπλ] μουρμουρίζω.
mummer (n) [μάμερ] μίμος.
mummy (n) [μάμι] μούμια.
mumps (n) [μαμ-πς] παρωτίτιδα.
munch (v) [μαν-τσς] τραγανίζω.
mundane (adj) [μάν-ντεϊν] εγκόσμιος, κοσμικός.
municipal (adj) [μιουνίσιπαλ] δημοτικός.
munitions (n) [μιουνίσσονζ] πολεμοφόδια, πυρομαχικά.
murder (n) [μέρ-ντα] ανθρωποκτονία, φόνος (v) δολοφονώ.
murky (adj) [μέρκι] σκοτεινός, ζοφερός, καταθλιπτικός.
muscatel (n) [μάσκατελ] μοσχάτο.
muscle (n) [μασλ] μυς, ποντίκι.
muscular (adj) [μάσκιουλα] μυϊκός, μυώδης, δυνατός.
muse (n) [μιούζ] Ηγερία, μούσα (v) συλλογίζομαι.
museum (n) [μιουζίιαμ] μουσείο.
mushroom (n) [μάσσρουμ] μανιτάρι.
music (n) [μιούζικ] μουσική.
musical (adj) [μιούζικαλ] μουσικός, μελωδικός, αρμονικός.
musket (n) [μάσκετ] τουφέκι.
muslin (n) [μάσλιν] μουσελίνα.
mussel (n) [μασλ] μύδι.
must (n) [μαστ] μούστος, γλεύκος (v) πρέπει, οφείλω.
mustard (n) [μάστα-ντ] μουστάρδα, σινάπι [βοτ].
muster (v) [μάστερ] συγκεντρώ-

νω (n) συνάθροιση.
muster roll (n) [μάστερ ρόουλ] προσκλητήριο [ναυτ].
musty (adj) [μάστι] μουχλιασμένος, χαλασμένος, μπαγιάτικος.
mutation (n) [μιουτέισσον] αλλοίωση, μεταλλαγή.
mute (adj) [μιούτ] σιωπηλός, άφωνος (n) βωβός.
mutilate (v) [μιούτιλεϊτ] ακρωτηριάζω, κουτσουρεύω.
mutineer (n) [μιούτινιιρ] στασιαστής, κινηματίας.
mutiny (n) [μιούτινι] ανταρσία (v) στασιάζω, εξεγείρομαι.
mutt (n) [ματ] χαζός, βλάκας.
mutter (v) [μάτερ] μουρμουρίζω, ψιθυρίζω (n) ψίθυρος.
mutton (n) [μάταν] προβατίνα.
mutual (adj) [μιούτσσιουαλ] αμοιβαίος, κοινός.
muzhik (n) [μούουζικ] μουζίκος.
muzzle (v) [μαζλ] φιμώνω, περιορίζω (n) επιστόμιο, μουσούδι.
my (pron) [μάι] μου.
Mycenae (n) [Μαϊσίινε] Μυκήνες.
myocardium (n) [μαϊοκάαντιαμ] μυοκάρδιο.
myriad (n) [μίρια-ντ] μυριάδα.
myrrh (n) [μερ] σμύρνα, μύρο.
myrtle (n) [μερτλ] μύρτος.
mystagogy (n) [μιστάγκογκι] μυσταγωγία.
mysterious (adj) [μιστίιριας] μυστηριώδης, ακατανόητος.
mystery (n) [μίστερι] μυστήριο.
mystic (n) [μίστικ] μυστικιστής (adj) μυστικός, απόκρυφος.
myth (n) [μιθ] μύθος, θρύλος.
mythical (adj) [μίθικαλ] μυθικός.

N

N, n [εν] το δέκατο τέταρτο γράμμα του αγγλικού αλφαβήτου.
nab (v) [να-μπ] συλλαμβάνω.
nacre (n) [νέικερ] μάργαρος.
nadir (n) [νέι-ντιιρ] ναδίρ.
nag (n) [ναγκ] μουρμούρης (v) ταλαιπωρώ, γκρινιάζω.
nail (n) [νέιλ] καρφί, νύχι (v) καρφώνω, προσηλώνω.
naive (adj) [ναίιβ] απλός, αγαθός (n) αγαθιάρης.
name (n) [νέιμ] επωνυμία, φήμη, όνομα (v) αποκαλώ, καλώ.
nameable (adj) [νέιμα-μπλ] κατονομάσιμος.
namely (adv) [νέιμλι] δηλαδή.
namesake (adj) [νέιμσεϊκ] συνώνυμος, συνονόματος.
nancy (n) [νάνσι] θηλυπρεπής.
nanna (n) [νάνα] γιαγιά.
nanny (n) [νάνι] παραμάνα.
nap (n) [ναπ] υπνάκος, πέλος.
nappy (n) [νάπι] πάνα.
narcissism (n) [νάασισιζμ] ναρκισσισμός, αυτοθαυμασμός.
narcotic (n) [νaακότικ] ναρκωτικό.
nark (n) [νάακ] χαφιές, σπιούνος.
narration (n) [νερέισσον] αφήγηση, διήγηση, εξιστόρηση.
narrow (adj) [νάροου] στενόχωρος.
narrowness (n) [νάροουνες] στενότητα.
narthex (n) [νάαθεξ] πρόναος.
nasal (adj) [νέιζαλ] ρινικός.
nasty (adj) [νάαστι] αντιπαθής.
nation (n) [νέισσον] έθνος.
national assembly (n) [νάσσοναλ ασέμ-μπλι] εθνοσυνέλευση.
national guard (n) [νάσσοναλ γκάα-ντ] εθνοφρουρά.
nationality (n) [νασσονάλιτι] εθνικότητα, ιθαγένεια, υπηκοότητα.
native (adj) [νέιτιβ] εγχώριος, εντόπιος (n) αυτόχθονας.
natty (adj) [νάτι] φροντισμένος.
natural (adj) [νάτσσεραλ] φυσικός, συνήθης, έμφυτος.
naturalization (n) [νατσσεραλαϊζέισσον] πολιτογράφηση.
nature (n) [νέιτσσερ] φύση.
naturism (n) [νέιτσσεριζμ] γυμνισμός.
naughty (adj) [νόοτι] άσεμνος, τολμηρός, άτακτος.
nausea (n) [νόοζια] αηδία.
nauseate (v) [νόοζιέιτ] αναγουλιάζω, προκαλώ ναυτία.

nautical (adj) [νόοτικαλ] ναυτικός.
naval (adj) [νέιβαλ] ναυτιλιακός.
nave (n) [νέιβ] σηκός [εκκλ].
navel (n) [νέιβελ] ομφαλός.
navigable (adj) [νάβιγκα-μπλ] πλεύσιμος, πλόϊμος, πλωτός.
navvy (n) [νάβι] εργάτης.
navy (n) [νέιβι] στόλος.
Nazi (n) [Νάατσι] ναζί.
near (adv) [νίιρ] δίπλα, εγγύς, κοντά, πλησίον, σιμά (pr) παρά.
nearly (adv) [νίαλι] κοντά.
neat (adj) [νίιτ] τακτικός, καθαρός.
nebulous (adj) [νέ-μπιουλας] νεφελώδης, συγκεχυμένος.
necessary (adj) [νέσεσερι] αναγκαίος, ζωικός, αναπόφευκτος.
necessities (n) [νεσέσιτιζ] αναγκαία, κομφόρ, χρειαζούμενα.
necessity (n) [νεσέσιτι] ανάγκη.
neck (n) [νεκ] λαιμός, ισθμός.
necklace (n) [νέκλας] κολιέ.
necktie (n) [νέκταϊ] λαιμοδέτης.
nectar (n) [νέκτα] νέκταρ.
need (n) [νίι-ντ] ανάγκη, χρεία (v) θέλω, χρήζω.
needed (adj) [νίι-ντι-ντ] αναγκαίος.
needle (n) [νίι-ντλ] βελόνα.
needless (adj) [νίι-ντλες] περιττός.
needy (adj) [νίι-ντι] φτωχός.
negate (v) [νεγκέιτ] ακυρώνω.
negation (n) [νεγκέισσον] άρνηση.
neglect (n) [νιγκλέκτ] αμέλεια (v) ξεχνώ, παραμελώ.
neglected (adj) [νιγκλέκτι-ντ] απεριποίητος, αφρόντιστος.
negligent (adj) [νέγκλιντζζεν-τ] αμελής, αδιάφορος, ξένοιαστος.
negligible (adj) [νέγκλιντζζιμπλ] ασήμαντος, αμελητέος.
negotiate (v) [νεγκόουσσιέιτ] διαπραγματεύομαι, ξεπερνώ.
negress (n) [νίιγκρες] μαύρη.
negro (adj) [νίιγκροου] νέγρος.
neighbourhood (n) [νέι-μπαχούντ] συνοικία, γειτονιά.
neither (adj) [νίιδερ] κανείς από τους δύο, ούτε ο ένας ούτε ο άλλος.
nemesis (n) [νέμεσις] θεία δίκη.
nephew (n) [νέφιου] ανεψιός.
nerve (n) [νερβ] θρασύτητα.
nervy (adj) [νέρβι] νευριασμένος.
nest (n) [νεστ] φωλιά.
nestle (v) [νεσλ] κουρνιάζω.
nestling (n) [νέσλινγκ] νεοσσός.
net (adj) [νετ] καθαρός [κέρδος] (n) απόχη, δίκτυο, δίχτυ, βρόχι.
nettle (n) [νετλ] τσουκνίδα [βοτ] (v) προκαλώ.
network (n) [νέτουερκ] πλέγμα.
neuralgia (n) [νιουράλντζζια] νευραλγία.

neurasthenia (n) [νιουρασθίι-νια] νευρασθένεια.
neurologist (n) [νιουρόλοντζζι-στ] νευρολόγος.
neuter (n) [νιούτερ] ουδέτερο.
neutralist (adj) [νιούτραλιστ] ουδετερόφιλος.
neutralize (v) [νιούτραλαϊζ] ε-ξουδετερώνω, αναιρώ.
neutron (n) [νιούτρον] νετρό-νιο.
never (adv) [νέβερ] ουδέποτε, ποτέ.
nevertheless (conj) [νέβερδελές] και όμως, παρ᾽ όλα αυτά.
new (adj) [νιού] καινούριος.
New Year's Day (n) [Νιού Γίαρ'ς Ντέι] Πρωτοχρονιά.
newborn (adj) [νιού-μπoov] νε-ογέννητος (n) νεογέννητο.
newfangled (adj) [νιουφάνγκλ-ντ] μοντέρνος, νεωτεριστικός.
news (adj) [νιούζ] ειδησεογρα-φικός (n) ειδήσεις, νέα.
newscaster (n) [νιούσκααστερ] εκφωνητής, παρουσιαστής.
newspaper (n) [νιούσπεϊπερ] ε-φημερίδα, φύλλο [εφημερίδας].
newt (n) [νιούτ] σαλαμάντρα.
next (adv) [νεξτ] έπειτα (adj) ε-πόμενος, ακόλουθος.
nibble (v) [νι-μπλ] τσιμπολογώ.
nice (adj) [νάις] όμορφος, ω-ραίος, ευγενικός, καλός.
nicety (n) [νάισιτι] ακρίβεια.
niche (n) [νίιος] θεσούλα.
nick (n) [νικ] γρατσουνιά.
nickel (n) [νίκελ] πεντάρα.
nickname (n) [νίκνεϊμ] παρα-τσούκλι, επωνυμία.
nicknamed (adj) [νίκνεϊμ-ντ] ε-πιλεγόμενος.
niece (n) [νίις] ανεψιά.
niggardly (adj) [νίγκα-ντλι] φει-δωλός, φιλάργυρος.
night (n) [νάιτ] νύχτα, βραδιά.
night club (n) [νάιτ κλα-μπ] κέ-ντρο [διασκέδασης].
nightbird (n) [νάιτ-μπερ-ντ] ξε-νύχτης, νυχτοπούλι.
nightfall (n) [νάιτφοολ] σού-ρουπο.
nightgown (n) [νάιτγκαουν] νυ-χτικό.
nightmare (n) [νάιτμεα(ρ)] ε-φιάλτης, βραχνάς.
nigritude (n) [νίγκριτιου-ντ] με-λαμψότητα, μελανότητα.
nihilism (n) [νάιιλιζμ] νιχιλι-σμός, μηδενισμός.
nimbleness (n) [νίμ-μπλνες] ευ-κινησία, ευστροφία, σβελτοσύ-νη.
nine (num) [νάιν] εννέα [αριθ].
ninny (n) [νίνι] χαζούλης.
ninth (adj) [νάινθ] ένατος.
nip (n) [νιπ] τσίμπημα.
nipper (n) [νίπερ] παιδόπουλο.
nippers (n) [νίπαζ] δαγκάνα.
nipple (n) [νιπλ] θηλή, ρώγα.

nit (n) [νιτ] κόνιδα.
nitric acid (n) [νάιτρικ άσι-ντ] νιτρικό οξύ, άκουα φόρτε.
no (part) [νόου] δεν, μη, όχι .
no doubt (adv) [νόου ντάουτ] αναμφιβόλως.
noble (adj) [νόου-μπλ] ευγενής, ανώτερος, εκλεκτός, υπέροχος.
nobody (n) [νόου-μπο-ντι] ουδείς, κανένας (pron) κανείς.
nocturnal (adj) [νοκτέρναλ] νυχτερινός, νύκτιος, νυχτιάτικος.
nod (v) [νο-ντ] κατανεύω, νεύω (n) νεύμα, κούνημα κεφαλιού.
node (n) [νόου-ντ] κόμβος.
noise (n) [νόιζ] θόρυβος.
noiseless (adj) [νόιζλες] αθόρυβος.
noisy (adj) [νόιζι] θορυβώδης (n) διάβολος [φασαρίας].
nomadic (adj) [νοουμά-ντικ] νομαδικός.
nominal (adj) [νόμιναλ] ονομαστικός, εικονικός, πλασματικός.
nominate (v) [νόμινεϊτ] διορίζω, προτείνω, ονομάζω.
non-skid (adj) [νον-σκί-ντ] αντιολισθητικός.
nonaligned (adj) [νόναλάιν-ντ] αδέσμευτος [χώρα].
nonchalant (adj) [νόνσαλαν-τ] ανέμελος, απαθής, αδιάφορος.
none (pron) [ναν] ουδείς, ουδεμία, ουδέν, κανείς, καμμία.
nook (n) [νουκ] κόχη, γωνιά.
noon (n) [νούουν] μεσημβρία.
noose (n) [νούους] θηλειά.
nor (conj) [νοο(ρ)] ούτε.
norm (n) [νόομ] κανόνας.
normal (adj) [νόομαλ] κανονικός, συνήθης (n) φυσιολογικό.
north(ern) (adj) [νόοδ[εν]] βόρειος, βορινός, αρκτικός.
north wind (n) [νόοθ ουίν-ντ] τραμουντάνα, μελτέμι, βοριάς.
nose (n) [νόουζ] μύτη, ρύγχος.
nosey (adj) [νόουζι] περίεργος.
nostalgia (n) [νοστάλντζζια] νοσταλγία.
nostril (n) [νόστριλ] ρουθούνι.
nosy parker (n) [νόουζι πάακερ] πολυπράγμονας.
not (part) [νοτ] δεν, μη, όχι.
not at all (adv) [νοτ ατ όολ] διόλου, ποσώς, καθόλου [διόλου].
notable (adj) [νόουτα-μπλ] αξιοσημείωτος, έξοχος (n) πρόκριτος.
notary public (n) [νόουταρι πάμπλικ] συμβολαιογράφος.
notation (n) [νοουτέισσον] γραφή.
notch (n) [νοτσ] εγκοπή.
note (n) [νόουτ] σημείωμα.
notebook (n) [νόουτ-μπούκ] καρνέ, μπλοκ, σημειωματάριο.
nothing (pron) [νάθινγκ] τίποτε.
notice (n) [νόουτις] ανακοίνωση, είδηση (v) προσέχω.

notice-board (n) [νόουτις μπόορντ] πίνακας σημειωμάτων.
noticeable (adj) [νόουτισα-μπλ] αισθητός, αξιοπρόσεχτος.
notification (n) [νοουτιφικέισσον] αναγγελία, δήλωση.
notify (v) [νόουτιφαϊ] κοινοποιώ.
notion (n) [νόουσσον] ιδέα.
notorious (adj) [νοουτόοριας] διαβόητος, πασίγνωστος.
nougat (n) [νούουγκαα] μαντολάτο.
noun (n) [νάουν] όνομα.
nourish (v) [νάρισς] σιτίζω.
nourishing (adj) [νάρισσινγκ] θρεπτικός (n) θρέψη.
novel (adj) [νόβελ] καινός, ασυνήθης (n) μυθιστόρημα.
novelty (n) [νόβελτι] νεωτερισμός.
novice (adj) [νόβις] αρχάριος (n) δόκιμος, πρωτάρης.
now (adv) [νάου] πια, πλέον.
noxious (adj) [νόξιας] βλαβερός , επιβλαβής, επιζήμιος.
nozzle (n) [νοζλ] ακροστόμιο.
nuance (n) [νιούονς] απόχρωση.
nuclear (adj) [νιούκλια] πυρηνικός.
nude (adj) [νιού-ντ] γυμνός.
nudge (n) [ναντζζ] σκούντημα.
nudity (n) [νιού-ντιτι] γύμνια.
nuisance (n) [νιούσανς] ενόχληση.
nullification (n) [ναλιφικέισσον] ακύρωση.
nullify (v) [νάλιφαϊ] αχρηστεύω.
nullity (n) [νάλιτι] ακυρότητα.
numb (adj) [ναμ] ναρκωμένος (v) ξυλιάζω, ναρκώνω.
number (n) [νάμ-μπα] νούμερο, αριθμός (v) αριθμώ, μετρώ.
numerator (n) [νιουμερέιτορ] αριθμητής.
numerous (adv) [νιούμερας] πολύ (adj) πολυάριθμος.
nun (n) [ναν] μοναχή.
nuptial chamber (n) [νάπσσαλ τσσέιμ-μπερ] νυμφώνας.
nurse (n) [νερς] τροφός, παραμάνα, νοσοκόμος (v) θηλάζω.
nurture (v) [νέρτσσα] θρέφω.
nut (n) [νατ] καρύδι, κούτρα.
nutcase (n) [νάτκεϊς] τρελός.
nutcracker (n) [νάτκράκερ] καρυοθραύστης.
nutmeg (n) [νάτμεγκ] μοσχοκάρυδο.
nutrician (n) [νιουτρίσσαν] διαιτολόγος.
nutritious (adj) [νιουτρίσσιας] θρεπτικός.
nuts (adj) [νατς] τρίχες.
nuzzle (v) [ναζλ] τρίβομαι.
nylon (n) [νάιλον] νάιλον.
nymphomaniac (adj) [νιμφοουμέινιακ] νυμφομανής.

O, o (n) [όου] το δέκατο πέμπτο γράμμα του αγγλικού αλφαβήτου, μηδέν [ως σύμβολο].
oaf (n) [όουφ] αδέξιος, βλάκας.
oak (adj) [όουκ] δρύινος.
oakum (n) [όουκαμ] στουπί.
oar (n) [όο] κουπί, κωπηλάτης.
oasis (n) [οουέισις] όαση.
oast (n) [όουστ] ξηραντήρα.
oath (n) [όουθ] ύβρη, όρκος.
oatcake (n) [όουτκεϊκ] παξιμάδι.
oatmeal (n) [όουτμιιλ] μπλιγούρι.
oats (n) [όουτς] βρώμη.
obduracy (n) [όμπιουρασι] ακαμψία, επιμονή, πείσμα.
obedience (n) [οου-μπίι-ντιενς] υπακοή, υποταγή, ευπείθεια.
obeisance (n) [οου-μπέισανς] προσκύνημα.
obelisk (n) [όου-μπελισκ] οβελίσκος, σταυρός [τυπ].
obese (adj) [οου-μπίις] χονδρός.
obesity (n) [οου-μπίισιτι] παχυσαρκία.
obey (v) [οου-μπέι] υπακούω.
obfuscate (v) [όμπφασκεϊτ] συσκοτίζω, σκοτεινιάζω, θολώνω.
obituary (n) [ο-μπίτσσιουαρι] νεκρολογία, μητρώο θανάτων.
objection (n) [ο-μπντζζέκσσον] αντίρρηση, εναντίωση, ένσταση.
objector (n) [ο-μπντζζέκτο] ενιστάμενος, αντιρρησίας.
objurgation (n) [ο-μπντζζεργκέισσον] επίπληξη, επιτίμηση.
oblate (n) [ό-μπλεϊτ] αφιερωμένος.
obligate (v) [ό-μπλιγκεϊτ] υποχρεώνω, αναγκάζω, δεσμεύω.
obligation (n) [ο-μπλιγκέισσον] καθήκον, οφειλή, σκλαβιά.
oblique (adj) [ο-μπλίικ] έμμεσος, δόλιος, ανειλικρινής.
obliterate (v) [ο-μπλίτερέιτ] εξαλείφω, απαλείφω, σβήνω.
oblivion (n) [ο-μπλίβιον] λησμονιά.
oblong (adj) [ό-μπλονγκ] μακρόστενος.
obloquy (n) [ό-μπλοκουι] μομφή, ύβρις, ατιμία, ντροπή.
obscenity (n) [ο-μποένιτι] αισχρολογία, βρομιά, προστυχιά.
obscure (adj) [ο-μπσκιούα] ταπεινός, αφανής (v) σκοτίζω.
obscurity (n) [ο-μπσκιούριτι] ασάφεια, αφάνεια, σκοτάδι.
obsequious (adv) [ο-μπσίικουιας] πειθήνιος, δουλοπρεπής.

observance (n) [ο-μπσέρβανς] τύπος, καθιερωμένη συνήθεια.
observation (n) [ο-μπσερβέισσον] παρακολούθηση.
observe (v) [ο-μπσέρβ] κρατώ, υπακούω, προσέχω.
obsess (v) [ο-μπσές] διακατέχω.
obsession (n) [ο-μπσέσσον] ιδεοληψία, μονομανία, ψύχωση.
obsolete (adj) [ό-μπσολιιτ] πεπαλαιωμένος, ξεπερασμένος.
obsoleteness (n) [ο-μπσολίιτνες] αχρηστία.
obstacle (n) [ό-μπστακλ] εμπόδιο.
obstetrician (n) [ο-μπστετρίσσαν] μαιευτήρας.
obstinacy (n) [ό-μπστινασι] επιμονή, ξεροκεφαλιά, πείσμα.
obstinate (adj) [ό-μπστινετ] επίμονος, αγύριστος, ξεροκέφαλος (n) ισχυρογνώμονας.
obstruct (v) [ο-μπστράκτ] κωλύω, εμποδίζω, φράζω.
obstruction (n) [ο-μπστράκσσον] έμφραξη, παρακώλυση.
obtain (v) [ο-μπτέιν] προμηθεύομαι, παίρνω, τυχαίνω.
obtention (n) [ο-μπτένσσον] απόκτηση, προμήθεια, λήψη.
obtrude (v) [ο-μπρούουντ] προβάλλω, επιβάλλω.
obtuse (adj) [ο-μπτιούς] αμβλύς, εξασθενημένος.
obviate (v) [ό-μπβιεϊτ] εκκαθαρίζω, εξαφανίζω, αποτρέπω.
obvious (adj) [ό-μπβιας] καθαρός, εμφανής, σαφής.
occasion (n) [οκέιζζον] τελετή, ευκαιρία, αφορμή (v) προξενώ.
occasionally (adv) [οκέιζοναλι] κάπου-κάπου, ενίοτε.
occiput (n) [όκσιπουτ] ινίο.
occlusion (n) [οκλούουζον] έμφραξη, απόφραξη,κλείσιμο.
occult (adj) [όκαλτ] απόκρυφος, μυστικός, μυστήριος.
occupancy (n) [όκιουπανσι] κτήση, νομή, εγκατάσταση.
occupation (n) [οκιουπέισσον] ασχολία, κατάληψη, κατοχή.
occupational (adj) [οκιουπέισσοναλ] επαγγελματικός.
occupied (adj) [όκιουπαϊ-ντ] κατειλημμένος, πιασμένος.
occupy (v) [όκιουπαϊ] καταλαμβάνω, ενοικώ, απασχολώ.
occur (v) [οκέρ] τυχαίνω, εμφανίζομαι, υπάρχω.
occurrence (n) [οκέρενς] γεγονός.
ocean (adj) [όοσσαν] ωκεάνιος (n) ωκεανός, θάλασσα.
oceanography (n) [οοσσανόγκραφι] ωκεανογραφία.
ochre (n) [όουκα] ώχρα.
octagonal (adj) [οκτάγκοναλ] οκτάγωνος.
octave (n) [οκτεϊβ] ογδόη [μουσ], οκτάβα, διαπασών .

octopus (n) [όκτοπας] οκτάπους.
oculist (n) [όκιουλιστ] οφθαλμολόγος, οφθαλμίατρος.
odd (adj) [ο-ντ] περίεργος, εκκεντρικός, τυχαίος, μυστήριος.
oddity (n) [ό-ντιτι] ιδιομορφία.
oddly (adv) [ό-ντλι] παράξενα.
odds (n) [ο-ντζζ] ανισότητα.
ode (n) [όου-ντ] ωδή.
odious (adj) [όου-ντιας] απεχθής.
odium (n) [όουντιαμ] απέχθεια.
odontoid (adj) [οουντόντοϊντ] οδοντοειδής.
odorous (adj) [όουντερας] εύοσμος, ευώδης, αρωματικός.
odourless (adj) [όου-νταλες] άοσμος.
oesophagus (n) [ισόφαγκας] οισοφάγος.
of (pr) [οβ] εκ, από, εξ, λόγω.
of course (adv) [οφ κόος] αμέ.
off-beat (adj) [όφ-μπίιτ] ανορθόδοξος.
offal (n) [οφλ] εντόσθια.
offence (n) [οφένς] παράβαση, ανομία, εξύβριση, αδίκημα.
offend (v) [οφέν-ντ] πληγώνω.
offensive (adj) [οφένσιβ] δυσάρεστος, ενοχλητικός, αηδής.
offer (n) [όφερ] προσφορά, πρόταση (v) δίδω, προσφέρω.
offhand (adv) [όφχάν-ντ] πρόχειρα.
office (n) [όφις] γραφεί.
officer (n) [όφισερ] αστυνομικός.
official (adj) [οφίσσαλ] αξιωματούχος, επίσημος.
officiate (v) [οφίσσιεϊτ] προεδρεύω.
officious (adj) [οφίσσας] εξυπηρετικός, ενοχλητικός.
offish (adj) [όφισς] υπεροπτικός.
offprint (n) [όφπριν-τ] ανάτυπο.
offset (n) [όφσετ] έναρξη, αρχή.
offshoot (n) [όφσσουουτ] παρακλάδι, απόγονος.
offspring (n) [όφφσπρίνγκ] απόγονος, σπλάχνα, γόνος.
often (adv) [όφεν] συχνά.
ogle (v) [όγκλ] γλυκοκοιτάζω.
ogre (n) [όουγκρ] δράκοντας.
ogress (n) [όουγκρες] δράκαινα.
oh! (ex) [όου] αχ!, ω! [επιφ].
oil (n) [όιλ] έλαιο, ορυκτέλαιο.
oil-painting (n) [όιλ-πέιν-τινγκ] ελαιογραφία.
oil-tanker (n) [όιλ-τάνκα] πετρελαιοφόρο, γκαζάδικο.
oil-cruet (n) [όιλ-κρουιτ] λαδιέρα.
oil-industry (n) [όιλ-ίνταστρι] ελαιουργία.
oil-press (n) [όιλ-πρες] λιοτρίβι.
oil-stain (n) [όιλ-στέιν] λαδιά.
oilcan (n) [όιλκαν] λαδερό.
oiling (n) [όιλινγκ] λάδωμα.
oily (adj) [όιλι] λιπαρός.

ointment (n) [όιν-τμεν-τ] αλοιφή.
okra (n) [όκρα] μπάμια.
old (adj) [όολ-ντ] γέρος, παλιός.
old man (n) [όολ-ντ μαν] μπάρμπας, γέροντας, γέρος.
olden (adj) [όουλ-ντεν] ηλικιωμένος, παραγερασμένος.
older (adj) [όολ-ντερ] μεγαλύτερος.
oldest (adj) [όολ-ντεστ] πρωτότοκος.
oldish (adj) [όολ-ντισς] μεγαλούτσικος.
oleander (n) [όουλιά-ντερ] πικροδάφνη, ροδοδάφνη.
oleic (adj) [οουλίικ] ελαϊκός.
oligarchy (n) [όλιγκααKι] ολιγαρχία.
olive (n) [όλιβ] ελιά.
olive grove (n) [όλιβ γκρόουβ] ελαιώνας.
olive oil (n) [όλιβ όιλ] έλαιο.
olive press (n) [όλιβ πρες] ελαιοτριβείο.
olive tree (n) [όλιβ τρίι] ελιά.
Olympic medallist (n) [Ολίμπικ μέ-νταλιστ] ολυμπιονίκης.
omelette (n) [όμλετ] ομελέτα.
omen (n) [όουμεν] σημάδι.
ominous (adj) [όουμινας] δυσοίωνος, ανησυχητικός.
omission (n) [ομίσσον] παράλειψη.
omit (v) [ομίτ] λησμονώ.
omnipotent (adj) [ομνίποτεν-τ] παντοδύναμος, πανίσχυρος.
omniscient (adj) [όμνισιεν-τ] παντογνώστης, πάνσοφος.
omnium (n) [όμνιαμ] παν.
omoplate (n) [όουμοουπλεϊτ] ωμοπλάτη.
on (adv) [ον] επάνω (pr) εις, επί.
on account of (adv) [ον ακάουν-τ οβ] εξαιτίας (pr) ένεκα.
on behalf of (adv) [ον μπιχάαφ οβ] υπέρ, εκ μέρους (pr) για.
on the contrary (adv) [ον δε κόν-τρερι] αντίθετα, απεναντίας.
once (adv) [ουάνς] κάποτε, άπαξ, διαμιάς, πρώτα, μια φορά.
oncoming (adj) [όνκάμινγκ] επερχόμενος.
one (pron) [ουάν] ένας, μια.
oneiromancy (n) [οουνάιρομανσι] ονειρομαντεία.
onerous (adj) [όνερας] βαρύς, επαχθής, φορτικός, επίπονος.
onfall (n) [όνφολ] επίθεση, προσβολή, έναρξη, έλευση.
onion (n) [άνιαν] κρεμμύδι.
onlooker (n) [όνλούκερ] θεατής.
only (adv) [όουνλι] μονάχα, ακόμη (adj) μοναδικός, μοναχός, μόνος.
onrush (n) [όνρασς] εισβολή.
onset (n) [όνσετ] επίθεση.
ontological (adj) [ον-τολόντζζικαλ] οντολογικός.

onus (n) [όουνας] ευθύνη.
oogenesis (n) [οουοντζζένεσις] ωογονία [βιολ], ωογένεση.
oomph (n) [ούουμφ] ζωντάνεια [αργκό], δυναμικότητα.
ooze (n) [ούουζ] λάσπη, υγρό (v) στάζω, διαρρέω, αναβλύζω.
opacity (n) [οουπάσιτι] αδιαφάνεια, σκοτεινότητα, σκοτάδι.
opal (n) [όουπαλ] οπάλι.
open (adj) [όουπεν] ανοιχτός, ευρύς, σχιστός (v) ανοίγω.
opener (n) [όουπενα] ανοιχτήρι.
opening (n) [όουπενινγκ] έξοδος, οπή, άνοιγμα.
openly (adv) [όουπενλι] ανοιχτά, ειλικρινά, φανερά.
opera (n) [όπερα] όπερα.
operable (adj) [όπεραμπλ] εγχειρήσιμος, χειρουργήσιμος.
operate (v) [όπερέιτ] ενεργώ, λειτουργώ, δουλεύω.
operation (n) [οπερέισσον] δράση, λειτουργία, έργο.
operative (adj) [οπερατιβ] αποτελεσματικός, δραστήριος.
operetta (n) [οπερέτα] οπερέτα.
opine (v) [οουπίεν] φρονώ.
opinion (n) [οπίνιον] αντίληψη.
opinion poll (n) [οπίνιον ποουλ] δημοσκόπηση, γκάλοπ.
opinionated (adj) [οπίνιονεϊτιντ] ισχυρογνώμων, πείσμων.
opium (n) [όουπιαμ] όπιο.
opium den (n) [όουπιαμ ντεν] τεκές, χασικλήδικο.
opponent (adj) [οπόουνεν-τ] αντίδικος (n) ανταγωνιστής.
opportune (adj) [οποοτσσούν] κατάλληλος, έγκαιρος, εύκαιρος.
opportunism (n) [οποοτσσούνιζμ] καιροσκοπισμός.
opportunity (n) [οποοτσσούνιτι] ευκαιρία, κατάλληλη περίσταση.
oppose (v) [οπόουζ] ανθίσταμαι, αντιδρώ, καταπολεμώ.
opposing (adj) [οπόουζινγκ] αντίξοος, δυσμενής, ενάντιος.
opposite (adv) [όποζιτ] απέναντι (adj) αντίθετος, αντικρινός, ενάντιος (n) αντίθετο.
opposite number (adj) [όποζιτ νάμ-μπερ] ομόλογος.
opposition (n) [οποζίσσον] αντίδραση, αντίθεση, αντίσταση.
oppress (v) [οπρές] δυναστεύω.
oppression (n) [οπρέσσον] βάρος, στενοχώρια, πίεση.
opprobrium (n) [οπρόουμπριαμ] ύβρις, όνειδος.
optical (adj) [όπτικαλ] οπτικός.
optical illusion (n) [όπτικαλ ιλιούζζον] οφθαλμαπάτη.
optics (n) [όπτικς] οπτική.
optimistic (adj) [οπτιμίστικ] αισιόδοξος, εύελπις.
optimum (adj) [όπτιμαμ] βέλτιστος.

option (n) [όπσσον] προνόμιο.
optional (adj) [όπσσοναλ] προαιρετικός.
opulent (adj) [όπιουλεν-τ] άφθονος, βαθύπλουτος.
or else (adv) [όορ ελς] αλλιώς.
oracle (n) [όρακλ] χρησμός.
orange (n) [όριν-ντζζ] πορτοκάλι.
orangeade (n) [όριν-ντζζέι-ντ] πορτοκαλάδα.
oration (n) [ορέισσον] αγόρευση, λόγος, δημηγορία.
orator (n) [όρατορ] ρήτορας [ρητ], ομιλητής, ευφραδής.
oratory (n) [όρατρι] ρητορεία.
orbit (n) [όο-μπιτ] περιφορά.
orchard (n) [όοτσσα-ντ] δεντρόκηπος, οπωρώνας, περιβόλι.
orchestra (n) [όοκεστρα] ορχήστρα.
ordain (v) [οο-ντέιν] χειροτονώ.
ordeal (n) [οο-ντίιλ] δεινοπάθημα.
order (n) [όο-ντα(ρ)] σχέδιο, πρόγραμμα, τάγμα, εντολή, παραγγελία, σειρά, τάξη, ρυθμός (v) διατάζω, τακτοποιώ.
ordinary (adj) [όο-ντινρι] τακτικός, ανιαρός, βαρετός, μέτριος.
ordination (n) [οο-ντινέισσον] χειροτονία.
ordnance (n) [όοντνανς] πυροβολικό, επιμελητεία.
ordure (n) [όοντιουα(ρ)] ακαθαρσίες, βρώμα, περιττώματα.
ore (n) [όο] μετάλλευμα.
ore miner (n) [όο μάινερ] μεταλλωρύχος.
organ (n) [όογκαν] αρμόνιο.
organic (adj) [οογκάνικ] οργανωμένος, συστηματικός.
organism (n) [όογκανιζμ] οργανισμός.
organist (n) [όογκανιστ] οργανοπαίχτης.
organization (n) [οογκαναϊζέισσον] οργάνωση, σύνταξη.
organize (v) [όογκαναϊζ] διοργανώνω, καταρτίζω, οργανώνω.
orgasm (n) [όογκαζμ] οργασμός.
orgiastic (adj) [οοντζζιάστικ] οργιαστικός.
orgy (n) [όοτζι] όργιο.
orient (n) [όριεντ] Ανατολή, Ασία (adj) λαμπρός (v) [οουριέντ] προσανατολίζω.
orientate (v) [όριεν-τεϊτ] προσανατολίζω, προσανατολίζομαι.
orifice (n) [όριφις] στόμιο, οπή.
origanum (n) [ορίγκαναμ] ρίγανη.
origin (n) [όριντζζιν] αρχή.
original (adj) [ορίντζζιναλ] πρώτος, νέος, (n) αρχέτυπο.
originality (n) [οριντζζινάλιτι] πρωτοτυπία, εφευρετικότητα.
originate (v) [ορίντζζινεϊτ] δημιουργώ, γεννώ, προκαλώ.

ornament (v) [όοναμεν-τ] διακοσμώ, ποικίλλω (n) κόσμημα.
ornate (adj) [οονέιτ] καταστόλιστος.
orphan (adj) [όοφαν] ορφανός.
orphic (adj) [όοφικ] μυστηριακός.
orthodox (adj) [όοθο-ντοξ] ορθόδοξος, καθιερωμένος.
orthography (n) [οοθόγκραφι] ορθογραφία.
orthopaedics (n) [οοθοπίιντικς] ορθοπεδική.
oscillation (n) [οσιλέισσον] ταλάντωση, δόνηση, παλμός.
osculate (v) [όσκιουλεϊτ] ασπάζομαι, εφάπτομαι.
ossification (n) [οσιφικέισσον] οστέωση, αποστέωση.
ossify (v) [όσιφαϊ] σκληραίνω.
ostensible (adj) [οστένσι-μπλ] θεωρούμενος, φαινόμενος.
ostentation (n) [οστεν-τέισσον] επίδειξη, προβολή, φιγούρα.
osteopathy (n) [οστεόπαθι] χειροπρακτική, χειροθεραπεία.
ostler (n) [όσλερ] ιπποκόμος.
ostracism (n) [όστρασιζμ] εξοστρακισμός, απομάκρυνση.
ostracize (v) [όστρασαϊζ] εξοστρακίζω, αποδιώκω.
ostrich (n) [όστριτσ] στρουθοκάμηλος.
otherness (n) [άδανες] ετερότητα, αλλοτριότητα, διαφορά.
otherwise (adv) [άδαγουάιζ] αλλιώς, άλλως (conj) ειδεμή.
otitis (n) [οουτάιτις] ωτίτιδα.
ounce (n) [άουνς] ουγκιά.
oust (v) [άουστ] εκδιώκω.
ousting (n) [άουστινγκ] αποπομπή.
out (adv) [άουτ] απέξω, έξω.
out! (ex) [άουτ] γιούχα! [επιφ].
out of breath (adj) [άουτ οβ μπρεθ] λαχανιασμένος.
out of tune (adj) [άουτ οβ τιούν] παράφωνος, φάλτσος.
out-of-date (adj) [άουτ-οβντέιτ] ξεπερασμένος.
outboard (adj) [άουτ-μπόο-ντ] εξωλέμβιος.
outbuilding (n) [άουτ-μπίλντινγκ] παράρτημα.
outburst (n) [άουτ-μπέρστ] παραφορά, ξέσπασμα, έκρηξη.
outcast (adj) [άουτκαστ] απόβλητος, απόκληρος (n) παρίας.
outcome (n) [άουτκαμ] έκβαση.
outcry (n) [άουτκραϊ] ξεφωνητό.
outdo (v) [αουτ-ντού] υπερβάλλω.
outfit (v) [άουτφιτ] εφοδιάζω, εξοπλίζω (n) εξάρτηση.
outfiter (n) [άουτφιτερ] προμηθευτής.
outflank (v) [άουτφλανκ] υπερφαλαγγίζω.
outflow (n) [άουτφλοου]

ρεύση.
outing (n) [άουτινγκ] εκδρομή.
outlandish (adj) [αουτλάν-ντισς] ξενικός, εξωτικός.
outlaw (adj) [άουτλοο] επικηρυγμένος (v) αποκηρύσσω.
outlet (n) [άουτλετ] διέξοδος, έξοδος, αγορά.
outline (v) [άουτλαϊν] σκιαγραφώ, διαγράφω (n) περίγραμμα.
outlive (v) [αουτλίβ] επιζώ.
outlying (adj) [άουτλάιινγκ] απόμερος, απομακρυσμένος.
outrage (n) [άουτρεϊντζζ] βρισιά (v) βρίζω.
outrageous (adj) [αουτρέιντζζας] υπέρογκος.
outrages (n) [αουτρέιντζζις] ωμότητες, έκτροπα.
outrun (v) [άουτράν] ξεπερνώ.
outset (n) [άουτσετ] ξεκίνημα.
outshine (v) [άουτσσάιν] επισκιάζω.
outside (adv) [άουτσαϊ-ντ] απέξω, εκτός, έξω, όξω.
outskirts (n) [άουτσκερτς] παρυφές, περίχωρα [πόλη].
outspoken (adj) [αουτσπόουκεν] τσεκουράτος, ντόμπρος.
outstanding (adj) [αουτστάν-ντινγκ] διαπρεπής, σημαντικός.
outvote (v) [αουτβόουτ] πλειοψηφώ.
outwardly (adv) [άουτουά-ντλι] φαινομενικώς.
ouzo (n) [ούζοου] ούζο.
oval (adj) [όουβαλ] ωοειδής.
ovary (n) [όουβαρι] ωοθήκη.
ovate (adj) [όουβεϊτ] ωοειδής.
ovation (n) [όουβέισσον] επευφημία, χειροκρότηση.
oven (n) [άβεν] φούρνος.
over (adv) [όουβερ] πάνω, πέρα, υπέρ, (pr) υπεράνω, ανά.
overabundance (n) [όουβεραμπάν-ντανς] υπερεπάρκεια.
overact (v) [οουβεράκτ] υπερβάλλω.
overall (adj) [όουβεροολ] γενικός, ολικός, συνολικός.
overall (n) [όουβεροολ] ποδιά.
overbearing (adj) [όουβα-μπέαρινγκ] ψηλομύτης.
overburden (v) [όουβα-μπέρντεν] παραφορτώνω.
overcast (adj) [όουβακααστ] νεφοσκεπής, συννεφιασμένος.
overcoat (n) [όουβακοουτ] παλτό.
overcome (v) [οουβακάμ] καταΝΙΚώ, καταστέλλω, υπερισχύω.
overcrowded (adj) [οουβακράουντι-ντ] υπερπλήρης.
overdo (v) [οουβα-ντούου] μεγαλοποιώ, υπερβάλλω.
overdone (adj) [οουβα-ντάν] πολυψημένος.
overdue (adj) [οουβα-ντιού] καθυστερημένος, εκπρόθεσμος.
overflow (v) [οουβαφλόου] ξε-

χειλίζω, πλημμυρίζω, χύνομαι.
overgrown (adj) [οουβαγκρόουν] υπερτροφικός.
overhanging (adj) [όουβαχάνγκινγκ] επικρεμάμενος.
overhaul (v) [οουβαχόολ] προφταίνω.
overhead (adv) [όουβαχέ-ντ] αποπάνω (adj) εναέριος.
overpower (v) [οουβαπάουερ] ακινητοποιώ, εξουθενώνω.
overpowering (adj) [οουβαπάουερινγκ] υπέρτερος (n) εξουδετέρωση.
overrate (v) [οουβερρέιτ] υπερεκτιμώ.
overrun (v) [οουβερράν] κατακλύζω [μεταφ].
oversee (v) [οουβασίι] επιστατώ, εποπτεύω, διευθύνω.
overshadow (v) [οουβασσάντοου] επισκιάζω, σκιάζω.
oversight (n) [όουβασαϊτ] αβλεψία.
oversized (adj) [όουβασαϊζ-ντ] υπερμεγέθης.
overstress (n) [όουβαастρές] υπερένταση.
overtake (v) [οουβατέικ] φθάνω, ξεπερνώ.προφταίνω.
overtaking (n) [οουβατέικινγκ] προσπέρασμα.
overthrow (n) [οουβαθρόου] πτώση, ανατροπή (v) ρίχνω.
overturn (v) [οουβατέρν] ανατρέπω.
overweight (n) [οουβαουέιτ] πλεόνασμα [βάρους].
overwhelm (v) [οουβαουέλμ] κατακλύζω, κατανικώ.
overwork (n) [όουβαουέρκ] υπερκόπωση.
ovum (n) [όουβαμ] ωάριο.
owe (v) [όου] οφείλω, χρεωστώ.
owl (n) [άουλ] κουκουβάγια.
own (pron) [όουν] δικός (adj) ίδιος (v) ομολογώ, κατέχω.
owner (n) [όουνερ] ιδιοκτήτης.
ownership (n) [όουνασσιπ] ιδιοκτησία, κυριότητα.
ox (adj) [οξ] βοδινός (n) βόδι.
oxide (n) [όξαϊ-ντ] οξείδιο.
oxygen (n) [όξιντζζεν] οξυγόνο.
oyster (n) [όιστερ] στρείδι.
ozone (n) [όουζοουν] όζον.

P

P, p [πι] το δέκατο έκτο γράμμα του αγγλικού αλφαβήτου.
pace (v) [πέις] βηματίζω (n) ταχύτητα, ρυθμός κινήσεως, βήμα.
pacemaker (n) [πέισμεϊκα] βηματοδότης.
pacify (v) [πάσιφαϊ] ειρηνεύω, εξιλεώνω, καταπραΰνω, κατευνάζω.
pack (n) [πακ] δέμα, φόρτωμα, σακκίδιο, πακέτο (v) πακετάρω, αμπαλλάρω, συσκευάζω.
pack of cards (n) [πακ οβ κάαρντς] τράπουλα.
packed (adv) [πακ-τ] τίγκα (adj) πλήρης, γεμάτος [δωμάτιο κτλ].
packet (adv) [πάκετ] κομπλέ (n) κουτί, δέμα, δεσμίδα, μπάζα
pact (n) [πακτ] σύμβαση, συνθήκη, σύμφωνο.
pad (v) [πα-ντ] παραγεμίζω.
paddle (n) [πάντλ] κουπί, σκαλιστήρι (v) κωπηλατώ.
paddock (n) [πάντοκ] μάνδρα.
paddy field (n) [πά-ντιφιλ-ντ] ορυζώνας.
paddy wagon (n) [πά-ντιγουαγκον] κλούβα.
padlock (n) [πά-ντλοκ] λουκέτο.
paean (n) [πίιαν] παιάνας.
paederasty (n) [πιίντεραστι] παιδεραστία.
pagan (adj) [πέιγκαν] ειδωλολατρικός (n) ειδωλολάτρης.
page (n) [πέιντζζ] φύλλο, επεισόδιο, συμβάν, γκρούμ.
pagination (n) [πεϊντζζινέισσον] αρίθμηση σελίδων.
paid (adj) [πέι-ντ] μισθωτός.
pail (n) [πέιλ] κουβάς.
pain (n) [πέιν] ποινή, πόνος (v) θλίβω, λυπώ, πονώ.
pain in the neck (n) [πέιν ιν δε νεκ] ψυχοβγάλτης.
pain-killer (n) [πέιν-κιλα(ρ)] παυσίπονο.
painful (adj) [πέινφουλ] αλγεινός, επώδυνος, λυπηρός.
painless (adj) [πέινλες] ανώδυνος.
painstaking (adj) [πέινστεϊκινγκ] φίλεργος, εργατικός.
paint (n) [πέιν-τ] βαφή, μπογιά (v) ζωγραφίζω, βάφω.
paint factory (n) [πέιν-τ φάκτορι] χρωματουργείο.
pair (n) [πέαρ] ζεύγος, δυάδα (v) συνδυάζω, ταιριάζω.
pairing off (n) [πέαρινγκ οφ] ζευγάρωμα.
pal (n) [παλ] φίλος, φιλαράκος.
palace (n) [πάλας] πύργος, παλάτι (adj) ανακτορικός.

palaeolithic (adj) [πάλιολίθικ] παλαιολιθικός.
palaeontology (n) [παλεον-τόλοντζζι] παλαιοντολογία.
palatable (adj) [πάλατα-μπλ] εύγευστος, ευχάριστος.
palate (n) [πάλατ] υπερώα.
palaver (n) [παλάαβερ] φλυαρία.
pale (n) [πέιλ] πάσσαλος.
pale (adj) [πέιλ] κίτρινος, χλομός (n) άχνα (v) ξασπρίζω.
paleness (n) [πέιλνες] χλομάδα.
palette (n) [πάλετ] παλέτα.
palingenesis (n) [παλιννιτζζένισις] αναβίωση, ανάσταση.
pall (v) [πόολ] χορταίνω.
palliate (v) [πάλιεϊτ] καταπραΰνω, απαλύνω, αλαφρώνω.
palliative (adj) [πάλιατιβ] καταπραϋντικός, κατευναστικός.
pallid (adj) [πάλι-ντ] κάτωχρος.
pallor (n) [πάλορ] χλομάδα.
palm (n) [πάαμ] παλάμη.
palm reading (n) [πάαμ ρίιντινγκ] χειρομαντεία.
palmistry (n) [πάαμιστρι] χειρομαντεία.
palmy (adj) [πάαμι] ακμάζων, ευτυχισμένος, ευτυχής.
palpable (adj) [πάλπα-μπλ] απτός, προφανής, χειροπιαστός.
palpitate (v) [πάλπιτεϊτ] πάλλω, σπαράζω, σπαρταρώ, τρέμω.
palsy (n) [πόολζι] παράλυση.
paltry (adj) [πόολτρι] ασήμαντος, ποταπός, τιποτένιος.
pamper (v) [πάμ-περ] νταντεύω, κανακεύω.
pamphlet (n) [πάμφλιτ] μπροσούρα, φυλλάδιο, φυλλάδα.
pan (n) [παν] τηγάνι, ταψί.
pan-pipe (n) [πάν-πάιπ] αυλός.
pancake (n) [πάνκεϊκ] κρέπα.
pancreas (n) [πάνκριας] πάγκρεας.
pander (n) [πάν-ντερ] προαγωγός.
panelling (n) [πάνελινγκ] σανίδωμα, ξύλινη επένδυση.
panic (n) [πάνικ] πανικός (v) αλαφιάζω, πανικοβάλλομαι.
panicky (adj) [πάνικι] ανήσυχος.
pannier (n) [πάνια(ρ)] κόφα.
panoply (n) [πάνοπλι] πανοπλία.
panorama (n) [πανοράαμα] πανόραμα.
pansy (n) [πάνσι] κίναιδος.
pant (v) [παν-τ] αγκομαχώ.
pantheism (n) [πάνθιιζμ] πανθεϊσμός.
panties (n) [πάν-τιις] κιλότα.
panting (adj) [πάν-τινγκ] λαχανιασμένος, ξεψυχισμένος.
pantomime (n) [πάν-τομάιμ] παντομίμα, μιμόδραμα, θεατρική εορταστική επιθεώρηση.
pap (n) [παπ] λαπάς, πολτός.
papa (n) [πάπα] μπαμπάς.
paper (n) [πέιπερ] χαρτί, εφημερίδα, θέμα (v) ταπετσάρω.

paper bag (n) [πέιπερ μπαγκ] σακούλα, χαρτοσακούλα.
paper clip (n) [πέιπερ κλιπ] συνδετήρας.
paper knife (n) [πέιπερ νάιφ] χαρτοκόπτης.
papyrus (n) [παπάιρας] πάπυρος.
par (n) [πάα] ισότητα ισοτιμία.
parachute (n) [πάρασσουτ] αλεξίπτωτο.
parade (n) [παρέι-ντ] παράτα, παρέλαση, πομπή (v) παρελαύνω.
paradigm (n) [πάρανταϊμ] παράδειγμα, πρότυπο.
paradise (n) [πάρα-νταϊς] παράδεισος.
paradox (n) [πάρα-ντοξ] παραδοξολογία, παράδοξο.
paraffin (n) [πάραφιν] παραφίνη.
paragraph (n) [πάραγκρααφ] παράγραφος, εδάφιο.
parallax (n) [πάραλαξ] παράλλαξη, παραλλαγή.
parallel (adj) [πάραλελ] παράλληλος, αντίστοιχος, όμοιος (n) παραλληλισμός, σύγκριση (v) παραλληλίζω, συγκρίνομαι.
paralysis (n) [παράλισις] ημιπληγία, παράλυση, καθήλωση.
paranoiac (adj) [παρανόιακ] παρανοϊκός.
parapet (n) [πάραπετ] πεζούλα.
paraphrase (n) [πάραφρέιζ] παράφραση (v) παραφράζω.
paraplegia (n) [παραπλίιντζζια] παραπληγία.
parapsychology (n) [παρασαϊκόλοντζζι] παραψυχολογία.
parboil (v) [πάαβοϊλ] μισοβράζω.
parcel (v) [πάασελ] συσκευάζω (n) πακέτο, τεμάχιο.
parch (v) [πάατσ] ξεραίνω.
parched (adj) [πάατσσ-τ] άνυδρος, κατάξερος, ξεροψημένος.
pardon (n) [πάα-ντον] συγγνώμη, χάρη (v) συγχωρώ.
pardonable (adj) [πάα-ντοναμπλ] συγχωρητέος.
pare (v) [πέα(ρ)] ψαλιδίζω, κόβω, ξακρίζω, ξεφλουδίζω.
parental (adj) [παρέν-ταλ] γονικός.
parenthesis (n) [παρένθεσις] παρένθεση [γραμμ].
pariah (adj) [πάρια] απόβλητος, απόκληρος (n) παρίας.
paring (n) [πέαρινγκ] φλούδα.
parish (n) [πάρισ] ενορία.
parity (n) [πάριτι] ισότητα, αναλογία, αρτιότητα, ισοτιμία.
park (n) [πάακ] αλσος, πάρκο (v) παρκάρω, σταθμεύω.
parky (adj) [πάακι] ψυχρός.
parliament (n) [πάαλαμεν-τ] κοινοβούλιο, βουλή.
parlour (n) [πάαλα] εντευκτήριο.
parlourmaid (n) [πάαλαμέι-ντ] καμαριέρα, τραπεζοκόμος.
parochial (adj) [παρόουκιαλ]

τοπικιστικός, ενοριακός.
parody (n) [πάρο-ντι] παρωδία, γελοιογραφία (v) παρωδώ.
parrot (n) [πάροτ] παπαγάλος, ψιττακός (v) ψιττακίζω.
parry (v) [πάρι] αποκρούω, αποφεύγω, παρακάμπτω.
parse (v) [πάας] τεχνολογώ.
parsimony (n) [πάασιμονι] φειδωλία, φιλαργυρία, τσιγγουνιά.
parsley (n) [πάασλι] μαϊντανός.
parson (n) [πάασον] κληρικός.
part (adj) [πάατ] τμηματικός (n) τεμάχιο, συστατικό, μέρος, παρτίδα, ρόλος (v) διαιρώ.
part of speech (n) [πάατ οβ σπίιτς] μέρος του λόγου [γραμμ].
partake (v) [παατέικ] μετέχω.
partial (adj) [πάασσιαλ] μερικός, επι μέρους, μονομερής.
participant (n) [παατίσιπαν-τ] κοινωνός, μέτοχος.
particle (n) [πάατικλ] μόριο, τρίμμα, σταγόνα.
particular (adj) [πατίκιουλα] προσωπικός, αναλυτικός, ειδικός, ίδιος (n) λεπτομέρεια.
parting (adj) [πάατινγκ] αποχαιρετιστήριος (n) χωρισμός.
partisan (adj) [πάατιζαν] αντάρτικος, παρτιζάνος.
partition (n) [παατίσσον] διανομή, κατανομή, χώρισμα.
partner (n) [πάατνα] συνέταιρος, σύντροφος, ταίρι, εταίρος.
parturition (n) [παατιουρίσσν] τοκετός, γέννηση, γέννα.
party (n) [πάατι] γλέντι, παρέα, άγημα, κόμμα, μέρος, πάρτι (adj) κομματικός.
parvenu (adj) [πάαβενιου] νεόπλουτος.
pasha (n) [πάασσα] πασάς.
pass (n) [πάας] στενό, δίοδος, πάσα, στενωπός (v) διέρχομαι, προσπερνώ, σταματώ, αλλάζω.
passable (adj) [πάασα-μπλ] μέτριος, διαβατός, υποφερτός.
passage (n) [πάσιντζζ] μετάβαση, διάδρομος, πέρασμα, χωρίο.
passenger (n) [πάσιν-ντζζερ] επιβάτης.
passible (adj) [πάσαμπλ] ευπαθής.
passing (adj) [πάασινγκ] περαστικός, προσωρινός (n) πέρασμα, παρέλευση, ψήφιση.
passion (n) [πάσσον] πάθος.
passionate (adj) [πάσσονιτ] θερμός, μανιώδης, παθιασμένος.
passive (adj) [πάσιβ] παθητικός.
passivity (n) [πασίβιτι] απάθεια.
passport (n) [πάασπόοτ] διαβατήριο, πασαπόρτι.
password (n) [πάασουερ-ντ] παρασύνθημα, σύνθημα.
past (adj) [πάαστ] περασμένος.
paste (n) [πέιστ] αλοιφή, πάστα, κόλλα (v) κολλώ, δέρνω.
pasteboard (n) [πέιστ-μπόο-ντ] χαρτόνι.

pasteurize (v) [πάαστεράιζ] παστεριώνω, αποστειρώνω.
pastille (n) [πάστιλ] παστίλια.
pastime (n) [πάασταϊμ] πάρεργο, διασκέδαση, χόμπυ.
pastor (n) [πάαστο] πάστορας.
pastoral (adj) [πάαστοραλ] ποιμαντικός, ποιμενικός.
pastoral staff (n) [πάαστοραλ στάαφ] ράβδος [εκκλ].
pastry (n) [πέιστρι] ζύμη.
pasture land (n) [πάαστσσα λαντ] λιβάδι, βοσκοτόπι.
pat (v) [πατ] χαϊδεύω.
patch (v) [πατσ] διορθώνω, μπαλώνω (n) μπάλωμα.
patent (n) [πέιτεν-τ] ευρεσιτεχνία, πατέντα.
paternal (adj) [πατέρναλ] γονικός, πάτριος, πατρώος.
path (n) [πάαθ] μονοπάτι.
pathogenic (adj) [παθοντζζένικ] παθογόνος, νοσογόνος.
pathway (n) [πάαθουεϊ] μονοπάτι.
patrician (n) [πατρίσσαν] άρχοντας, πατρίκιος, ευπατρίδης.
patrimony (n) [πάτριμονι] κληρονομία, πατρική κληρονομιά.
patriotic (adj) [πεϊτριότικ] πατριωτικός (n) εθνικόφρονας.
patrol (n) [πατρόολ] περιπολία, περίπολος (v) περιπολώ.
patron (n) [πέιτρον] ευεργέτης, πάτρωνας, προστάτης.
patten (n) [πάτεν] τσόκαρο.
patter (n) [πάτερ] φλυαρία (v) φλυαρώ, πολυλογώ.
pattern (n) [πάτερν] υπόδειγμα, μοντέλο, πρότυπο.
patting (n) [πάτινγκ] θωπεία.
patty (n) [πάτι] μπουρέκι.
pauper (n) [πόουπερ] φτωχός.
pause (v) [πόοζ] κοντοστέκω (n) διάλειμμα, παύση.
pave (v) [πέιβ] λιθοστρώνω.
paved (adj) [πέιβ-ντ] στρωτός.
pavement (n) [πέιβμεν-τ] λιθόστρωτο, πεζοδρόμιο.
paving (n) [πέιβινγκ] στρώση.
paw (n) [πόο] χέρι.
pawn (adj) [πόον] υποχείριος (n) αμανάτι, ενέχυρο.
pay (adj) [πέι] μισθολογικός (n) αμοιβή, αποδοχές, πληρωμή, μισθός (v) πληρώνω, εξοφλώ.
payable (adj) [πέια-μπλ] πληρωτέος, εξοφλητέος.
payee (n) [πέιι] παραλήπτης.
payer (n) [πέιιερ] πληρωτής.
paying (adj) [πέιινγκ] ωφέλιμος.
payment (n) [πέιμεν-τ] εξόφληση.
pea (n) [πίι] αρακάς, μπιζέλι.
pea jacket (n) [πίι ντζζάκετ] πατατούκα.
peace (n) [πίις] ειρήνη, ησυχία.
peach (n) [πίτσ] ροδάκινο [βοτ].
peacock (n) [πίικοκ] παγώνι.
peak (n) [πίικ] ακμή, ζενίθ.
peaky (adj) [πίικι] αιχμηρός.

peal (n) [πίιλ] κωδώνισμα.
peanut (n) [πίινατ] φιστίκι.
pear (n) [πέα] απίδι, αχλάδι.
pearl (n) [περλ] μαργαριτάρι.
peasant (adj) [πέζαν-τ] χωριάτικος (n) χωριάτης, χωρικός.
peat (n) [πίιτ] τύρφη.
pebble (n) [πε-μπλ] χαλίκι.
peccadillo (n) [πεκα-ντίλοου] μικροελάττωμα, ασήμαντο.
peccant (adj) [πέκαντ] αμαρτωλός, διεφθαρμένος, ένοχος.
peck (v) [πεκ] ραμφίζω, τσιμπώ (n) ράμφισμα πτηνού.
peculiar (adj) [πεκιούλια] ιδιόμορφος, ιδιόρρυθμος.
pecuniary (adj) [πικιούνιερι] χρηματικός.
pedagogical (adj) [πε-νταγκόντζζικαλ] παιδαγωγικός.
pedal (v) [πέ-νταλ] ποδηλατώ (n) πεντάλι, πετάλι.
pedantic (adj) [πε-ντάν-τικ] δασκαλίστικος, σχολαστικός.
pederast (n) [πέ-ντεραστ] αρσενοκοίτης, παιδεραστής.
pedestal (n) [πέ-ντεστλ] στυλοβάτης, υπόβαθρο.
pedestrian (adj) [πε-ντέστριαν] πεζός.
pedigree (n) [πέ-ντιγκρίι] γενεαλογία, καταγωγή, προέλευση.
pedlar (n) [πέ-ντλα] γυρολόγος.
pee (n) [πίι] κατούρημα.
peel (n) [πίιλ] φλοιός, φλούδα (v) ξεφλουδίζω, καθαρίζω.
peep (v) [πίιπ] κρυφοκοιτάζω.
peeping Tom (n) [πίιπινγκ Τομ] ηδονοβλεψίας.
peer (n) [πίιρ] ισάξιος.
peg (n) [πέγκ] κρεμαστάρι, μανταλάκι, παλούκι.
pejorative (adj) [πέντζζερατιβ] μειωτικός, υποτιμητικός.
pelican (n) [πέλικαν] πελεκάνος.
pell-mell (adv) [πελ-μελ] ανάκατα, φύρδην μίγδην (n) χύμα.
pellet (n) [πέλετ] σκάγι.
pelt (n) [πελτ] προβιά, πετσί.
pelt (n) [πελτ] πετροβόλημα (v) σφυροκοπώ, εκτοξεύω.
pen (n) [πεν] μάντρα, πένα.
penal (adj) [πίιναλ] ποινικός.
penalization (n) [πιιναλαϊζέισσον] ποινικοποίηση, ποινή.
penalty (n) [πέναλτι] τιμωρία.
penance (n) [πένανς] κακουχία.
pencil (n) [πένσιλ] μολύβι.
pencil sharpener (n) [πένσιλ σσάπενερ] ξύστρα.
pendant (n) [πέν-νταν-τ] κρεμαστό.
pending (adj) [πέν-ντινγκ] εκκρεμής, αναποφάσιστος.
penetrate (v) [πένετρεϊτ] διατρυπώ, διαβλέπω, διαπερνώ.
penetration (n) [πενετρέισσον] διείσδυση, εισχώρηση, οξύνοια.
penguin (n) [πένγκουιν] πι-

γκουίνος.
penis (n) [πίινας] πέος.
penitent (adj) [πένιτεν-τ] μετανοημένος, μεταμελημένος.
penitentiary (n) [πενιτένσσιαρι] σωφρωνιστήριο, φυλακή.
penmanship (n) [πένμανσσιπ] καλλιγραφία, τρόπος γραφής.
penniless (adj) [πένιλες] άφραγκος.
penny (n) [πένι] πένα [νόμισμα].
penology (n) [πιινόλοντζζι] εγκληματολογία.
pension fund (n) [πένσσιον φαν-ντ] ταμείο συντάξεων.
pensioner (adj) [πένσσιονερ] απόμαχος, συνταξιούχος.
pensive (adj) [πένσιβ] σκεπτικός.
penumbra (n) [πενάμ-μπρα] σκιόφως.
people (n) [πίιπλ] λαός, έθνος.
pep (n) [πεπ] σφρίγος, ζωντάνια, νεύρο, κουράγιο, κέφι.
pep up (v) [πεπ απ] ενθαρρύνω.
pepper (n) [πέπερ] πιπέρι.
peptic (adj) [πέπτικ] πεπτικός.
perceive (v) [περσίιβ] διακρίνω.
percentage (n) [περσέν-τιντζζ] ποσοστό, αναλογία.
perceptible (adj) [περσέπτιμπλ] αντιληπτός, ορατός.
perch (n) [περτσς] πέρκα [ιχθ], κούρνια (v) κουρνιάζω.
percolate (v) [πέρκολεϊτ] φιλτράρω.
perfect (adj) [πέρφεκτ] τσίφτικος, τέλειος (v) τελειοποιώ.
perfidious (adj) [περφί-ντιας] άπιστος, ύπουλος, δόλιος.
perforated (adj) [πέρφερέιτι-ντ] διάτρητος, τρυπητός, τρύπιος.
perform (v) [περφόομ] κάνω, εκτελώ, πληρώ, πράττω.
performer (n) [περφόομα(ρ)] εκτελεστής, ηθοποιός, μουσικός.
perfume (v) [πέρφιουμ] αρωματίζω (n) μυρωδιά, άρωμα.
perfunctory (adj) [περφάνγκτερι] πρόχειρος, επιπόλαιος.
perhaps (adv) [περχάπς] ίσως, ενδεχομένως, πιθανώς.
peril (n) [πέριλ] κίνδυνος.
perilous (adj) [πέριλας] επικίνδυνος.
perimeter (n) [περίμιτερ] περίμετρος, πεδιόμετρο.
period (n) [πίιριο-ντ] καιρός, περίοδος, φράση, κύκλος.
periodical (n) [πιριό-ντικαλ] περιοδικό (adj) περιοδικός.
periphery (n) [περίφερι] περιφέρεια, περίμετρος, περίχωρα.
periphrasis (n) [περίφρασις] περίφραση.
perish (v) [πέρισς] αποθνήσκω, χάνομαι, παρακμάζω, χαλώ.
perishable (adj) [πέρισσα-μπλ] φθαρτός, αλλοιώσιμος.
perishing (adj) [πέρισσινγ] δρι-

μύς, φοβερός, τρομερός
peritonitis (n) [περιτονάιτις] περιτονίτιδα.
perjurer (adj) [πέρντζζερα] επίορκος (n) ψευδομάρτυρας.
perk (v) [περκ] σηκώνω, υψώνω, ζωηρεύω, ανακτώ.
perks (n) [περκς] τυχερά.
perky (adj) [πέρκι] ζωηρός, εύθυμος, κεφάτος, θρασύς.
perm (n) [περμ] περμανάντ.
permanence (n) [πέρμανενς] ισοβιότητα, μονιμότητα.
permeability (n) [περμιαμπίλιτι] περατότητα, διαπερατότητα.
permit (n) [πέρμιτ] άδεια, συγκατάθεση. (v) επιτρέπω.
permute (v) [περμιούτ] μεταθέτω.
peroration (n) [περορέισσον] μακρηγορία.
peroxide (n) [πέροξαϊ-ντ] υπεροξείδιο, οξυζενέ.
perpendicular (adj) [περπε-ντίκιουλα] κάθετος, όρθιος.
perpetrator (n) [περπετρέιτορ] αυτουργός, δράστης.
perplex (v) [περπλέξ] μπλέκω.
persecute (v) [περσεκιούτ] διώκω, διώχνω, κατατρέχω.
perseverance (n) [περσεβίιρανς] επιμονή, καρτερικότητα.
person (n) [πέρσον] άτομο.
personality (n) [περσονάλιτι] προσωπικότητα, διασημότητα.
personify (v) [περσόνιφαϊ] ενσαρκώνω, προσωποποιώ.
perspective (n) [περσπέκτιβ] προοπτική, θέα, όψη, άποψη.
perspicacious (adj) [περσπικέισσες] οξύνους, οξυδερκής.
perspicuity (n) [περσπικιούιτι] διόραση.
perspicuous (adj) [περσπίκιουας] σαφής, διαυγής, εναργής.
perspiration (n) [περσπιρέισσον] διαπνοή, ίδρωμα, ιδρώτας.
persuadable (adj) [περσσουέινταμπλ] ευπειθής.
persuade (v) [περσσουέι-ντ] καταφέρνω, πείθω, τουμπάρω.
pert (adj) [πέρτ] αυθάδης.
pertinacious (adj) [περτινέισσες] ισχυρογνώμων, πείσμων.
pertinence (n) [πέρτινενς] ορθότητα, καταλληλότητα.
pertinent (adj) [πέρτινεν-τ] σχετικός, συναφής.
pertness (n) [πέρτνις] αυθάδεια.
perturbation (n) [περτα-μπέισσον] αταξία, σύγχυση, ταραχή.
peruse (v) [περούζ] διαβάζω.
perverse (adj) [περβέρς] φαύλος, στριμμένος, ζαβός.
perversion (n) [περβέρζζον] διαστροφή, διαστρέβλωση.
pervert (v) [περβέρτ] φθείρω, χαλώ, διαφθείρω.
pervious (adj) [πέρβιας] διαπερατός.
pessimist (adj) [πέσιμιστ] απαι-

σιόδοξος.
pest (n) [πεστ] ψώρα, λοιμός, ψυχοβγάλτης, τσιμπούρι.
pester (v) [πέστερ] παιδεύω, ταλαιπωρώ, ενοχλώ.
pestle (n) [πεστλ] κόπανος.
pet (v) [πετ] χαϊδεύω, καλοσυνηθίζω (n) ζώο συντροφιάς.
petal (n) [πέταλ] πέταλο, φύλλο.
petard (n) [πιτάα-ντ] κροτίδα.
petit bourgeois (adj) [πετί μπούρζζουά] μικροαστικός.
petition (n) [πετίσσον] παράκληση, ικεσία, προσευχή.
petrified (adj) [πέτριφαϊ-ντ] απολιθωμένος.
petroleum (n) [πετρόουλιαμ] ορυκτέλαιο, πετρέλαιο.
petticoat (n) [πέτικοουτ] κομπινεζόν, μεσοφόρι.
petting (n) [πέτινγκ] χάδια.
petty (adj) [πέτι] μικρός, ασήμαντος, ευτελής, τιποτένιος.
petty thief (n) [πέτι θίιφ] μικροκλέφτης.
petulance (n) [πέτιουλανς] νευρικότητα, οξυθυμία.
pew (n) [πιού] στασίδι.
pewter (n) [πιούτερ] καλάι.
phalanx (n) [φάλανξ] φάλαγγα.
phallus (n) [φάλας] φαλλός.
phantasm (n) [φάν-ταζμ] φάντασμα, υπερφυσικό ον, φάσμα.
phantom (n) [φάν-τομ] σκιά.
pharmacy (n) [φάαμασι] φαρμακευτική, φαρμακολογία.
pharyngitis (n) [φάριν-ντζζάιτις] φαρυγγίτιδα.
phase (n) [φέιζ] φάση, μορφή.
phased (adj) [φέιζ-ντ] σταδιακός.
phasic (adj) [φέιζικ] φασικός.
phenol (n) [φιινάλ] φαινόλη.
phenomenal (adj) [φενόμινλ] φαινομενικός, σχετικός.
phial (n) [φάιαλ] φιαλίδιο.
philanthrope (n) [φίλανθροουπ] φιλάνθρωπος.
philatelist (n) [φιλάτελιστ] φιλοτελιστής.
philhellene (n) [φιλχέλεν] φιλέλληνας.
philistine (adj) [φίλισταϊν] αμόρφωτος, βάρβαρος.
philological (adj) [φιλολόντζζικαλ] φιλολογικός.
philosophy (n) [φιλόσοφι] φιλοσοφία, ηρεμία, εγκαρτέρηση.
philtre (n) [φίλτα] φίλτρο.
phlebitis (n) [φλε-μπάιτις] φλεβίτιδα.
phlebotomy (n) [φλεμπότομι] φλεβοτομία [χειρ].
phlegm (n) [φλεμ] φλέγμα.
phobia (n) [φόου-μπια] φοβία.
phoenix (n) [φίινιξ] φοίνικας.
phone (n) [φόουν] τηλέφωνο.
phonic (adj) [φόνικ] φωνητικός, φθογγικός, ακουστικός.
phonograph (n) [φόουννο-

γκρααφ] φωνογράφος.
phonology (n) [φονόλοντζζι] φωνολογία, φωνητική.
phosphoric (adj) [φοσφόρικ] φωσφορικός.
photocopy (n) [φόουτοκοπι] φωτοτυπία.
photogenic (adj) [φόουταντζζένικ] φωτογενής, φωτεινός.
photograph (n) [φόουταγκρααφ] φωτογραφία.
photostat (n) [φόουτοουστατ] φωτοτυπία, φωτοαντίγραφο.
phrasal (adj) [φρέιζαλ] φραστικός.
phrase (n) [φρέιζ] φράση.
phraseology (n) [φρέιζιόλοντζζι] φρασεολογία, λεκτικό.
physical (adj) [φίζικαλ] σωματικός, υλικός, φυσικός.
physics (n) [φίζικς] φυσική.
physiognomy (n) [φιζιόνομι] φυσιογνωμία, όψη, πρόσωπο.
physiological (adj) [φιζιολόντζζικαλ] φυσιολογικός.
pianist (n) [πίανιστ] πιανίστας.
piano (n) [πιιάνοου] πιάνο.
pick (n) [πικ] εκλεκτό, άνθος, πένα (v) δρέπω, κόβω, μαζεύω.
pickaxe (n) [πίκάξ] αξίνα, σκαπάνη, τσάπα, κασμάς, ξινάρι.
pickle (n) [πικλ] άλμη, τουρσί.
pickled (adj) [πικλ-ντ] μεθυσμένος.
pickpocket (n) [πίκποκετ] πορτοφολάς.
picky (adj) [πίκι] μίζερος.
picture (n) [πίκτσσα] εικόνα.
piece (n) [πίις] κομμάτι, τμήμα.
piecemeal (adj) [πίισμίιλ] λίγολίγο, σκόρπιος.
piecrust (n) [πάικραστ] κρούστα.
pied (adj) [πάιντ] παρδαλός.
pier (n) [πίια] προβλήτα, αποβάθρα, εξέδρα, μόλος.
pierce (v) [πίρς] διαπερνώ.
pies (n) [πάιζ] ζυμαρικά.
piety (n) [πάιετι] ευλάβεια.
pig (n) [πιγκ] χοίρος, γουρούνι.
pig sty (n) [πιγκ στάι] στάβλος.
pig-breeder (n) [πιγκ-μπρίιντερ] χοιροτρόφος.
pig-headed (adj) [πιγκχέ-ντι-ντ] σκληροκέφαλος, αγύριστος.
pigeon (n) [πίντζζον] περιστέρι.
pigeon-hole (n) [πίντζζον-χοουλ] αρχειοθήκη, θυρίδα.
piggery (n) [πίγκερι] χοιροστάσιο, στάυλος, αχούρι.
piggish (adj) [πίγκισσ] λαίμαργος, πεισματάρης, βρώμικος.
piggy (n) [πίγκι] γουρουνάκι.
piggy bank (n) [πίγκι μπανκ] κουμπαράς.
piglet (n) [πίγκλετ] χοιρίδιο.
pigtail (n) [πίγκτεϊλ] κοτσίδα.
pike (n) [πάικ] ακόντιο.
pilaf (n) [πίλαφ] πιλάφι.
pile (n) [πάιλ] θημωνιά, μπάζα.

pile up (n) [πάιλ απ] καραμπόλα (v) επισωρεύω, τουρλώνω.
piles (n) [πάιλζ] αιμορροΐδες.
pilfer (v) [πίλφα] κλέβω.
pilgrim (n) [πίλγκριμ] προσκυνητής.
piliform (adj) [πάιλιφοομ] τριχοειδής.
pill (n) [πιλ] χάπι [φαρμ].
pillage (n) [πίλιντζζ] λεηλασία (v) λεηλατώ, διαρπάζω.
pillar (n) [πίλα] κολόνα, στήλη.
pillory (v) [πίλορι] διαπομπεύω.
pillow (n) [πίλοου] μαξιλάρι.
pilosity (n) [πάϊλόσιτι] τρίχωση.
pilot (n) [πάιλοτ] πιλότος (v) οδηγώ, διευθύνω (adj) πειραματικός, βοηθητικός.
pimp (n) [πιμ-π] μαστροπός.
pimple (n) [πιμ-πλ] σπιθούρι.
pimples (n) [πιμ-πλζ] εξανθήματα.
pin (n) [πιν] καρφίτσα, βελόνα.
pincers (n) [πίνσαζ] πένσα.
pinch (n) [πιν-τσ] πρέζα, τσιμπιά (v) μαγκώνω, αρπάζω.
pine (v) [πάιν] φθίνω, ποθώ, μαραζώνω (n) πεύκο.
pining (n) [πάινινγκ] μαράζι.
pinion (n) [πίνιον] γρανάζι.
pink (adj) [πινκ] τριανταφυλλένιος.
pinnacle (n) [πίνακλ] πυργίσκος.
pins and needles (n) [πινζ εν νίντλζ] μυρμηκίαση.
piny (adj) [πάινι] πευκόφυτος.
pioneer (adj) [πάιονίιρ] πρωτοπόρος (v) καινοτομώ.
pious (adj) [πάιας] θεάρεστος.
pip (n) [πιπ] κουκίδα, πυρήνας.
pipe (n) [πάιπ] πίπα, αυλός, οχετός, σωλήνας, αγωγός.
piquancy (n) [πίκουανσι] νοστιμάδα.
pique (n) [πιικ] (v) πικάρω.
piracy (n) [πάιρασι] πειρατεία.
pirate (adj) [πάιρατ] πειρατικός.
pirogue (n) [πιρόουγκ] πιρόγα.
piscatory (adj) [πίσκατερι] αλιευτικός, ψαράδικος.
piss (v) [πις] κατουρώ (n) ούρα.
pistil (n) [πίστιλ] ύπερος.
pistol (n) [πίστολ] πιστόλι.
piston (n) [πίστον] πιστόνι.
pit (n) [πιτ] οπή, κοίλωμα, τάφος, ουλή, λάκκος, χάσμα.
pitch (n) [πιτσ] πίσσα, ύψος, πισσάσφαλτος (v) πισσώνω.
pitcher (n) [πίτσα] κανάτα.
pitchfork (n) [πίτσφοοκ] διχάλα.
pitfall (n) [πίτφοολ] κακοτοπιά, παγίδα [τάφρος].
pithy (adj) [πίθι] ζουμερός.
pitiable (adj) [πίτια-μπλ] αξιοδάκρυτος, αξιολύπητος.
pitiless (adj) [πίτιλες] αλύπητος.
pittance (n) [πίτανς] ξεροκόμ-

ματο.

pitting (n) [πίτινγκ] διάβρωση.

pity (n) [πίτι] κρίμα, λύπη, πόνος (v) ψυχοπονώ, συμπονώ.

pivot (n) [πίβοτ] άξονας (v) εξαρτώμαι.

placatory (adj) [πλακέιτερι] κατευναστικός, συμβιβαστικός.

place (n) [πλέις] χώρος, σπίτι, σημείο, (v) αναθέτω, καθορίζω.

placid (adj) [πλάσιντ] γαλήνιος.

plagiarism (n) [πλέιντζζιαριζμ] λογοκλοπή.

plague (n) [πλέιγκ] πανούκλα, πληγή (v) μαστίζω, βασανίζω.

plain (adj) [πλέιν] άσκημος, λιτός, απλός, σκέτος (n) πεδιάδα.

plaint (n) [πλέιν-τ] μήνυση.

plaintive (adj) [πλέιν-τιβ] γοερός.

plait (n) [πλατ] πλοκάμι (v) πλέκω.

plan (n) [πλαν] πλάνο, σχέδιο, μακέτα (v) σκοπεύω, σχεδιάζω.

plane (adj) [πλέιν] επίπεδος (n) ροκάνι (v) λειαίνω, πλανίζω.

planet (n) [πλάνετ] πλανήτης.

plangency (n) [πλάν-ντζζενσι] ηχηρότητα, γοερότητα.

plank (n) [πλανκ] σανίδα, τάβλα (v) ξυλοστρώνω.

plankton (n) [πλάνκτον] πλαγκτόν.

plant (v) [πλάαν-τ] φυτεύω (n) φυτό, βοτάνι, βότανο.

plantar (adj) [πλάντα] πελματικός.

plantation (n) [πλααν-τέισσον] δεντροφυτεία, φυτώριο.

plaque (n) [πλακ] πλάκα.

plaster (adj) [πλάαστερ] γυψώνω, σοβατίζω (n) έμπλαστρο.

plasticity (n) [πλαστίσιτι] πλαστικότητα.

plate (n) [πλέιτ] πλάκα, πιάτο (v) επιμεταλλώνω, θωρακίζω.

plateau (n) [πλατόου] οροπέδιο.

platform (n) [πλάτφοομ] εξέδρα.

plating (n) [πλέιτινγκ] θωράκιση.

platinum (n) [πλάτιναμ] πλατίνα.

platoon (n) [πλατούουν] διμοιρία, ουλαμός.

platter (n) [πλάτερ] καραβάνα.

plausible (adj) [πλόοζι-μπλ] αληθοφανής.

play (v) [πλέι] παίζω, κάνω (n) παιχνίδι, αναψυχή.

playactor (n) [πλέιακτα(ρ)] ηθοποιός, θεατρίνος, υποκριτής.

playboy (n) [πλέι-μποϊ] πλαίημπόι.

player (n) [πλέιερ] παίχτης.

playful (adj) [πλέιφουλ] εύθυμος.

plea (n) [πλίι] ικεσία, απολογία.

plead (v) [πλίι-ντ] εκλιπαρώ,

συνηγορώ, δικηγορώ.
pleasant (adj) [πλέζαν-τ] ευχάριστος, γελαστός, γλυκός.
please! (v) [πλίιζ] παρακαλώ!, ικανοποιώ, καλοκαρδίζω.
pleat (n) [πλίιτ] δίπλα, πιέτα, πτυχή, σούρα, τσάκιση.
pleats (n) [πλίιτς] πλισές.
plebeian (n) [πλί-μπιιαν] χυδαίος.
plebiscite (n) [πλέ-μπισάιτ] δημοψήφισμα.
plectrum (n) [πλέκτραμ] πλήκτρο.
pledge (n) [πλεντζζ] ενέχυρο (v) ενεχυριάζω, υπόσχομαι.
plenary (adj) [πλίινερι] πλήρης.
plentiful (adj) [πλέν-τιφούλ] μπόλικος, άφθονος.
plentitude (n) [πλέν-τιτιου-ντ] πληθώρα, πληθωρισμός.
plenty (adj) [πλέν-τι] μπόλικος.
plenum (n) [πλίιναμ] πλήρες.
pleurisy (n) [πλιούρισι] πούντα.
pliability (n) [πλαϊαμπίλιτι] ευκαμψία, προσαρμοστικότητα.
pliant (adj) [πλάιαν-τ] εύκαμπτος.
pliers (n) [πλάιαζ] τανάλια.
plight (n) [πλάιτ] χάλι.
plop (v) [πλοπ] παφλάζω.
plot (n) [πλοτ] οικόπεδο, πλοκή, μύθος, σκευωρία (v) μαγειρεύω, μηχανεύομαι.
plotting (adj) [πλότινγκ] ραδιούργος.
plough (v) [πλάου] οργώνω.
ploy (n) [πλόι] μανούβρα.
pluck (v) [πλακ] μαδώ.
plug (n) [πλαγκ] πρίζα, πώμα (v) κλείνω, ταπώνω.
plum (n) [πλαμ] δαμάσκηνο.
plumber (n) [πλάμα] υδραυλικός.
plume (n) [πλούμ] λοφίο.
plump (adj) [πλαμ-π] ωμός, παχύς.
plunder (n) [πλάν-ντερ] αρπαγή (v) λεηλατώ.
plunge (v) [πλαν-ντζζ] βουτώ.
plural (n) [πλούραλ] πληθυντικός.
plus (prep) [πλας] συν [μαθ], και (n) θετική ποσότητα.
plush(y) (adj) [πλάσσ[ι]] βελουδένιος, χνουδάτος.
pluvial (adj) [πλουούβιαλ] όμβριος, βρόχινος, βροχερός.
ply (v) [πλάι] μπουκώνω, ταλαιπωρώ, πιέζω, (n) δίπλα, λινό.
pneumatic (adj) [νιουμάτικ] ανάλαφρος, ευάερος, εναέριος.
pneumonia (n) [νιουμόουνια] πνευμονία.
poacher (n) [πόατσσερ] λαθροκυνηγός, εκμεταλλευτής.
pocket (n) [πόκετ] τσέπη, σακκούλι (v) τσεπώνω, κλέβω.
pocky (adj) [πόκι] σημαδεμένος.

podgy (adj) [πό-ντζζι] κοντόχοντρος (n) κοντοστούμπης.
poem (n) [πόεμ] ποίημα.
poet (n) [πόετ] ποιητής.
poignant (adj) [πόιναντ] οξύς, δριμύς, έντονος, οδυνηρός.
point (n) [πόιν-τ] άκρη, στιγμή, έννοια, πόντος, θέμα, σημείο.
pointed (adj) [πόιν-τι-ντ] αιχμηρός, μυτερός, οξύς, σουβλερός.
poise (n) [πόιζ] ψυχραιμία.
poison (v) [πόιζον] δηλητηριάζω (n) δηλητήριο, φαρμάκι .
poke (v) [πόουκ] σκαλίζω.
polar (adj) [πόουλα] πολικός.
polarity (n) [πολάριτι] πόλωση.
pole (n) [πόουλ] κοντός, ιστός.
police (n) [πολίις] αστυνομία (v) αστυνομεύω.
police station (n) [πολίις στέισσον] τμήμα [αστυνομίας].
policeman (n) [πολίισμαν] αστυνομικός, μπάτσος.
policy (n) [πόλισι] πολιτική, τακτική, πονηριά.
polio (n) [πόουλιο] πολιομυελίτιδα.
polish (v) [πόλισς] γυαλίζω, (n) λειότητα.
polite (adj) [πολάιτ] ευγενής, ευγενικός, φιλόφρων.
political (adj) [πολίτικαλ] πολιτικός, δημόσιος, πολιτειακός.
pollen (n) [πόλεν] γύρη.
pollute (v) [πολιούτ] μολύνω.
polo (n) [πόουλοου] πόλο.
polygamist (n) [πολίγκαμιστ] πολύγαμος.
polygamous (adj) [πολίγκαμας] πολύγαμος, πολυγαμικός.
polyglot (n) [πόλιγκλοτ] πολύγλωσσος (adj) γλωσσομαθής.
polyp (n) [πόλιπ] πολύπους.
polyphony (n) [πολίφονι] πολυφωνία.
polysyllabic (adj) [πολισιλάμπικ] πολυσύλλαβος.
Polytechnic (n) [Πολιτέκνικ] πολυτεχνείο.
pomp (n) [πομ-π] επιδεικτικότητα.
pompom (n) [πομ-πομ] λοφίο.
pomposity (n) [πομπόσιτι] μεγαλοπρέπεια, στόμφος.
pompous (adj) [πόμ-πας] στομφώδης, αγέρωχος, μεγαλοπρεπής.
pontificate (v) [πον-τίφικεϊτ] αρχιερατεύω, χοροστατώ.
pontoon bridge (adj) [πον-τούν μπριντζζ] πλωτός (n) ζεύγμα.
pony (n) [πόουνι] πόνυ, αλογάκι.
pool (n) [πούοουλ] πισίνα.
poop (n) [πούουπ] πρύμνη.
poor (adj) [πούουρ] πτωχός.
pop up (v) [ποπ απ] ξεπροβάλλω.
Pope (n) [Πόουπ] πάπας.
popgun (n) [πόπγκαν] αερο-

βόλο.
popinjay (adj) [πόπι-ντζζέι] λιμοκοντόρος.
poplar (n) [πόπλερ] λεύκα.
poplin (n) [πόπλιν] ποπλίνα.
poppet (n) [πόπετ] κουκλίτσα.
poppy (n) [πόπι] παπαρούνα.
populace (n) [πόπιουλις] λαουτζίκος, όχλος, συρφετός.
popular (adj) [πόπιουλα] δημοφιλής, δημώδης, λαοφιλής.
populous (n) [πόπιουλας] πυκνοκατοικημένος.
porcelain (adj) [πόοσελιν] πορσελάνινος (n) πορσελάνη.
porch (n) [πόοτσς] βεράντα.
pore (n) [πόο] πόρος.
pork (n) [πόοκ] χοιρίδιο.
pornography (n) [ποονόγκραφι] πορνογραφία, αισχρότητα.
porous (adj) [πόορας] πορώδης.
port (n) [πόοτ] σκάλα, λιμάνι.
portable (adj) [πόοτα-μπλ] φορητός, κινητός.
portend (v) [ποοτέν-ντ] προμηνύω.
portent (n) [πόοτεν-τ] θαύμα.
portentous (adj) [ποοτέντας] εντυπωσιακός, σοβαρός.
porter (n) [πόοτερ] θυρωρός, πορτιέρης, αχθοφόρος, φορέας.
portfolio (n) [ποοτφόουλιο] χαρτοφυλάκιο [μεταφ].
porthole (n) [πόοτχοουλ] φινιστρίνι.
portico (n) [πόοτικοου] στοά.
portion (n) [πόοσσον] αναλογία, δόση, παρτίδα, μερίδα.
portionless (adj) [πόοσσονλες] άκληρος, άπροικος, άμοιρος.
portly (adj) [πόοτλι] ευτραφής.
portrayal (n) [ποοτρέιαλ] προσωπογραφία, περιγραφή.
pose (n) [πόουζ] πόζα, στάση (v) ποζάρω, υποκρίνομαι.
poseur (n) [πόουζα] φιγουρατζής.
posh (adj) [ποος] κομψός.
position (n) [ποζίσσον] τόπος.
positive (adj) [πόζιτιβ] κατηγορηματικός, συγκεκριμένος.
possess (v) [ποζές] κυριαρχώ.
possessed (adj) [ποζέσ-ντ] δαιμονισμένος [μεταφ].
possessive (adj) [ποζέσιβ] κτητικός, ζηλότυπος, ατομιστής.
possibility (n) [ποσι-μπίλιτι] δυνατότητα, ενδεχόμενο.
post (n) [πόουστ] ταχυδρομείο, κοντός (v) ενημερώνω, τάσσω.
poster (n) [πόουστερ] αφίσα.
posterior (adj) [ποστίιριορ] μεταγενέστερος, οπίσθιος, πισινός.
postpone (v) [ποουσπόουν] αναβάλλω.
postscript (n) [πόουστοκρίπτ] υστερόγραφο.
postulate (n) [πόστιουλετ] αξίωμα.

pot (n) [ποτ] βάζο, δοχείο.
potato (n) [ποτέιτοου] πατάτα.
potency (n) [πόουτενσι] ισχύς.
potentate (n) [πόουτεν-τεϊτ] άρχοντας, ηγεμόνας, δυνάστης.
potential (adj) [ποτένσσαλ] ενδεχόμενος (n) δυναμικό.
pothead (n) [πότχε-ντ] χασικλής.
pothole (n) [πότχοουλ] λακκούβα.
pottery (n) [πότερι] κεραμική.
potty (adj) [πότι] ανισόρροπος.
pouch (n) [πάουτσ] πουγγί.
poultice (n) [πόουλτις] κατάπλασμα.
poultry farm (n) [πόουλτρι φάαμ] ορνιθοτροφείο.
pounce upon (v) [πάουνς απόν] εφορμώ, μουντάρω.
pound (n) [πάουν-ντ] λίτρο, λίμπρα (v) γροθοκοπώ.
pound sterling (n) [πάουν-ντ στέρλινγκ] στερλίνα.
pour (v) [πόο] χύνω, τρέχω.
powder (n) [πάου-ντερ] σκονάκι, σκόνη (v) πουδράρω.
power (n) [πάουερ] δύναμη.
powerful (adj) [πάουερφούλ] δυνατός, κραταιός, τρανός.
powerless (adj) [πάουερλες] ανίσχυρος.
practical joke (n) [πράκτικαλ ντζζόουκ] φάρσα, κασκαρίκα.
practice (n) [πράκτις] πρακτική, τριβή (v) ασκούμαι, ασκώ.
praetorian (n) [πρετόριαν] πραιτωριανός.
pragmatism (n) [πράγκματισμ] πραγματισμός.
praise (v) [πρέιζ] επαινώ, υμνώ (n) εγκώμιο, έπαινος.
praiseworthy (adj) [πρέιζγουέρδι] αξιέπαινος.
praising (n) [πρέιζινγκ] υμνολογία.
pram (n) [πραμ] καροτσάκι.
prang (n) [πρανγκ] κατόρθωμα.
prank (n) [πρανκ] διαβολιά (v) διακοσμώ, στολίζω.
prate (v) [πρέιτ] φλυαρώ.
prattle (n) [πρατλ] πάρλα, φλυαρία (v) παρλάρω.
prawn (n) [πρόον] γαρίδα.
pray (v) [πρέι] προσεύχομαι.
prayer (n) [πρέα(ρ)] δέηση.
preach (v) [πρίιτσ] κηρύσσω.
preamble (n) [πριιάμ-μπλ] πρόλογος, προοίμιο, εισαγωγή.
precarious (adj) [πρικέαριας] αβέβαιος, αμφίβολος, ασταθής.
precaution (n) [πρικόοσσον] πρόνοια, προσοχή, προφύλαξη.
precede (v) [πρισίι-ντ] προηγούμαι.
preceding (adj) [πρισίι-ντινγκ] προηγούμενος, προγενέστερος.
precept (n) [πρισέπτ] αρχή, δίδαγμα, ένταλμα, εντολή.
preceptor (n) [πρισέπτο] δά-

σκαλος, παιδαγωγός.
precipice (n) [πρέσιπις] απότομος, κατακόρυφος, γκρεμός.
precipitous (adj) [πρεσίπιτας] απότομος, κρημνώδης.
precis (n) [πρέισιι] περίληψη, σύνοψη, επιτομή.
precise (adj) [πρισάις] πιστός.
preciseness (n) [πρισάισνες] ευστοχία, ορθότητα, πιστότητα.
precisian (n) [πρισίζζαν] τυπολάτρης.
precision (n) [πρισίζζαν] ακρίβεια.
precocious (adj) [πρικόουσσες] πρώιμος [για φυτά], πρόωρος.
precursor (n) [πρικέρσορ] προγενέστερος, πρόδρομος.
predatory (adj) [πρι-ντάτρι] αρπακτικός [ζώο], ληστρικός.
predecessor (n) [πριι-ντισέσορ] προκάτοχος.
predict (v) [πρι-ντίκτ] προαγγέλλω, προλέγω, προφητεύω.
predilection (n) [πριι-ντιλέκσσον] προτίμηση.
predominate (v) [πρι-ντόμινεϊτ] κυριαρχώ, επικρατώ, προέχω.
preface (n) [πρέφις] εισαγωγή, πρόλογος (v) προλογίζω.
prefecture (n) [πριφέκτσσερ] νομός, νομαρχία, διοικητήριο.
prefer (v) [πριφέρ] προτιμώ.
prefix (n) [πρίιφιξ] πρόθεμα, πρόθεση [γραμμ] (v) προτάσσω.
pregnancy (n) [πρέγκνανσι] κυοφορία, εγκυμοσύνη, κύηση.
prehistorical (adj) [πριχιστόρικαλ] προϊστορικός.
prejudice (n) [πρέντζζου-ντις] προκατάληψη (v) προδιαθέτω.
prelacy (n) [πρέλασι] ιεραρχία.
prelate (n) [πρέλιτ] αρχιερέας.
premarital (adj) [πριμάριταλ] προγαμιαίος.
premature (adj) [πριματσούουρ] πρόωρος, πρώιμος.
premeditated (adj) [πριμέ-ντιτέιτεντ] προμελετημένος.
premier (n) [πρέμιερ] πρωθυπουργός.
premium (adj) [πρίμιαμ] λαχειοφόρος (v) πριμοδοτώ.
premonition (n) [πριμονίσσον] προμήνυμα, προειδοποίηση.
preoccupied (adj) [πριιόκιουπαϊντ] συλλογισμένος.
prep school (n) [πρεπ σκουλ] φροντιστήριο.
preparation (n) [πρεπαρέισσον] ετοιμασία, κατάρτιση.
preparatory (adj) [πρεπάρατερι] προκαταρκτικός.
prepare (v) [πριπέα] ετοιμάζομαι.
prepayment (n) [πριπέιμεν-τ] προπληρωμή, προκαταβολή.
presage (n) [πρέσιντζζ] προμήνυμα (v) προμηνύω.
presbyopia (n) [πρεζ-μπιόου-

πια] πρεσβυωπία.
prescription (n) [πρισκρίπσσον] εντολή, παραγγελία.
present (v) [πριζέν-τ] δίδω, απονέμω, συστήνω, εμφανίζω.
present (adj) [πρέζεν-τ] παρών (n) πεσκέσι, δώρο, δωρεά.
presentation (n) [πρεζεν-τέισσον] εμφάνιση, επίδοση.
presentiment (n) [πριζέν-τιμεν-τ] προαίσθηση, προαίσθημα.
preservable (adj) [πριζέρβαμπλ] διατηρητέος.
preservation (n) [πρεζαβέισσον] διαφύλαξη, διάσωση.
preserve (v) [πριζέρβ] διασώζω (n) κονσέρβα.
preserving (adj) [πριζέρβινγκ] συντηρητικός.
presidency (n) [πρέζι-ντενσι] προεδρία, θητεία προέδρου.
president (n) [πρέζι-ντεν-τ] πρόεδρος, διευθυντής.
press (adj) [πρες] δημοσιογραφικός (n) πίεση, εκτύπωση (v) ζουλώ.
presscutting (n) [πρέσκάτινγκ] απόκομμα [κομμάτι].
pressing (adj) [πρέσινγκ] επείγων (n) σιδέρωμα, στύψιμο.
pressure (n) [πρέσσερ] πίεση, σφίξιμο (v) πρεσάρω.
prestige (n) [πρεστίιζζ] κύρος, αίγλη, γόητρο.
presume (v) [πριζιούμ] υποθέτω.
presume upon (v) [πριζιούμ απόν] καταχρώμαι, αποτολμώ.
presumption (n) [πριζάμ-σσον] υπόθεση, αυθάδεια, τόλμη.
pretence (n) [πριτένς] υπόκριση, πρόσχημα, αξίωση.
pretended (adj) [πριτέν-ντι-ντ] προσποιητός, ψεύτικος.
pretension (n) [πριτένσσον] διεκδίκηση, φιλοδοξία.
pretentious (adj) [πριτένσσας] φαντασμένος, φιλόδοξος.
prettiness (n) [πρίτινες] ωραιότητα, ομορφιά, νοστιμάδα.
pretty (adj) [πρίτι] χαριτωμένος, ευχάριστος, λεπτός.
prevail (v) [πριβέιλ] επικρατώ.
prevalent (adj) [πρέβαλεν-τ] διαδεδομένος, επικρατέστερος.
preventive (adj) [πριβέν-τιβ] προληπτικός, προφυλακτικός.
previous (adj) [πρίιβιας] προγενέστερος, προηγούμενος.
prewar (adj) [πριιουό(ρ)] προπολεμικός.
prey (n) [πρέι] θύμα, λεία.
price (n) [πράις] αξία, τιμή, κόστος (v) τιμολογώ, τιμώμαι.
priceless (adj) [πράισλες] ανεκτίμητος, αμίμητος, πολύτιμος.
prick (v) [πρικ] τρυπώ, τσιγκλώ (n) νύξη, κέντημα, πέος.
pride (n) [πράι-ντ] υπερηφάνεια, φιλοτιμία.

priest (n) [πρίιστ] ιερέας.
prig (n) [πριγκ] ηθικολόγος.
prim (adj) [πριμ] κόσμιος.
primary (adj) [πράιμαρι] δημοδιδάσκαλος, βασικός.
prime (adj) [πράιμ] αρχικός, πρωταρχικός, αρχέγονος.
Prime Minister (n) [πράιμ μίνιστερ] πρωθυπουργός.
primer (n) [πράιμερ] αναγνωστικό, εισαγωγή, αλφαβητάρι.
primeval (adj) [πράιμίιβαλ] αρχέγονος, πρωτόγονος.
prince (n) [πρινς] ηγεμόνας.
princess (n) [πρίνσες] πριγκίπισσα.
principal (adj) [πρίνσιπαλ] προϊστάμενος (n) διευθυντής.
principle (n) [πρίνσιπλ] νόμος.
print (n) [πριν-τ] τύπος (v) τυπώνω, εκδίδω.
printing (adj) [πρίν-τινγκ] τυπογραφικός (n) εκτύπωση.
prior to (pr) [πράια του] πριν.
priority (n) [πραϊόριτι] προτίμηση.
prism (n) [πριζμ] πρίσμα.
prismatic (adj) [πριζμάτικ] πρισματικός, διαθλαστικός.
prison (n) [πρίζον] φυλακή.
prison warden (n) [πρίζον ουόοντεν] δεσμοφύλακας.
privacy (n) [πράιβασι] μόνωση.
private (adj) [πράιβετ] ιδιαίτερος, ιδιωτικός (n) στρατιώτης.
privileged (adj) [πρίβιλιντζζ-ντ] προνομιούχος.
privy (n) [πρίβι] αποχωρητήριο, ο έχων νόμιμο δικαίωμα.
prize (n) [πράιζ] λαχνός.
probably (adv) [πρό-μπα-μπλι] πιθανώς, ίσως.
probe (n) [πρόου-μπ] καθετήρας (v) εξετάζω.
problem (n) [πρό-μπλεμ] πρόβλημα, ερώτημα [μεταφ].
proboscis (n) [πρα-μπόουσις] προβοσκίδα [εντόμου].
procedure (n) [προσίι-ντζζερ] διαδικασία, δικονομία.
proceed (v) [προσίι-ντ] προχωρώ, ενεργώ, μεταβαίνω.
proceedings (n) [προσίι-ντινγκς] μέτρα, πεπραγμένα.
process (n) [πρόουσες] μέθοδος, (v) επεξεργάζομαι.
procession (n) [προσέσσον] παρέλαση, πομπή, συνοδεία.
proclamation (n) [προκλαμέισσον] δημοσίευση, προκήρυξη.
procure (v) [προκιούα] προμηθεύω, εξασφαλίζω, ευρίσκω.
procurer (n) [προκιούρα(ρ)] μαστροπός [ο].
prodigal (adj) [πρό-ντιγκαλ] άσωτος.
prodigy (n) [πρό-ντιντζζι] θαύμα, τέρας, σημείο, μεγαλοφυΐα.
produce (n) [πρό-ντιους] απόδοση, προϊόν, καρπός, εσοδεία

(v) [προ-ντιούς] παρουσιάζω, δίδω, παράγω, βγάζω.
product (n) [πρό-ντακτ] εξαγόμενο, προϊόν, γέννημα.
production (n) [προ-ντάκσσον] παραγωγή, δημιουργία.
profane (adj) [προφέιν] μιαρός (v) βεβηλώνω, μιαίνω.
profess (v) [προφές] επαγγέλλομαι, πρεσβεύω, διακηρύσσω.
professed (adj) [πρόφεστ] δεδηλωμένος, κηρυγμένος.
profession (n) [προφέσσον] τέχνη, επάγγελμα.
professor (n) [προφέσο(ρ)] καθηγητής, καθηγήτρια.
proficiency (n) [προφίσσιενσι] ικανότητα, δοκιμότητα.
proficient (adj) [προφίσσεντ-τ] προοδευτικός.
profile (n) [πρόουφαϊλ] προφίλ.
profit (n) [πρόφιτ] κέρδος, απολαβή, ωφέλεια (v) κερδίζω.
profligate (adj) [πρόφλιγκεϊτ] ανήθικος, έκλυτος.
profound (adj) [προφάουν-ντ] περισπούδαστος, βαθύς.
profusion (n) [προφιούζζιον] αφθονία, συρροή, πλησμονή.
progenitor (n) [προουντζζένιτα] γεννήτορας, πρόγονος.
progeny (n) [πρόντζζενι] φάρα.
prognosis (n) [προγκνόουσις] πρόγνωση, πρόβλεψη.
programme (adj) [πρόουγκραμ] προγραμματικός (v) προγραμματίζω (n) πρόγραμμα.
progress (v) [προγκρές] διεισδύω, προάγω, προχωρώ (n) [πρόουγκρες] πρόοδος, εξέλιξη.
prohibit (v) [προουχί-μπιτ] απαγορεύω, εμποδίζω.
project (v) [προντζζέκτ] εξέχω.
projection (n) [προντζζέκσον] προεξοχή, βολή, ρίψη.
projector (n) [προντζζέκτορ] προβολέας, ιδρυτής.
proletarian (adj) [προουλιτέαριαν] προλεταριακός.
prologue (n) [πρόουλογκ] πρόλογος, προοίμιο.
promenade (n) [προμενάα-ντ] περίπατος, (v) περιπατώ.
prominent (adj) [πρόμινεν-τ] προεξέχων, έντονος, πεταχτός.
promiscuous (adj) [προμίσκιουας] ασύδοτος, πολυγαμικός.
promise (n) [πρόμις] υπόσχεση, τάμα (v) τάζω, υπόσχομαι.
promising (adj) [πρόμισινγκ] ελπιδοφόρος, ενθαρρυντικός.
promissory (adj) [προμίσορι] υποσχετικός.
promontory (n) [πρόμον-τρι] ακρωτήριο.
promote (v) [προμόουτ] προβιβάζω, προάγω, αναδεικνύω.
promoter (n) [προμόουτερ] μοχλός.

promotion (n) [προμόουσσον] προαγωγή, προβολή.
prompt (adj) [προμ-πτ] ταχύς, γρήγορος, πρόθυμος.
prompter (n) [πρόμ-πτερ] υποβολέας, υποκινητής.
promptitude (n) [πρόμ-πτιτιου-ντ] προθυμία, ταχύτητα.
promptly (adv) [πρόμ-πτλι] αμελητί, παρευθύς, γρήγορα.
promulgation (n) [προμαλγκέισσον] δημοσίευση [νόμου].
prone (adj) [πρόουν] μπρούμυτα.
proneness (n) [πρόουνες] τάση.
pronoun (n) [πρόναουν] αντωνυμία.
pronounce (v) [προνάουνς] αποφαίνομαι, γνωματεύω.
pronunciation (n) [προνανσιέισσον] προφορά.
proof (n) [προύουφ] απόδειξη.
proofreader (n) [προύουφρίιντερ] διορθωτής.
prop (n) [προπ] στήριγμα, υποστήριγμα (v) στηρίζω.
propaganda (adj) [προπαγκάντα] προπαγανδιστικός.
propagate (v) [πρόπαγκεϊτ] αναπαράγω, πολλαπλασιάζω.
propagation (n) [προπαγκέισσον] πολλαπλασιασμός.
proper (adj) [πρόπερ] αρμόζων, ορθός, έμπειρος, ικανός.
propertied (adj) [πρόπερτι-ντ] εύπορος, ευκατάστατος.
property (adj) [πρόπερτι] ακίνητος (n) κτήμα, ποιόν, βιός.
prophecy (n) [πρόφεσι] προφητεία (v) προμαντεύω.
propitious (adj) [προπίσσας] ευμενής, ευνοϊκός, αρμόδιος.
proportion (n) [προπόοσσον] αναλογία, συμμετρία, λόγος.
proposal (n) [προπόουζαλ] προσφορά, πρόταση.
propose (v) [προπόουζ] εισηγούμαι, προτείνω.
proprietor (n) [προπράιετορ] ιδιοκτήτης, κτηματίας, κύριος.
propriety (n) [προπράιετι] ευπρέπεια, ορθότητα.
propulsive (adj) [προπάλσιβ] προωθητικός.
propylaea (n) [προπίλια] προπύλαια.
proscribe (v) [προσκράι-μπ] απαγορεύω, διώκω, εξορίζω.
proscription (n) [προσκρίπσσον] αποκήρυξη, προγραφή.
prose (n) [πρόουζ] πεζογραφία.
prospect (n) [πρόσπεκτ] προσδοκία, ελπίδα, πιθανότητα.
prospective (adj) [προσπέκτιβ] μελλοντικός, πιθανός.
prospector (n) [προσπέκτορ] χρυσοθήρας.
prospectus (n) [πρασπέκτας] προσπέκτους.
prosperity (n) [προσπέριτι] ευ-

δαιμονία, ευεξία, ευημερία.
prostitute (n) [πρόστιτιουτ] πόρνη (v) εκπορνεύω.
prostration (n) [προστρέισσον] προσκύνηση, εξάντληση.
protagonist (n) [προτάγκονιστ] πρωταγωνιστής.
protection (n) [προτέκσσον] προάσπιση, προστασία, σκέπη.
protector (n) [προτέκτορ] πρόμαχος, υπερασπιστής.
protein (n) [πρόουτίιν] πρωτεΐνη.
protest (n) [προύτεστ] διαμαρτυρία.
Protestant (n) [Πρότεσταν-τ] Προτεστάντης.
protestation (n) [προτεστέισσον] κατακραυγή, διακήρυξη.
protocol (n) [πρόουτοκολ] πρωτόκολλο, εθιμοτυπία.
protogenic (adj) [προουτοντζζένικ] πρωτογενής.
protract (v) [προτράκτ] παρατείνω, επιμηκύνω, διαιωνίζω.
protrude (v) [προτρούου-ντ] προεξέχω, εξέχω, προεκβάλλω.
proud (adj) [πράου-ντ] αλαζών, υπερόπτης, φαντασμένος.
prove (v) [προυβ] αποδεικνύω.
proverbial (adj) [προβέρ-μπιαλ] παροιμιακός, παροιμιώδης.
provide (v) [προβάι-ντ] εφοδιάζω, προμηθεύω, προσπορίζω.
provided (conj) [προβάι-ντι-ντ] εφόσον, υπό τον όρο ότι.
provident (adj) [πρόβι-ντεν-τ] προνοητικός.
provider (n) [προβάι-ντα(ρ)] κουβαλητής, προμηθευτής.
province (n) [πρόβινς] αρμοδιότητα, δικαιοδοσία.
provision (n) [προβίζζον] προμήθεια, ρήτρα (v) τροφοδοτώ.
provisions (n) [προβίζζονζ] παρακαταθήκη, τρόφιμα.
provocation (n) [πρόβοκέισσον] προβοκάτσια, πρόκληση.
provoking (adj) [προβόουκινγκ] προκλητικός.
prow (n) [πρόου] πλώρη.
prowess (n) [πράουες] θάρρος.
proximity (n) [προξίμιτι] εγγύτητα.
proxy (adj) [πρόξι] πληρεξούσιος.
prude (n) [προύου-ντ] χαμηλοβλεπούσα.
prudence (n) [προύου-ντενς] περίσκεψη, σύνεση, φρόνηση.
prudent (adj) [προύου-ντεν-τ] συνετός, σώφρονας, γνωστικός.
prune (v) [προύουν] κλαδεύω (n) δαμάσκηνο [ξηρό].
pry (about) (v) [πράι [α-μπάουτ]] πασπατεύω.
psalm (n) [σάαμ] ψαλμός.
psalter (n) [σόολτερ] ψαλτήριο.
psychiatric (adj) [σαϊκιάτρικ] ψυχιατρικός.

pub (n) [πα-μπ] μπυραρία.
puberty (n) [πιού-μπατι] εφηβεία.
public (adj) [πά-μπλικ] δημόσιος (n) κοινό.
public finance (n) [πά-μπλικ φάινανς] δημοσιονομία.
publican (n) [πά-μπλικαν] ταβερνιάρης.
publication (n) [πα-μπλικέισσον] δημοσίευση, έκδοση.
publicize (v) [πά-μπλισαϊζ] κοινολογώ.
publish (v) [πά-μπλισς] δημοσιεύω, εκδίδω, τυπώνω.
publisher (n) [πά-μπλισσερ] εκδότης.
pudding (n) [πού-ντινγκ] πουτίγκα.
puddle (n) [πα-ντλ] λακκούβα.
puerile (adj) [πιούεραϊλ] παιδαριώδης.
puff (n) [παφ] ρουφηξιά [καπνού] (v) ασθμαίνω, ξεφυσώ.
puffy (adj) [πάφι] λαχανιασμένος.
pugilism (n) [πιούντζζιλιζμ] πυγμαχία.
puke (n) [πιούκ] ξέρασμα.
pull (n) [πουλ] ολκή, τραβηξιά (v) ελκύω, έλκω, ρυμουλκώ.
pulley (n) [πούλι] τροχαλία.
pulling (n) [πούλινγκ] έλξη.
pulp (v) [παλπ] λιώνω [πολτοποιώ], πολτοποιώ (n) λιώμα.
pulpit (n) [πάλπιτ] άμβωνας.
pulpy (adj) [πάλπι] σαρκώδης.
pulsate (v) [παλσέιτ] πάλλομαι.
pulse (n) [παλς] σφυγμός.
pulverisation (n) [παλβεραϊζέισσον] κονιορτοποίηση.
pumice (n) [πάμις] αλαφρόπετρα.
pump (n) [παμ-π] αντλία, τρόμπα (v) αντλώ, ξεψαχνίζω.
pumpkin (n) [πάμ-πκιν] κολοκύθα.
pun (n) [παν] καλαμπούρι.
punch (n) [παν-τσς] τρυπητήρι, μπουνιά (v) γρονθοκοπώ.
punctual (adj) [πάνκτσσουαλ] ακριβής, συνεπής.
puncture (n) [πάνκτσσα(ρ)] παρακέντηση (v) ξεφουσκώνω.
pundit (n) [πάν-ντιτ] αυθεντία.
pungency (n) [πάν-ντζζενσι] σπιρτάδα.
punish (v) [πάνισ] τιμωρώ.
punishable (adj) [πάνισσα-μπλ] αξιόποινος, κολάσιμος.
punk (n) [πάνκ] πανκ, άχρηστος.
punster (n) [πάνστερ] καλαμπουρτζής.
punt (v) [παν-τ] στοιχηματίζω (n) βαρκα.
puny (adj) [πιούνι] σπιθαμιαίος.
pupil (n) [πιούπιλ] κόρη [οφθαλμού], μαθήτρια, μαθητής.

puppet (n) [πάπετ] μαριονέτα.
puppy (n) [πάπι] κουτάβι.
purchase (n) [πέρτσσες] ψώνιο, αγορά (v) αγοράζω.
pure (adj) [πιούα(ρ)] ανόθευτος.
puree (n) [πιούρεϊ] πολτός.
purgative (n) [πέργκατιβ] καθάρσιο, καθαρτικό.
purge (n) [περντζζ] καθαρτικό (v) εξαγνίζω, απαλλάσσω.
puritan (n) [πιούριταν] πουριτανός.
purity (n) [πιούριτι] καθαρότητα.
purl (v) [περλ] κελαρύζω.
purloin (v) [περλόιν] υπεξαιρώ.
purple (adj) [περπλ] κατακόκκινος (n) πορφύρα, μωβ χρώμα.
purported (adj) [περπόοτι-ντ] θεωρούμενος.
purpose (n) [πέρπας] πρόθεση.
purposely (adv) [πέρποσλι] επίτηδες, οικειοθελώς [κάνω κάτι].
purr (v) [περ] γουργουρίζω.
purse (n) [περς] μπεζαχτάς.
purser (n) [πέρσερ] λογιστής.
purslane (n) [πέρσλιν] αντράκλα.
pursuance (n) [περσούανς] εκτέλεση [σχεδίου], συνέχιση.
pursue (v) [περσιού] διώκω, καταζητώ (n) αναζήτηση.
purveyor (n) [περβέιορ] προμηθευτής, τροφοδότης.
purview (n) [περβιού] διατακτικό.
pus (n) [πας] έμπυο, πύον.
push (n) [πουσ] ενεργητικότητα, ώθηση (v) σκουντώ, ωθώ.
push aside (v) [πουσς ασάιν-ντ] μεριάζω.
pushcart (n) [πούσσκάατ] χειράμαξα.
pushful (adj) [πούσσφουλ] πιεστικός, επιθετικός.
puss (n) [πους] γάτα, κορίτσι.
pussy (n) [πούσι] ψιψίνα.
put (v) [πουτ] θέτω, τάσσω.
put aside (v) [πουτ ασάι-ντ] αποταμιεύω.
put off (v) [πουτ οφ] αναβάλλω.
put up (v) [πουτ απ] ανεγείρω, στήνω, ανοίγω.
putting (n) [πούτινγκ] τοποθέτηση.
putting right (n) [πούτινγκ ράιτ] διόρθωση.
putty (n) [πάτι] στόκος.
puzzle (n) [παζλ] σπαζοκεφαλιά.
puzzled (adj) [παζλ-ντ] απορημένος.
Pygmy (n) [Πίγκμι] Πυγμαίος (adj) σπιθαμιαίος.
pyramid (n) [πίραμι-ντ] πυραμίδα.
pyrites (n) [πιράιτιιζ] πυρίτης.

Q

Q, q [κιού] το δέκατο έβδομο γράμμα του αγγλικού αλφαβήτου.
quack (n) [κουάκ] αγύρτης, αλμπάνης, κομπογιαννίτης.
quackery (n) [κουάκερι] αγυρτεία, κομπογιαννιτισμός.
quadrangle (n) [κουό-ντρανγκλ] τετράγωνο, τετράπλευρο.
quadruped (n) [κουο-ντρούουπ-τ] τετράποδο [ζωολ].
quag (n) [κουάγκ] βάλτος.
quaggy (adj) [κουάγκι] βαλτώδης, μαλακός, πλαδαρός.
quail (v) [κουέιλ] δειλιάζω.
quail (n) [κουέιλ] ορτύκι.
quaint (adj) [κουέιν-τ] παράξενος, ασυνήθιστος, αλλόκοτος.
quake (v) [κουέικ] τρέμω, ριγώ.
qualification (n) [κουολιφικέισσον] προσόν, τίτλος.
qualified (adj) [κουόλιφαϊ-ντ] κατάλληλος, έμπειρος, ικανός.
qualify (v) [κουόλιφαϊ] χαρακτηρίζω, εξουσιοδοτώ, περιορίζω.
qualify for (v) [κουόλιφαϊ φοο] δικαιούμαι.
qualitative (adj) [κούολιτατιβ] ποιοτικός.
quality (adj) [κουόλιτι] εξαίρετος (n) προτέρημα, προσόν, αρετή.
qualm (n) [κουάαμ] ενδοιασμός, δισταγμός, ανησυχία.
quandary (n) [κουόνταρι] αμηχανία, δίλημμα, απορία.
quantity (n) [κουόντιτι] ποσότητα, μέγεθος [μαθ].
quarantine (n) [κουόραν-τιιν] απομόνωση [υγεία], κάθαρση.
quarrel (n) [κουόρελ] διαμάχη, επεισόδιο [καβγάς], έριδα (v) διαπληκτίζομαι, συμπλέκομαι.
quarrelling (n) [κουόρελινγκ] μάλωμα, τσάκωμα.
quarry (n) [κουόρι] θήραμα [κυνήγι], λατομείο, νταμάρι.
quarter (n) [κουόοτα(ρ)] τέταρτο, τριμηνία, συνοικία, μαχαλάς.
quarterdeck (n) [κουόοτερντεκ] καρέ [πολ ναυτ].
quarterly (adj) [κουόοταλι] τριμηνιαίος, τρίμηνος.
quartermaster (n) [κουόορταμάαστερ] σιτιστής.
quartz (n) [κουόοτς] χαλαζίας.
quash (v) [κουόσς] καταργώ.
quaternary (adj) [κουοτάρνερι] τετραδικός, τετραμερής.
quaver (n) [κουέιβερ] τρεμούλα (v) τρέμω, πάλλω [επί φωνής].
quay (n) [κιι] αποβάθρα.
queen (n) [κουίιν] ντάμα [στα χαρτιά], τοιούτος [αργκό].

queer (adj) [κουίιρ] αλλόκοτος, παράξενος, περίεργος, εκκεντρικός (n) αδελφή [αργκό].
quell (v) [κουέλ] καταστέλλω.
quench (v) [κουέν-τσς] σβήνω, ικανοποιώ, κατευνάζω.
quenching (n) [κουέν-τσσιινγκ] κατάσβεση [δίψας].
querist (n) [κουίιριστ] εξεταστής.
querulous (adj) [κουέριουουλας] μεμψίμοιρος, γκρινιάρης.
query (n) [κουέρι] ερώτηση, επερώτηση, αμφιβολία, απορία.
quest (n) [κουέστ] αναζήτηση.
question (n) [κουέστσσον] ζήτημα, επερώτηση, ερώτηση, αμφιβολία (v) ερωτώ, ανακρίνω.
questionable (adj) [κουέστσσοναμπλ] συζητήσιμος.
questioning (adj) [κουέστσσονινγκ] ερευνητικός.
queue (n) [κιού] ουρά (v) περιμένω στην ουρά, σχηματίζω.
quibble (n) [κουί-μπλ] υπεκφυγή, σοφιστεία, λογοπαίγνιο.
quick (adj) [κουίκ] αστραπιαίος, γρήγορος, ταχύς, γοργός.
quicken (v) [κουίκεν] επιταχύνω, επισπεύδω, ζωηρεύω.
quickly (adv) [κουίκλι] γρήγορα.
quickness of mind (n) [κουίκνες οβ μάιν-ντ] αντίληψη.
quicksilver (n) [κουίκσίλβερ] υδράργυρος.
quiescence (n) [κουι-έσενς] ηρεμία, αταραξία, εφησύχαση.
quiet (adj) [κουάιετ] ήρεμος, γαλήνιος, ειρηνικός, φρόνιμος, διακριτικός [χρώμα], φιλήσυχος (n) γαλήνη, ησυχία.
quiff (n) [κουίφ] αφέλεια.
quilt (v) [κουίλτ] καπιτονάρω.
quince (n) [κουίνς] κυδώνι.
quinine (n) [κούινιιν] κινίνο.
quintessence (n) [κουιν-τέσενς] πεμπτουσία, απόσταγμα.
quip (v) [κουίπ] ευφυολογώ (n) ευφυολόγημα.
quisling (adj) [κουίσλινγκ] δοσίλογος.
quit (v) [κουίτ] εγκαταλείπω.
quite (adv) [κουάιτ] ολωσδιόλου.
quits (n) [κουίτς] πάτσι.
quittance (n) [κουίτανς] εξόφληση, αποζημίωση.
quiver (n) [κουίβα(ρ)] τρεμούλα, ανατριχίλα (v) σπαράζω.
quota (n) [κουόουτα] μερίδα.
quotability (n) [κουοουτα-μπίλιτι] αξιομνημόνευτο.
quotation (n) [κουοουτέισσον] χωρίο, απόσπασμα, περικοπή.
quote (v) [κουόουτ] αναφέρω.
quotidian (adj) [κουοουτίντιαν] καθημερινός (n) πυρετός.
quotient (n) [κουόουσσεν-τ] πηλίκο.

R

R, r (n) [αρ] το δέκατο όγδοο γράμμα του αγγλικού αλφαβήτου.
rabbet (n) [ράμπιτ] αυλάκι, αρμός.
rabbi (n) [ρά-μπαϊ] ραβίνος.
rabbit (n) [ρά-μπιτ] κουνέλι, φοβιτσιάρης, ατζαμής.
rabble (n) [ρα-μπλ] λαουτζίκος.
rabies (n) [ρέι-μπιζ] λύσσα.
race (n) [ρέις] κούρσα, δρόμος (v) μαρσάρω, τρέχω.
races (n) [ρέισις] ιπποδρομίες.
racetrack (n) [ρέιστράκ] στίβος.
racist (n) [ρέισιστ] ρατσιστής.
rack (n) [ρακ] σχάρα, καλαμωτή (v) βασανίζω [το μυαλό].
rack up (v) [ρακ απ] διεξάγω.
racket (n) [ράκετ] ρακέτα.
racking (adj) [ράκινγκ] βασανιστικός.
radar (n) [ρέι-νταα(ρ)] ραντάρ.
radiant (adj) [ρέι-ντιαν-τ] ακτινοβόλος (n) φεγγοβόλος.
radiator (n) [ρεϊ-ντιέιτο(ρ)] ακτινοπομπός, καλοριφέρ.
radical (adj) [ρά-ντικαλ] ριζικός (n) ριζοσπάστης.
radicalism (n) [ράντικαλιζμ] ριζοσπαστισμός, ραντικαλισμός.
radio (adj) [ρέι-ντιοου] ραδιοφωνικός (n) ραδιόφωνο.
radio station (n) [ρέι-ντιοου στέισσσον] ραδιοσταθμός.
radioactive (adj) [ρεϊ-ντιοουάκτιβ] ραδιενεργός, ακτινεργός.
radioactivity (n) [ρεϊ-ντιοουακτίβιτι] ραδιενέργεια.
radiograph (n) [ρέι-ντιοουγκρααφ] ακτινογραφία.
radium (n) [ρέι-ντιαμ] ράδιο.
radius (n) [ρέι-ντιας] ακτίνα.
raffish (adj) [ράφισσ] έκλυτος.
raffle (n) [ραφλ] λαχείο.
raft (n) [ράαφτ] σχεδία.
rafter (n) [ράαφτερ] δοκάρι.
rag (n) [ραγκ] υπόλειμμα.
ragamuffin (adj) [ράγκαμάφιν] ρακένδυτος, ψωριάρης.
rage (n) [ρέιντζζ] μανία, θυμός (v) λυσσάω.
ragged (adj) [ράγκι-ντ] ατημέλητος, τραχύς, ανώμαλος.
raging (adj) [ρέιντζζινγκ] παρoργισμένος, εξαγριωμένος.
ragman (n) [ράγκμάν] ρακοσυλλέκτης.
ragout (n) [ραγκού] ραγού.
raid (v) [ρέι-ντ] κουρσεύω (n) επιδρομή, καταδρομή, εισβολή.
rail (n) [ρέιλ] ράβδος.
railings (n) [ρέιλινγκζ] κάγκελο.
raillery (n) [ρέιλερι] πείραγμα.
railway (n) [ρέιλουεϊ] σιδηρό-

δρομος, τροχιόδρομος.
rain (n) [ρέιν] βροχή (v) βρέχω.
rainbow (n) [ρέιν-μποου] ίριδα.
raincoat (n) [ρέινκοουτ] αδιάβροχο.
rainwater (n) [ρέινουοτα(ρ)] βροχή, βροχόνερο.
rainy (adj) [ρέινι] βροχερός.
raise (v) [ρέιζ] αίρω, ανεβάζω, ανυψώνω, στήνω, βγάζω.
raisin (n) [ρέιζαν] σταφίδα.
raj (n) [ράαντζζ] εξουσία.
rake (n) [ρέικ] τσουγκράνα, γυναικάς, παραλυμένος (v) σαρώνω.
rakish (adj) [ρέικισς] ακόλαστος, διεφθαρμένος, έκλυτος.
rally (n) [ράλι] αυτοκινητοδρομία, κινητοποίηση, συναγερμός (v) συναγείρω, ανασυγκροτώ.
ram (v) [ραμ] κριός, έμβολο.
ramble (n) [ραμ-μπλ] περιπλάνηση (v) πλανώμαι.
ramify (v) [ράμιφαϊ] υποδιαιρούμαι, περιπλέκομαι.
ramp (n) [ράμ-π] ράμπα.
rampage (n) [ραμ-πέιντζζ] θορυβώδης, νεύρα (v) λυσσώ.
rampant (adj) [ράμ-παν-τ] άγριος, ασυγκράτητος, βίαιος.
rampart (n) [ράμ-πααt] έπαλξη.
ranch (n) [ράαν-τσς] τσιφλίκι.
rancid (adj) [ράνσι-ντ] μπαγιάτικος.
rancour (n) [ράνκόο] χολή.
range (n) [ρέιν-ντζζ] απόσταση, αχτίνα, εμβέλεια, πλαίσιο, τζάκι.
ranger (n) [ρέιν-ντζζα(ρ)] καταδρομέας.
rank (adj) [ρανκ] κατάφωρος (n) αράδα, τάξη, στίχος (v) υπάγω, βαθμολογώ.
ransom (v) [ράνσομ] εξαγοράζω.
rape (n) [ρέιπ] αρπάγη, βιασμός (v) ατιμάζω, κακοποιώ, βιάζω.
rapid (adj) [ράπι-ντ] ραγδαίος.
rapidity (n) [ραπί-ντιτι] ταχύτητα.
rapine (n) [ραπαΐν] αρπάγη.
rapist (n) [ρέιπιστ] βιαστής.
rapprochement (n) [ραπρόσσμον-τ] προσέγγιση.
rapture (n) [ράπτσσερ] έκσταση.
rare (adj) [ρέα(ρ)] σπάνιος.
rascal (adj) [ράσκαλ] παλιάνθρωπος (n) μάγκας, μούτρο.
rash (adj) [ρασς] ασυλλόγιστος (n) λειχήνα [ιατρ], εξάνθημα.
rasp (n) [ράασπ] ξύστρα.
rat (n) [ρατ] ποντικός.
rat poison (n) [ρατ πόιζον] ποντικοφάρμακο.
rate (n) [ρέιτ] ταχύτητα, τιμή, ρυθμός, φόρος (v) δασμολογώ.
ratepayer (adj) [ρέιτπέιερ] φορολογούμενος.
rates (n) [ρέιτς] ταρίφα.
rather (adv) [ράαδερ] μάλλον.
ratify (v) [ράτιφαϊ] εγκρίνω.
rating(s) (n) [ρέιτινγκ[ς]] θεαματικότητα, ακροαματικότητα.
ratio (n) [ρέισσιο] αναλογία.
ration (n) [ράσσον] μερίδα.

rationalism (n) [ράσσοναλιζμ] ορθολογισμός, ρασιοναλισμός.
rattle (n) [ρατλ] ροκάνα, ρόγχος, κροτάλισμα (v) κροταλίζω.
rattlesnake (n) [ράτλ-σνέικ] κροταλίας.
ravage (v) [ράβιντζζ] λυμαίνομαι.
rave (v) [ρέιβ] λυσσομανώ.
raven (n) [ρέιβεν] κόρακας.
ravine (n) [ραβίιν] ρεματιά.
raving (adj) [ρέιβινγκ] μανιακός (n) παραμίλημα.
ravish (v) [ράβισς] ατιμάζω.
raw (adj) [ρόο] ακατέργαστος, σπανός, ωμός, ξεγδαρμένος.
ray (n) [ρέι] ακτίνα, σελάχι.
rayon (n) [ρέιον] τεχνητό μετάξι.
raze (v) [ρέιζ] κατεδαφίζω.
razor (n) [ρέιζα(ρ)] ξυράφι.
razor blade (n) [ρέιζα μπλέι-ντ] ξυραφάκι.
reach (v) [ρίιτσς] επιτυγχάνω, φτάνω, εκπληρώνω.
react (v) [ριάκτ] αντιδρώ.
reaction (n) [ριάκσσον] αντίδραση.
reactionary (adj) [ριάκσσοναρι] αντιδραστικός.
read (v) [ρίι-ντ] διαβάζω.
readable (adj) [ρίινταμπλ] ευχάριστος, ευανάγνωστος.
readiness (n) [ρέ-ντινες] ετοιμολογία, ευστροφία, ευκολία.
readjust (n) [ριαντζζάστ] διευθετώ.
readjustment (n) [ριαντζζάσμεν-τ] αναπροσαρμογή.
ready (adj) [ρέ-ντι] έτοιμος, διαθέσιμος, γρήγορος.
reaffirm (v) [ριιαφέρμ] επαναβεβαιώνω.
real (adj) [ρίαλ] αληθινός.
real estate registry (n) [ρίαλ εστέιτ ρέντζζιστρι] κτηματολόγιο.
realignment (n) [ριαλάινμεν-τ] ανακατάταξη [πολ].
realist (n) [ρίαλιστ] ρεαλιστής.
realistic (adj) [ριαλίστικ] αληθινός, πραγματικός, ρεαλιστικός.
reality (n) [ριάλιτι] αλήθεια.
realizable (adj) [ριαλάιζαμπλ] εφικτός, αντιληπτός.
realize (v) [ρίαλάιζ] εκπληρώνω.
really (adv) [ρίαλι] αλήθεια.
realtor (n) [ρίαλτερ] κτηματομεσίτης [ΗΠΑ].
realty (n) [ρίαλτι] ακίνητο.
ream (n) [ρίιμ] δεσμίδα, πάκο.
reanimate (v) [ριάνιμεϊτ] αναζωογονώ, εμψυχώνω.
reap (v) [ρίιπ] δρέπω, θερίζω.
reappear (v) [ριιαπία(ρ)] επανεμφανίζομαι, ξαναφαίνομαι.
reappraisal (n) [ρίαπρέιζαλ] επανεκτίμηση.
rear (n) [ρία] νώτα [στρατ], ουρά [φάλαγγας] (v) εγείρω.
rearmament (n) [ριάαμαμεν-τ] επανεξοπλισμός.
rearrange (v) [ριιαρέιν-ντζζ] μεταρρυθμίζω, διευθετώ.
reason (out) (v) [ρίιζον [άουτ]]

συλλογίζομαι.
reasonable (adj) [ρίιζονα-μπλ] λογικός, ανεκτός, δίκαιος.
reasons (n) [ρίιζονζ] αιτιολογικό.
reassemble (v) [ριιασέμπλ] συναθροίζω, ξαναμοντάρω.
reassurance (n) [ριιασσούρανς] καθησύχαση, διαβεβαίωση.
rebarbative (adj) [ριμπάαμπατιβ] απωθητικός, σκληρός.
rebate (n) [ρίι-μπεϊτ] έκπτωση.
rebel (n) [ρέ-μπελ] ατίθασος, αντάρτης (v) επαναστατώ.
rebuild (v) [ριι-μπίλ-ντ] ανακατασκευάζω, ανοικοδομώ.
rebuke (n) [ρι-μπιούκ] επίπληξη (v) επιπλήττω, μέμφομαι.
recall (v) [ρικόολ] ανανεώνω, ανακαλώ, θυμίζω (n) ανάκληση.
recapitulation (n) [ριικαπιτσσιουλέισσον] ανακεφαλαίωση.
recapture (v) [ρικάπτσσε(ρ)] ανακαταλαμβάνω, ανακτώ [στρατ].
recede (v) [ρισίι-ντ] υποχωρώ, σβήνω, ξεμακραίνω.
receipt (n) [ρισίιτ] είσπραξη, λήψη, παραλαβή, έσοδο.
receive (v) [ρισίιβ] δεξιώνομαι, δέχομαι, λαμβάνω, φιλοξενώ.
receiver (n) [ρισίιβερ] αποδέκτης, θήκη, υποδοχή.
recent (adj) [ρίισεν-τ] πρόσφατος.
receptacle (n) [ριισέπτακλ] δοχείο.
receptible (adj) [ρισέπτιμπλ] δεκτός, αποδεκτός, παραδεκτός.
reception (n) [ριισέπσσον] παραλαβή, δεξίωση, υποδοχή.
receptive to (adj) [ρισέπτιβ του] δεκτικός, ανοικτόμυαλος.
recess (n) [ρίισες] διακοπή.
recession (n) [ρισέσσον] υποχώρηση, αποχώρηση, κάμψη.
recherché (adj) [ρίισσερσσέι] ασυνήθης, εκλεκτός, σπάνιος.
recipe (n) [ρέσιπιι] συνταγή.
recipient (n) [ρισίπιεν-τ] δέκτης, αποδέκτης, λήπτης.
reciprocal (adj) [ρισίπροκαλ] εναλλακτικός, αμοιβαίος.
reciprocally (adv) [ρισίπροκαλι] αμοιβαίως, αντιστρόφως.
reciprocate (v) [ρισίπροκεϊτ] ανταποδίδω, ανταποκρίνομαι.
reciprocating (adj) [ρισίπροκέιτινγκ] παλινδρομικός.
recital (n) [ρισάιταλ] ρεσιτάλ.
recitation (n) [ρεσιτέισσον] απαρίθμηση, απαγγελία.
recite (v) [ρισάιτ] απαγγέλλω.
reckless (adj) [ρέκλες] απρόσεκτος, αμελής, παράτολμος.
reckon (v) [ρέκον] μετρώ, λογαριάζω, αθροίζω, προσθέτω.
reckoning (n) [ρέκονινγκ] λογισμός, εκκαθάριση.
reclamation (n) [ρεκλαμέισσον] ανάκτηση, αποκατάσταση.
reclassify (v) [ρικλάσιφαϊ] μετατάσσω.
reclining (adj) [ρικλάινινγκ]

πλαγιαστός.

recluse (n) [ρικλούους] ερημίτης.

recognize (v) [ρέκογκναϊζ] αναγνωρίζω, παραδέχομαι, εκτιμώ.

recognized (adj) [ρέκογκνάιζ-ντ] καταξιωμένος.

recoil (v) [ρικόιλ] αναπηδώ, κλωτσώ, υποχωρώ (n) αναπήδηση, τρόμος, φρίκη.

recoiling (adj) [ρικόιλινγκ] παλινδρομικός.

recollect (v) [ρικολέκτ] αναπολώ, συγκεντρώνομαι.

recommend (v) [ρεκομέν-ντ] επαινώ, εισηγούμαι, αναθέτω.

recompense (n) [ρικομ-πένς] αμοιβή, αντάλλαγμα, επιβράβευση (v) ανταμείβω, επιβραβεύω.

reconcile (v) [ρικονσάιλ] μονοιάζω, συμβιβάζω, συμφιλιώνω.

recondition (v) [ρικον-ντίσσον] αναγομώνω, επισκευάζω.

reconnect (v) [ρικονέκτ] ανασυνδέω, επανασυνδέω.

reconsider (v) [ρικονσί-ντερ] αναθεωρώ, επανεξετάζω.

reconstruction (n) [ρικονστράκσσον] αναδημιουργία.

reconvert (v) [ρικονβέρτ] μετατρέπω, αποκαθιστώ.

record (v) [ρικόο-ντ] μαγνητοφωνώ, καταχωρώ (n) [ρέκοοντ] εγγραφή, πρακτικό, μητρώο.

recoup (v) [ρικούουπ] ισοφαρίζω, επανακτώ, ξανακερδίζω.

recover (v) [ρικάβερ] αναλαμβάνω, αναρρώνω, επανακτώ.

recovery (n) [ρικάβερι] ανάκαμψη, εύρεση, θεραπεία, ίαση.

recreant (adj) [ρέκριαν-τ] δειλός.

recreation (n) [ρεκριέισσον] αναψυχή, ψυχαγωγία.

recriminate (v) [ρικρίμινεϊτ] αντικατηγορώ, διαπληκτίζομαι.

recrimination (n) [ρικριμινέισσον] αντέγκληση, αλληλοκατηγορία.

recruit (n) [ρικρούτ] κληρωτός.

rectangle (n) [ρέκτανγκλ] ορθογώνιο.

rectify (v) [ρέκτιφαϊ] επανορθώνω, αποκαθιστώ, διορθώνω.

rectilinear (adj) [ρέκτιλίνεα(ρ)] ευθύγραμμος.

rectitude (n) [ρέκτιτιουντ] χρηστοήθεια, ακεραιότητα.

recuperate (v) [ρικιούπερεϊτ] αναρρώνω, ανακτώ, θεραπεύω.

recurrence (n) [ρικάρενς] επανάληψη, επανεμφάνιση.

recurrent (adj) [ρικάρεν-τ] περιοδικός, παλίνδρομμος [ανατ].

recycling (n) [ρισάικλινγκ] ανακύκλωση.

red (adj) [ρε-ντ] ερυθρός.

redcurrant (n) [ρε-ντκάραν-τ] φραγκογαρίφαλο.

redden (v) [ρέ-ντεν] κοκκινίζω.

redeemer (n) [ρι-ντίιμερ] ελευθερωτής, σωτήρας, λυτρωτής.

rediffusion (n) [ρι-ντιφιούζ-ζον] αναμετάδοση.
redistribute (v) [ρι-ντίστρι-μπι-ούτ] ανακατανέμω.
redolent (adj) [ρέντολεν-τ] ευώδης, μυρωδάτος.
reduce (v) [ρι-ντιούς] ελαττώνω, αναγκάζω, ελαφρώνω, μειώνω, υποστέλλω, κατεβάζω.
redundant (adj) [ρι-ντάν-ταν-τ] περιττός, υπερβολικός, υπεράριθμος.
reed (adj) [ρίι-ντ] καλαμένιος (n) φλογέρα, καλάμι, αυλός.
reef (n) [ρίιφ] ξέρα [θάλασσας].
reefer (n) [ρίιφερ] πατατούκα.
reek (n) [ρίικ] δυσωδία, μπόχα (v) όζω, βρωμώ, αχνίζω.
reek of (v) [ρίικ οβ] βρομώ.
reeky (adj) [ρίικι] καπνισμένος.
reel (n) [ρίιλ] καρούλι (v) τρικλίζω.
refer (v) [ριφέρ] παραπέμπω, διαβιβάζω, επιστρέφω, αφορώ.
referee (n) [ρεφερίι] διαιτητής.
reference (n) [ρέφερενς] αναγωγή, σχέση, μνεία, αναφορά.
references (n) [ρέφερενσις] συστάσεις, συστατικά.
referred (adj) [ριφέρ-ντ] μετεξεταστέος, ανεξεταστέος.
refill (n) [ρίιφιλ] αναπλήρωμα (v) [ριιφίλ] αναπληρώνω.
refine (v) [ριφάιν] καθαρίζω, ανυψώ, λεπταίνω, ραφινάρω.
refinery (n) [ριφάινερι] διυλιστήριο [πετρελαίου].
reflect (v) [ριφλέκτ] απεικονίζω, αντανακλώ, σκέπτομαι.
reflection (n) [ριφλέκσσον] καθρέφτισμα, διαλογισμός, νόημα.
reflective (adj) [ριφλέκτιβ] αντανακλαστικός, σκεπτικός, στοχαστικός, αυτοπαθής [γραμμ].
reflexive (adj) [ριφλέξιβ] αλληλοπαθής, αυτοπαθής [γραμμ].
refloat (v) [ριφλόουτ] ανελκύω.
reforestation (n) [ριφορεστέισσον] αναδάσωση.
reform (n) [ριφόομ] μεταρρύθμιση (v) βελτιώνω, διορθώνομαι.
refrain (n) [ριφρέιν] ρεφραίν.
refresh (v) [ριφρέσς] δροσίζω.
refreshing (adj) [ριφρέσσινγκ] δροσιστικός, ζωογόνος.
refreshments (n) [ριφρέσσμεν-τς] αναψυκτικά.
refrigeration (n) [ριφριντζζερέισσον] ψύξη.
refuge (n) [ρέφιουντζζ] άσυλο.
refugee (adj) [ρέφιουντζζίι] προσφυγικός, πρόσφυγας.
refulgent (adj) [ριφάλντζζεν-τ] φωτοβόλος, λαμπερός.
refurbish (v) [ριιφέρμπισσ] ανανεώνω, αποκαθιστώ.
refuse (v) [ριφιούζ] αρνούμαι (n) [ρέφιουζ] απορρίμματα.
refutation (n) [ρεφιουτέισσον] διάψευση, αντίκρουση.
refute (v) [ρεφιούτ] διαψεύδω.
regain (v) [ριγκέιν] ανακτώ.

regal (adj) [ρίγκαλ] ηγεμονικός.
regale (v) [ριγκέιλ] περιποιούμαι.
regalement (n) [ριγκέιλμεν-τ] τσιμπούσι.
regard (n) [ριγκάα-ντ] σεβασμός (v) κρίνω, εκτιμώ, θεωρώ.
regards (n) [ριγκάα-ντζ] χαιρετίσματα.
regency (n) [ρίιντζζενσι] αντιβασιλεία.
regenerate (v) [ριντζζένερεϊτ] αναζωογονώ, προκαλώ.
regicide (n) [ρίιντζζισάι-ντ] βασιλοκτονία, βασιλοκτόνος.
regime (n) [ρεζζίιμ] καθεστώς.
region (n) [ρίιντζζον] περιοχή.
regional (adj) [ρίιντζζοναλ] περιφερειακός, τοπικός.
register (n) [ρέντζζιστερ] μητρώο, κατάλογος (v) εγγράφω.
registrar (n) [ρέντζζιστράα] ληξίαρχος, γραμματέας.
registration (n) [ρεντζζιστρέισσον] καταχώρηση, μεταγραφή.
registry (n) [ρέντζζιστρι] καταχώρηση, ληξιαρχείο.
regret (n) [ριγκρέτ] θλίψη, τύψη (v) θρηνώ, μετανοώ.
regretful (adj) [ριγκρέτφουλ] θλιμμένος, λυπημένος.
regular (adj) [ρέγκιουλα] κανονικός, τακτικός, σταθερός.
regularity (n) [ρεγκιουλάριτι] ομαλότητα, τακτική, ακρίβεια.
regularize (v) [ρέγκιουλαραϊζ] τακτοποιώ, νομιμοποιώ.
regularly (adv) [ρέγκιουλαλι] τακτικά, κανονικά, συνήθως.
regulate (v) [ρέγκιουλεϊτ] διακανονίζω, ρυθμίζω.
regulation (n) [ρεγκιουλέισσον] ρύθμιση, διευθέτηση, διάταξη.
rehabilitate (v) [ριχα-μπίλιτεϊτ] αναμορφώνω, αποκαθιστώ.
reign (v) [ρέιν] βασιλεύω, ηγεμονεύω (n) βασιλεία.
rein (n) [ρέιν] ηνίο, χαλινάρι.
reindeer (n) [ρέιν-ντία] τάρανδος.
reinforce (v) [ρι-ινφόος] δυναμώνω, ενισχύω, ισχυροποιώ.
reiterate (v) [ρι-ίτερεϊτ] ξαναλέω.
reject (v) [ριντζζέκτ] αποδοκιμάζω, αρνούμαι, αποβάλλω.
rejection (n) [ριντζζέκσον] απόρριψη, αποδοκιμασία.
rejoice (v) [ριντζζόις] χαροποιώ, χαίρομαι, αγάλλομαι.
rejoinder (n) [ρίντζζόιν-ντερ] ανασκευή, ανταπάντηση.
relapse (n) [ρίλαπς] μετάπτωση (v) [ριλάπς] ξανακυλώ, πέφτω.
relate (v) [ριλέιτ] αναφέρω.
relation (adj) [ριλέισσον] συγγενής (n) αφήγηση, εξάρτηση.
relationship (n) [ριλέισσονσσιπ] σχέση, επαφή, συγγένεια.
relative (adj) [ρέλατιβ] αναφορικός, σχετικός (n) συγγενής.
relativity (n) [ρελατίβιτι] σχετικότητα, σχετικισμός.

relax (v) [ριλάξ] αναπαύομαι, ξεσκάζω, παραλύω.
relaxation (n) [ριλαξέισσον] εκτόνωση, αναψυχή.
relay (n) [ρίιλεϊ] εφεδρεία, βάρδια (v) [ριλέι] αναμεταδίνω.
release (n) [ριλίις] απόλυση, ανακούφιση, έκλυση (v) αποδεσμεύω, απολύω, αποφυλακίζω.
relentless (adj) [ριλέν-τλες] αδυσώπητος, αμείλικτος.
reliable (adj) [ριλάια-μπλ] έμπιστος.
relics (n) [ρέλικς] λείψανο [αγίου].
relief (adj) [ριλίιφ] ανάγλυφος (n) ανακούφιση, μείωση [φόρων], δικαίωση, επανόρθωση.
religion (n) [ριλίντζζιον] θρησκεία, θρήσκευμα.
relish (n) [ρέλισς] όρεξη, νοστιμιά (v) μυρίζω.
relive (v) [ριλίβ] ξαναζώ.
reload (v) [ριλόου-ντ] ξαναφορτώνω.
relocate (v) [ριλοουκέιτ] μετακομίζω.
rely (v) [ριλάι] εμπιστεύομαι.
remain (v) [ριμέιν] απομένω, μένω, παραμένω, υπολείπομαι.
remake (v) [ριμέικ] ξανακάνω.
remark (n) [ριμάακ] παρατήρηση, σημείωση, σχόλιο.
remarkable (adj) [ριμάακαμπλ] αξιόλογος, εξαιρετικός.
remarry (v) [ριμάρι] ξαναπαντρεύομαι.
remedy (n) [ρέμε-ντιι] θεραπεία, λύση (v) αποκαθιστώ.
remember (v) [ριμέμ-μπερ] ενθυμούμαι, θυμάμαι, θυμούμαι.
remembrance (n) [ριμέμ-μπρανς] ενθύμιση, μνήμη.
remind (of) (v) [ριμάιν-ντ [οβ]] υπενθυμίζω, θυμίζω, οχλώ.
reminder (n) [ριμάιν-ντερ] ενθύμιση, όχληση, υπενθύμιση.
remiss (adj) [ριμίς] απρόσεκτος.
remit (v) [ριμίτ] συγχωρώ, μετριάζω, μειώνω, εμβάζω.
remittance (n) [ριμίτανς] χάρη.
remodel (v) [ριμό-ντελ] μεταπλάθω.
remonstrance (n) [ριμόνστρανς] διαμαρτυρία, επίπληξη.
remorse (n) [ριμόος] τύψη.
remote (adj) [ριμόουτ] μακρυνός.
remotest (adj) [ριμόουτεστ] απώτατος.
removal (n) [ριμούουβαλ] αφαίρεση, απόσπαση, εξάλειψη.
remunerate (v) [ριμιούνερεϊτ] ανταμείβω, επιβραβεύω.
renaissance (n) [ρινέισανς] αναγέννηση.
rename (v) [ρινέιμ] μετονομάζω.
rend (v) [ρεν-ντ] αποσπώ.
render (v) [ρέν-ντερ] αναπαριστώ.
rendering (n) [ρέν-ντερινγκ] απόδοση [έργου], μετάφραση.
rendezvous (n) [ρόν-ντεϊβουου]

ραντεβού, συνάντηση.
renegade (n) [ρένεγκέι-ντ] αποστάτης, φυγάς, λιποτάκτης.
renew (v) [ρινιού] ανακαινίζω.
rennet (n) [ρένιτ] πυτιά.
renounce (v) [ρινάουνς] απαρνιέμαι, αφήνω, εγκαταλείπω.
renovate (v) [ρένοβεϊτ] ανανεώνω.
renovation (n) [ρενοβέισσον] ανακαίνιση, ανανέωση.
renown (n) [ρινάουν] φήμη.
rent (v) [ρεν-τ] ενοικιάζω.
renunciation (n) [ρινανσιέισσον] αποποίηση, αποκήρυξη.
reorganize (v) [ριόογκανάιζ] αναδιοργανώνω, ανασυγκροτώ.
reorientation (n) [ριοριεν-τέισσον] αναπροσαρμογή.
repair (n) [ριπέαρ] επιδιόρθωση, μερεμέτι (v) μπαλώνω.
repair shop (n) [ριπέαρ σσοπ] συνεργείο.
repairing (n) [ριπέαρινγκ] επισκευή, μπάλωμα.
reparation (n) [ρεπαρέισσον] επανόρθωση, αποζημίωση.
repartee (n) [ρεπαατίι] ετοιμολογία.
repast (n) [ριπάαστ] γεύμα, φαγητό, συμπόσιο, τσιμπούσι.
repatriation (n) [ριπατριέισσον] παλινόστηση, επαναπατρισμός.
repay (v) [ριπέι] αποδίδω.
repayment (n) [ριπέιμεν-τ] απόδοση, αποπληρωμή, ανταμοιβή.
repeal (v) [ριπίιλ] ανακαλώ.
repeat (v) [ριπίιτ] επαναλαμβάνω.
repel (v) [ριπέλ] αποκρούω.
repellent (adj) [ριπέλεν-τ] αποκρουστικός.
repent (v) [ριπέν-τ] μετανοώ.
repentance (n) [ριπέν-τανς] μεταμέλεια, μετάνοια.
repercussion (n) [ριπακάσσον] απήχηση, επίπτωση (v) ηχώ.
repertoire (n) [ρέπατουάα] ρεπερτόριο.
repetition (n) [ρεπετίσσον] επανάληψη, απαγγελία.
replacement (n) [ριπλέισμεν-τ] αποκατάσταση, επιστροφή.
replete (adj) [ριπλίιτ] πλήρης.
reply (n) [ριπλάι] απάντηση, απόκριση, αποκρίνομαι.
report (n) [ριπόοτ] έκθεση, πόρισμα, απολογισμός (v) δηλώ.
repose (n) [ριπόουζ] ανάπαυση, ύπνος, ηρεμία (v) ξεκουράζω.
represent (v) [ρέπριζέν-τ] αντιπροσωπεύω, εκπροσωπώ.
representative (adj) [ρεπρεζέντατιβ] χαρακτηριστικός (n) αντιπρόσωπος, εκπρόσωπος.
reprieve (n) [ριπρίιβ] αναστολή.
reprimand (n) [ρέπριμάαν-ντ] επίπληξη (v) μαλώνω.
reprint (n) [ριπρίν-τ] ανατύπωση (v) ξανατυπώνω.
reproach (n) [ριπρόουτσ] κατηγορία, επίπληξη, μομφή (v)

κατηγορώ, παρατηρώ.
reproachful (adj) [ριπρόουτσσφουλ] αξιοκαταφρόνητος.
reproduce (v) [ριπρο-ντιούς] αναπαριστώ, μιμούμαι.
reprove (v) [ριπρούουβ] επιτιμώ.
reptile (n) [ρέπταϊλ] ερπετό.
republic (n) [ριπά-μπλικ] δημοκρατία.
republication (n) [ριπα-μπλικέισσον] αναδημοσίευση.
republish (v) [ριπά-μπλισς] αναδημοσιεύω, επανεκδίδω.
repudiate (v) [ρεπιού-ντιεϊτ] αποκηρύσσω, απαρνούμαι.
repugnant (adj) [ριπάγκναν-τ] απεχθής, αηδής, ενάντιος.
repulse (v) [ριπάλς] αποκρούω.
repulsion (n) [ριπάλσσον] απέχθεια, αποστροφή, αντιπάθεια.
reputable (adj) [ρεπιούτα-μπλ] έγκριτος, ευυπόληπτος.
reputation (n) [ρεπιουτέισσον] υπόληψη, φήμη, γόητρο.
request (n) [ρικουέστ] έκκληση (v) αιτώ, παρακαλώ, επιθυμώ.
requiem (n) [ρέκουιεμ] μνημόσυνο.
require (v) [ρικουάιρ] αξιώνω, ζητώ, απαιτώ, χρειάζομαι.
requisite (adj) [ρέκουιζιτ] αναγκαίος, απαραίτητος.
requisition (n) [ρέκουιζίσσον] αίτηση, επίταξη (v) επιτάσσω.
rescue (n) [ρέσκιου] διάσωση (v) διασώζω, σώζω.
resemble (v) [ριζέμ-μπλ] ομοιάζω.
reservation (n) [ρεζαβέισσον] εξασφάλιση, όρος, επιφύλαξη.
reserve (adj) [ριζέρβ] εφεδρικός (n) περίσσευμα, αποθεματικό (v) αγκαζάρω, επιφυλάσσομαι.
reservoir (n) [ρέζερβουαα] δεξαμενή.
resettle (v) [ρισέτλ] αποκαθιστώ.
reshape (v) [ρισσέιπ] αναπλάθω.
reside (v) [ριζάι-ντ] διαμένω.
residue (n) [ρέζι-ντιου] υπόλοιπο.
resign (v) [ριζάιν] παραιτούμαι.
resignation (n) [ρεζιγκνέισσον] εγκαρτέρηση, παραίτηση.
resigned (adj) [ριζάιν-ντ] καρτερικός, αδιαμαρτύρητος.
resin (n) [ρέζιν] ρητίνη, ρετσίνι.
resist (v) [ρεζίστ] ανθίσταμαι, αντέχω, αποκρούω.
resolute (adj) [ρεζολιούτ] αδίστακτος.
resolution (n) [ρεζολιούσσον] αποφασιστικότητα.
resolve (v) [ριζόλβ] επιλύω.
resonant (adj) [ρέζοναν-τ] ηχηρός.
resort (n) [ριζόοτ] προσφυγή, θέρετρο (v) συχνάζω.
resort to (v) [ριζόοτ του] καταφεύγω, μετέρχομαι, προστρέχω.
resound (v) [ρισάουν-ντ] αντηχώ.
resources (n) [ρισόοσις] πόροι.
respect (n) [ρισπέκτ] σεβασμός, τιμή (v) σέβομαι, υπολήπτομαι.

respects (n) [ρισπέκτς] σέβη.
respiration (n) [ρεσπιράσσον] αναπνοή, διαπνοή, ανάσα.
respiratory (adj) [ρέσπιρεϊτορι] αναπνευστικός.
respite (n) [ρεσπάιτ] διακοπή.
resplendent (adj) [ρισπλέν-ντεν-τ] υπέρλαμπρος, υπέροχος.
respond (v) [ρισπόν-ντ] αντιδρώ.
response (n) [ρισπόνς] απάντηση.
responsibility (n) [ρισπονσιμπίλιτι] ευθύνη, υπαιτιότητα.
responsible (adj) [ρισπόνσιμπλ] αίτιος (n) υπόλογος.
responsible for (adj) [ρισπόνσιμπλ φοο] εντεταλμένος.
rest (v) [ρεστ] αναπαύω, ησυχάζω (n) ανάσα, ρεπό, υπόλειμμα.
restaurant (n) [ρέστοοραν-τ] εστιατόριο.
restless (adj) [ρέστλες] αεικίνητος, άυπνος (v) αδημονώ.
restock (v) [ριστόκ] ανεφοδιάζω.
restoration (n) [ρεστορέισσον] αναστήλωση, αποκατάσταση.
restorative (n) [ριστόρατιβ] δυναμωτικό.
restore (v) [ριστόο] αναστηλώνω, αποκαθιστώ, επαναφέρω.
restraining (adj) [ριστρέινινγκ] ανασταλτικός (n) συγκράτηση.
restraint (n) [ριστρέιν-τ] συγκράτηση, περιορισμός.
restrict (v) [ριστρίκτ] εντοπίζω.
restructure (n) [ριστράκτσσα] ανασύνθεση (v) αναδιαρθρώνω.
result (n) [ριζάλτ] απόρροια, έκβαση, συνέπεια (v) προκύπτω.
resume (n) [ριζιούμ] περίληψη (v) επαναλαμβάνω, ανασυνδέω.
resumption (n) [ριζάμ-πσσον] ανάκτηση, επανάληψη.
resurrection (n) [ρεζαρέκσσον] ανάσταση, νεκρανάσταση.
resuscitate (v) [ρισάσιτεϊτ] αναζωογονώ, ξαναζωντανεύω.
retail (adj) [ρίιτεϊλ] λιανικός.
retailer (n) [ριτέιλερ] μεταπράτης.
retain (v) [ριτέιν] διατηρώ.
retaliate (v) [ριτάλιεϊτ] ανταποδίδω, αντεκδικούμαι.
retard (v) [ριτάα-ντ] επιβραδύνω (n) [ρίταα-ντ] καθυστέρηση.
reticent (adj) [ρέτισεν-τ] κρυφός.
retina (n) [ρέτινα] αμφιβληστροειδής.
retinue (n) [ρέτινιου] ακολουθία.
retire (v) [ριτάιρ] αναχωρώ.
retired (adj) [ριτάια-ντ] πρώην.
retirement (n) [ριτάιαμεν-τ] αποτράβηγμα, αποχώρηση.
retiring (adj) [ριτάιαρινγκ] σεμνός.
retiring (n) [ριτάιρινγκ] μετριόφρονας.
retort (n) [ριτόοτ] ανταπάντηση (v) ανταπαντώ.
retouch, (v) [ριτάτσς] ρετουσάρω.
retract (v) [ριτράκτ] ανακαλώ.
retraction (n) [ριτράκσσον] συστολή, σύσπαση, επανάταξη.

retread (v) [ριτρέ-ντ] αναγομώνω.
retreat (n) [ριτρίιτ] γωνιά, οπισθοχώρηση, αναπαυτήριο, άντρο, λημέρι (v) οπισθοχωρώ.
retribution (n) [ρετρι-μπιούσσον] τιμωρία, ανταπόδοση.
retrieve (v) [ριτρίιβ] ανακτώ.
retsina (n) [ρετσίνα] ρετσίνα.
return (n) [ριτέρν] ανταμοιβή, γυρισμός (v) επιστρέφω.
rev up (v) [ρεβ απ] μαρσάρω.
revaluation (n) [ριβαλιουέισσον] ανατίμηση, επανεκτίμηση.
reveal (v) [ριβίιλ] εκδηλώνω.
reveille (n) [ριβάλι] εγερτήριο.
revel (v) [ρέβελ] διασκεδάζω, ηδονίζομαι, ξεφαντώνω.
reveler (n) [ρέβελερ] γλεντζές.
revenge (n) [ριβέν-ντζζ] εκδίκηση (v) αντεκδικούμαι.
revenue (n) [ρέβενιου] εισόδημα.
reverberate (v) [ριβέρ-μπερεϊτ] ηχώ, αντηχώ, αντανακλώ.
reverence (n) [ρέβερενς] σεβασμός, σέβας, ευλάβεια, φόβος.
Reverend (n) [Ρέβερεν-ντ] αιδεσιμότατος, πανοσιότατος.
reverie (n) [ρέβερι] ονειροπόληση.
reversal (n) [ριβέρσαλ] ανατροπή, ανάποδη (adj) αντίστροφος.
reversed (adj) [ριβέρσ-τ] αντίστροφος, ανάποδος.
review (n) [ριβιού] αναθεώρηση, κριτική (v) επιθεωρώ.
revile (v) [ριβάιλ] βρίζω.
reviler (n) [ριβάιλερ] υβριστής.
revise (v) [ριβάιζ] επαναλαμβάνω.
revision (n) [ριβίζζιον] επανάληψη, επανεξέταση.
revive (v) [ριβάιβ] αναβιώνω.
revocable (adj) [ρέβοκα-μπλ] ανακλητός, προσωρινός.
revocation (n) [ρεβοκέισσον] καταγγελία, κατάργηση.
revolt (n) [ριβόλτ] ανταρσία, αποστασία (v) επαναστατώ.
revolve (v) [ριβόλβ] γυρνώ.
revolver (n) [ριβόλβερ] περίστροφο.
revue (n) [ριβιού] επιθεώρηση.
revulsion (n) [ριβάλσσιον] αποτροπιασμός, μεταστροφή.
reward (n) [ριουόο-ντ] αμοιβή, πληρωμή (v) αμείβω, βραβεύω.
rewrite (v) [ρι-ράιτ] ξαναγράφω.
rhapsody (n) [ράπσο-ντι] ραψωδία.
rhetoric (n) [ρέτορικ] ρητορεία.
rhetorical (adj) [ριτόρικαλ] ρητορικός, επιδεικτικός.
rheumatism (n) [ρούματιζμ] ρευματισμός.
rhinoceros (n) [ραϊνόσερας] ρινόκερος [ζωολ].
rhombus (n) [ρόμ-μπας] ρόμβος.
rhyme (n) [ράιμ] ποίημα.
rhymester (n) [ράιμστερ] στιχουργός.
rhythm (n) [ριδμ] ρυθμός.
rib (n) [ρι-μπ] πλευρά, παΐδι.

ribald (adj) [ρί-μπαλ-ντ] πρόστυχος, αχρείος, αλιτήριος.
ribbed (adj) [ρι-μπ-ντ] ραβδωτός.
ribbon (n) [ρί-μπον] κορδέλα.
rice (n) [ράις] όρυζα, ρύζι [βοτ].
rich (adj) [ριτσ] πλούσιος.
richness (n) [ρίτσνες] πλούτη.
rick (n) [ρικ] ξάφνιασμα.
rickets (n) [ρίκετς] ραχιτισμός.
rickety (adj) [ρίκετι] ετοιμόρροπος.
ricochet (v) [ρίκοουσσετ] αποστρακίζομαι.
rid (v) [ρι-ντ] ελευθερώνω.
riddle (n) [ρι-ντλ] σπαζοκεφαλιά.
riddled (adj) [ρι-ντλ-ντ] τρυπητός.
ride (n) [ράι-ντ] κούρσα, περίπατος (v) ιππεύω, καβαλλώ.
rider (n) [ράι-ντερ] καβαλάρης, αναβάτης, ιππέας.
ridge (n) [ριν-ντζζ] ράχη.
ridicule (v) [ρί-ντικιούλ] σατιρίζω (n) γελοιοποίηση.
riding (adj) [ράι-ντινγκ] ιππευτικός (n) ιππασία, καβάλα.
rife (adj) [ράιφ] διαδεδομένος.
riff-raff (n) [ριφ-ραφ] γυφταριό.
rifle (n) [ράιφλ] όπλο, τουφέκι.
rig (v) [ριγκ] εξοπλίζω.
rigging (n) [ρίγκινγκ] αρματωσιά.
right (adv) [ράιτ] ορθά, ορθώς (adj) σωστός, λογικός (n) δίκιο, (v) επανορθώνω.
right away (adv) [ράιτ αουέι] παραχρήμα, αμέσως.
right-handed (adj) [ράιτ-χάν-ντι-ντ] δεξιός, δεξιόχειρας.
rightangled (adj) [ράιτάνγκλ-ντ] ορθογώνιος.
righteous (adj) [ράιτσους] δίκαιος.
rightful (adj) [ράιτφούλ] δικαιωματικός, δικαιολογημένος.
rightly (adv) [ράιτλι] καλώς.
rigid (adj) [ρίντζζι-ντ] δύσκαμπτος.
rigorous (adj) [ρίγκορους] άτεγκτος, αυστηρός.
rile (v) [ράιλ] τσαντίζω.
rim (n) [ριμ] χείλος [ποτηριού].
rime (n) [ράιμ] ομοιοκαταληξία.
rind (n) [ράιν-ντ] κρούστα.
ring (adj) [ρινγκ] περιμετρικός (n) παλαίστρα, πίστα, κρίκος, δαχτυλίδι (v) ηχώ, κουδουνίζω.
ringing (adj) [ρίνγκινγκ] καμπανιστός (n) κωδωνοκρουσία.
ringleader (adj) [ρίνγκλίι-ντερ] αρχηγός σπείρας κλπ.
ringlet (n) [ρίνγκλετ] μπούκλα.
rinse (v) [ρινς] ξεπλένω.
riot (n) [ράιοτ] ανταρσία.
rioting (n) [ράιοτινγκ] έκτροπα.
riotous (adj) [ράιοτας] άτσαλος.
rip (v) [ριπ] σκίζω.
rip off (v) [ριπ οφ] εξαπατώ.
rip up (v) [ριπ απ] ξεσκίζω.
ripe (adj) [ράιπ] ώριμος.
ripple (n) [ριπλ] κυματάκι, ρυτίδα (v) κυμαίνομαι, κυματίζω.
rise (n) [ράιζ] πρόσθεση, συμπλήρωμα (v) ανακύπτω.
rise above (v) [ράιζ α-μπάβ] δε-

σπόζω [μεταφ].
rising (adj) [ράιζινγκ] ανηφορικός, περίοπτος (n) εξέγερση.
rising early (adj) [ράιζινγκ έρλι] πρωινός.
risk (v) [ρισκ] ριψοκινδυνεύω.
rissole (n) [ρίσοουλ] κροκέττα.
rite (n) [ράιτ] ιεροτελεστία.
ritual (adj) [ρίτσσουαλ] τελετουργικός (n) τελετουργία.
rival (adj) [ράιβαλ] αντίζηλος (n) συναγωνιστής.
rivalry (n) [ράιβαλρι] αντιζηλία.
river (n) [ρίβερ] ποταμός.
river-bed (n) [ρίβερ-μπέ-ντ] ρέμα.
river-boat (n) [ρίβερ-μπόουτ] ποταμόπλοιο.
rivet (n) [ρίβιτ] πιρτσίνι.
road (n) [ρόου-ντ] οδικός.
roar (n) [ρόο] σαματάς, βρόντος (v) μουγκρίζω, ουρλιάζω.
roaring (n) [ρόορινγκ] βοή.
roast (adj) [ρόουστ] ψητός (n) ψητό (v) καβουρδίζω, ψήνω.
rob (v) [ρο-μπ] αφαιρώ.
robber (n) [ρό-μπερ] ληστής.
robbery (n) [ρό-μπερι] κλεψιά.
robe (n) [ρόου-μπ] χιτώνας.
robot (n) [ρόου-μποτ] ρομπότ.
robust (adj) [ρόου-μπαστ] ακμαίος.
robustness (n) [ρόου-μπαστνες] ρώμη, ευρωστία.
rock (n) [ροκ] ξέρα, βράχος, πέτρα (v) κουνώ, νανουρίζω.
rocket (n) [ρόκετ] ρουκέτα.
rocking (adj) [ρόκινγκ] κουνιστός.
rod (n) [ρο-ντ] στέλεχος, βέργα.
rodent (n) [ρόου-ντεν-τ] τρωκτικό.
roe (buck) (n) [ρόου [μπακ]] ζαρκάδι.
rogue (adj) [ρόουγκ] αλητήριος (n) λέρα, κάθαρμα, καθήκι.
roguery (n) [ρόουγκερι] παλιανθρωπιά, τσαχπινιά.
role (n) [ρόουλ] ρόλος, μέρος.
roll (n) [ρόουλ] κουλούρι, κατάλογος, ρόλος (v) κυλάω.
roller (n) [ρόουλερ] κύλινδρος.
roller-skate (n) [ρόουλερ-σκέιτ] πατίνι, τροχοπέδιλο.
rolling (adj) [ρόουλινγκ] κυματιστός (n) κύλισμα, τύλιγμα.
roly-poly (n) [ρόουλι-πόλι] μπουλούκος.
romantic (adj) [ροουμάν-τικ] απροσγείωτος, ρομαντικός.
roof (n) [ρούουφ] θόλος οροφή, στέγη (v) στεγάζω.
rook (n) [ρούκ] κοράκι.
room (n) [ρούουμ] θέση.
roomy (adj) [ρούουμι] απλόχωρος, ευρύχωρος.
roost (v) [ρούουστ] κουρνιάζω.
rooster (n) [ρούουστερ] κόκορας.
root (n) [ρούουτ] ρίζα.
rope (adj) [ρόουπ] σκοινένιος (n) τριχιά, καλώδιο, σκοινί.
ropewalker (n) [ρόουπουόοκερ] ισορροπιστής.

rose (n) [ρόουζ] ρόδο.
rose bush (n) [ρόουζ μπουσς] τριανταφυλλιά [βοτ].
rosette (n) [ροουζέτ] κονκάρδα.
rosewater (n) [ρόουζουόοτα(ρ)] ροδόνερο.
rostrum (n) [ρόστραμ] βήμα.
rot (v) [ροτ] αποσυνθέτω.
rotate (v) [ρόουτεϊτ] περιφέρομαι.
rotogravure (n) [ροουτοουγκραβιούρ] βαθυτυπία.
rotted (adj) [ρότι-ντ] σαθρός.
rotten (adj) [ρότεν] κλούβιος, σαθρός, σάπιος, χαλασμένος,.
rotter (n) [ρότερ] τραμπούκος.
rouble (n) [ρου-μπλ] ρούβλι.
rouge (n) [ρουζζ] κοκκινάδι.
rough (adj) [ραφ] ακατέργαστος.
rough draft (n) [ραφ ντράαφτ] προσχέδιο.
rough sea (n) [ραφ σίι] φουρτούνα.
roughness (n) [ράφνες] τραχύτητα.
roulette (n) [ρουλέτ] ρουλέτα.
round (adv) [ράουν-ντ] γύρω (adj) στρογγυλός, κυρτός (n) γύρος, κυκλοφορία, διανομή, έκδοση (pr) ως, περί, διά.
round about (adv) [ράουν-ντ αμπάουτ] πέριξ, περίπου.
round upon (v) [ράουν-ντ απόν] μεταστρέφομαι.
round-up (n) [ράουν-νταπ] μπλόκο.
roundabout (n) [ράουν-νταμπάουτ] παρακαμπτήριος.
rounded (adj) [ράουν-ντι-ντ] καμπύλος, τουρλωτός.
rounds (n) [ράουν-ντς] περιπολία.
rouse (v) [ράουζ] διεγείρω, εξάπτω.
rousing (adj) [ράουζινγκ] ενθουσιώδης.
rout (v) [ράουτ] κατατροπώνω.
rout out (v) [ράουτ άουτ] ξεπετώ.
route (n) [ρουτ] πορεία.
routine (n) [ρουτίιν] ρουτίνα.
rove (v) [ρόουβ] περιπλανιέμαι.
roving (adj) [ρόουβινγκ] νομαδικός.
row (n) [ρόου] αράδα, σειρά, γραμμή, στοίχος (v) κωπηλατώ.
row (n) [ράου] καβγάς.
rowboat (n) [ρόου-μπόουτ] λέμβος.
rower (n) [ρόουερ] κωπηλάτης.
royal (adj) [ρόιαλ] ανακτορικός, βασιλικός.
royalist (adj) [ρόιαλιστ] φιλοβασιλικός (n) βασιλόφρονας.
rub (v) [ρα-μπ] αλείβω, τρίβω.
rubber (adj) [ρά-μπερ] λαστιχένιος (n) καουτσούκ, λάστιχο.
rubbing (n) [ρά-μπινγκ] επάλειψη, προστριβή, τριβή, ξύσιμο.
rubbish (n) [ρά-μπισς] μπαγκατέλα, σαβούρα, σαχλαμάρα.
rubbish dump (n) [ρά-μπισς νταμ-π] σκουπιδότοπος.
rubble (n) [ρα-μπλ] μπάζα.
ruby (n) [ρού-μπι] ρουμπίνι.
rucksack (n) [ράκσακ] γυλιός.

rudder (n) [ρά-ντερ] τιμόνι.
ruddy (adj) [ρά-ντι] κόκκινος.
rude (adj) [ρούου-ντ] αγενής, πρόστυχος, πρωτόγονος.
rudiments (n) [ρούου-ντιμέν-τς] στοιχεία.
rue (v) [ρούου] μετανοώ.
ruffian (n) [ράφιαν] νταής.
ruffle (n) [ραφλ] τσαντίλα (v) στραπατσάρω.
rug (n) [ραγκ] ταπέτο, χαλί.
ruin (n) [ρούουιν] θραύση, χάλασμα, χαμός (v) ρημάζω.
rule (n) [ρούουλ] δυναστεία, κανόνας (v) αποφαίνομαι, διοικώ, κρατώ, χαρακώνω.
rum (adj) [ραμ] ανεκδιήγητος, μυστήριος (n) ρούμι.
rumble (v) [ρα-μπλ] γουργουρίζω (n) γουργουρητό.
ruminate (v) [ρούουμινεϊτ] μηρυκάζω, αναλογίζομαι.
rummage (n) [ράμιντζζ] νυοψία (v) αναδιφώ, σκαλίζω.
rumour (n) [ρούουμερ] φήμη, θρύλος, λόγος, διάδοση.
rump (n) [ραμ-π] καπούλια.
rumpus (n) [ράμ-πας] πατιρντί.
run (n) [ραν] πορεία, φορά (v) πιλαλώ, τρέχω, καλπάζω.
run out (v) [ραν άουτ] νετάρω.
run over (v) [ραν όουβερ] ξεχειλίζω, παρασύρω, πατώ.
run through (v) [ραν θρου] διατρέχω, ξεφυλλίζω, σουβλίζω.
runaway (adj) [ράναουέι] αχαλίνωτος, ξέφρενος (n) φυγάς.
rung (n) [ρανγκ] σκαλί.
runner (n) [ράνερ] δρομέας.
running (adv) [ράνινγκ] απανωτά (adj) τρεχάτος, δραστήριος, ενεργητικός, ενεργός (n) τρέξιμο, ρους, ροή, τρεχάλα.
runny (adj) [ράνι] υγρός.
rupture (n) [ράπτσερ] διάρρηξη, ρήγμα [μεταφ], κήλη, ρήξη [ιατρ] (v) διασπώ.
rural (adj) [ρούραλ] αγροτικός.
ruse (n) [ρούουζ] κουτοπονηριά, πανουργία, τέχνασμα.
rush (n) [ρας] σπάρτο [βοτ], εξόρμηση (v) εξορμώ, επισπεύδω, ορμώ, πετάγομαι, πιλαλώ.
rusk (n) [ρασκ] παξιμάδι [για βίδα].
russet (adj) [ράσετ] κοκκινωπός, χρυσοκόκκινος.
rust (n) [ραστ] σκουριά (v) οξειδώνω, σκουριάζω1.
rustic (adj) [ράστικ] χωριάτικος.
rustle (v) [ρασλ] θροΐζω (n) θρόισμα, σούσουρο.
rustproof (adj) [ράστπρουφ] ανοξείδωτος.
rut (n) [ρατ] αυλακιά, ροδιά [αυτοκ], τροχιά (v) αυλακώνω.
ruthless (adj) [ρούθλες] ανελέητος, ανηλεής.
rye (n) [ράι] σίκαλη [βοτ].

S

S, s (n) [ες] το δέκατο ένατο γράμμα του αγγλικού αλφαβήτου.
sabaism (n) [σέι-μπαϊσμ] αστρολατρία.
sabot (n) [σά-μπoου] τσόκαρο.
sabotage (n) [σά-μποτάαζζ] σαμποτάζ (v) σαμποτάρω, υπονομεύω.
sabre (n) [σέι-μπερ] σπαθί.
sac (n) [σακ] κοιλότητα, σάκκος.
saccharin (n) [σάκαριν] ζαχαρίνη.
sachet (n) [σάσσεϊ] σακουλάκι.
sack (n) [σακ] σακούλα, τσουβάλι (v) διαρπάζω, λαφυραγωγώ.
sacking (n) [σάκινγκ] λινάτσα.
sacrament (n) [σάκραμεν-τ] μυστήριο [εκκλ], βάπτιση.
sacred (adj) [σέικρε-ντ] ιερός, καθηγιασμένος, άγιος, όσιος.
sacrifice (n) [σάκριφαϊς] θυσία, αφιέρωμα, θύμα (v) θυσιάζω.
sacrilege (n) [σάκριλεντζζ] ιεροσυλία, βεβήλωση.
sacrilegious (adj) [σακριλίιντζζας] ανίερος, ανόσιος.
sacristan (n) [σάκρισταν] νεωκόρος.
sad (adj) [σα-ντ] κατηφής, ατυχής, λυπηρός.
saddle (n) [σα-ντλ] σέλα, σαμάρι (v) σαμαρώνω, σελώνω.
sadism (n) [σέι-ντιζμ] σαδισμός.
sadist (n) [σέι-ντιστ] σαδιστής.
sadly (adv) [σάντλι] θλιβερά, λυπητερά, μελαγχολικά, ελεεινά.
sadness (n) [σά-ντνες] δυσθυμία, θλίψη, μελαγχολία, λύπη.
safe (adj) [σέιφ] άθικτος, σίγουρος, αξιόπιστος, σώος (n) χρηματοκιβώτιο, κάσα.
safely (adv) [σέιφλι] ασφαλώς.
safety (adj) [σέιφτι] ασφαλιστικός (n) ασφάλεια, σιγουριά.
safety pin (n) [σέιφτι πιν] παραμάνα.
saffron (n) [σάφρον] ζαφορά.
sag (v) [σαγκ] βαθουλώνω.
sagacious (adj) [σαγκέισσας] οξύνους, οξυδερκής, συνετός.
sage (n) [σέιντζζ] σοφός.
sail (v) [σέιλ] ιστιοπλοώ, πλέω (n) άρμενο, ιστίο, πανί [ναυτ].
sailor (n) [σέιλορ] ναύτης.
saint (adj) [σέιν-τ] άγιος, όσιος.
salad (n) [σάλα-ντ] σαλάτα.
salami (n) [σαλάαμι] σαλάμι.
salaried (adj) [σάλαριι-ντ] έμμισθος, μισθωτός.

salary (n) [σάλαρι] πληρωμή.
sale (n) [σέιλ] πώληση.
salesman (n) [σέιλσμαν] πλασιέ.
salience (n) [σέιλιενς] προεξοχή.
salify (v) [σάλιφαϊ] αλατοποιώ.
saline (adj) [σέιλαϊν] αλμυρός.
saliva (n) [σαλάιβα] σίαλος, σίελος.
sallow (adj) [σάλοου] ωχρός.
sally (n) [σάλι] εξόρμηση, έκρηξη.
saloon (n) [σαλούουν] σαλόνι.
salt (v) [σόλτ] αλατίζω (n) αλάτι.
saltation (n) [σαλτέισσν] σάλτο.
salted (adj) [σόλτι-ντ] αλμυρός.
salute (v) [σαλούουτ] χαιρετίζω (n) χαιρέτισμα, χαιρετισμός.
salvage (v) [σάλβιντζζ] περισώζω.
salvation (n) [σαλβέισσον] διάσωση, σωτηρία, αρωγή, λύτρωση.
salvo (n) [σάλβοου] ομοβροντία.
same (adj) [σέιμ] ίδιος, όμοιος.
sameness (n) [σέιμνες] ομοιότητα, ομοιομορφία, μονοτονία.
sample (n) [σάαμ-πλ] δείγμα (adj) υποδειγματικός (v) δοκιμάζω.
sanatorium (n) [σανατόοριαμ] σανατόριο, φθισιατρείο.
sanctify (v) [σάνκτιφαϊ] αγιοποιώ, εξαγνίζω, επικυρώνω.
sanction (n) [σάνκσσον] έγκριση, καθιέρωση, ποινή.
sanctity (n) [σάνκτιτι] ιερότητα.
sanctuary (n) [σάνκτσσουαρι] άδυτο, ιερό, ναός, εκκλησία.
sand (n) [σαν-ντ] άμμος.
sandal (n) [σάν-νταλ] πέδιλο.
sandglass (n) [σάν-ντγκλάας] κλεψύδρα.
sandwich (n) [σάν-ντουιτσ] σάντουιτς.
sandy (adj) [σάν-ντι] αμμώδης.
sanguinary (adj) [σάνγκγουινερι] αιμοβόρος, υβριστικός.
sanguine (adj) [σάνγκγουιν] αισιόδοξος, εύελπις, σίγουρος.
sanitary (adj) [σάνιτερι] υγειονομικός, υγιεινός, καθαρός.
sap (n) [σαπ] ικμάδα, χυμός (v) υπονομεύω, εξασθενώ.
sapid (adj) [σάπιντ] εύχυμος, εύγευστος, χυμώδης, ζουμερός.
sapience (n) [σέιπιενς] σοφία.
sapient (adj) [σέιπιεντ] σοφός.
sapling (n) [σάπλινγκ] δενδρύλλιο.
sapper (n) [σάπερ] σκαπανέας.
sapphire (n) [σάφάιρ] σάπφειρος.
sappy (adj) [σάπι] εύχυμος.
sarcastic (adj) [σαακάστικ] σαρκαστικός, χλευαστικός.
sardine (n) [σαα-ντίιν] σαρδέλα.
sargus (n) [σάργκας] σαργός.
sash (n) [σασς] ζωνάρι.

satchel (n) [σάτσσελ] σάκα, τσάντα.
satellite (n) [σάτελάιτ] δορυφόρος.
satiate (v) [σέισσιέιτ] ικανοποιώ, παραχορταίνω.
satiety (n) [σατάιετι] κορεσμός.
satin (n) [σάτιν] σατέν.
satire (n) [σάτάιρ] σάτιρα.
satisfy (v) [σάτισφαϊ] θεραπεύω, ικανοποιώ, χορταίνω.
satrap (n) [σάτραπ] σατράπης.
saturate (v) [σάτσσουρεϊτ] διαποτίζω, εμποτίζω, μουσκεύω.
saturated (adj) [σάτσσουρεϊτιντ] κορεσμένος, διαποτισμένος.
satyr (n) [σάτερ] σάτυρος.
sauce (adj) [σόος] αυθάδης (n) σάλτσα, άρτυμα, καρίκευμα.
saucepan (n) [σόοσπαν] κατσαρόλα.
saucer (n) [σόοσερ] πιατάκι.
saucy (adj) [σόοσι] θρασύς.
sauna (n) [σόονα] ατμόλουτρο.
saunter (v) [σόον-τερ] βολτάρω.
sausage (n) [σόσιντζζ] λουκάνικο.
savage (adj) [σάβιντζζ] απολίτιστος, τραχύς, βίαιος, σκληρός.
save (adv) [σέιβ] παρεκτός (v) διασώζω, διατηρώ, σώζω (conj) πλην, εκτός [από].
saving (n) [σέιβινγκ] οικονομία.
savings bank (n) [σέιβινγκς μπανκ] ταμιευτήριο.
saviour (n) [σέιβι, ερ] σωτήρας.
savory (n) [σέιβερι] θρούμπη (adj) ορεκτικός, γευστικός.
saw (v) [σόο] πριονίζω.
saxophone (n) [σάξαφόουν] σαξόφωνο.
say (v) [σέι] λέγω.
saying (n) [σέιινγκ] απόφθεγμα, παροιμία, ρήση, λόγος.
scab (n) [σκα-μπ] κρούστα, απεργοσπάστης.
scabbard (n) [σκά-μπαα-ντ] θήκη.
scabies (n) [σκέι-μπις] ψώρα.
scaffold (n) [σκάφοουλ-ντ] σκαλωσιά, θανατική ποινή.
scald (v) [σκόολ-ντ] ζεματίζω (n) κάψιμο, ζεμάτισμα.
scale (n) [σκέιλ] σκάλα.
scales (n) [σκέιλς] παλάντζα.
scaliness (n) [σκέιλινες] λέπιασμα.
scallywag (n) [σκάλιουάγκ] ρεμπεσκές.
scalpel (n) [σκάλπελ] νυστέρι.
scaly (adj) [σκέιλι] λεπιδοειδής.
scamp (n) [σκαμ-π] αλητήριος.
scan (v) [σκαν] ανιχνεύω, μελετώ.
scandal (n) [σκάν-νταλ] σκάνδαλο, αίσχος, ντροπή.
scanner (n) [σκάνερ] εξερευνητής.
scansion (n) [σκένσσν] μέτρημα.

scant (adj) [σκαν-τ] πενιχρός.
scanty (adj) [σκάν-τι] ελλιπής.
scapegoat (adj) [σκέιπγκόουτ] αποδιοπομπαίος (n) κορόιδο.
scar (n) [σκάαρ] ουλή, σημάδι.
scarabee (n) [σκάρα-μπίι] σκαθάρι.
scarcely (adv) [σκέαρσλι] σχεδόν.
scarcity (n) [σκέρσιτι] ανεπάρκεια, σπανιότητα, έλλειψη.
scare (n) [σκέαρ] τρόμος, πανικός (v) τρομάζω, εκφοβίζω.
scarecrow (n) [σκέαρκρόου] σκιάχτρο, φόβητρο.
scared (adj) [σκέα-ντ] έντρομος.
scarf (n) [σκάαφ] σάρπα.
scarlet (adj) [σκάαλετ] κόκκινος.
scarlet fever (n) [σκάαλετ φίιβερ] οστρακιά [ιατρ].
scarred (adj) [σκάα-ντ] σημαδεμένος.
scatheless (adj) [σκέιδλες] σώος.
scathing (adj) [σκέιδινγκ] δηκτικός.
scatological (adj) [σκατολόντζζικλ] βωμολοχικός.
scatology (n) [σκατόλοντζζι] σκατολογία, κοπρολογία.
scatterbrain (n) [σκάτερμπρέιν] κουφιοκεφαλάκης.
scattering (n) [σκάτερινγκ] διασπορά, διάλυση, σκόρπισμα.
scavenge (v) [σκάβεν-ντζζ] σαρώνω [δρόμο], σκουπίζω.
scene (n) [σίιν] σκηνή, γεγονός.
scenery (n) [σίινερι] τοπίο, θέα, άποψη, σκηνογραφία, σκηνικά.
scent (n) [σεν-τ] άρωμα, ευωδιά, μυρουδιά, οσμή.
scentless (adj) [σέν-τλες] άοσμος.
scepticism (n) [σκέπτισιζμ] σκεπτικισμός, δυσπιστία.
sceptre (n) [σέπτερ] σκήπτρο.
schedule (v) [σσέ-ντιουλ] προγραμματίζω (n) πρόγραμμα.
schema (n) [σκίιμα] σχέδιο, περίγραμμα, διάγραμμα, σχήμα.
scheme (n) [σκίιμ] πρόγραμμα, πλεκτάνη, σύστημα, σχέδιο (v) δολοπλοκώ, μηχανορραφώ.
schism (n) [σιζμ] σχίσμα.
schist (n) [σιστ] σχιστόλιθος.
schizophrenia (n) [σκιντζζοουφρίινια] σχιζοφρενία.
scholar (adj) [σκόλαρ] λόγιος, υπότροφος (n) πολυμαθής.
scholarship (n) [σκόλασσιπ] λογιότητα, υποτροφία.
scholastic (adj) [σκολάστικ] δασκαλίστικος, σχολαστικός.
school (adj) [σκουλ] μαθητικός (n) σχολείο (v) διαπαιδαγωγώ.
schooling (n) [σκούουλινγκ] εκπαίδευση, διαπαιδαγώγηση.
schoolmaster (n) [σκούλμάαστερ] διδάσκαλος, καθηγητής.
sciatica (n) [σαϊάτικα] ισχιαλγία.

science (n) [σάιενς] επιστήμη.
scientific (adj) [σάιεν-τίφικ] επιστημονικός, μεθοδικός.
scion (n) [σάιον] βλαστός.
scissors (n) [σίζαζ] ψαλίδι.
sclerosis (n) [σκλιρόουσις] σκλήρωση [ιατρ], σκλήρυνση.
scoff (v) [σκοφ] χλευάζω.
scold (v) [σκόουλ-ντ] επιτιμώ.
scoop (n) [σκούουπ] κουτάλα.
scope (n) [σκόουπ] ευκαιρία.
scorch (v) [σκόορτσς] τσικνίζω (n) κάψιμο, καψάλισμα.
score (n) [σκόορ] βαθμολογία, πόντος (v) χαρακώνω, επιτυγχάνω, κερδίζω.
scorn (n) [σκόον] περιφρόνηση, οίκτος (v) απαξιώνω, αψηφώ.
scorpion (n) [σκόοπιον] σκορπιός.
scoundrel (n) [σκάουν-ντρελ] χαμάλης, αχρείος (adj) αχαΐρευτος (n) κανάγιας, τραμπούκος.
scourge (n) [σκερντζζ] μαστίγιο.
scout (n) [σκάουτ] προπομπός (v) ανιχνεύω.
scowl (v) [σκάουλ] κατσουφιάζω.
scramble (n) [σκραμ-μπλ] συνωστισμός, ανακάτεμα.
scrap (n) [σκραπ] απόκομμα, ίχνος (n) παλιοπράγματα.
scrap dealer (n) [σκραπ ντίιλερ] παλιατζής.
scrape (n) [σκρέιπ] ξύσιμο, τρίψιμο (v) ξύνω, καθαρίζω, ισιώνω, λειαίνω.
scrape along (v) [σκρέιπ αλόνγκ] ψευτοζώ.
scrape off (v) [σκρέιπ οφ] ξύνω.
scraper (n) [σκρέιπερ] ξύστρα.
scrappy (adj) [σκράπι] ετερόκλητος, αποσπασματικός.
scraps (n) [σκραπς] αποφάγια.
scratch (n) [σκρατσς] αμυχή, γδάρσιμο (v) γρατζουνίζω, ξύνω (adj) ετερόκλητος.
scrawl (n) [σκρόολ] καλικατζούρα (v) κακογράφω.
scream (n) [σκρίιμ] κραυγή (v) αλαλάζω, κραυγάζω.
screech (v) [σκρίιτς] στριγγλίζω (n) κραυγή, στριγγλιά.
screen (n) [σκρίιν] οθόνη, διαχώρισμα (adj) κινηματογραφικός (v) προφυλάσσω, κρύβω.
screw (v) [σκριού] βιδώνω, αποσπώ, γαμώ (n) βίδα, έλικας.
screwball (n) [σκριού-μπουλ] ζουρλοπαντιέρα, βίδα.
screwdriver (n) [σκριού-ντράιβερ] κατσαβίδι.
scribble (n) [σκρι-μπλ] κακογραφία (v) κακογράφω.
script (n) [σκριπτ] γράψιμο.
script-writer (n) [σκρίπτράιτερ] σεναριογράφος.
scripted (adj) [σκρίπτι-ντ] χειρόγραφος.

scrounge (n) [σκράουν-ντζζ] σελέμης, σελεμίζω.
scrub (n) [σκρα-μπ] θάμνος, φασίνα (v) πλένω, πλύνω.
scrupulous (adj) [σκρούπιουλας] ευσυνείδητος, ακριβής.
scrutineer (n) [σκρούτινιιρ] ψηφοσυλλέκτης, διαλογέας.
scrutinize (v) [σκρούτιναϊζ] διερευνώ, περιεργάζομαι.
scullery (n) [σκάλερι] λάντζα.
sculptor (n) [σκάλπτερ] γλύπτης.
sculpture (v) [σκάλπτσσα] σκαλίζω, σμιλεύω (n) γλυπτική.
scum (n) [σκαμ] απόβρασμα.
scurf (n) [σκερφ] πιτυρίδα.
scurvy (adj) [σκέρβι] ξεφτιλισμένος (n) σκορβούτο [ιατρ].
sea (adj) [σίι] θαλάσσιος (n) πέλαγος, κύμα, τρικυμία.
sea battle (n) [σίι μπατλ] ναυμαχία.
seafarer (adj) [σίιφέιρερ] ναυτικός [άντρας] (n) θαλασσοπόρος.
seagull (n) [σίιγκαλ] γλάρος.
seal (n) [σίιλ] στάμπα, τσιμούχα, φώκια [ζωολ] (v) βουλώνω.
seam (n) [σίιμ] ραφή, ρυτίδα.
seaman (n) [σίιμαν] ναύτης.
seamstress (n) [σίιμστρες] μοδίστρα, ράφτρα.
sèance (n) [σέιονς] συνεδρίαση.
seaport (n) [σίιπόστ] επίνειο.
search (n) [σερτσς] αναζήτηση, επιδίωξη (v) ανιχνεύω.
seashore (n) [σίισσοορ] παραλία.
season (n) [σίιζον] σαιζόν (v) σκληραγωγώ, καρυκεύω.
seasoned (adj) [σίιζον-ντ] σκληραγωγημένος, πεπειραμένος.
seasoning (n) [σίιζονινγκ] καρύκευμα, άρτυμα.
seat (n) [σίιτ] έδρα, κάθισμα .
seaweed (n) [σίιουίι-ντ] φύκια.
sebaceous (adj) [σεμπέισσες] λιπώδης, σμηγματώδης.
secant (n) [σίικαν-τ] τέμνουσα.
secede (v) [σισίι-ντ] αποχωρώ.
secluded (adj) [σεκλού-ντι-ντ] απόμερος, ιδιωτικός, ερημικός.
seclusion (n) [σεκλούζζον] απομόνωση, μόνωση, μοναξιά.
second (adj) [σέκον-ντ] δεύτερος (v) προσκολλώ.
secondary school (n) [σέκοντερι σκουλ] γυμνάσιο, λύκειο.
secondhand dealer (n) [σέκοντχαν-ντ ντίιλερ] παλαιοπώλης.
secrecy (n) [σίικρεσι] εχεμύθεια.
secret (adj) [σίικρετ] απόρρητος, λαθραίος, μυστικός (n) απόρρητο, αίνιγμα.
secretary (adj) [σέκρετρι] γραμματικός (n) υπουργός.
secretion (n) [σικρίισσον] έκκριση.
secretly (adv) [σίικρετλι] κρυφά.

sectional (adj) [σέκσοναλ] τμηματικός, περιφερειακός.
sector (n) [σέκτοορ] κλάδος.
secular (adj) [σέκιουλαρ] κοσμικός, εφήμερος, επίγειος.
secure (adj) [σεκιούρ] ασφαλής (v) ασφαλίζω, σιγουράρω.
sedate (adj) [σιντέιτ] σοβαρός.
sedative (n) [σέ-ντατιβ] ηρεμιστικό (adj) καταπραϋντικός.
sedentary (adj) [σε-ντέν-τερι] στατικός, εδραίος, μόνιμος.
seducer (n) [σι-ντιούσερ] διαφθορέας, εκμαυλιστής, πλάνος.
seductive (adj) [σι-ντάκτιβ] θελκτικός, προκλητικός, πλάνος.
sedulous (adj) [σέντιουλας] επιμελής, ενδελεχής, επίμονος.
see (n) [σίι] έδρα [εκκλ] (v) αντικρίζω, κατανοώ, φροντίζω.
see off (v) [σίι οφ] αποχαιρετώ.
seed (n) [σίι-ντ] σπέρμα.
seedily (adv) [σίιντιλι] φτωχικά.
seediness (n) [σίιντινες] ατονία.
seek (v) [σίικ] αναζητώ, ζητώ.
seem (v) [σίιμ] μοιάζω.
seemly (adj) [σίιμλι] ευπρεπής.
seer (n) [σίιρ] οραματιστής.
seesaw (n) [σίισόο] τραμπάλα.
seethe (v) [σίιδ] κοχλάζω.
segment (n) [σέγκμεν-τ] τμήμα, τεμάχιο, απόσπασμα, μοίρα.
segregate (v) [σέγκριγκεϊτ] αποχωρίζω, διαχωρίζω.
seigneur (n) [σέινιερ] άρχοντας.
seine (n) [σέιν] κάθετο δίκτυ.
seismograph (n) [σάιζμογκράαφ] σεισμογράφος.
seize (v) [σίιζ] πιάνω, κατάσχω.
seizing (n) [σίιζινγκ] αρπαγή.
seizure (n) [σίιζζερ] κατάσχεση.
seldom (adv) [σέλ-ντομ] σπανίως.
select (adj) [σελέκτ] διαλεκτός, κλειστός, άριστος (v) εκλέγω.
self (n) [σελφ] εαυτός.
self-made (adj) [σέλφ-μέι-ντ] αυτοδημιούργητος.
self-reliance (n) [σέλφ-ριλάιανς] αυτοπεποίθηση.
self-respect (n) [σέλφ-ρισπέκτ] φιλοτιμία, αξιοπρέπεια.
self-satisfaction (n) [σέλφ-σατισφάκσσον] αυτοϊκανοποίηση.
self-service (n) [σέλφ-σέρβις] αυτοεξυπηρέτηση.
self-sufficient (adj) [σέλφ-σαφίσσιεν-τ] αυτάρκης.
self-taught (n) [σέλφ-τόοτ] αυτοδίδακτος.
selfishness (n) [σέλφισνες] ιδιοτέλεια, φιλαυτία, εγωισμός.
sell (v) [σελ] εκποιώ, πλασάρω.
selvedge (n) [σέλβιντζζ] ούγια.
semantic (adj) [σιμάν-τικ] σημαντικός, εννοιολογικός.
semblance (n) [σέμ-μπλανς] ομοιότητα, εμφάνιση, όψη.
semen (n) [σίιμεν] σπέρμα.
semester (n) [σεμέστερ] εξάμηνο.

semicircle (n) [σέμισέρκλ] ημικύκλιο.
semifinal (adj) [σέμιφάιναλ] ημιτελικός.
seminarist (n) [σέμιναριστ] παπαδοπαίδι, ιεροσπουδαστής.
seminary (n) [σέμιναρι] σχολή, κολλέγιο, σεμινάριο.
semi-permanent (adj) [σέμιπέρμανεν-τ] ημιμόνιμος.
semi-sweetened (adj) [σέμισουίτεν-ντ] μέτριος [καφές κτλ].
semolina (n) [σεμολίινα] σιμιγδάλι.
senate (n) [σενέιτ] σύγκλητος.
senator (n) [σενάτοορ] γερουσιαστής.
send (v) [σεν-ντ] αποστέλλω.
senile (adj) [σίινάιλ] ξεμωραμένος.
senility (n) [σενίλιτι] γήρας.
senior (adj) [σίινιορ] πρεσβύτερος, γηραιότερος, μεγαλύτερος.
sense (n) [σενς] εντύπωση, αίσθηση, έννοια (v) νιώθω.
senses (n) [σένσις] λογικό.
sensibility (n) [σενσιμπίλιτι] ευαισθησία, λεπτότηα.
sensitive (adj) [σένσιτιβ] ευέξαπτος, εύθικτος, καλαίσθητος.
sensitivity (n) [σενσιτίβιτι] ευαισθησία, ευπάθεια.
sensual (adj) [σένσσουαλ] αισθησιακός, φιλήδονος.
sensuous (adj) [σένσσουας] αισθησιακός, σεξουαλικός.
sentence (n) [σέν-τενς] ποινή, περίοδος (v) καταδικάζω.
sentiment (n) [σέν-τιμεν-τ] συναίσθημα, τρυφερότητα.
sentinel (n) [σέν-τινελ] σκοπός.
sentry (n) [σέν-τρι] καραούλι.
sentry box (n) [σέν-τρι μποξ] σκοπιά.
separate (adj) [σέπαριτ] χωριστός ιδιαίτερος (v) [σέπαρεϊτ] διαιρώ, τεμαχίζω.
separation (n) [σεπαρέισσον] διάζευξη, χωρισμός, χώρισμα.
sepsis (n) [σέπσις] σήψη.
septic (adj) [σέπτικ] σηπτικός.
sequel (n) [σίικουελ] συνέχεια.
sequence (n) [σίικουενς] ακολουθία, διαδοχή, σειρά.
sequestration (n) [σιικουεστρέισσον] απομάκρυνση.
sequin (n) [σίικουιν] πούλια.
serenade (n) [σερενέι-ντ] σερενάτα.
serene (adj) [σιρίιν] μακάριος.
serenity (n) [σερένιτι] αταραξία.
serf (n) [σερφ] δουλοπάροικος.
sergeant (n) [σάαντζζεν-τ] λοχίας.
sergeant-major (n) [σάαντζζεντμέιντζζοορ] επιλοχίας.
serial (n) [σίιριαλ] σήριαλ.
series (n) [σίιριζ] σειρά.
serious (adj) [σίιριας] βαρύς, σπουδαίος, επιμελής.

serise (adj) [σερίις] κερασένιος.
sermon (n) [σέρμον] κήρυγμα.
serpent (n) [σέρπεν-τ] φίδι.
serrated (adj) [σερέιτι-ντ] οδοντωτός, πριονωτός.
serum (n) [σίιραμ] ορός.
servant (n) [σέρβαν-τ] υπηρέτρια (adj) δούλος.
serve (v) [σερβ] δουλεύω, εργάζομαι, υπηρετώ, χρησιμεύω.
service (n) [σέρβις] εκδούλευση, εκκλησία, εξυπηρέτηση.
servile (adj) [σέρβαϊλ] ταπεινός.
servility (n) [σερβίλιτι] δουλικότητα, δουλοπρέπεια.
serving (n) [σέρβινγκ] κοινοποίηση [νομ], σερβίρισμα.
sesame (n) [σέσαμι] σουσάμι.
set (n) [σετ] παρέα, συλλογή (v) δίδω, θέτω, τάσσω, βάζω, στήνω, φέρω, στερεώνω, πήζω.
set an example (v) [σετ αν εξάαμ-πλ] παραδειγματίζω.
set off (v) [σετ οφφ] αναδείχνω.
set sail (v) [σετ σέιλ] αποπλέω.
set up (v) [σετ απ] εγκαθιδρύω.
settee (n) [σετίι] ανάκλιντρο.
setting (n) [σέτινγκ] θέση, δύση.
settle (v) [σετλ] ξεχρεώνω.
settled (adj) [σετλ-ντ] τακτικός.
settlement (n) [σέτλμεν-τ] εγκατάσταση, τοποθέτηση.
settler (adj) [σέτλερ] άποικος.
settling (n) [σέτλινγκ] οικισμός.
seven (num) [σέβεν] επτά [αριθ].
sever (v) [σέβερ] χωρίζω, διαιρώ, τέμνω, αποσπώ.
several (adv) [σέβεραλ] πολύ (pron) κάμποσος.
severe (adj) [σιβίιρ] αυστηρός.
sew (v) [σόου] γαζώνω, ράβω.
sewage (n) [σιούιντζζ] απόβλητα.
sewer (n) [σιούερ] υπόνομος.
sewing (n) [σόουινγκ] ράψιμο.
sewn (adj) [σόουν] ραμμένος.
sex (n) [σεξ] σεξ, φύλο.
sexuality (n) [σεξουάλιτι] σεξουαλικότητα, ερωτισμός.
shabby (adj) [σσά-μπι] φθαρμένος, φτωχικός, βρόμικος.
shack (n) [σσακ] παράγκα.
shade (n) [σσέι-ντ] απόχρωση, σκιά, χροιά, ίσκιος (v) ισκιώνω.
shadow (n) [σσά-ντοου] σκιά.
shadowy (adj) [σσά-ντοουι] σκιερός, θολός, μυστηριώδης.
shaft (n) [σσάαφτ] άξονας.
shaggy (adj) [σσάγκι] δασύτριχος.
shah (n) [σσάα] σάχης.
shake (v) [σσέικ] κουνώ, σείω (n) τίναγμα, τράνταγμα.
shaker (n) [σσέικερ] χτυπητήρι.
shaky (adj) [σσέικι] ετοιμόρροπος.
shall (part) [σσαλ] θα.
shallow (adj) [σσάλοου] ρηχός.
sham (adj) [σσαμ] ψευδής (n)

προσποίηση, απάτη (v) υποκρίνομαι, κάνω.
shame (n) [σσέιμ] τσίπα [μεταφ], αίσχος (v) ντροπιάζω.
shameful (adj) [σσέιμφουλ] αισχρός, χυδαίος, εξοργιστικός.
shameless (adj) [σσέιμλες] ξετσίπωτος, αναιδής, θρασύς.
shampoo (n) [σσαμπούου] σαμπουάν (v) λούζω, πλένω.
shank (n) [σσανκ] κνήμη.
shanty (n) [σσάν-τι] καλύβα.
shape (n) [σσέιπ] μορφή, φόρμα, κορμί (v) διαμορφώνω.
shapeless (adj) [σσέιπλες] άμορφος, αόριστος, δύσμορφος.
share (n) [σσέαρ] μετοχή, λαχνός, ρεφενές, μερίδιο (v) κατανέμω.
sharer (n) [σσέαρερ] μέτοχος.
sharing (n) [σσέαρινγκ] συμμετοχή.
shark (n) [σσάακ] καρχαρίας.
sharp (adj) [σσάαπ] καπάτσος, κοφτός, τσουχτερός, ξινός (n) δίεση, σφάχτης (adv) ακριβώς.
sharpen (v) [σσάαπεν] ακονίζω.
sharpener (n) [σσάαπενερ] ξυστήρι.
sharpness (n) [σσάαπνες] δριμύτητα, σαφήνεια, ακρίβεια.
shatter (v) [σσάτερ] θρυμματίζω.
shave (v) [σσέιβ] ξυρίζω, ξύνω, γδέρνω (n) ξύρισμα.
shaver (n) [σσέιβερ] κουρέας.
shaving (adj) [σσέιβινγκ] ξυριστικός, ξύρισμα, πελεκούδι.
shawl (n) [σσόολ] σάλι, φασκιά.
she (pron) [σσίι] αυτή.
shear (v) [σσίιρ] τέμνω, κόβω.
shears (n) [σσίιρς] ψαλίδα.
sheath (n) [σσίιδ] θηκάρι, θήκη.
sheathing (n) [σσίιδινγκ] οπλισμός.
shed (v) [σσε-ντ] σκορπίζω [φως], αποβάλλω, εκπέμπω (n) υπόστεγο.
sheep (n) [σσίιπ] πρόβατο.
sheepdog (n) [σσίιπ-ντόγκ] μαντρόσκυλο, τσοπανόσκυλο.
sheepfold (n) [σσίιπφόουλ-ντ] στάνη, μαντρί.
sheer (adj) [σσίιρ] απότομος, πλήρης, αμιγής, καθαρός.
sheet (n) [σσίιτ] οθόνη, κόλλα, λάμα, σεντόνι, φύλλο.
sheikh (n) [σσίικ] σεΐχης.
shelf (n) [σσελφ] γείσωμα, προεξοχή, σύρτις, μπάγκος.
shell (n) [σσελ] καβούκι, τσόφλι (v) αποφλοιώνω, σφυροκοπώ.
shelter (n) [σσέλτερ] σκέπη, άσυλο, υπόστεγο (v) προστατεύω.
shepherd (n) [σσέπα-ντ] ποιμένας.
sheriff (n) [σσέριφ] σερίφης.
shield (v) [σσίιλ-ντ] προφυλάγω (n) ασπίδα, προφυλακτήρας.
shielded (adj) [σσίιλ-ντι-ντ] θω-

ρακισμένος.

shift (n) [σσιφτ] μέσο, βάρδια, μετατόπιση, μεταβολή (v) μετακινώ, μεταβάλλω.

shiftless (adj) [σσίφτιλες] ανεπιτήδειος, αδρανής, ανίκανος.

shifty (adj) [σσίφτι] ύπουλος, πανούργος, πολυμήχανος.

shilling (n) [σσίλινγκ] σελίνι.

shimmer (n) [σσίμερ] αναλαμπή (v) τρεμολάμπω.

shinbone (n) [σσίν-μπόουν] καλάμι [ανατ].

shine (n) [σσάιν] λιακάδα, γυάλισμα (v) υπερέχω, διακρίνομαι.

shingles (n) [σσίνγκλς] έρπης.

shining (adj) [σσάινινγκ] ακτινοβόλος, λαμπερός.

shiny (adj) [σσάινι] λαμπρός.

ship (n) [σσιπ] καράβι, πλοίο (v) μπαρκάρω, ναυτολογώ.

shipbuilder (n) [σσίπ-μπιλντερ] ναυπηγός.

shipowner (n) [σσίποουνερ] πλοιοκτήτης, εφοπλιστής.

shipper (n) [σσίπερ] φορτωτής.

shipping (n) [σσίπινγκ] ναυσιπλοΐα, ναυτιλία, επιβίβαση.

shipping agent (n) [σσίπινγκ έιντζζεν-τ] ναυλομεσίτης.

shipwreck (n) [σσίπρεκ] ναυάγιο.

shipyard (n) [σσίπιαα-ντ] ναυπηγείο.

ship's mate (n) [σσίπ'ς μέιτ] υποπλοίαρχος.

shire (n) [σσάιρ] κομητεία.

shirk (v) [σέρκ] παραμελώ.

shirt (n) [σσερτ] πουκάμισο.

shirty (adj) [σσέρτι] ευέξαπτος.

shit (n) [σσιτ] σκατά.

shiver (n) [σσίβερ] ρίγος (v) τρέμω, φρικιάζω.

shivers (n) [σσίβερς] θρύψαλα.

shoal (n) [σσόουλ] σκόπελος.

shock (n) [σσοκ] κρούση, σοκ, διάσειση (v) συγκλονίζω.

shocking (n) [σσόκινγκ] σκανδαλιστικός, σόκιν, απαίσιος.

shoe (v) [σσου] ποδένω, πεταλώνω (n) παπούτσι, πέλμα.

shoot (n) [σσουτ] παρακλάδι, βλαστός, ριπή (v) εκτοξεύω, τουφεκίζω, βάλλω, βαρώ.

shooter (n) [σσούτερ] κυνηγός.

shooting (n) [σσούτινγκ] εξαπόλυση, τουφεκιά, ρίξιμο (adj) σκοπευτικός.

shop (n) [σσοπ] μαγαζί.

shore (n) [σσόρ] ακτή, όχθη.

short (adj) [σσόορτ] ανεπαρκής, κοντός, μικρός, ολίγος.

short circuit (n) [σσόορτ σέρκιτ] βραχυκύκλωμα.

short-sighted (adj) [σσόορτσάιτι-ντ] μύωπας.

shortage (n) [σσόορταντζζ] κρίση, στέρηση, έλλειμμα.

shorten (v) [σσόοτεν] περικόπτω, κονταίνω.

shortly (adv) [σσόοτλι] σε λίγο.
shortness (n) [σσόοτνες] συντομία.
shot (n) [σσοτ] ριξιά, βολή.
shoulder (n) [σσόουλ-ντερ] ώμος.
shoulder blade (n) [σσόουλ-ντα μπλέι-ντ] πλάτη, ωμοπλάτη.
shout (n) [σσάουτ] ιαχή, βοή, φωνή (v) κραυγάζω, ξεφωνίζω.
shove (v) [σσαβ] σκουντώ.
shove off (v) [σσαβ οφφ] απωθώ, παραιτούμαι.
shovel (v) [σσάβελ] φτυαρίζω.
shoving (n) [σσάβινγκ] σπρωξιά.
show (n) [σσόου] επίφαση, ρεκλάμα (v) αποκαλύπτω, εκφράζω, οδηγώ, δείχνω.
shower (n) [σσάουερ] εκθέτης, μπόρα (v) περιλούζω.
showy (adj) [σσόουι] θεατρικός.
shred (n) [σσρε-ντ] απόκομμα.
shrew (n) [σσριού] μέγαιρα.
shrewd (adj) [σσρουού-ντ] πονηρός, ευφυής, έξυπνος.
shriek (n) [σσρίικ] στριγκλιά (v) ουρλιάζω, φωνάζω.
shrill (adj) [σσρίιλ] οξύς, ψιλός.
shrimp (n) [σσρίιμ-π] γαρίδα.
shrine (n) [σσράιν] λειψανοθήκη.
shrivel (v) [σσριβλ] συστέλλω, μαραίνομαι, συρρικνώνομαι.
shroud (n) [σσράου-ντ] σάβανο.
shrub (n) [σσρα-μπ] χαμόδεντρο.
shrubby (adj) [σσρά-μπι] θαμνώδης.
shudder (n) [σσά-ντερ] ανατριχίλα (v) ριγώ, ανατριχιάζω.
shuffle (v) [σσαφλ] ανακατεύω.
shun (v) [σσαν] αποφεύγω.
shut (adj) [σσατ] κλειστός (v) κλείνω, σφαλώ, φράσσω.
shut up (adj) [σσατ απ] κατάκλειστος (ex) σουτ [σιωπή!].
shutter (n) [σσάτερ] χώρισμα.
shy (adj) [σσάι] ντροπαλός, άγριος (v) κωλώνω, σκιάζομαι.
shyster (n) [σσάιστερ] μπαγαπόντης.
sibilation (n) [σιμπιλέισσν] συριγμός, σφύριγμα.
sibylline (adj) [σίμπιλαϊν] σιβυλλικός, προφητικός.
siccative (adj) [σίκετιβ] ξηραντικός, στεγνωτικός.
sick (adj) [σικ] άρρωστος.
sicken (v) [σίκεν] ασθενώ.
sickening (adj) [σίκενινγκ] αηδής.
sickle (n) [σικλ] δρεπάνι.
sickly (adj) [σίκλι] φιλάσθενος, ξελιγωμένος, αηδιαστικός.
side (n) [σάι-ντ] απόψη, άκρη, (adj) πλευρικός, έμμεσος.
sideboard (n) [σάι-ντ-μπόορ-ντ] σκευοθήκη, κυλικείο.
sideburns (n) [σάι-ντ-μπερνς]

φαβορίτα.
sideslip (v) [σάι-ντσλίπ] ντελαπάρω.
sidewalk (n) [σάι-ντουόλκ] πεζοδρόμιο.
siege (n) [σίιντζζ] πολιορκία.
sieve (n) [σίβ] κρησάρα (v) κοσκινίζω.
sift (v) [σιφτ] κοσκινίζω.
sifter (n) [σίφτερ] ζαχαριέρα, αλατιέρα, κρησάρα, κόσκινο.
sigh (n) [σάι] στεναγμός.
sighing (n) [σάιιγκ] στεναγμός.
sight (n) [σάιτ] όραση, θέαμα, στόχαστρο, κρίση, θέα, φως.
sights (n) [σάιτς] αξιοθέατα.
sign (n) [σάιν] εκδήλωση, σύμβολο, τεκμήριο, σήμα, σινιάλο (v) γνεύω, υπογράφω.
signal (v) [σίγκναλ] σημαίνω (n) σήμα, σινιάλο, σύνθημα.
signal box (n) [σίγκναλ μποξ] σκοπιά, σηματοδότης.
signature (n) [σίγκνατσσα] υπογραφή.
signet (n) [σίγκνετ] σφραγίδα.
significance (n) [σιγκνίφικανς] σημασία, σπουδαιότητα, έννοια.
signify (v) [σίγκνιφαϊ] γνωστοποιώ, κοινοποιώ, εννοώ.
silence (n) [σάιλενς] σιωπή, εχεμύθεια (v) αποστομώνω.
silent (adj) [σάιλεν-τ] σιωπηλός, ακίνητος, ήρεμος (n) βωβός.
silhouette (n) [σιλουέτ] σιλουέτα.
silk (adj) [σιλκ] μεταξωτός.
silken (adj) [σίλκεν] μεταξένιος.
silkworm (n) [σίλκουερμ] μεταξοσκώληκας, βόμβυκας.
silky (adj) [σίλκι] μεταξένιος.
silliness (n) [σίλινες] βλακεία.
silly (adj) [σίλι] ανόητος, πλίθιος (n) κουτεντές, χαζός.
silver (n) [σίλβερ] ασήμι.
simile (n) [σίμιλι] παρομοίωση.
simmer (v) [σίμερ] κουφοβράζω.
simple (adj) [σιμ-πλ] σκέτος, εύκολος, λιτός, ανόητος.
simpleton (n) [σίμ-πλτον] γομάρι, αγαθιάρης, τούβλο [μεταφ], πλίθιος (adj) ξεκούτης.
simply (adv) [σίμ-πλι] απλά.
simulate (v) [σίμιουλεϊτ] απομιμούμαι, μιμούμαι.
simulated (adj) [σιμιουλέιτι-ντ] τεχνητός.
simultaneous (adj) [σιμουλτέινιας] ταυτόχρονος.
sin (n) [σιν] αμαρτία, έγκλημα, κρίμα (v) αμαρτάνω.
since (adv) [σινς] έκτοτε, από τότε (conj) αφού, ενώ, εφ' όσον.
sincere (adj) [σινσίιρ] ειλικρινής.
sinecure (n) [σίνικιουρ] αργομισθία.
sinewy (adj) [σίνιουι] νευρώδης.

sing (v) [σινγκ] κελαηδώ, λαλώ.
singer (n) [σίνγκερ] ψάλτης.
singing (adj) [σίνγκινγκ] ωδικός (n) λαλιά, κελάδημα.
single (adj) [σινγκλ] μοναδικός, εργένης, ανύπανδρος, ενιαίος.
singular (adj) [σίνγκιουλαρ] αξιοσημείωτος, ιδιότροπος.
sinister (adj) [σίνιστερ] δυσοίωνος, δόλιος, επικίνδυνος.
sink (v) [σινκ] καταποντίζομαι (n) νεροχύτης, υπόνομος.
sinner (adj) [σίνερ] αμαρτωλός.
sinuosity (n) [σινιουόσιτι] κυματοειδές, ευλυγισία, ευελιξία.
sinus (n) [σάινας] κόλπος.
sip (n) [σιπ] γουλιά, ρουφηξιά (v) κουτσοπίνω, πιπιλίζω.
siphon (n) [σάιφον] σιφόνι.
sir (n) [σερ] κύριος.
siren (n) [σάιρεν] σειρήνα.
sister (n) [σίστερ] αδελφή.
sit (v) [σιτ] κάθομαι.
site (n) [σάιτ] τόπος, τοπίο.
sitting (n) [σίτινγκ] σύνοδος, κάθισμα, φορά, δόση.
situation (n) [σίτσουέισσον] θέση, τοποθεσία, κατάσταση.
six (num) [σιξ] έξι [αριθ].
sizable (adj) [σάιζα-μπλ] ευμεγέθης.
size (n) [σάιζ] μέγεθος, μπόι, όγκος, έκταση, ανάστημα.
sizzle (v) [σιζλ] τσιτσιρίζω.
skating (n) [σκέιτινγκ] πατινάζ.
skein (n) [σκέιν] ματσάκι.
skeleton (n) [σκέλετον] σκελετός.
sketch (v) [σκετς] σκιαγραφώ (n) προσχέδιο, σκετς.
sketchy (adj) [σκέτσσι] αδρομερής, ατελής, ελλιπής.
skew (adj) [σκιού] λοξός (v) λοξοδρομώ, αλλοιθωρίζω.
skewer (n) [σκιούερ] σούβλα, σουβλάκι (v) σουβλίζω, τρυπώ.
ski (adj) [σκίι] χιονοδρομικός (n) χιονοπέδιλο, σκι.
skid (n) [σκί-ντ] ντεραπάρισμα (v) ντεραπάρω, ολισθαίνω.
skier (n) [σκίερ] χιονοδρόμος.
skill (n) [σκίλ] ικανότητα.
skilled (adj) [σκίλ-ντ] έμπειρος.
skim (v) [σκιμ] αποβουτυρώ, διαβάζω στα πεταχτά.
skim over (v) [σκιμ όουβερ] ξεφυλλίζω, φυλλομετρώ.
skin (adj) [σκιν] πέτσα (n) επιδερμίδα, δέρμα, κέλυφος, μεμβράνη (v) αποφλοιώ, γδέρνω.
skin-deep (adj) [σκίν-ντίιπ] επιφανειακός, επιπόλαιος.
skinflint (n) [σκίνφλιν-τ] τσιγγούνης, καρμίρης.
skinning (n) [σκίνινγκ] εκδορά.
skint (n) [σκιν-τ] απένταρος.
skip (v) [σκιπ] χοροπηδώ (n) δοχείο απορριμμάτων.
skipper (n) [σκίπερ] καπετάνιος.

skirl (n) [σκέρλ] οξύς ήχος.
skirt (n) [σκερτ] φούστα, γυναίκα [αργκο] (v) περιτρέχω.
skit (n) [σκιτ] σάτιρα, σκετς.
skivvy (n) [σκίβι] δούλα.
skulduggery (n) [σκαλ-ντάγκερι] ατιμία, κατεργαριά, απάτη.
skull (n) [σκαλ] νεκροκεφαλή.
skunk (n) [σκανκ] κουμάσι, καθίκι (adj) βρομιάρης.
sky (n) [σκάι] ουρανός.
skyscraper (n) [σκάισκρέιπερ] ουρανοξύστης.
slab (n) [σλα-μπ] πλάκα, φέτα.
slack (adj) [σλακ] αμελής, τεμπέλης (n) μπόσικα [ναυτ].
slander (n) [σλάαν-ντερ] δυσφήμιση, (v) διαβάλλω.
slanding (adj) [σλάν-ντινγκ] εγκάρσιος.
slang (adj) [σλανγκ] μάγκικος (n) αργκό, χυδαία γλώσσα.
slant (n) [σλάαν-τ] κλίση [στέγης], λοξότητα, παραποίηση (v) κύπτω.
slanting (adj) [σλάαν-τινγκ] στραβός [λοξός], λοξός.
slap (n) [σλαπ] φάπα, χαστούκι, μπάτσος (v) ραπίζω.
slash (v) [σλασς] μαστιγώνω.
slashing (adj) [σλάσσινγκ] σκληρός.
slate (n) [σλέιτ] κεραμίδι, πλάκα (v) πλακοστρώνω.
slatternly (adj) [σλάτανλι] απεριπποίητος, βρώμικος.
slaughter (n) [σλόοτερ] μακελειό, σφαγή (v) σφάζω.
slave (adj) [σλέιβ] δούλος (n) δούλη, είλωτας, ραγιάς.
slave away (v) [σλέιβ αουέι] κατασκοτώνομαι.
slavery (n) [σλέιβερι] δουλεία.
sled (n) [σλε-ντ] έλκηθρο.
sledge (n) [σλεντζζ] έλκηθρο.
sleep (n) [σλίιπ] νάνι, ύπνος (v) κοιμάμαι, κοιμούμαι.
sleeper (n) [σλίιπερ] τραβέρσα.
sleeping (adj) [σλίιπινγκ] κοιμώμενος, αδρανής (n) κοίμηση.
sleeve (n) [σλίιβ] μανίκι.
sleeveless (adj) [σλίιβλες] αμάνικος, ξεμανίκωτος.
slender (adj) [σλέν-ντερ] λεπτός, φτωχός, λυγερόκορμος.
slice (n) [σλάις] κομμάτι [ψωμί], φέτα [τυρί], μερίδιο (v) κόβω.
slicker (n) [σλίκερ] μαλαγάνα.
slide (n) [σλάι-ντ] διαφάνεια, τσουλήθρα (v) διολισθαίνω.
slight (adj) [σλάιτ] μικρός.
slighting (adj) [σλάιτινγκ] μειωτικός, περιφρονητικος.
slim (adj) [σλιμ] λεπτός, σβέλτος, ασθενής (v) αδυνατίζω.
slime (n) [σλάιμ] πηλός, γλίτσα.
slimness (n) [σλίμνες] λεπτότητα, πονηριά, υπουλότητα.
slimy (adj) [σλάιμι] λασπώδης.
sling (n) [σλινγκ] σφενδόνη (v)

αναρτώ, κρεμώ.
slip (v) [σλιπ] γλιστρώ (n) μετατόπιση, παράπτωμα, απροσεξία.
slipknot (n) [σλίπνοτ] θηλιά.
slipper (n) [σλίπερ] παντόφλα.
slipway (n) [σλίπουεϊ] σκαρί.
slit (adj) [σλιτ] σχιστός.
slob (n) [σλο-μπ] λάσπη.
slope (n) [σλόουπ] κατηφοριά (v) ρέπω.
sloping (adj) [σλόουπινγκ] επικλινής, κατηφορικός.
sloppy (adj) [σλόπι] μουσκευμένος, λασπωμένος, άτσαλος.
sloth (n) [σλόουθ] νωθρότητα.
slothful (adj) [σλόουθφουλ] νωθρός, νωχελής, οκνηρός.
sloven (n) [σλάβεν] βρωμιάρης.
slovenly (adj) [σλόβενλι] άτσαλος.
slow (adj) [σλόου] αργός.
slowly (adv) [σλόουλι] αργά.
sludge (n) [σλαντζζ] πηλός.
sluggish (adj) [σλάγκισ] αργοκίνητος, οκνηρός, νωθρός.
sluice (n) [σλούους] καταρράκτης.
slum (n) [σλαμ] φτωχογειτονιά.
slump (n) [σλαμ-π] κάμψη.
slur (n) [σλερ] θολούρα.
slush (n) [σλασς] λασπουριά.
slut (n) [σλατ] αλανιάρα, βρόμα.
sly (adj) [σλάι] πονηρός.
slyness (n) [σλάινες] πονηριά.
smack (v) [σμακ] κροταλίζω (n) κατραπακιά, φάπα.
small (adj) [σμόολ] μικρός.
small-holder (n) [σμόολ-χόουλντερ] μικροϊδιοκτήτης.
smart (adj) [σμάατ] οξύς, δριμύς, ζωηρός, καπάτσος (v) τσούζω (n) οξύς πόνος.
smash (v) [σμασς] τσακίζω.
smashed (adj) [σμασσ-τ] σπασμένος, σμπαραλιασμένος.
smattering (n) [σμάτερινγκ] πασάλειμμα, επιπόλαια γνώση.
smear (n) [σμίιρ] κηλίδα, λεκές, ρετσινιά (v) αλείβω, λεκιάζω.
smell (n) [σμελ] (v) βρωμάω.
smelly (adj) [σμέλι] δύσοσμος.
smelt (v) [σμελτ] χωνεύω.
smile (v) [σμάιλ] μειδιώ, γελώ (n) χαμόγελο, χαρά, ευθυμία.
smithereens (n) [σμίδερίινζ] θρύψαλα.
smithy (n) [σμίδι] σιδηρουργείο.
smoke (n) [σμόουκ] κάπνισμα (v) φουμάρω, καπνίζω.
smooth (adj) [σμούουδ] επίπεδος, ίσιος, τρωτός, μαλακός, απαλός, ήρεμος, ήπιος, ήσυχος, ευγενής, λείος, ομαλός (v) ισιώνω, στρώνω.
smoothie (n) [σμούουδι] μαλαγάνα.
smoothness (n) [σμούουδνες] ομαλότητα, απαλότητα.
smoulder (v) [σμόουλ-ντερ]

κουφοκαίω, υποβόσκω.
smudge (n) [σμαντζζ] μουντζούρα (v) λερώνω.
smug (adj) [σμαγκ] αυτάρεσκος.
smuggler (n) [σμάγκλερ] λαθρέμπορος.
smugness (n) [σμάγκνες] αυταρέσκεια, ικανοποίηση.
smut (v) [σματ] μουντζουρώνω (n) παλιόλογα, βρομιά, καπνιά.
smutty (adj) [σμάτι] μουντζουρωμένος, άσεμνος.
snack (n) [σνακ] μεζές.
snail (n) [σνέιλ] σαλιγκάρι.
snake (n) [σνέικ] φίδι.
snap (adj) [σναπ] αιφνιδιαστικός (v) αρπάζω, κροτώ, κτυπώ (n) κροταλισμός, στιγμιότυπο.
snappish (adj) [σνάπισς] απότομος, ευέξαπτος, οξύθυμος.
snappy (adj) [σνάπι] ευέξαπτος.
snapshot (n) [σνάπσσοτ] ενσταντανέ, στιγμιότυπο.
snare (n) [σνέαρ] δίχτυ, βρόχι, φάκα (v) παγιδεύω.
snatch (n) [σνατσς] αρπαγή (v) αρπάζω, βουτώ, γραπώνω.
sneak (n) [σνίικ] δειλός.
sneaky (adj) [σνίικι] κρυψίνους.
sneer (n) [σνίιρ] χλεύη, εμπαιγμός (v) χλευάζω, αναγελώ.
sneeze (n) [σνίιζ] φτέρνισμα.
snicker (v) [σνίκερ] χρεμετίζω.
sniff (n) [σνιφ] μυρουδιά (v) οσφραίνομαι, μυρίζω.
snip (n) [σνιπ] ψαλιδιά.
snivel (v) [σνίβελ] κλαψουρίζω.
snob (n) [σνο-μπ] σνομπ.
snobbery (n) [σνό-μπερι] σνομπισμός, κενοδοξία, ξιππασιά.
snore (v) [σνόορ] ροχαλίζω (n) ροχαλητό, ροχάλισμα, ρόγχος.
snort (v) [σνόοτ] ξεφυσώ.
snot (n) [σνοτ] μύξα [χυδ].
snout (n) [σνάουτ] μουτσούνα.
snow (n) [σνόου] χιόνι.
snow-plough (n) [σνόου-πλάου] εκχιονιστήρας.
snowball (n) [σνόου-μπόολ] χιονιά, χιονόσφαιρα.
snowy (adj) [σνόουι] χιονάτος.
snuff (n) [σναφ] καύτρα.
snuffle (v) [σναφλ] ρουθουνίζω.
snuggle (v) [σναγκλ] συσπειρώνομαι [μεταφ].
so (adv) [σόου] τόσο, έτσι, ούτως, τοιουτοτρόπως, συνεπώς, ώστε (conj) άρα, δα, ώστε.
so as (conj) [σόου αζ] έτσι ώστε.
soak (v) [σόουκ] μουσκεύω.
soaked (n) [σόουκ-τ] μουσκίδι.
soap (v) [σόουπ] σαπουνίζω.
soar (v) [σόορ] ανέρχομαι.
sob (n) [σο-μπ] λυγμός.
sober (adj) [σόου-μπερ] ξεμέθυστος, νηφάλιος, εγκρατής.
social (adj) [σόουσσιαλ] εγκόσμιος, κοινωνικός, φιλόφρων.
socialist (n) [σόουσσιαλιστ] σο-

σιαλιστής.
society (n) [σοσάιετι] αδελφότητα.
sociological (adj) [σόουσσιολόντζζικαλ] κοινωνιολογικός.
sock (n) [σοκ] κάλτσα.
socket (n) [σόκετ] πρίζα.
sod (n) [σο-ντ] κωλομπαράς, παιδεραστής, γρασίδι.
sofa (n) [σόουφα] καναπές.
soft (adj) [σοφτ] εύπλαστος, μαλακός, μαλθακός, πλαδαρός.
soggy (adj) [σόγκι] κάθυγρος, μουσκευμένος, ελώδης.
soil (v) [σόιλ] λασπώνω, βρομίζω (n) έδαφος, χώμα, γη.
soiree (n) [σουαρέι] χοροεσπερίδα.
sojourn (n) [σοζζέν] διαμονή (v) παραμένω.
sol (n) [σολ] σολ [μουσ].
solace (n) [σόλας] παρηγοριά.
solar (adj) [σόουλαρ] ηλιακός.
solder (v) [σόουλ-ντερ] κολλώ.
soldier (n) [σόουλντζζα(ρ)] μαχητής, οπλίτης, στρατιώτης.
sole (n) [σόουλ] πέλμα [ανατ], σόλα, πάτος (adj) μοναχός, μόνος, άγαμος.
solemn (adj) [σόλεμ] σοβαρός.
solemnity (n) [σολέμνιτι] επισημότητα, σοβαρότητα.
solicitation (n) [σολισιτέισσον] πρόσκληση, άγρα πελατών.
solicitude (n) [σολίσιτιου-ντ] μέριμνα, μέλημα.
solid (adj) [σόλι-ντ] σφικτός, πλήρης, ενιαίος, στερεός.
solidarity (n) [σολι-ντάριτι] ενότητα, σύμπνοια, συμπαράσταση.
solitaire (n) [σολιτέα(ρ)] πασιέντζα, μονόπετρο.
solitary (adj) [σόλιτρι] απόμακρος, ανύπανδρος, μοναχικός.
solitude (n) [σόλιτιου-ντ] ερημιά.
solo (n) [σόουλοου] σόλο.
solve (v) [σόλβ] επιλύω, λύνω, διαλευκαίνω, εξιχνιάζω.
solvent (adj) [σόλβεν-τ] φερέγγυος, θεραπευτικός (n) διαλυτικό, διαλύτης, ανακούφιση.
solving (n) [σόλβινγκ] λύσιμο.
somber (adj) [σόμ-μπερ] σκοτεινός, ζοφερός.
some (pron) [σαμ] κάτι, καμιά, κάμποσος, κανένας (adj) μερικός, ολίγος, κατά προσέγγιση, μοναδικός, σπουδαίος, καταπληκτικός.
somersault (n) [σάμασολτ] μεταστροφή, μεταβολή, τούμπα.
somnambulism (n) [σομνάμπιουλιζμ] υπνοβασία.
somnolence (n) [σόμνολενς] νυσταγμός, νύστα, υπνηλία.
son (n) [σαν] γιός, υιός.
song (n) [σονγκ] κελάδημα.
sonnet (n) [σόνιτ] σονέτο.
sonorous (adj) [σόναρας] ηχη-

ρός, ρητορικός, μελωδικός.
soon (adv) [σούουν] προσεχώς.
soot (n) [σούτ] κάπνα, καπνιά.
soothe (v) [σούουδ] γαληνεύω.
soothing (adj) [σούουδινγκ] κατευναστικός (n) μαλάκωμα.
sop (n) [σοπ] παπάρα, φιλοδώρημα, δειλός άνθρωπος.
sophist (n) [σόφιστ] σοφιστής.
soppy (adj) [σόπι] διάβροχος.
sorceress (n) [σόοσερες] μάγισσα.
sordid (adj) [σόο-ντιτ] ποταπός.
sore (adj) [σόο] πονεμένος, στενοχωρημένος (n) πληγή, έλκος.
soreness (n) [σόονες] φλεγμονή, οδύνη, άλγος, πόνος, χόλος.
sorrel (n) [σόρελ] λάπαθο [βοτ].
sorrow (n) [σόροου] λύπη.
sorrowful (adj) [σόροουφουλ] πένθιμος, λυπημένος.
sorry (adj) [σόρι] μετανιωμένος.
sort (n) [σόοτ] σόι, πάστα, φύραμα, είδος, λογή, τάξη, κατηγορία (v) ξεδιαλέγω.
sortie (n) [σόοτι] έξοδος [στρατ].
sorting (n) [σόοτινγκ] διαλογή.
soul (n) [σόουλ] ψυχή.
soulful (adj) [σόουλφουλ] εκφραστικός, συναισθηματικός.
sound (adj) [σάουν-ντ] έγκυρος, φρόνιμος, σώος, ορθός, ικανός (n) ηχώ, φωνή (v) κρούω, σημαίνω [καμπάνα κτλ], χτυπώ [ρολογιού κτλ], βαράω [σάλπιγγα], βολιδοσκοπώ, ηχώ, καταδύομαι, βουτώ, εξετάζω.
sound-proof (adj) [σάουν-ντπρούφ] ηχομονωτικός.
sounding (n) [σάουν-ντινγκ] βυθομέτρηση, ακρόαση.
soundless (adj) [σάουν-ντλες] άηχος, αθόρυβος, σιωπηλός.
soundness (n) [σάουν-ντνες] ορθότητα, υγεία, σθένος.
soup (n) [σούουπ] σούπα.
sour (adj) [σάουα] άγουρος, ξινός, οξύς, στυφός.
source (n) [σόος] πηγή, ρίζα [μεταφ], προέλευση, αρχή.
south (adj) [σάουθ] νότιος, μεσημβρινός (n) νοτιά, νότος.
souvenir (n) [σούουβενιιρ] ενθύμιο.
sou'wester (n) [σάου-ουέστα] γαρμπής, αδιάβροχη κουκούλα.
sovereign (adj) [σόβριν] κυρίαρχος, ισχυρός (n) λίρα, ηγεμόνας.
soviet (adj) [σόουβιετ] σοβιετικός (n) σοβιέτ.
sow (n) [σάου] σκρόφα, γουρούνα (v) [σόου] σπείρω.
sower (adj) [σόουερ] σποπέας.
sowing (n) [σόουινγκ] σπορά.
sown (adj) [σόουν] σπαρμένος.
soya (n) [σόια] σόγια.
spa (n) [σπάα] λουτρόπολη.
space (adj) [σπέις] διαστημικός (n) απόσταση, χώρος, διάστημα.

space out (v) [σπέις άουτ] αραιώνω, χωρίζω με διάστημα.
spacious (adj) [σπέισσας] απλόχωρος, ευρύχωρος, πλατύς.
spade (n) [σπέι-ντ] φτυάρι.
spaghetti (dish) (n) [σπαγκέτι ντισς] μακαρονάδα.
span (n) [σπαν] σπιθαμή.
spangle (n) [σπανγκλ] πούλια.
spanner (n) [σπάνερ] κλειδί.
spar (adj) [σπάα] ξερακιανός (v) λογομαχώ.
spare (adj) [σπέα] εφεδρικός, έκτακτος, λεπτός (v) φείδομαι.
sparing (adj) [σπέαρινγκ] φειδωλός, λιτοδίαιτος, πενιχρός.
spark (n) [σπάακ] σπίθα, σφρίγος, πνεύμα, ίχνος (v) αστράφτω, σπιθοβολώ.
sparkle (v) [σπάακλ] σπιθοβολώ (n) ακτινοβολία, λάμψη.
sparse (adj) [σπάας] διεσπαρμένος, σποραδικός, αραιός.
spastic (adj) [σπάστικ] σπαστικός.
spatter (n) [σπάτερ] πιτσιλιά.
spawn (v) [σπόον] γεννοβολώ.
spay (v) [σπέι] στειροποιώ, ευνουχίζω, μουνουχίζω [ζώο].
speach (n) [σπίιτσς] ομιλουμένη.
speak (v) [σπίικ] αποτείνομαι, λέγω, μιλώ, ομιλώ, αγορεύω.
speaker (n) [σπίικερ] ομιλητής.
spear (n) [σπίιρ] λόγχη, δόρυ (v) λογχίζω, καμακώνω.
special (adj) [σπέσσαλ] ασυνήθης, ειδικός, έκτακτος.
special edition (n) [σπέσσαλ εντίσσον] παράρτημα [εφημερίδας], ειδική έκδοση.
species (n) [σπίισσιις] είδος [βοτ], γένος [ζώων, φυτών].
specific (adj) [σπεσίφικ] ιδιαίτερος, ρητός, συγκεκριμένος.
specify (v) [σπέσιφαϊ] καθορίζω, αναγράφω, ειδικεύω.
specimen (n) [σπέσιμεν] δείγμα.
specious (adj) [σπίισσες] αληθοφανής, ευλογοφανής.
speck (n) [σπεκ] στίγμα, σημάδι, λεκές, ελάττωμα, κόκκος.
speckle (n) [σπεκλ] στίξη.
spectacle (n) [σπέκτακλ] θέαμα.
spectacular (adj) [σπεκτάκιουλαρ] θεαματικός, επιδεικτικός.
spectre (n) [σπέκτερ] φάσμα.
speculate (v) [σπέκιουλεϊτ] διαλογίζομαι, κερδοσκοπώ.
speech (adj) [σπίιτσς] λεκτικός (n) αγόρευση, λαλιά, μιλιά.
speechless (adj) [σπίιτσσλες] άλαλος, σιωπηλός.
speed (n) [σπίι-ντ] ταχύτητα (v) αυξάνω, επιταχύνω, ταχύνω.
speedy (adj) [σπίι-ντι] ραγδαίος.
speleologist (n) [σπίλιιόλοντζζιστ] σπηλαιολόγος.
spell (n) [σπελ] μάγια.
spelling (adj) [σπέλινγκ] ορθο-

γραφικός (n) ορθογραφία.
spend (v) [σπεν-ντ] αναλώνω.
spendthrift (adj) [σπέν-ντθριφτ] σκορποχέρης, σπάταλος.
sperm (n) [σπερμ] σπέρμα.
sphere (n) [σφίιερ] σφαίρα.
sphinx (n) [σφινξ] σφίγγα.
spice (n) [σπάις] μπαχαρικό (v) καρυκεύω, νοστιμεύω.
spices (n) [σπάισις] μυριστικά.
spicy (adj) [σπάισι] καρυκευμένος.
spider (n) [σπάι-ντερ] αράχνη.
spike (n) [σπάικ] καρφί, στάχι.
spiky (adj) [σπάικι] ακιδωτός.
spill (v) [σπιλ] χύνω.
spilling (n) [σπίλινγκ] χύσιμο.
spin (n) [σπιν] περιστροφή (v) στροβιλίζω, κλώθω.
spinach (n) [σπίνιτος] σπανάκι.
spindle (n) [σπιν-ντλ] άτρακτος.
spine (n) [σπάιν] ράχη.
spineless (adj) [σπάινλες] ασπόνδυλος, υποτακτικός.
spinney (n) [σπίνι] δασύλλιο.
spinning top (n) [σπίνινγκ τοπ] σβούρα, στρόβιλος.
spinster (n) [σπίνστερ] άγαμη.
spiny (adj) [σπάινι] αγκαθωτός.
spiral (adj) [σπάιραλ] ελικοειδής, σπειροειδής (n) σπείρα.
spirit (n) [σπίριτ] ευψυχία, πνεύμα, φάντασμα, οινόπνευμα.
spiritual (adj) [σπιρίτσσουαλ] πνευματικός, ψυχικός, άυλος.
spit (v) [σπιτ] φτύνω, σουβλίζω (n) ρόχαλο, φτύσιμο, πτύσμα.
spite (n) [σπάιτ] μοχθηρία, ιός, μίσος, έχθρα, μνησικακία.
spittle (n) [σπιτλ] σίελος, σάλιο.
splash (n) [σπλασς] μυρουδιά, λεκές (v) πιτσιλίζω, βρέχω.
splayfoot (n) [σπλέι-φούτ] πλατυποδία.
spleen (n) [σπλίιν] σπλήνα.
splendid (ex) [σπλέν-ντι-ντ] λαμπρά (adj) ένδοξος, εξαίσιος, πλούσιος (n) μεγαλείο.
splendour (n) [σπλέν-ντα] λαμπρότητα, μεγαλοπρέπεια.
splice (v) [σπλάις] αμματίζω.
splinter (n) [σπλίν-τερ] αγκίδα, σκλήθρα, θραύσμα (v) σκάζω.
split (adj) [σπλιτ] σχιστός (n) ρωγμή, σχισμή (v) ραγίζω.
spoil (v) [σπόιλ] διαφθείρω, λιώνω, σαπίζω, φθείρω, χαλώ.
spoilt (adj) [σπόιλτ] κανακάρης.
spoke (adj) [σπόουκ] ακτινωτός (n) ακτίνα [τροχού].
spoliation (n) [σπόουλιέισσον] λεηλασία, ληστεία, καταστροφή.
spongy (adj) [σπάν-ντζζι] σπογγώδης, ελαστικός, μαλακός.
sponsor (n) [σπόνσα] ανάδοχος.
spontaneity (n) [σπον-τενέι-ιτι] αυθορμητισμός, αμεριμνησία.
spontaneous (adj) [σπον-τέινιας] αυθόρμητος, πηγαίος.
spook (n) [σπούουκ] εξωτικό.

spool (n) [σπούουλ] κουβαρίστρα.
spoon (n) [σπούουν] κουτάλι.
sport (n) [σπόοτ] άθλημα, παιχνίδι, αστεϊσμός (v) επιδεικνύω.
sportsground (n) [σπόοτσγκράουν-ντ] γήπεδο.
spot (n) [σποτ] κηλίδα, τσόντα, μέρος, μπιμπίκι, σημάδι, κουκκίδα, βούλα (v) λεκιάζω, μπανίζω, εντοπίζω.
spotless (adj) [σπότλες] πεντακάθαρος, άψογος, ακηλίδωτος.
spotlight (n) [σπότλάιτ] προβολέας, φωτεινή δέσμη.
spotter (n) [σπότερ] εντοπιστής.
spotty (adj) [σπότι] λεκιασμένος.
spout (v) [σπάουτ] εκτοξεύω.
sprain (v) [σπρέιν] εξαρθρώνω (n) διάστρεμμα.
sprawling (adj) [σπρόολινγκ] ξαπλωμένος.
spray (n) [σπρέι] μπουχός, ψεκαστήρας (v) ραντίζω, ψεκάζω.
spread (v) [σπρε-ντ] εξαπλώνω, στρώνω, φουντώνω (n) κάλυψη, έκταση, διάδοση, συμπόσιο.
sprig (n) [σπριγκ] βλαστός.
spring (adj) [σπρινγκ] ανοιξιάτικος (n) άνοιξη, πηγή, ελατήριο, πήδημα, βρύση (v) πηδώ.
spring (time) (n) [σπρίνγκ [ταϊμ]] άνοιξη.
springy (adj) [σπρίνγκι] πηδηχτός.
sprinkle (v) [σπρινκλ] ψεκάζω (n) ψιχάλισμα, πασπάλισμα.
sprinkler (n) [σπρίνκλερ] καταβρεχτήρι, ραντιστήρι [εκκλ].
sprout (n) [σπράουτ] βλαστάρι (v) εκβλαστάνω, πετώ, βγάζω.
spruce (adj) [σπρούους] καλοβαλμένος, κομψός.
spry (adj) [σπράι] ζωηρός, σβέλτος, οξύς.
spunk (n) [σπανκ] έναυσμα, θάρρος, εκσπερμάτωση [χυδ].
spur (v) [σπερ] πτερνίζω, τσιγκλώ (n) σπιρούνι, κίνητρο.
spurious (adj) [σπιούριους] νόθος.
spurn (v) [σπερν] αποκρούω, αποστρέφομαι, απορρίπτω.
spurt (n) [σπερτ] εκτόξευση (v) αναβλύζω, φουλάρω.
sputum (n) [σπιούταμ] σάλιο.
spy (n) [σπάι] κατάσκοπος, χαφιές.
squab (n) [σκουό-μπ] πιτσούνι.
squabble (v) [σκουό-μπλ] λογοφέρνω (n) καβγάς.
squadron (n) [σκουό-ντρον] επιλαρχία, ίλη, σμήνος.
squall (n) [σκουόολ] στριγγλιά.
squander (v) [σκουόν-τερ] γλεντώ, σπαταλώ, χαλάω.
square (adj) [σκουέα] τσίφτικος, τετράγωνος (n) γωνία (v) τετραγωνίζω, ισιώνω, πείθω,

πληρώνω.
squash (v) [σκουόσς] ζουλώ, λιώνω, συνθλίβω, πολτοποιώ.
squatting (adv) [σκουότινγκ] οκλαδόν.
squawk (v) [σκουόοκ] κράζω.
squeak (v) [σκουίικ] σκληρίζω (n) σκλήρισμα, τσίριγμα.
squeal (v) [σκουίιλ] γρυλίζω.
squeamish (adj) [σκουίιμισς] σιχασιάρης (n) σιχασιάρης.
squeeze (v) [σκουίιζ] ζουλώ, πιέζω, στριμώχνω, συνθλίβω, στοιβάζω (n) σφίξιμο, έκθλιψη.
squelch (v) [σκουέλτσς] καταστέλλω, αποπαίρνω.
squib (n) [σκουί-μπ] βαρελότο.
squid (n) [σκουί-ντ] καλαμάρι.
squint (v) [σκουίν-τ] αλληθωρίζω.
squire (n) [σκουάιερ] πυργοδεσπότης, καβαλλιέρος.
squirm (v) [σκουέρμ] συστρέφομαι, ελίσσομαι, σφαδάζω.
squirrel (n) [σκουίρελ] σκίουρος.
stab (n) [στα-μπ] πλήγμα (v) μαχαιρώνω.
stability (n) [στα-μπίλιτι] ευστάθεια, σταθερότητα.
stable (adj) [στέι-μπλ] πάγιος, σταθερός (n) στάβλος, αχούρι, ιπποστάσιο (v) σταβλίζω.
stack (n) [στακ] θημωνιά, στοίβα (v) θημωνιάζω, στοιβάζω.
stadium (n) [στέι-ντιουμ] στάδιο.
staff (adj) [στάαφ] επιτελικός (n) προσωπικό, σκυτάλη, ράβδος, στήλη (v) επανδρώνω.
stage (n) [στέιντζζ] σκηνή, σημείο, σταθμός (v) σκηνοθετώ, οργανώνω, σχεδιάζω.
stagger (v) [στάγκερ] παραπαίω.
stagnation (n) [στάγκνέισσον] απραξία, νέκρα.
stagy (adj) [στέιντζζι] πομπώδης, τεχνητός, επίπλαστος.
stain (n) [στέιν] λεκές, στίγμα (v) κηλιδώνω, σπιλώνω.
stair (n) [στέα] βαθμίδα.
staircase (n) [στέακεϊς] κλίμακα.
stake (n) [στέικ] μίζα, κοντάρι, πάσσαλος, στοίχημα, μερίδιο.
stalactite (n) [στάλακταϊτ] σταλακτίτης.
stalagmite (n) [στάλαγκμαϊτ] σταλαγμίτης.
stale (adj) [στέιλ] μπαγιάτικος, γερασμένος (v) χαλάω.
stalemate (n) [στέιλμέιτ] αδιέξοδο.
staleness (n) [στέιλνες] παλαιότητα, μπαγιάτεμα, εξάντληση.
stalk (n) [στόοκ] στέλεχος.
stall (v) [στόολ] σταβλίζω (n) παράπηγμα, παράγκα, αχούρι.
stallion (n) [στάλιον] επιβήτορας.
stammer (v) [στάμερ] μασώ,

τραυλίζω (n) ψεύδισμα.
stamp (n) [σταμ-π] στάμπα, γραμματόσημο, ένσημο.
stampede (n) [σταμ-πίι-ντ] πανικός, άτακτος φυγή, φευγάλα.
stamping (n) [στάμ-πινγκ] σήμανση, βούλωμα.
stand (n) [σταν-ντ] εξέδρα, σταθμός (v) αντέχω, ανέχομαι.
standard (adj) [στάν-ντα-ντ] καθιερωμένος, σταθερός, κοινός (n) μέτρο, σημαία, λάβαρο.
standardize (v) [στάν-ντα-ντάιζ] τυποποιώ, σταθεροποιώ.
standby (adj) [στάν-ντ-μπαϊ] εφεδρικός.
standing (adj) [στάν-ντινγκ] κλασικός, ορθός, μόνιμος, στάσιμος (n) θέση, κάθισμα.
staple (v) [στέιπλ] καρφιτσώνω.
star (n) [στάα] αστέρι.
starch (n) [στάατσς] άμυλο, (v) κολλαρίζω.
starchy (adj) [στάατσσι] αμυλούχος, κολλαριστός.
stare (n) [στέα] ενατένιση.
stark (adj) [στάακ] άκαμπτος.
stark naked (adj) [στάακ νέικιντ] ολόγυμνος, (adv) τσιτσίδι.
starling (n) [στάαλινγκ] ψαρόνι.
starlit (adj) [στάαλιτ] ξάστερος.
start (n) [στάατ] αρχή, αναπήδημα, ξάφνιασμα, έναρξη (v) αναπηδώ, αρχίζω, ξεκολλώ.
starter (n) [στάατερ] αφέτης.
startle (v) [στάατλ] αιφνιδιάζω.
starvation (n) [σταaβέισσον] λιμοκτονία, πείνα, λιμός.
starving (adj) [στάαβινγκ] θεονήστικος, λιμασμένος.
state (v) [στέιτ] εκθέτω, δηλώνω (adj) πολιτειακός (n) επικράτεια.
stately (adj) [στέιτλι] επιβλητικός, ευγενής, αρχοντικός.
statement (n) [στέιτμεν-τ] ανακοίνωση, απολογισμός.
statesman (n) [στέιτσμαν] πολιτευτής, δημόσιος.
statics (n) [στάτικς] στατική.
station (n) [στέισσον] στάση.
stationery (n) [στέισσονερι] χαρτικά, γραφική ύλη.
stationing (n) [στέισσονινγκ] στάθμευση.
statue (n) [στάτσσιου] άγαλμα.
stature (n) [στάτσσερ] ανάστημα.
status quo (n) [στέιτας κούοου] καθεστώς.
statute (n) [στάτσιουτ] θέσπισμα, καταστατικό, νομοθέτημα.
staunch (adj) [στόον-τσς] αφοσιωμένος, αξιόπιστος.
stave (n) [στέιβ] δόγα, πεντάγραμμο, βαθμίδα, σκαλοπάτι.
stay (n) [στέι] διαμονή, παραμονή, στήριγμα, σταθμός (v) παραμένω, μένω, κρατώ.
steady (adj) [στέ-ντι] σταθερός, στερεός, συνεχής, μεθοδικός (v)

σταθεροποιώ (n) γκόμενα.
steak (n) [στέικ] μπριζόλα.
steal (v) [στίιλ] κλέβω.
stealthy (adj) [στέλθι] κλεφτός.
steam (n) [στίιμ] άχνα, ατμός, αχνός, υδρατμός (v) αχνίζω.
steamroller (n) [στίιμρόουλα] οδοστρωτήρας.
steel (adj) [στίιλ] χαλύβδινος, ατσάλινος (n) ατσάλι.
steep (adj) [στίιπ] ανηφορικός (v) διαβρέχω, μουσκεύω.
steeple (n) [στίιπλ] καμπαναριό.
steer (v) [στίιρ] κυβερνώ.
steering (n) [στίιρινγκ] οδήγηση (adj) κατευθυντήριος.
stellar (adj) [στέλαα] αστρικός.
stem (v) [στεμ] απορρέω (n) θέμα, κοτσάνι, στέλεχος, κορμός.
stench (n) [στεν-τσς] αναθυμίαση, μπόχα, κακοσμία, βρόμα.
stenography (n) [στενόγκραφι] στενογραφία.
step (n) [στεπ] διάβημα, σκαλί, βάδισμα, βαθμίδα (v) περιπατώ**stereotype** (n) [στέριοουτάιπ] στερεοτυπία, ομοιότυπο.
sterile (adj) [στέράιλ] στείρος, άκαρπος, αποστειρωμένος.
sterling (adj) [στέρλινγκ] αδαμάντινος [μεταφ].
stern (n) [στερν] πρύμνη (adj) βλοσυρός, αυστηρός, σκληρός.
stevedore (n) [στίιβα-ντόο] φορτοεκφορτωτής, φορτωτής.
steward (n) [στιούα-ντ] οικονόμος, καμαρότος, θαλαμηπόλος.
stewed (adj) [στιού-ντ] πολυβρασμένος, γιαχνιστός.
stick (n) [στικ] ξύλο, κλαδάκι, μπαστούνι, κοντάρι (v) προσκολλώ, φυτεύω, κολλώ.
sticking (n) [στίκινγκ] κόλλημα.
sticky (adj) [στίκι] κολλώδης.
stiff (adj) [στιφ] δύσκαμπτος, ισχυρός, παράλυτος, ψυχρός.
stifle (v) [στάιφλ] στραγγαλίζω.
stigma (n) [στίγκμα] στίγμα.
stigmatize (v) [στίγκματαϊζ] στιγματίζω, καυτηριάζω.
stiletto (n) [στιλέτοου] στιλέτο.
still (adv) [στιλ] ακόμη (adj) σιγανός, ακίνητος (n) γαλήνη (conj) μολαταύτα.
stillness (n) [στίλνες] ηρεμία, γαλήνη, ησυχία, σιγαλιά.
stilt (n) [στιλτ] ξυλοπόδαρο.
stilted (adj) [στίλτι-ντ] εξεζητημένος, επιτηδευμένος.
stimulant (n) [στίμιουλαν-τ] διεγερτικό (adj) διεγερτικός.
stimulate (v) [στίμιουλεϊτ] υποκινώ, παρορμώ, ερεθίζω.
sting (v) [στινγκ] αγκυλώνω, τσιμπώ, τσούζω, κεντώ, (n) κέντημα, κεντρί, κέντρισμα, τσίμπημα, τσούξιμο.
stingy (adj) [στίν-ντζζι] σφιχτός, τσιγκούνης, φειδωλός.
stink (n) [στινκ] δυσωδία, μπό-

χα (v) όζω, βρομίζω, βρομώ.
stint (v) [στιν-τ] περιορίζω.
stipulation (n) [στιπιουλέισσον] συμβόλαιο, συμφωνία.
stir (n) [στερ] πάταγος (v) αναδεύω, κινώ, συγκινώ.
stirring (n) [στέρινγκ] ανακίνηση (adj) συγκινητικός.
stirrup (n) [στίραπ] αναβατήρας, αναβολέας.
stitch (n) [στιτσ] θηλιά, γαζί (v) ράβω, στερεώνω, κεντώ.
stock (n) [στοκ] παρακαταθήκη.
stock exchange (n) [στοκ εξτσσέιν-ντζζ] χρηματιστήριο.
stockbreeding (n) [στόκ-μπρίιντινγκ] κτηνοτροφία.
stocking (n) [στόκινγκ] κάλτσα.
stodgy (adj) [στόντζζι] βαρύς, δύσπεπτος, αχώνευτος.
stoical (adj) [στόικαλ] στωικός.
stoke (v) [στόουκ] τροφοδοτώ, ταΐζω, παραφουσκώνω.
stole (n) [στόουλ] πετραχήλι.
stolen (adj) [στόουλεν] κλεφτός.
stomach (n) [στόμακ] στομάχι.
stone (n) [στόουν] λιθάρι, κουκούτσι, πέτρα,(v) λιθοβολώ.
stoned (adj) [στόουν-ντ] μαστουρωμένος, τύφλα.
stonework (n) [στόουνουερκ] τοιχοποιία, λιθοδομή.
stony (adj) [στόουνι] πετρώδης.
stooge (adj) [στούουντζζ] υποχείριος (n) κομπάρσος [μεταφ].
stool (n) [στούουλ] σκαμνί.
stoop (n) [στούουπ] σκύψιμο (v) καμπουριάζω, σκύβω.
stop (n) [στοπ] παύση, διακοπή στάση (v) βουλώνω, κλείνω.
stoppage (n) [στόπιντζζ] κοπή.
stopper (n) [στόπερ] πώμα.
stopping (n) [στόπινγκ] στάση.
storage (n) [στόορι ντζζ] αποθήκη, απομνημόνευση.
storey (n) [στόορι] όροφος.
stork (n) [στόοκ] πελαργός.
storm (n) [στόομ] καταιγίδα.
story (n) [στόορι] μύθος.
stout (adj) [στάουτ] εύσωμος.
stove (n) [στόουβ] κουζίνα.
strafe (v) [στρέιφ] πολυβολώ.
straggle (v) [στραγκλ] απομακρύνομαι, ξεκόβω, βραδυπορώ.
straight (n) [στρέιτ] πορθμός, γραμμή, ίσα-ίσα, ίσια, κατευθείαν (adj) ευθύγραμμος, ευθύς, ίσιος, ξεκάθαρος, ολόισιος.
strain (n) [στρέιν] ένταση, τάση (v) διυλίζω, κουράζω, περνώ.
strainer (n) [στρέινερ] διυλιστήριο, σουρωτήρι, στραγγιστήρι.
strait (n) [στρέιτ] πορθμός.
stranded (adj) [στράν-ντι-ντ] προσπραγμένος, καθισμένος.
strange (adj) [στρέιν-ντζζ] αλλόκοτος, ξένος, περίεργος.
strangler (n) [στράνγκλερ] στραγγαλιστής.
strap (n) [στραπ] αορτήρας.

stratagem (n) [στράταντζζεμ] τέχνη [πολεμική], στρατήγημα.
stratum (n) [στράταμ] κοίτασμα, κοινωνικό στρώμα.
straw (adj) [στρόο] καλαμένιος (n) καλαμάκι, άχυρο, ψάθα.
strawberry (n) [στρόο-μπρι] φράουλα, φραουλιά.
stray (adj) [στρέι] αδέσποτος.
straying (n) [στρέιινγκ] παραστράτημα.
stream (v) [στρίιμ] ρέω, κυλώ, χύνω (n) ρέμα.
streamer (n) [στρίιμερ] σερπαντίνα.
street (adj) [στρίιτ] οδικός (n) στράτα, οδός, ρυμοτομία.
strength (n) [στρενγκθ] αντοχή.
strengthen (v) [στρένγκθεν] ενισχύω, στερεώνω, φορτσάρω.
strenuous (adj) [στρένιουας] έντονος, ενεργητικός.
stress (n) [στρες] ένταση, πίεση (v) υπογραμμίζω, φορτώνω.
stretch (n) [στρετσ] τάση, έκταση, ταινία (v) απλώνω, τσιτώνω.
stretch out (v) [στρετσ άουτ] προτείνω, τείνω, φουντώνω.
stretcher (n) [στρέτσερ] φορείο.
strew (v) [στρούου] διαδίδω.
stride (n) [στράι-ντ] δρασκελιά, πάσσο (v) δρασκελίζω.
strife (n) [στράιφ] αγώνας, σύγκρουση, διαφωνία.
strike (v) [στράικ] πλήττω, απεργώ, πχώ, καταφέρω, κρούω (n) απεργία, πλήγμα, , κτύπημα.
striker (n) [στράικερ] απεργός.
string (n) [στρινγκ] κορδόνι, αρμάθα, κλωστή, σπάγκος.
stringed (adj) [στρί-νγκ-ντ] έγχορδος.
strip (n) [στριπ] λουρίδα (v) γδύνομαι, αποστερώ, ληστεύω.
stripe (n) [στράιπ] σειρίτι, ρίγα.
striped (adj) [στράιπ-τ] (n) ριγέ.
strive (v) [στράιβ] αγωνίζομαι, πασχίζω, πολεμώ, τσακίζομαι.
stroke (n) [στρόουκ] διαδρομή, συμφόρηση, χάιδεμα, βολή, χαρακιά (v) θωπεύω.
stroll (n) [στρόουλ] περίπατος (v) περιδιαβάζω, περιφέρομαι.
strong (adj) [στρονγκ] ρωμαλέος, δυνατός, στιβαρός.
stronghold (n) [στρόνγκχοουλ-ντ] οχυρό, φρούριο.
structural (adj) [στράκτσεραλ] δομικός, κατασκευαστικός.
structure (n) [στράκτσερ] συγκρότηση, υφή, στοιχείωση.
struggle (n) [στραγκλ] μάχη, αγώνας (v) παιδεύομαι, σκίζομαι.
strut (v) [στρατ] κοκορεύομαι.
stub (n) [στα-μπ] απομεινάρι.
stubble (n) [στα-μπλ] καλαμιά.
stubborn (n) [στά-μπαν] ισχυρογνώμονας, κακοκέφαλος.
stubbornness (adj) [στά-μπα-

νες] ξεροκεφαλιά (n) ισχυρογνωμοσύνη, πείσμα.
stubby (adj) [στά-μπι] κοντόχοντρος.
stucco (n) [στάκοου] στόκος.
stud (n) [στα-ντ] κουμπί, επιβήτορας.
stud poker (n) [στα-ντ πόουκερ] πόκα.
studded (adj) [στά-ντι-ντ] διάστικτος, κατάσπαρτος.
student (n) [στιού-ντεν-τ] μαθητής, μελετητής, σπουδαστής.
studio (n) [στίου-ντιοου] ατελιέ.
studious (adj) [στιού-ντιας] φιλομαθής, επιμελής, ένθερμος.
study (n) [στά-ντι] μελέτη, γραφείο (v) μελετώ, διαβάζω.
stuff (n) [σταφ] ύλη, ρούχο, υλικό, ουσία (v) μπουκώνω.
stuffing (n) [στάφινγκ] ταρίχευση.
stuffy (adj) [στάφι] πνιγηρός.
stumble (v) [σταμ-μπλ] παραπατώ (n) σκόνταμα, ολίσθημα.
stump (n) [σταμ-π] τάκος, απομεινάρι, ρίζα (v) περιοδεύω.
stun (v) [σταν] αποσβολώνω, ζαλίζω, ξεκουφαίνω.
stunned (adj) [σταν-ντ] εκστατικός, κεραυνόπληκτος [μεταφ].
stunt (v) [σταν-τ] αποκόπτω.
stunted (adj) [στάν-τι-ντ] κατσιασμένος.
stupefaction (n) [στιουπιφάκσοον] νταμπλάς, αποβλάκωση.
stupefied (adj) [στιουπιφάι-ντ] εμβρόντητος, κατάπληκτος.
stupid (adj) [στιούπι-ντ] ανόντος, ηλίθιος, παλαβός, χαζός.
stupor (n) [στιούπερ] καταπληξία, νάρκη, αδράνεια.
sturdy (adj) [στέρ-ντι] δυνατός.
stutter (v) [στάτερ] τραυλίζω.
sty (n) [στάι] σταύλος, αχούρι.
style (n) [στάιλ] κομψότητα.
subconscious (n) [σα-μπκόνσσιας] υποσυνείδητο.
subcontractor (n) [σά-μπκοντράκτορ] υπεργολάβος.
subdivide (v) [σα-μπ-ντιβάι-ντ] υποδιαιρώ.
subdue (v) [σα-μπ-ντιού] δαμάζω.
subheading (n) [σα-μπχέ-ντινγκ] υπότιτλος.
subject (n) [σά-μπντζζεκτ] ζήτημα, ευκαιρία, περίπτωση.
subjective (adj) [σα-μπντζζάνκτιβ] υποκειμενικός.
subjugate (v) [σά-μπντζζουκεϊτ] δουλώνω, κατακτώ, κυριεύω.
submarine (n) [σα-μπμαρίιν] υποβρύχιο.
submission (n) [σα-μπμίσσον] υποβολή, προσκύνημα.
submit (v) [σα-μπμίτ] παραδίδομαι, υποβάλλω, υποκύπτω.
subpoena (v) [σα-πίινα] κλητεύω, προσκαλώ [νομ].

subscriber (n) [σα-μπσκράι-μπερ] συνδρομητής.
subsequent (adj) [σά-μπσικουεν-τ] μεταγενέστερος.
subside (v) [σα-μπσάι-ντ] κατολισθαίνω, κοπάζω.
subsidy (n) [σά-μπσι-ντι] επιδότηση, επιχορήγηση, χορήγημα.
subsoil (n) [σά-μπσοϊλ] υπέδαφος.
substantial (adj) [σα-μπστάανσσαλ] δυνατός, άφθονος.
substantiate (v) [σα-μπστάανσσιέιτ] τεκμηριώνω.
substantive (n) [σα-μπστάν-τιβ] ουσιαστικό [γραμμ], αντωνυμία.
substitute (v) [σά-μπστιτιουτ] αναπληρώνω (n) αντικαταστάτης.
substructure (n) [σα-μπστράκτσσερ] υποδομή, θεμέλιο.
subtenant (n) [σα-μπέναν-τ] υπομισθωτής, υπενοικιαστής.
subterranean (adj) [σα-μπτερέινιαν] υποχθόνιος, υπόγειος.
subtitle (n) [σά-μπταϊτλ] υπότιτλος.
subtle (adj) [σατλ] λεπτός, ραφινάτος, φευγαλέος, πονηρός.
subtract (v) [σα-μπτράκτ] αφαιρώ.
suburb (n) [σά-μπερ-μπ] περίχωρα.
suburban (adj) [σα-μπέρ-μπαν] συνοικιακός, συμβατικός.
subversive (adj) [σα-μπβέρσιβ] ανατρεπτικός, υπονομευτικός.
success (n) [σαξές] ανάδειξη, επιτυχία, ευόδωση, προκοπή.
successive (adj) [σαξέσιβ] απανωτός, διαδοχικός, επάλληλος.
succinct (adj) [σαξίνκτ] περιληπτικός, συνεπτυγμένος.
succour (v) [σάκερ] συντρέχω, παραστέκομαι, επιβοηθώ.
succulent (adj) [σάκιουλεν-τ] εύχυμος, ζουμερός, χυμώδης.
succumb (v) [σεκάμ] υποκύπτω, ενδίδω, υποτάσσομαι.
such (adv) [σατσ] ούτως (adj) τέτοιος, τοιούτος, τοιαύτη.
suck (n) [σακ] θηλασμός (v) πιπιλίζω, τραβώ [τσιμπούκι κτλ].
suck up (v) [σακ απ] ρουφώ.
sucker (n) [σάκερ] βεντούζα, κορόιδο [κοιν], κουτορνίθι.
suckle (n) [σακλ] θηλασμός (v) θηλάζω, βυζαίνω, γαλουχώ.
suction (n) [σάκσσον] άντληση.
sue (v) [σου] ενάγω, ζητώ.
suet (n) [σούιτ] λίπος, ξύγκι.
suffer (v) [σάφερ] δεινοπαθώ.
suffering (n) [σάφερινγκ] δυστυχία, βάσανα, δοκιμασία.
suffice (v) [σαφάις] πληρώ.
suffix (n) [σάφιξ] επίθημα.
suffocate (v) [σάφοκεϊτ] πνίγω.
suffocation (n) [σαφοκέισσον] ασφυξία, πνιγμός, σκασμός.
suffrage (n) [σάφριντζζ] ψή-

φος.
sugar (n) [σσούγκα] ζάχαρη (v) ζαχαρώνω, γλυκαίνω [μεταφ].
suggestion (n) [σαντζζέσστσσον] πρόταση, υπόμνηση.
suicide (n) [σούισαϊ-ντ] αυτόχειρας (v) αυτοκτονώ.
suit (n) [σιούτ] αγωγή, αίτηση, πανοπλία, δίκη, κοστούμι (v) ανταποκρίνομαι, ταιριάζω.
suitable (adj) [σιούτα-μπλ] εύθετος, κατάλληλος, πρόσφορος.
suitcase (n) [σιούτκεϊς] βαλίτσα.
suite (n) [σουίιτ] ακολουθία, συνοδεία, σουΐτα ξενοδοχίου.
sulk (v) [σαλκ] μουτρώνω.
sulks (n) [σαλκς] κατσουφιά.
sullen (adj) [σάλεν] βαρύθυμος.
sully (v) [σάλι] αμαυρώνω, ρυπαίνω, λερώνω, καταισχύνω.
sulphur (n) [σάλφερ] θειάφι.
sulphurous (adj) [σάλφερας] θειώδης, θειούχος, διαβολικός.
sultan (n) [σάλταν] σουλτάνος.
sultry (adj) [σάλτρι] αποπνικτικός.
sum (n) [σαμ] άθροισμα, ποσό.
sum up (v) [σαμ απ] προσθέτω.
summary (n) [σάμαρι] ανακεφαλαίωση (adj) συνοπτικός.
summer (adj) [σάμερ] καλοκαιρινός (n) θέρος (v) παραθερίζω.
summon up (v) [σάμον απ] κινητοποιώ, προσκαλώ [νομ].
summons (n) [σάμονς] κλήτευση.
sumptuous (adj) [σά-μπτσσουας] πολυτελής, δαπανηρός.
sun (n) [σαν] ήλιος.
sundown (n) [σάν-νταουν] λιόγερμα, ηλιοβασίλεμα, δύση.
sung (adj) [σανγκ] τραγουδιστός.
sunken (adj) [σάνκεν] κοίλος, βυθισμένος, χωμένος.
sunlight (n) [σάνλαϊτ] ηλιόφως.
sunny (adj) [σάνι] ηλιόλουστος.
sunrise (n) [σάνραϊζ] ανατολή.
sunset (n) [σάνσετ] ηλιοβασίλεμα.
sunshade (n) [σάνσσεϊ-ντ] σκιάδι.
sunshine (n) [σάνσσαϊν] λιακάδα.
sunstroke (n) [σάνστροουκ] ηλίαση.
suntanned (adj) [σάν-ταν-ντ] ηλιοψημένος, μαυρισμένος.
sup (v) [σαπ] ρουφώ, δειπνώ.
superb (adj) [σουπέρ-μπ] θαυμάσιος, λαμπρός, μεγαλειώδης.
superficial (adj) [σουπερφίσσαλ] επιπόλαιος, επιφανειακός.
superfluous (adj) [σουπέρφλουας] παραπανίσιος.
superhuman (adj) [σουπερχιούμαν] υπεράνθρωπος.
superior (adj) [σουπίιριο] ανώτερος, υπέροχος, υπέρτερος.
superlative (adj) [σουπέρλατιβ]

υπερθετικός [γραμ], εξαίσιος.
superstition (n) [σουπερστίσσον] δεισιδαιμονία, πρόληψη.
superstructure (n) [σουπερστράκτσερ] υπερκατασκευή.
supervenient (adj) [σουπερβίνιεν-τ] τυχαίος, συμπτωματικός.
supervise (v) [σούπερβαϊζ] επιβλέπω, επιστατώ, επιτηρώ.
supper (n) [σάπερ] δείπνο.
supplant (v) [σαππλάαν-τ] αντικαθιστώ, παραγκωνίζω.
supple (adj) [σαπλ] ευλύγιστος.
supplement (n) [σάπλιμεν-τ] παράρτημα, συμπλήρωμα.
supplementary (adj) [σαπλιμέντρι] επικουρικός.
supplication (n) [σαπλικέισσον] δέηση, ικεσία.
supplier (n) [σάπλάιερ] προμηθευτής, τροφοδότης.
supply (n) [σαπλάι] προμήθεια (v) εφοδιάζω, προμηθεύω.
support (n) [σαπόοτ] επιδότηση, στερέωμα, υποστήριγμα (v) διατρέφω, ενισχύω, παραστέκω.
suppose (v) [σαπόουζ] εικάζω, φαντάζομαι, πιστεύω, υποθέτω.
suppression (n) [σαπρέσσον] κατάπνιξη, απαγόρευση.
supreme (adj) [σουπρίιμ] ανώτατος, ύπατος, υπέρτατος.
sure (adj) [σσούουρ] ασφαλής, σίγουρος, βέβαιος, αξιόπιστος.
surface (n) [σέρφις] επιφάνεια (v) αναδύομαι.
surgeon (n) [σέρντζζον] χειρουργός, στρατιωτικός.
surly (adj) [σέρλι] σκυθρωπός.
surmise (n) [σαμάιζ] εικασία, υπόνοια (v) εικάζω, υποθέτω.
surmount (v) [σαμάουν-τ] υπερβαίνω, υπερπηδώ.
surname (n) [σέρνεϊμ] επωνυμία, επίθετο (v) επονομάζω.
surpass (v) [σερπάας] επισκιάζω, προηγούμαι, υπερτερώ.
surplus (n) [σέρπλες] περίσσευμα.
surprise (adj) [σερπράιζ] αιφνιδιαστικός (n) έκπληξη (v) ξαφνιάζω.
surrealistic (adj) [σαριιαλίστικ] εφιαλτικός, ονειρικός.
surrender (n) [σαρέν-ντερ] παράδοση (v) υποκύπτω.
surrogate (adj) [σάρογκεϊτ] αναπληρωματικός, υποκατάστατο.
surround (v) [σαράουν-ντ] ζώνω, κυκλώνω, πολιορκώ.
surrounded (adj) [σαράουν-ντιντ] αποκλεισμένος.
surveillance (n) [σερβέιλανς] επιτήρηση, παρακολούθηση.
survey (n) [σέρβεϊ] αξιολόγηση, μελέτη, ανασκόπηση (v) [σερβέι] εποπτεύω, ανασκοπώ, επιθεωρώ, καταμετρώ.
surveyor (n) [σεβέιορ] τοπογράφος, χωρομέτρης, γεωμέτρης.

survive (v) [σαβάιβ] επιβιώνω.
susceptible (adj) [σασέπτι-μπλ] ευαίσθητος, επιρρεπής, τρωτός.
suspect (v) [σασπέκτ] υποβλέπω.
suspect (n) [σάσπεκτ] ύποπτος.
suspend (v) [σασπέν-ντ] αναρτώ.
suspenders (n) [σασπέν-ντας] τιράντα, καλτσοδέτες, ζαρτιέρες.
suspense (n) [σασπένς] αγωνία.
suspension (n) [σασπένσσον] ανάρτηση, διαθεσιμότητα.
suspicion (n) [σασπίσσον] καχυποψία, πονηριά, υπόνοια.
sustain (v) [σαστέιν] υποστηρίζω.
sustenance (n) [σάστινανς] τροφή.
suzerainty (n) [σιούζερέιν-τι] επικυριαρχία, κυριαρχία.
swaddle (v) [σουά-ντλ] φασκιώνω.
swagger (v) [σουάγκερ] κοκορεύομαι, καυχησιολογω.
swallow (v) [σουόλοου] καταπίνω (n) χελιδόνι [ζωολ].
swamp (n) [σουόμ-π] βάλτος.
swan (n) [σουόν] κύκνος.
swank (n) [σουάνκ] φιγουρατζής.
swap (n) [σουόπ] αντάλλαγμα.
swarm (n) [σουόομ] μυρμηγκιά, μελίσσι, σμήνος (v) βρίθω, πλημμυρίζω.
swarthy (adj) [σουόοθι] μελαχρινός, μελαψός, μαυριδερός.
swath (n) [σουόοθ] δρεπανιά.
swathe (v) [σουέιδ] επιδένω.
sway (v) [σουέι] παίζω [μεταφ], ταλαντεύομαι.
swaying (adj) [σουέιιγκ] κουνιστός [μεταφ], κούνημα.
swear (v) [σουέα] ορκίζομαι.
swear in (v) [σουέαρ ιν] ορκίζω.
sweat (n) [σουέτ] ιδρώτας, ξεθέωμα (v) ιδρώνω, δακρύζω.
sweep (v) [σουίιπ] σαρώνω, σκουπίζω, παρασύρω, παίρνω.
sweet (adj) [σουίιτ] μειλίχιος, γλυκός, απολαυστικός, τρυφερός, αβρός, ευγενής (n) γλυκό, καραμέλα, ζαχαρωτό.
sweeten (v) [σουίιτεν] γλυκαίνω, μαλακώνω, δωροδοκώ.
sweetheart (n) [σουίιτχαατ] αγαπητικός, αγαπημένος.
sweetness (n) [σουίιτνες] γλύκα.
sweets (n) [σουίιτς] ζαχαρωτά.
swell (n) [σουέλ] εξόγκωση, προεξοχή (v) διογκώνω.
swerve (v) [σουέρβ] λοξεύω, στρίβω, εκτρέπω.
swift (adj) [σουίφτ] γρήγορος.
swim (v) [σουίμ] επιπλέω, ζαλίζομαι, υπερχειλίζω.
swindle (v) [σουίν-ντλ] εξαπατώ, κλέβω (n) εξαπάτηση.
swine (n) [σουάιν] γουρούνι.
swing (n) [σουίνγκ] κούνια, με-

ταστροφή (v) αιωρούμαι, παίζω, ταλαντεύομαι.
swipe (n) [σουάιπ] κτυπώ γερά.
swish (v) [σουίσς] θροΐζω, κουνώ, κτυπώ.
switch (n) [σουίτσς] διακόπτης, μαστίγιο, βέργα, μεταστροφή.
switchboard (n) [σουίτσσμποο-ντ] ταμπλό.
swollen (adj) [σουόουλεν] φουσκωμένος.
swoon (n) [σουούν] λιποθυμία.
sword (n) [σόο-ντ] ξίφος.
sworn (adj) [σουόον] ένορκος.
swot (n) [σουότ] σπασίκλας.
syllable (n) [σίλα-μπλ] συλλαβή.
symbol (n) [σίμ-μπολ] έμβλημα.
symmetrical (adj) [σιμέτρικαλ] συμμετρικός, σύμμετρος.
sympathetic (adj) [σίμ-παθέτικ] συμπάσχων, συμπονετικός.
sympathize with (v) [σίμ-παθάιζ γουίδ] ευσπλαχνίζομαι.
sympathy (n) [σίμ-παθι] συμπόνια, πόνος, συλλυπητήρια.
symphony (n) [σίμφονι] συμφωνία [μουσ].
symptom (n) [σίμ-πτομ] σύμπτωμα, ένδειξη.
synagogue (n) [σίναγκογκ] συναγωγή [εβραίων].
syndicate (n) [σίν-ντικετ] συνδικάτο.
syndicate (v) [σίν-ντικέιτ] συγκροτώ κοινοπραξία.
syndrome (n) [σίν-ντροουμ] σύνδρομο, συνδρομή.
synod (n) [σάινο-ντ] σύνοδος.
synonym (n) [σίνονιμ] συνώνυμο [γραμ].
synopsis (n) [σινόπσις] σύνοψη.
synoptic (adj) [σινόπτικ] συνοπτικός.
syntactic(al) (adj) [σιντάκτικ[αλ]] συντακτικός [γραμμ].
syntax (n) [σίν-ταξ] σύνταξη.
synthesis (n) [σίνθεσις] σύνθεση.
syphilis (n) [σίφιλις] σύφιλη.
syrup (n) [σίραπ] σιρόπι.
system (n) [σίστεμ] σύστημα.

T, t (n) [τι] το εικοστό γράμμα του αγγλικού αλφαβήτου.
tab (n) [τα-μπ] θηλιά, ετικέτα.
tabefaction (n) [τα-μπιφάκσον] μαρασμός, καχεξία.
table (adj) [τέι-μπλ] επιτραπέζιος (n) τάβλα, πίνακας.
table napkin (n) [τέι-μπλ νάπκιν] πετσέτα.
tablecloth (n) [τέι-μπλκλόθ] τραπεζομάντηλο.
tablet (n) [τά-μπλετ] ταμπλέτα.
taboo (n) [τα-μπούου] ταμπού.
tacit (adj) [τάσιτ] σιωπηρός.
taciturn (adj) [τάσιτέρν] λιγόλογος, λιγομίλητος.
tack (n) [τακ] καρφάκι, πρόκα, πινέζα (v) λοξοδρομώ.
tackle (n) [τακλ] εξαρτήματα (v) πιάνω, γραπώνω, αρπάζω.
tackling (n) [τάκλινγκ] μαρκάρισμα [ποδόσφ].
tact (n) [τακτ] λεπτότητα, τακτ.
tactful (adj) [τάκτφουλ] αβρός, διακριτικός, διπλωματικός.
tactile (adj) [τάκταϊλ] ψηλαφητός, ψαυστός, χειροπιαστός.
tactless (adj) [τάκτλες] χωρίς λεπτότητα, αδιάκριτος, αδέξιος.
taffeta (n) [τάφιτα] ταφτάς.
tail (adj) [τέιλ] ούριος (n) ουρά.
tailor (n) [τέιλορ] εμπορορράπτης (v) προσαρμόζω.
tailpiece (n) [τέιλπιις] βινιέττα [τυπ], υστερόγραφο [μεταφ].
taint (v) [τέιν-τ] μολύνω.
take (v) [τέικ] λαμβάνω, παίρνω, κερδίζω, πιάνω.
take off (n) [τέικ οφφ] απογείωση (v) αναπαριστώ, ξεκρεμώ.
talc (n) [ταλκ] ταλκ.
tale (n) [τέιλ] αφήγημα, ιστορία, διήγημα, μύθος, παραμύθι.
tale-teller (n) [τέιλ-τέλερ] καταδότης, μαρτυριάρης, αφηγητής.
talent (n) [τάλεν-τ] ικανότητα.
talisman (n) [τάλισμαν] φυλακτό.
talk (n) [τόοκ] ομιλία, συνομιλία (v) μιλώ, συζητώ.
tall (adj) [τόολ] υψηλός, ψηλός.
tallow (n) [τάλοου] λίπος, ξίγκι.
tally (v) [τάλι] συμπίπτω, καταμετρώ, αντιστοιχώ.
talon (n) [τάλον] νύχι [ζώου].
tambour (n) [τάμ-μπα] τύμπανο [αυτιού], πλαίσιο [κυκλικό].
tame (adj) [τέιμ] ήμερος, πράος, πειθήνιος, μαλακός (v) δαμάζω,

εγκλιματίζω, υποτάσσω.
tameless (adj) [τέιμλες] άγριος, αδάμαστος, ατίθασος.
tamer (n) [τέιμερ] δαμαστής.
taming (n) [τέιμινγκ] ημέρωμα.
tamper with (v) [τάμ-περ ουίδ] παρεμβαίνω, μαστορεύω.
tamping (n) [τάμ-πινγκ] γέμισμα, στούμπωμα, πάτημα.
tampion (n) [τάμ-πιον] πώμα.
tan (n) [ταν] σοκολατί.
tangent (n) [τάντζζεν-τ] εφαπτομένη.
tangle (n) [τανγκλ] κόμπος, κουβάρι, σύγχυση, εμπλοκή (v) μπλέκω, αναμειγνύω.
tank (n) [τανκ] δεξαμενή, τανκ.
tanned (adj) [ταν-ντ] ηλιοκαμένος.
tanner (n) [τάνερ] βυρσοδέψης.
tantrums (n) [τάν-τραμς] νεύρα.
tap (n) [ταπ] στρόφιγγα, βρύση.
tape (n) [τέιπ] ταινία, κορδέλα.
tape measure (n) [τέιπ μέζζα] μεζούρα, ταινία [μέτρησης].
tape-recording (n) [τέιπ-ρικόοντινγκ] μαγνητοφώνηση.
taper (n) [τέιπερ] λαμπάδα, κερί, φωτάκι.
tapestry (n) [τάπεστρι] ταπετσαρία.
tar (n) [τάα] πίσσα (v) πισσώνω.
tardiness (n) [τάα-ντινες] βραδύτητα.
tardy (adj) [τάα-ντι] βραδύς.
tare (n) [τέα] απόβαρο.
target (n) [τάαγκετ] σκοπός.
tariff (adj) [τάριφ] τελωνειακός (n) δασμός, (v) τιμολογώ.
tarnish (v) [τάανισς] κηλιδώνω, θαμπώνω (n) αμαύρωση.
tarry (v) [τάρι] χρονοτριβώ.
tarry (adj) [τάαρι] πισσώδης.
tart (n) [τάατ] κοκότα, τούρτα (adj) δριμύς, σαρκαστικός.
tartar (n) [τάατερ] πουρί.
tartness (v) [τάατνες] ξινίλα.
task (n) [τασκ] έργο, καθήκον.
tassel (n) [τασλ] θύσανος.
taste (v) [τέιστ] δοκιμάζω, γεύομαι (n) γεύση, προτίμηση.
tasteful (adj) [τέιστφουλ] καλαίσθητος, καλόγουστος.
tasty (adj) [τέιστι] νόστιμος.
tatter (n) [τάτερ] ράκος.
tattle (v) [τατλ] φλυαρώ.
tattoo (n) [τατούου] τατουάζ.
taunt (n) [τόον-τ] περιγέλασμα, σαρκασμός, μομφή (v) σαρκάζω, κοροϊδεύω, προσβάλλω.
taut (adj) [τόοτ] τεντωμένος.
tavern (n) [τάβερν] ταβέρνα, καπηλειό, κέντρο.
tawdry (adj) [τόο-ντρι] ευτελής.
tax (adj) [ταξ] φορολογικός (n) φορολογία, τέλος (v) φορολογώ.
tax office (n) [ταξ όφις] εφορία.
tax-free (adj) [τάξ-φρίι] ατελής.

taxi (n) [τάξι] ταξί, αγοραίο.
tea (n) [τίι] τσάι [βοτ].
tea-pot (n) [τίι-ποτ] τσαγερό.
tea-urn (n) [τίι-έρν] σαμοβάρι.
teach (v) [τίιτς] μαθαίνω.
teacher (n) [τίιτσερ] καθηγητής.
team (n) [τίιμ] ομάδα.
teapot (n) [τίιποτ] τσαγιέρα.
tear (v) [τέα] διαρρηγνύω, σκίζω, χιμώ, αποσπώ (n) σκίσιμο.
tease (v) [τίιζ] δουλεύω.
teaser (n) [τίιζερ] πειραχτήρι.
teat (n) [τίιτ] θηλή, ρώγα.
technicality (n) [τεκνικάλιτι] τεχνικότητα, τεχνικός όρος.
technocrat (n) [τέκνοκρατ] τεχνοκράτης.
technology (n) [τεκνόλοντζζι] τεχνολογία.
tectonic (adj) [τεκτόνικ] τεκτονικός, τεκτονικός [γεωλ].
tectorial (adj) [τεκτόοριαλ] καλυπτήριος, οροφιαίος.
teddy-boy (n) [τέ-ντι-μπόι] τεντιμπόης, νεαρός κακοποιός.
tedious (adj) [τίι-ντιας] ανιαρός.
tedium (n) [τίι-ντιαμ] ανία.
teem (v) [τίιμ] βρίθω, αφθονώ.
teenager (n) [τίινεϊντζζερ] έφηβος, νεαρός, τηνέιτζερ.
teething (n) [τίιθινγκ] οδοντοφυΐα.
tegument (n) [τέγκιουμεν-τ] υμένας, μεμβράνη, καλυπτήρια.
telary (adj) [τίιλερι] αραχναίος.
telegraph (n) [τέλεγκρααφ] τηλέγραφος (v) τηλεγραφώ.
telepathic (adj) [τελεπάθικ] τηλεπαθητικός.
telephone (adj) [τέλεφοουν] τηλεφωνικός (v) τηλεφωνώ (n) τηλέφωνο, τηλεφώνημα.
telephotography (n) [τελεφοτόγκραφι] τηλεφωτογραφία.
teleprinter (n) [τελέπριν-τερ] τηλέτυπο.
telescope (n) [τέλεσκοουπ] τηλεσκόπιο.
television (adj) [τελεβίζζιον] τηλεοπτικός (n) τηλεόραση.
telex (n) [τέλεξ] τέλεξ.
tell (v) [τελ] αφηγούμαι, λέγω.
tell off (v) [τελ οφ] αποπαίρνω.
tell-tale (adj) [τέλ-τέιλ] προδοτικός (n) μαρτυριάρης.
teller (n) [τέλερ] αφηγητής.
temerarious (adj) [τεμεράριας] τολμηρός, παράτολμος.
temper (n) [τέμ-περ] φύση, χαρακτήρας, ψυχραιμία, κέφι (v) απαλύνω, βάφω, στομώνω.
temperament (n) [τέμ-πραμεν-τ] ιδιοσυγκρασία, χαρακτήρας.
temperance (n) [τέμ-περανς] εγκράτεια, λιτότητα.
temperature (n) [τέμ-πρα-

τσα(ρ)] θερμοκρασία, πυρετός.
tempered (adj) [τέμ-παντ] μετρημένος, μετριασμένος.
tempest (n) [τέμ-πεστ] λαίλαπα, τρικυμία, φουρτούνα, θύελλα.
temple (n) [τεμ-πλ] ναός.
tempo (n) [τέμ-πoου] τέμπο.
temporal (adj) [τέμ-πoραλ] χρονικός, προσωρινός, εγκόσμιος.
temporary (adj) [τέμ-πoραρι] έκτακτος, στιγμιαίος.
tempt (v) [τεμ-πτ] δελεάζω.
temptation (n) [τεμ-τέισσον] πειρασμός, ξελόγιασμα.
tempting (adj) [τέμ-τινγκ] δελεαστικός, λαχταριστός.
ten (num) [τεν] δέκα [αριθ] (n) δεκάρι [στα χαρτιά].
tenability (n) [τεναμπίλιτι] λογικότητα, ορθότητα.
tenable (adj) [τέναμπλ] υποστηρίξιμος, λογικός, βάσιμος.
tenacious (adj) [τενέισσας] συνεκτικός, σταθερός, σφιχτός.
tenacity (n) [τινάσιτι] αντοχή, ανθεκτικότητα, πείσμα, εμμονή.
tenancy (n) [τένανσι] μίθωση.
tend (v) [τεν-ντ] επιμελούμαι, φυλάγω, νοσηλεύω, τείνω.
tendency (n) [τέν-ντενσι] κλίση.
tenderness (n) [τέν-ντερνες] στοργή, τρυφερότητα.
tendon (n) [τέν-ντον] τένοντας.
tendril (n) [τέν-ντριλ] έλικας.
tenet (n) [τένετ] δοξασία.
tenor (adj) [τένορ] οξύφωνος.
tense (n) [τενς] χρόνος [γραμμ].
tense (adj) [τενς] τεντωμένος.
tension (n) [τένσσον] ένταση.
tent (n) [τεν-τ] σκηνή, τέντα, αντίσκηνο, τσαντήρι.
tentacle (n) [τέν-τακλ] πλοκάμι.
tentative (adj) [τέντατιβ] δοκιμαστικός, πειραματικός.
tenth (adj) [τενθ] δέκατος.
tenuous (adj) [τένιας] λεπτός, ψιλός, αραιός, ισχνός.
tepid (adj) [τέπι-ντ] χλιαρός.
term (n) [τερμ] διορία, προθεσμία, όρος, άρθρο, περίοδος.
terminal (adj) [τέρμιναλ] οριακός, τελειωτικός (n) τέρμα, σταθμός, πόλος.
terminology (n) [τερμινόλοντζζι] ονοματολογία, ορολογία.
terminus (n) [τέρμινας] τέρμα.
terrace (n) [τέρας] πεζούλα, ταράτσα, δώμα.
terrestrial (adj) [τερέστριαλ] χερσαίος, γήινος,στεριανός.
terrible (adj) [τέρι-μπλ] τρομερός.
terrific (adj) [τερίφικ] τρικούβερτος, τρομακτικός [μεταφ].
territorial (adj) [τεριτόοριαλ] εδαφικός, χωρικός.
terse (adj) [τερς] λακωνικός.

tessera (n) [τέσερα] ψηφίδα.
test (adj) [τεστ] δειγματοληπτικός (n) πείραμα, τεστ (v) δοκιμάζω, εξετάζω.
tester (n) [τέστερ] δοκιμαστής.
testicles (n) [τέστικλς] όρχις.
testify (v) [τέστιφαϊ] μαρτυρώ.
testily (adv) [τέστιλι] θυμωμένα.
testimonial (n) [τεστιμόουνιαλ] πιστοποιητικό, βεβαίωση.
testy (adj) [τέστι] οξύθυμος, νευρικος, δύστροπος.
tetanus (n) [τέτανας] τέτανος
text (n) [τεξτ] κείμενο, θέμα, απόσπασμα, χωρίο.
text-book (n) [τέχτ-μπουκ] σχολικό βιβλίο, βιβλίο διδασκαλίας.
textile (adj) [τέξταϊλ] υφαντουργικός, υφαντός (n) υφαντό.
texture (n) [τέκτσσα] υφή, σύσταση, σύνθεση, ύφανση, δομή.
than (adv) [δαν] παρά (pr) από.
thank (v) [θανκ] ευχαριστώ.
that (pron) [δατ] που (conj) πως, δα, ότι, ώστε, να.
that is (part) [δατ ιζ] ήτοι.
thatch (n) [θατσς] άχυρα.
thaw (v) [θόο] λιώνω.
the [δε] ο, η, το [γραμ] [άρθρο].
theatre (n) [θίιατερ] θέατρο, αίθουσα, σάλα, αμφιθέατρο.
theft (n) [θεφτ] κλεψιά, κλοπή.
their (pron) [δέαρ] [δικός] τους.
them (pron) [δεμ] αυτούς.
thematic (adj) [θιιμάτικ] θεματικός.
theme (n) [θίιμ] υπόθεση [θεατρικού έργου κτλ], θέμα.
then (adv) [δεν] αργότερα.
theorem (n) [θίιορεμ] θεώρημα.
theoretical (adj) [θιιορέτικαλ] θεωρητικός.
theory (n) [θίιορι] θεωρία.
therapy (n) [θέραπι] θεραπεία.
there (adv) [δέα] εκεί.
therefore (adv) [δεαφόο] επομένως, τότε (conj) άρα, συνεπώς.
thesis (n) [θίισις] διατριβή [μελέτη], θέση, θέμα, πρόταση.
thespian (n) [θέσπιαν] ηθοποιός, θεατρίνος, υποκριτής.
thick (adj) [θικ] δασύς, πηχτός, χοντρός, συχνός (v) δένω.
thicket (n) [θίκετ] λόχμη, θαμνώνας, λόγγος, άλσος.
thickly (adv) [θίκλι] βαρειά, χονδρά, πηχτά, πυκνά.
thief (n) [θίιφ] κλέφτης.
thigh (n) [θάι] μηρός, μερί.
thimble (n) [θιμ-μπλ] δακτυλήθρα.
thin (adj) [θιν] αδύνατος, άπαχος, λεπτός (v) λεπταίνω.
thing (n) [θινγκ] πράγμα, υπόθεση, ιδέα, γεγονός, θέμα.
think (v) [θινκ] θαρρώ, λέγω, πιστεύω, βρίσκω.
thinkable (adj) [θίνκαμπλ] νοητός.

thinker (n) [θίνκερ] διανοητής.
thinness (n) [θίννες] λεπτότητα.
third (adj) [θερ-ντ] τρίτος.
thirst (v) [θερστ] διψώ (n) δίψα.
this (pron) [δις] αυτός, ούτος.
thistle (n) [θισλ] χαμαιλέων, γαϊδουράγκαθο [βοτ].
thorax (n) [θόοραξ] θώρακας.
thorn (n) [θόον] αγκίδα, κεντρί.
thorny (adj) [θόονι] αγκαθερός.
thorough (adj) [θάρα] εξονυχιστικός, επιστάμενος, πλήρης.
thoroughbred (adj) [θάρα-μπρέντ] καθαρόαιμος.
thoroughly (adv) [θάραλι] τελείως.
though (conj) [δόου] καίτοι.
thought (n) [θόοτ] διανόηση, σκέψη, νόημα, ιδέα.
thoughtless (adj) [θόοτλες] επιπόλαιος, άστοχος (n) άφρων.
thrash (v) [θρασς] κτυπώ.
thread (n) [θρε-ντ] κλωστή.
threadbare (adj) [θρέ-ντ-μπέα] ξεφτισμένος, τριμμένος.
threat (n) [θρετ] απειλή.
threaten (v) [θρέτεν] απειλώ.
three (num) [θρίι] τρεις [αριθ].
thresh (v) [θρεσς] αλωνίζω.
threshold (n) [θρέσσχοολ-ντ] απαρχή, πρόθυρα, κατώφλι.
thrift (n) [θριφτ] λιτότητα.
thrill (v) [θριλ] ριγώ, δονώ, τρέμω (n) ρίγος, τρεμούλα.
thrive (v) [θράιβ] ευδοκιμώ, ορθοποδώ, αναπτύσσομαι.
thriving (adj) [θράιβινγκ] επιτυχής, ακμαίος, ρωμαλέος.
throat (n) [θρόουτ] λαιμός.
throaty (adj) [θρόουτι] βραχνός, λαρυγγικός.
throb (n) [θρο-μπ] σφύξη, παλμός (v) πάλλω, δονούμαι.
throbbing (adj) [θρό-μπινγκ] παλμικός (n) σφύξη, παλμός.
thrombosis (n) [θρομ-μπόουσις] θρόμβωση.
throne (n) [θρόουν] θρόνος.
throng (n) [θρονγκ] τσούρμο, πλήθος (v) στριμώχνομαι.
throttle (v) [θροτλ] καταπνίγω.
through (adv) [θρου] μέσω (pr) με, από (v) διατρυπώ.
throw (n) [θρόου] ριξιά, τίναγμα, βολή (v) εκσφενδονίζω.
thrust (n) [θραστ] ώθηση (v) μπάζω, σπρώχνω, χώνω, ωθώ.
thud (n) [θα-ντ] γδούπος.
thug (n) [θαγκ] κακοποιός, φονιάς, μαχαιροβγάλτης.
thumb (n) [θαμ] αντίχειρας.
thump (n) [θαμ-π] πλήγμα, γροθιά, βρόντος, γδούπος.
thunder (v) [θάν-ντερ] μπουμπουνίζω (n) κεραυνός.
thunderous (adj) [θάν-ντερας]

βίαιος, καταστρεπτικός, θυελλώδης.
thus (adv) [δας] έτσι, ούτως, άρα (conj) λοιπόν, ώστε.
thwarting (n) [θουόοτινγκ] αντίπραξη.
thyme (n) [τάιμ] θυμάρι.
tiara (n) [τιάρα] τιάρα.
tic (n) [τικ] νευρική σύσπαση.
tick (n) [τικ] τσιμπούρι [έντομο].
ticket (n) [τίκετ] εισιτήριο.
ticking (n) [τίκινγκ] χτύπος.
tickle (v) [τικλ] γαργαλίζω.
tide (n) [τάι-ντ] παλίρροια.
tidiness (n) [τάιντινες] τάξη.
tidy (adj) [τάι-ντι] τακτικός, νοικοκυρεμένος (v) σιάζω.
tie (n) [τάι] γραβάτα (v) δένω, συνδέω, ισοβαθμώ.
tie up (v) [τάι απ] δεσμεύω.
tied (adj) [τάι-ντ] συναπτός.
tiff (n) [τιφ] μικροκαβγαδάκι.
tight (adj) [τάιτ] στενόχωρος, σφιχτός, σφιχτοδεμένος.
tighten (v) [τάιτεν] στενεύω.
tightness (n) [τάιτνες] σφίξιμο.
tights (n) [τάιτς] καλτσόν.
tigress (n) [τάιγκρες] τίγρη.
tile (n) [τάιλ] κεραμίδι, πλακάκι.
till (adv) [τιλ] έως, μέχρι (conj) ως (v) οργώνω, καλλιεργώ.
tillage (n) [τίλιντζζ] όργωμα.
tilling (n) [τίλινγκ] καλλιέργεια.
tilting (n) [τίλτινγκ] γέρσιμο.
timber (n) [τίμ-μπερ] ξυλεία, δοκός, μαδέρι, δένδρα, αρετές.
time (adj) [τάιμ] χρονικός (n) ώρα, καιρός (v) χρονομετρώ.
time off (n) [τάιμ οφφ] ρεπό.
timeless (adj) [τάιμλες] άχρονος.
timely (adj) [τάιμλι] έγκαιρος.
timer (n) [τάιμερ] χρονομέτρης.
timetable (n) [τάιμτέι-μπλ] δρομολόγιο, ωράριο.
timid (adj) [τίμι-ντ] άτολμος, άψυχος [δειλός], δειλός.
timidity (n) [τιμί-ντιτι] ατολμία.
timidly (adv) [τίμι-ντλι] δειλά.
timing (n) [τάιμινγκ] χρονομέτρηση, συγχρονισμός.
timorous (adj) [τίμερες] φοβητσιάρης, δειλός, άτολμος.
tin (n) [τιν] καλάι, λευκοσίδηρος, τενεκές (v) γανώνω.
tincture (n) [τίνκτσσα] χροιά, απόχρωση, βάμμα.
tinder (n) [τίν-ντερ] έναυσμα, φυτίλι, τσακμάκι, ίσκα.
tingle (v) [τινγκλ] τσούζω, καίω (n) τσούξιμο, φαγούρα.
tinker (n) [τίνκερ] γανωτής.
tinkle (v) [τινκλ] κουδουνίζω.
tinned food (n) [τιν-ντ φου-ντ] κονσερβοποιημένη τροφή.
tinsel (n) [τίνσελ] πούλια.

tint (n) [τιν-τ] χρώμα (v) βάφω.
tiny (adj) [τάινι] μικροσκοπικός.
tip (n) [τιπ] άκρη, άγγιγμα, συμβουλή, υπόδειξη, άκρη, μύτη, άκρα (v) ανατρέπω, αδειάζω, εκχέω, φιλοδωρώ.
tipping (n) [τίπινγκ] απόρριψη.
tipple (v) [τιπλ] κουτσοπίνω.
tippler (n) [τίπλερ] μπεκρής.
tips (n) [τιπς] τυχερά.
tipsy (adj) [τίπσι] πιωμένος.
tirade (adj) [ταϊρέι-ντ] εξάψαλμος.
tire (v) [τάιρ] κουράζω
tireless (adj) [τάιαλες] ακούραστος.
tiresome (adj) [τάιασαμ] ενοχλητικός, εκνευριστικός.
tisane (n) [τιζάαν] αφέψημα.
tissue (n) [τίσσιου] λεπτό χαρτί.
tissued (adj) [τίσσιουντ] χρυσοκέντητος, ασημοκέντητος.
tissue paper (n) [τίσσιου πέιπερ] τσιγαρόχαρτο.
titanic (adj) [ταϊτάνικ] τιτάνιος.
titbit (n) [τίτ-μπίτ] λιχουδιά.
titillation (n) [τιτιλέισσν] διέγερση, ερεθισμός, σκανδάλισμα.
title (n) [τάιτλ] επιγραφή.
title deed (n) [τάιτλ ντίι-ντ] δικαιόγραφο, τίτλος ιδιοκτησίας.
titled (adj) [τάιτλ-ντ] τιτλούχος.
titter (v) [τίτερ] κρυφογελώ.
tittle (n) [τίτλ] ίχνος, μόριο.
tittup (v) [τίταπ] χοροπηδώ.
titular (adj) [τίτιουλα] ονομαστικός, τιμητικός, επίτιμος.
tizzy (n) [τίζι] ανακατωσούρα.
to (adv) [του] προς, έως (pr) εις, σε, προς, μέχρι, έως.
toad (n) [τόου-ντ] βάτραχος.
toast (n) [τόουστ] πρόποση, φρυγανιά (v) καψαλίζω.
tobacconist (n) [το-μπάκονιστ] καπνέμπορος, καπνοπώλης.
today (adv) [του-ντέι] σήμερα.
toe (n) [τόου] δάχτυλο.
toenail (n) [τόουνεϊλ] νύχι.
together (adv) [τουγκέδερ] αντάμα, μαζί, συνάμα.
toil (n) [τόιλ] μόχθος, κόπωση (v) κοπιάζω, μοχθώ.
toilet (n) [τόιλετ] τουαλέτα.
toils (n) [τόιλς] δίχτυ [μεταφ].
token (n) [τόουκεν] σημείο, ενθύμιο, μαρτυρία, δείγμα.
tolerable (adj) [τόλερα-μπλ] ανεκτός, καλούτσικος.
toleration (n) [τολερρέισσν] ανοχή, πνεύμα ανεκτικότητας.
toll (v) [τολ] κτυπώ, βαράω (n) διόδια, φόρος, αλεστικά.
tomato (n) [τομάατοου] τομάτα.
tomb (adj) [τούουμ] επιτύμβιος (n) τάφος, τύμβος, μνήμα.
tomcat (n) [τόμκάτ] γάτος.
tome (n) [τόουμ] τόμος.
ton (n) [ταν] τόνος.

tonal (adj) [τόουναλ] τονικός.
tone (n) [τόουν] απόχρωση [χρωματισμός], χροιά, τόνος.
toneless (adj) [τόουνλες] άτονος.
tongs (n) [τονγκς] τανάλια.
tongue (n) [τανγκ] γλώσσα.
tonic (adj) [τόνικ] τονικός, δυναμωτικός (n) δυναμωτικό.
tonight (adv) [τουνάιτ] απόψε.
tonsils (n) [τόνσιλς] αμυγδαλές.
tonsorial (adj) [τονσόριαλ] κομμωτικός, ξυριστικός.
too (conj) [τούου] και (adv) επίσης, ωσαύτως, πάρα πολύ.
tool (n) [τουλ] μαγγάνι [εργαλείο], εργαλείο, όργανο.
toot (v) [τούουτ] σφυρίζω, σημαίνω, πχώ (n) κορνάρισμα.
tooth (n) [τουθ] δόντι.
toothache (n) [τούουθεϊκ] πονόδοντος.
toothpick (n) [τούουθπικ] οδοντογλυφίδα.
top (adv) [τοπ] επάνω, πάνω (adj) πρώτος (n) κορυφή, στέγη, σκέπασμα, καπάκι (v) κορφολογώ, υπερβαίνω.
top-hat (n) [τόπ-χατ] ημίψηλο.
topaz (n) [τόουπαζ] τοπάζι.
topic (n) [τόπικ] αντικείμενο.
topographer (n) [τοπόγκραφερ] τοπογράφος.
topper (n) [τόπερ] έξοχος.
topping (n) [τόπινγκ] κορφολόγημα, κάλυμμα, επικάλυψη.
topple (v) [τόπλ] γκρεμίζομαι, καταρρέω, κλονίζω, ανατρέπω.
topsy-turvy (adv) [τόπσι-τέρβι] άνω-κάτω, κουλουβάχατα.
torch (n) [τόοτσς] λαμπάδα.
torment (n) [τόομεν-τ] ταλαιπωρία, μαρτύριο, οδύνη, αγωνία (v) [τοορμέντ] παιδεύω.
torn (adj) [τόον] σχιστός.
torpedo (n) [τοοπίι-ντοου] τορπίλα, τορπίλη (v) τορπιλίζω.
torpid (adj) [τόρπιντ] μουδιασμένος, ναρκωμένος, νωθρός.
torpor (n) [τόοπορ] αποχαύνωση, χαύνωση, μούδιασμα.
torrent (n) [τόρεν-τ] κρουνός, χείμαρρος, ρεματιά.
torrential (adj) [τορένσαλ] κατακλυσμιαίος, καταρρακτώδης.
tortoise (n) [τόοτας] χελώνα.
torture (n) [τόοτσσα] χτικιό, παίδεμα, τυραννία (v) παιδεύω.
toss (v) [τος] ξετινάζω, πετώ.
total (adj) [τόουταλ] ολικός, συνολικός, πλήρης (n) σύνολο.
totally (adv) [τόουταλι] εντελώς.
totter (v) [τότερ] παραπαίω.
tottery (adj) [τότερι] κλονιζόμενος.
touch (n) [τατσ] επαφή (v) αγγίζω, ψηλαφώ, πιάνω, επιτελώ.
touching (n) [τάτσσινγκ] ψαύ-

ση (adj) συγκινητικός.
touchy (adj) [τάτσι] εύθικτος.
tough (adj) [ταφ] σκληρός, γερός, δύσκολος, πείσμων (n) μπράβος, κακοποιός.
tour (n) [τουρ] περιήγηση, γύρος, εκδρομή (v) περιοδεύω.
tourist (adj) [τούριστ] τουριστικός (n) περιηγητής, τουρίστας.
tout (n) [τάουτ] κράχτης.
tow (v) [τόου] ρυμουλκώ (n) στουπί.
towards (adv) [τοο-ουόο-ντς] έναντι (pr) προς.
towel (n) [τάουελ] πετσέτα.
tower (n) [τάουερ] φρούριο, κάστρο, πύργος (v) υψώνομαι.
towering (adj) [τάουερινγκ] πανύψηλος, υψηλός, έξαλλος.
towing (n) [τόουινγκ] ρυμούλκηση.
town (n) [τάουν] κωμόπολη.
town hall (n) [τάουν χόολ] δημαρχείο, δημαρχία.
toxic (adj) [τόξικ] τοξικός.
toxin (n) [τόξιν] τοξίνη.
toy (n) [τόι] παιχνίδι.
trace (n) [τρέις] πατημασιά, ίχνος, δείγμα (v) χαράζω.
trachea (n) [τράκιια] τραχεία.
track (n) [τρακ] ερπύστρια, πατημασιά, ράγα, τροχιά, (v) ανιχνεύω.
traction (n) [τράκσσον] έλξη.
trade (n) [τρέι-ντ] συναλλαγή, εμπόριο, απασχόληση.
tradesman (n) [τρέι-ντσμαν] εμπορευόμενος, βιοτέχνης.
tradition (n) [τρα-ντίσσον] παράδοση [της χώρας], έθιμο.
traditions (n) [τρα-ντίσσονς] πάτρια, θέσμια.
traffic (adj) [τράφικ] κυκλοφοριακός (v) συναλλάσσομαι.
tragedian (n) [τραντζζίι-ντιαν] τραγωδός, τραγικός ποιητής.
trail (n) [τρέιλ] ίχνη, πέρασμα, οσμή (v) σύρω, ρυμουλκώ.
train (n) [τρέιν] αμαξοστοιχία (v) καταρτίζω, γυμνάζω.
trainee (adj) [τρέινίι] ασκούμενος.
trait (n) [τρέιτ] διακριτικό.
traitor (n) [τρέιτορ] προδότης.
trajectory (n) [τραντζζέκτορι] τροχιά [δορυφόρου κτλ].
tramp (n) [τραμ-π] βηματισμός, ποδοβολητό (v) οδεύω.
trance (n) [τράανς] έκσταση.
tranquilizer (n) [τράνκουιλαϊζερ] ηρεμιστικό, παυσίπονο.
transaction (n) [τραανσάκσσον] αγοραπωλησία, δοσοληψία.
transatlantic (adj) [τράανσατλάν-τικ] υπερατλαντικός.
transcendence (n) [τραανσένντενς] υπερβατικότητα.

transcribe (v) [τρανσκράι-μπ] μεταγράφω, αντιγράφω.
transfer (n) [τράανσφερ] εκχώρηση, παραχώρηση (v) μετακινώ, μεταθέτω, ξεσηκώνω.
transference (n) [τράανσφερενς] μετάβαση, μετάταξη
transformer (n) [τρααανσφόομερ] μεταμορφωτής.
transfuse (v) [τρααανσφιούζ] μεταγγίζω [αίμα].
transgress (v) [τρααανσγκρές] παραβιάζω, υπερβαίνω.
transient (adj) [τράνσιεν-τ] περαστικός, πρόσκαιρος.
transistor (n) [τρανζίστορ] τρανζίστορ.
transit (adj) [τράνζιτ] διαμετακομιστικός (n) διάβαση.
transition (n) [τρανζίσσν] μετάβαση, αλλαγή, μεταβολή.
translator (n) [τρανσλέιτορ] διερμηνέας, μεταφραστής.
transmission (n) [τρανσμίσσον] διαβίβαση, μετάδοση.
transmit (v) [τρανσμίτ] αποστέλλω, διαβιβάζω, διοχετεύω.
transparency (n) [τρανσπάρενσι] διαύγεια, διαφάνεια.
transpire (v) [τρανσπάιρ] διαπνέω, εξιδρώνω, επισυμβαίνω.
transplant (v) [τρανσπλάαν-τ] μεταμοσχεύω (n) μόσχευμα.
transport (adj) [τρανσπόοτ] μεταγωγικός (n) [τράνσποορτ] μεταφορά, διακίνηση (v) [τρανσπόορτ] κουβαλώ, μεταφέρω.
trap (n) [τραπ] φάκα, ενέδρα.
trash (n) [τρας] απορρίμματα, ψευτοπράματα, σαβούρα.
trashy (adj) [τράσσι] σκάρτος, άχρηστος, αναξιόλογος.
travel (n) [τράβελ] περιήγηση, ταξίδι (v) οδοιπορώ.
traveller (n) [τράβελερ] οδοιπόρος, περιηγητής, ταξιδιώτης.
traversable (adj) [τραβέρσαμπλ] διαπερατός, διαβατός.
traverse (v) [τραβέρς] διασχίζω, διαρρέω, διατρέχω [απόσταση].
travesty (n) [τράβεστι] διακωμώδηση, παρωδία, εμπαιγμός.
trawler (n) [τρόολερ] μηχανότρατα.
tray (n) [τρέι] δίσκος.
treacherous (adj) [τρέτσσερας] δολερός, προδοτικός.
treachery (n) [τρέτσσερι] μπαμπεσιά, προδοσία, απιστία.
treacly (adj) [τρίικλι] σιροπιασμένος, λιγωτικός [μεταφ], γλυκερός.
tread (n) [τρε-ντ] βηματισμός.
treading (n) [τρέ-ντιγκ] πάτημα.
treadle (n) [τρε-ντλ] πεντάλι.
treadmill (n) [τρέ-ντμιλ] μαγκανοπήγαδο [μεταφ].

treasonous (adj) [τρίιζονας] προδοτικός.
treasure (n) [τρέζζερ] κειμήλιο, θησαυρός, μονάκριβος, αναντικατάστατος [άνθρωπος] (v) αποθησαυρίζω [μεταφ].
treasury (n) [τρέζζερι] ταμείο.
treat (v) [τρίιτ] συμπεριφέρομαι, χειρίζομαι, θεωρώ, κερνώ, νοσηλεύω (n) κέρασμα, φίλεμα.
treatise (n) [τρίιταϊζ] διατριβή.
treatment (n) [τρίιτμεν-τ] νοσηλεία, θεραπεία, κατεργασία.
treaty (n) [τρίιτι] σύμβαση, συνθήκη, διαπραγμάτευση.
treble (v) [τρε-μπλ] τριπλασιάζω (n) πρίμο, τριπλάσιος.
tree (n) [τρίι] δέντρο, κοντάρι.
treeless (adj) [τρίιλες] άδεντρος.
trefoil (n) [τρέφοϊλ] τριφύλλι.
trellis (n) [τρέλις] καφάσι.
tremble (v) [τρεμ-μπλ] ριγώ, τρέμω (n) τρόμος.
tremor (n) [τρέμορ] δόνηση [σεισμός], τρεμούλιασμα.
trench (n) [τρεν-τσς] χαντάκι, τάφρος (v) ταμπουρώνομαι.
trespass (n) [τρέσπαας] καταπάτηση, υπέρβαση, παραβίαση.
tress (n) [τρες] κοτσίδα.
trestle (n) [τρεσλ] τρίποδας.
trial (adj) [τράιαλ] δοκιμαστικός (n) απόπειρα, δίκη, δοκιμή.
trials (n) [τράιαλς] δεινά.
tribe (n) [τράι-μπ] φυλή.
tribunal (n) [τρι-μπιούναλ] δικαστήριο.
tributary (adj) [τρί-μπιουτερι] βοηθητικός (n) παραπόταμος.
trick [τρικ] (n) πανουργία, φάρσα, κόλπο, τέχνασμα (v) εξαπατώ, παραπλανώ, περιπαίζω.
trickle (n) [τρικλ] στάλα.
tricks (n) [τρικς] μαγκιά.
tricycle (n) [τράισικλ] τρίκυκλο.
trident (n) [τράι-ντεν-τ] τρίαινα.
tried (adj) [τράι-ντ] δοκιμασμένος.
trifle (n) [τράιφλ] μηδαμινότητα.
trifling (adj) [τράιφλινγκ] τιποτένιος, ασήμαντος, μηδαμινός.
trigger (n) [τρίγκερ] σκανδάλη.
trigonometry (n) [τριγκονόμετρι] τριγωνομετρία.
trill (n) [τριλ] τρίλια.
trim (v) [τριμ] διακοσμώ, κοσμώ, κλαδεύω, γαρνίρω, σιάζω.
trinity (n) [τρίνιτι] τριάδα.
trinket (n) [τρίνκετ] στολίδι.
trio (n) [τρίοου] τριάδα, τρίο.
trip (n) [τριπ] εκδρομή (v) αλαφροπατώ.
trip (out) (v) [τριπ [άουτ]] μαστουρώνω.
triple (adj) [τριπλ] τριπλάσιος

(v) τριπλασιάζω.
triplet (n) [τρίπλετ] τρίστιχο.
triplets (n) [τρίπλετς] τρίδυμα.
triplicate (adj) [τρίπλικιτ] τριπλότυπος.
tripod (n) [τράιπο-ντ] τρίποδας.
triumph (n) [τράιαμφ] νίκη, τρόπαιο (v) θριαμβεύω.
triumphal (adj) [τραϊάμφαλ] θριαμβευτικός, νικητήριος.
trivet (n) [τρίβετ] πυροστιά.
trivial (adj) [τρίβιαλ] μηδαμινός, τιποτένιος, χυδαίος.
trochee (n) [τρόουκι] τροχαίος.
trolley (n) [τρόλι] καροτσάκι.
trollop (n) [τρόλοπ] παλιογυναίκα.
trombone (n) [τρομ-μπόουν] τρομπόνι.
troop (n) [τρούουπ] τσούρμο.
troops (n) [τρούουπς] στρατός.
trophy (n) [τρόουφι] τρόπαιο.
troubadour (n) [τρούου-μπαντοο] τροβαδούρος.
trouble (n) [τρα-μπλ] αναστάτωση, σκηνή, δράμα, μόχθος (v) ταλαιπωρώ, βασανίζω.
troublesome (adj) [τράμπλσάμ] ενοχλητικός.
trough (n) [τροφ] σκάφη, γούρνα.
troupe (n) [τρούουπ] κομπανία.
trousers (n) [τράουζερς] βρακί.
trout (n) [τράουτ] πέστροφα.
trowel (n) [τράουελ] μυστρί.
truant (n) [τρούαν-τ] κοπανατζής.
truce (n) [τρους] εκεχειρία.
truck (n) [τρακ] καμιόνι.
trudge (v) [τραντζζ] οδεύω.
true (adj) [τρου] αληθινός.
truffle (n) [τραφλ] τρούφα.
truly (adv) [τρούλι] όντως.
trump (n) [τραμ-π] ατού.
trundle (v) [τραν-ντλ] κυλώ.
trunk (n) [τρανκ] προβοσκίδα.
trunks (n) [τρανκς] σώβρακο.
truss (n) [τρας] δεμάτι.
trust (n) [τραστ] εμπιστοσύνη, τραστ (v) ελπίζω.
trustee (n) [τραστίι] επίτροπος.
trustworthy (adj) [τράστουέρδι] καλόπιοτος, έμπιστος.
truth (n) [τρουθ] αλήθεια.
truthful (adj) [τρούθφούλ] φιλαλήθης.
try (v) [τράι] αποπειρώμαι, δικάζω, δοκιμάζω, γεύομαι.
trying (adj) [τράιινγκ] κρίσιμος.
tub (n) [τα-μπ] σκυλοπνίχτης, σκάφος, μπάνιο [λεκάνη].
tube (n) [τιού-μπ] μασούρι, λυχνία, σάλπιγγα [ανατ], σύριγγα.
tubercular (adj) [τιου-μπέρκιουλαρ] φυματικός.
tubing (n) [τιού-μπινγ] σωλή-

νας.

tuck (n) [τάκ] πτυχή, δίπλα, πιέτα (v) χώνω, πτύσσω, στρίβω.

tuft (n) [ταφτ] τούφα, φούντα.

tug (v) [ταγκ] ρυμουλκώ (n) τράβηγμα [υγρού].

tuition (n) [τιούισσν] διδασκαλία.

tulle (n) [τιούλ] τούλι.

tumble (n) [ταμ-μπλ] πτώση, αναστάτωση, μπέρδεμα (v) πέφτω, κατρακυλώ, τουμπάρω.

tumour (n) [τιούμοορ] όγκος [ιατρ], εξόγκωμα, πρήξιμο.

tumper (n) [τάμ-περ] κύπελλο.

tuna (n) [τιούνα] τόνος [ιχθ].

tundra (n) [τάν-ντρα] τούντρα.

tune (n) [τιούν] μελωδία, χαβάς (v) κουρδίζω [βιολί].

tunic (n) [τιούνικ] χιτώνιο .

tunnel (n) [τάνελ] τούνελ.

turban (n) [τέρ-μπαν] σαρίκι.

turbid (adj) [τέρ-μπι-ντ] θολός.

turbulent (adj) [τέρ-μπιουλεν-τ] πολυτάραχος, ραγδαίος.

tureen (n) [τιουρίιν] σουπιέρα.

turf (n) [τερφ] πόα, χλόη.

turkey (n) [τέρκι] γαλοπούλα.

turmoil (n) [τέρμόιλ] παραζάλη.

turn (n) [τερν] περιστροφή, σειρά, στροφή, σοκ, γύρισμα (v) ανακατεύω, αναμειγνύω, γυρίζω

turner (n) [τέρνερ] τορναδόρος.

turning (n) [τέρνινγκ] στρίψιμο.

turnip (n) [τέρνιπ] γογγύλι.

turnover (n) [τέρνοουβερ] τζίρος, κίνηση [προσωπικού κλπ].

turps (n) [τερπς] νέφτι.

turret (n) [τέριτ] πυργίσκος.

tusk (n) [τασκ] ελεφαντόδοντο.

tussle (v) [τασλ] μαλλιοτραβιέμαι (n) μαλλιοτράβηγμα.

tutelage (n) [τιούτιλιντζζ] επιτροπεία, κηδεμονία.

tutor (n) [τιούτα] διδάσκαλος (v) προγυμνάζω.

twaddle (n) [τουό-ντλ] μωρολογία.

tweet (v) [τουίιτ] τιτιβίζω.

tweezers (n) [τουίιζερς] πένσα.

twig (n) [τουίγκ] κλαδάκι.

twilight (n) [τουάιλάιτ] γλυκοχάραγμα, λυκόφως, σούρουπο.

twin (adj) [τουίν] δίδυμος.

twine (n) [τουάιν] σπάγκος.

twinge (n) [τουίν-ντζζ] απότομος πόνος, σφάχτης.

twirl (v) [τουέρλ] στροβιλίζω.

twist (n) [τουίστ] στροφή, γύρισμα (v) στρίβω, διαστρέφω.

twisting (n) [τουίστινγκ] ελιγμός, στρίψιμο (adj) φιδωτός.

twitch (n) [τουίτσ] σύσπαση.

two (n) [τούου] δύο, ζεύγος.

tying (n) [τάιινγκ] δέσμευση.
type (n) [τάιπ] τύπος, είδος, ποικιλία, τάξη, κατηγορία (v) δακτυλογραφώ.
typhoon (n) [ταϊφούουν] τυφώνας [μετεωρ].
typhus (n) [τάιφας] τύφος.
typical (adj) [τίπικαλ] τυπικός.
tyrannical (adj) [τιράνικαλ] σατραπικός, τυραννικός.
tyranny (n) [τίρανι] καταπίεση.
tyre (n) [τάιρ] στεφάνη [τροχού], λάστιχο [αυτοκινήτου].

U

U, u (n) [γιού] το εικοστό πρώτο γράμμα του αγγλικού αλφαβήτου.

udder (n) [ά-ντερ] μαστός.

uglify (v) [άγκλιφαϊ] ασχημίζω.

ugly (adj) [άγκλι] άσκημος.

ulcer (n) [άλσερ] έλκος, πληγή.

ulceration (n) [αλσερέισσν] εξέλκωση, πλήγιασμα, έλκος.

ulcerous (adj) [άλσερας] ελκώδης, ελκωματικός, φθοροποιός.

ulterior (adj) [αλτίιρριορ] απώτερος, μεταγενέστερος.

ultimate (adj) [άλτιμετ] έσχατος, απώτατος, ύστατος, απόλυτος, τελικός, βασικός.

ultimatum (n) [αλτιμέιταμ] τελεσίγραφο.

ultraviolet (adj) [άλτραβάιολετ] υπεριώδης.

umbilical cord (n) [αμ-μπίλικαλ κόο-ντ] ομφαλικός λώρος.

umbrage (n) [άμ-μπριντζζ] δυσαρέσκεια, ενόχληση.

umbrageous (adj) [αμ-μπρέιντζζας] σκιερός, εύθικτος.

umbrella (n) [αμ-μπρέλα] ομπρέλα.

umpire (n) [αμ-πάιρ] διαιτητής.

umpteenth (adj) [άμ-πτίινθ] πολλοστός, αμέτρητοι.

unable (adj) [ανέι-μπλ] ανίκανος.

unacceptable (adj) [αναξέπταμπλ] απαράδεκτος, απρόσδεκτος, ανεπιθύμητος.

unaccompanied (adj) [ανακόμπανι-ντ] ασυνόδευτος, μόνος.

unaccountable (adj) [ανακάουντα-μπλ] ανεξήγητος, ακατανόητος.

unaccustomed (adj) [ανακάστομ-ντ] ασυνήθιστος.

unadorned (adj) [ανα-ντόο-ντ] αστόλιστος.

unadulterated (adj) [ανα-ντάλτερέιτιντ] ανέρωτος, ανόθευτος, γνήσιος, αγνός, αναλλοίωτος.

unaffected (adj) [αναφέκτι-ντ] ανεπηρέαστος, ανεπιτήδευτος.

unafraid (adj) [αναφρέι-ντ] άσκιαχτος, άφοβος, ατρόμητος.

unalienable (adj) [αναλιέναμπλ] αναπαλλοτρίωτος.

unalterable (adj) [ανόλτεραμπλ] αναλλοίωτος.

unambiguous (adj) [αναμ-μπίγκιας] ξεκάθαρος, σαφής.

unanimity (n) [ιουνανίμιτι] ομοθυμία, ομοφωνία.

unannounced (adj) [ανανάουνσ-ντ] απροειδοποίητος.

unanswerable (adj) [ανάανσεραμπλ] αναπάντητος.

unapplied (adj) [αναπλάι-ντ] ανεφάρμοστος.

unapproachable (adj) [αναπρόουτσσα-μπλ] απλησίαστος.

unarmed (adj) [ανάαμ-ντ] άοπλος.

unassailable (adj) [ανασέιλαμπλ] απρόσβλητος.

unassembled (adj) [ανασέμμπλ-ντ] ασυναρμολόγητος.

unassuming (adj) [ανασιούμινγκ] σεμνός (n) μετριόφρονας.

unattainable (adj) [ανατέιναμπλ] ανεπίτευκτος, ανέφικτος.

unattained (adj) [ανατέιν-ντ] ανεπίτευκτος.

unauthenticated (adj) [ανοοθέν-τικέιτι-ντ] ανεπικύρωτος.

unattractive (adj) [ανατράκτιβ] ασυμπαθής, άχαρος, μη ελκυστικός.

unavailing (adj) [αναβέιλινγκ] μάταιος, περιττός, ανωφελής.

unavoidable (adj) [αναβόι-νταμπλ] αναπόδραστος, άφευκτος.

unbalance (n) [αν-μπάλανς] ανισορροπία.

unbar (v) [αν-μπάαρ] ανοίγω, ελευθερώνω.

unbearable (adj) [αν-μπέαραμπλ] αβάσταχτος, αβίωτος.

unbeatable (adj) [αν-μπίιταμπλ] αήττητος, ασυναγώνιστος.

unbelieving (adj) [αν-μπιλίιβινγκ] άπιστος, δύσπιστος.

unbend (v) [αν-μπέν-ντ] εκτονώνω, χαλαρώνω, ισιώνω.

unbending (adj) [αν-μπέν-ντινγκ] άκαμπτος, άτεγκτος.

unbidden (adj) [αν-μπί-ντεν] αυτόβουλος, άκλητος, ακλήτευτος, αυθόρμητος, απρόσκλητος.

unblemished (adj) [αν-μπλέμισστ] ακηλίδωτος, αψεγάδιαστος.

unborn (adj) [αν-μπόον] αγέννητος, μελλοντικός.

unbreakable (adj) [αν-μπρέικαμπλ] αδιάρρηκτος, άρρηκτος.

unbridgeable (adj) [αν-μπρίντζζαμπλ] αγεφύρωτος.

unbroken (adj) [αν-μπρόουκεν] άθραυστος, άσπαστος, αδάμαστος, συνεχής, αδιάκοπος.

unbutton (v) [αν-μπάτον] ξεκουμπώνω, χαλαρώνω.

uncalculated (adj) [ανκάλκιουλέιτιντ] ανυπολόγιστος, αλογάριαστος, απροσδιόριστος.

uncalled (adj) [ανκόολ-ντ] άκλητος, απρόσκλητος.

uncanny (adj) [ανκάνι] αλλόκο-

τος, απόκοσμος, παράξενος.
unceasing (adj) [ανσίιζινγκ] α-κατάπαυστος, ασταμάτητος, συ-νεχής, διαρκής, αδιάκοπος.
unceremonious (adj) [ανσερε-μόουνιας] απροσχημάτιστος, α-νεπίσημος, αγενής, απότομος.
uncertain (adj) [ανσέρτεν] άδη-λος, αβέβαιος, αμφίβολος.
uncertified (adj) [ανσέρτιφαϊ-ντ] ανεπικύρωτος.
uncharitable (adj) [αντσσάριτα-μπλ] αφιλάνθρωπος, σκληρός, κακόβουλος, τσιγκούνης.
uncharted (adj) [αντσσάατι-ντ] ανεξερεύνητος.
unchastity (n) [αντσσάστιτι] α-κολασία, λαγνεία, ασέλγεια.
unciform (adj) [άνσιφοομ] α-γκιστρωτός, αγκιστροειδής.
uncivilized (n) [ανσίβιλαϊζ-ντ] απολίτιστος, άγριος.
unclaimed (adj) [ανκλέιμ-ντ] α-γύρευτος, αζήτητος.
unclarified (adj) [ανκλάριφαϊ-ντ] αδιευκρίνιστος.
uncle (n) [ανκλ] μπάρμπας.
unclog (v) [ανκλόγκ] ξεβου-λώνω.
unclouded (adj) [ανκλάου-ντι-ντ] ανέφελος, ασυννέφιαστος.
uncoil (v) [ανκόιλ] ξετυλίγω.
uncombed (adj) [ανκόουμ-ντ] αχτένιστος.
uncomfortable (adj) [ανκάμ-φταμπλ] άβολος, ανήσυχος.
uncommitted (adj) [ανκομίτι-ντ] αδέσμευτος, ουδέτερος.
uncommon (adj) [ανκόμον] α-ξιοπερίεργος, ασυνήθιστος.
uncommunicative (adj) [ανκο-μιούνικέιτιβ] κλειστός.
uncomplaining (adj) [ανκομ-πλέινινγκ] αγόγγυστος.
uncompromising (adj) [ανκομ-προμάιζινγκ] ανυποχώρητος, α-διάλλακτος, ασυμβίβαστος.
unconcern (n) [ανκονσέρν] α-μεριμνησία, ξεγνοιασιά.
unconcerned (adj) [ανκονσέρν-ντ] αδιάφορος, ασυγκίνητος.
unconditional (adj) [ανκοντίσ-σναλ] απεριόριστος, απόλυτος.
unconfessed (adj) [ανκονφέστ] ανεξομολόγητος.
unconfined (adj) [ανκονφάιν-ντ] ελεύθερος, ανοικτός.
unconfirmed (adj) [ανκον-φέρμ-ντ] αβεβαίωτος [πληρο-φορία], ανεξακρίβωτος.
unconnected (adj) [ανκονέκτι-ντ] άσχετος, ξεκάρφωτος.
unconquerable (adj) [ανκόνκε-ρα-μπλ] αδούλωτος, ανίκητος.
unconquered (adj) [ανκόνκερ-ντ] αδάμαστος [λαός].

unconscious (adj) [ανκόνσσιας] αναίσθητος, ασυνείδητος.
unconsidered (adj) [ανκονσίντερντ] απερίσκεπτος, επιπόλαιος, αβασάνιστος, ανεξέταστος.
uncontrollable (adj) [ανκοντρόουλαμπλ] ασυγκράτητος.
unconvinced (adj) [ανκονβίνστ] αμετάπειστος.
uncooked (adj) [ανκούκ-τ] άβραστος, ωμός.
uncoordinated (adj) [ανκόουοο-ντινέιτι-ντ] ασυντόνιστος.
uncork (v) [ανκόοκ] εκπωμίζω.
uncounted (adj) [ανκάουν-τιντ] ακαταμέτρητος.
uncover (v) [ανκάβερ] αποκαλύπτω, εκθέτω, ξεσκεπάζω.
uncritical (adj) [ανκρίτικαλ] αβασάνιστος, επιπόλαιος.
uncrowned (adj) [ανκράουν-ντ] αστεφάνωτος, άστεπτος.
unction (n) [άνκσσον] χρίσμα, μύρο, βάλσαμο, καταπραϋντικό.
uncultivated (adj) [ανκάλτιβέιτι-ντ] αδούλευτος [αγρός], άγριος, αυτοφυής χέρσος.
uncut (adj) [ανκάτ] άκοπος, ατεμάχιστος, ακέραιος.
undated (adj) [αν-ντέιτι-ντ] αχρονολόγητος.
undaunted (adj) [αν-ντόον-τιντ] απτόητος, άτρομος, άφοβος.
undecided (adj) [αν-ντισάι-ντιντ] αμφίρροπος.
undeclared (adj) [αν-ντικλέαντ] αδήλωτος, ακήρυχτος.
undefeated (adj) [αν-ντιφίιτεντ] αήττητος.
undefended (adj) [αν-ντιφένντεντ] ανυπεράσπιστος.
undefined (adj) [αν-ντιφάιν-ντ] ακαθόριστος.
undelivered (adj) [αν-ντελίβερντ] ανεπίδοτος.
undeniable (adj) [αν-ντινάιαμπλ] αναντίρρητος.
under (adv) [άν-ντερ] αποκάτω, κάτω, υπό, κάτωθεν, κάτω από.
under age (adj) [άν-ντερ έιντζζ] ανήλικος.
under oath (adj) [άν-ντερ όουθ] ένορκος (adv) ενόρκως.
underbelly (n) [άν-ντερ-μπέλι] υπογάστριο.
underbidding (n) [άν-ντερ-μπίντινγκ] μειοδοσία.
underclothes (n) [άν-ντερκλόουδς] ασπρόρουχα.
undercooked (adj) [άν-ντερ κουκ-τ] άβραστος.
undercover (adj) [άν-ντερκάβερ] μυστικός.
underdone (adj) [άν-ντερ-ντάν] άψητος, ωμός.
underestimate (v) [άν-ντερέστι-

μεϊτ] υποτιμώ.
undergo (v) [άν-ντεργκόου] δοκιμάζω [υποφέρω], παθαίνω, υφίσταμαι, υποβάλλομαι, περνώ.
underground (adj) [άν-ντεργκράουν-ντ] υπόγειος, μυστικός, άντεργκραουντ [αργκό].
underhand (adj) [άν-ντερχάν-ντ] κρυψίνους, σκοτεινός [προθέσεις], ύπουλος, δόλιος.
underline (v) [άν-ντερλάιν] υπογραμμίζω, τονίζω.
undermine (v) [άν-ντερμάιν] υπονομεύω, υποσκάπτω.
undermining (n) [άν-ντερμάινινγκ] υπονόμευση.
underneath (adv) [άν-ντερνίιθ] κάτω.
undernourish (v) [άν-ντερναρισς] υποσιτίζω.
underpants (n) [άν-ντερπάν-τς] σώβρακο, βρακί.
underscore (v) [άν-ντερσκόο] επισημαίνω.
undersecretary (n) [άν-ντερσέκρετέρι] υφυπουργός.
undersigned (adj) [άν-ντερσάιν-ντ] υπογεγραμμένος.
undersized (adj) [άν-ντερσάιζ-ντ] μικρόσωμος, κατσιασμένος.
underskirt (n) [άν-ντερσκέρτ] μεσοφόρι.
understand (v) [αν-ντερστάν-ντ] αγρικώ, καταλαβαίνω, νοώ.
undertake (v) [αν-ντερτέικ] αναλαμβάνω, επιχειρώ.
undertow (n) [αν-ντερτόου] αντιμάμαλο, αντίρρευμα.
underwater (adj) [άν-ντερουόοτερ] υποβρύχιος.
underwear (n) [άν-ντερουέαρ] εσώρουχα.
underworld (n) [άν-ντερουέρλ-ντ] υπόκοσμος.
undesigned (adj) [αν-ντιζάιν-ντ] απροσχεδίαστος, ακούσιος.
undesirable (adj) [αν-ντιζάιραμπλ] ανεπιθύμητος, απευκταίος.
undeveloped (adj) [αν-ντιβέλοπ-ντ] αναξιοποίητος.
undeviating (adj) [αν-ντίιβιέιτινγκ] απαρέγκλιτος, σταθερός.
undigested (adj) [αν-νταϊντζζέστι-ντ] αχώνευτος.
undignified (adj) [αν-ντίγκνιφάι-ντ] αναξιοπρεπής.
undiminished (adj) [αν-ντιμίνισσ-τ] αδιάπτωτος, αμείωτος.
undisciplined (adj) [αν-ντίσιπλιν-ντ] απειθάρχητος.
undisclosed (adj) [αν-ντισκλόουζντ] αφανέρωτος.
undisguised (adj) [αν-ντισγκάιζντ] ανυπόκριτος.
undissolved (adj) [αν-ντιζόουλβ-ντ] αδιάλυτος.

undistributed (adj) [αν-ντιστρί-μπιουτι-ντ] αδιανέμητος.
undisturbed (adj) [αν-ντιστέρ-μπ-ντ] ανενόχλητος.
undivided (adj) [αν-ντιβάι-ντι-ντ] αδιαίρετος, αμέριστος.
undo (v) [αν-ντού] ξεκουμπώνω, λύνω, ανοίγω, λασκάρω.
undoing (n) [αν-ντούινγκ] αφανισμός, καταστροφή, ανατροπή.
undone (adj) [αν-ντάν] ανεκτέλεστος, απραγματοποίητος, ασυμπλήρωτος, ημιτελής.
undress (v) [αν-ντρές] ξεντύνω.
undue (adj) [αν-ντιού] αδικαιολόγητος.
undulate (v) [άν-ντιουλέιτ] κυμαίνομαι, κυματίζω.
undying (adj) [αν-ντάιινγκ] αμάραντος, άσβηστος.
unearth (v) [ανέρθ] ανασκάπτω.
unearthly (adj) [ανέρθλι] υπερκόσμιος, υπερφυσικός.
uneasiness (n) [ανίιζινες] ανησυχία.
uneasy (adj) [ανίιζι] ανήσυχος, ταραγμένος, στενοχωρημένος.
uneconomical (adj) [ανικονόμικαλ] αντιοικονομικός.
uneducated (adj) [ανέ-ντζζιουκέιτιντ] αγράμματος.
unemployed (adj) [ανεμ-πλόιι-ντ] άεργος, άνεργος.
unequal (adj) [ανίικουαλ] άνισος, ανομοιόμορφος, ανόμιος.
unequivocal (adj) [ανικουίβοκαλ] ξεκάθαρος, σαφής.
uneven (adj) [ανίιβεν] άνισος, ακανόνιστος, απότομος.
uneventful (adj) [ανιιβέντφουλ] ομαλός, αδιατάρακτος.
unexamined (adj) [ανεγκζάμιν-ντ] ανεξέλεγκτος [δαπάνη].
unexceptionable (adj) [άνεξέπσσονα-μπλ] ανεπίληπτος [διαγωγή], άψογος, ικανοποιητικός.
unexecuted (adj) [ανέξεκιούτι-ντ] ανεκτέλεστος, ανεπικύρωτος.
unexpected (adj) [ανεξπέκτι-ντ] αδόκητος, αιφνίδιος, ανέλπιστος.
unexploited (adj) [ανεξπλόιτι-ντ] ανεκμετάλλευτος.
unfading (adj) [ανφέι-ντινγκ] άφθαρτος, ακατάλυτος.
unfailing (adj) [ανφέιλινγκ] αδιάπτωτος, αδιάκοπος, συνεχής.
unfair (adj) [ανφέαρ] άδικος, αθέμιτος, μεροληπτικός.
unfamiliar (with) (adj) [ανφαμίλιαρ [γουίδ]] αδαής, ξένος.
unfasten (v) [ανφάασεν] λύνω.
unfathomable (adj) [ανφάδομαμπλ] ανεξερεύνητος.
unfavourable (adj) [ανφέιβορα-

μπλ] αντίξοος, απρόσφορος.
unfeasible (adj) [ανφίιζι-μπλ] ακατόρθωτος.
unfeeling (adj) [ανφίιλινγκ] άκαρδος, άπονος, ασυγκίνητος.
unfeigned (adj) [ανφέιν-ντ] ανυπόκριτος, απροσποίητος.
unfenced (adj) [ανφένσ-τ] άφρακτος, άφραχτος.
unfilled (adj) [ανφίλ-τ] απλήρωτος [όχι γεμάτος].
unfinished (adj) [ανφίνισσ-τ] ατελείωτος, ασυμπλήρωτος.
unfit (adj) [ανφίτ] ακατάλληλος, ανάξιος, ανίκανος.
unfledged (adj) [ανφλέντζζ-ντ] αμάλλιαγος, απουπούλιαστος.
unfold (v) [ανφόουλ-ντ] αναπτύσσω, ανοίγω [χάρτη].
unfolding (n) [ανφόουλ-ντινγκ] άπλωμα.
unforeseen (adj) [ανφοοσίιν] ανέλπιστος [γεγονός].
unformed (adj) [ανφόομ-ντ] ασχημάτιστος, αδιάπλαστος.
unfortified (adj) [ανφόοτιφάιντ] ανοχύρωτος.
unfortunate (adj) [ανφόοτσσιουνετ] κακότυχος, άμοιρος.
unfriendly (adj) [ανφρέν-ντλι] πολέμιος, εχθρικός.
unfulfilled (adj) [ανφουλφίλντ] ανεκπλήρωτος.
unfurl (v) [ανφέρλ] ξεδιπλώνω.
ungainly (adj) [ανγκέινλι] αδέξιος, άχαρος, άκομψος.
ungenerous (adj) [αν-ντζζένερας] μη γενναιόδωρος.
ungifted (adj) [ανγκίφτι-ντ] απροίκιστος.
ungovernable (adj) [ανγκάβερναμπλ] ακυβέρνητος.
ungrateful (adj) [ανγκρέιτφουλ] άχαρος, (n) αγνώμονας.
ungrudging (adj) [ανγκράντζζινγκ] αγόγγυστος.
unguarded (adj) [ανγκάα-ντιντ] απροφύλακτος.
unhampered (adj) [ανχάμπερντ] ανεμπόδιστος, ελεύθερος.
unhappy (adj) [ανχάπι] δυστυχής, ατυχής, ανεπιτυχής.
unharmed (adj) [ααγχάαμ-ντ] άθικτος, σώος.
unhealthy (adj) [ανχέλθι] ανθυγιεινός άρρωστος.
unhesitating (adj) [ανχέζιτέιτινγκ] αδίσταχτος, ανενδοίαστος.
unholy (adj) [ανχόουλι] αχρείος.
unhook (v) [ανχούκ] απαγκιστρώνω, ξεκρεμώ.
unhurt (adj) [ανχέρτ] άθικτος.
unification (n) [ιουνιφικέισσον] ενοποίηση, ένωση.
uniform (adj) [ιούνιφοομ] ο-

μοιόμορφος (n) στολή.
unify (v) [ιούνιφαϊ] ενοποιώ.
unimportant (adj) [ανιμ-πόοταν-τ] ασήμαντος, άσημος.
uninformed (adj) [ανινφόομ-ντ] απληροφόρητος.
uninhabited (adj) [ανινχά-μπιτι-ντ] ακατοίκητος, έρημος.
uninitiated (adj) [ανινίσσιέιτι-ντ] αμύητος.
uninspired (adj) [ανινσπάια-ντ] πεζός, μη εμπνευσμένος.
unintelligible (adj) [ανιν-τέλιντζζιμπλ] ακατανόητος.
uninterrupted (adj) [ανιν-τεράπτιντ] αδιάκοπος, αδιάλειπτος.
uninvited (adj) [ανινβάιτι-ντ] ακάλεστος, απρόσκλητος.
union (n) [ιούνιον] ένωση, σύνδεσμος, συνέωση, γάμος.
unique (adj) [ιουνίικ] ανεπανάληπτος, μοναδικός.
unit (n) [ιούνιτ] μονάδα, συγκρότημα, συσκευή.
unite (v) [ιουνάιτ] ενώνω, συμβάλλω [ποτάμι], συνδέω.
united (adj) [ιουνάιτι-ντ] ενωμένος, ενιαίος, κοινός.
unity (n) [ιούνιτι] ενότητα, σύμπνοια, συνεργασία, φιλία.
universal (adj) [ιουνιβέρσαλ] καθολικός, παγκόσμιος, παλλαϊκός, πανανθρώπινος, γενικός.
universe (n) [ιούνιβερς] οικουμένη, κόσμος, σύμπαν, πλάση.
university (n) [ιουνιβέρσιτι] πανεπιστήμιο.
unjust (adj) [αν-ντζζάστ] άδικος.
unjustifiable (adj) [αν-ντζζάστιφάιαμπλ] αδικαιολόγητος.
unkempt (adj) [ανκέμ-πτ] ατημέλητος, άτσαλος, αχτένιστος.
unknown (adj) [αννόουν] αφανής, άγνωστος.
unlawful (adj) [ανλόοφουλ] παράνομος, αθέμιτος, άνομος.
unlearn (v) [ανλέρν] ξεμαθαίνω, λησμονώ.
unleash (v) [ανλίισς] αμολάω.
unleavened (adj) [ανλέβεν-ντ] άζυμος, λειψός, ανεπηρέαστος.
unless (adv) [ανλές] πλην.
unlet (adj) [ανλέτ] ανοίκιαστος.
unlikely (adj) [ανλάικλι] απίθανος.
unlock (v) [ανλόκ] ξεκλειδώνω.
unloose (v) [ανλούους] λύνω.
unloving (adj) [ανλάβινγκ] άστοργος, αφιλόστροργος.
unmarked (adj) [ανμάακ-τ] ασημάδευτος, ασημείωτος.
unmarried (adj) [ανμάρι-ντ] άγαμος, ανύπανδρος, ελεύθερος.
unmask (v) [ανμάασκ] ξεγυμνώνω, ξεσκεπάζω.
unmentionable (adj) [ανμένσσονα-μπλ] ακατονόμαστος.

unmerciful (adj) [ανμέρσιφουλ] άσπλαχνος, ενετικός.
unnatural (adj) [αννάτσσουραλ] αφύσικος, τεχνητός.
unobserved (adj) [ανο-μπζέρβ-ντ] απαρατήρητος, απρόσεκτος.
unobtrusive (adj) [ανομπτριούσιβ] διακριτικός, ήσυχος.
unoccupied (adj) [ανόκιουπάι-ντ] άδειος, αργόσχολος, κενός.
unorthodox (adj) [ανόοθοντοξ] ανορθόδοξος, ασυνήθης.
unpaid (adj) [ανπέι-ντ] ανεξόφλητος, ακατάβλητος [χρέη].
unpaved (adj) [ανπέιβ-ντ] άστρωτος [δρόμος].
unplanted (adj) [ανπλάαν-τι-ντ] άβαλτος, αφύτευτος.
unpolished (adj) [ανπόλισσ-τ] αγυάλιστος, πρωτόγονος.
unpolluted (adj) [ανπολιούτι-ντ] αμόλυντος.
unpopular (adj) [ανπόπιουλάρ] αντιδημοτικός, αντιλαϊκός.
unprecedented (adj) [ανπρέσιντέν-τι-ντ] ανεπανάληπτος.
unpremeditated (adj) [ανπριμέντιτέιτι-ντ] αμελέτητος.
unprepared (adj) [ανπριπέα-ντ] αδιάβαστος, ακατάρτιστος.
unprincipled (adj) [ανπρίνσιπλ-ντ] αχαρακτήριστος.
unproductive (adj) [ανπρο-ντάκτιβ] στείρος, μη παραγωγικός.
unprosecuted (adj) [ανπρόσεκιούτι-ντ] ακαταδίωκτος.
unprotected (adj) [ανπροτέκτι-ντ] απροστάτευτος.
unprovoked (adj) [ανπροβόουκ-τ] αναίτιος, απρόκλητος.
unpublished (adj) [ανπάμπλισσ-τ] αδημοσίευτος.
unpunished (adj) [ανπάνισσ-τ] ατιμώρητος.
unquenchable (n) [ανκουέντσσαμπλ] ανικανοποίητος.
unravel (v) [ανράβελ] ξεδιαλύνω, ξεμπερδεύω, ξεμπλέκω.
unread (adj) [ανρέ-ντ] αδιάβαστος [βιβλίο], αγράμματος.
unrealized (adj) [ανριαλάιζ-ντ] ανεκπλήρωτος, ανεκτέλεστος.
unreasonable (adj) [ανρίιζοναμπλ] εξωφρενικός, παράλογος.
unrecognizable (adj) [ανρέκογκνάιζα-μπλ] αγνώριστος.
unrefined (adj) [ανριφάιν-ντ] αμόρφωτος, ακατέργαστος.
unregistered (adj) [ανρέντζζιστερ-ντ] ακαταχώρητος.
unreliable (adj) [ανριλάια-μπλ] αναξιόπιστος.
unremitting (adj) [ανριμίτινγκ] ασταμάτητος, αδιάκοπος.
unreserved (adj) [ανριζέρβ-ντ] αμέριστος, ανεπιφύλακτος.

unrestrained (adj) [ανριστρέιν-ντ] ακάθεκτος, ακράτητος.
unrevealed (adj) [ανριβίιλ-ντ] ανεκδήλωτος, αφανέρωτος.
unrig (v) [ανρίγκ] ξαρματώνω.
unripe (adj) [ανράιπ] αγίνωτος, άγουρος, ανώριμος, ξινός.
unrivalled (adj) [ανράιβαλ-ντ] αξεπέραστος, απαράμιλλος.
unroll (v) [ανρόλ] εκτυλίσσω.
unruly (adj) [ανρούλι] άτακτος.
unsay (v) [ανσέι] ανακαλώ.
unscrupulous (adj) [ανσκρούπιουλας] ασυνείδητος, αδίστακτος.
unseal (v) [ανσίιλ] ανοίγω.
unseasonable (adj) [ανσίιζοναμπλ] παράκαιρος, άκαιρος.
unseasoned (adj) [ανσίιζον-ντ] ανάλατος, άγευστος.
unseen (adj) [ανσίιν] αθέατος.
unseizable (adj) [ανσίιζα-μπλ] ακατάσχετος.
unselfishness (n) [ανσέλφισ-σνες] ανιδιοτέλεια.
unsettle (v) [ανσέτλ] ανησυχώ..
unshaded (adj) [ανσσέι-ντι-ντ] ασκίαστος, ακάλυπτος, γυμνός.
unshakeable (adj) [ανσσέικαμπλ] ακλόνητος, ακράδαντος.
unsheathe (v) [ανσσίιδ] ξεσπαθώνω [μεταφ].
unsightly (adj) [ανσάιτλι] άσκημος, άσχημος, άχαρος.
unskilled (adj) [ανσκίιλ-ντ] ανειδίκευτος (n) ατζαμής.
unsociable (adj) [ανσόουσσιαμπλ] ακοινώνητος, μονόχνοτος.
unsolicited (adj) [ανσολίσιτι-ντ] απρόσκλητος, αυτόβουλος.
unsolved (adj) [ανσόλβ-ντ] άλυτος, ανεξήγητος, ανεξιχνίαστος.
unsought (adj) [ανσόοτ] αζήτητος, αγύρευτος.
unsteady (adj) [ανστέ-ντι] ασταθής, άστατος, άσωτος.
unstick (v) [ανστίκ] αποκολλώ.
unstitch (v) [ανστίτσ] ξηλώνω.
unstopped (adj) [ανστόπ-τ] αβούλωτος, ελεύθερος.
unstrained (adj) [ανστρέιν-ντ] ασούρωτος.
unsuccessful (adj) [άνσαξέσφουλ] ανεπιτυχής, άπρακτος.
unsuitable (adj) [ανσούτα-μπλ] ακατάλληλος, απρόσφορος.
unsuppressible (adj) [ανσαπρέσιμπλ] ασυγκράτητος.
unsurpassed (adj) [ανσερπάασ-τ] άφθαστος.
unsuspecting (adj) [ανσασπέκτινγκ] ανυποψίαστος, ανίδεος.
untaught (adj) [αν-τόοτ] αμόρφωτος, αμαθής, αγράμματος.
untaxed (adj) [αν-τάξ-ντ] αφορολόγητος.
untidiness (n) [αν-τάι-ντινες] α-

καταστασία, ασυγυρισιά.
untidy (adj) [αν-τάι-ντι] κακοβαλμένος, ακατάστατος.
untie (v) [αν-τάι] λύνω [δεσμό].
untied (adj) [αν-τάι-ντ] άδετος.
until (adv) [αν-τίλ] ίσαμε, μέχρι, ώσπου, έως (conj) ως που.
untimely (adj) [αν-τάιμλι] άκαιρος, ανεπίκαιρος, άστοχος.
untiring (adj) [αν-τάιρινγκ] άκοπος [ξεκούραστος].
untold (adj) [αν-τόολντ] ανείπωτος, ανεξιστόρητος, αναποκάλυπτος, απεριόριστος.
untrained (adj) [αν-τρέιν-ντ] ανεκπαίδευτος, αγύμναστος.
untrodden (adj) [αν-τρό-ντεν] άβατος, απάτητος, ερημικός.
untruth (n) [αν-τρούθ] ψευτιά.
unvaried (adj) [ανβεάριι-ντ] μονότονος.
unveil (v) [ανβέιλ] ξεσκεπάζω.
unveiling (n) [ανβέιλινγκ] αποκαλυπτήρια.
unwearied (adj) [ανουίιρι-ντ] ακούραστος.
unweave (v) [ανουίιβ] ξεφτίζω.
unwedded (adj) [ανουέ-ντι-ντ] αστεφάνωτος.
unwholesome (adj) [ανχόουλσαμ] ανθυγιεινός.
unwieldy (adj) [ανουίιλ-ντι] ανοικονόμητος, δύσχρηστος.
unwilling (adj) [ανουίλινγκ] απρόθυμος.
unwind (v) [ανουάιν-ντ] ξεκουρδίζω, ξεδίνω.
unwise (adj) [ανουάιζ] άκριτος.
unworthy (adj) [ανουέρδι] ανάξιος.
unwrap (v) [ανράπ] ξετυλίγω.
unwrinkled (adj) [ανρίνκλ-ντ] ατσαλάκωτος.
unyielding (adj) [ανγίιλ-ντινγκ] ανένδοτος.
up (adv) [απ] άνω, απάνω.
up to date (adj) [απ του ντέιτ] μοντέρνος, ενημερωμένος.
upbringing (n) [άπ-μπρίνγκινγκ] ανατροφή.
upgrade (v) [απγκρέι-ντ] διεισδύω, οδεύω [προς], προάγω, αναβαθμίζω (n) ανηφοριά.
upheaval (n) [απχίιβαλ] αναταραχή, αναστάτωση.
uphill (n) [άπχιλ] ανηφοριά (adj) ανηφορικός.
uplift (n) [άπλίφτ] ανάταση, εξύψωση (v) εξευγενίζω.
uplifting (adj) [άπλίφτινγκ] ηθοπλαστικός, ψυχωφελής.
upon (adv) [απόν] επάνω, πάνω (pr) κατά, επί.
upper (adj) [άπερ] ανώτερος.
upright (adj) [άπράιτ] κατακόρυφος, κάθετος, ενάρετος, ευ-

θύς, ακέραιος, τίμιος (adv) ορθά, ορθώς.
uprising (n) [άπράιζινγκ] εξέγερση, ξεσήκωμα, επανάσταση.
uproar (n) [άπρόορ] αντάρα, οχλοβοή, ταβατούρι.
uproot (v) [άπρούτ] ξεριζώνω (n) ξερίζωμα.
upset (n) [άπσετ] ανατροπή, ταραχή (adj) [απσέτ] στενοχωρημένος (v) αναστατώνω, ανατρέπω, σεκλετίζω, σοκάρω, ταράζω, τουμπάρω, χαλάω.
upstairs (adv) [απστέας] επάνω.
upward (adj) [άπουερ-ντ] ανοδικός [ηλεκτρ].
urban (adj) [έρ-μπαν] αστικός.
urchin (n) [έρτσσιν] μάγκας.
urge (v) [ερντζζ] παρακινώ.
urge on (v) [ερντζζ ον] προωθώ.
urgency (n) [έρντζζενσι] σφίξη.
urgent (adj) [έρντζζεν-τ] επιτακτικός επείγων, πιεστικός.
uric (adj) [ιούρικ] ουρικός.
urn (n) [ερν] υδρία.
usable (adj) [ιούζα-μπλ] χρησιμοποιήσιμος.
usage (n) [ιούσιντζζ] χρήση.
use (n) [ιούς] έξη, μεταχείριση, συνήθεια, τριβή [μεταφ] (v) [ιούζ] διαθέτω, καταναλώνω.
use up (v) [ιούζ απ] καταναλίσκω, αναλώνω, καταναλώνω.
used (adj) [ιούζ-ντ] μεταχειρισμένος, φθαρμένος.
useful (adj) [ιούσφουλ] εξυπηρετικός, επωφελής, εύχρηστος.
useless (adj) [ιούσλες] ανώφελος.
usher (n) [άσσερ] ταξιθέτρια.
usher in (v) [άσσερ ιν] μπάζω.
usual (adj) [ιούζιουαλ ή ιούζζαλ] κανονικός, πατροπαράδοτος, συνήθης, τυπικός.
usufruct (n) [ιούζουφρακτ] επικαρπία [νομ].
usurer (n) [ιούουζουρερ] τοκογλύφος.
usurp (v) [ιούουζερπ] οικειοποιούμαι, σφετερίζομαι.
usury (n) [ιούουζουρι] τόκος.
utensil (n) [ιουτένσιλ] σκεύος.
uterus (n) [ιούτερας] μήτρα.
utilitarian (adj) [ιουτιλιτέριαν] ωφελιμιστικός (n) ωφελιμιστής.
utilize (v) [ιούτιλάιζ] αξιοποιώ.
utmost (adj) [άτμόουστ] απώτατος, ακραίος, άκρος, έσχατος.
utopian (adj) [ιουτόουπιαν] ουτοπικός, (n) ουτοπιστής.
utter (adj) [άτερ] ολοσχερής (v) αρθρώνω, ξεστομίζω.
utterance (n) [άτερανς] ρήση.
utterly (adv) [άτερλι] ολωσδιόλου, παντελώς, τελείως.
uvula (n) [ιούουβιουλα] σταφυλή.

V, v (n) [βι] το εικοστό δεύτερο γράμμα του αγγλικού αλφαβήτου.
vacancy (n) [βέικανσι] κενή θέση.
vacant (adj) [βέικαν-τ] ανέκφραστος, αδειανός, απλανής.
vacate (v) [βακέιτ] εγκαταλείπω, αφήνω [ελεύθερο], εκκενώνω.
vacation (n) [βακέισσν] παραίτηση [από θέση], εκκένωση.
vaccine (n) [βαξίιν] εμβόλιο.
vacillate (v) [βάσιλεϊτ] αμφιρρέπω, ταλαντεύομαι, κυμαίνομαι.
vacuous (adj) [βακιούας] κενός, άδειος, διάκενος, ανόητος.
vacuum (n) [βάκιουμ] κενό.
vagabond (n) [βάγκα-μπον-ντ] αλανιάρης (adj) πλανόδιος.
vagrant (n) [βέιγκραν-τ] επαίτης.
vague (adj) [βέιγκ] ασαφής.
vain (adj) [βέιν] ανώφελος, εγωιστικός, κενόδοξος.
vainly (adv) [βέινλι] μάταια.
vale (n) [βέιλ] κοιλάδα, λαγκάδι.
valet (n) [βάλετ ή βαλεΐ] καμαριέρης, θαλαμηπόλος.
valid (adj) [βάλι-ντ] βάσιμος, ισχυρός, έγκυρος.
validate (v) [βάλι-ντεϊτ] κυρώνω, νομιμοποιώ, καθιερώνω.
validity (n) [βαλί-ντιτι] ισχύς.
valley (n) [βάλιι] κοιλάδα.
valour (n) [βέιλερ] ανδραγαθία.
valuable (adj) [βάλιουα-μπλ] πολύτιμος, τίμιος, βαρύτιμος.
value (n) [βάλιου] αξία, αντίτιμο, υπεραξία (v) εκτιμώ.
valued (adj) [βάλιουντ] εκτιμώμενος, προσφιλής, αγαπητός.
valve (n) [βάλβ] δικλείδα.
van (n) [βαν] ημιφορτηγό.
vane (n) [βέιν] ανεμοδείχτης.
vanguard (n) [βάνγκάα-ντ] εμπροσθοφυλακή, προφυλακή.
vanilla (n) [βανίλα] βανίλια.
vanish (v) [βάνισς] εξατμίζω.
vanity (n) [βάνιτι] κενοδοξία.
vanquish (v) [βάνκουισς] καταvικώ, συντρίβω, υπερνικώ.
vantage (n) [βάν-τιντζζ] υπεροχή, κέρδος, προσόν, ωφέλημα.
vanward (adj) [βάνουερντ] εμπρόσθιος, προωθημένος.
vapid (adj) [βάπιντ] ανιαρός.
vaporize (v) [βέιποραϊζ] εξαερώνω, ατμοποιώ, εξατμίζω.
vapour (n) [βέιπα] αχνός.
variable (adj) [βέαρια-μπλ] μεταβλητός, ευμετάβλητος.
variance (n) [βέαριανς] διαφορά, διαφωνία, διχογνωμία.
variation (n) [βεαριέισσον] παραλλαγή, αυξομείωση.

varied (adj) [βέαρι-ντ] ποικίλος, διάφορος, αλλαγμένος.
variety (n) [βαράιετι] διαφορά.
varix (n) [βάριξ] κιρσός.
varnish (v) [βάανισς] στιλβώνω, βάφω (n) λούστρο.
vary (v) [βέαρι] αλλάζω, μεταβάλλω, τροποποιώ, παραλλάζω.
vase (n) [βάαζ] αγγείο, βάζο.
vassal (adj) [βάσαλ] υποτελής.
vast (adj) [βάαστ] αχανής, τεράστιος, απέραντος, κολοσσιαίος.
vat (n) [βατ] κάδος, λεκάνη.
vault (v) [βόλτ] πηδώ, εκτινάσσομαι, υπερπηδώ (n) άλμα.
vaulted (adj) [βόλτι-ντ] καμαρωτός [αρχιτεκ], θολωτός.
veal (adj) [βίιλ] μοσχαρίσιος (n) μοσχάρι, βιδέλο [κρέας].
veer (n) [βίιρ] μεταστροφή (v) μεταστρέφομαι, μεταστρέφω.
vegetable (adj) [βέντζζιτα-μπλ] φυτικός (n) λαχανικό, φυτό.
vegetarian (adj) [βέντζζιτέαριαν] φυτοφάγος, χορτοφάγος.
vehemence (n) [βίιεμενς] σφοδρότητα, βιαιότητα, ορμή.
vehement (adj) [βίιεμεν-τ] βίαιος, ορμητικός, σφοδρός.
vehicle (n) [βίιεκλ] όχημα, τροχοφόρο, μεταφορικό μέσο.
veil (n) [βέιλ] τσεμπέρι, βέλο (v) σκιάζω, καλύπτω.
vein (n) [βέιν] φλέβα.
velvet (n) [βέλβετ] βελούδο.
velvety (adj) [βέλβετι] απαλός.
venal (adj) [βίιναλ] πουλημένος.
venality (n) [βινάλιτι] δωροληψία.
vender (n) [βέν-ντερ] πωλητής.
veneer (n) [βινίιρ] επίφαση.
venerable (adj) [βένερα-μπλ] αξιοσέβαστος, σεβάσμιος.
venerate (v) [βένερεϊτ] σέβομαι.
venereal (adj) [βινίιριαλ] αφροδίσιος, αφροδισιακός.
vengeance (n) [βέν-ντζζανς] εκδίκηση.
venom (n) [βένομ] δηλητήριο.
vent (v) [βεν-τ] ξεσπώ, ξελαφρώνω, ανακουφίζω [ψυχή κλπ] (n) σχισμή, άνοιγμα.
ventilate (v) [βέν-τιλεϊτ] αερίζω.
ventriloquist (adj) [βεν-τρίλοκουιστ] εγγαστρίμυθος.
venture (v) [βέν-τσσερ] αποτολμώ, επιχειρώ (n) τόλμημα.
veracity (n) [βεράσιτι] φιλαλήθεια.
verb (n) [βερ-μπ] ρήμα [γραμμ].
verbal (adj) [βέρ-μπαλ] ρηματικός, λεκτικός, προφορικός.
verbatim (adv) [βέρ-μπατιμ] αυτολεξεί.
verdant (adj) [βέρ-νταν-τ] πράσινος, χλοερός, κατάφυτος.
verdict (n) [βέρ-ντικτ] απόφαση.
verge (n) [βερντζζ] πρόθυρα [μεταφ], μεταίχμιο, χείλος.
verger (n) [βέρντζζερ] νεωκόρος.
verification (n) [βεριφικέισσον] εξακρίβωση, επαλήθευση.

vermin (n) [βέρμιν] ζωύφια.
vernacular (n) [βερνάκιουλαρ] ομιλουμένη.
versatility (n) [βερσατίλιτι] ευστροφία, προσαρμοστικότητα.
verse (n) [βερς] στίχος, στροφή.
versed in (adj) [βέρσ-ντ ιν] κατατοπισμένος, πεπειραμένος.
version (n) [βέρσσον] έκδοση [παραλλαγή], εκδοχή, απόδοση.
vertebra (n) [βέρτε-μπρα] σπόνδυλος, σπονδυλική στήλη.
vertex (n) [βέρτεξ] κορυφή.
vertical (adj) [βέρτικαλ] κάθετος.
vertigo (n) [βέρτιγκοου] ίλιγγος.
vespers (n) [βέσπερς] εσπερινός.
vessel (n) [βέσελ] καράβι.
vest (n) [βεστ] φανέλα, γιλέκο.
vestibule (n) [βέστι-μπιουλ] πρόναος, προθάλαμος.
vestige (n) [βέστιντζζ] ίχνος.
vestments (n) [βέστμεν-τς] άμφια.
vetch (n) [βετσς] βίκος [βοτ].
veteran (adj) [βέτεραν] απόμαχος.
veto (n) [βίιτο] αρνησικυρία.
vex (v) [βεξ] εξερεθίζω.
vexation (n) [βεξέισσον] ενόχληση, δυσαρέσκεια.
via (adv) [βάια] μέσω.
viability (n) [βαϊα-μπίλιτι] βιωσιμότητα.
vial (n) [βάιαλ] φιαλίδιο.
vibrate (v) [βαϊ-μπρέιτ] δονώ, κραδαίνω, πάλλω [ηλεκτ].
vibration (n) [βαϊ-μπρέισσον] δόνηση, κραδασμός, παλμός.
vicar (n) [βίκαρ] εφημέριος.
vice (n) [βάις] κακία.
vice-president (n) [βάις-πρέζιντεν-τ] αντιπρόεδρος.
vice-principal (n) [βάις-πρίνσιπαλ] υποδιευθυντής.
vicequeen (n) [βάισκουίιν] αντιβασίλισσα.
vicinity (n) [βισίνιτι] γειτονιά.
vicious (adj) [βίσσιας] εμπαθής, παθιασμένος, φαύλος.
vicious circle (n) [βίσσιας σερκλ] φαύλος κύκλος.
victim (n) [βίκτιμ] έρμαιο.
victor (n) [βίκτορ] θριαμβευτής.
victorious (adj) [βικτόοριας] επινίκιος, νικητήριος.
video-recording (n) [βί-ντεο-ρεκόορ-ντινγκ] μαγνητοσκόπηση.
view (n) [βιού] θέαση, βλέμμα, τοπίο, ορατότητα, σκοπιά.
vigil (n) [βίντζζιλ] αγρυπνία.
vigilance (n) [βίντζζιλανς] εγρήγορση, επαγρύπνηση.
vigilant (adj) [βίντζζιλαν-τ] ακοίμητος [μεταφ], άγρυπνος.
vignette (n) [βίινιέτ] βινιέτα.
vigorous (adj) [βίγκορας] σφριγηλός, ακμαίος, δραστήριος.
vigour (n) [βίγκερ] ευρωστία, ικμάδα, πυγμή, ρώμη, σθένος.
vile (adj) [βάιλ] κακοήθης.
vilify (v) [βίλιφαϊ] κατασυκο-

φαντώ, διαβάλλω, δυσφημώ.
villa (n) [βίλα] έπαυλη, βίλα.
village (n) [βίλιντζζ] χωριό.
villain (n) [βίλεν] κακούργος [μεταφ], αχρείος, φαύλος.
villainy (n) [βίλενι] αχρειότητα.
vindication (n) [βιν-ντικέισσον] διεκδίκηση, δικαίωση.
vine (n) [βάιν] αμπέλι, κλήμα.
vinegar (adj) [βίνεγκαρ] ξύδι.
vineyard (n) [βίνιάα-ντ] αμπέλι.
vintage (n) [βίν-τιντζζ] τρύγος.
viola (n) [βαϊόλα] βιόλα.
violate (v) [βάιολεϊτ] καταπατώ.
violation (n) [βαϊολέισσον] αθέτηση, παράβαση, παραβίαση.
violator (n) [βάιολέιτορ] βιαστής.
violence (n) [βάιολενς] σφοδρότητα, ζόρι, βιαιότητα.
violet (n) [βάιολετ] μενεξές.
violin (n) [βάιολιν] βιολί.
viper (n) [βάιπερ] έχιδνα.
virago (n) [βιρέιγκοου] μέγαιρα.
virgin (n) [βέρντζζιν] παρθένα (adj) παρθενικός.
virginity (n) [βερντζζίνιτι] παρθενιά, παρθενικότητα.
virile (adj) [βίράιλ] ανδρικός.
virtue (n) [βίρτσσου] αρετή.
virtuoso (n) [βερτσουόουζοου] δεξιοτέχνης, βιρτουόζος.
virtuous (adj) [βέρτσσουας] καλοήθης, ενάρετος, ηθικός.
virulent (adj) [βίριουλεν-τ] εξοντωτικός, θανατηφόρος.
virus (n) [βάιρας] ιός [ιατρ].
visa (n) [βίιζα] θεώρηση, βίζα.
visage (n) [βίζιντζζ] πρόσωπο.
visible (adj) [βίζι-μπλ] θεατός.
vision (n) [βίζζιον] ενόραση.
visionary (n) [βίζζιονάρι] οραματιστής, ουτοπιστής.
visit (n) [βίζιτ] επίσκεψη, βίζιτα (v) επισκέπτομαι.
visitor (adj) [βίζιτορ] ξένος (n) μουσαφίρης, φιλοξενούμενος.
visualize (v) [βίζζιουαλαϊζ] οραματίζομαι.
vital (adj) [βάιταλ] καίριος, δημογραφικός, ζωικός.
vitamin (n) [βίταμιν] βιταμίνη.
vitriol (n) [βίτριολ] βιτριόλι.
vivid (adj) [βίβι-ντ] ζωηρός, ζωντανός, παραστατικός.
vividness (n) [βίβι-ντνες] γραφικότητα, ενάργεια.
vivisect (v) [βιβισέκτ] ζωοτομώ.
viz (conj) [βιζ] ήτοι, τουτέστιν.
vizier (n) [βίζιερ] βεζίρης.
vocabulary (n) [βοουκά-μπιουλαρι] λεξιλόγιο, γλωσσάριο.
vocal (adj) [βόουκαλ] φωνητικός.
vocation (n) [βοουκέισσον] κλίση, τέχνη, απασχόληση.
vociferate (v) [βοσίφιρέιτ] φωνασκώ, φωνάζω, κραυγάζω.
vodka (n) [βόντκα] βότκα.
voice (n) [βόις] λαλιά, φωνή.
void (adj) [βόι-ντ] άκυρος.
volcano (n) [βολκέινου] ηφαί-

στειο.

volley (n) [βόλεϊ] μπαταριά.

voltage (n) [βόλτιντζζ] τάση [ηλεκτ], βολτάζ.

volume (n) [βόλιουμ] ηχηρότητα, χωρητικότητα, όγκος, τόμος.

voluntarily (adv) [βόλαν-τεριλι] εθελουσίως, οικειοθελώς.

voluptuous (adj) [βολούπτσσουας] ηδυπαθής.

vomit (v) [βόμιτ] εκβάλλω, ξερνώ (n) εμετός, ξέρασμα.

voracious (adj) [βορέισσας] αχόρταγος [ζώο], αδηφάγος.

vote (n) [βόουτ] ψήφος (v) αναγορεύω, ψηφίζω, εκλέγω.

voting (n) [βόουτινγκ] ψήφιση.

votive (adj) [βόουτιβ] αναθηματικός.

vouch (v) [βάουτσς] εγγυούμαι.

voucher (n) [βάουτσσερ] κουπόνι.

vow (n) [βάου] υπόσχεση, όρκος, τάμα (v) ορκίζομαι, τάζω.

vowel (n) [βάουελ] φωνήεν.

voyage (n) [βόι-ιντζζ] ταξίδι.

voyeur (n) [βούαϊ-ερ] ηδονοβλεψίας.

vulgar (adj) [βάλγκα] κακόγουστος, χυδαίος, αγοραίος.

vulnerable (adj) [βάλνερα-μπλ] ευπρόσβλητος, τρωτός.

vulture (n) [βέλτσσερ] γύπας.

W, w (n) [ντάμπλγιού] το εικοστό τρίτο γράμμα του αγγλικού αλφαβήτου.
wad (n) [ουό-ντ] βύσμα, τάπα, στουπί, βάτα (v) εμφράσσω.
wade (v) [ουέι-ντ] πλατσαρίζω, πλέω [μεταφ].
waffle (v) [ουόφλ] τσαμπουνώ.
wag (n) [ουάγκ] καλαμπουρτζής, κίνηση (v) κουνώ [ουρά].
wage (adj) [ουέιντζζ] μισθολογικός.
wager (v) [ουέιντζζερ] στοιχηματίζω (n) στοίχημα.
waggon (n) [ουάγκον] άμαξα.
wail (v) [ουέιλ] θρηνολογώ, μοιρολογώ, στριγγλίζω.
waist (n) [ουέιστ] μέση [σώματος], οσφύς.
wait (n) [ουέιτ] αναμονή, σταθμός, φύλαγμα (v) αναμένω.
waiter (n) [ουέιτερ] σερβιτόρος.
wake (n) [ουέικ] απόνερα [πλοίου] (v) ξυπνώ, αφυπνίζω.
wakeful (adj) [ουέικφουλ] άγρυπνος, ακοίμητος, άυπνος.
walk (n) [ουόοκ] σεργιάνι, βόλτα, πορεία (v) οδεύω, περπατώ.
wall (n) [ουόολ] μάντρα, χώρισμα [δωματίου], παρειά [μεταφ] (v) περιφράζω.
wallet (n) [ουόλετ] πορτοφόλι.
wallow (v) [ουόλοου] κυλιέμαι, τσαλαβουτώ (n) κύλισμα.
walnut (n) [ουόολνατ] καρυδιά.
waltz (n) [ουόλτς] βαλς.
wan (adj) [ουάν] χλομός.
wand (n) [ουόν-ντ] ράβδος.
wander (v) [ουόν-ντερ] πλανώμαι, περιφέρομαι.
wane (n) [ουέιν] χάση (v) σβύνω.
want (n) [ουόν-τ] ανέχεια, ανάγκη, έλλειψη, πενία, στερήσεις (v) θέλω, λείπω, χρειάζομαι.
war (n) [ουόο] πόλεμος.
warble (v) [ουόο-μπλ] κελαηδώ.
warbling (n) [ουόο-μπλινγκ] τρέμολο, κελάδημα, φιοριτούρα.
ward (n) [ουόο-ντ] επιτήρηση (v) φυλάσσω, προστατεύω.
wardrobe (n) [ουόο-ντρόουμπ] ιματιοθήκη, ντουλάπα.
warehouse (n) [ουέαρχάους] αποθήκη (v) αποθηκεύω.
warfare (n) [ουόοφεαρ] πόλεμος.
warm (adj) [ουόομ] ένθερμος (n) θέρμανση, ζέσταμα, πύρα (v) ζεσταίνω, θερμαίνω.
warmth (n) [ουόομθ] εγκαρδιότητα, ζέστη, έξαψη, θυμός.

warn (v) [ουόον] προειδοποιώ.
warp (n) [ουόοπ] στημόνι (v) διαψεύδω, αδικώ, σκεβρώνω.
warrant (n) [ουοραν-τ] επικύρωση, διατακτική (v) εγγυούμαι [μεταφ], δικαιολογώ.
warrant officer (n) [ουόραν-τ όφφισερ] ανθυπασπιστής.
warrantor (n) [ουόραν-τορ] εγγυητής.
warring (adj) [ουόορινγκ] αντιμαχόμενος.
warship (n) [ουόσσιπ] θωρηκτό.
wart (n) [ουόοτ] κρεατοελιά.
wary (adj) [ουέρι] προσεχτικός.
wash (v) [ουόσς] λούζω, (n) πλύση.
wash(ing) (n) [ουόσσ[ινγκ]] μπουγάδα, πλύση, πλύσιμο.
washer (n) [ουόσσερ] ροδέλα.
washout (n) [ουόσσάουτ] κάζο.
wasp (n) [ουόσπ] σφήκα.
waste (adj) [ουέιστ] χέρσος, έρημος, απόβλητος (n) ερημότοπος, βρωμόνερα, φύρα (v) διασκορπίζω, σκορπίζω, σπαταλώ.
waste away (v) [ουέιστ αουέι] κατατρίβω, λιώνω, μαραζώνω.
waste land (n) [ουέιστ λαν-ντ] χερσότοπος.
wasted (adj) [ουέιστι-ντ] πεταμένος.
wasteful (adj) [ουέιστφουλ] άσωτος, σπάταλος, πολυέξοδος.
watch (adj) [ουότσς] ωρολογιακός (n) επιτήρηση, παρατήρηση, παρακολούθηση, προσοχή (v) κοιτάζω, βλέπω, φρουρώ, προσέχω, αγρυπνώ.
watcher (n) [ουότσσερ] παρατηρητής, θεατής.
watchful (adj) [ουότσσφουλ] ακοίμητος [μεταφ], άγρυπνος.
watchmaker (n) [ουότσσμέικερ] ρολογάς, ωρολογοποιός.
watchword (n) [ουότσσουέρντ] σύνθημα.
water (v) [ουόοτερ] βρέχω, ραντίζω (n) ύδωρ, νερό.
water pipe (n) [ουόοτερ πάιπ] υδαταγωγός, υδροσωλήνας.
water-closet (n) [ουόοτερ-κλόζετ] αποχωρητήριο [WC].
water-pipe (n) [ουόοτερ-πάιπ] κιούγκι, υδροσωλήνας.
waterfall (n) [ουόοτερφόολ] υδατόπτωση, καταρράκτης.
watering (n) [ουόοτερινγκ] πότισμα, ράντισμα, βρέξιμο.
watermelon (n) [ουόοτερ μέλον] καρπούζι.
watermill (n) [ουόοτερμιλ] νερόμυλος, υδρόμυλος.
waterproof (adj) [ουόοτερπρουφ] στεγανός, υδατοστεγής.
watershed (n) [ουόοτερσσε-ντ] κορυφογραμμή, μεταίχμιο.
watery (adj) [ουόοτερι] υδαρής.
watt (n) [ουότ] βατ.
wave (n) [ουέιβ] κύμα, κυμάτι-

σμα (v) κατσαρώνω, κουνώ.
waver (v) [ουέιβερ] αμφιρρέπω, ενδοιάζω, επαμφοτερίζω.
wavering (adj) [ουέιβερινγκ] (n) αμφιταλάντευση.
wavy (adj) [ουέιβι] κυματιστός.
wax (adj) [ουάξ] κέρινος.
waxen (adj) [ουάξεν] κέρινος.
waxing (n) [ουάξινγκ] γέμισμα.
waxpaper (n) [ουάξ πέιπερ] κερόχαρτο, λαδόχαρτο.
waxy (adj) [ουάξι] κέρινος, θυμωμένος, νευριασμένος.
way (n) [ουέι] οδός, απόσταση, δρομολόγιο, θέση, μέθοδος, πλευρά, μόδα, στράτα, τρόπος.
wayfarer (n) [ουέι φέαρερ] πεζοπόρος, οδοιπόρος.
waylay (v) [ουέιλεϊ] ενεδρεύω.
wayward (adj) [ουέιουαντ] δύστροπος, πείσμων, ιδιότροπος.
we (pron) [ουίι] εμείς.
weak (adj) [ουίικ] αδύναμος, ελαφρός, ασθενής, αδύνατος.
weaken (v) [ουίικεν] αποδυναμώνω, εξασθενώ, τσακίζω.
weakling (n) [ουίικλινγκ] ανθρωπάκι, μαμόθρεφτο.
weakly (adj) [ουίικλι] φιλάσθενος, αδιάθετος (adv) ασθενώς.
weakness (for) (n) [ουίικνες [φοο]] συμπάθεια, ατονία.
wealth (n) [ουέλθ] αφθονία, ευημερία, περιουσία [πλούτη].
wean (v) [ουίιν] απογαλακτίζω, αποκόβω, αποσπώ [μεταφ].
weaning (n) [ουίινινγκ] αποθηλασμός.
weapon (n) [ουέπον] όπλο.
wear (v) [ουέαρ] φέρνω, φορώ, λυώνω, εξαντλώ (n) ιματισμός.
wear and tear (n) [ουέαρ εν-ντ τέαρ] τριβή, κούραση.
wear away (v) [ουέαρ αουέι] φαγώνομαι.
wear out (v) [ουέαρ άουτ] καταπονώ, λιώνω, ξεπατώνω, χαλώ.
wear out/off (v) [ουέαρ άουτ/οφ] χαλάω [φθείρομαι].
wearisome (adj) [ουίιρισαμ] κοπιαστικός, μονότονος [μεταφ].
weary (adj) [ουίιρι] κουρασμένος, πληκτικός, ανιαρός (v) κουράζω, βαραίνω.
weasel (n) [ουίιζλ] νυφίτσα.
weather (adj) [ουέδερ] καιρικός (n) καιρός (v) καβατζάρω.
weather-beaten (adj) [ουέδερμπίιτεν] ανεμοδαρμένος.
weave (n) [ουίιβ] ύφανση, υφή (v) πλέκω, υφαίνω, συνθέτω.
web (n) [ουέ-μπ] υφή, δίχτυ.
webbing (n) [ουέ-μπινγκ] ούγια.
wed (v) [ουέ-ντ] παίρνω [για γυναίκα], νυμφεύω, παντρεύομαι.
wedge (n) [ουέ-ντζζ] σφήνα, γωνία (v) ακινητοποιώ.
weed (v) [ουίι-ντ] σκαλίζω (n) ζιζάνιο [βοτ], χόρτο [άγριο].

weeds (n) [ουίι-ντς] αγριόχορτα.
weedy (adj) [ουίι-ντι] ξερακιανός.
week (n) [ουίικ] εβδομάδα.
week-day (n) [ουίικ-ντέι] καθημερινή, εργάσιμη μέρα.
weekly (adj) [ουίικλι] εβδομαδιαίος.
weep (v) [ουίιπ] δακρύζω.
weevil (n) [ουίιβιλ] μαμούδι.
weft (n) [ουέφτ] υφάδι.
weigh (v) [ουέι] ζυγιάζω.
weigh anchor (v) [ουέι άνκα] σαλπάρω.
weigh down (v) [ουέι ντάουν] βαραίνω, βαρύνω.
weigh up (v) [ουέι άπ] αναμετρώ.
weigh-bridge (n) [ουέι-μπρίντζζ] γεφυροπλάστιγγα.
weight (n) [ουέιτ] ολκή, βαρίδι, βάρος, φορτίο, ζύγι, κύρος (v) βαραίνω.
weir (n) [γουίιρ] υδατοφράκτης.
welcome (adj) [ουέλκαμ] καλοδεχούμενος, ευπρόσδεκτος (v) δεξιώνομαι, δέχομαι.
weld (v) [ουέλ-ντ] συγκολλώ.
welfare (n) [ουέλφέαρ] ευεξία, ευφορία, ευτυχία, ευημερία.
well (adv) [ουέλ] καλά, φιλικά, ορθά, πλήρως, αρκετά (conj) λοιπόν (n) πηγάδι, φρέαρ, πηγή [μεταφ] (ex) ε!.
well done! (ex) [ουέλ νταν] μπράβο!.
well-being (n) [ουέλ-μπίινγκ] ευεξία, καλοζωία.
well-disposed (adj) [ουέλ-ντισπόουζ-ντ] καλοπροαίρετος.
well-informed (adj) [ουέλ-ινφόομ-ντ] κατατοπισμένος.
well-to-do (adj) [ουέλ-τουντου] ευκατάστατος.
well-trained (adj) [ουέλ-τρέινντ] αξιόμαχος.
welt (n) [ουέλτ] βάρδουλο (v) ξυλοφορτώνω.
wench (n) [ουέν-τσς] σουσουράδα, τσούπρα.
west (n) [ουέστ] δύση.
wet (v) [ουέτ] βρέχω, σαλιώνω, υγραίνω (adj) βρεγμένος.
whacking (n) [ουάκινγκ] ξύλο.
whacky (adj) [ουάκι] τρελλός.
whale (n) [ουέιλ] φάλαινα.
whalebone (n) [ουέιλ μπόουν] μπαλαίνα, μπανέλα.
whaler (n) [ουέιλερ] φαλαινοθηρικό.
wharf (n) [ουόοφ] σκάλα.
what (pron) [ουάτ] ποιός, τι (adv) πώς.
what(ever) [pron] [ουότ [έβερ]] ό,τι.
whatsoever (pron) [ουότ σόου έβερ] οποιοσδήποτε, οτιδήποτε.
wheat (n) [γουίιτ] σίτος [βοτ].
wheedler (n) [ουίι-ντλερ] κόλακας.
wheel (n) [ουίιλ] ρόδα, τροχός, πηδάλιο, τιμόνι, στροφή.

wheeled (adj) [ουίλ-ντ] τροχαίος.
wheeze (v) [ουίιζ] ξεφυσώ.
when (adv) [ουέν] πότε, σαν, οπόταν (conj) οπότε, όταν.
whenever (adv) [ουέν έβερ] οποτεδήποτε (conj) οπόταν, όταν.
where (adv) [ουέαρ] όπου, πού.
whereas (conj) [ουέαρας] ενώ.
wheresoever (adv) [ουέαρ σόου έβερ] οπουδήποτε.
wherever (adv) [ουέαρ έβερ] οπουδήποτε, όπου.
whet (v) [ουέτ] ακονίζω, τροχίζω (n) ακόνισμα, τόνωση.
whether (conj) [ουέδερ] αν, εάν, είτε, κατα πόσον.
whetstone (n) [ουέτ στόουν] τροχός, ακόνι, ακονόπετρα.
whetting (n) [ουέτινγκ] τρόχισμα.
whey (n) [ουέι] τυρόγαλο.
which (adj) [ουίτσσ] ποιός, ποιά, ποιό.
which (pron) [ουίτσσ] ο οποίος, η οποία, το οποίο, οι οποίοι.
whichever (pron) [ουίτσσέβερ] οιοσδήποτε, όποιος.
whiff (n) [ουίφ] πνοή, αναπνοή, τζούρα, (v) μυρίζω.
while (conj) [ουάιλ] ενώ, όσο, εφ' όσον.
whim (n) [ουίμ] ιδιοτροπία, λόξα, μανία, παραξενιά.
whimper (v) [ουίμ-περ] κλαψουρίζω, σιγοκλαίω.
whimsical (adj) [ουίμσικαλ] αλλοπρόσαλλος, καπριτσιόζικος.
whining (adj) [ουάινινγκ] παραπονετικός (n) κλάψα.
whinny (v) [ουίνι] χλιμιντρίζω.
whip (n) [ουίιπ] μάστιγα, καμουτσίκι, βίτσα (v) μαστιγώνω.
whippy (adj) [ουίππι] λυγερός, λεπτός, εύκαμπτος, ευλύγιστος.
whirl (n) [ουέρλ] τύρβη (v) στριφογυρίζω, στροβιλίζω.
whirlpool (n) [ουέρλπουουλ] δίνη, υδροστρόβιλος.
whirr (v) [ουέρ] περιστρέφομαι, στροβιλίζομαι, δονούμαι.
whisk (v) [ουίσκ] αρπάζω, πετιέμαι, τρέχω, χτυπώ [αβγά κτλ] (n) χτυπητήρι, κούνημα.
whisky (n) [γουίσκι] ουίσκι.
whisper (n) [ουίσπερ] ψίθυρος, μουρμούρα (v) ψιθυρίζω.
whistle (n) [ουίσλ] σφυρίχτρα.
white (adj) [ουάιτ] άσπρος.
whiten (v) [ουάιτεν] ασπρίζω, λευκαίνω, ξασπρίζω.
whitewash (v) [ουάιτγουόσς] ασβεστώνω (n) υδρόχρωμα.
who (pron) [χου] ποιος,α,ο.
whoever (pron) [χουέβερ] οιοσδήποτε, οποιοσδήποτε, όποιος.
whole (adj) [χόουλ] ακέραιος, ολικός, όλος, πλήρης, (n) όλο.
wholesale (adj) [χόουλσέιλ] χονδρικός, χοντρικός.
wholesaler (n) [χόουλσέιλερ] μεγαλέμπορος.

wholesome (adj) [χόουλσαμ] καλός [τροφή], θρεπτικός.
wholly (adv) [χόουλι] όλως.
whom (pron) [χούουμ] ποιόν, ποιά, ποιές, τον οποίο.
whore (n) [χόο] πουτάνα.
why! (ex) [ουάι] μπα! (adv) γιατί, προς τι.
wick (n) [ουίκ] θρυαλλίδα.
wicked (adj) [ουίκι-ντ] αμαρτωλός, κακός, άσκημος, αχρείος, μοχθηρός, σάπιος, φαύλος.
wickedness (n) [ουίκι-ντνες] μοχθηρία, στριγκλιά, κακία.
wicker (adj) [ουίκερ] πλεχτός (n) λυγαριά, αλυγαριά.
wickerwork (n) [ουίκεγουέρκ] καλαθοπλεχτική, ψάθινος.
wicket (n) [ουίκετ] θυρίδα.
wide (adj) [ουάι-ντ] ευρύς, πλατύς, φαρδύς, γενικός (adv) ευρέως, πλήρως, μακρυά.
wide open (adj) [ουάι-ντ όουπεν] ολάνοιχτος (adv) διάπλατα.
widen (v) [ουάι-ντεν] διευρύνω.
widow (n) [ουί-ντοου] χήρα.
widowhood (n) [ουί-ντοουχουντ] χηρεία.
width (n) [ουί-ντθ] εύρος.
wife (n) [ουάιφ] γυναίκα.
wig (n) [ουίγκ] περούκα.
wiggle (v) [ουίγκλ] κινώ.
wild (adj) [ουάιλ-ντ] άγριος, ανήμερος, αχαλίνωτος, ξέφρενος.
wilderness (n) [ουίλ-ντερνες] ερημιά, ερημότοπος, αγριότοπος.
wile (n) [ουάιλ] κουτοπονηριά.
wiles (n) [ουάιλς] τσαλιμάκια.
wilful (adj) [ουίλφουλ] εσκεμμένος.
will (n) [ουίλ] βούληση, δύναμη, πρόθεση, διάθεση, απόφαση, διαθήκη, θέληση (part) θα.
will power (n) [ουίλ πάουερ] θέληση.
willowy (adj) [ουίλοουι] λυγερόκορμος, λυγερός.
wily (adj) [ουάιλι] κουτοπόνηρος, πανούργος, πονηρός.
win (n) [ουίν] επικράτηση, νίκη, επιτυχία (v) κερδίζω, νικώ.
wince (n) [ουίνς] μορφασμός (v) μορφάζω [από πόνο].
winch (n) [ουίν-τς] γερανός [μηχάνημα], μαγκάνι.
wind (v) [ουάιν-ντ] ελίσσομαι, μαζεύω [μαλλί], τυλίγω, περιστρέφω (n) στροφή, καμπύλη.
wind (adj) [ουίν-ντ] πνευστός (n) αέρας, άνεμος, πνοή (v) λαχανιάζω.
wind up (v) [ουάιν-ντ απ] κλείνω, κουρδίζω.
wind-sleeve (n) [ουίν-ντσλίιβ] ανεμοδείχτης [αεροπ].
windbag (n) [ουίν-ντμπάγκ] τρίχας, αερολόγος, πολυλογάς.
windfall (n) [ουίν-ντ φόολ] καρπός, λαχείο, κληρονομία.
windiness (n) [ουίν-ντινις] αε-

ρολογία, πολυλογία, τρομάρα.
winding (adj) [ουάιν-ντινγκ] ε-λικοειδής, φιδωτός (n) γύρισμα.
windmill (n) [ουίν-ντμιλ] ανεμόμυλος.
window (n) [ουίν-ντοου] παράθυρο, προθήκη, βιτρίνα.
windpipe (n) [ουίν-ντπάιπ] λαρύγγι, τραχεία, φάρυγγας.
wine (n) [ουάιν] οίνος, κρασί.
wine cask (n) [ουάιν κάασκ] κρασοβάρελο.
wine-press (n) [ουάιν-πρές] σταφυλοπιεστήριο, ληνός.
wing (n) ουίνγκ] πτέρυγα, φτερούγα, κέρας [στρατ], φτερό.
winged (adj) [ουίνγκ-ντ] πτερωτός, ταχύς, τραυματισμένος.
wink (v) [ουίνκ] βλεφαρίζω, αναβοσβήνω, νεύω, γνεύω (n) βλεφαρισμός, νόημα.
winner (n) [ουίνερ] κερδισμένος.
winnow (v) [ουίνοου] ανεμίζω.
winsome (adj) [ουίνσαμ] ελκυστικός, χαριτωμένος, θελκτικός.
winter (adj) [ουίν-τερ] χειμωνιάτικος (v) ξεχειμωνιάζω.
wintry (adj) [ουίν-τρι] χειμερινός.
wipe (v) [ουάιπ] σκουπίζω.
wipe out (v) [ουάιπ άουτ] καθαρίζω, ξεκληρίζω.
wire (v) [ουάιρ] τηλεγραφώ (n) σύρμα, καλώδιο.
wire netting (n) [ουάιρ νέτινγκ] δικτυωτό, συρματόπλεγμα.
wireless (n) [ουάιρλες] ασύρματος, ραδιοφωνία.
wisdom (n) [ουίζ-ντομ] σοφία, σωφροσύνη, φρονιμάδα.
wisdom tooth (n) [ουίζ-ντομ τουθ] φρονιμίτης.
wise (adj) [ουάιζ] σοφός, γνωστικός, διαβασμένος, στοχαστικός (n) τρόπος.
wish (n) [ουίσς] επιθυμία (v) εύχομαι, θέλω, ποθώ (ex) είθε.
wish goodbye (v) [ουίσς γκούντ-μπάι] αποχαιρετίζω.
wishy-washy (adj) [ουίσσιουόσσι] ξεπλυμένος [χρώμα].
wisp (n) [ουίσπ] δεματάκι, τουλούπα [καπνού], τούφα.
wit (n) [ουίτ] πνεύμα, ετοιμότητα, οξύνοια, νόηση, νους.
witch (n) [ουίτς] μαγεύτρα.
witchcraft (n) [ουίτς κράαφτ] μαγεία, μαγική ικανότητα.
with (adv) [ουίθ] μαζί (pr) με, μετά, υπό, διά, εναντίον, κατά, συγχρόνως με, εν συγκρίσει προς.
withdraw (v) [ουίθ-ντρόο] ανακαλώ, αποσύρω, αποχωρώ.
withdrawn (adj) [ουίθ-ντρόον] αποτραβηγμένος, μαζεμένος.
wither (v) [ουίδερ] κεραυνοβολώ [μεταφ], μαραίνω, ξεραίνω [φυτά], τήκομαι.

withered (adj) [ουίδερ-ντ] μαραμένος, σταφιδιασμένος.
withhold (v) [ουίδχόολ-ντ] κρύβω [μεταφ], κατακρατώ.
within (adv) [ουιδίν] εντός, έσω, μέσα, εσωτερικά (pr) εις [χρόνος], εντός, μέσα [σε], όχι εκτός, όχι πέραν, εντός [ορίων].
without (adv) [ουιδάουτ] εκτός, εξωτερικά, δίχως άλλο, έξω, χωρίς (pr) δίχως, άνευ, χωρίς.
witless (adj) [ουίτλες] άμυαλος.
witness (n) [ουίτνες] μάρτυς (v) μαρτυρώ, καταθέτω.
wits (n) [ουίτς] φρένες, μυαλό.
witty (adj) [ουίτι] έξυπνος, ευφυής (n) ευφυολόγος.
wizard (n) [ουίζα-ντ] μάγος, μάντης, άσσος, ατσίδας ειδικός.
wizen (adj) [ουίζεν] μαραμένος.
wizen (v) [ουίζεν] μαραγκιάζω.
wobble (v) [ουό-μπλ] τρεκλίζω, ταλαντεύομαι, τρεμουλιάζω, σαλεύω, (n) κούνημα, παίξιμο.
woe (n) [ουόου] θλίψη, πόνος, δυστυχία, συμφορά, βάσανο, κατάρα [μεταφ].
wolf (n) [ουούλφ] λύκος.
woman (n) [ουούμαν] γυναίκα.
womanish (adj) [ουούμανισ] γυναικοπρεπής, θηλυπρεπής.
womanizer (n) [ουούμανάιζερ] γυναικάκιας.
womb (n) [ούουμ] μήτρα.
wonder (n) [ουάν-ντερ] κατάπληξη, δέος, απορία, θαυμασμός, θάμβος, θαύμα, φαινόμενο (v) αναρωτιέμαι, απορώ, διερωτώμαι (conj) (adj) (adv) τάχα.
wood (adj) [ούου-ντ] ξύλινος (n) δρυμός, δασύλλιο, ξύλο.
woodcutter (n) [ούου-ντκατερ] ξυλοκόπος, υλοτόμος.
wooded (adj) [ούου-ντι-ντ] δασώδης, δενδρόφυτος.
woodshed (n) [ούου-ντσσε-ντ] ξυλαποθήκη.
woof (n) [ούουφ] υφάδι.
wool (n) [ούουλ] έριο, μαλλί.
word (n) [ουουέρ-ντ] λέξη, μιλιά, κουβέντα, μήνυμα, είδηση.
wording (n) [ουουέρ-ντινγκ] διατύπωση, σύνταξη.
wordy (adj) [ουουέρ-ντι] πολύλογος, φλύαρος, πλαδαρός.
work (adj) [ουουέρκ] εργάσιμος (n) έργο, δουλειά, εργασία, μόχθος, καθήκον (v) δουλεύω, ενεργώ, λειτουργώ.
world (n) [ουουέρλ-ντ] κτίση, οικουμένη, υφήλιος, κόσμος, γη.
worldly (adj) [ουουέρλ-ντλι] εγκόσμιος, επίγειος, κοσμικός, υλιστικός.
worm (n) [ουουέρμ] σκουλήκι, κάμπια (v) στριφογυρίζω.
worn (adj) [ουόον] πολυκαιρινός, μεταχειρισμένος.
worn out (adj) [ουόον άουτ] ξε-

θεωμένος, παλιωμένος, ψόφιος.
worry (n) [ουάρι] ανησυχία, φροντίδα (v) θορυβούμαι, ξεθεώνω, σκοτίζω, ανησυχώ.
worry beads (n) [ουάρι μπίιντς] κομπολόγι, κομπολόι.
worse (adj) [ουέρς] χειρότερος.
worship (n) [ουέρσσιπ] λατρεία, προσκύνημα (v) λατρεύω.
worst (adj) [ουέρστ] χείριστος.
worth (n) ουέρθ] αξία, τιμή.
worthless (adj) [ουέρθλες] κάλπικος [μεταφ], ευτελής, μηδαμινός, τιποτένιος, άχρηστος.
worthy (adj) [ουέρδι] αντάξιος, άξιος, αξιόλογος, αξιέπαινος.
wound (n) [ούουν-ντ] χτύπημα, τραύμα, πλήγμα (v) λαβώνω (ex) είθε! (par) θα.
woven (adj) [ούουβεν] υφαντός.
wraith (n) [ρέιθ] ξωτικό, φάντασμα.
wrangle (n) [ρανγκλ] λογομαχία (v) διαπληκτίζομαι, λογοφέρνω, φιλονικώ, καβγαδίζω.
wrap (v) [ραπ] συσκευάζω, περιτυλίγω, πακετάρω, καλύπτω.
wrapper (n) [ράπερ]συσκευασία, κάλυμμα, περίβλημα.
wrath (n) [ροθ] λύσσα [μεταφ], μένος, οργή, αγανάκτηση.
wreath (n) [ριιθ] στεφάνι.
wreck (v) [ρεκ] γκρεμίζω, κρημνίζω, σαραβαλιάζω, ναυαγώ [μεταφ] (n) ερείπιο, σαράβαλο.
wrecker (n) [ρέκερ] χαλαστής.
wrench (n) [ρεν-τς] εξάρθρωση.
wrest (v) [ρεστ] αποσπώ, ξεκολλώ.
wrestle (v) [ρεσλ] αντιπαλεύω.
wrestling (n) [ρέσλινγκ] πάλη.
wretch (adj) [ρετς] ουτιδανός.
wretched (adj) [ρέτσσι-ντ] καημένος, κακορίζικος, άθλιος, ατυχής, μίζερος, οικτρός, τρισάθλιος, ελεεινός.
wriggle (v) [ριγκλ] ελίσσομαι, κινούμαι, στριφογυρίζω.
wring (v) [ριν-γκ] ξεκολλώ [μεταφ], στύβω, σφίγγω, ζουλώ.
wrinkle (n) [ρινκλ] δίπλα, ζαρωματιά, πτυχή, ζάρωμα, ρυτίδα (v) ζαρώνω, ρυτιδώνω.
wrinkling (n) [ρίνκλινγκ] ζάρα.
wrist (n) [ριστ] καρπός [ανατ].
wristband (n) [ριστ μπαν-ντ] λουράκι, μανικέτι.
writ (n) [ριτ] ένταλμα, δικαστική πράξη, απαγόρευση.
write (v) [ράιτ] γράφω.
write off (v) [ράιτ οφ] ξεγράφω.
writer (n) [ράιτερ] συγγραφέας.
writhe (v) [ράιδ] σφαδάζω.
writing (n) [ράιτινγκ] αναγραφή, γραφή, πένα [μεταφ].
written (adj) [ρίτεν] γραπτός.
wrong (adj) [ρονγκ] λανθασμένος, αταίριαστος (n) αδικία, σφάλμα (v) αδικώ, λαθεύω.

X, x (n) [εξ] το εικοστό τέταρτο γράμμα του αγγλικού αλφαβήτου.
X-ray (n) [έξ-ρέι] ακτινογραφία, ακτινοσκόπηση.
X-ray examination (n) [εξ-ρέι εξαμινέι-σσον] ραδιοσκόπηση.
X-ray photography (n) [εξ-ρέι φοουτόγκ-ραφι] ραδιογραφία.
X-ray treatment (n) [έξ-ρέι τρίιτμεν-τ] ραδιοθεραπεία.
xanthene (n) [ζάνθιιν] ξανθένιο.
xathopsia (n) [ζανθόψια] ξανθοψία [παθολ].
xanthous (adj) [ζένθας] ωχροκίτρινος, μογγολοειδής.
xenoglossia (n) [ζενοουγκλόσια] ξενογλωσσία.
xenomania (n) [ζένοουμέινια] ξενομανία.
xenophobia (n) [ζένοουφόουμπια] ξενοφοβία.
xerasia (n) [ζιιρέιζια] ξηρασία [παθολ].
xerography (n) [ζιιρόγκραφι] ξηρογραφία, ζέροξ.
xerophilous (adj) [ζιιρόφιλας] ξηρόφιλος [βοτ, ζωολ].
xylographic (adj) [ζαϊλογράφικ] ξυλογραφικός.
xylography (n) [ζαϊλόγραφι] ξυλογραφία.
xylophone (n) [ζάιλοφοουν] ξυλόφωνο [μουσ].

Y, y (n) [γουάι] το εικοστό πέμπτο γράμμα του αγγλικού αλφαβήτου.
yabber (n) (v) [ιάμπερ] φλυαρία, φλυαρώ.
yacht (n) [ιοτ] θαλαμηγός, κότερο, γιοτ [ναυτ].
yachting (n) [ιότινγκ] ιστιοπλοΐα.
yahoo (n) [ιαχούου] κτινώδης άνθρωπος, κτήνος.
yam (n) [ιάμ] διασκορέα [βοτ], γλυκοπατάτα [ΗΠΑ].
yap (v) [ιάπ] γαβγίζω, φλυαρώ [κοιν], φωνάζω [κοιν].
yard (n) [ιάα-ντ] αυλή, γυάρδα, μάντρα, περίβολος.
yarn (n) [ιάαν] νήμα [μάλλινο],

ιστορία [κοιν], αφήγημα [κοιν], ανέκδοτο [κοιν].

yataghan (n) [ιάταγκαν] γιαταγάνι.

yawn (v) [ιόον] χαίνω [μεταφ], χάσκω, (n) χασμουρητό.

yawning (adj) [ιόονινγκ] φαρδύς, ανοικτός, χασμώμενος.

year (n) [ίαρ] χρονιά, έτος, χρόνος, ηλικία [πληθ].

yearly (adj) [ίαρλι] ετήσιος.

yearn (v) [ιέρν] ποθώ, νοσταλγώ, συμπονώ, [επιθυμώ].

yearning (n) [ιέρνινγκ] λαχτάρα [επιθυμία], πόθος, άχτι, μεράκι, ντέρτι, καημός, νοσταλγία, συμπόνια, τρυφερό αίσθημα.

yeast (n) [γίιστ] ζύμη, μαγιά.

yell (v) [ιέλ] φωνάζω, αλαλάζω, ξεφωνίζω, ουρλιάζω [από πόνο], σκούζω, ορύομαι (n) φωνή, φωνάρα, ουρλιαχτό.

yelling (n) [ιέλινγκ] αλαλαγμός.

yellow (adj) [ιέλοου] κίτρινος.

yelp (v) [ιέλπ] γαβγίζω.

yes (adv) [ιές] πως, μάλιστα, ναι.

yesterday (adv) [ιέστερντεϊ] εχθές, χθες.

yet (adv) [ιέτ] ακόμα, ακόμη, αλλά, μολαταύτα, όμως.

yield (n) [γίιλντ] απόδοση [της γης], πρόσοδος, (v) αποφέρω, δίδω, δίνω [παράγω], παραδίδομαι, παραχωρώ, προσκυνώ, υποκλίνομαι, υποκύπτω, φέρνω [παράγω], κάμπτομαι, γονατίζω.

yoghurt (n) [ιόγκατ] γιαούρτι.

yoke (n) [ιόουκ] ζεύγλα, λαιμαριά, ζυγός (v), (n) ζευγάρι [βοδιών].

yoking (n) [ιόουκινγκ] ζεύξη.

yolk (n) [ιόουκ] κρόκος.

you (pron) [γιού] εσύ, σας, σε (ex) βρε!.

young (adj) [ιάνγκ] μικρός, νέος, νεαρός, νεανικός, ανώριμος.

your (pron) [ιόο] σας, σου.

youth (n) [ιούθ] έφηβος, νεολαία, νεότητα, νιότη, νεανίας.

Z, z (n) [ζετ] το εικοστό έκτο γράμμα του αγγλικού αλφαβήτου.
zany (n) [ζέινι] γελωτοποιός, κλόουν, παλιάτσος, ηλίθιος, βλάκας, τρελλάκιας.
zeal (n) [ζίιλ] θέρμη, θερμότητα [μεταφ], ζήλος, μένος, φλόγα.
zealot (n) [ζέλοτ] ζηλωτής.
zealous (adj) [ζέλας] δραστήριος, ενθουσιώδης.
zebra (n) [ζέ-μπρα] ζέβρα.
zenith (n) [ζένιθ] κορωνίδα, κατακόρυφο [μεταφ], κολοφώνας, απόγειο [μεταφ], αποκορύφωμα, ζενίθ, μεσουράνημα.
zero (n) [ζίροου] μηδενικό.
zest (n) [ζεστ] μπρίο, απόλαυση, όρεξη, κέφι, νοστιμάδα.
zestful (adj) [ζέστφουλ] ενθουσιώδης.
zeugma (n) [ζιούγκμα] ζεύγμα.
zigzag (n) [ζίγκζαγκ] κορδέλα [μεταφ], ζικ ζακ.
zinc (n) [ζινκ] ψευδάργυρος.
zip fastener (n) [ζιπ φάασενερ] φερμουάρ.
zippy (adj) [ζίπι] ευκίνητος, εύστροφος, ζωηρός, δραστήριος.
zone (n) [ζόουν] ζώνη.
zoological (adj) [ζουολόντζζικαλ] ζωολογικός.
zoology (n) [ζουόλοντζζι] ζωολογία.
zucchini (n) [ζουκίινι] κολοκυθάκι [ΗΠΑ].

ΕΛΛΗΝΟ-ΑΓΓΛΙΚΟ
ΛΕΞΙΚΟ

αβάδιστος-η-ο (ε) [avadhistos] pathless, impassable.
αβαθής-ής-ές (ε) [avathis] not deep, shallow.
αβαθμολόγητος-η-ο (ε) [avathmoloyitos] ungraded.
άβαθος-η-ο (ε) [avathos] shallow.
άβακας (ο) [avakas] abacus.
άβαλτος-η-ο (ε) [avaltos] unworn, unplanted, not placed.
αβάντα (η) [avanda] advantage.
αβαντάζ (το) [avandaz] advantage.
αβάπτιστος-η-ο (ε) [avaptistos] unbaptized, unchristened.
αβαρία (η) [avaria] damage, average.
αβασάνιστα (επ) [avasanista] lightly, unthinkingly.
αβασάνιστος-η-ο (ε) [avasanistos] uncritical, untortured, rash.
αβάσιμος (ο) [avasimos] groundless.
αβάσταχτος-η-ο (ε) [avastahtos] unbearable, untolerable.
άβγαλτος-η-ο (ε) [avgaltos] inexperienced.
αβγατίζω (ρ) [avgatizo] expand.
αβέβαιος-η-ο (ε) [aveveos] doubtful, uncertain, dubious.
αβεβαίωτος-η-ο (ε) [aveveotos] unconfirmed.
αβίαστος-η-ο (ε) [aviastos] unforced, natural.
αβίδωτος-η-ο (ε) [avidhotos] unscrewed.
αβίωτος-η-ο (ε) [aviotos] unbearable, intolerable.
αβλαβής-ής-ές (ε) [avlavis] harmless.
αβλεψία (η) [avlepsia] misapprehension, carelessness.
αβοήθητος-η-ο (ε) [avoithitos] helpless, unassisted.
άβολος-η-ο (ε) [avolos] inconvenient, awkward.
αβουλία (η) [avulia] irresolution, indecision.
αβρόμιστος-η-ο (ε) [avromistos] clean, not dirtied.
αβρότητα (η) [avrotita] courtesy, consideration, politeness.
αβροφροσύνη (η) [avrofrosini] civility, politeness.
αβύθιστος-η-ο (ε) [avithistos] unsinkable, afloat.
άβυσσος (η) [avissos] abyss.
αγαθά (τα) [agatha] possessions.
αγαθοεργία (η) [agathoeryia] good work, charity.
αγαθοεργός-ή-ό (ε) [agathoergos] charitable, generous.

αγαθός-ή-ό (ε) [agathos] good, naive, honest.
αγαθοσύνη (η) [agathosini] credulity, gullibility.
αγαλλίαση (η) [agalliasi] exultation, elation.
αγάλλομαι (ρ) [agallome] rejoice, jubilant.
άγαλμα (το) [agalma] statue.
αγαλματένιος-α-ο (ε) [agalmatenios] statuesque.
άγαμος-η-ο (ε) [agamos] unmarried, single.
αγανάκτηση (η) [aganaktisi] indignation, anger, rage.
αγανακτισμένος-η-ο (μ) [aganaktismenos] indignant, angry.
αγάπη (η) [agapi] love, affection.
αγαπημένος-η-ο,(μ) [agapimenos] beloved, favourite.
αγαπητικιά (η) [agapitikia] lover.
αγαπητικός (ο) [agapitikos] lover, sweetheart, pimp.
αγαπητός-ή-ό (ε) [agapitos] dear.
αγαπώ (ρ) [agapo] love, likef.
άγαρμπος-η-ο (ε) [agarmbos] clumsy, angular, ungraceful.
αγγαρεύω (ρ) [angarevo] to force.
αγγειακός-ή,ό (ε) [angiakos] vascular.
αγγείο (το) [angio] blood vessel.
αγγελία (η) [angelia] advertisement.
αγγελιαφόρος (ο) [angeliaforos] messenger, orderly [στρατ].
αγγελιοφόρος (ο) [angelioforos] messenger, courier.
αγγέλλω (ρ) [angello] announce.
άγγελμα (το) [angelma] notice.
άγγελος (ο) [angelos] angel.
άγγιγμα (το) [angigma] touch, feel.
αγγίζω (ρ) [angizo] touch.
άγγιχτος-η-ο (ε) [angihtos] intact, untouched.
αγγούρι (το) [anguri] cucumber.
αγελάδα (η) [ayeladha] cow.
αγέλαστος-η-ο (ε) [ayelastos] sullen.
αγέλη (η) [ayeli] flock, pack.
αγένεια (η) [ayenia] rudeness.
αγενής-ής-ές (ε) [ayenis] rude.
αγέννητος-η-ο (ε) [ayennitos] unborn, stillborn.
αγέραστος-η-ο (ε) [ayerastos] ageless, robust, unaging.
άγημα (το) [ayima]landing-party, landing-force.
άγια (επ) [ayia] saintly, godly.
αγιάζι (το) [ayiazi] morning cold.
αγιάζω (ρ) [ayiazo] become a saint, bless, hallow.
αγιάτρευτος-η-ο (ε) [ayiatreftos] incurable, uncured.
αγίνωτος-η-ο (ε) [ayinotos] unripe, raw, undone, unmade.
αγιοποιώ (ρ) [ayiopio] canonize.
άγιος-α-ο (ε) [ayios] saint, ghostly, holy.
αγιοσύνη (η) [ayiosini] holiness.
αγιότητα (η) [ayiotita] holiness, saintliness.

αγκαζάρω (ρ) [angazaro] reserve, book.
αγκαθωτός-ή-ό (ε) [angathotos] thorny, prickly.
αγκαλιά (η) [angalia] armful.
αγκαλιάζομαι (ρ) [agaliazome] clinch.
αγκαλιάζω (ρ) [angaliazo] embrace, hug.
αγκάλιασμα (το) [angaliasma] hug.
αγκίδα (η) [angidha] thorn.
αγκινάρα (η) [anginara] artichoke.
αγκίστρι (το) [angistri] hook.
αγκιστρώνω (ρ) [angistrono] hook, hitch.
αγκίστρωση (η) [angistrosi] hooking, hitching.
αγκομαχώ (ρ) [angomaho] gasp, pant, breathe deeply.
αγκράφα (η) [angrafa] clasp, buckle.
αγκύλη (η) [angili] bracket, anchylosis [ιατρ], bent, curve.
αγκύλωμα (το) [angiloma] pricking, stinging.
αγκυλώνω (ρ) [angilono] prick, sting, hurt.
αγκύλωση (η) [angilosi] cramp.
αγκυλωτός-ή-ό (ε) [angilotos] hooked, bent, crooked.
άγκυρα (η) [angira] anchor.
αγκυροβολία (η) [angirovolia] mooring.
αγκυροβόλιο (το) [angirovolio] anchorage, moorage.
αγκώνας (ο) [angonas] elbow.
αγναντεύω (ρ) [agnandevo] see from a distance, survey.
άγνοια (η) [agnia] ignorance.
αγνός-ή-ό (ε) [agnos] pure.
αγνότητα (η) [agnotita] continence, honesty.
αγνοώ (ρ) [agnoo] be ignorant of, balk, not know.
άγνωστος-η-ο (ε) [agnostos] unknown, strange, unfamiliar (ο) stranger, unindentified.
αγόγγυστος-η-ο (ε) [agongistos] uncomplaining, patient.
αγονία (η) [agonia] sterility.
άγονος-η-ο (ε) [agonos] infertile, sterile.
αγορά (η) [agora] market, purchase, buying.
αγοράζω (ρ) [agorazo] buy, bribe.
αγοραίος-α-ο (ε) [agoreos] for hire, vulgar, common [μεταφ].
αγορανομία (η) [agoranomia] market inspection police.
αγοραστής (ο) [agorastis] buyer.
αγοραστικός-ή-ό (ε) [agorastikos] buying.
αγόρευση (η) [agorefsi] address.
αγόρι (το) [agori] boy-friend, boy.
αγορίστικος-η-ο (ε) [agoristikos] boyish.
αγοροκόριτσο (το) [agorokoritso] tomboy.

άγουρος-η-ο (ε) [aguros] sour.
αγράμματος-η-ο (ε) [agrammatos] illiterate, uneducated.
άγραφος-η-ο (ε) [agrafos] unwritten, blank.
άγρια (επ) [agria] brutally.
αγριάδα (η) [agriadha] fierceness, nastiness, agressiveness.
αγριεύω (ρ) [agrievo] frighten.
αγρίμι (το) [agrimi] wild animal, unsociable person.
αγριογούρουνο (το) [agriogourouno] wild boar.
αγριοκοιτάζω (ρ) [agriokitazo] scowl, glare, glower at.
άγριος-α-ο (ε) [agrios] aggressive, wild, savage, bleak, harsh.
αγροικία (η) [agrikia] farmhouse, country-house.
αγρόκτημα (το) [agroktima] farmland, farm.
αγρός (ο) [agros] field, country.
αγρότης (ο) [agrotis] farmer.
αγροτικός-ή-ό (ε) [agrotikos] agricultural, rural, rustic.
αγρυπνία (η) [agripnia] insomnia.
άγρυπνος-η-ο (ε) [agripnos] alert.
αγρυπνώ (ρ) [agripno] be vigilant.
αγύρευτος-η-ο (ε) [ayireftos] unclaimed, unsought.
αγύριστος-η-ο (ε) [ayiristos] not returned, stubborn [μεταφ].
αγχόνη (η) [aghoni] gallows.
άγχος (το) [aghos] anxiety.
αγχώδης-ης-ες (ε) [aghodhis] nervous, easily worried.
αγωγή (η) [agoyi] action, lawsuit, education, treatment.
αγώγι (το) [agoyi] fare, carriage.
αγωγιμότητα (η) [agoyimotita] conductivity, conductance.
αγωγός (ο) [agogos] conductor, pipe, drain, lead.
αγώνας (ο) [agonas] struggle, fight, contest.
αγωνία (η) [agonia] agony.
αγωνίζομαι (ρ) [agonizome] struggle, combat.
αγωνιστής (ο) [agonistis] contestant.
αγωνιώ (ρ) [agonio] be anxious, endeavour, struggle.
αγωνιώδης-ης-ες (ε) [agoniodhis] anxious, troubled, agonized.
αδαμάντινος-η-ο (ε) [adhamandinos] diamond, sterling.
αδαμαντοπώλης (ο) [adhamantopolis] jeweller.
αδάμαστος-η-ο (ε) [adhamastos] untamed, unconquerable.
αδαμιαίος-α-ο (ε) [adhamieos] nude.
αδάπανος-η-ο (ε) [adhapanos] inexpensive, free.
αδασμολόγητος-η-ο (ε) [adhasmoloyitos] duty-free.
άδεια (η) [adhia] leave, permission, licence [γάμου κτλ].
αδειάζω (ρ) [adhiazo] empty.
αδειανός-ή-ό (ε) [adhianos] empty.

άδειασμα (το) [adhiasma] emptying, evacuation, unloading.
άδειος-α-ο (ε) [adhios] empty.
αδελφή (η) [adhelfi] sister, nurse, homosexual [αργκό].
αδελφικός-ή-ό (ε) [adhelfikos] brotherly, sisterly, friendly.
αδελφικότητα (η) [adhelfikotita] brotherliness, friendliness.
αδελφός (ο) [adhelfos] brother.
αδελφοσύνη (η) [adhelfosini] brotherhood, fraternity.
αδελφότητα (η) [adhelfotita] guild, society, brotherhood.
αδένας (ο) [adhenas] gland.
αδενοπάθεια (η) [adhenopathia] adenopathy, glandular fever.
αδέξια (επ) [adheksia] clownishly.
αδέξιος-α-ο (ε) [adheksios] awkward, clumsy, impolite.
αδέσμευτος-η-ο (ε) [adhesmeftos] uncommited, free.
αδέσποτος-η-ο (ε) [adhespotos] stray, vacant.
άδετος-η-ο (ε) [adhetos] free.
άδηλος-η-ο (ε) [adhilos] uncertain, invisible income, dubious.
αδήλωτος-η-ο (ε) [adhilotos] unregistered, undeclared.
αδημονία (η) [adhimonia] anxiety, impatience, concern.
αδημονώ (ρ) [adhimono] be anxious, be impatient.
αδημοσίευτος-η-ο (ε) [adhimosieftos] unpublished.
αδιάβαστος-η-ο (ε) [adhiavastos] unread.
αδιάβατος-η-ο (ε) [adhiavatos] impassable.
αδιάβλητος-η-ο (ε) [adhiavlitos] irreproachable, blameless.
αδιάβροχο (το) [adhiavroho] raincoat, waterproof coat.
αδιαθεσία (η) [adhiathesia] indisposition, ailment, discomfort.
αδιάθετος-η-ο (ε) [adhiathetos] unwell [υγεία], indisposed.
αδιαθετώ (ρ) [adhiatheto] be unwell, feel faint.
αδιάκοπος-η-ο (ε) [adhiakopos] continuous, constant.
αδιακρισία (η) [adhiakrisia] indiscretion, tactlessness.
αδιάκριτος-η-ο (ε) [adhiakritos] imperceptible, tactless.
αδιάλλακτος-η-ο (ε) [adhiallaktos] intolerant.
αδιαλλαξία (η) [adhiallaksia] intransigence, intolerance.
αδιάλυτος-η-ο (ε) [adhialitos] indissoluble, undissolved.
αδιαμαρτύρητος-η-ο (ε) [adhiamartiritos] uncomplaining, resigned.
αδιαμόρφωτος-η-ο (ε) [adhiamorfotos] formless, shapeless.
αδιαμφισβήτητος-η-ο (ε) [adhiamfisvititos] indisputable.
αδιανέμητος-η-ο (ε) [adhianemitos] undivided.

αδιανόητος-η-ο (ε) [adhianoitos] unthinkable, inconsiderate.
αδιαντροπιά (η) [adhiandropia] shamelessness, boldness.
αδιάντροπος-η-ο (ε) [adhiandropos] insolent, brash, shameless.
αδιαπέραστος-η-ο (ε) [adhiaperastos] impermeable.
αδιάρρηκτος-η-ο (ε) [adhiarriktos] unbreakable, indissoluble.
αδιάσπαστος-η-ο (ε) [adhiaspastos] inseparable, continuous.
αδιατάρακτος-η-ο (ε) [adhiataraktos] undisturbed, unbroken.
αδιάφθορος-η-ο (ε) [adhiafthoros] incorruptible.
αδιαφιλονίκητος-η-ο (ε) [adhiafilonikitos] unquestionable.
αδιάφορα (επ) [adhiafora] carelessly, indifferently.
αδιαφορία (η) [adhiaforia] indifference, apathy, disregard.
αδιάφορος-η-ο (ε) [adhiaforos] indifferent, uninterested.
αδιαφορώ (ρ) [adhiaforo] be indifferent to, not care about.
αδιάψευστος-η-ο (ε) [adhiapsefstos] undeniable.
αδίδαχτος-η-ο (ε) [adhidhahtos] untrained, uneducated.
αδιεκπεραίωτος-η-ο (ε) [adhiekpereotos] not finished.
αδιέξοδος-η-ο (ε) [adhieksodhos] impasse, dead-end.
αδιερεύνητος-η-ο (ε) [adhierevnitos] unexplored, uninvestigated.
αδικαιολόγητος-η-ο (ε) [adhikeoloyitos] unjustifiable, inexcusable.
αδικία (η) [adhikia] injustice.
άδικο (το) [adhiko] wrong.
άδικος-η-ο (ε) [adhikos] unfair, wrong.
αδικώ (ρ) [adhiko] do wrong.
αδιοίκητος-η-ο (ε) [adhiikitos] without administration.
αδιόρατος-η-ο (ε) [adhioratos] imperceptible, intangible.
αδιοργάνωτος-η-ο (ε) [adhiorganotos] unorganized.
αδιόρθωτος-η-ο (ε) [adhiorthotos] hopeless, uncorrected.
αδίσταχτος-η-ο (ε) [adhistahtos] unhesitating, ruthless.
αδίωκτος-η-ο (ε) [adhioktos] unprosecuted.
αδόκητος-η-ο (ε) [adhokitos] sudden, unexpected.
αδοκίμαστος-η-ο (ε) [adhokimastos] untried, inexperienced.
άδολος-η-ο (ε) [adholos] guileless, innocent, honest, true.
άδοξος-η-ο (ε) [adhoksos] inglorious, fameless, undistinguished.
αδούλευτος-η-ο (ε) [adhuleftos] raw, uncultivated.
αδούλωτος-η-ο (ε) [adhulotos] unconquerable, free.
αδράνεια (η) [adhrania] inertia,

inactivity, inertness, laziness.
αδρανής-ής-ές (ε) [adhranis] inert, inactive, sluggish.
αδράχνω (ρ) [adhrahno] grip, grasp, seize, clutch.
αδρός-ή-ό (ε) [adhros] handsome, big, rough, rugged.
αδυναμία (η) [adhinamia] deficiency, weakness.
αδύναμος-η-ο (ε) [adhinamos] weak, feeble.
αδυνατίζω (ρ) [adhinatizo] slim, become weaker.
αδύνατον (το) [adhinaton] impossible, impossibility.
αδύνατος-η-ο (ε) [adhinatos] thin, impossible [δεν γίνεται].
αδυνατώ (ρ) [adhinato] be unable to, cannot.
αδυσώπητος-η-ο (ε) [adhisopitos] relentless, deadly.
άδυτο (το) [adhito] sanctuary.
αεικίνητος-η-ο (ε) [aikinitos] in perpetual motion, restless.
αείμνηστος (ο) [aimnistos] late, fondly remembered.
αεράκι (το) [aeraki] breeze.
αεράμυνα (η) [aeramina] air defence, civil defence.
αέρας (ο) [aeras] air, wind.
αερασκός (ο) [aeraskos] airbag.
αεράτος-η-ο (ε) [aeratos] cheery.
αερίζω (ρ) [aerizo] ventilate, air.
αερικό (το) [aeriko] elf, fairy.
αέριο (το) [aerio] flatus, gas.
αεριούχος-α-ο (ε) [aeriuhos] aerated, brisk, carbonated.
αεριόφως (το) [aeriofos] gas, gaslight, coal-gas.
αερισμός (ο) [aerismos] ventilation.
αεριστήρας (ο) [aeristiras] ventilator.
αερογέφυρα (η) [aeroyefira] airlift.
αεροδρόμιο (το) [aerodhromio] airport, airfield.
αεροθάλαμος (ο) [aerothalamos] air chamber.
αερόθερμο (το) [aerothermo] fan heater.
αερολιμένας (ο) [aerolimenas] airport, air terminal.
αεροπειρατής (ο) [aeropiratis] hijacker.
αεροπλάνο (το) [aeroplano] aeroplane.
αεροπορία (η) [aeroporia] air force.
αεροπορικός-ή-ό (ε) [aeroporikos] aviation.
αεροπορικώς (επ) [aeroporikos] by air.
αεροπόρος (ο) [aeroporos] airman, aviator, flier, pilot.
αεροσκάφος (το) [aeroskafos] aircraft.
αερόστατο (το) [aerostato] balloon.
αεροσυνοδός (η) [aerosinod-

hos] air hostess.
αετός (ο) [aetos] eagle, clever person, kite [χαρταετός].
αζήτητος-η-ο (ε) [azititos] unclaimed, unrequested.
άζυμος-η-ο (ε) [azimos] unleavened.
αηδία (η) [aidhia] disgust.
αηδιάζω (ρ) [aidhiazo] loathe.
αηδιαστικός-ή-ό (ε) [aidhiastikos] loathsome, revolting, sickly.
αηδόνι (το) [aidhoni] nightingale.
αήττητος-η-ο (ε) [aittitos] undefeated, unbeatable.
αθανασία (η) [athanasia] immortality, eternity.
αθάνατος-η-ο (ε) [athanatos] immortal, deathless, everlasting.
αθεΐα (η) [atheia] atheism.
άθελα (επ) [athela] unintentionally.
αθέλητος-η-ο (ε) [athelitos] involuntary, unconscious.
αθέμιτος-η-ο (ε) [athemitos] illegal, unethical.
άθεος-η-ο (ε) [atheos] atheistic.
αθεόφοβος-η-ο (ε) [atheofovos] rascal, rogue, accursed.
αθεράπευτος-η-ο (ε) [atherapeftos] uncured, hopeless.
αθέριστος-η-ο (ε) [atheristos] unreaped, unmowed, standing.
αθέτηση (η) [athetisi] violation.
αθετώ (ρ) [atheto] break one's word, violate.
άθικτος-η-ο (ε) [athiktos] intact, untouched, unharmed.
άθλημα (το) [athlima] sport, game.
άθληση (η) [athlisi] exercises, gymnastics, athletics.
αθλητής (ο) [athlitis] athlete.
αθλητικός-ή-ό (ε) [athlitikos] athletic, robust.
άθλιος-α-ο (ε) [athlios] miserable, mean, poor, bad.
αθλιότητα (η) [athliotita] misery, squalor, shabbiness.
άθλος (ο) [athlos] deed, exploit.
αθόρυβα (επ) [athoriva] quietly.
αθόρυβος-η-ο (ε) [athorivos] quiet.
αθρήνητος-η-ο (ε) [athrinitos] unlamented, unmourned.
αθροίζω (ρ) [athrizo] add up.
άθροιση (η) [athrisi] addition, augmentation, increment.
άθροισμα (το) [athrisma] sum.
αθρόος-α-ο (ε) [athroos] numerous.
αθυσίαστος-η-ο (ε) [athisiastos] unsacrificed.
αθώος-α-ο (ε) [athoos] innocent naive, harmless.
αθωότητα (η) [athootita] innocence.
αθωώνω (ρ) [athoono] acquit, absolve, clear.
αθώωση (η) [athoosi] acquittal.

αθωωτικός-ή-ό (ε) [athootikos] absolvatory.
αίγλη (η) [egli] splendour, glory.
αιγόκλημα (το) [egoklima] honeysuckle, woodbine [βοταν].
αιδεσιμότατος (ο) [edhesimotatos] Very Reverend.
αιδοίο (το) [edhio] pudenda, vulva.
αιθέρας (ο) [etheras] ether, air.
αιθέριος-α-ο (ε) [etherios] ethereal.
αίθουσα (η) [ethusa] large room, hall, classroom.
αιθριάζω (ρ) [ethriazo] clear up.
αίθριος-α-ο (ε) [ethrios] bright, fair.
αιλουροειδής-ής-ές (ε) [eluroidhis] feline, cat-like.
αίμα (το) [ema] blood.
αιματηρός-ή-ό (ε) [ematiros] bloodstained, bloody.
αιματοκηλίδα (η) [ematokilidha] bloodstain.
αιματοχυσία (η) [ematohisia] bloodshed, blood-bath.
αιμοβορία (η) [emovoria] bloodlust.
αιμοδότης (ο) [emodhotis] blood donor.
αιμομειξία (η) [emomiksia] incest.
αιμορραγία (η) [emorrayia] haemorrhage [ιατρ], bleeding.
αιμορραγώ (ρ) [emorago] bleed.
αιμορροΐδες (οι) [emorroidhes] haemorrhoids.
αιμορροώ (ρ) [emorroo] bleed.
αιμοσταγής (ε) [emostayis] blood-stained, murderous.
αιμοσφαίριο (το) [emosferio] blood corpuscle, blood cell.
αίνιγμα (το) [enigma] puzzle.
αινιγματικός-ή-ό (ε) [enigmatikos] enigmatic, cryptic, puzzling.
άιντε! (επιφ) [ainde]! come on, move on, let's go.
αίρεση (η) [eresi] approval, condition, proviso.
αιρετός-ή-ό (ε) [eretos] elected, elective.
αισθάνομαι (ρ) [esthanome] feel, sense, experience.
αίσθημα (το) [esthima] feeling.
αισθήματα (τα) [esthimata] feelings.
αισθηματίας (ο) [esthimatias] sentimentalist.
αίσθηση (η) [esthisi] sense, feeling.
αισθησιακός-ή-ό (ε) [esthisiakos] sensual, sensuous.
αισθητά (επ) [esthita] appreciably.
αισθητικός (η) [esthitikos] aesthetician, beautician.
αισθητός-ή-ό (ε) [esthitos] perceptible, noticeable.
αισιοδοξία (η) [esiodhoksia] optimism, hopefulness.
αισιόδοξος-η-ο (ε) [esiodhok-

sos] optimistic, hopeful.
αισιοδοξώ (ρ) [esiodhokso] be optimistic, be hopeful.
αίσιος-α-ο (ε) [esios] happy, favourable, good.
αίσχος (το) [es-hos] shame, disgrace.
αισχροκέρδεια (η) [eshrokerdhia] overcharging.
αισχοκερδώ (ρ) [es-hrokerdho] overprice, overcharge .
αισχρολογία (η) [es-hroloyia] obscenity.
αισχρός-ή-ό (ε) [eshros] shameful, obscene, filthy, foul.
αισχρότητα (η) [eshrotita] obscenity, indecency.
αίτημα (το) [etima] demand.
αίτηση (η) [etisi] request.
αιτία (η) [etia] cause, reason.
αιτιατική (η) [etiatiki] accusative.
αίτιο (το) [etio] cause, motive.
αιτιολογία (η) [etioloyia] explanation, reasoning, rationale.
αιτιολογικό (το) [etioloyiko] reasons, grounds.
αιτιολογώ (ρ) [etiologo] justify.
αίτιος-α-ο (ε) [etios] responsible.
αιτιότητα (η) [etiotita] causation.
αιτούμαι (ρ) [etume] beg, request.
αιτώ (ρ) [eto] request, apply.
αίφνης (επ) [efnis] suddenly.
αιφνιδιάζω (ρ) [efnidhiazo] surprise.
αιφνιδιασμός (ο) [efnidhiasmos] surprise.
αιφνιδιαστικός-ή-ό (ε) [efnidhiastikos] unexpected.
αιχμαλωτίζω (ρ) [ehmalotizo] take captive.
αιχμαλωτιστής (ο) [ehmalotistis] captor.
αιχμάλωτος-η-ο (ε) [ehmalotos] prisoner, captive, slave [μεταφ].
αιχμή (η) [ehmi] poin.
αιχμηρός-ή-ό (ε) [ehmiros] pointed, sharp.
αιώνας (ο) [eonas] age, century.
αιώνιος-α-ο (ε) [eonios] eternal.
αιωνόβιος-α-ο (ε) [eonovios] age-old.
αιωνίως (επιρ) [eonios] forever.
αιώρηση (η) [eorisi] suspension.
αιωρούμαι (ρ) [eorume] be suspended.
ακαδημαϊκός (ο) [akadhimaikos] academic.
ακαδημία (η) [akadhimia] academy, college.
ακαθάριστος-η-ο (ε) [akatharistos] not cleaned, gross.
ακαθαρσία (η) [akatharsia] filth, mess.
ακάθαρτος-η-ο (ε) [akathartos] filthy, impure.
ακάθεκτος-η-ο (ε) [akathektos] unrestrained, furious.
ακαθόριστος-η-ο (ε) [akathoristos] vague, indistinct, indefinable.

άκαιρα (επ) [akera] out of time, out of season.

άκαιρος-η-ο (ε) [akeros] untimely.

άκακος-η-ο (ε) [akakos] harmless.

ακαλαισθησία (n) [akalesthisia] lack of taste.

ακαλαίσθητος-η-ο (ε) [akalesthitos] tasteless.

ακάλεστος-η-ο (ε) [akalestos] uninvited, unasked.

ακάματος-η-ο (ε) [akamatos] tireless.

άκαμπτος-η-ο (ε) [akambtos] unbending, inflexible.

ακαμψία (n) [akambsia] rigidity, inflexibility.

ακάνθινος (ε) [akanthinos] prickly.

ακανόνιστος-η-ο (ε) [akanonistos] irregular, uneven, unsettled.

ακαριαίος-α-ο (ε) [akarieos] instantaneous.

άκαρπος-η-ο (ε) [akarpos] unproductive, sterile, fruitless.

ακαρύκευτος (ε) [akarikeftos] unseasoned.

ακατάβλητος-η-ο (ε) [akatavlitos] indomitable, unpaid [χρέη].

ακατάδεχτος-η-ο (ε) [akatadhehtos] haughty, stuck-up.

ακαταδίωκτος-η-ο (ε) [akatadhioktos] unprosecuted, immune.

ακατάκτητος (ε) [akataktitos] unconquered, unconquerable.

ακαταλαβίστικος-η-ο (ε) [akatalavistikos] incomprehensible.

ακατάληπτος-η-ο (ε) [akataliptos] incomprehensible.

ακατάλληλος-η-ο (ε) [akatallilos] unsuitable, unfit.

ακαταλληλότητα (n) [akatalilotita] inconvenience.

ακαταλόγιστος-η-ο (ε) [akataloyistos] irrational, irresponsible.

ακατάλυτος-η-ο (ε) [akatalitos] indestructible, durable, lasting.

ακαταμάχητα (επ) [akatamahita] cogently.

ακαταμάχητος-η-ο (ε) [akatamahitos] irresistible.

ακαταμέτρητος-η-ο (ε) [akatametritos] uncounted.

ακατανόητα (επ) [akatanoita] inconceivably, inexplicably.

ακατάπαυστος-η-ο (ε) [akatapafstos] endless, eternal.

ακαταπόνητος-η-ο (ε) [akataponitos] tireless, untiring.

ακατάρτιστος-η-ο (ε) [akatartistos] unprepared, ignorant.

ακαταστασία (n) [akatastasia] disorder, confusion, untidiness.

ακατάστατος-η-ο (ε) [akatastatos] untidy, changeable.

ακατάσχετος-η-ο (ε) [akatashetos] violent, uncontrollable.

ακατοίκητος-η-ο (ε) [akatikitos] uninhabited, vacant.

ακατονόμαστος-η-ο (ε) [aka-

tonomastos] unmentionable.
ακατόρθωτος-η-ο (ε) [akatorthotos] unfeasible.
άκατος (η) [akatos] long-boat.
άκαυτος-η-ο (ε) [akaftos] unburnt.
ακέραιος-α-ο (ε) [akereos] integral, whole, upright [τίμιος].
ακεραιότητα (η) [akereotita] integrity, honesty, uprightness.
ακεφιά (η) [akefia] gloom.
άκεφος-η-ο (ε) [akefos] gloomy.
ακηλίδωτος-η-ο (ε) [akilidhotos] spotless, unblemished.
ακήρυχτος-η-ο (ε) [akirihtos] undeclared.
ακίδα (η) [akidha] spike, point.
ακίνδυνος-η-ο (ε) [akindhinos] harmless.
ακινησία (η) [akinisia] immobility, stagnation.
ακίνητο (το) [akinito] real estate, property.
ακινητοποιώ (ρ) [akinitopio] immobilize, tie up [όχημα].
ακίνητος-η-ο (ε) [akinitos] immovable, immobile.
ακλάδευτος-η-ο (ε) [akladheftos] unpruned.
άκλαυτος-η-ο (ε) [aklaftos] unmourned.
ακλείδωτος-η-ο (ε) [aklidhotos] unlocked.
ακλιμάκωτος-η-ο (ε) [aklimakotos] unmarked.
ακλόνητος-η-ο (ε) [aklonitos] unshakeable, unswerving.
ακμάζω (ρ) [akmazo] bloom, flourish, prosper.
ακμαίος-α-ο (ε) [akmeos] vigorous, thriving, flourishing.
ακμή (η) [akmi] height, peak.
ακοή (η) [akoi] hearing.
ακοίμητος-η-ο (ε) [akimitos] wakeful, vigilant.
ακοινώνητος-η-ο (ε) [akinonitos] unsociable.
ακολασία (η) [akolasia] excess, promiscuity, orgy.
ακόλαστος-η-ο (ε) [akolastos] dissolute, lecherous, loose.
ακόλλητος (ε) [akolitos] not stuck, not glued.
ακολουθία (η) [akoluthia] retinue.
ακόλουθος-η-ο (ε) [akoluthos] following.
ακολουθώ (ρ) [akolutho] follow, go after.
ακόμα (επ) [akoma] yet, more.
ακομμάτιαστος-η-ο (ε) [akomatiastos] whole.
ακομμάτιστος-η-ο (ε) [akomatistos] impartial.
άκομψος-η-ο (ε) [akompsos] inelegant, in poor taste.
ακόνι (το) [akoni] grindstone.
ακονίζω (ρ) [akonizo] sharpen.
ακοντίζω (ρ) [akondizo] dart, throw the javelin.
ακόντιο (το) [akondio] javelin,

dart.

ακορντεόν (το) [akorndeon] accordion.

άκοσμος-η-ο (ε) [akosmos] improper.

ακουμπώ (ρ) [akumbo] touch, lay, rest on, lean on.

ακούμπωτος-η-ο (ε) [akumbotos] unbuttoned.

ακούνητος-η-ο (ε) [akunitos] still, immovable.

ακούραστος-η-ο (ε) [akurastos] indefatigable, tireless.

ακούρδιστος-η-ο (ε) [akurdhistos] not wound up.

ακουστικό (το) [akustiko] receiver [τηλεφ], earphone.

ακουστικός-ή-ό (ε) [akustikos] acoustic, auditive.

ακουστός-ή-ό (ε) [akustos] famous.

ακούω (ρ) [akuo] hear, listen to.

άκρα (η) [akra] end, tip, extremity.

ακράδαντος-η-ο (ε) [akradhandos] unshakeable, firm.

ακραίος-α-ο (ε) [akreos] extreme, utmost.

ακράτεια (η) [akratia] incontinence, lack of self-control.

ακράτητος-η-ο (ε) [akratitos] rash, unrestrained, violent.

ακρέμαστος-η-ο (ε) [akremastos] unhooked, without hope.

άκρη (η) [akri] point, end, edge.

ακριβαίνω (ρ) [akriveno] increase the price, mark up, go up.

ακρίβεια (η) [akrivia] accuracy [ωρολογίου], precision.

ακριβής-ής-ές (ε) [akrivis] accurate.

ακριβός-ή-ό (ε) [akrivos] dear, expensive, costly.

ακριβώς (επ) [akrivos] accurately.

ακρίδα (η) [akridha] locust, grasshopper.

ακρίτας (ο) [akritas] borderer.

άκρο (το) [akro] end, extreme.

ακρόαση (η) [akroasi] hearing, audition, sounding [ιατρ].

ακροατήριο (το) [akroatirio] audience, auditorium.

ακροατής (ο) [akroatis] listener.

ακροβάτης (ο) [akrovatis] acrobat.

ακρογιάλι (το) [akroyiali] coast.

ακρόπολη (η) [akropoli] acropolis, citadel.

ακρότητα (η) [akrotita] extremity, excess.

άκρως (επ) [akros] extremely.

ακρωτηριάζω (ρ) [akrotiriazo] maim, mutilate, amputate.

ακρωτηριασμός (ο) [akrotiriasmos] mutilation, amputation.

ακτή (η) [akti] shore, beach.

ακτήμονας (ο) [aktimonas] landless, peasant.

ακτίνα (η) [aktina] ray, beam.

ακτινοβολία (η) [aktinovolia] radiation, radiance, beaming.

ακτινοβόλος-α-ο (ε) [aktinovo-

los] radiant, beaming, shining.
ακτινοβολώ (ρ) [aktinovolo] radiate, beam, shine.
ακτινογραφία (n) [aktinografia] X-ray, radiography.
ακτινολόγος (ο) [aktinologos] radiographer, radiologist.
ακτοπλοΐα (n) [aktoploia] navigation.
ακτοπλοϊκός-ή-ό (ε) [aktoploikos] coasting, coastal.
ακυβερνησία (n) [akivernisia] anarchy, lack of government.
ακυβέρνητος-η-ο (ε) [akivernitos] without government.
ακυρίευτος-η-ο (ε) [akirieftos] impregnable, unconquered.
άκυρος-η-ο (ε) [akiros] invalid, void, null.
ακυρότητα (n) [akirotita] nullity, invalidity.
ακυρώνω (ρ) [akirono] invalidate.
ακύρωση (n) [akirosi] annulment, nullification.
ακυρώσιμος-η-ο (ε) [akirosimos] voidable.
αλαζονεία (n) [alazonia] arrogance, .
αλαζονικός-ή-ό (ε) [alazonikos] arrogant.
αλάθητος-η-ο (ε) [alathitos] infallible, unerring, certain, correct.
αλαλάζω (ρ) [alalazo] scream.
άλαλος-η-ο (ε) [alalos] dumb, mute, silent.
αλάργα (επ) [alarga] far-off.
αλαργινός-ή-ό (ε) [alaryinos] distant.
αλάτι (το) [alati] salt.
αλατιέρα (n) [alatiera] salt-cellar.
αλατίζω (ρ) [alatizo] salt.
αλαφιάζω (ρ) [alafiazo] panic.
αλαφιασμένος-η-ο (μ) [alafiasmenos] panicky, startled.
αλαφραίνω (ρ) [alafreno] lighten, relieve.
αλαφροπατώ (ρ) [alafropato] walk lightly, trip.
αλαφρόπετρα (n) [alafropetra] pumice.
αλαφρώνω (ρ) [alafrono] lighten, relieve, ease.
Αλβανία (n) [Alvania] Albania.
άλγεβρα (n) [alyevra] algebra.
αλγεβρικός-ή-ό (ε) [alyevrikos] algebraic.
αλέγρος-α-ο (ε) [alegros] cheerful, breezy, chirpy.
αλέθω (ρ) [aletho] grind, mill.
αλείβω (ρ) [alivo] coat, smear.
αλεξιπτωτιστής (ο) [aleksiptotistis] parachutist.
αλεξίπτωτο (το) [aleksiptoto] parachute.
αλεξίσφαιρος-η-ο (ε) [aleksisferos] bullet-proof.
αλεπού (n) [alepu] fox.
αλεσμένος-η-ο (ε) [alesmenos] ground.

αλέτρι (το) [aletri] plough.
αλεύρι (το) [alevri] flour, meal.
αλευρόμυλος (ο) [alevromilos] flour-mill, corn-mill.
αλευροποιία (η) [alevropiia] flour industry.
αλήθεια (επ) [alithia] really.
αληθεύω (ρ) [alithevo] be true, come true.
αληθινός-ή-ό (ε) [alithinos] real.
αλησμόνητος-η-ο (ε) [alismonitos] unforgettable, alive.
αλητεία (η) [alitia] hooliganism.
αλητεύω (ρ) [alitevo] wander aimlessly, bum around.
αλήτης (ο) [alitis] hooligan.
αλιεία (η) [aliia] fishing.
αλιεύω (ρ) [alievo] fish [for].
αλίμονο! (επιφ) [alimono!] alas.
αλίπαστος-η-ο (ε) [alipastos] salted.
αλκαλικός-ή-ό (ε) [alkalikos] alkaline.
αλκοόλ (το) [alkool] alcohol.
αλκοολικός-ή-ό (ε) [alkoolikos] alcoholic.
αλλά (σ) [alla] but, however, yet.
αλλαγή (η) [allayi] change.
αλλάζω (ρ) [allazo] change.
αλλαντικά (τα) [allandika] sausages.
αλλαξιά (η) [allaksia] exchange.
αλλαχού (επ) [allahu] elsewhere.
αλλεπάλληλος-η-ο (ε) [allepallilos] repeated, successive.
αλλεργία (η) [alleryia] allergy.
αλλεργικός-ή-ό (ε) [alleryikos] allergic.
αλληγορία (η) [alligoria] allegory.
αλληγορικός-ή-ό (ε) [alligorikos] allegorical, allegoric.
αλλήθωρος-η-ο (ε) [allithoros] cross-eyed, squint-eyed.
αλληλεγγύη (η) [allilengii] solidarity.
αλληλέγγυος-α-ο (ε) [allilengios] joint.
αλληλένδετος-η-ο (ε) [allilendhetos] interlinked.
αλληλεξάρτηση (η) [allileksartisi] interdependence.
αλληλεπίδραση (η) [allilepidhrasi] interaction, interplay.
αλληλογραφία (η) [allilografia] correspondence.
αλληλογραφώ (ρ) [allilografo] correspond, exchange letters.
αλληλοσπαραγμός (ο) [allilosparagmos] fighting one another.
αλληλουχία (η) [alliluhia] sequence, coherence.
αλλιγάτορας (ο) [alligatoras] alligator.
αλλιώς (επ) [allios] or else.
αλλιώτικος-η-ο (ε) [alliotikos] different, unlike.
αλλοδαπή (η) [allodhapi] abroad.
αλλοδαπός-ή-ό (ε) [allodhapos] foreigner, alien.

άλλοθι (το) [allothi] alibi.
αλλοιώνω (ρ) [alliono] change.
αλλοιώς (επ) [allios] otherwise.
αλλόκοτος-η-ο (ε) [allokotos] queer, strange, odd.
άλλος (ο) [allos] another, next.
άλλοτε (επ) [allote] some other time, another time, once.
αλλοτινός-ή-ό (ε) [allotinos] former, bygone.
αλλοτριώνω (ρ) [allotriono] alienate.
αλλοτρίωση (η) [allotriosi] alienation.
αλλού (επ) [allu] elsewhere, somewhere else.
αλλούθε (επ) [alluthe] another way.
αλλόφρονας (ο) [allofronas] frantic, mad.
άλλως (επ) [allos] otherwise.
άλλωστε (επ) [alloste] besides, on the other hand.
άλμα (το) [alma] jump, leap.
αλματώδης-ης-ες (ε) [almatodhis] rapid, swift.
άλμη (η) [almi] brine, pickle.
άλμπουμ (το) [album] album.
αλμύρα (η) [almira] saltiness.
αλμυρός-ή-ό (ε) [almiros] salty.
αλογάριαστος-η-ο (ε) [alogariastos] free, generous, lavish.
αλόγιστος-η-ο (ε) [aloyistos] mindless, thoughtless.
άλογο (το) [alogo] horse, pony.
αλογόμυγα (η) [alogomiga] horsefly, gadfly.
αλογοουρά (η) [alogo-ura] ponytail.
αλοιφή (η) [alifi] ointment.
αλουμίνιο (το) [aluminio] aluminium.
άλσος (το) [alsos] grove.
αλσύλλιο (το) [alsillio] coppice, copse.
άλτης (ο) [altis] jumper.
αλτρουιστικός,ή-ό (ε) [altruistikos] altruistic, unselfish.
αλυγισία (η) [aliyisia] stiffnesess, inflexibility.
αλύγιστος-η-ο (ε) [aliyistos] inflexible, stiff.
αλυκή (η) [aliki] salt-pan.
αλύπητος-η-ο (ε) [alipitos] pitiless, cruel, merciless.
αλυσίδα (η) [alisidha] chain.
αλυσοδένω (ρ) [alisodheno] chain up.
αλφαβήτα (η) [alfavita] alphabet.
αλφάδι (το) [alfadhi] spirit-level, plumb-line.
αλφαδιάζω (ρ) [alfadhiazo] check level of, make even.
αλωνίζω (ρ) [alonizo] thresh, scatter.
άλωση (η) [alosi] fall, capture.
άμα (σ) [ama] as soon as, when.
αμαγάριστος-η-ο (ε) [amagaristos] unsoiled, clean.
αμάθεια (η) [amathia] ignor-

ance, illiteracy.

αμαθής-ής-ές (ε) [amathis] ignorant, illiterate.

αμανάτι (το) [amanati] pawn.

αμάνικος-η-ο (ε) [amanikos] sleeveless.

άμαξα (η) [amaksa] coach.

αμαξάκι (το) [amaksaki] buggy.

αμάξι (το) [amaksi] carriage, lorry, car [αυτοκίνητο].

αμαξιά (η) [amaksia] truckload.

αμάξωμα (το) [amaksoma] car body, coachwork.

αμάραντος-η-ο (ε) [amarandos] undying, unfading.

αμάρτημα (το) [amartima] sin.

αμαρτία (η) [amartia] sin.

αμαρτωλός-ή-ό (ε) [amartolos] sinner.

άμαχος-η-ο (ε) [amahos] noncombatant, camp-follower.

άμβλωση (η) [amvlosi] abortion.

άμβωνας (ο) [amvonas] pulpit.

αμέ! (επιφ) [ame!] why not.

αμείβω (ρ) [amivo] reward.

αμείλικτος-η-ο (ε) [amiliktos] merciless, pitiless.

αμέλεια (η) [amelia] negligence,

αμελέτητος-η-ο (ε) [ameletitos] unprepared.

αμελής-ής-ές (ε) [amelis] neglectful.

αμελητέος-α-ο (ε) [ameliteos] negligible.

αμελώ (ρ) [amelo] neglect.

άμεμπτος-η-ο (ε) [amembtos] irreproachable, blameless.

αμεριμνησία (η) [amerimnisia] noncholance, impulsiveness.

αμέριμνος-η-ο (ε) [amerimnos] carefree, heedless, unconcerned.

αμέριστος-η-ο (ε) [ameristos] complete, unreserved.

αμερόληπτος-η-ο (ε) [ameroliptos] impartial, unbiased.

αμεροληψία (η) [amerolipsia] fairness.

άμεσος-η-ο (ε) [amesos] direct.

αμεσότητα (η) [amesotita] directness, immediacy, urgency.

αμέσως (επ) [amesos!] at once.

αμετάβατος-η-ο (ε) [ametavatos] intransitive.

αμεταβίβαστος-η-ο (ε) [ametavivastos] non-transferable.

αμετάβλητος-η-ο (ε) [ametavlitos] invariable, unchangeable.

αμετακίνητος-η-ο (ε) [ametakinitos] unshakeable, firm.

αμετάκλητος-η-ο (ε) [ametaklitos] irrevocable, irreversible.

αμετανόητος-η-ο (ε) [ametanoitos] unrepentant.

αμετάπειστος-η-ο (ε) [ametapistos] unconvinced, stubborn.

αμεταχείριστος-η-ο (ε) [ametahiristos] unused.

αμέτοχος-η-ο (ε) [ametohos] not participating, uninvolved.

αμέτρητος-η-ο (ε) [ametritos] countless.
άμετρος-η-ο (ε) [ametros] boundless, inordinate.
αμήν! (επιφ) [amin!] amen.
αμηχανία (η) [amihania] confusion, embarrassment.
αμήχανος-η-ο (ε) [amihanos] perplexed, embarrassed.
αμιγής-ής-ές (ε) [amiyis] unmixed, pure.
αμίλητος-η-ο (ε) [amilitos] silent, quiet, unsociable.
άμιλλα (η) [amilla] rivarly.
αμίμητος-η-ο (ε) [amimitos] inimitable.
άμισθος-η-ο (ε) [amisthos] unpaid.
άμμος (η) [ammos] sand.
αμμουδιά (η) [ammudhia] sandy beach.
αμμοχάλικο (το) [ammohaliko] grit.
αμμώδης-ης-ες (ε) [ammodhis] sandy.
αμμωνία (η) [ammonia] ammonia.
αμνημόνευτος-η-ο (ε) [amnimoneftos] immemorial.
αμνησία (η) [amnisia] amnesia, forgetfulness.
αμνηστεύω (ρ) [amnistevo] pardon.
αμνός (ο) [amnos] lamb.
αμοιβαίος-α-ο (ε) [amiveos] mutual.
αμοιβή (η) [amivi] reward.
άμοιρος-η-ο (ε) [amiros] unfortunate, poor, hapless.
αμολάω (ρ) [amolao] slacken, loosen, unleash, let slip.
αμόλυντος-η-ο (ε) [amolindos] pure, unpolluted.
άμορφος-η-ο (ε) [amorfos] shapeless.
αμόρφωτος-η-ο (ε) [amorfotos] uneducated.
αμπαλάρω (ρ) [ambalaro] pack up.
αμπάλωτος-η-ο (ε) [ambalotos] not mended.
αμπάρα (η) [ambara] bar, bolt.
αμπάρι (το) [ambari] storeroom, hold [ναυτ].
αμπαρώνω (ρ) [ambarono] bar, bolt.
αμπέλι (το) [ambeli] vineyard.
αμπελόκλημα (το) [ambeloklima] vine.
αμπελόφυλλο (το) [ambelofillo] vine leaf.
αμπελώνας (ο) [ambelonas] vineyard.
αμπογιάτιστος-η-ο (ε) [amboyiatistos] unpainted.
αμπούλα (η) [ambula] ampule.
αμπραγιάζ (το) [ambrayiaz] clutch.
αμπρί (το) [ambri] shelter.
άμπωτη (η) [amboti] ebb tide.
αμυαλιά (η) [amialia] thought-

lessness, foolishness.
άμυαλος-η-ο (ε) [amialos] mindless.
αμυγδαλές (οι) [amigdhales] tonsils.
αμυγδαλιά (η) [amigdhalia] almond-tree.
αμύγδαλο (το) [amigdhalo] almond.
αμυδρός-ή-ό (ε) [amidhros] dim, faint.
αμύητος-η-ο (ε) [amiitos] uninitiated, ignorant.
αμύθητος-η-ο (ε) [amithitos] fabulous.
άμυλο (το) [amilo] starch, amyl.
άμυνα (η) [amina] protection.
αμύνομαι (ρ) [aminome] defend oneself, hold one's ground.
αμυντικός-ή-ό (ε) [amindikos] defensive.
αμυχή (η) [amihi] scratch.
άμφια (τα) [amfia] vestments.
αμφιβάλλω (ρ) [amfivallo] doubt.
αμφιβληστροειδής (ο) [amfivlistroidhis] retina.
αμφιβολία (η) [amfivolia] doubt.
αμφίβολος-η-ο (ε) [amfivolos] doubtful, uncertain.
αμφίγνωμος-η-ο (ε) [amfignomos] two-minded, hesitating.
αμφίεση (η) [amfiesi] dress.
αμφίρροπος-η-ο (ε) [amfiropos] undecided, hesitating.
αμφισβήτηση (η) [amfisvitisi] dispute, contest, doubt.
αμφισβητήσιμος-η-ο (ε) [amfisvitisimos] questionable, debatable, controvertible.
αμφισβητίας (ο) [amfisvitias] dissenter.
αμφισβητώ (ρ) [amfisvito] dispute, doubt, question, challenge.
αμφιταλαντεύομαι (ρ) [amfitalandevome] waver, hesitate.
αμφότεροι (οι) [amfoteri] both.
άμωμος-η-ο (ε) [amomos] immaculate, faultless.
αν (σ) [an] if, whether.
αναβαθμίζω (ρ) [anavathmizo] upgrade.
αναβάλλω (ρ) [anavallo] put off, postpone, delay, hold over.
ανάβαση (η) [anavasi] ascent, climb.
αναβάτης (ο) [anavatis] rider.
αναβιώνω (ρ) [anaviono] revive.
αναβίωση (η) [anaviosi] revival.
αναβλητικός-ή-ό (ε) [anavlitikos] procrastinating, dilatory.
αναβλητικότητα (η) [anavlitikotita] procrastination.
αναβλύζω (ρ) [anavlizo] gush.
αναβολέας (ο) [anavoleas] stirrup.
αναβολή (η) [anavoli] delay.
αναβρασμός (ο) [anavrasmos] agitation, excitement, turmoil.
ανάβω (ρ) [anavo] light, turn on.
αναγαλλιάζω (ρ) [anagalliazo] rejoice, be thrilled.
αναγγελία (η) [anangelia] an-

nouncement, notice.

αναγγέλλω (ρ) [anangelo] announce, notify.

αναγέννηση (η) [anayennisi] revival, rebirth.

αναγεννώ (ρ) [anayenno] revive, regenerate.

αναγκάζω (ρ) [anangazo] oblige, impel, make.

αναγκαία (τα) [anangea] necessities, necessaries.

αναγκαίος-α-ο (ε) [anangeos] necessary, essential.

αναγκαιότητα (η) [anangeotita] necessity.

αναγκαστικός-ή-ό (ε) [anangastikos] compulsory, forced.

ανάγκη (η) [anangi] need.

ανάγλυφος-η-ο (ε) [anaglifos] embossed, relief.

αναγνωρίζω (ρ) [anagnorizo] recognize, admit, know, tell.

αναγνώριση (η) [anagnorisi] recognition.

ανάγνωση (η) [anagnosi] reading.

ανάγνωσμα (το) [anagnosma] passage, reading-text.

αναγνωσματάριο (το) [anagnosmatario] reader.

αναγνώστης (ο) [anagnostis] reader.

αναγομώνω (ρ) [anagomono] retread, recondition.

αναγόρευση (η) [anagorefsi] election, nomination.

αναγορεύω (ρ) [anagorevo] acclaim.

αναγούλα (η) [anagula] nausea.

αναγουλιάζω (ρ) [anaguliazo] nauseate.

αναγραφή (η) [anagrafi] entry.

αναγράφω (ρ) [anagrafo] enter.

αναγωγή (η) [anagoyi] reduction, reference.

ανάγωγος-η-ο (ε) [anagogos] ill-mannered.

αναδάσωση (η) [anadhasosi] reforestation.

ανάδειξη (η) [anadhiksi] success, election.

αναδείχνω (ρ) [anadhihno] elect, appoint.

αναδεξιμιά (η) [anadheksimia] goddaughter.

αναδεξιμιός (ο) [anadheksimios] godson.

αναδημιουργία (η) [anadhimiuryia] regeneration.

αναδημιουργικός-ή-ό (ε) [anadhimiurgikos] recreative.

αναδημιουργώ (ρ) [anadhimiurgo] recreate.

αναδημοσίευση (η) [anadhimosiefsi] re-issue.

αναδημοσιεύω (ρ) [anadhimosievo] reprint.

αναδιαρθρώνω (ρ) [anadhiarthrono] restructure.

αναδιάρθρωση (η) [anadhiarthrosi] restructuring.

αναδιοργανώνω (ρ) [anadhiorganono] reorganize.
αναδουλειά (n) [anadhulia] unemployment.
ανάδοχος (o) [anadhohos] godparent, sponsor, concessionaire.
ανάδραση (n) [anadhrasi] feedback, retroaction.
αναδρομή (n) [anadhromi] going back, flashback.
αναδρομικότητα (n) [anadhromikotita] retroactivity.
αναδύομαι (ρ) [anadhiome] emerge, rise.
ανάδυση (n) [anadhisi] rising.
αναζήτηση (n) [anazitisi] pursuit, quest.
αναζητώ (ρ) [anazito] search for, seek, long for, miss.
αναζωογόνηση (n) [anazoogonisi] revival, reanimation.
αναζωογονώ (ρ) [anazoogono] revive, invigorate, revitalize.
αναζωπυρώνω (ρ) [anazopirono] relight, rekindle.
αναζωπύρωση (n) [anazopirosi] resurgence, rekindling.
αναθαρρεύω (ρ) [anatharrevo] take heart, take courage.
αναθάρρηση (n) [anatharisi] encouragement.
ανάθεμα (το) [anathema] curse.
αναθεματίζω (ρ) [anathematizo] excommunicate, curse.
αναθεματισμένος-n-o (μ) [anathematismenos] damned.
αναθέτω (ρ) [anatheto] commission, entrust.
αναθεώρηση (n) [anatheorisi] revision, review.
αναθεωρητής (o) [anatheoritis] reviser, revisionist [πολιτ].
αναθεωρητισμός (o) [anatheoritismos] revisionism.
αναθεωρώ (ρ) [anatheoro] revise, reconsider.
αναθρέφω (ρ) [anathrefo] bring up, raise, breed.
αναθύμηση (n) [anathimisi] recollection.
αναθυμίαση (n) [anathimiasi] stink, exhalation, fumes.
αναθυμίζω (ρ) [anathimizo] remind.
αναίδεια (n) [anedhia] impudence, insolence.
αναιδής-ής-ές (ε) [anedhis] impudent, insolent, cheeky,.
αναίμακτος-n-o (ε) [anemaktos] bloodless.
αναιμία (n) [anemia] anaemia.
αναιρέσιμος-n-o (ε) [aneresimos] reversible, refutable.
αναιρώ (ρ) [anero] retract, take back, reverse [νομ], quash [νομ].
αναισθησία (n) [anesthisia] insensibility, insensitivity.
αναισθησιολόγος (o) [anesthisiologos] anaesthetist.
αναισθητικό (το) [anesthitiko]

anaesthetic.
αναίσθητος-η-ο (ε) [anesthitos] insensitive.
αναίσχυντος-η-ο (ε) [aneshindos] shameless, impudent.
αναιτιολόγητος-η-ο (ε) [anetioloyitos] unjustified.
αναίτιος-α-ο (ε) [anetios] unprovoked, innocent.
ανακαινίζω (ρ) [anakenizo] renovate, redecorate.
ανακαίνιση (η) [anakenisi] renovation, redecoration.
ανακαλύπτω (ρ) [anakalipto] discover.
ανακάλυψη (η) [anakalipsi] discovery, invention.
ανακαλώ (ρ) [anakalo] recall, cancel.
ανάκαμψη (η) [anakampsi] recovery.
ανάκατα (επ) [anakata] in confusion.
ανακαταλαμβάνω (ρ) [anakatalamvano] recapture.
ανακατανέμω (ρ) [anakatanemo] redistribute, reallocate.
ανακατάταξη (η) [anakatataksi] reclassification, realignment.
ανακατατάσσω (ρ) [anakatataso] reclassify, realign, re-enlist.
ανακάτεμα (το) [anakatema] mixing, blending.
ανακατεύομαι (ρ) [anakatevome] meddle, interfere.
ανακατεύω (ρ) [anakatevo] stir, shuffle, mix, meddle, intervene.
ανάκατος-η-ο (ε) [anakatos] confused, mixed, blended.
ανακατώνω (ρ) [anakatono] stir, confuse [συγχέω].
ανακατωσούρα (η) [anakatosura] confusion, tangle.
ανακεφαλαιώνω (ρ) [anakefaleono] sum up.
ανακήρυξη (η) [anakiriksi] declaration, proclamation.
ανακηρύσσω (ρ) [anakirisso] proclaim, declare, elect.
ανακίνηση (η) [anakinisi] stirring, revival, moving.
ανακινώ (ρ) [anakino] stir up, bring up, raise, shake, churn.
ανάκλαση (η) [anaklasi] reflection.
ανακλαστικά (τα) [anaklastika] reflexes.
ανάκληση (η) [anaklisi] revocation, recalling, retraction.
ανακλητός-ή-ό (ε) [anaklitos] revocable, reversible.
ανακοινωθέν (το) [anakinothen] bulletin, report.
ανακοινώνω (ρ) [anakinono] announce, notify, report.
ανακοίνωση (η) [anakinosi] announcement, statement, notice.
ανακόλουθος-η-ο (ε) [anakoluthos] inconsistent, incoherent.
ανακοπή (η) [anakopi] heart failure [ιατρ], caveat.

ανακουφίζω (ρ) [anakufizo] relieve, lighten, ease, allay.
ανακούφιση (η) [anakufisi] relief.
ανακράζω (ρ) [anakrazo] bawl.
ανακρίβεια (η) [anakrivia] inaccuracy.
ανακριβής-ής-ές (ε) [anakrivis] inaccurate, incorrect.
ανακρίνω (ρ) [anakrino] examine, question, interrogatel.
ανακριτής (ο) [anakritis] examining.
ανάκτηση (η) [anaktisi] recovery.
ανάκτορο (το) [anaktoro] palace.
ανακύκλωση (η) [anakiklosi] looping [αεροπ].
αναλαμβάνω (ρ) [analamvano] undertake, take over, engage.
αναλαμπή (η) [analambi] flash.
ανάλατος-η-ο (ε) [analatos] dull [μεταφ], saltless, unsalted.
ανάλαφρος-η-ο (ε) [analafros] light, breezy, airy.
αναλήθεια (η) [analithia] untruth.
αναληθής-ής-ές (ε) [analithis] untrue, false, mendacious.
ανάληψη (η) [analipsi] resumption, undertaking, ascension.
αναλλοίωτος-η-ο (ε) [analliotos] unchanging, invariable.
αναλογία (η) [analoyia] relation, proportion, ratio, analogy.
αναλογίζομαι (ρ) [analoyizome] think of, consider.
αναλογική (η) [analoyiki] proportional representation.
ανάλογος (ο) [analogos] coincident.
αναλογώ (ρ) [analogo] correspond to.
αναλόγως (επ) [analogos] proportionately, considering.
ανάλυση (η) [analisi] analysis.
αναλυτής (ο) [analitis] analyst.
αναλυτική (η) [analitiki] analytics.
αναλύω (ρ) [analio] analyze.
αναλφάβητος-η-ο (ε) [analfavitos] illiterate.
αναλώνω (ρ) [analono] spend.
αναμάρτητος-η-ο (ε) [anamartitos] impeccant.
αναμασώ (ρ) [anamaso] chew over.
αναμειγνύω (ρ) [anamignio] stir.
ανάμειξη (η) [anamiksi] blending, mingling, intervention.
ανάμειχτος-η-ο (ε) [anamihtos] mixed, blended, assorted.
αναμένω (ρ) [anameno] wait for, expect, await.
ανάμεσα (επ) [anamesa] in between, among, through.
αναμεταδίνω (ρ) [anametadhino] relay, broadcast.
αναμετάδοση (η) [anametadhosi] rediffusion, relay.
αναμεταδότης (ο) [anametadhotis] transmitter mast.
αναμεταξύ (επ) [anametaksi] between, among.

αναμέτρηση (η) [anametrisi] confrontation, recount.
αναμετρώ (ρ) [anametro] weigh up.
αναμηρυκάζω (ρ) [anamirikazo] ruminate, chew over.
αναμισθώνω (ρ) [anamisthono] rent, let, renew a lease.
αναμιγνύω (ρ) [anamignio] intermingle, compound.
άναμμα (το) [anamma] lighting, excitement [έξαψη], ignition.
αναμμένος-η-ο (μ) [anammenos] alight, burning, live.
ανάμνηση (η) [anamnisi] recollection, memory, remembrance.
αναμνηστικός-ή-ό (ε) [anamnistikos] memorial.
αναμονή (η) [anamoni] waiting.
αναμορφώνω (ρ) [anamorfono] reform, rehabilitate.
αναμόρφωση (η) [anamorfosi] rehabilitation, reformation.
αναμορφωτήριο (το) [anamorfotirio] rehabilitation camp, rehabilitation centre.
αναμορφωτής (ο) [anamorfotis] reformer, innovator.
αναμοχλεύω (ρ) [anamohlevo] stir up, rake up.
αναμφίβολος-η-ο (ε) [anamfivolos] unquestionable.
αναμφισβήτητα (επ) [anamfisvitita] undeniably, by far.
ανανάς (ο) [ananas] pineapple.
άνανδρος-η-ο (ε) [anandhros] cowardly, craven, dastard,.
ανανεώνω (ρ) [ananeono] renew, renovate, restore, refresh.
ανανέωση (η) [ananeosi] renewal, renovation, restoration, revival.
ανανήφω (ρ) [ananifo] come round, reform.
αναντικατάστατος-η-ο (ε) [anandikatastatos] irreplaceable.
αναντίρρητος-η-ο (ε) [anandiritos] undeniable.
αναντιστοιχία (η) [anantistihia] discrepancy.
ανάξια (επ) [anaksia] undeservedly, shamefully, incompetently.
αναξιοπαθής-ής-ές (ε) [anaksiopathis] unfortunate.
αναξιοπιστία (η) [anaksiopistia] unreliability.
αναξιόπιστος-η-ο (ε) [anaksiopistos] unreliable, dicey.
αναξιοποίητος-η-ο (ε) [anaksiopiitos] undeveloped.
αναξιοπρέπεια (η) [anaksioprepia] indignity.
ανάξιος-α-ο (ε) [anaksios] unworthy, inefficient, measly.
αναπαμός (ο) [anapamos] rest.
αναπάντεχος-η-ο (ε) [anapandehos] unexpected, sudden.
αναπάντητος-η-ο (ε) [anapanditos] unanswered.
αναπαράγω (ρ) [anaparago] reproduce.
αναπαραγωγή (η) [anapara-

goyi] reproduction.
αναπαραγωγικός-ή-ό (ε) [anaparagoyikos] reproductive.
αναπαράσταση (η) [anaparastasi] reconstruction, enactment.
αναπαριστώ (ρ) [anaparisto] reenact, represent, take off.
ανάπαυλα (η) [anapavla] rest.
ανάπαυση (η) [anapafsi] rest, repose, stand easy [στρατ].
αναπαυτήριο (το) [anapaftirio] retreat, resting place.
αναπαυτικός-ή-ό (ε) [anapaftikos] comfortable, restful.
αναπαύω (ρ) [anapavo] rest, relax, comfort.
αναπήδημα (το) [anapidhima] start, bound, bounce, caper.
αναπηδώ (ρ) [anapidho] jump up, start, recoil.
αναπηρία (η) [anapiria] infirmity.
ανάπηρος-η-ο (ε) [anapiros] disabled, invalid.
αναπλάθω (ρ) [anaplatho] reshape, transform.
αναπληρωματικός-ή-ό (ε) [anapliromatikos] alternate.
αναπληρώνω (ρ) [anaplirono] replace, substitute, act for.
αναπλήρωση (η) [anaplirosi] replacement, substitution.
αναπληρωτής (ο) [anaplirotis] substitute, assistant.
αναπνευστήρας (ο) [anapnefstiras] respirator.
αναπνευστικός-ή-ό (ε) [anapnefstikos] respiratory, breathing.
αναπνέω (ρ) [anapneo] breathe.
αναπνοή (η) [anapnoi] breath.
ανάποδα (επ) [anapodha] backwards, inside out [μέσα έξω].
αναποδιά (η) [anapodhia] reverse, bad luck.
ανάποδος-η-ο (ε) [anapodhos] reversed.
αναπόδραστος-η-ο (ε) [anapodhrastos] inescapable.
αναπόληση (η) [anapolisi] reminiscence, contemplation.
αναπολώ (ρ) [anapolo] recollect, recall, contemplate.
αναπόσπαστος-η-ο (ε) [anapospastos] integral, inseparable.
αναποτελεσματικός-ή-ό (ε) [anapotelesmatikos] ineffectual.
αναπότρεπτος-η-ο (ε) [anapotreptos] inevitable.
αναποφασιστικότητα (η) [anapofasistikotita] irresolution.
αναποφάσιστος-η-ο (ε) [anapofasistos] irresolute, undecided.
αναπόφευκτος-η-ο (ε) [anapofefktos] inevitable, inescapeable.
αναπροσαρμογή (η) [anaprosarmoyi] readjustment.
αναπροσαρμόζω (ρ) [anaprosarmozo] readjust.
αναπτήρας (ο) [anaptiras] lighter.
ανάπτυξη (η) [anaptiksi] devel-

opment, expansion.
αναπτύσσω (ρ) [anaptisso] develop, expound, expand.
αναπωλώ (ρ) [anapolo] bethink.
αναρίθμητος-η-ο (ε) [anarithmitos] innumerable.
ανάριος-α-ο (ε) [anarios] sparse, scanty, scattered.
αναρμόδιος-α-ο (ε) [anarmodhios] incompetent.
ανάρμοστος-η-ο (ε) [anarmostos] improper, unbecoming.
αναρρίχηση (η) [anarrihisi] scaling.
αναρριχητικός-ή-ό (ε) [anarrihitikos] climbing, creeping.
αναρριχώμαι (ρ) [anarrihome] clamber, climb.
αναρρώνω (ρ) [anarrono] recover, recuperate.
ανάρρωση (η) [anarrosi] recovery.
αναρρωτήριο (το) [anarrotirio] home, infirmary.
αναρρωτικός-ή-ό (ε) [anarrotikos] convalescent.
αναρχία (η) [anarhia] anarchy.
αναρχικός-ή-ό (ε) [anarhikos] anarchic, anarchist.
αναρωτιέμαι (ρ) [anarotieme] ask ourselves, wonder.
ανάσα (η) [anasa] breath.
ανασαίνω (ρ) [anaseno] breathe.
ανασηκώνω (ρ) [anasikono] lift up, raise.
ανασκαλεύω (ρ) [anaskalevo] poke.
ανασκαφή (η) [anaskafi] excavation.
ανάσκελα (επ) [anaskela] on one's back.
ανασκευάζω (ρ) [anaskevazo] refute, disprove.
ανασκευή (η) [anaskevi] refutation, disproof.
ανασκόπηση (η) [anaskopisi] review, survey.
ανασκοπώ (ρ) [anaskopo] review, survey.
ανασκουμπώνω (ρ) [anaskumbono] roll up.
ανασταίνω (ρ) [anasteno] restore to life, ressurect, raise.
ανασταλτικός-ή-ό (ε) [anastaltikos] suspensive, inhibitive.
ανάσταση (η) [anastasi] resurrection, revival [μεταφ].
ανάστατος-η-ο (ε) [anastatos] agitated, excited, upset.
αναστατώνω (ρ) [anastatono] upset, put off.
αναστάτωση (η) [anastatosi] commotion, flurry, trouble.
αναστέλλω (ρ) [anastello] stop, stay, suspend, discontinue.
αναστεναγμός (ο) [anastenagmos] sigh, groan.
αναστενάζω (ρ) [anastenazo] sigh.
αναστηλώνω (ρ) [anastilono] restore, repair.
αναστήλωση (η) [anastilosi] res-

toration.
ανάστημα (το) [anastima] height, stature.
αναστολή (η) [anastoli] suspension, reprieve.
αναστρέφω (ρ) [anastrefo] invert, turn back, tack about.
ανασυγκρότηση (η) [anasingrotisi] reconstruction.
ανασυνδέω (ρ) [anasindheo] reconnect, renew, resume.
ανασύνθεση (η) [anasinthesi] restructure.
ανασύνταξη (η) [anasindaksi] reorganization.
ανασυντάσσω (ρ) [anasindasso] reorganize, restructure, regroup.
ανασυσταίνω (ρ) [anasisteno] re-establish, set up again.
ανασφάλεια (η) [anasfalia] insecurity.
ανασφαλής-ής-ές (ε) [anasfalis] insecure.
ανάσχεση (η) [anas-hesi] interception.
ανασχηματίζω (ρ) [anashimatizo] reform, reshuffle.
ανασχηματισμός (ο) [anashimatismos] reshuffle, shake-up.
αναταράζω (ρ) [anatarazo] shake, disturb.
αναταραχή (η) [anatarahi] disturbance, agitation, upheaval.
ανάταση (η) [anatasi] uplift.
ανατέλλω (ρ) [anatello] rise, appear, dawn.
ανατίμηση (η) [anatimisi] price rise.
ανατιμώ (ρ) [anatimo] put up the price, mark up.
ανατινάζω (ρ) [anatinazo] blow up, blast.
ανατίναξη (η) [anatinaksi] blasting, blowing-up.
ανατοκισμός (ο) [anatokismos] compound interest.
ανατολή (η) [anatoli] east, sunrise.
ανατολικός-ή-ό (ε) [anatolikos] eastern.
ανατόμος (ο) [anatomos] explorer.
ανατρεπόμενο (το) [anatrepomeno] tip-lorry, tip-truck.
ανατρεπτικός-ή-ό (ε) [anatreptikos] subversive, seditious.
ανατρέπω (ρ) [anatrepo] upset, overturn, capsize, knock down.
ανατρέχω (ρ) [anatreho] go back to, trace back.
ανατριχιάζω (ρ) [anatrihiazo] shiver.
ανατριχιαστικός-ή-ό (ε) [anatrihiastikos] hair-raising, lurid.
ανατριχίλα (η) [anatrihila] shiver, shudder.
ανατροπή (η) [anatropi] overthrow, reversal overturning.
ανατροφή (η) [anatrofi] upbringing, breeding.
ανατυπώνω (ρ) [anatipono] re-

print.

αναύλωτος-η-ο (ε) [anavlotos] not chartered, not freighted.

αναφαίνομαι (ρ) [anafenome] appear, emerge.

αναφαίρετος-η-ο (ε) [anaferetos] inalienable, imprescriptible.

αναφέρω (ρ) [anafero] mention, cite, report, relate, describe.

αναφιλητό (το) [anafilito] sobbing.

αναφλέγω (ρ) [anaflego] ignite.

ανάφλεξη (η) [anafleksi] ignition.

αναφορά (η) [anafora] report.

αναφορικός-ή-ό (ε) [anaforikos] relative.

αναφώνηση (η) [anafonisi] exclamation, cry.

αναφωνώ (ρ) [anafono] exclaim, cry out.

αναχαιτίζω (ρ) [anahetizo] check, curb, contain.

αναχαίτιση (η) [anahetisi] interception.

αναχρονιστικός-ή-ό (ε) [anahronistikos] anachronistic.

ανάχωμα (το) [anahoma] mound, bank, dyke.

αναχώρηση (η) [anahorisi] departure, setting-out.

αναχωρώ (ρ) [anahoro] depart.

αναψυκτήριο (το) [anapsiktirio] refreshment room.

αναψυκτικά (τα) [anapsiktika] refreshments, soft drinks.

αναψυχή (η) [anapsihi] recreation, distraction.

ανδραγάθημα (το) [andhragathima] feat, exploit.

ανδραγαθία (η) [andhragathia] valour, gallantry.

ανδρεία (η) [andhria] bravery.

ανδρείκελο (το) [andhrikelo] dummy, puppet [μεταφ].

ανδρείος-εία-είο (ε) [andhrios] brave, gallant.

ανδριάντας (ο) [andhriandas] statue.

ανδρισμός (ο) [andhrismos] manhood, virility.

ανδρόγυνο (το) [andhroyino] man and wife, married couple.

ανδροπρεπής-ής-ές (ε) [andhroprepis] manly, manful.

ανεβάζω (ρ) [anevazo] raise.

ανεβαίνω (ρ) [aneveno] ascend, climb, go up, mount up, board.

ανεβοκατεβαίνω (ρ) [anevokateveno] go up and down.

ανεβοκατέβασμα (το) [anevokatevasma] fluctuation.

ανέγγιχτος-η-ο (ε) [anengihtos] untouched, new, inact.

ανεδαφικός-ή-ό (ε) [anedhafikos] unrealistic.

ανειδίκευτος-η-ο (ε) [anidhikeftos] unskilled.

ανειλικρίνεια (η) [anilikrinia] insincerity, deceit.

ανειλικρινής-ής-ές (ε) [anilikrinis] insincere.
ανειρήνευτος-η-ο (ε) [anirineftos] ceaseless.
ανέκαθεν (επ) [anekathen] always, all along.
ανεκδήλωτος-η-ο (ε) [anekdhilotos] unrevealed.
ανεκδιήγητος-η-ο (ε) [anekdhiiyitos] indescribable.
ανέκδοτο (το) [anekdhoto] anecdote, funny story.
ανέκδοτος-η-ο (ε) [anekdhotos] unpublished.
ανέκκλητος-η-ο (ε) [anekklitos] irrevocable, irreversible.
ανεκπλήρωτος-η-ο (ε) [anekplirotos] unfulfilled.
ανεκτέλεστος-η-ο (ε) [anektelestos] unperformed [σκοπός].
ανεκτικός-ή-ό (ε) [anektikos] tolerant, indulgent, permissive.
ανεκτίμητος-η-ο (ε) [anektimitos] priceless, inestimable.
ανεκτός-ή-ό (ε) [anektos] bearable, tolerable.
ανέκφραστα (επ) [anekfrasta] blankly, vacantly, indescribably.
ανελαστικός-ή-ό (ε) [anelastikos] unelastic.
ανελέητος-η-ο (ε) [aneleitos] pitiless, cruel, ruthless.
ανελεύθερος-η-ο (ε) [aneleftheros] illiberal, despotic.
ανελκυστήρας (ο) [anelkistiras] lift, elevator.
ανελκύω (ρ) [anelkio] refloat.
ανελλιπής-ής-ές (ε) [anellipis] regular, unfailing.
ανέλπιστος-η-ο (ε) [anelpistos] unexpected.
ανέμελος-η-ο (ε) [anemelos] carefree, easy-going, debonair.
ανεμίζω (ρ) [anemizo] air, wave.
ανέμισμα (το) [anemisma] flap.
ανεμιστήρας (ο) [anemistiras] fan, ventilator.
ανεμοβλογιά (η) [anemovloyia] chickenpox.
ανεμοδείχτης (ο) [anemodhihtis] vane, wind-sock.
ανεμοθύελλα (η) [anemothiela] windstorm.
ανεμόμυλος (ο) [anemomilos] windmill.
ανεμόπτερο (το) [anemoptero] glider, sailplane.
ανεμοστρόβιλος (ο) [anemostrovilos] whirlwind.
ανένδοτος-η-ο (ε) [anendhotos] unrelenting.
ανενόχλητος-η-ο (ε) [anenohlitos] undisturbed.
ανέντιμος-η-ο (ε) [anendimos] dishonest, crooked.
ανεξακρίβωτος-η-ο (ε) [aneksakrivotos] unconfirmed.
ανεξάντλητος-η-ο (ε) [aneksandlitos] unfailing.
ανεξαρτησία (η) [aneksartisia]

independence.
ανεξάρτητος-η-ο (ε) [aneksartitos] independent.
ανεξέλεγκτος-η-ο (ε) [akenselengtos] unconfirmed.
ανεξερεύνητος-η-ο (ε) [anekserevnitos] unexplored.
ανεξέταστος-η-ο (ε) [aneksetastos] unexamined.
ανεξήγητος-η-ο (ε) [aneksiyitos] incomprehensible.
ανεξιθρησκία (n) [aneksithriskia] freedom religious.
ανεξιχνίαστος-η-ο (ε) [aneksihniastos] insoluble.
ανέξοδος-η-ο (ε) [aneksodhos] inexpensive, free.
ανεξοικείωτος-η-ο (ε) [aneksikiotos] unused, unaccustomed.
ανεξόφλητος-η-ο (ε) [aneksoflitos] outstanding, unpaid.
ανεπαίσθητος-η-ο (ε) [anepesthitos] imperceptible.
ανεπανάληπτος-η-ο (ε) [anepanaliptos] unique.
ανεπανόρθωτος-η-ο (ε) [anepanorthotos] irreparable.
ανεπάρκεια (n) [aneparkia] insufficiency, scarcity.
ανεπαρκής-ής-ές (ε) [aneparkis] insufficient, inadequate.
ανέπαφος-η-ο (ε) [anepafos] untouched, intact, whole.
ανεπηρέαστος-η-ο (ε) [anepireastos] unaffected, unswayed.
ανεπιβεβαίωτος-η-ο (ε) [anepiveveotos] unconfirmed.
ανεπιθύμητος-η-ο (ε) [anepithimitos] undesirable.
ανεπίκαιρος-η-ο (ε) [anepikeros] untimely, inopportune.
ανεπικύρωτος-η-ο (ε) [anepikirotos] unratified, uncertified.
ανεπίληπτος-η-ο (ε) [anepiliptos] impeccable.
ανεπίσημος-η-ο (ε) [anepisimos] informal, incognito.
ανεπισημότητα (n) [anepisimotita] informality.
ανεπιτήδειος-α-ο (ε) [anepitidhios] inept, clumsy, unskilled.
ανεπιτήδευτος-η-ο (ε) [anepitidheftos] artless, ingenuous.
ανεπιτήρητος-η-ο (ε) [anepitiritos] unsupervised.
ανεπίτρεπτος-η-ο (ε) [anepitreptos] inadmissible.
ανεπιτυχής-ής-ές (ε) [anepitihis] unsuccessful, abortive.
ανεπιφύλακτος-η-ο (ε) [anepifilaktos] unreserved, unqualified.
ανεπρόκοπος-η-ο (ε) [aneprokopos] good-for-nothing, loafer.
ανεπτυγμένος-η-ο (ε) [aneptigmenos] cultured, developed.
ανεργία (n) [aneryia] unemployment, joblessness.
άνεργος-η-ο (ε) [anergos] unemployed, idle, jobless.
ανέρχομαι (ρ) [anerhome] as-

cend, climb.
άνεση (η) [anesi] ease, comfort.
άνετα (επ) [aneta] comfortably.
άνετος-η-ο (ε) [anetos] comfortable, easy, convenient, leisurely.
ανεύθυνος-η-ο (ε) [anefthinos] irresponsible, unreliable.
ανευθυνότητα (η) [anefthinotita] irresponsibility.
ανευλαβής-ής-ές (ε) [anevlavis] irreverent, impious.
ανεύρεση (η) [anevresi] discovery.
ανέφελος-η-ο (ε) [anefelos] clear.
ανέφικτος-η-ο (ε) [anefiktos] impossible, unfeasable.
ανεφοδιάζω (ρ) [anefodhiazo] provide, restock, supply.
ανεφοδιασμός (ο) [anefodhiasmos] supply, stocking.
ανέχεια (η) [anehia] poverty.
ανέχομαι (ρ) [anehome] tolerate.
ανεψιά (η) [anepsia] niece.
ανεψιός (ο) [anepsios] nephew.
ανήθικος-η-ο (ε) [anithikos] immoral, corrupt, obscene.
ανηθικότητα (η) [anithikotita] immorality, depravity, obscenity.
άνηθο (το) [anitho] dill, anise.
ανήκω (ρ) [aniko] belong.
ανήλικος-η-ο (ε) [anilikos] under age.
ανήμερος-η-ο (ε) [animeros] wild.
ανήμπορος-η-ο (ε) [animboros] indisposed, poorly, helpless.
ανήξερος-η-ο (ε) [anikseros] unknowing, ignorant.
ανησυχητικός-ή-ό (ε) [anisihitikos] alarming, disturbing.
ανησυχία (η) [anisihia] uneasiness, concern, apprehension.
ανήσυχος-η-ο (ε) [anisihos] uneasy, anxious, concerned.
ανησυχώ (ρ) [anisiho] be anxious.
ανηφοριά (η) [aniforia] ascent.
ανηφορίζω (ρ) [aniforizo] go uphill.
ανηφορικός-ή-ό (ε) [aniforikos] steep, uphill, ascending.
ανθεκτικός-ή-ό (ε) [anthektikos] resistant, hard, tough.
ανθηρός-ή-ό (ε) [anthiros] flowery.
άνθηση (η) [anthisi] flowering.
ανθίζω (ρ) [anthizo] flower.
ανθόγαλα (το) [anthogala] cream.
ανθοδέσμη (η) [anthodhesmi] bouquet, bunch of flowers.
ανθοδοχείο (το) [anthodhohio] vase.
ανθοκόμος (ο) [anthokomos] florist.
ανθοπωλείο (το) [anthopolio] florist's, flower shop.
ανθοπώλης (ο) [anthopolis] florist.
άνθος (το) [anthos] flower.
ανθότυρο (το) [anthotiro] cream cheese.
ανθρακούχος-α-ο (ε) [anthrakuhos] carbonic.
ανθρακωρυχείο (το) [anthrako-

rihio] coalmine, colliery.
ανθρακωρύχος (ο) [anthrakorihos] coalminer, collier, pitman.
ανθρωπεύω (ρ) [anthropevo] civilize, lick into shape.
ανθρωπιά (n) [anthropia] civility, compassion, consideration.
ανθρώπινος-η-ο (ε) [anthropinos] human, anthropic.
ανθρωπισμός (ο) [anthropismos] humanism.
ανθρωπιστής (ο) [anthropistis] humanist, humanitarian.
ανθρωποθάλασσα (n) [anthropothalassa] huge crowd, masses.
ανθρωποκτονία (n) [anthropoktonia] murder, homicide.
ανθρωπολογία (n) [anthropoloyia] anthropology.
ανθρωπολόγος (ο) [anthropologos] anthropologist.
άνθρωπος (ο) [anthropos] man, person, human, human being.
ανθρωπότητα (n) [anthropotita] mankind, humanity.
ανθρωποφαγία (ε) [anthropofayia] cannibalism.
ανθρωποφάγος (ο) [anthropofagos] cannibal.
ανθυγιεινός-ή-ό (ε) [anthiyiinos] unhealthy, insanitery.
ανθυπασπιστής (ο) [anthipaspistis] warrant officer.
ανθυπολοχαγός (ο) [anthipolohagos] second lieutenant.
ανθυποσμηναγός (ο) [anthiposminagos] pilot officer.
ανιαρός-ή-ό (ε) [aniaros] boring.
ανίατος-η-ο (ε) [aniatos] incurable.
ανίδεος-η-ο (ε) [anidheos] ignorant, clueless, inept.
ανιδιοτέλεια (n) [anidhiotelia] unselfishness, altruism.
ανιδιοτελής-ής-ές (ε) [anidhiotelis] unselfish, disinterested.
ανικανοποίητος-η-ο (ε) [anikanopiitos] unsatisfied, choosy.
ανίκανος-η-ο (ε) [anikanos] incapable, unable, unfit, impotent.
ανικανότητα (n) [anikanotita] inability, incapability.
ανίκητος-η-ο (ε) [anikitos] unbeaten, unbeatable.
ανισορροπία (n) [anisorropia] imbalance, unbalance.
ανισόρροπος-η-ο (ε) [anisorropos] insane, absent-minded.
άνισος-η-ο (ε) [anisos] unequal.
ανισότητα (n) [anisotita] unfairness.
ανίσχυρος-η-ο (ε) [anishiros] powerless, weak, impotent.
ανίσως (συν) [anisos] if.
άνιφτος-η-ο (ε) [aniftos] unwashed.
ανίχνευση (n) [anihnefsi] detection.
ανιχνεύω (ρ) [anihnevo] detect,

trace, track, scan, search.
ανοδικός-ή-ό (ε) [anodhikos] upward, anodic [ηλεκτρ], rising.
άνοδος (η) [anodhos] accession.
ανοησία (η) [anoisia] foolishness.
ανόητος-η-ο (ε) [anoitos] foolish.
ανόθευτος-η-ο (ε) [anotheftos] unadulterated, pure, unalloyed.
άνοιγμα (το) [anigma] opening.
ανοίγω (ρ) [anigo] open.
ανοικοδόμηση (η) [anikodhomisi] reconstruction, rebuilding.
ανοικοδομώ (ρ) [anikodhomo] rebuild, reconsruct.
ανοικοκύρευτος-η-ο (ε) [anikokireftos] untidy, disorganized.
ανοικτά (επ) [anikta] barely.
άνοιξη (η) [aniksi] spring.
ανοιξιάτικος-η-ο (ε) [aniksiatikos] spring.
ανοιχτά (επ) [anihta] aboveboard.
ανοιχτήρι (το) [anihtiri] opener.
ανοιχτόκαρδα (επ) [anihtokardha] cheerfully.
ανοιχτός-ή-ό (ε) [anihtos] open, light [για χρώματα], frank.
ανομβρία (η) [anomvria] drought.
ανομία (η) [anomia] offense.
ανομοιόμορφος-η-ο (ε) [anomiomorfos] dissimilar, unequal.
ανόμοιος-α-ο (ε) [anomios] different.
ανομοιότητα (η) [anomiotita] difference, dissimilarity.
άνομος-η-ο (ε) [anomos] illegal.
ανοξείδωτος-η-ο (ε) [anoksidhotos] stainless, rustproof.
ανοργάνωτος-η-ο (ε) [anorganotos] disorganized.
ανόργωτος-η-ο (ε) [anorgotos] unploughed, uncultivated.
ανορεξία (η) [anoreksia] loss of appetite, listlessness.
ανορθογραφία (η) [anorthografia] misspelling.
ανορθόδοξος-η-ο (ε) [anorthodhoxos] unorthodox.
ανορθώνω (ρ) [anorthono] lift up, restore, rear, set up, raise.
ανόρθωση (η) [anorthosi] rearing.
ανοσία (η) [anosia] immunity.
ανοσοποίηση (η) [anosopiisi] immunization.
ανόσιος-α-ο (ε) [anosios] sacrilegious, unholy.
ανοσιούργημα (το) [anosiuryima] sacrilege, odius crime.
άνοστος-η-ο (ε) [anostos] insipid, tasteless.
ανούσιος-α-ο (ε) [anusios] insipid.
ανοχή (η) [anohi] tolerance.
ανταγωνίζομαι (ρ) [andagonizome] compete, vie [with], rival.
ανταγωνισμός (ο) [andagonismos] rivalry, race, antagonism.
ανταγωνιστής (ο) [andagonistis]

competitor, opponent, rival.
ανταγωνιστικός-ή-ό (ε) [andagonistikos] competitive.
ανταλλαγή (η) [andallayi] exchange, interchange, barter.
ανταλλάσσω (ρ) [andallasso] exchange, interchange, swap.
αντάμα (επ) [andama] together.
ανταμείβω (ρ) [andamivo] reward.
ανταμοιβή (η) [andamivi] return.
ανταμώνω (ρ) [andamono] meet.
αντάμωση (η) [andamosi] meeting.
αντανάκλαση (η) [andanaklasi] reflection, reverberation.
αντανακλαστικό (το) [andanaklastiko] reflex.
αντανακλώ (ρ) [andanaklo] reflect.
αντάξιος-α-ο (ε) [andaksios] worthy.
ανταπαίτηση (η) [andapetisi] counterclaim.
ανταπάντηση (η) [andapandisi] retort, repartee.
ανταπαντώ (ρ) [andapando] retort.
ανταπεργία (η) [andaperyia] lockout.
ανταποδίνω (ρ) [andapodhino] return, repay, reciprocate.
ανταπόδοση (η) [andapodhosi] return, reciprocation.
ανταποκρίνομαι (ρ) [andapokrinome] correspond to, tally.
ανταπόκριση (η) [andapokrisi] correspondence, response.
ανταποκριτής (ο) [andapokritis] correspondent, reporter.
αντάρα (η) [andara] mist, fog, storm, uproar.
ανταρκτικός-ή-ό (ε) [andarktikos] antarctic.
ανταρσία (η) [andarsia] rebellion, mutiny, insurrection.
αντάρτης (ο) [andartis] rebel.
αντάρτικος-η-ο (ε) [andartikos] partisan, rebellious, guerilla.
ανταύγεια (η) [andavyia] brilliance.
άντε! (επιφ) [ande!] come on.
αντέγκληση (η) [andenglisi] recrimination, counterblast.
αντεθνικός-ή-ό (ε) [andethnikos] unpatriotic, antinational.
αντεισήγηση (η) [andisiyisi] counter-proposal.
αντεκδίκηση (η) [andekdhikisi] reprisal, retaliation, revenge.
αντεκδικούμαι (ρ) [andekdhikume] take revenge, retaliate.
αντένα (η) [andena] aerial.
αντενεργώ (ρ) [andenergo] react.
αντεπανάσταση (η) [andepanastasi] counterrevolution.
αντεπαναστάτης (ο) [andepanastatis] counterrevolutionary.
αντεπεξέρχομαι (ρ) [andepekserhome] cope, manage, be up to.
αντεπίθεση (η) [andepithesi] counterattack.

αντεπιστημονικός-ή-ό (ε) [andepistimonikos] unscientific.
αντεραστής (ο) [anderastis] rival.
αντεργατικός-ή-ό (ε) [andergatikos] anti-labour, anti-union.
άντερο (το) [andero] intestine.
αντέχω (ρ) [andeho] endure.
αντζούγια (η) [andzuyia] anchovy.
αντηλιά (η) [andilia] glare.
αντήχηση (η) [andihisi] echo.
αντηχώ (ρ) [andiho] echo.
αντί (π) [andi] in exchange for.
αντιαεροπορικός-ή-ό (ε) [andiaeroporikos] anti-aircraft.
αντιαρματικός-ή-ό (ε) [andiarmatikos] antitank.
αντιβαίνω (ρ) [andiveno] be contrary, be opposed to.
αντίβαρο (το) [andivaro] counterweight, counterbalance.
αντιβασιλεία (η) [andivasilia] regency.
αντιβασιλιάς (ο) [andivasilias] regent.
αντιβασιλικός-ή-ό (ε) [andivasilikos] antiroyalist.
αντιβιοτικό (το) [andiviotiko] antibiotic.
αντιγνωμία (η) [andignomia] dissent, conflict of.
αντιγραφέας (ο) [andigrafeas] copyist, copier, cribber.
αντιγραφή (η) [andigrafi] copy, copying, transcription, cribbing.
αντίγραφο (το) [andigrafo] copy.
αντιγράφω (ρ) [andigrafo] copy, imitate, crib, duplicate.
αντιδημοκρατικός-ή-ό (ε) [andidhimokratikos] antidemocratic.
αντίδι (το) [andidhi] endive.
αντίδικος-η-ο (ε) [andidhikos] opponent, adverse party.
αντίδοτο (το) [andidhoto] antidote.
αντίδραση (η) [andidhrasi] reaction.
αντιδραστήρας (ο) [andidhrastiras] reactor.
αντιδραστικός-ή-ό (ε) [andidhrastikos] reactionary.
αντιδρώ (ρ) [andidhro] react, respond.
αντίδωρο (το) [andidhoro] holy bread.
αντιζηλία (η) [andizilia] rivalry.
αντίθεος (ο) [antitheos] godless.
αντίθεση (η) [andithesi] contrast, antagonism, antithesis.
αντίθετος-η-ο (ε) [andithetos] contrary, opposite, opposed.
αντίκα (η) [andika] antique.
αντικαθιστώ (ρ) [andikathisto] replace, relieve, deputize for.
αντικαθρεφτίζω (ρ) [andikathreftizo] reflect, mirror.
αντικανονικός-ή-ό (ε) [andikanonikos] irregular.
αντικατασκοπεία (η) [andikataskopia] counter-espionage.

αντικατάσταση (η) [andikatastasi] replacement, substitution.
αντικαταστάτης (ο) [andikatastatis] successor, replacer.
αντικατοπτρισμός (ο) [andikatoptrismos] mirage, reflection.
αντίκειμαι (ρ) [andikime] be opposed to, be contrary to.
αντικειμενικός-ή-ό (ε) [andikimenikos] objective, unbiassed.
αντικειμενικότητα (η) [andikimenikotita] objectivity.
αντικείμενο (το) [andikimeno] object, thing, topic, chose [νομ].
αντίκλητος (ο) [andiklitos] attorney.
αντικομμουνισμός (ο) [andikommunismos] anticommunism.
αντικομμουνιστής (ο) [antikomunistis] anticommunist.
αντικομμουνιστικός-ή-ό (ε) [antikomunistikos] anticommunist.
αντικρίζω (ρ) [andikrizo] see.
αντικρινός-ή-ό (ε) [andikrinos] opposite, facing, across.
αντικριστά (επ) [andikrista] opposite, facing each other.
αντικρούω (ρ) [andikruo] refute.
αντίκρυ (επ) [andikri] opposite.
αντίκτυπος (ο) [andiktipos] repercussion, effect, result, impact.
αντικυκλώνας (ο) [andikiklonas] high, anticyclone.
αντιλαϊκός-ή-ό (ε) [andilaikos] unpopular, anti-popular.
αντίλαλος (ο) [andilalos] echo.
αντιλαμβάνομαι (ρ) [andilamvanome] understand, grasp.
αντιλέγω (ρ) [andilego] contradict.
αντιληπτός-ή-ό (ε) [andiliptos] understandable, perceivable.
αντίληψη (η) [andilipsi] understanding, conception.
αντιλογία (η) [andiloyia] objection.
αντιλόπη (η) [andilopi] antelope.
αντιμάμαλο (το) [andimamalo] undertow, backwash.
αντιμάχομαι (ρ) [andimahome] fight against, struggle against.
αντίμετρο (το) [andimetro] reprisal.
αντιμετωπίζω (ρ) [andimetopizo] confront, face, cope with.
αντιμετώπιση (η) [andimetopisi] coping with, confrontation.
αντιμέτωπος-η-ο (ε) [andimetopos] face to face, confronting.
αντιμιλώ (ρ) [andimilo] contradict.
αντιμισθία (η) [andimisthia] pay.
αντιναύαρχος (ο) [andinavarhos] vice-adrmiral.
αντινομία (η) [andinomia] paradox.
αντίξοος-η-ο (ε) [andiksoos] adverse, unfavourable.
αντίο! (επιφ) [andio!] goodbye.
αντιολισθητικός-ή-ό (ε) [andiolisthitikos] antiskid, non-skid.
αντιπάθεια (η) [andipathia] antipathy, aversion, dislike.

αντιπαθητικός-ή-ό (ε) [andipathitikos] detestable.
αντιπαθώ (ρ) [andipatho] dislike.
αντιπαλεύω (ρ) [andipalevo] wrestle.
αντίπαλος-η-ο (ε) [andipalos] opponent, enemy [στρατ], rival.
αντιπαραβάλλω (ρ) [andiparavallo] check up on, compare.
αντιπαράσταση (η) [andiparastasi] cross-examination.
αντιπαρατάσσω (ρ) [andiparatasso] line up, marshal, array.
αντιπαρέρχομαι (ρ) [andiparerhome] escape, ignore, pass over.
αντιπαροχή (η) [antiparohi] repaying, in exchange for.
αντίπερα (επ) [andipera] across.
αντιπερισπασμός (ο) [andiperispasmos] distraction, diversion.
αντιπληθωριστικός-ή-ό (ε) [andiplithoristikos] deflationary.
αντιπλοίαρχος (ο) [andipliarhos] lieutenant commander.
αντιποίηση (η) [andipiisi] usurpation, encroachment.
αντίποινα (τα) [andipina] reprisals.
αντιπολίτευση (η) [andipolitefsi] opposition.
αντίπραξη (η) [andipraksi] opposition, competition.
αντιπρόεδρος (ο) [andiproedhros] vice-president.
αντιπροσωπεία (η) [andiprosopia] delegation, deputation.
αντιπροσώπευση (η) [andiprosopefsi] representation.
αντιπροσωπεύω (ρ) [andiprosopevo] stand for, deputize.
αντιπρόσωπος (ο) [andiprosopos] representative, proxy.
αντιπροτείνω (ρ) [andiprotino] propose, repropose.
αντιπρύτανης (ο) [andipritanis] vice-rector, deputy dean.
αντίρρηση (η) [andirrisi] objection.
αντίρροπος-η-ο (ε) [andirropos] opposite, counterbalancing.
αντισεισμικός-ή-ό (ε) [andisismikos] antiseismic.
αντισηπτικός-ή-ό (ε) [andisiptikos] antiseptic.
αντισμήναρχος (ο) [andisminarhos] wing commander.
αντισταθμίζω (ρ) [andistathmizo] balance, counterbalance.
αντιστάθμισμα (το) [andistathmisma] compensation, offset.
αντίσταση (η) [andistasi] resistance.
αντιστέκομαι (ρ) [andistekome] resist, oppose, withstand.
αντιστήριγμα (το) [andistirigma] support, buttress, mainstay.
αντιστοιχία (η) [andistihia] correspondence, equivalence.
αντίστοιχο (το) [andistiho] correlate.
αντίστοιχος-η-ο (ε) [andistihos]

corresponding, equivalent.
αντιστρατεύομαι (ρ) [andistratevome] conflict, clash with.
αντιστράτηγος (ο) [andistratigos] lieutenant-general.
αντιστρέφω (ρ) [andistrefo] invert.
αντιστροφή (η) [andistrofi] reversal.
αντίστροφος-η-ο (ε) [andistrofos] reverse, reciprocal, converse.
αντισυλληπτικό (το) [andisiliptiko] contraceptive.
αντισυνταγματάρχης (ο) [andisindagmatarhis] lieutenant-colonel.
αντισυνταγματικός-ή-ό (ε) [andisindagmatikos] unconstitutional.
αντίσωμα (το) [andisoma] antibody.
αντιτάσσω (ρ) [anditasso] oppose.
αντιτείνω (ρ) [anditino] object.
αντίτιμο (το) [anditimo] value.
αντιτορπιλικό (το) [anditorpiliko] destroyer, torpedo boat.
αντίτυπο (το) [anditipo] copy.
αντίφαση (η) [andifasi] contradiction, inconsistency.
αντιφάσκω (ρ) [andifasko] contradict oneself.
αντιφατικός-ή-ό (ε) [andifatikos] contradictory, inconsistent.
αντιφεγγιά (η) [andifengia] glow.
αντίχειρας (ο) [andihiras] thumb.
αντίχριστος-η-ο (ε) [andihristos] Antichrist.
αντιψυκτικό (το) [andipsiktiko] antifreeze.
αντλία (η) [andlia] pump.
αντλώ (ρ) [andlo] pump.
αντοχή (η) [andohi] resistance.
αντράκλα (η) [andrakla] purslane.
άντρας (ο) [andras] man, husband.
αντρειοσύνη (η) [andriosini] bravery, gallantry, courage.
αντρειωμένος-η-ο (ε) [andriomenos] brave, fearless, gallant.
αντρίκειος-α-ο (ε) [andrikios] manlike, virile, masculine.
αντρογυναίκα (η) [androyineka] virago, masculine woman.
αντωνυμία (η) [andonimia] pronoun.
ανυδρία (η) [anidhria] drought.
άνυδρος-η-ο (ε) [anidhros] dry, arid, parched, anhŷdrous.
ανυπακοή (η) [anipakoi] disobedience, insubordination.
ανύπανδρος-η-ο (ε) [anipandhros] bachelor, spinster.
ανύπαρκτος-η-ο (ε) [aniparktos] non-existent, unreal.
ανυπεράσπιστος-η-ο (ε) [aniperaspistos] unprotected.
ανυπέρβλητος-η-ο (ε) [anipervlitos] insurmountable unrivalled.
ανυπόγραφος-η-ο (ε) [anipografos] unsigned.
ανυπόκριτος-η-ο (ε) [anipokri-

tos] undisguised, genuine.
ανυπόληπτος-η-ο (ε) [anipoliptos] disreputable, discredited.
ανυπολόγιστος-η-ο (ε) [anipoloyistos] immesurable.
ανυπομονησία (η) [anipomonisia] impatience, eagerness.
ανυπόμονος-η-ο (ε) [anipomonos] impatient, rash, impetuous.
ανυπομονώ (ρ) [anipomono] be impatient, be anxious.
ανύποπτος-η-ο (ε) [anipoptos] unsuspecting, not suspected.
ανυποστήριχτος-η-ο (ε) [anipostirihtos] untenable.
ανυπότακτος-η-ο (ε) [anipotaktos] insubordinate.
ανυποταξία (η) [anipotaksia] draft evasion.
ανυπόφορος-η-ο (ε) [anipoforos] intolerable, excruciating.
ανυποχώρητος-η-ο (ε) [anipohoritos] uncompromising.
ανυποψίαστος-η-ο (ε) [anipopsiastos] unsuspecting, guileless.
ανυφαντής (ο) [anifandis] weaver.
ανυψώνω (ρ) [anipsono] raise, praise.
ανύψωση (η) [anipsosi] rise.
άνω (επ) [ano] up, above.
ανώδυνος-η-ο (ε) [anodhinos] painless, slight.
άνωθεν (επ) [anothen] from above.
άνω-κάτω (επ) [ano-kato] upset.
ανώμαλος-η-ο (ε) [anomalos] irregular, abnormal, anomalous.
ανωνυμία (η) [anonimia] anonymity, incognito.
ανώνυμος-η-ο (ε) [anonimos] anonymous, unnamed.
ανώριμος-η-ο (ε) [anorimos] unripe.
ανώτατος-η-ο (ε) [anotatos] highest.
ανώτερος-η-ο (ε) [anoteros] superior, upper, noble, elevated.
ανωτερότητα (η) [anoterotita] superiority, nobility, supremacy.
ανωτέρω (επ) [anotero] above.
ανώφελα (επ) [anofela] uselessly.
ανωφέλεια (η) [anofelia] inutility.
ανώφελος-η-ο (ε) [anofelos] useless.
άξαφνα (επ) [aksafna] suddenly.
αξεδιάλυτος-η-ο (ε) [aksedhialitos] insoluble, unsolved.
άξενος-η-ο (ε) [aksenos] inhospitable, forbidding.
αξεπέραστος-η-ο (ε) [akseperastos] unrivalled, unsurpassed.
αξετίμητος-η-ο (ε) [aksetimitos] invaluable, priceless.
αξέχαστος-η-ο (ε) [aksehastos] unforgotten, memorable.
αξία (η) [aksia] value, price.
αξιαγάπητος (ο) [aksiagapitos] lovable, amiable, dear, lovely.
αξιέπαινος-η-ο (ε) [aksiepenos] praiseworthy, creditable.

αξίζω (ρ) [aksizo] be worth.
αξίνα (n) [aksina] pickaxe.
αξιοδάκρυτος-n-o (ε) [aksiodhakritos] pitiable, deplorable.
αξιοζήλευτος-n-o (ε) [aksiozileftos] enviable.
αξιοθαύμαστος-n-o (ε) [aksiothavmastos] wonderful.
αξιοθέατα (τα) [aksiotheata] sights.
αξιοθρήνητος-n-o (ε) [aksiothrinitos] deplorable, sad.
αξιοκατάκριτος-n-o (ε) [aksiokatakritos] blameworthy.
αξιοκαταφρόνητος-n-o (ε) [aksiokatafronitos] disgraceful.
αξιολάτρευτος-n-o (ε) [aksiolatreftos] adorable, charming.
αξιόλογος-n-o (ε) [aksiologos] remarkable, distinguished.
αξιολύπητα (επ) [aksiolipita] pitiful.
αξιόμαχος-n-o (ε) [aksiomahos] well-trained, effective.
αξιομνημόνευτος-n-o (ε) [aksiomnimoneftos] memorable.
αξιοπαρατήρητος-n-o (ε) [aksioparatiritos] striking.
αξιοπερίεργος-n-o (ε) [aksioperiergos] uncommon, curious.
αξιόπιστα (επ) [aksiopista] credibly.
αξιόπιστος-n-o (ε) [aksiopistos] reliable, creditable.
αξιοποίnσn (n) [aksiopiisi] development, exploitation.
αξιόποινος-n-o (ε) [aksiopinos] punishable, criminal.
αξιοποιώ (ρ) [aksiopio] develop.
αξιοπρέπεια (n) [aksioprepia] dignity, self-respect.
αξιοπρεπής-ής-ές (ε) [aksioprepis] decent, self-respecting.
άξιος (o) [aksios] capable.
αξιοσέβαστος-n-o (ε) [aksiosevastos] venerable, respectable.
αξιοσημείωτος-n-o (ε) [aksiosimiotos] noteworthy, notable.
αξιότιμος-n-o (ε) [aksiotimos] estimable, honourable.
αξιόχρεος-n-o (ε) [aksiohreos] solvent, reliable, safe, sound.
αξιώ (ρ) [aksio] exact, demand.
αξίωμα (το) [aksioma] office,.
αξιωματικός (o) [aksiomatikos] officer, commissioned.
αξιωματούχος-ος-o (ε) [aksiomatuhos] dignitary, official.
αξιώνω (ρ) [aksiono] claim.
αξίωσn (n) [aksiosi] claim.
άξονας (o) [aksonas] axle, axis.
άοκνος-n-o (ε) [aoknos] tireless.
αόμματος (o) [aommatos] blind.
άοπλος-n-o (ε) [aoplos] unarmed.
αόρατος-n-o (ε) [aoratos] invisible.
αοριστία (n) [aoristia] vagueness.
αόριστος (o) [aoristos] past tense [γραμ], invisible, vague.
αορτήρας (o) [aortiras] strap.
άοσμος-n-o (ε) [aosmos] odourless.
απαγγελία (n) [apangelia] recitation.

απαγγέλλω (ρ) [apangello] recite.
απαγκιστρώνω (ρ) [apangistrono] unhook, disengage, unhitch.
απαγκίστρωση (n) [apangistrosi] disengagement, extrication.
απαγόρευση (n) [apagorefsi] ban.
απαγορευτικός-ή-ό (ε) [apagoreftikos] prohibitive, inhibitory.
απαγορεύω (ρ) [apagorevo] prohibit, forbid, ban, inhibit.
απαγχονίζω (ρ) [apaghonizo] hang.
απάγω (ρ) [apago] kidnap.
απαγωγέας (ο) [apagoyeas] abductor.
απαγωγή (n) [apagoyi] abduction, eloping.
απάθεια (n) [apathia] apathy.
απαθής-ής-ές (ε) [apathis] apathetic.
απαίδευτος-n-o (ε) [apedheftos] uneducated, untrained.
απαίσια (επ) [apesia] awfully.
απαισιοδοξία (n) [apesiodhoksia] pessimism, gloom.
απαίσιος-α-ο (ε) [apesios] awful, frightful, ghastly.
απαίτηση (n) [apetisi] claim.
απαιτητικός-ή-ό (ε) [apetitikos] demanding, importunate.
απαιτητός-ή-ό (ε) [apetitos] due.
απαιτώ (ρ) [apeto] claim, demand.
απαλείφω (ρ) [apalifo] delete.
απάλειψη (n) [apalipsi] taking out.
απαλλαγή (n) [apallayi] deliverance, release, exemption.
απαλλαγμένος-n-o (μ) [apallagmenos] free from, clear of.
απαλλάσσω (ρ) [apallasso] deliver, relieve, exempt, absolve.
απαλός-ή-ό (ε) [apalos] soft, smooth.
απάλυνση (n) [apalinsi] easing.
απαλύνω (ρ) [apalino] soften.
απαμβλύνω (ρ) [apamvlino] dull.
απανθρακώνω (ρ) [apanthrakono] char, burn up, burn down.
απανθρωπιά (n) [apandhropia] inhumanity, cruelty, atrocity.
απάνθρωπος-n-o (ε) [apanthropos] inhuman, cruel.
απαντέχω (ρ) [apandeho] hope for.
απάντηση (n) [apandisi] answer.
απαντοχή (n) [apandohi] hope.
απαντώ (ρ) [apando] answer.
άπαξ (επ) [apaks] once.
απαξία (n) [apaksia] demerit, scorn.
απαξιώνω (ρ) [apaksiono] not deign.
απαραβίαστος-n-o (ε) [aparaviastos] intact, inviolate.
απαράγραπτος-n-o (ε) [aparagraptos] inalienable.
απαράδεκτος-n-o (ε) [aparadhektos] unacceptable.
απαραίτητος-n-o (ε) [aparetitos] indispensable, necessary.
απαράλλακτος-n-o (ε) [aparallaktos] identical, unchanged.

απαράμιλλος-η-ο (ε) [aparamillos] unrivalled, peerless.
απαρατήρητος-η-ο (ε) [aparatiritos] unnoticed, unobserved.
απαρέμφατο (το) [aparemfato] infinitive.
απαρίθμηση (η) [aparithmisi] enumeration, recitation.
απαριθμώ (ρ) [aparithmo] count.
απάρνηση (η) [aparnisi] renunciation, disavowal.
απαρνιέμαι (ρ) [aparnieme] renounce, deny, disavow, disown.
απαρτία (η) [apartia] quorum.
απαρτίζω (ρ) [apartizo] form, constitute, make up, compose.
απαρχαιωμένος-η-ο (μ) [aparheomenos] obsolete.
απαρχή (η) [aparhi] outset.
απασχολημένος-η-ο (μ) [apasholimenos] busy, at work.
απασχόληση (η) [apasholisi] job.
απασχολώ (ρ) [apasholo] employ.
απατεώνας (ο) [apateonas] cheat.
απάτη (η) [apati] fraud, hoax.
απατηλά (επ) [apatila] artfully.
απατηλός-ή-ό (ε) [apatilos] deceptive, false, delusive.
απάτητος-η-ο (ε) [apatitos] untrodden, pathless, inaccessible.
άπατος-η-ο (ε) [apatos] bottomless.
απατώ (ρ) [apato] deceive.
απαυτώνω (ρ) [apaftono] screw.
άπαχος-η-ο (ε) [apahos] lean.
απεγνωσμένος-η-ο (μ) [apegnosmenos] desperate, frantic.
απειθάρχητος-η-ο (ε) [apitharhitos] undisciplined, wild.
απειθαρχία (η) [apitharhia] insubordination, lack of discipline.
απειθαρχώ (ρ) [apitharho] disobey.
απείθεια (η) [apithia] disobedience.
απειθής-ής-ές (ε) [apithis] disobedient, contumacious.
απεικονίζω (ρ) [apikonizo] represent, portray, depict, describe.
απεικόνιση (η) [apikonisi] representation, depiction, portrayal.
απειλή (η) [apili] threat.
απειλητικός-ή-ό (ε) [apilitikos] threatening, menacing.
απειλώ (ρ) [apilo] threaten.
απειράριθμος-η-ο (ε) [apirarithmos] countless.
απειρία (η) [apiria] inexperience, immensity.
άπειρο (το) [apiro] infinity.
άπειρος-η-ο (ε) [apiros] infinite.
απέκκριση (η) [apekrisi] excretion.
απέλαση (η) [apelasi] deportation.
απελαύνω (ρ) [apelavno] deport.
απελευθερώνω (ρ) [apeleftherono] emancipate, liberate.
απελευθέρωση (η) [apeleftherosi] liberation, emancipation.
απελευθερωτής (ο) [apeleftherotis] liberator, deliverer.

απελευθερωτικός-ή-ό (ε) [apeleftherotikos] liberation.
απελπίζω (ρ) [apelpizo] drive to despair, grieve, distress.
απελπισία (n) [apelpisia] despair.
απελπισμένος-η-ο (μ) [apelpismenos] desperate, hopeless.
απελπιστικός-ή-ό (ε) [apelpistikos] hopeless, desperate.
απέναντι (επ) [apenandi] opposite.
απεναντίας (επ) [apenandias] on the contrary.
απένταρος-η-ο (ε) [apendaros] penniless, broke, bust.
απέξω (επ) [apekso] exterior.
απέραντος-η-ο (ε) [aperandos] endless, vast, immense.
απεραντοσύνη (n) [aperandosini] vastness, infinity, immensity.
απεργία (n) [aperyia] strike.
απεργός (ο) [apergos] striker.
απεργοσπάστης (ο) [apergospastis] blackleg, scab, fink.
απεργώ (ρ) [apergo] strike.
απερίγραπτος-η-ο (ε) [aperigraptos] indescribable, nameless.
απεριόριστος-η-ο (ε) [aperioristos] unlimited, limitless.
απεριποίητος-η-ο (ε) [aperipiitos] neglected, uncared.
απερίσκεπτος-η-ο (ε) [aperiskeptos] foolish, headless, rash.
απερισκεψία (n) [aperiskepsia] imprudence, recklessness.
απερίσπαστος-η-ο (ε) [aperispastos] concentrated.
απερίφραστος-η-ο (ε) [aperifrastos] explicit, flat, outright.
απέρχομαι (ρ) [aperhome] leave.
απεσταλμένος-η-ο (μ) [apestalmenos] envoy, delegate.
απευθείας (επ) [apefthias] straight.
απευθύνομαι (ρ) [apefthinome] apply, appeal, address, direct to.
απευθύνω (ρ) [apefthino] address.
απευκταίος-α-ο (ε) [apefkteos] undesirable, unfortunate.
απεχθάνομαι (ρ) [apehthanome] detest, loathe, hate.
απέχθεια (n) [apehthia] abhorrence, revulsion, repugnence.
απεχθής-ής-ές (ε) [apehthis] repulsive, detestable, loathsome.
απέχω (ρ) [apeho] be distant.
απηρχαιωμένος-η-ο (μ) [apirheomenos] antiquated.
απήχηση (n) [apihisi] effect.
απηχώ (ρ) [apiho] echo.
άπιαστος-η-ο (ε) [apiastos] intact.
απίδι (το) [apidhi] pear.
απίθανος-η-ο (ε) [apithanos] unlikely, implausible.
απιστία (n) [apistia] unfaithfulness.
άπιστος-η-ο (ε) [apistos] faithless, infidel, unfaithful.
απιστώ (ρ) [apisto] be unfaithful.
απλά (επ) [apla] simply.
άπλα (n) [apla] spaciousness.

απλανής-ής-ές (ε) [aplanis] blank.
άπλετος-η-ο (ε) [apletos] abundant, ample.
απλήρωτος-η-ο (ε) [aplirotos] unfilled, unpaid, unsettled.
απλησίαστος-η-ο (ε) [aplisiastos] unapproachable.
απληστία (η) [aplistia] greed.
άπληστος-η-ο (ε) [aplistos] avid.
απλοϊκός-ή-ό (ε) [aploikos] naive.
απλοποιώ (ρ) [aplopio] simplify.
απλός-ή-ό (ε) [aplos] simple, plain.
απλότητα (η) [aplotita] simplicity.
απλούστατα (επ) [aplustata] simply.
απλοχέρης-α-ικο (ε) [aploheris] generous, bountiful.
απλοχεριά (η) [aploheria] generosity, largesse, openhandedness.
απλόχερος-η-ο (ε) [aploheros] flush.
απλόχωρος-η-ο (ε) [aplohoros] roomy, spacious.
άπλυτα (τα) [aplita] dirty linen.
άπλυτος-η-ο (ε) [aplitos] unwashed.
άπλωμα (το) [aploma] spreading.
απλώνω (ρ) [aplono] spread.
απλώς (επ) [aplos] simply.
απλωτός-ή-ό (ε) [aplotos] outstretched, outspread, flat, even.
άπνοια (η) [apnia] lack of wind.
από (π) [apo] from, of, by.
αποβάθρα (η) [apovathra] pier.
αποβαίνω (ρ) [apoveno] end in.
αποβάλλω (ρ) [apovallo] reject.
απόβαση (η) [apovasi] landing.
αποβιβάζω (ρ) [apovivazo] unload.
αποβίβαση (η) [apovivasi] landing.
αποβλακώνω (ρ) [apovlakono] stupefy, make stupid, make dull.
αποβλέπω (ρ) [apovlepo] consider.
απόβλητα (τα) [apovlita] waste.
απόβλητος-η-ο (ε) [apovlitos] outcast, castaway.
αποβολή (η) [apovoli] dismissal, miscarriage.
απόβρασμα (το) [apovrasma] scum.
απογαλακτισμός (ο) [apogalaktismos] weaning.
απόγειο (το) [apoyio] apogee, zenith.
απόγειος-α-ο (ε) [apoyios] land breeze.
απογειώνομαι (ρ) [apoyionome] take off.
απογείωση (η) [apoyiosi] blastoff, take off.
απόγεμα (το) [apoyema] afternoon.
απογεμίζω (ρ) [apoyemizo] fill up.
απόγευμα (το) [apoyevma] afternoon.
απογίνομαι (ρ) [apoyinome] become of.
απόγνωση (η) [apognosi] despair, desperation.

απογοητευμένος-η-ο (μ) [apogoitevmenos] disappointed.
απογοήτευση (η) [apogoitefsi] disappointment.
απογοητεύω (ρ) [apogoitevo] disappoint, disillusion.
απόγονος (ο)-(η) [apogonos] descendant.
απογραφή (η) [apografi] census.
απογυμνώνω (ρ) [apoyimnono] strip, lay bare.
αποδεικτικός-ή-ό (ε) [apodhiktikos] illustrative.
απόδειξη (η) [apodhiksi] proof, receipt.
αποδείχνω (ρ) [apodhihno] prove, demonstrate.
αποδεκατίζω (ρ) [apodhekatizo] decimate.
αποδέκτης (ο) [apodhektis] acceptor, receiver.
αποδεκτός-ή-ό (ε) [apodhektos] acceptable, accepted.
αποδελτιώνω (ρ) [apodheltiono] index.
αποδεσμεύω (ρ) [apodhesmevo] release, unleash.
αποδέχομαι (ρ) [apodhehome] accept, admit.
αποδημητικός-ή-ό (ε) [apodhimitikos] migratory.
απόδημος-η-ο (ε) [apodhimos] emigrant.
αποδημώ (ρ) [apodhimo] emigrate.
αποδίδω (ρ) [apodhidho] credit, render, repay, return.
αποδιοπομπαίος-α-ο (ε) [apodhiopombeos] scapegoat.
αποδιοργανώνω (ρ) [apodhiorganono] disorganize, dislocate.
αποδιοργάνωση (η) [apodhiorganosi] disorganization.
αποδιώχνω (ρ) [apodhiohno] dismiss, turn away, turn out.
αποδοκιμάζω (ρ) [apodhokimazo] disapprove of, deplore.
αποδοκιμασία (η) [apodhokimasia] disapproval, rejection.
απόδοση (η) [apodhosi] return.
αποδοτέος-α-ο (ε) [apodhoteos] chargeable.
αποδοτικός-ή-ό (ε) [apodhotikos] efficient, profitable.
αποδοτικότητα (η) [apodhotikotita] efficiency, capacity.
αποδοχή (η) [apodhohi] acceptance.
απόδραση (η) [apodhrasi] escape.
αποδυναμώνω (ρ) [apodhinamono] weaken, sap.
αποδυνάμωση (η) [apodhinamosi] weakening.
αποδύομαι (ρ) [apodhiome] throw oneself into.
αποδυτήριο (το) [apodhitirio] changing room, locker room.
αποζημιώνω (ρ) [apozimiono] compensate, indemnify.
αποζημίωση (η) [apozimiosi]

compensation, indemnity.
αποζητώ (ρ) [apozito] miss.
απόηχος (ο) [apoihos] echo.
αποθαρρυμένος-η-ο (μ) [apotharrimenos] discouraged.
αποθάρρυνση (η) [apotharrinsi] discouragement, dejection.
αποθαρρύνω (ρ) [apotharrino] discourage, daunt.
αποθαυμάζω (ρ) [apothavmazo] admire.
απόθεμα (το) [apothema] deposit, stock, reserve.
αποθεματικό (το) [apothematiko] reserve[fund].
αποθέτω (ρ) [apotheto] deposit.
αποθεωτικός-ή-ό (ε) [apotheotikos] ecstatic, triumphant.
αποθήκευση (η) [apothikefsi] storing, storage.
αποθηκεύω (ρ) [apothikevo] store up, stock.
αποθήκη (η) [apothiki] warehouse.
αποθηριώνω (ρ) [apothiriono] infuriate, enrage.
αποθησαυρίζω (ρ) [apothisavrizo] hoard up, treasure [μεταφ].
αποθρασύνομαι (ρ) [apothrasinome] become arrogant.
αποθράσυνση (η) [apothrasinsi] insolence, cheek.
αποθυμώ (ρ) [apothimo] miss.
αποίκηση (η) [apikisi] emigration.
αποικία (η) [apikia] colony, settlement.
αποικίζω (ρ) [apikizo] settle.
αποικισμός (ο) [apikismos] colonization.
άποικος-η-ο (ε) [apikos] emigrant.
αποκαλυπτήρια (τα) [apokaliptiria] unveiling, unmasking.
αποκαλυπτικός-ή-ό (ε) [apokaliptikos] revealing, unmasking.
αποκαλύπτω (ρ) [apokalipto] disclose, unveil.
αποκάλυψη (η) [apokalipsi] revelation, disclosure, exposure.
αποκαλώ (ρ) [apokalo] call.
αποκαμωμένος-η-ο (μ) [apokamomenos] exhausted.
αποκάνω (ρ) [apokano] get tired of, finish.
αποκαρδιωμένος-η-ο (μ) [apokardhiomenos] disappointed.
αποκαρδιώνω (ρ) [apokardhiono] dishearten, discourage.
αποκαρδίωση (η) [apokardhiosi] discouragement.
αποκαρδιωτικός-ή-ό (ε) [apokardhiotikos] disheartening.
αποκαθισταίνω (ρ) [apokatasteno] restore, rehabilitate.
αποκατάσταση (η) [apokatastasi] restoration, resettlement.
αποκάτω (επ) [apokato] below, under.
απόκεντρος-η-ο (ε) [apokendros] outlying, remote.
αποκεντρώνω (ρ) [apokendrono] decentralize.

αποκέντρωση (η) [apokendrosi] decentralization.
αποκεφαλίζω (ρ) [apokefalizo] decapitate, behead.
αποκηρύσσω (ρ) [apokirisso] renounce, disavow.
αποκλεισμένος-η-ο (μ) [apoklismenos] blocked, surrounded.
αποκλειστικός-ή-ό (ε) [apoklistikos] exclusive, sole.
αποκλείω (ρ) [apoklio] exclude.
απόκληρος-η-ο (ε) [apokliros] outcast.
αποκληρώνω (ρ) [apoklirono] disinherit.
αποκλήρωση (ρ) [apoklirosi] disinheritance.
αποκλίνω (ρ) [apoklino] lean.
απόκλιση (η) [apoklisi] divergence, declination.
αποκοιμίζω (ρ) [apokimizo] lull to sleep, send to sleep.
αποκολλώ (ρ) [apokollo] detach.
αποκομίζω (ρ) [apokomizo] carry away, derive.
απόκομμα (το) [apokomma] press-cutting, clipping, bit, clip.
αποκοπή (η) [apokopi] cutting.
αποκόπτω (ρ) [apokopto] abscind, lop, cut off, cut out.
αποκορύφωμα (το) [apokorifoma] climax, height, heyday.
αποκορυφώνω (ρ) [apokorifono] bring to a head.
απόκοσμος-η-ο (ε) [apokosmos] uncanny, weird.
απόκρημνος-η-ο (ε) [apokrimnos] steep, abrupt, rugged.
αποκριά (η) [apokria] carnival.
αποκρίνομαι (ρ) [apokrinome] answer, respond.
απόκριση (η) [apokrisi] answer.
απόκρουση (η) [apokrusi] repulsion, refutation.
αποκρούω (ρ) [apokruo] repulse, reject, repel.
αποκρύβω (ρ) [apokrivo] conceal, withhold.
αποκρυπτογράφηση (η) [apokriptografisi] decoding.
αποκρυπτογραφώ (ρ) [apokriptografo] decode, decipher.
αποκρυσταλλώνω (ρ) [apokristallono] crystallize.
απόκρυψη (η) [apokripsi] hiding.
απόκτημα (το) [apoktima] acquisition, addition.
αποκτηνωμένος-η-ο (μ) [apoktinomenos] brutish.
αποκτηνώνω (ρ) [apoktinono] brutalize.
απόκτηση (η) [apoktisi] acquisition, acquirement.
αποκτώ (ρ) [apokto] obtain, get.
απολαβή (η) [apolavi] profit.
απολαμβάνω (ρ) [apolamvano] gain, earn, enjoy.
απόλαυση (η) [apolafsi] pleasure.
απολαυστικός-ή-ό (ε) [apolafstikos] enjoyable, delightful.

απολαύω (ρ) [apolavo] enjoy.
απολείπω (ρ) [apolipo] lack.
απολίθωμα (το) [apolithoma] fossil.
απολιθωμένος-η-ο (μ) [apolithomenos] fossilized, petrified.
απολίτιστος-η-ο (ε) [apolitistos] barbarous.
απολογητής (ο) [apoloyitis] advocate.
απολογητικός-ή-ό (ε) [apoloyitikos] apologetic.
απολογία (η) [apoloyia] defence, plea, excuse, apology.
απολογισμός (ο) [apoloyismos] financial statement, review.
απολογούμαι (ρ) [apologume] justify ourselves, apologize.
απολυμαίνω (ρ) [apolimeno] disinfect.
απολύμανση (η) [apolimansi] disinfection.
απόλυση (η) [apolisi] dismissal, discharge.
απολυταρχία (η) [apolitarhia] despotism, autocracy.
απολυταρχικός-ή-ό (ε) [apolitarhikos] authoritarian.
απολυτήριο (το) [apolitirio] certificate.
απόλυτος-η-ο (ε) [apolitos] absolute.
απολυτρώνω (ρ) [apolitrono] deliver, redeem.
απολύτρωση (η) [apolitrosi] deliverance, redemption.
απολύω (ρ) [apolio] release.
απόμακρος-η-ο (ε) [apomakros] distant.
απομάκρυνση (η) [apomakrinsi] removal, lapse, retirement.
απομακρύνω (ρ) [apomakrino] remove, send away, keep off.
απομακρυσμένος-η-ο (μ) [apomakrismenos] faraway, remote.
απόμαχος-η-ο (ε) [apomahos] veteran, pensioner.
απομεινάρι (το) [apominari] remnant, rump.
απομεινάρια (τα) [apominaria] remains, left overs.
απόμερος-η-ο (ε) [apomeros] remote, secluded.
απομέσα (επ) [apomesa] inside.
απομίμηση (η) [apomimisi] copy, imitation.
απομιμούμαι (ρ) [apomimume] imitate, copy, forge.
απομνημονεύματα (τα) [apomnimonevmata] memoirs.
απομνημονεύω (ρ) [apomnimonevo] memorize.
απομονωμένος-η-ο (μ) [apomonomenos] isolated, lonely.
απομονώνω (ρ) [apomonono] isolate, insulate.
απομόνωση (η) [apomonosi] isolation, seclusion.
απομονωτήριο (το) [apomonotirio] isolation ward, solitary

confinement.
απονεκρώνω (ρ) [aponekrono] kill off, deaden.
απονέμω (ρ) [aponemo] award.
απόνερα (τα) [aponera] wake.
απονήρευτος-η-ο (ε) [aponireftos] naive, artless.
απονιά (η) [aponia] cruelty.
απονομή (η) [aponomi] award.
άπονος-η-ο (ε) [aponos] merciless.
αποξενώνω (ρ) [apoksenono] alienate.
αποξένωση (η) [apoksenosi] alienation.
αποξηραντικός-ή-ό (ε) [apoksirantikos] drying, draining.
αποξήρανση (η) [apoksiransi] drying, draining.
αποπαίρνω (ρ) [apoperno] tell off, scold.
αποπάνω (επ) [apopano] on top of, over, above, overhead.
απόπατος (ο) [apopatos] WC.
απόπειρα (η) [apopira] trial.
αποπειρώμαι (ρ) [apopirome] try.
αποπεμπτικός-ή-ό (ε) [apopemptikos] dismissive.
αποπέμπω (ρ) [apopembo] turn away, dismiss, expel.
αποπερατώνω (ρ) [apoperatono] complete, finish, conclude.
αποπεράτωση (η) [apoperatosi] completion, finishing.
αποπίσω (επ) [apopiso] behind.
αποπλάνηση (η) [apoplanisi] seduction, aberration [φωτός].
αποπλανώ (ρ) [apoplano] seduce.
αποπλέω (ρ) [apopleo] sail away.
αποπληξία (η) [apopliksia] stroke.
αποπληρώνω (ρ) [apoplirono] pay up, settle up.
απόπλυμα (το) [apoplima] wash.
αποπνέω (ρ) [apopneo] exhale, give off, send out, emit, exude.
αποπνικτικός-ή-ό (ε) [apopniktikos] chocking, stuffy.
απόπνοια (η) [apopnia] exhalation.
αποποίηση (η) [apopiisi] refusal.
αποποιούμαι (ρ) [apopiume] decline, refuse, disclaim, repulse.
αποπροσανατολίζω (ρ) [apoprosanatolizo] disorientate.
αποπροσανατολισμός (ο) [apoprosanatolismos] disorientation.
απορημένος-η-ο (ε) [aporimenos] puzzled, wondering.
απορία (η) [aporia] question.
άπορος-η-ο (ε) [aporos] needy.
απορρέω (ρ) [aporreo] flow.
απόρρητο (το) [aporrito] secret.
απόρρητος-η-ο (ε) [aporritos] secret.
απορρίμματα (τα) [aporrimmata] rubbish, refuse, offal.
απορρίπτω (ρ) [aporripto] cast off, reject, refuse, abjure.
απορρίχνω (ρ) [aporrihno] miscarry.
απόρριψη (η) [aporripsi] rejection.
απόρροια (η) [aporria] result.

απορροφημένος-η-ο (μ) [aporrofimenos] engrossed, absorbed.
απορροφητήρας (ο) [aporrofitiras] kitchen-hood, absorber.
απορροφώ (ρ) [aporrofo] absorb.
απορρυπαντικό (το) [aporripandiko] detergent.
απορώ (ρ) [aporo] wonder, marvel, be surprized/bewildered
αποσαφηνίζω (ρ) [aposafinizo] clarify, elucidate, explain.
απόσβεση (η) [aposvesi] liquidation, payment.
αποσβολώνω (ρ) [aposvolono] stun, daze, stupefy, disconcert.
αποσιωπητικά (τα) [aposiopitika] points of omission, dots.
αποσκευές (οι) [aposkeves] luggage.
αποσκίρτηση (η) [aposkirtisi] defection, desertion.
αποσκιρτώ (ρ) [aposkirto] defect.
αποσκλήρυνση (η) [aposklirinsi] water-softening.
αποσκοπώ (ρ) [aposkopo] aim.
αποσμητικό (το) [aposmitiko] deodorant.
απόσπαση (η) [apospasi] detachment, detail, breakaway.
απόσπασμα (το) [apospasma] extract, excerpt.
αποσπασματικός-ή-ό (ε) [apospasmatikos] fragmentary.
αποσπώ (ρ) [apospo] detach [στρατ], tear, disjoin, exact.
απόσταγμα (το) [apostagma] oil, extract, essence.
αποσταίνω (ρ) [aposteno] be tired.
απόσταξη (η) [apostaksi] distillation.
απόσταση (η) [apostasi] distance.
αποστασία (η) [apostasia] revolt, defection, rebellion.
αποστάτης (ο) [apostatis] defector.
αποστατώ (ρ) [apostato] defect.
αποστειρώνω (ρ) [apostirono] sterilize.
αποστείρωση (η) [apostirosi] sterilization.
αποστέλλω (ρ) [apostello] send.
αποστερώ (ρ) [apostero] deprive.
αποστηθίζω (ρ) [apostithizo] learn by heart, memorize, con.
απόστημα (το) [apostima] abscess.
αποστολέας (ο) [apostoleas] sender.
αποστολή (η) [apostoli] sending, consignment, mission.
αποστολικός-ή-ό (ε) [apostolikos] apostolic.
απόστολος (ο) [apostolos] apostle.
αποστομώνω (ρ) [apostomono] silence, shut up, confound.
αποστραγγίζω (ρ) [apostrangizo] drain.
αποστράτευση (η) [apostratefsi] discharge, demob.
αποστρατεύω (ρ) [apostratevo]

demob, demobilize, pension off.
απόστρατος (ο) [apostratos] retired.
αποστρέφομαι (ρ) [apostrefome] detest, abhor, loathe, hate.
αποστρέφω (ρ) [apostrefo] avert.
αποστροφή (η) [apostrofi] repugnance, aversion, dislike.
απόστροφος (η) [apostrofos] apostrophe.
αποσυμφόρηση (η) [aposimforisi] decongestion.
αποσυναρμολόγηση (η) [aposinarmologisi] stripping.
αποσύνδεση (η) [aposindhesi] disconnection, disossiation.
αποσυνδέω (ρ) [aposindheo] disconnect, disossiate, unplug.
αποσύνθεση (η) [aposinthesi] decay, disorganisation.
αποσυνθέτω (ρ) [aposintheto] rot.
αποσύρω (ρ) [aposiro] withdraw, retract, draw out.
αποσφραγίζω (ρ) [aposfrayizo] unseal, open, break the seal.
αποσχίζομαι (ρ) [apos-hizome] secede, break away, splinter off.
αποσώνω (ρ) [aposono] finish.
απότακτος-η-ο (ε) [apotaktos] cashiered.
αποταμίευση (η) [apotamiefsi] saving up, storing up.
αποταμιεύω (ρ) [apotamievo] save, lay up, store up.
αποτάσσω (ρ) [apotasso] cashier.
αποτείνομαι (ρ) [apotinome] ask, apply, speak, address.
αποτείνω (ρ) [apotino] address.
αποτελειώνω (ρ) [apoteliono] complete, dispatch.
αποτέλεσμα (το) [apotelesma] result, effect, outcome, issue.
αποτελεσματικός-ή-ό (ε) [apotelesmatikos] effective, efficient.
αποτελμάτωση (η) [apotelmatosi] stagnation, vegetation.
αποτελούμαι (ρ) [apotelume] consist of.
αποτελώ (ρ) [apotelo] compose, constitute, make up, form.
αποτίμηση (η) [apotimisi] appraisal.
αποτιμώ (ρ) [apotimo] appraise.
αποτινάζω (ρ) [apotinazo] flip, throw off, get rid of.
αποτολμώ (ρ) [apotolmo] dare, presume, venture, hazard, risk.
απότομα (επ) [apotoma] abruptly.
απότομος-η-ο (ε) [apotomos] sudden, abrupt, steep, curt.
αποτοξίνωση (η) [apotoxinosi] detoxification, detoxication.
αποτραβηγμένος-η-ο (μ) [apotravigmenos] withdrawn.
αποτραβιέμαι (ρ) [apotravieme] withdraw, step aside, retire.
αποτρέπω (ρ) [apotrepo] avert, turn aside, ward off, dissuade.
αποτρίχωση (η) [apotrihosi] depilation.

αποτριχωτικό (το) [apotrihotiko] hair-remover, depilatory.
αποτρόπαιος-α-ο (ε) [apotropeos] abominable, hideous.
αποτροπή (η) [apotropi] averting.
αποτροπιασμός (ο) [apotropiasmos] repugnance, revulsion.
αποτροπιαστικός-ή-ό (ε) [apotropiastikos] repulsive.
αποτρώγω (ρ) [apotrogo] eat up.
αποτύπωμα (το) [apotipoma] print.
αποτυπώνω (ρ) [apotipono] impress, imprint, print, stamp.
αποτυχαίνω (ρ) [apotiheno] fail, miss, backfire,miscarry.
αποτυχημένος-η-ο (μ) [apotihimenos] unsuccessful, spoilt.
αποτυχία (η) [apotihia] failure.
απουσία (η) [apusia] absence.
απουσιάζω (ρ) [apusiazo] be absent.
απουσιολόγιο (το) [apusioloyio] attendance register.
αποφάγια (τα) [apofayia] leftovers.
αποφαίνομαι (ρ) [apofenome] rule, decide, pronounce.
απόφαση (η) [apofasi] decision.
αποφασίζω (ρ) [apofasizo] decide.
αποφασισμένος-η-ο (μ) [apofasismenos] decided, determined.
αποφασιστικός-ή-ό (ε) [apofasistikos] decisive, determined.
αποφασιστικότητα (η) [apofasistikotita] resolution, decisiveness, resoluteness, stoutness.
αποφατικός-ή-ό (ε) [apofatikos] negative.
αποφέρω (ρ) [apofero] yield.
αποφεύγω (ρ) [apofevgo] avoid, keep clear of, balk, escew.
απόφθεγμα (το) [apofthegma] motto, maxim, saying, dictum.
αποφλοιώνω (ρ) [apofliono] bark.
αποφοίτηση (η) [apofitisi] graduation, school-leaving.
απόφοιτος-η-ο (ε) [apofitos] graduate.
αποφοιτώ (ρ) [apofito] leave school.
απόφραξη (η) [apofraksi] stoppage.
αποφυγή (η) [apofiyi] avoidance.
αποφυλακιστήριο (το) [apofilakistirio] release papers.
αποχαιρετισμός (ο) [apoheretismos] farewell, goodbye.
αποχαιρετιστήριος-α-ο (ε) [apoheretistirios] farewell, parting.
αποχαιρετώ (ρ) [apohereto] say goodbye, send off.
αποχαλινώνομαι (ρ) [apohalinonome] run wild, break loose.
αποχαλώ (ρ) [apohalo] ruin.
αποχαρακτηρίζω (ρ) [apoharaktirizo] declassify.
αποχαυνώνω (ρ) [apohavnono] enervate.
αποχέτευση (η) [apohetefsi] draining, drainage, sewerage.
απόχη (η) [apohi] net, clap-net.
αποχή (η) [apohi] abstention.

απόχρεμψη (n) [apohrempsi] expectoration.

αποχρωματίζω (ρ) [apohromatizo] discolour, declassify.

απόχρωση (n) [apohrosi] shade, fading, tint.

αποχώρηση (n) [apohorisi] withdrawal, departure, exit.

αποχωρητήριο (το) [apohoritirio] lavatory, latrine.

αποχωρίζομαι (ρ) [apohorizome] part with.

αποχωρίζω (ρ) [apohorizo] separate.

αποχωρισμός (ο) [apohorismos] separation, disconnection.

αποχωρώ (ρ) [apohoro] withdraw, retire, leave, exit, resign.

απόψε (επ) [apopse] tonight.

άποψη (n) [apopsi] view, sight.

αποψιλώ (ρ) [apopsilo] deforest.

απόψυξη (n) [apopsiksi] defrosting.

απραγματοποίητος-n-o (ε) [apragmatopiitos] unfulfilled.

άπρακτος-n-o, (ε) [apraktos] unachieved, empty-handed.

απραξία (n) [apraksia] inactivity, standstill [οικ].

απρέπεια (n) [aprepia] indecency, bad manners, impropriety.

άπρεπος-n-o (ε) [aprepos] improper, immodest, indecent.

Απρίλης (o) [Aprilis] April.

απρόβλεπτος-n-o (ε) [aprovleptos] unforeseen, unexpected.

απροειδοποίητος-n-o (ε) [aproidhopiitos] unwarned.

απροετοίμαστος-n-o (ε) [aproetimastos] unprepared, unready.

απροθυμία (n) [aprothimia] reluctance, hesitancy.

απρόθυμος-n-o (ε) [aprothimos] unwilling, hesitant.

απροκάλυπτος-n-o (ε) [aprokaliptos] open, outspoken, frank, undisguised, barefaced.

απροκατάληπτος-n-o (ε) [aprokataliptos] unbiased.

απρόκλητος-n-o (ε) [aproklitos] unprovoked, unwarranted.

απρομελέτητος-n-o (ε) [apromeletitos] unintentional.

απρονοησία (n) [apronoisia] imprudence, improvidence.

απρόοπτος-n-o (ε) [aprooptos] unforseen, unexpected.

απροπόνητος-n-o (ε) [apropónitos] untrained, out of practice.

απροσάρμοστος-n-o (ε) [aprosarmostos] maladjusted.

απρόσβλητος-n-o (ε) [aprosvlitos] unassailable, invulnerable.

απροσγείωτος-n-o (ε) [aprosyiotos] unrealistic, romantic.

απροσδιόριστος-n-o (ε) [aprosdhioristos] indefinite.

απροσδόκητος-n-o (ε) [aprosdhokitos] unexpected.

απροσεξία (n) [aproseksia] inattention, carelessness.

απρόσεχτος-η-ο (ε) [aprosehtos] careless, imprudent.

απρόσιτος-η-ο (ε) [aprositos] unapproachable, distant.

απρόσκλητος-η-ο (ε) [aprosklitos] uninvited, unasked.

απρόσκοπτος-η-ο (ε) [aproskoptos] unhindered, free.

απροσποίητος-η-ο (ε) [aprospiitos] unaffected, unpretending.

απροστάτευτος-η-ο (ε) [aprostateftos] unprotected, forlorn.

απρόσφορος-η-ο (ε) [aprosforos] unfavourable, unsuitable.

απρόσωπος-η-ο (ε) [aprosopos] impersonal, faceless.

απροφύλακτος-η-ο (ε) [aprofilaktos] undefended.

άπταιστος-η-ο (ε) [aptestos] fluent, perfect, infallible.

απύθμενος-η-ο (ε) [apithmenos] bottomless, fathomless.

απωθητικός-ή-ό (ε) [apothitikos] unlikeable, repellent.

απωθώ (ρ) [apotho] repulse.

απώλεια (η) [apolia] loss, waste.

απώλητος-η-ο (ε) [apolitos] unsold.

απών-ούσα-όν (μ) [apon] absent.

απώτατος-η-ο (ε) [apotatos] furthest.

απώτερος-η-ο (ε) [apoteros] ulterior.

άρα (σ) [ara] so, thus, therefore, consequently, can it be that?.

αραβοσιτάλευρο (το) [aravositalevro] cornflour.

αραβόσιτος (ο) [aravositos] maize.

άραγε (μο) [araye] is it?.

άραγμα (το) [aragma] mooring.

αραγμένος-η-ο (μ) [aragmenos] at anchor.

αράδα (η) [aradha] line, rank.

αραδιάζω (ρ) [aradhiazo] line up.

αράζω (ρ) [arazo] anchor.

αραιός-ή-ό (ε) [areos] sparse.

αραιώνω (ρ) [areono] thin down.

αρακάς (ο) [arakas] pea.

αράχνη (η) [arahni] spider.

αραχνοΰφαντος-η-ο (ε) [arahnoifandos] flimsy, fine-woven.

αρβύλα (η) [arvila] army boot.

αργά (επ) [arga] slowly, creepily.

αργαλειός (ο) [argalios] loom.

αργαστήρι (το) [argastiri] workshop.

αργία (η) [aryia] holiday.

άργιλος (η) [aryilos] clay.

αργκό (η) [arngo] slang, jargon.

αργοκίνητος-η-ο (ε) [argokinitos] sluggish, crawling.

αργοπορώ (ρ) [argoporo] be long, be slow, be late, linger.

αργός-ή-ό (ε) [argos] slow, idle.

αργόστροφος-η-ο (ε) [argostrofos] slow.

αργόσχολος-η-ο (ε) [argosholos] idle, loafer, lounger.

αργότερα (επ) [argotera] later, then.

αργύρια (τα) [aryiria] silver pieces.
αργυρικός (ο) [argirikos] argentic.
άργυρος (ο) [aryiros] silver.
αργυρούς (ε) [argirus] argentine.
αργώ (ρ) [argo] be late, be closed.
άρδευση (η) [ardhefsi] irrigation.
Αρεοπαγίτης (ο) [Areopayitis] Supreme Court Justice.
αρεστός-ή-ό (ε) [arestos] agreeable, pleasing.
αρέσω (ρ) [areso] please, like.
αρετή (η) [areti] merit, quality.
αρετσίνωτος-η-ο (ε) [aretsinotos] unresinated.
αρθρίτιδα (η) [arthritidha] arthritis.
άρθρο (το) [arthro] article, clause.
αρθρογράφος (ο) [arthrografos] editor, columnist.
αρθρώνω (ρ) [arthrono] articulate.
άρθρωση (η) [arthrosi] articulation, joint.
αρθρωτός-ή-ό (ε) [arthrotos] articulated, jointed.
αρίθμηση (η) [arithmisi] numbering, counting, pagination.
αριθμητής (ο) [arithmitis] numerator, adding machine.
αριθμητική (η) [arithmitiki] arithmetic.
αριθμητικός-ή-ό (ε) [arithmitikos] arithmetical, numerical.
αριθμομηχανή (η) [arithmomihani] calculator.
αριθμός (ο) [arithmos] number.
αριθμώ (ρ) [arithmo] count.
άριος-α-ο (ε) [arios] Aryan.
άριστα (επ) [arista] excellent.
αριστείο (το) [aristio] medal.
αριστερά (επ) [aristera] on the left.
αριστερός-ή-ό (ε) [aristeros] left, lefthanded, left-wing.
αριστεύω (ρ) [aristevo] excel.
αριστοκράτης (ο) [aristokratis] aristocrat.
αριστοκρατία (η) [aristokratia] aristocracy.
αριστοκρατικός-ή-ό (ε) [aristokratikos] distinguished, posh.
αριστοκρατικότητα (η) [aristokratikotita] classiness.
άριστος-η-ο (ε) [aristos] best, excellent, first rate.
αριστοτέχνημα (το) [aristotehnima] masterpiece, masterwork.
αριστοτέχνης (ο) [aristotehnis] master craftsman, past master.
αριστούργημα (το) [aristuryima] masterpiece.
αριστουργηματικός-ή-ό (ε) [aristuryimatikos] masterly.
αριστούχος-α-ο (ε) [aristuhos] brilliant.
αρκετά (επ) [arketa] enough.
αρκετός-ή-ό (ε) [arketos] enough, sufficient, adequate.
αρκούδα (η) [arkudha] bear.
αρκούμαι (ρ) [arkume] be con-

tent with, be satisfied.
αρκτικός-ή-ό (ε) [arktikos] arctic.
άρκτος (n) [arktos] bear.
αρκώ (ρ) [arko] be enough.
αρλούμπα (n) [arlumba] nonsense.
άρμα (το) [arma] chariot, tank.
αρμάθα (n) [armatha] bunch.
αρμαθιάζω (ρ) [armathiazo] string.
αρματοδρομία (n) [armatodhromia] chariot race.
αρματώνω (ρ) [armatono] arm.
αρματωσιά (n) [armatosia] arms, rigging, armature.
αρμέγω (ρ) [armego] milk.
αρμενίζω (ρ) [armenizo] sail.
άρμη (n) [armi] brine.
αρμόδιος-α-ο (ε) [armodhios] qualified, competent.
αρμοδιότητα (n) [armodhiotita] attribution, competence.
αρμόζω (ρ) [armozo] fit, befit.
αρμονία (n) [armonia] harmony.
αρμόνικα (n) [armonika] harmonica.
αρμονικός-ή-ό (ε) [armonikos] harmonious.
αρμόνιο (το) [armonio] harmonium, mouth-organ.
αρμός (ο) [armos] joint.
αρμοστής (ο) [armostis] high commissioner, governor.
αρμύρα (n) [armira] saltiness.
αρμυρός-ή-ό (ε) [armiros] salty.
αρνάκι (το) [arnaki] lamb.
άρνηση (n) [arnisi] denial.
αρνητικός-ή-ό (ε) [arnitikos] negative.
αρνί (το) [arni] lamb.
αρνούμαι (ρ) [arnume] refuse, deny, decline.
αρουραίος (ο) [arureos] rat.
άρπα (n) [arpa] harp.
αρπάγη (n) [arpayi] catch, grab.
αρπαγή (n) [arpayi] snatch, seizing, plunder, stealing.
αρπάζομαι (ρ) [arpazome] take hold of, come to blows.
αρπάζω (ρ) [arpazo] grasp, snatch, steal, apprehend, claw.
αρπακτικός-ή-ό (ε) [arpaktikos] predatory.
αρραβωνιάζω (ρ) [arravoniazo] betroth, engage.
αρραβωνιάσματα (τα) [arravoniasmata] engagement.
αρραβωνιασμένος-η-ο (μ) [arravoniasmenos] engaged.
αρραβωνιαστικιά (n) [arravoniastikia] fiancée.
αρραβωνιαστικός (ο) [arravoniastikos] fiancé.
αρρενωπός-ή-ό (ε) [arrenopos] masculine, virile.
αρρωσταίνω (ρ) [arrosteno] make sick, fall ill, get sick.
αρρωστημένος-η-ο (μ) [arrostimenos] diseased, sick.
αρρώστια (n) [arrostia] illness, sickness, disease.
αρσενικό (το) [arseniko] arsenic.

αρσενικός (ο) [arsenikos] male, masculine.
αρτηρία (η) [artiria] artery.
άρτιος-α-ο (ε) [artios] whole, even.
αρτιότητα (η) [artiotita] perfection.
αρτίστα (η) [artista] showgirl.
αρτίστας (ο) [artistas] artist.
αρτισύστατος-η-ο (ε) [artisistatos] new, newly founded.
αρτοποιείο (το) [artopiio] bakery.
αρτοποιός (ο) [artopios] baker.
αρχάγγελος (ο) [arhangelos] archangel.
αρχαϊκός-ή-ό (ε) [arhaikos] archaic, antiquated.
αρχαιολογία (η) [arheoloyia] archeology.
αρχαιολογικός-ή-ό (ε) [arheoloyikos] archeological.
αρχαιολόγος (ο) [arheologos] archaeologist.
αρχαίος-α-ο (ε) [arheos] ancient.
αρχαιοσυλλέκτης (ο) [arheosillektis] antiquarian.
αρχαιότητα (η) [arheotita] antiquity.
αρχαιρεσίες (οι) [arheresies] election[s].
αρχάριος-α-ο (ε) [arharios] beginner, novice, catechumen.
αρχέγονος-η-ο (ε) [arhegonos] primeval, primordial, primitive.
αρχείο (το) [arhio] archives, records.
αρχειοθήκη (η) [arhiothiki] filing cabinet, rack, box.
αρχειοφύλακας (ο) [arhiofilakas] filing clerk, registrar.
αρχέτυπο (το) [arhetipo] archetype.
αρχή (η) [arhi] beginning, start.
αρχηγείο (το) [arhiyio] headquarters.
αρχηγία (η) [arhiyia] command.
αρχηγός (ο) [arhigos] commander, leader.
αρχίατρος (ο) [arhiatros] chief medical officer.
αρχίδια (τα) [arhidhia] bollocks.
αρχιεπίσκοπος (ο) [arhiepiskopos] archbishop.
αρχιεργάτης (ο) [arhiergatis] foreman.
αρχιερέας (ο) [arhiereas] prelate.
αρχίζω (ρ) [arhizo] begin, start.
αρχιθαλαμηπόλος (ο) [arhithalamipolos] chief steward.
αρχικαμαριέρης (ο) [arhikamarieris] bedel.
αρχικός-ή-ό (ε) [arhikos] initial, fist.
αρχιμάγειρος (ο) [arhimayiros] chef.
αρχιμουσικός (ο) [arhimusikos] conductor, bandmaster.
αρχινώ (ρ) [arhino] begin, start.
αρχιπλοίαρχος (ο) [arhipliarhos] commodore.

αρχιστράτηγος (ο) [arhistratigos] commander-in-chief.

αρχισυντάκτης (ο) [arhisindaktis] editor-in-chief.

αρχιτέκτονας (ο) [arhitektonas] architect.

αρχιτεκτονική (η) [arhitektoniki] architecture.

αρχιτεκτονικός-ή-ό (ε) [arhitektonikos] architectural.

αρχιφύλακας (ο) [arhifilakas] sergeant, chief warden.

άρχοντας (ο) [arhondas] lord, elder.

αρχοντιά (η) [arhondia] distinction.

αρχοντικός-ή-ό (ε) [arhondikos] fine, lordly, distinguished.

αρχόντισσα (η) [arhondissa] lady.

άρωμα (το) [aroma] aroma, perfume.

αρωματίζω (ρ) [aromatizo] scent, perfume, flavour.

ας (μο) [as] let, may.

ασανσέρ (το) [asanser] lift, elevator.

ασάφεια (η) [asafia] vagueness.

ασαφής-ής-ές (ε) [asafis] obscure, vague, hazy, blear.

ασβέστης (ο) [asvestis] lime.

ασβέστωμα (το) [asvestoma] whitewashing, liming.

άσβηστος (η) [asvistos] undying, unextinguishable.

ασέβεια (η) [asevia] disrespect.

ασεβής-ής-ές (ε) [asevis] impious, disrespectful.

ασέλγεια (η) [aselyia] lewdness.

ασελγής-ής-ές (ε) [aselyis] lecherous.

ασελγώ (ρ) [aselgo] assault sexually.

άσεμνα (επ) [asemna] bawdily.

ασετυλίνη (η) [asetilini] acetylene.

ασήκωτος-η-ο (ε) [asikotos] unraised.

ασήμαντος-η-ο (ε) [asimandos] insignificant, unimportant.

ασήμι (το) [asimi] silver.

άσημος-η-ο (ε) [asimos] insignificant, unimportant.

άσηπτος-η-ο (ε) [asiptos] aseptic.

ασηψία (η) [asipsia] asepsis.

ασθένεια (η) [asthenia] illness.

ασθενής-ής-ές (ε) [asthenis] ill, weak.

ασθενικός-ή-ό (ε) [asthenikos] sickly, infirm, weak.

ασθενοφόρο (το) [asthenoforo] ambulance.

ασθμαίνω (ρ) [asthmeno] pant.

άσκημος-η-ο (ε) [askimos] ugly.

άσκηση (η) [askisi] exercise.

ασκητής (ο) [askitis] hermit.

ασκίαστος-η-ο (ε) [askiastos] unshaded.

άσκοπος-η-ο (ε) [askopos] pointless, purposeless, useless.

άσος (ο) [asos] ace, crack.

ασούρωτος-η-ο (ε) [asurotos] unstrained, unpleated, sober.

άσοφος-η-ο (ε) [asofos] unwise.
ασπάζομαι (ρ) [aspazome] kiss, embrace, adopt [μεταφ].
άσπιλος-η-ο (ε) [aspilos] immaculate, spotless, unblemished.
ασπιρίνη (η) [aspirini] aspirin.
ασπλαχνία (η) [asplahnia] heartlessness, callousness.
άσπλαχνος-η-ο (ε) [asplahnos] hardhearted, pitiless, ruthless.
άσπονδος-η-ο (ε) [aspondhos] relentless, bitter, irreconcilable.
ασπούδαστος-η-ο (ε) [aspudhastos] uneducated, unstudied.
ασπράδι (το) [aspradhi] albumen.
ασπριδερός-ή-ό (ε) [aspridheros] whitish.
ασπρίζω (ρ) [asprizo] whiten.
ασπρίλα (η) [asprila] whiteness.
άσπρισμα (το) [asprisma] whitewashing, bleaching.
άσπρος-η-ο (ε) [aspros] white.
άσσος (ο) [asos] ace.
αστάθεια (η) [astathia] instability.
ασταθής-ής-ές (ε) [astathis] fickle, unstable, changeful.
αστάθμητος-η-ο (ε) [astathmitos] imponderable, unweighed.
αστακός (ο) [astakos] lobster.
ασταμάτητα (επ) [astamatita] non-stop, continuously.
ασταμάτητος-η-ο (ε) [astamatitos] continuous, uninterrupted.
αστάρι (το) [astari] first coat, primer.
άστατα (επ) [astata] changefully.
αστατικός-ή-ό (ε) [astatikos] astatic.
άστατος-η-ο (ε) [astatos] fickle, unstable, unsteady, changeful.
άστεγος-η-ο (ε) [astegos] homeless.
αστεία (επ) [astia] amusingly.
αστειεύομαι (ρ) [astievome] joke.
αστείο (το) [astio] joke.
αστείος-α-ο (ε) [astios] amusing.
αστείος (ο) [astios] funny, antic.
αστείρευτος-η-ο (ε) [astireftos] limitless, continous.
αστεϊσμός (ο) [asteismos] jesting, joking, badinage, chaff, lark.
αστέρι (το) [asteri] star.
αστερίας (ο) [asterias] starfish.
αστερίσκος (ο) [asteriskos] asterisk.
αστερισμός (ο) [asterismos] constellation, galaxy.
αστέριωτος-η-ο (ε) [asteriotos] unfixed.
αστεροσκοπείο (το) [asteroskopio] observatory.
αστεφάνωτος-η-ο (ε) [astefanotos] unwedded, unmarried.
αστήριχτος-η-ο (ε) [astirihtos] unsupported, unfounded.
αστιγματισμός (ο) [astigmatismos] astigmatism.
αστικός-ή-ό (ε) [astikos] urban.
αστοιχείωτος-η-ο (ε) [astihiotos] unlearned, ignorant.

αστόλιστος-η-ο (ε) [astolistos] plain.
άστοργος-η-ο (ε) [astorgos] unloving, unfeeling.
αστός (ο) [astos] townsman.
αστόχαστος-η-ο (ε) [astohastos] thoughtless, unwise.
αστοχία (η) [astohia] failure.
άστοχος-η-ο (ε) [astohos] unsuccessful, unwise.
αστοχώ (ρ) [astoho] miss the mark, fail.
αστράγαλος (ο) [astragalos] ankle.
αστραπή (η) [astrapi] lighting.
αστραπιαίος-α-ο (ε) [astrapieos] lightning, flash.
αστραποβόλημα (το) [astrapovolima] flashing, glittering.
αστράπτω (ρ) [astrapto] lighten.
αστραφτερός-ή-ό (ε) [astrafteros] bright, shiny.
αστράφτω (ρ) [astrafto] lighten.
αστρικός-ή-ό (ε) [astrikos] astral.
αστρίτης (ο) [astritis] asp.
άστρο (το) [astro] star.
αστρολογία (η) [astroloyia] astrology.
αστρολόγος (ο) [astrologos] astrologer.
αστρονομία (η) [astronomia] astronomy.
αστρονομικός-ή-ό (ε) [astronomikos] astronomical.
αστρονόμος (ο) [astronomos] astronomer.
αστροπελέκι (το) [astropeleki] thunderbolt.
αστροφεγγιά (η) [astrofengia] starlight.
αστυνομεύω (ρ) [astinomevo] police.
αστυνομία (η) [astinomia] police.
αστυνομικός (ο) [astinomikos] policeman, constable.
αστυνόμος (ο) [astinomos] police officer.
αστυφύλακας (ο) [astifilakas] police constable.
ασυγκίνητος-η-ο (ε) [asinginitos] unmoved, untouched.
ασυγκράτητος-η-ο (ε) [asingratitos] uncontrollable.
ασύγκριτος-η-ο (ε) [asingritos] incomparable, unrivalled.
ασυγύριστος-η-ο (ε) [asiyiristos] untidy, disorderly.
ασυγχώρητος-η-ο (ε) [asighoritos] unforgivable.
ασύδοτος-η-ο (ε) [asidhotos] immune, promiscuous.
ασυζήτητος-η-ο (ε) [asizititos] unquestionable.
ασυλία (η) [asilia] immunity.
ασύλληπτος-η-ο (ε) [asilliptos] elusive, inconceivable.
άσυλο (το) [asilo] shelter.
ασυμβίβαστος-η-ο (ε) [asimvivastos] irreconcilable.
ασυμμετρία (η) [asimmetria] asymmetry.

ασυμπλήρωτος-η-ο (ε) [asimblirotos] incomplete.

ασυμφιλίωτος-η-ο (ε) [asimfiliotos] irreconciled.

ασύμφορος-η-ο (ε) [asimforos] disadvantageous, not profitable.

ασυμφωνία (η) [asimfonia] disagreement.

ασυναγώνιστος-η-ο (ε) [asinagonistos] unbeatable.

ασυναίσθητος-η-ο (ε) [asinesthitos] unconscious.

ασυναρτησία (η) [asinartisia] incoherence.

ασυνάρτητος-η-ο (ε) [asinartitos] incoherent, inconsistent.

ασυνείδητος-η-ο (ε) [asinidhitos] unscrupulous, dishonest.

ασυνέπεια (η) [asinepia] inconsistency.

ασυνεπής-ής-ές (ε) [asinepis] inconsistent, unreliable.

ασύνετος-η-ο (ε) [asinetos] unwise, imprudent.

ασυνήθιστος-η-ο (ε) [asinithistos] unusual.

ασυνόδευτος-η-ο (ε) [asinodheftos] unaccompanied.

ασυρματιστής (ο) [asirmatistis] radio operator.

ασύρματος (ο) [asirmatos] wireless.

ασύστατος-η-ο (ε) [asistatos] unfounded.

ασύστολος-η-ο (ε) [asistolos] impudent, brazen.

ασύχναστος-η-ο (ε) [asihnastos] unfrequented.

άσφαιρος-η-ο (ε) [asferos] blank.

ασφάλεια (η) [asfalia] security, insurance, safety, fuse.

ασφαλής-ής-ές (ε) [asfalis] safe, secure, sure, certain, reliable.

ασφαλίζω (ρ) [asfalizo] secure, assure, insure.

ασφάλιση (η) [asfalisi] insurance, security.

ασφαλιστήριο (το) [asfalistirio] insurance policy.

ασφαλιστής (ο) [asfalistis] insurer.

άσφαλτος (η) [asfaltos] asphalt.

ασφαλτόστρωτος-η-ο (ε) [asfaltostrotos] asphalted.

ασφαλώς (επ) [asfalos] surely.

ασφυκτικός-ή-ό (ε) [asfiktikos] stifling, suffocating.

ασφυκτιώ (ρ) [asfiktio] choke.

ασφυξία (η) [asfiksia] suffocation, asphyxia.

άσχετος-η-ο (ε) [ashetos] irrelevant, unrelated.

ασχημάτιστος-η-ο (ε) [ashimatistos] unformed, shapeless.

ασχήμια (η) [ashimia] ugliness.

ασχημονώ (ρ) [ashimono] misbehave.

άσχημος-η-ο (ε) [ashimos] ugly.

ασχολία (η) [asholia] job.

ασχολούμαι (ρ) [asholume] be

occupied with.

ασώματος-η-ο (ε) [asomatos] bodiless, disembodied.

ασωτεύω (ρ) [asotevo] be dissolute.

ασωτία (η) [asotia] debauch.

άσωτος-η-ο (ε) [asotos] dissolute.

αταίριαστος-η-ο (ε) [ateriastos] incompatible, dissimilar.

ατακτοποίητος-η-ο (ε) [ataktopiitos] untidy, unsettled.

άτακτος-η-ο (ε) [ataktos] irregular, disorderly, naughty.

ατακτώ (ρ) [atakto] misbehave.

αταξία (η) [ataksia] confusion.

αταραξία (η) [ataraksia] composure, serenity, aloofness.

ατάραχος-η-ο (ε) [atarahos] composed.

ατασθαλία (η) [atasthalia] irregularity, foul play.

άταφος-η-ο (ε) [atafos] unburied.

άτεγκτος-η-ο (ε) [atengtos] unbending, rigorous.

άτεκνος-η-ο (ε) [ateknos] sterile.

ατέλεια (η) [atelia] defect.

ατελείωτος-η-ο (ε) [ateliotos] unfinished, incomplete.

ατέλειωτος-η-ο (ε) [ateliotos] endless.

ατελεύτητος-η-ο (ε) [ateleftitos] interminable, endless.

ατελής-ής-ές (ε) [atelis] incomplete, tax-free, faulty, imperfect.

ατελιέ (το) [atelie] studio.

ατενής-ής-ές (ε) [atenis] fixed, vacant.

ατενίζω (ρ) [atenizo] stare at.

άτεχνος-η-ο (ε) [atehnos] crude.

ατζαμής (ο) [atzamis] unskilled.

ατζαμίστικος-η-ο (ε) [atzamistikos] clumsy, amateurish.

ατημέλητος-η-ο (ε) [atimelitos] unkempt, untidy.

ατίθασος-η-ο (ε) [atithasos] wild.

ατιμάζω (ρ) [atimazo] dishonour.

ατίμητος-η-ο (ε) [atimitos] priceless, invaluable.

ατιμία (η) [atimia] dishonour.

άτιμος-η-ο (ε) [atimos] dishonest.

ατιμώρητος-η-ο (ε) [atimoritos] unpunished.

ατίμωση (η) [atimosi] dishonour.

ατιμωτικός-ή-ό (ε) [atimotikos] disgraceful, dishonourable.

ατμάμαξα (η) [atmamaksa] locomotive.

ατμοκίνητος-η-ο (ε) [atmokinitos] steam-driven.

ατμολέβητας (ο) [atmolevitas] steam-boiler.

ατμόλουτρο (το) [atmolutro] steam-bath, sauna.

ατμόπλοιο (το) [atmoplio] steamship.

ατμός (ο) [atmos] steam.

ατμόσφαιρα (η) [atmosfera] atmosfere.

άτοκος-η-ο (ε) [atokos] interest free.

ατολμία (η) [atolmia] timidity.
άτολμος-η-ο (ε) [atolmos] timid, fainthearted.
ατομικισμός (ο) [atomikismos] individualism.
ατομικιστής-ρια (ε) [atomikistis] individualist.
ατομικός-ή-ό (ε) [atomikos] personal, individual, private.
ατομικότητα (η) [atomikotita] individuality, atomicity.
άτομο (το) [atomo] individual.
ατονία (η) [atonia] dejection.
άτονος-η-ο (ε) [atonos] languid, dull, weak.
ατονώ (ρ) [atono] flag.
ατόπημα (το) [atopima] slip.
άτοπος-η-ο (ε) [atopos] improper, inappropriate, inept.
ατού (το) [atu] trump.
ατόφιος-α-ο (ε) [atofios] solid.
ατράνταχτος-η-ο (ε) [atrandahtos] solid, unshakeable.
ατροφία (η) [atrofia] atrophy.
ατροφικός-ή-ό (ε) [atrofikos] atrophied, emaciated.
ατρύγητος-η-ο (ε) [atriyitos] ungathered, unharvested.
άτρωτος-η-ο (ε) [atrotos] unwounded, unhurt.
ατσαλάκωτος-η-ο (ε) [atsalakotos] unwrinkled, prim.
ατσάλι (το) [atsali] steel.
ατσαλιά (η) [atsalia] untidiness.
άτσαλος-η-ο (ε) [atsalos] untidy.
ατσίγγανος (ο) [atsinganos] gypsy.
ατσίδα (η) [atsidha] alert person.
Αττική (η) [Attiki] Attica.
άτυπος-η-ο (ε) [atipos] informal.
ατύχημα (το) [atihima] accident, misfortune, injury, crash.
ατυχής-ής-ές (ε) [atihis] unlucky.
ατυχία (η) [atihia] misfortune.
άτυχος-η-ο (ε) [atihos] unlucky.
ατυχώ (ρ) [atiho] fail, have bad luck,
ατυχώς (επ) [atihos] unluckily.
αυγατίζω (ρ) [avgatizo] increase, expand.
αυγή (η) [avyi] dawn, daybreak.
αυγό (το) [avgo] egg.
Αύγουστος (ο) [Avgustos] August.
αυθάδεια (η) [afthadhia] audacity.
αυθάδης-ης-ες (ε) [afthadhis] impertinent, cheeky.
αυθαδιάζω (ρ) [avthadhiazo] be cheeky, be insolent/saucy.
αυθαίρετος-η-ο (ε) [aftheretos] arbitrary, cavalier.
αυθεντία (η) [afthendia] authority.
αυθεντικός-ή-ό (ε) [afthendikos] authentic, authoritative.
αυθεντικότητα (η) [afthendikotita] authenticity.
αυθημερόν (επ) [afthimeron] on the very same day.
αυθορμητισμός (ο) [afthormitismos] impulsiveness.
αυθόρμητος-η-ο (ε) [afthormitos] spontaneous, impulsive.
αυθύπαρκτος-η-ο (ε) [afthi-

parktos] self-existent.
αυλαία (n) [avlea] curtain.
αυλάκι (το) [avlaki] channel.
αυλακιά (n) [avlakia] furrow, rut.
αυλάκωση (n) [avlakosi] cleavage.
αυλακωτός-ή-ό (ε) [avlakotos] furrowed, grooved.
αυλή (n) [avli] yard, courtyard.
αυλητής (o) [avlitis] flutist.
αυλικός-ή-ό (ε) [avlikos] courtier.
αυλόπορτα (n) [avloporta] gate.
άυλος-η-ο (ε) [ailos] immaterial.
αυλός (o) [avlos] flute, reed.
αυνανίζομαι (ρ) [avnanizome] masturbate.
αυνανισμός (o) [avnanismos] masturbation.
αυξάνω (ρ) [afksano] increase, augment, boost.
αύξηση (n) [afksisi] increase, enhancement.
αυξομείωση (n) [afksomiosi] variation.
αϋπνία (n) [aipnia] insomnia.
άυπνος-η-ο (ε) [aipnos] sleepless.
αύρα (n) [avra] breeze.
αυριανός-ή-ό (ε) [avrianos] of tomorrow, future.
αύριο (επ) [avrio] tomorrow.
αυστηρά (επ) [afstira] austerely, strictly.
αυστηρός-ή-ό (ε) [afstiros] strict.
αυστηρότητα (n) [afstirotita] strictness, austerity, rigidity.
αυταπάρνηση (n) [aftaparnisi] unselfishness, altrouism.
αυταπάτη (n) [aftapati] self-delusion, self-deception.
αυταπατώμαι (ρ) [aftapatome] delude oneself, deceive oneself.
αυταπόδεικτος-η-ο (ε) [aftapodhiktos] self-evident.
αυταρέσκεια (n) [aftareskia] complacency, smugness.
αυτάρεσκος-η-ο (ε) [aftareskos] self-complacent, smug.
αυτάρκης-ης-ες (ε) [aftarkis] self-sufficient.
αυταρχικός-ή-ό (ε) [aftarhikos] authoritative, autocratic.
αυταρχικότητα (n) [aftarhikotita] despotism, autocracy, authoritarianism.
αυτεπάγγελτος-η-ο (ε) [aftepangeltos] ex officio.
αυτή (αν) [afti] she, it, this.
αυτί (το) [afti] ear.
αυτισμός (o) [aftismos] autism.
αυτοάμυνα (n) [aftoamina] self-defence.
αυτοαπασχολούμενος-η-ο (ε) [aftoapasholumenos] self-employed.
αυτοβιογραφία (n) [aftoviografia] autobiography.
αυτόβουλος-η-ο (ε) [aftovulos] unsolicited.
αυτογραφία (n) [aftografia] autography.
αυτόγραφο (το) [aftografo] autograph.

αυτοδιαχείριση (η) [aftodhiahirisi] self-management.

αυτοδίδακτος-η-ο (ε) [aftodhidhaktos] self-taught.

αυτοδιοίκηση (η) [aftodhiikisi] self government, self-rule.

αυτοέλεγχος (ο) [aftoeleghos] self-control.

αυτοεξυπηρέτηση (η) [aftoeksipiretisi] self-service.

αυτοϊκανοποίηση (η) [aftoikanopiisi] self-satisfaction.

αυτοκινητάδα (η) [aftokinitadha] joyride, drive.

αυτοκινητιστής (ο) [aftokinitistis] motorist, driver.

αυτοκίνητο (το) [aftokinito] car.

αυτοκινητοδρομία (η) [aftokinitodhromia] motor racing.

αυτοκινητόδρομος (ο) [aftokinitodhromos] motorway.

αυτόκλητος-η-ο (ε) [aftoklitos] self-appointed, self-invited.

αυτοκόλλητος-η-ο (ε) [aftokollitos] self-adhesive.

αυτοκράτειρα (η) [aftokratira] empress.

αυτοκράτορας (ο) [aftokratoras] emperor.

αυτοκρατορία (η) [aftokratoria] empire.

αυτοκρατορικός-ή-ό (ε) [aftokratorikos] imperial.

αυτοκριτική (η) [aftokritiki] self-criticism.

αυτοκτονία (η) [aftoktonia] suicide.

αυτοκτονώ (ρ) [aftoktono] commit suicide.

αυτοκυβέρνηση (η) [aftokivernisi] self-government.

αυτοκυριαρχία (η) [aftokiriarhia] self-control.

αυτόματο (το) [aftomato] automaton, automatic.

αυτόματος-η-ο (ε) [aftomatos] automatic.

αυτόμολος-η-ο (ε) [aftomolos] defector, deserter.

αυτομολώ (ρ) [aftomolo] defect.

αυτονόητος-η-ο (ε) [aftonoitos] obvious.

αυτονομία (η) [aftonomia] autonomy, self-rule.

αυτονομιστής (ο) [aftonomistis] separatist, autonomist.

αυτόνομος-η-ο (ε) [aftonomos] autonomous.

αυτοπαθής-ής-ές (ε) [aftopathis] reflexive.

αυτοπεποίθηση (η) [aftopepithisi] self-confidence.

αυτοπροσώπως (επ) [aftoprosopos] personally, in person.

αυτόπτης (ο) [aftoptis] eyewitness.

αυτός (αν) [aftos] he, it, this.

αυτοσεβασμός (ο) [aftosevasmos] self-respect.

αυτοστιγμεί (επ) [aftostigmi] instantly.

αυτοσυγκεντρώνομαι (ρ) [aftosigendronome] concentrate.
αυτοσυντήρηση (η) [aftosindirisi] self-preservation.
αυτοσυντήρητος-η-ο (ε) [aftosindiritos] self-supporting.
αυτοσυστήνομαι (ρ) [aftosistinome] introduce oneself.
αυτοσχεδιασμός (ο) [aftoshedhiasmos] improvisation.
αυτοσχέδιος-α-ο (ε) [aftoshedhios] improvised, impromptu.
αυτοτελής-ής-ές (ε) [aftotelis] self-sufficient, independent.
αυτουργός (ο) [afturgos] perpetrator.
αυτούσιος-α-ο (ε) [aftusios] self-same, identical.
αυτόφωρος-η-ο (ε) [aftoforos] red-handed.
αυτόχειρας (ο) [aftohiras] suicide.
αυτόχθονας (ο) [aftohthonas] indigenous, aboriginal, native.
αυτοψία (η) [aftopsia] autopsy.
αυχένας (ο) [afhenas] nape.
αυχενικός-ή-ό (ε) [afhenikos] cervical.
αφαίμαξη (η) [afemaksi] bleeding.
αφαίμαξη (η) [afemaksi] bleeding.
αφαιμάσσω (ρ) [afemasso] bleed.
αφαίρεση (η) [aferesi] deduction, subtraction.
αφαιρούμαι (ρ) [aferume] be absent-minded.
αφαιρούμενος-η-ο (μ) [aferumenos] detachable.
αφαιρώ (ρ) [afero] deduct, subtract,detract, take off, pull off.
αφαλός (ο) [afalos] belly-button.
αφάνεια (η) [afania] obscurity.
αφανέρωτος-η-ο (ε) [afanerotos] undisclosed, unrevealed.
αφανής-ής-ές (ε) [afanis] unknown, invisible.
αφανίζω (ρ) [afanizo] ruin, destroy, vanish, disappear.
αφανισμός (ο) [afanismos] annihilation, extermination.
αφανιστικός (ο) [afanistikos] catastrophic.
αφάνταστος-η-ο (ε) [afandastos] unimaginable, unthinkable.
άφαντος-η-ο (ε) [afandos] invisible.
αφασία (η) [afasia] muteness, .
άφεγγος-η-ο (ε) [afengos] dark.
αφειδώς (επ) [afidhos] generously.
αφέλεια (η) [afelia] naivety.
αφελής-ής-ές (ε) [afelis] simple.
αφενός (επ) [afenos] on the one hand.
αφέντης (ο) [afendis] boss.
αφεντικό (το) [afendiko] boss.
αφερέγγυος-α-ο (ε) [aferengios] insolvent.
άφεση (η) [afesi] absolution.
αφετέρου (επ) [afeteru] on the other hand.
αφετηρία (η) [afetiria] beginning.
αφέτης (ο) [afetis] starter.

άφευκτος-η-ο (ε) [afefktos] unavoidable, inevitable.

αφήγημα (το) [afiyima] story.

αφηγηματικός-ή-ό (ε) [afiyimatikos] narrative.

αφήγηση (η) [afiyisi] story.

αφηγητής (ο) [afiyitis] narrator.

αφηγούμαι (ρ) [afigume] narrate, relate.

αφήνω (ρ) [afino] let, permit.

αφηρημάδα (η) [afirimadha] absentmindedness.

άφθα (η) [aftha] mouth-ulcer, aphtha [ιατρ].

άφθαρτος-η-ο (ε) [afthartos] indestructible, everlasting, eternal.

άφθαστος-η-ο (ε) [afthastos] unsurpassed, unrivalled.

αφθονία (η) [afthonia] abundance, profusion.

άφθονος-η-ο (ε) [afthonos] plentiful, abundant, profuse.

αφθονώ (ρ) [afthono] abound in.

αφιέρωμα (το) [afieroma] donation.

αφιερώνω (ρ) [afierono] dedicate, devote, offer.

αφιέρωση (η) [afierosi] dedication.

αφιλοκερδής-ής-ές (ε) [afilokerdhis] disinterested.

αφιλονίκητος-η-ο (ε) [afilonikitos] unquestionable.

αφιλόξενος-η-ο (ε) [afiloksenos] inhospitable.

αφιλότιμος-η-ο (ε) [afilotimos] mean, undignified, shameless.

άφιξη (η) [afiksi] arrival.

αφιονίζω (ρ) [afionizo] drug.

αφιππεύω (ρ) [afippevo] alight.

αφίσσα (η) [afissa] poster.

αφισσοκολλητής (ο) [afissokolitis] bill-poster.

άφοβος-η-ο (ε) [afovos] fearless.

αφομοιώνω (ρ) [afomiono] digest.

αφομοίωση (η) [afomiosi] assimilation, digestion.

αφοπλίζω (ρ) [afoplizo] disarm.

αφόρετος-η-ο (ε) [aforetos] new.

αφόρητος-η-ο (ε) [aforitos] intolerable.

αφορμή (η) [aformi] motive.

αφορμίζω (ρ) [aformizo] fester.

αφορολόγητος-η-ο (ε) [aforoloyitos] free from taxation.

αφορώ (ρ) [aforo] concern.

αφοσιωμένος-η-ο (μ) [afosiomenos] devoted, dedicated.

αφοσιώνομαι (ρ) [afosionome] devote, dedicate.

αφοσίωση (η) [afosiosi] devotion, attachment.

αφότου (επ) [afotu] since, as long as.

αφού (σ) (επ) [afu] after, since.

αφουγκράζομαι (ρ) [afungrazome] eavesdrop.

άφραγκος-η-ο (ε) [afragos] penniless, broke.

άφρακτος-η-ο (ε) [afraktos] unfenced, unwalled, unhedged.

αφράτος-η-ο (ε) [afratos] light, soft [δέρμα], plump.
άφραχτος-η-ο (ε) [afrahtos] unfenced.
αφρίζω (ρ) [afrizo] foam, froth, lather.
άφρισμα (το) [afrisma] frothing.
αφροδίσια (τα) [afrodhisia] venereal diseases.
αφροδισιακός-ή-ό (ε) [afrodhisiakos] aphrodisiac.
αφροδίσιος-α-ο (ε) [afrodhisios] aphrodisiac.
αφροκοπώ (ρ) [afrokopo] froth.
αφρόκρεμα (η) [afrokrema] cream.
αφρόλουτρο (το) [afrolutro] bubble-bath.
αφρόντιστος-η-ο (ε) [afrondistos] neglected, neglected.
αφρός (ο) [afros] foam, lather.
αφροσύνη (η) [afrosini] stupidity.
άφτιαστος-η-ο (ε) [aftiastos] not made, not done, not built.
αφυδατώνω (ρ) [afidhatono] dehydrate.
αφυδάτωση (η) [afidhatosi] dehydration.
αφύλαχτος-η-ο (ε) [afilahtos] unguarded.
αφύσικος-η-ο (ε) [afisikos] unnatural.
άφωνος-η-ο (ε) [afonos] mute.
αχαΐρευτος-η-ο (ε) [ahaireftos] wretched.
αχαλίνωτος-η-ο (ε) [ahalinotos] unbridled, uninhibited, wild.
αχαμνά (τα) [ahamna] groin, testicles.
αχαμνός-ή-ό (ε) [ahamnos] skinny.
αχανής-ής-ές (ε) [ahanis] vast.
αχαρακτήριστος-η-ο (ε) [aharaktiristos] scandalous.
αχαριστία (η) [aharistia] ingratitude.
αχάριστος-η-ο (ε) [aharistos] ungrateful.
άχαρος-η-ο (ε) [aharos] ungraceful, awkward.
αχερώνας (ο) [aheronas] barn.
αχθοφόρος (ο) [ahthoforos] porter.
αχιβάδα (η) [ahivadha] cockle.
αχινός (ο) [ahinos] sea urchin.
αχλάδι (το) [ahladhi] pear.
αχλή (η) [ahli] haze, fog.
άχνα (η) [ahna] vapour, steam.
αχνάρι (το) [ahnari] footprint,
άχνη (η) [ahni] mist.
αχνίζω (ρ) [ahnizo] evaporate, steam.
αχνός (ο) [ahnos] vapour, pale.
αχολογώ (ρ) [ahologo] echo, ring.
αχόρταγα (επ) [ahortaga] avidly.
αχόρταγος-η-ο (ε) [ahortagos] insatiable, greedy.
αχός (ο) [ahos] noise, hum.
αχούρι (το) [ahuri] stable, stall.
αχρείαστος-η-ο (ε) [ahriastos] unnecessary.
αχρείος-α-ο (ε) [ahrios] infa-

mous, foul, filthy.

αχρειότητα (n) [ahriotita] villainy.

αχρησία (n) [ahrisia] disuse.

αχρησιμοποίητος-n-o (ε) [ahrisimopiitos] unused.

αχρηστεύω (ρ) [ahristevo] make useless.

αχρηστία (n) [ahristia] obsoleteness, uselessness, inutility.

άχρηστος-n-o (ε) [ahristos] useless.

άχρονος-n-o (ε) [ahronos] timeless.

αχρωματικός-ń-ó (ε) [ahromatikos] colourless.

αχρωματοψία (n) [ahromatopsia] colour-blindness.

άχρωμος-n-o (ε) [ahromos] colourless.

αχτένιστος-n-o (ε) [ahtenistos] unkempt, dishevelled.

άχτι (το) [ahti] yearning, grudge.

αχτίδα (n) [ahtidha] ray, beam.

αχυβάδα (n) [ahivadha] clam.

άχυρο (το) [ahiro] straw, hay.

αχυρώνας (o) [ahironas] barn.

αχώριστος-n-o (ε) [ahoristos] inseparable.

αψεγάδιαστος-n-o (ε) [apsegadhiastos] perfect.

άψητος-n-o (ε) [apsitos] raw.

αψηφώ (ρ) [apsifo] defy, ignore.

αψίδα (n) [apsidha] arch.

αψίθυμος-n-o (ε) [apsithimos] techy, irritable.

αψιμαχία (n) [apsimahia] skirmish, brush.

άψογος-n-o (ε) [apsogos] faultless, irreproachable, perfect.

αψύς-ιά-ύ (ε) [apsis] strong.

αψυχολόγητος-n-o (ε) [apsiholoyitos] ill-considered.

άψυχος-n-o (ε) [apsihos] cowardly.

αψύχωτος-n-o (ε) [apsihotos] cowardly.

άωτος-n-o (ε) [aotos] earless.

B

βαβουίνος (ο) [vavuinos] baboon.
βαβούρα (η) [vavura] din.
βάβω (η) [vavo] grandma.
βαγένι (το) [vayeni] cask, barrel.
βάγια (η) [vayia] bay-leaves.
βαγκονρεστοράν (το) [vagonrestoran] diner, dining-car.
βαγόνι (το) [vagoni] carriage.
βάδην (επ) [vadhin] at a walking pace.
βαδίζω (ρ) [vadhizo] walk, march.
βάδισμα (το) [vadhisma] step, walk.
βάζο (το) [vazo] vase.
βάζω (ρ) [vazo] put, set, place, put on, impose.
βαθαίνω (ρ) [vatheno] deepen.
βαθμηδόν (επ) [vathmidhon] gradually.
βαθμιαίος-α-ο (ε) [vathmieos] gradual.
βαθμίδα (η) [vathmidha] step.
βαθμολογία (η) [vathmoloyia] grades, marks scoring.
βαθμολογώ (ρ) [vathmologo] mark, rate.
βαθμός (ο) [vathmos] grade.
βάθος (το) [vathos] depth.
βαθουλός-ή-ό (ε) [vathulos] concave.
βαθούλωμα (το) [vathuloma] hollow, groove.
βαθουλώνω (ρ) [vathulono] hollow out, scoop out.
βαθουλωτός-ή-ό (ε) [vathulotos] dished.
βάθρο (το) [vathro] basis.
βαθύμετρο (το) [vathimetro] depth-gauge.
βαθυνόητος-η-ο (ε) [vathinoitos] profound.
βαθύνοια (η) [vathinia] profundity.
βαθύς-ιά-ύ (ε) [vathis] deep, heavy, profound.
βαθυστόχαστος (ο) [vathistohastos] profound.
βαθύτητα (η) [vathitita] depth.
βακαλάος (ο) [vakalaos] cod.
βακτηρία (η) [vaktiria] cane.
βακτηρίδια (τα) [vaktiridhia] bacteria.
βακτηρίδιο (το) [vaktiridhio] bacterium, bacillus.
Βάκχος (ο) [Vakhos] Bacchus.
βαλανίδι (το) [valanidhi] acorn.
βαλανιδιά (η) [valanidhia] oak tree.
βαλάντιο (το) [valandio] purse.
βαλαντώνω (ρ) [valandono]

wear out, exhaust.
βαλβίδα (η) [valvidha] valve.
βαλές (ο) [vales] knave, jack.
βαλίτσα (η) [valitsa] suitcase.
βαλλιστικός-ή-ό (ε) [vallistikos] ballistic.
βάλλω (ρ) [vallo] attack, fire.
βαλς (το) [vals] waltz.
βαλσαμώδης-ης-ες (ε) [valsamodhis] balmy, balsamic.
βαλσάμωμα (το) [valsamoma] embalming, stuffing.
βαλσαμώνω (ρ) [valsamono] embalm.
Βαλτική (η) [Valtiki] Baltic.
βαλτός-ή-ό (ε) [valtos] planted.
βάλτος (ο) [valtos] marsh, fen.
βαλτώδης-ης-ες (ε) [valtodhis] boggy, marshy, swampy.
βαλτώνω (ρ) [valtono] get bogged down.
βαμβακερός-ή-ό (ε) [vamvakeros] cotton.
βαμβάκι (το) [vamvaki] cotton.
βαμβακίαση (η) [vamvakiasi] mildew.
βαμβακοειδής-ής-ές (ε) [vamvakoidhis] cottony, cotton-like.
βαμβακόσπορος (ο) [vamvakosporos] cotton seed.
βαμβακουργείο (το) [vamvakuryio] cotton mill.
βαμβακοφυτεία (η) [vambakofitia] cotton plantation.
βάμμα (το) [vamma] tincture.
βαμμένος-η-ο (ε) [vammenos] dyed, painted.
βαμπίρος (ο) [vampiros] vampire [ζωολ].
βάνα (η) [vana] sluice valve.
βαναυσουργία (η) [vanafsuryia] rough work.
βανδαλισμός (ο) [vandhalismos] vandalism.
βάνδαλος (ο) [vandhalos] vandal.
βανίλλια (η) [vanillia] vanilla.
βάνω (ρ) [vano] place, put on.
βαπόρι (το) [vapori] steamship.
βαπτίζω (ρ) [vaptizo] christen.
βάπτιση (η) [vaptisi] baptism.
βαπτιστικός-ή-ό (ε) [vaptistikos] godchild.
βαραίνω (ρ) [vareno] weigh down, make heavier, weary.
βαράω (ρ) [varao] beat, hit.
βάρβαρα (ε) [varvara] barbarously, agressively.
βαρβαρικός-ή-ό (ε) [varvarikos] barbaric.
βάρβαρος-η-ο (ε) [varvaros] savage, barbaric.
βαρβαρότητα (η) [varvarotita] barbarity, savagery, brutality.
βαρβατεύω (ρ) [varvatevo] be in heat, rut.
βαρβάτος-η-ο (ε) [varvatos] virile, on heat [για ζώα], first-rate.
βαρβιτουρικά (τα) [varviturika] barbiturates [χημ].
βαργεστώ (ρ) [varyesto] be

tired, be weary.
βάρδια (n) [vardhia] duty, shift.
βαρέλι (το) [vareli] barrel, cask.
βαρελοποιία (n) [varelopiia] cooperage.
βαρελοποιός (o) [varelopios] cooper.
βαρελότο (το) [vareloto] firework.
βαρετός-ή-ό (ε) [varetos] annoying, boring, tiresome.
βαρήκοος-η-ο (ε) [variko-os] hard of hearing.
βαριά (n) [varia] sledgehammer.
βαριακούω (ρ) [variakuo] be dull of hearing.
βαριαναστενάζω (ρ) [varianastenazo] groan.
βαρίδι (το) [varidhi] weight.
βαριέμαι (ρ) [varieme] be bored, be tired of.
βάρκα (n) [varka] boat, dinghy.
βαρκάδα (n) [varkadha] boat trip.
βαρκάρης (o) [varkaris] boatman.
βαρκαρίζομαι (ρ) [varkarizome] embark.
βαρκάρισμα (το) [varkarisma] embarkation.
βαρογράφος (o) [varografos] barograph.
βαρομετρικός-ή-ό (ε) [varometrikos] barometric.
βαρόνη (n) [varoni] baroness.
βαρόνος (o) [varonos] baron.
βάρος (το) [varos] weight, load.
βαρούλκο (το) [varulko] winch, windlass.
βαρύγδουπος-η-ο (ε) [varigdhupos] sonorous.
βαρυεστημένος-η-ο (ε) [variestimenos] gloom, melancholy.
βαρυθυμία (n) [varithimia] melancholy, sadness.
βαρύθυμος-η-ο (ε) [varithimos] sad, depressed, gloomy.
βαρυθυμώ (ρ) [varithimo] be sad, be depressed.
βαρυποινίτης (o) [varipinitis] long-term convict.
βαρύς-ιά-ύ (ε) [varis] heavy, harsh, serious, deep, boring.
βαρυσήμαντος-η-ο (ε) [varisimandos] significant, grave, important.
βαρύτητα (n) [varitita] gravity, gravitation, weight, seriousness.
βαρύτιμος-η-ο (ε) [varitimos] precious.
βαρύτονος (o) [varitonos] baritone.
βαρυφορτώνω (ρ) [varifortono] overload.
βαρώ (ρ) [varo] beat, hit.
βαρώνη (n) [varoni] baroness.
βαρώνος (o) [varonos] baron.
βασανίζομαι (ρ) [vasanizome] suffer, worry.
βασανίζω (ρ) [vasanizo] torture.

βασάνισμα (το) [vasanisma] torture.
βασανιστήριο (το) [vasanistirio] rack, torture chamber, bale.
βασανιστικός-ή-ό (ε) [vasanistikos] excruciating, tormenting.
βάσανο (το) [vasano] pain, misery.
βάσανος (η) [vasanos] torture, torment.
βάση (η) [vasi] base, bottom.
βασίζομαι (ρ) [vasizome] rely on.
βασίζω (ρ) [vasizo] base.
βασικός-ή-ό (ε) [vasikos] primary, basic, bottom, essential.
βασιλεία (η) [vasilia] kingdom.
βασίλειο (το) [vasilio] kingdom.
βασίλεμα (το) [vasilema] setting, set.
βασίλευμα (το) [vasilevma] sunset.
βασιλεύω (ρ) [vasilevo] reign.
βασιλιάς (ο) [vasilias] king.
βασιλικός-ή-ό (ε) [vasilikos] royal, regal.
βασίλισσα (η) [vasilissa] queen.
βασιλοπούλα (η) [vasilopula] princess.
βασιλόπουλο (το) [vasilopulo] prince.
βάσιμος-η-ο (ε) [vasimos] trustworthy, reliable.
βασκαίνω (ρ) [vaskeno] put a spell on.
βασκανία (η) [vaskania] evil eye.
βάσταγμα (το) [vastagma] holding.
βαστάζω (ρ) [vastazo] hold.
βαστώ (ρ) [vasto] hold, support, keep, wear, carry.
βατ (το) [vat] watt [φυσική].
βάτα (η) [vata] pad[ding], wad.
βάτεμα (το) [vatema] mating.
βατεύω (ρ) [vatevo] mate.
βατόμουρο (το) [vatomuro] blackberry.
βάτος (ο) [vatos] bramble, briar.
βατραχάνθρωπος (ο) [vatrahanthropos] frogman.
βατραχοπέδιλο (το) [vatrahopedhilo] flipper.
βάτραχος (ο) [vatrahos] frog.
βατραχόψαρο (το) [vatrahopsaro] angler.
βατσίνα (η) [vatsina] vaccine.
βαυκάλημα (το) [vafkalima] lullaby.
βαυκαλίζω (ρ) [vafkalizo] lull.
βαφέας (ο) [vafeas] dyer.
βαφή (η) [vafi] paint, dye.
βαφτίζω (ρ) [vaftizo] baptize.
βάφτιση (η) [vaftisi] baptism.
βαφτίσια (τα) [vaftisia] christening.
βαφτισιμιός-ά (ε) [vaftisimios] godson.
βάφτισμα (το) [vaftisma] baptism, christening.
βαφτιστήρι (το) [vaftistiri] god-

child.
βαφτιστικός-ή-ό (ε) [vaftistikos] baptismal, christening.
βάφω (ρ) [vafo] dye, make up.
βγάζω (ρ) [vgazo] take off, get out, press, make, earn, read, call.
βγαίνω (ρ) [vyeno] go out, come out, be out.
βγάλσιμο (το) [vgalsimo] removal, extraction.
βδέλλα (η) [vdhella] leech.
βδελυγμία (η) [vdheligmia] detestation, abomination.
βδελυρός-ή-ό (ε) [vdheliros] repugnant, disgusting.
βδομάδα (η) [vdhomadha] week.
βδομαδιάτικος-η-ο (ε) [vdhomadhiatikos] weekly.
βέβαια (επ) [vevea] certainly, surely.
βέβαιος-η-ο (ε) [veveos] certain, sure, clear.
βεβαιωμένος-η-ο (μ) [veveomenos] confirmed.
βεβαιώνομαι (ρ) [veveonome] make sure, assure
βεβαιώνω (ρ) [veveono] confirm, affirm, assure, certify.
βεβαίωση (η) [veveosi] confirmation, certificate.
βέβηλος-η-ο (ε) [vevilos] profane, sacrilegious.
βεβηλώνω (ρ) [vevilono] desecrate, defile, violate.
βεβήλωση (η) [vevilosi] desecration, sacrilege.
βεγγαλικά (τα) [vengalika] fireworks.
βελάζω (ρ) [velazo] bleat.
βελανίδι (το) [velanidhi] acorn.
βέλασμα (το) [velasma] baa, bleat.
Βελγικός-ή-ό (ε) [Velyikos] Belgian.
Βέλγιο (το) [Velyio] Belgium.
Βέλγος (ο) [Velgos] Belgian.
βέλο (το) [velo] veil.
βελόνα (η) [velona] needle.
βελονιά (η) [velonia] stitch.
βελονισμός (ο) [velonismos] acupuncture.
βέλος (το) [velos] arrow, dart.
βελούδινος-η-ο (ε) [veludhinos] velvet, velvety.
βελουδένιος-α-ο (ε) [veludhenios] velvety.
βελούδο (το) [veludho] velvet.
βέλτιστος-η-ο (ε) [veltistos] best.
βελτιώνω (ρ) [veltiono] improve.
βενζίνα (η) [venzina] petrol.
βενζινάδικο (το) [venzinadhiko] petrol station, gas station.
βενζίνη (η) [venzini] petrol.
βέρα (η) [vera] wedding ring.
βεράντα (η) [veranda] veranda.
βέργα (η) [verga] stick, rod.
βερεσέδια (τα) [veresedhia] debts.
βερεσές (ο) [vereses] credit.

βερίκοκο (το) [verikoko] apricot.
βερνίκι (το) [verniki] varnish.
βερνίκωμα (το) [vernikoma] varnishing, polishing.
βερνικώνω (ρ) [vernikono] varnish, polish.
βέρος-α-ο (ε) [veros] genuine.
βεστιάριο (το) [vestiario] wardrobe, cloak-room.
βετεράνος (ο) [veteranos] veteran.
βέτο (το) [veto] veto.
βήμα (το) [vima] step, pace.
βηματίζω (ρ) [vimatizo] pace.
βηματισμός (ο) [vimatismos] tramp, trudge, tread.
βηματοδότης (ο) [vimatodhotis] pacemaker.
βήχας (ο) [vihas] cough.
βήχω (ρ) [viho] cough.
βία (η) [via] force, violence.
βιάζομαι (ρ) [viazome] be in a hurry, be rushed, be forced.
βιάζω (ρ) [viazo] force, rape.
βιαιοπραγία (η) [vieopragia] physical assault.
βίαιος-η-ο (ε) [vieos] violent.
βιαιότητα (η) [vieotita] violence.
βιάση (η) [viasi] force, violence.
βιασμός (ο) [viasmos] rape.
βιαστής (ο) [viastis] rapist.
βιαστικός-ή-ό (ε) [viastikos] urgent, pressing, hurried.
βιασύνη (η) [viasini] haste.
βιβλιάριο (το) [vivliario] booklet, card.
βιβλικός-ή-ό (ε) [vivlikos] biblical.
βιβλίο (το) [vivlio] book.
βιβλιογραφία (η) [vivliografia] bibliography.
βιβλιοδεσία (η) [vivliodhesia] bookbinding, binding.
βιβλιοεκδότης (ο) [vivlioekdhotis] publisher.
βιβλιοθηκάριος (ο) [vivliothikarios] librarian.
βιβλιοθήκη (η) [vivliothiki] bookcase, library.
βιβλιοφύλακας (ο) [vivliofilakas] librarian.
Βίβλος (η) [Vivlos] Bible.
βίγλα (η) [vigla] watch-tower.
βίδα (η) [vidha] bug, screw.
βιδέλο (το) [vidhelo] calf, veal [κρέας].
βίδωμα (το) [vidhoma] bolting.
βιδώνω (ρ) [vidhono] screw.
βιζόν (το) [vizon] mink.
βίλα (η) [vila] villa.
βίντσι (το) [vindsi] winch, hoist.
βιογραφία (η) [viografia] biography.
βιογραφικός-ή-ό (ε) [viografikos] biographical.
βιογράφος (ο) [viografos] biographer.
βιόλα (η) [viola] viola.

βιολί (το) [violi] violin, fiddle.
βιολιστής (ο) [violistis] violinist.
βιολιτζής (ο) [violitzis] fiddler.
βιολογία (η) [violoyia] biology.
βιολογικός-ή-ό (ε) [violoyikos] biological.
βιολοντσέλο (το) [violontselo] cello.
βιομηχανία (η) [viomihania] industry, manufacture.
βιομήχανος (ο) [viomihanos] industrialist, manufacturer.
βιοπορισμός (ο) [vioporismos] livelihood.
βιοποριστικός-ή-ό (ε) [vioporistikos] bread-winning.
βίος (ο) [vios] life.
βιός (το) [vios] wealth.
βιοτέχνης (ο) [viotehnis] tradesman.
βιοτεχνία (η) [viotehnia] handicraft.
βιοτεχνικός-ή-ό (ε) [viotehnikos] handicraft.
βιοψία (η) [viopsia] biopsy.
βιράρω (ρ) [viraro] heave.
βιταλισμός (ο) [vitalismos] vitalism.
βιταμίνη (η) [vitamini] vitamin.
βιτρίνα (η) [vitrina] shop window, showcase, cabinet.
βιτρώ (το) [vitro] stained-glass window.
βίτσα (η) [vitsa] whip, cane.
βιτσίζω (ρ) [vitsizo] whip, lash.
βίτσιο (το) [vitsio] vice.
βιτσιόζος-α-ο (ε) [vitsiozos] vicious.
βίωμα (το) [vioma] experience.
βιώσιμος-η-ο (ε) [viosimos] viable, feasible.
βιωσιμότητα (η) [viosimotita] viability.
βιωτικός-ή-ό (ε) [viotikos] biotic.
βλαβερός-ή-ό (ε) [vlaveros] harmful.
βλάβη (η) [vlavi] harm, damage.
βλάκας (ο) [vlakas] fool, idiot.
βλακεία (η) [vlakia] stupidity.
βλαμμένος-η-ο (μ) [vlammenos] crazy.
βλάπτω (ρ) [vlapto] harm.
βλαστάνω (ρ) [vlastano] sprout, shoot, grow, spring up.
βλαστάρι (το) [vlastari] sprout.
βλαστήμια (η) [vlastimia] oath, curse, swear.
βλαστημώ (ρ) [vlastimo] curse.
βλαστολογώ (ρ) [vlastologo] prune.
βλαστός (ο) [vlastos] offspring.
βλασφημώ (ρ) [vlasfimo] curse.
βλάφτω (ρ) [vlafto] harm.
βλάχος (ο) [vlahos] bumpkin.
βλέμμα (το) [vlemma] look.
βλέννα (η) [vlenna] mucus.
βλεννόρροια (η) [vlennorria] gonorrhoea, clap [χυδ].
βλέπω (ρ) [vlepo] see, look at.

βλεφαρίδα (η) [vlefaridha] eyelash.

βλεφαρίζω (ρ) [vlefarizo] blink.

βλέφαρο (το) [vlefaro] eyelid.

βλέψη (η) [vlepsi] aim, ambition.

βλητικός-ή-ό (ε) [vlitikos] ballistic, projectile.

βλήτρο (το) [vlitro] bolt.

βλογιά (η) [vloyia] smallpox.

βλογώ (ρ) [vlogo] bless, praise.

βλοσυρός-ή-ό (ε) [vlosiros] fierce.

βόας (ο) [voas] boa.

βόγκημα (το) [vongima] groan.

βογκώ (ρ) [vongo] moan.

βόδι (το) [vodhi] ox.

βοδινό (το) [vodhino] beef.

βοδινός-ή-ό (ε) [vodhinos] ox.

βοή (η) [voi] roaring, hum.

βοήθεια (η) [voithia] help, aid.

βοήθημα (το) [voithima] help.

βοηθός (ο) [voithos] assistant.

βοηθώ (ρ) [voitho] help, relieve.

βόθρος (ο) [vothros] cesspit.

βολάν (το) [volan] wheel.

βολβός (ο) [volvos] bulb, onion, eyeball.

βόλεϊ (το) [volei] volleyball.

βόλεμα (το) [volema] arrangement.

βολετός-ή-ό (ε) [voletos] possible, convenient.

βολεύομαι (ρ) [volevome] get comfortable, get fixed up.

βολεύω (ρ) [volevo] accommodate, arrange.

βολή (η) [voli] shot, blow, cast.

βόλι (το) [voli] bullet.

βολίδα (η) [volidha] bullet.

βολικά (επ) [volika] comfortably.

βολικός-ή-ό (ε) [volikos] convenient, easy.

βολοδέρνω (ρ) [volodherno] knock about.

βόλος (ο) [volos] lump, marble.

βόλτα (η) [volta] walk.

βολτάζ (το) [voltaz] voltage.

βόμβα (η) [vomva] bomb.

βομβαρδίζω (ρ) [vomvardhizo] bomb.

βομβητής (ο) [vomvitis] buzzer.

βόμβος (ο) [vomvos] buzz.

βόμβυκας (ο) [vomvikas] cocoon, silkworm.

βομβώ (ρ) [vomvo] buzz, hum.

βορά (η) [vora] prey, victim.

βόρβορος (ο) [vorvoros] muck.

βόρειος-α-ο (ε) [vorios] north.

βοριάς (ο) [vorias] north wind.

βορράς (ο) [vorras] north.

βοσκή (η) [voski] pasture, graze.

βόσκημα (το) [voskima] grazing.

βοσκοπούλα (η) [voskopula] shepherd girl.

βοσκόπουλο (το) [voskopulo] young shepherd.

βοσκοτόπι (το) [voskotopi] pasture land, grazing-land.

βόσκω (ρ) [vosko] graze.
βόστρυχος (ο) [vostrihos] tress.
βοτάνι (το) [votani] plant, herb.
βοτάνιασμα (το) [votaniasma] weeding.
βοτανίζω (ρ) [votanizo] weed [out].
βοτανική (η) [votaniki] botany.
βότανο (το) [votano] herb, plant.
βουβάλι (το) [vuvali] buffalo.
βουβαμάρα (η) [vuvamara] speechlessness.
βουβός-ή-ό (ε) [vuvos] dumb.
βουβώνα (η) [vuvona] groin.
Βουδαπέστη (η) [Vudhapesti] Budapest.
Βούδας (ο) [Vudhas] Buddha.
Βουδισμός (ο) [vudhismos] Buddhism.
βουή (η) [vui] shout, cry.
βουίζω (ρ) [vuizo] buzz, hum.
βούκινο (το) [vukino] horn.
βουκολικός-ή-ό (ε) [vukolikos] bucolic, pastoral.
βούλα (η) [vula] seal, stamp.
βούλεμα (το) [vulema] decision.
βούλευμα (το) [vulevma] order.
βουλευτής (ο) [vuleftis] member of parliament.
βουλή (η) [vuli] parliament.
βούληση (η) [vulisi] desire, will.
βουλητικός (ο) [vulitikos] willing.
βούλιαγμα (το) [vuliagma] collapse.
βουλιάζω (ρ) [vuliazo] sink, ruin.
βουλοκέρι (το) [vulokeri] sealing wax.
βούλωμα (το) [vuloma] sealing, stamping, cork, bung.
βουλώνω (ρ) [vulono] seal, clog.
βουναλάκι (το) [vunalaki] hillock, knoll.
βουνίσιος-ια-ιο (ε) [vunisios] mountainous.
βουνό (το) [vuno] mountain.
βουρδουλιά (η) [vurdhulia] lash.
βούρκος (ο) [vurkos] mud, mire.
βουρκώνω (ρ) [vurkono] fill with tears, mist.
βουρλίζω (ρ) [vurlizo] infuriate.
βούρλο (το) [vurlo] bulrush, rush.
βούρτσα (η) [vurtsa] brush.
βουρτσίζω (ρ) [vurtsizo] brush.
βούρτσισμα (το) [vurtsisma] brushing.
βουτάω (ρ) [vutao] bathe.
βούτη (η) [vuti] churn.
βούτηγμα (το) [vutigma] dipping.
βουτηχτός-ή-ό (ε) [vutihtos] soaked.
βουτηχτής (ο) [vutihtis] diver, thief.
βουτιά (η) [vutia] dive, stealing.
βούτυρο (το) [vutiro] butter.
βουτυροκομείο (το) [vutirokomio] dairy.
βουτυρόπαιδο (το) [vutiropedho] mummy's boy.
βουτυρώνω (ρ) [vutirono] butter.

βουτώ (ρ) [vuto] dunk.
βραβείο (το) [vravio] prize.
βραβευμένος-η-ο (μ) [vravevmenos] prize-winning.
βράβευση (η) [vravefsi] reward.
βραγιά (η) [vrayia] patch, bed.
βράγχια (τα) [vraghia] gills.
βραδάκι (το) [vradhaki] early evening.
βραδιά (η) [vradhia] evening.
βραδιάζω (ρ) [vradhiazo] getting dark.
βραδιάτικος-η-ο (ε) [vradhiatikos] evening.
βραδινός-ή-ό (ε) [vradhinos] evening.
βράδυ (επ) [vradhi] evening.
βραδυγλωσσία (η) [vradhiglosia] stammering, stutter.
βραδυκίνητος-η-ο (ε) [vradhikinitos] sluggish.
βραδύνω (ρ) [vradhino] be late.
βραδυπορώ (ρ) [vradhiporo] go slowly, go behind, struggle.
βραδύς-εία-ύ (ε) [vradhis] slow.
βραδύτητα (η) [vradhitita] slowness, tardiness, lateness.
Βραζιλία (η) [Vrazilia] Brazil.
Βραζιλιανός (ο) [Vrazilianos] Brazilian.
βράζω (ρ) [vrazo] boil, brew.
βράκα (η) [vraka] underwear.
βρακί (το) [vraki] underpants, trousers.
βράσιμο (το) [vrasimo] boiling.
βραστός-ή-ό (ε) [vrastos] boiled.
βραχιόλι (το) [vrahioli] bracelet.
βραχίονας (ο) [vrahionas] arm.
βραχνάδα (η) [vrahnadha] hoarseness.
βραχνάς (ο) [vrahnas] nightmare.
βραχνιάζω (ρ) [vrahniazo] become hoarse.
βραχνός-ή-ό (ε) [vrahnos] hoarse.
βραχόκηπος (ο) [vrahokipos] rock garden.
βράχος (ο) [vrahos] rock.
βραχύβιος-ια-ιο (ε) [vrahivios] short-lived.
βραχυγραφία (η) [vrahigrafia] abbreviation.
βραχυκυκλώνω (ρ) [vrahikiklono] short-circuit.
βραχυλογία (η) [vrahiloyia] conciseness, brevity.
βραχυπρόθεσμος-η-ο (ε) [vrahiprothesmos] short-term.
βραχύς-εία-ύ (ε) [vrahis] short.
βραχώδης-ης-ες (ε) [vrahodhis] rocky.
βρε! (επιφ) [vre!] you there, hey you.
βρεγμένος-η-ο (μ) [vregmenos] wet, damp.
βρέξιμο (το) [vreksimo] wetting, dampening.
Βρετανία (η) [Vretania] Britain.
Βρετανικός-ή-ό (ε) [Vretanikos] British.

Βρετανός (ο) [Vretanos] British.

βρεφικός-ή-ό (ε) [vrefikos] infantile.

βρεφοκομείο (το) [vrefokomio] public nursery.

βρεφοκομώ (ρ) [vrefokomo] nurse.

βρεφοκτονος (η) (ο) [vrefoktonos] infanticide.

βρέφος (το) [vrefos] baby, infant.

βρέχω (ρ) [vreho] wet, rain.

βρίζω (ρ) [vrizo] abuse, insult.

βρίθω (ρ) [vritho] teem, swarm, abound, be full of.

βρισιά (η) [vrisia] abuse, insult.

βρίσιμο (το) [vrisimo] abuse, insult.

βρίσκω (ρ) [vrisko] find, guess.

βρογχίτιδα (η) [vrohitidha] bronchitis.

βρόγχος (ο) [vrohos] bronchus.

βρόμα (η) [vroma] dirt, filth.

βρομερός-ή-ό (ε) [vromeros] foul, dirty, filthy, stinking.

βρομιά (η) [vromia] dirt, filth.

βρομιάρης-α-ικο (ε) [vromiaris] skunk, rascal.

βρομίζω (ρ) [vromizo] dirty.

βρόμικος-η-ο (ε) [vromikos] dirty, obscene.

βροντοκόπημα (το) [vrontokopima] knocking, thudding.

βρόντος (ο) [vrondos] noise.

βροντώ (ρ) [vrondo] knock.

βροντώδης-ης-ες (ε) [vrondodhis] thunderous.

βρούβα (η) [vruva] black mustard.

βροχερός-ή-ό (ε) [vroheros] wet, rainy.

βροχή (η) [vrohi] rain.

βρόχι (το) [vrohi] net, snare.

βρόχινος-η-ο (ε) [vrohinos] rain.

βρόχος (ο) [vrohos] noose.

βρύο (το) [vrio] moss.

βρύση (η) [vrisi] fountain, tap.

βρυσομάνα (η) [vrisomana] fountain-head.

βρυχιέμαι (ρ) [vrihieme] roar.

βρυχώμαι (ρ) [vrihome] bell.

βρώμα (η) [vroma] filth, stink.

βρωμερός-ή-ό (ε) [vromeros] stinking, nasty.

βρώμη (η) [vromi] oats.

βρωμιά (η) [vromia] filth, dirt.

βρωμίζω (ρ) [vromizo] stink, dirty.

βρώμικος-η-ο (ε) [vromikos] dirty, nasty.

βρωμώ (ρ) [vromo] stink.

βρώσιμος-η-ο (ε) [vrosimos] edible.

βυζαίνω (ρ) [vizeno] suckle, breast feed.

βυζανιάρικο (το) [vizaniariko] suckling.

βυζί (το) [vizi] breast, tit.

βυθίζω (ρ) [vithizo] sink.
βύθιση (η) [vithisi] sinking.
βυθισμένος-η-ο (μ) [vithismenos] sunken, immersed.
βυθοκόρος (η) [vithokoros] dredge.
βυθομέτρηση (η) [vithometrisi] sounding.
βυθός (ο) [vithos] bottom of the sea.
βύνη (η) [vini] malt.
βυρσοδεψείο (το) [virsodhepsio] tannery.
βυρσοδέψης (ο) [virsodhepsis] tanner.
βύσμα (το) [visma] plug.
βυσσινί (το) [vissini] crimson.
βύσσινο (το) [vissino] sour cherry.
βυσσοδομώ (ρ) [vissodhomo] plot.
βυτίο (το) [vitio] cask, barrel.
βυτιοποιός (ο) [vitiopios] cooper.
βυτιοφόρο (το) [vitioforo] tank-truck, water-wagon.
βωβός-ή-ό (ε) [vovos] dumb.
βώλος (ο) [volos] bole.
βωμολοχία (η) [vomolohia] scurrility, obscenity.
βωμός (ο) [vomos] altar.

Γ

γαβάθα (η) [gavatha] bowl.
γαβγίζω (ρ) [gavyizo] bark.
γάβγισμα (το) [gavyisma] bark[ing].
γαγάτης (ο) [gagatis] jet.
γάγγραινα (η) [gangrena] gangrene.
γάδος (ο) [gadhoς] cod, fish.
γάζα (η) [gaza] gauze, bandage.
γαζί (το) [gazi] stitch.
γαζία (η) [gazia] acacia.
γάζωμα (το) [gazoma] stitching.
γαζώνω (ρ) [gazono] sew.
γαιάνθρακας (ο) [yeanthrakas] coal.
γαιανθρακωρυχείο (το) [yeanthrakorihio] coal-mine.
γάιδαρος (ο) [gaidharos] ass, donkey.
γαϊδουράγκαθο (το) [gaidhurangatho] thistle.
γαϊδούρι (το) [gaidhuri] donkey.
γαϊδουριά (η) [gaidhuria] rudeness.
γαιοκτήμονας (ο) [yeoktimonas] landowner.
γαϊτανάκι (το) [gaitanaki] maypole-dance.
γαϊτάνι (το) [gaitani] braid.
γάλα (το) [gala] milk.
γαλάζιος-α-ο (ε) [galazios] blue.
γαλαζόπετρα (η) [galazopetra] turquoise.
γαλακτερός-ή-ό (ε) [galakteros] milky, of milk.
γαλακτοκομείο (το) [galaktokomio] dairy.
γαλακτοκομία (η) [galaktokomia] dairy farming.
γαλακτοπωλείο (το) [galaktopolio] dairy.
γαλάκτωμα (το) [galaktoma] emulsion.
γαλανόλευκος (η) [galanolefkos] the Greek flag.
γαλανός-ή-ό (ε) [galanos] blue,.
γαλαντόμος (ο) [galandomos] gallant, generous.
γαλαξίας (ο) [galaksias] Milky Way.
γαλαρία (η) [galaria] gallery.
γαλατάδικο (το) [galatadhiko] dairy, milkbar.
γαλατάς (ο) [galatas] milkman.
γαλβανίζω (ρ) [galvanizo] galvanize.
γαλέος (ο) [galeos] small dogfish.
γαλέρα (η) [galera] galley.
γαλήνεμα (το) [galinema] calmness.
γαληνεύω (ρ) [galinevo] calm.

γαλήνη (η) [galini] calm, peace.
γαλήνιος-α-ο (ε) [galinios] calm.
γαλιάντρα (η) [galiandra] skylark, talkative [μεταφ].
γαλιφιά (η) [galifia] cajolery.
Γάλλος (ο) [Gallos] Frenchman.
γαλόνι (το) [galoni] gallon.
γαλοπούλα (η) [galopula] turkey.
γάλος (ο) [galos] turkey[-cock].
γαλότσες (οι) [galotses] wellington boots.
γαλουχώ (ρ) [galuho] suckle.
γαμήλιος-α-ο (ε) [gamilios] bridal.
γαμικός-ή-ό (ε) [gamikos] marital.
γάμος (ο) [gamos] wedding, marriage.
γάμπα (η) [gamba] calf, leg.
γαμπρός (ο) [gambros] son-in-law, bridegroom, brother-in-law.
γαμώ (ρ) [gamo] fuck, screw.
γάντζος (ο) [gandzos] hook.
γαντζώνω (ρ) [gandzono] hook.
γάντι (το) [gandi] glove.
γανώνω (ρ) [ganono] tin, tinplate.
γανωτής (ο) [ganotis] tinker.
γαργάλημα (το) [gargalima] tickling.
γαργαλίζω (ρ) [gargalizo] tickle.
γαργαλώ (ρ) [gargalo] tickle, tempt.
γαργάρα (η) [gargara] gargle.
γαργαρίζω (ρ) [gargarizo] gargle.
γαρδένια (η) [gardhenia] gardenia.
γαρίδα (η) [garidha] shrimp, prawn.
γαρνίρισμα (το) [garnirisma] garnishing, decoration.
γαρνίρω (ρ) [garniro] garnish.
γαρνιτούρα (η) [garnitura] trimming, garniture.
γαρυφαλιά (η) [garifalia] clove tree, carnation.
γαρύφαλλο (το) [garifallo] clove.
γάστρα (η) [gastra] earthenware pot.
γαστραλγία (η) [gastralyia] stomach ache.
γαστρικός-ή-ό (ε) [gastrikos] gastric.
γαστρίτιδα (η) [gastritidha] gastritis.
γάτα (η) [gata] cat.
γατάκι (το) [gataki] kitten.
γάτος (ο) [gatos] tomcat, puss.
γαυγίζω (ρ) [gavyizo] bark.
γαύγισμα (το) [gavyizma] barking.
γαύρος (ο) [gavros] anchovy.
γδάρσιμο (το) [gdharsimo] scratch.
γδέρνω (ρ) [gdherno] skin, claw.
γδικιωμός (ο) [gdhikiomos] revenge.
γδικιώνομαι (ρ) [gdhikionome] revenge.
γδούπος (ο) [gdhupos] thud.
γδύνομαι (ρ) [gdhinome] get undressed.
γδύνω (ρ) [gdhino] undress, rob.
γεγονός (το) [yegonos] event.

γειά (η) [yia] health, hello, goodbye.
γείσο (το) [yiso] eaves, cornice.
γειτνιάζω (ρ) [gitniazo] be close to.
γείτονας (ο) [yitonas] neighbour.
γειτονιά (η) [yitonia] neighbourhood.
γειτόνισσα (η) [yitonissa] neighbour.
γειώνω (ρ) [yiono] ground.
γείωση (η) [yiosi] grounding.
γελάδα (η) [yeladha] cow.
γέλασμα (το) [yelasma] laugh, deceit.
γελαστός-ή-ό (ε) [yelastos] smiling, pleasant, cheerful.
γελάω (ρ) [gelao] smile, deceive.
γελέκο (το) [yeleko] waistcoat.
γελιέμαι (ρ) [yelieme] be deceived, be mistaken.
γέλιο (το) [yelio] laugh, chuckle.
γελοιογραφία (η) [yeliografia] caricature, cartoon.
γελοιογράφος (ο) [yeliografos] cartoonist, caricaturist.
γελοιοποίηση (η) [yeliopiisi] ridicule.
γελοιοποιώ (ρ) [yeliopio] ridicule.
γελοίος-α-ο (ε) [yelios] comical, clownish, rediculous.
γελώ (ρ) [yelo] laugh, cheat.
γελωτοποιός (ο) [yelotopios] fool, clown.
γεμάτος-η-ο (ε) [yematos] full.
γεμίζω (ρ) [yemizo] fill up, load, stuff.
γέμιση (η) [yemisi] filling, loading.
γέμισμα (το) [yemisma] filling, stuffing, loading.
γενάκι (το) [yenaki] goatee.
γενάτος-η-ο (ε) [yenatos] bearded.
γενεά (η) [yenea] race, generation.
γενέθλια (τα) [yenethlia] birthday.
γενειάδα (η) [yeniadha] beard.
γενειοφόρος (ο) [yenioforos] bearded.
γένεση (η) [yenesi] origin, birth, Genesis [εκκλ].
γενέτειρα (η) [yenetira] birthplace.
γενετήσιος-α-ο (ε) [yenetisios] productive, sexual.
γενετική (η) [yenetiki] genetics.
γένι (το) [yeni] beard, awn.
γενιά (η) [yenia] family, stock.
γενικά (επ) [yenika] generallly.
γενίκευση (η) [yenikefsi] generalization.
γενικευτικός-ή-ό (ε) [yenikeftikos] generalizing.
γενικεύω (ρ) [yenikevo] generalize.
γενικός-ή-ό (ε) [yenikos] general.
γέννα (η) [yenna] birth.
γενναιοδωρία (η) [yenneodhor-

ia] bounty, generosity.
γενναιόδωρος-η-ο (ε) [yenneodhoros] generous, benevolent.
γενναιόκαρδος-η-ο (ε) [yenneokardhos] stout-hearted.
γενναίος-α-ο (ε) [yenneos] brave.
γενναιότητα (η) [yenneotita] bravery.
γενναιοφροσύνη (η) [yenneofrosini] generosity.
γενναιοψυχία (η) [yenneopsihia] bravery, gallantry.
γενναιόψυχος-η-ο (ε) [yenneopsihos] generous.
γέννηση (η) [yennisi] birth.
γεννητικός-ή-ό (ε) [yennitikos] genital, sexual.
γεννήτορας (ο) [yennitoras] father, progenitor.
γεννήτρια (η) [yennitria] generator.
γεννοβολώ (ρ) [yennovolo] breed, generate.
γεννώ (ρ) [yenno] give birth to.
γενοκτονία (η) [yenoktonia] genocide.
γένος (το) [yenos] race, family.
γεράκι (το) [yeraki] hawk.
γεράματα (τα) [yeramata] old age.
γεράνι (το) [yerani] geranium.
γερανός (ο) [yeranos] crane.
γερατειά (τα) [yeratia] old age.
γέρικος-η-ο (ε) [yerikos] old.
γέρνω (ρ) [yerno] bend, lean, sink [για ήλιο κτλ].
γερνώ (ρ) [yerno] age, grow old.
γερό ξύλο (το) [yero ksilo] belting.
γεροδεμένος-η-ο (μ) [yerodhemenos] strongly-built, sturdy.
γέροντας (ο) [yerondas] old man.
γερόντισσα (η) [yerondissa] old woman.
γεροντοκομείο (το) [yerontokomio] home for the aged.
γεροντοκόρη (η) [yerondokori] old maid, spinster.
γεροντοπαλίκαρο (το) [yerondopalikaro] old bachelor.
γεροντόπαχο (το) [yerondopaho] middle-age[d] spread.
γερός-ή-ό (ε) [yeros] sturdy, healthy, solid, substantial, firm.
γέρος (ο) [yeros] old man.
γερούνδιο (το) [yerundhio] gerund.
γερουσία (η) [yerusia] senate.
γερουσιαστής (ο) [yerusiastis] senator.
γέρσιμο (το) [yersimo] droop.
γερτός-ή-ό (ε) [yertos] leaning.
γεύμα (το) [yevma] meal.
γευματίζω (ρ) [yevmatizo] dine,
γεύομαι (ρ) [yevome] taste, try.
γεύση (η) [yefsi] taste, flavour.
γευστικός-ή-ό (ε) [yefstikos] tasty.
γέφυρα (η) [yefira] bridge.
γεφυροποιός (ο) [yefiropios] bridge builder.

γεφυρώνω (ρ) [yefirono] bridge.
γεωγραφία (n) [yeografia] geography.
γεωγράφος (o) [yeografos] geographer.
γεωλογία (n) [yeoloyia] geology.
γεωλογικός,ή-ό (ε) [yeoloyikos] geological, geologic.
γεωλόγος (o) [yeologos] geologist.
γεωμετρία (n) [yeometria] geometry.
γεωμετρικός-ή-ό (ε) [yeometrikos] geometrical.
γεωπόνος (o) [yeoponos] agriculturalist.
γεωργία (n) [yeoryia] farming.
γεωργικός-ή-ό (ε) [yeoryikos] agricultural.
γεωργός (o) [yeorgos] farmer.
γεώτρηση (n) [yeotrisi] drilling.
γεωτρύπανο (το) [yeotripano] drill.
γη (n) [yi] earth, land, ground.
γηγενής-ής-ές (ε) [yiyenis] native, indigenous.
γήινος-η-ο (ε) [yiinos] earthy.
γήπεδο (το) [yipedho] ground.
γηραλέος-α-ο (ε) [yiraleos] aged.
γήρας (το) [yiras] old age.
γηρατειά (τα) [yiratia] old age.
γηριατρική (n) [yiriatriki] geriatrics.
γηροκομείο (το) [yirokomio] old people's home.
γητεία (n) [yitia] spell, sorcery.
γητεύω (ρ) [yitevo] charm.
για (πρ) [yia] for, because of, on
γιαγιά (n) [yiayia] grandmother.
γιακάς (o) [yiakas] collar.
γιαλός (o) [yialos] seashore.
γιαούρτι (το) [yiaurti] yogurt.
γιαπί (το) [yiapi] skeleton building.
γιάρδα (n) [yiardha] yard.
γιαρμάς (o) [yiarmas] yellow peach.
γιασεμί (το) [yiasemi] jasmine.
γιατί (σ) [yiati] because.
γιατρειά (n) [yiatria] cure.
γιατρεύω (ρ) [yiatrevo] cure, heal, treat.
γιατρικό (το) [yiatriko] remedy.
γιατροκομώ (ρ) [yiatrokomo] nurse.
γιατρός (o) [yiatros] doctor.
γιαχνί (το) [yiahni] ragout.
γίγαντας (o) [yigandas] giant.
γιγαντιαίος-α-ο (ε) [yigandieos] giant.
γίγας (o) [yigas] giant.
γίδα (n) [yidha] goat.
γιδίσιος-α-ο (ε) [yidhisios] goat.
γιλέκο (το) [yileko] waistcoat.
γινάτι (το) [yinati] spite, obstinacy.
γίνομαι (ρ) [yinome] become, grow, happen, go down.
γίνωμα (το) [yinoma] ripening.

γινωμένος-η-ο (ε) [yinomenos] done, ready, ripe.
γιομάτος-η-ο (ε) [yiomatos] full, loaded, packed, plump.
γιορτάζω (ρ) [yiortazo] celebrate, commemorate.
γιόρτασμα (το) [yiortasma] celebration, festivity.
γιορτή (η) [yiorti] celebration.
γιος (ο) [yios] son.
γιούλι (το) [yiuli] violet.
γιουρούσι (το) [yiurusi] assault.
γιουχαΐζω (ρ) [yiuhaizo] jeer.
γιουχάρω (ρ) [yiuharo] haze.
γιρλάντα (η) [yirlanda] wreath.
γκαβός-ή-ό (ε) [gavos] cross-eyed, blind.
γκαζάδικο (το) [gazadhiko] oil-tanker.
γκάζι (το) [gazi] accelerator, gas.
γκαζιέρα (η) [gaziera] gas stove.
γκαζόζα (η) [gazoza] lemonade.
γκαζόν (το) [gazon] lawn, grass.
γκάιντα (η) [gainda] bagpipe[s].
γκαμήλα (η) [gamila] camel.
γκαράζ (το) [garaz] garage.
γκαρδιακός-ή-ό (ε) [gardhiakos] hearty, true.
γκαρίζω (ρ) [garizo] bray, bawl.
γκαρνταρόμπα (η) [gardaroba] wardrobe, cloakroom.
γκαρσόνι (το) [garsoni] waiter.
γκάστρωμα (το) [gastroma] pregnancy.
γκαστρωμένος-η-ο (μ) [gastromenos] pregnant.
γκαστρώνομαι (ρ) [gastronome] become pregnant.
γκαστρώνω (ρ) [gastrono] make pregnant, impregnate.
γκάφα (η) [gafa] blunder.
γκαφατζής (ο) [gafatzis] blunderer.
γκέισα (η) [geisa] geisha.
γκέτο (το) [geto] ghetto.
γκι (το) [gi] mistletoe.
γκιλοτίνα (η) [gilotina] guillotine.
γκινέα (η) [ginea] guinea.
γκίνια (η) [ginia] bad luck.
γκιόνης (ο) [gionis] owl.
γκιόσα (η) [giosa] oldgoat.
γκισές (ο) [gises] wicket, counter.
γκλασάρω (ρ) [glasaro] ice.
γκλίτσα (η) [glitsa] shepherd's crook.
γκλοπ (το) [glop] truncheon.
γκολφ (το) [golf] golf.
γκόμενα (η) [gomena] girl-friend.
γκόμενος (ο) [gomenos] boy-friend.
γκουβερνάντα (η) [guvernanda] governess.
γκραβούρα (η) [gravura] engraving, print.
γκρεμίζω (ρ) [gremizo] demolish, overthrow.
γκρέμισμα (το) [gremisma] demolition, overthrow, collapse.
γκρεμνός (ο) [gremnos] sheer

drop.
γκρεμός (ο) [gremos] precipice.
γκρι (το) [gri] grey.
γκριζομάλλης (ο) [grizomallis] grey-haired.
γκρίζος-α-ο (ε) [grizos] grey.
γκρίνια (η) [grinia] grumbling.
γκρινιάζω (ρ) [griniazo] complain, grumble.
γκρινιάρης-α-ικο (ε) [griniaris] nagger, killjoy, moaner.
γκρουμ (ε) [grum] bellman.
γκρουπ (το) [grup] group.
γλάρος (ο) [glaros] seagull, cob.
γλαρώνω (ρ) [glarono] doze off.
γλάστρα (η) [glastra] flowerpot.
γλαφυρός-ή-ό (ε) [glafiros] elegant.
γλειφιτζούρι (το) [glifitsuri] lollipop.
γλείφω (ρ) [glifo] lick.
γλεντζές (ο) [glendzes] party-lover.
γλέντι (το) [glendi] party, feast.
γλεντώ (ρ) [glendo] amuse.
γλεύκος (το) [glefkos] must.
γλιστερός-ή-ό (ε) [glisteros] slippery.
γλιστρώ (ρ) [glistro] slip.
γλισχρότητα (η) [glishrotita] meagreness.
γλίτσα (η) [glitsa] slime, sludge.
γλιτσερός-ή-ό (ε) [glitseros] grimy, slippery.
γλίτωμα (το) [glitoma] escape.
γλιτώνω (ρ) [glitono] escape.
γλουτός (ο) [glutos] buttock.
γλύκα (η) [glika] sweetness.
γλυκανάλατος-η-ο (ε) [glikanalatos] insipid, unpleasant.
γλυκάνισο (το) [glikaniso] anise.
γλύκανση (η) [glikansi] relief.
γλυκαντικός-ή-ό (ε) [glikandikos] sweetening.
γλυκερίνη (η) [glikerini] glycerine.
γλυκερός-ή-ό (ε) [glikeros] sugary.
γλύκισμα (το) [glikisma] cake, confectionery.
γλυκό (το) [gliko] dessert, sweet.
γλυκόζη (η) [glikozi] glucose.
γλυκόηχος-η-ο (ε) [glikoihos] melodious.
γλυκόξινος-η-ο (ε) [glikoksinos] sweet and sour.
γλυκοπατάτα (η) [glikopatata] sweet potato, yam.
γλυκόριζα (η) [glikoriza] liquorice.
γλυκός-ιά-ό (ε) [glikos] sweet, delicate.
γλυκοχάραγμα (το) [glikoharagma] daybreak.
γλυκύς-ιά-ύ (ε) [glikis] affable, sweet, mild, delicate, pleasant.
γλυκύτητα (η) [glikitita] sweetness, mildness.
γλύπτης (ο) [gliptis] sculptor.
γλυπτική (η) [gliptiki] sculp-

ture.

γλυπτό (το) [glipto] sculpture.

γλυφή (η) [glifi] chasing.

γλύφω (ρ) [glifo] engrave, sculpture, chase.

γλώσσα (η) [glossa] tongue, language, sole [ψάρι].

γλωσσαμύντορας (ο) [glossamindoras] purist.

γλωσσάριο (το) [glossario] glossary.

γλωσσάς (ο) [glossas] chatterbox.

γλωσσικός-ή-ό (ε) [glossikos] linguistic.

γλωσσοκοπάνα (η) [glossokopana] chatterbox.

γλωσσολογία (η) [glossoloyia] linguistics.

γλωσσολόγος (ο) [glossologos] linguist.

γλωσσομαθής-ής-ές (ε) [glossomathis] linguist.

γνάθος (η) [gnathos] jaw.

γνέθω (ρ) [gnetho] spin.

γνέμα (το) [gnema] spinning, thread.

γνέσιμο (το) [gnesimo] spinning.

γνεύω (ρ) [gnevo] beckon, motion, sign.

γνέψιμο (το) [gnepsimo] nodding, beckoning.

γνήσιος-ια-ιο (ε) [gnisios] genuine, legitimate [παιδί].

γνησιότητα (η) [gnisiotita] genuineness, authenticity, legitimacy.

γνοιάζομαι (ρ) [gniazome] care about.

γνωμάτευση (η) [gnomatefsi] opinion, decision.

γνώμη (η) [gnomi] opinion, mind.

γνωμοδότης (ο) [gnomodhotis] adviser, councillor.

γνωμοδότηση (η) [gnomodhotisi] opinion, decision.

γνωμοδοτικός-ή-ό (ε) [gnomodhotikos] consultative, advisory.

γνωμοδοτώ (ρ) [gnomodhoto] give one's opinion.

γνώμων (ο) [gnomon] set square, level.

γνωρίζω (ρ) [gnorizo] let it be known, inform, know, distinguish, introduce.

γνωριμία (η) [gnorimia] acquaintance.

γνώριμος-η-ο (ε) [gnorimos] intimate, known.

γνώρισμα (το) [gnorisma] sign, mark, indication, characteristic.

γνώση (η) [gnosi] knowledge, wisdom.

γνώστης (ο) [gnostis] expert, specialist, connoisseur.

γνωστικό (το) [gnostiko] cognizance.

γνωστοποίηση (η) [gnostopiisi]

announcement, warning.
γνωστοποιώ (ρ) [gnostopio] notify, inform, advise.
γνωστός-ή-ό (ε) [gnostos] acquaintance, familiar.
γνωστός (ο) [gnostos] intimacy.
γογγύζω (ρ) [gongizo] complain.
γογγύλι (το) [gongili] turnip.
γοερός-ή-ό (ε) [goeros] plaintive, mournful.
γόης (ο) [gois] charmer.
γόησσα (η) [goissa] enchantress.
γοητεία (η) [goitia] charm.
γοητευτικός-ή-ό (ε) [goiteftikos] charming, handsome.
γοητεύω (ρ) [goitevo] charm, attract.
γόητρο (το) [goitro] prestige, reputation, charm.
γομάρι (το) [gomari] load.
γομολάστιχα (η) [gomolastiha] rubber, eraser.
γόμωση (η) [gomosi] stuffing.
γονατίζω (ρ) [gonatizo] kneel.
γονάτισμα (το) [gonatisma] kneeling.
γόνατο (το) [gonato] knee.
γονέας (ο) [goneas] father, parent.
γονικός-ή-ό (ε) [gonikos] parental.
γονιμοποίηση (η) [gonimopiisi] fertilization.
γονιμοποιώ (ρ) [gonimopio] fertilize.
γόνιμος-η-ο (ε) [gonimos] fertile, prolific.
γονιμότητα (η) [gonimotita] fertility.
γονιός (ο) [gonios] father, parent.
γονόρροια (η) [genoria] gonorrhoea.
γόνος (ο) [gonos] child, sperm.
γόος (ο) [goos] [be] wailing.
γόπα (η) [gopa] bogue [fish], cigarette butt [τσιγάρου].
γοργά (επ) [gorga] quickly.
γοργοδιαβαίνω (ρ) [gorgodhiaveno] pass quickly.
γοργοκίνητος-η-ο (ε) [gorgokinitos] fast-moving, swift.
Γοργόνα (η) [Gorgona] Gorgon, mermaid.
γοργός-ή-ό (ε) [gorgos] rapid, quick.
γοργότητα (η) [gorgotita] speed.
γορίλας (ο) [gorilas] gorilla.
γούβα (η) [guva] cavity, hole.
γουδί (το) [gudhi] mortar.
γουδοχέρι (το) [gudhoheri] pestle.
γουλί (το) [guli] stump, bald.
γουλιά (η) [gulia] sip.
γούνα (η) [guna] fur.
γουναράς (ο) [gunaras] furrier.
γουναρικό (το) [gunariko] fur.
γουργουρητό (το) [gurgurito] rumbling.
γουργουρίζω (ρ) [gurgurizo]

gurgle, rumble, purr.
γούρι (το) [guri] good luck.
γούρικος-η-ο (ε) [gurikos] lucky, fortunate.
γουρλώνω (ρ) [gurlono] open eyes wide, goggle.
γούρνα (η) [gurna] basin.
γουρούνα (η) [guruna] sow.
γουρουνάκι (το) [gurunaki] piglet.
γουρούνι (το) [guruni] pig.
γουρουνίσιος-ια-ιο (ε) [gurunisios] piggish.
γουστάρω (ρ) [gustaro] desire.
γουστέρα (η) [gustera] lizard.
γούστο (το) [gusto] taste.
γουστόζικος-η-ο (ε) [gustozikos] funny, tasteful.
γοφός (ο) [gofos] haunch, hip.
γραβάτα (η) [gravata] tie.
γράμμα (το) [gramma] letter.
γραμμάριο (το) [grammario] gram.
γραμματέας (ο) [grammateas] secretary.
γραμματική (η) [grammatiki] grammar.
γραμμάτιο (το) [grammatio] instalment.
γραμματόσημο (το) [grammatosimo] stamp.
γραμμένος-η-ο (μ) [grammenos] written, destined.
γραμμή (η) [grammi] line, row.
γραμμογράφος (ο) [grammografos] drawing-pen, ruler.
γραμμογραφώ (ρ) [grammografo] line, draw lines.
γραμμοσκιάζω (ρ) [grammoskiazo] shade.
γραμμόφωνο (το) [grammofono] gramophone.
γραμμωτός-ή-ό (ε) [grammotos] lined, striped.
γρανίτα (η) [granita] water-ice.
γρανίτης (ο) [granitis] granite.
γραπτός-ή-ό (ε) [graptos] written.
γραπώνω (ρ) [grapono] seize.
γρασάρω (ρ) [grasaro] grease.
γρασίδι (το) [grasidhi] grass.
γράσο (το) [graso] grease.
γρατζουνίζω (ρ) [gratzunizo] scratch, graze.
γρατσουνιά (η) [gratsunia] scratch.
γραφέας (ο) [grafeas] clerk.
γραφείο (το) [grafio] desk, office.
γραφειοκρατικός-ή-ό (ε) [grafiokratikos] bureaucratic.
γραφή (η) [grafi] writing.
γραφιάς (ο) [grafias] penpusher.
γραφικός-ή-ό (ε) [grafikos] of writing, picturesque.
γραφίτης (ο) [grafitis] grafite .
γραφομηχανή (η) [grafomihani] typewriter.
γραφτό (το) [grafto] destiny.
γράφω (ρ) [grafo] write, record.
γράψιμο (το) [grapsimo] writ-

ing.

γρήγορα (επ) [grigora] quickly.

γρήγορος-η-ο (ε) [grigoros] fast.

γρηγορώ (ρ) [grigoro] watch.

γριά (η) [gria] old woman.

γρικώ (ρ) [griko] listen, hear.

γρίλια (η) [grilia] grille.

γριούλα (η) [griula] dear old woman.

γρίπη (η) [gripi] influenza.

γρίφος (ο) [grifos] riddle, puzzle.

γροθιά (η) [grothia] fist, punch.

γρομπιάζω (ρ) [grombiazo] clot.

γρονθοκοπώ (ρ) [gronthokopo] box, punch.

γρόσσα (η) [grossa] gross.

γγρουσούζης (ο) [grusuzis] luckless person.

γρουσουζιά (η) [grusuzia] jinx.

γρυλίζω (ρ) [grilizo] grunt.

γυάλα (η) [yiala] glass, jar, bowl.

γυαλάδα (η) [yialadha] shine.

γυαλάδικο (το) [yialadhiko] glassware, glassworks.

γυαλένιος-α-ο (ε) [yialenios] glassy.

γυαλί (το) [yiali] glass.

γυαλιά (τα) [yialia] glasses.

γυαλίζω (ρ) [yializo] polish.

γυαλικά (τα) [yialika] glassware.

γυάλινος-η-ο (ε) [yialinos] glass.

γυαλόχαρτο (το) [yialoharto] sandpaper.

γυάρδα (η) [yiardha] yard.

γυλιός (ο) [yilios] rucksack.

γυμνάζομαι (ρ) [yimnazome] exercise, practise.

γυμνάζω (ρ) [yimnazo] exercise.

γυμνάσια (τα) [yimnasia] manoeuvres [στρατ], exercises.

γυμνάσιο (το) [yimnasio] secondary school.

γύμνασμα (το) [yimnasma] drill, exercise.

γυμναστική (η) [yimnastiki] gymnastics, exercise.

γύμνια (η) [yimnia] nudity.

γυμνισμός (ο) [yimnismos] nudism.

γυμνιστής (ο) [yimnistis] nudist.

γυμνό (το) [yimno] nude.

γυμνός-ή-ό (ε) [yimnos] naked.

γυμνώνω (ρ) [yimnono] bare.

γυναίκα (η) [yineka] woman, wife.

γυναικαδελφή (η) [yinekadhelfi] sister-in-law.

γυναικάδελφος (ο) [yinekadhelfos] brother-in-law.

γυναικάκιας (ο) [yinekakias] womanizer.

γυναικάς (ο) [yinekas] womanchaser.

γυναικείος-α-ο (ε) [yinekios] femine.

γυναικίζω (ρ) [yinekizo] be ef-

feminate.
γυναικολογία (η) [yinekoloyia] gynaecology.
γυναικολόγος (ο) [yinekologos] gynaecologist.
γυναικωτός (ο) [yinekotos] effeminate.
γύναιο (το) [yineo] female, slut.
γύρα (η) [yira] stroll, round.
γυρεύω (ρ) [yirevo] ask for, call for, beg for, look for, apply for.
γύρη (η) [yiri] pollen.
γυρίζω (ρ) [yirizo] turn, rotate.
γύρισμα (το) [yirisma] turn.
γυρισμός (ο) [yirismos] return.
γυρνώ (ρ) [yirno] turn, rotate.
γύρο (το) [giro] round.
γυρολόγος (ο) [yirologos] pedlar, cheap-jack.
γύρος (ο) [yiros] round, circle, lap, turn, tour, giros.
γυρτός-ή-ό (ε) [yirtos] bent.
γύρω (επ) [yiro] around, about.
γύφτικος-η-ο (ε) [yiftikos] gipsy.
Γύφτισσα (η) [Yiftissa] gipsy woman.
Γύφτος (ο) [Yiftos] gipsy.
γυψάς (ο) [yipsas] plasterer.
γύψινος-η-ο (ε) [yipsinos] plaster.
γύψος (ο) [yipsos] plaster of Paris, cast.
γυψοσανίδα (η) [yipsosanidha] plaster-board.
γυψώνω (ρ) [yipsono] plaster.
γωνία (η) [gonia] angle, corner.
γωνιά (η) [gonia] fireplace, corner.
γωνιάζω (ρ) [goniazo] square.
γωνιαίος-η-ο (ε) [gonieos] cornered.
γωνιακός-ή-ό (ε) [goniakos] angular, corner.
γωνιαστός-ή-ό (ε) [goniastos] cornered.

δα (σ) [dha] just, certainly, that.
δαγκάνα (n) [dhangana] pincer, claw.
δάγκωμα (το) [dhangoma] bite, sting.
δαγκωνιά (n) [dhangonia] bite.
δαγκανιάρης (ο) [dhagkaniaris] fierce.
δαγκώνω (ρ) [dhangono] bite.
δάδα (n) [dhadha] torch.
δαίδαλος (ο) [dhedhalos] labyrinth, maze.
δαίμονας (ο) [dhemonas] devil.
δαιμονίζω (ρ) [dhemonizo] annoy.
δαιμονικό (το) [dhemoniko] evil.
δαιμονικός-ή-ό (ε) [dhemonikos] devilish, evil.
δαιμόνιο (το) [dhemonio] genius, demon.
δαιμόνιος-α-ο (ε) [dhemonios] very clever, devilish.
δαιμονισμένος-η-ο (μ) [dhemonismenos] mischievous.
δάκρυ (το) [dhakri] tear.
δακρυγόνα (τα) [dhakrigona] tear-gas.
δακρύζω (ρ) [dhakrizo] weep.
δακρυσμένος-η-ο (μ) [dhakrismenos] tearful.
δακτυλήθρα (n) [dhaktilithra] thimble.
δακτυλίδι (το) [dhaktilidhi] ring.
δακτύλιος (ο) [dhaktilios] bush, ring.
δακτυλιωτός-ή-ό (ε) [dhaktiliotos] annulose.
δάκτυλο (το) [dhaktilo] finger, toe.
δακτυλογράφηση (n) [dhaktilografisi] typing.
δακτυλογράφος (ο) [dhaktilografos] typist.
δακτυλογραφώ (ρ) [dhaktilografo] type.
δακτυλικός-ή-ό (ε) [dhaktilikos] digital, finger.
δάκτυλος (ο) [dhaktilos] finger, toe.
δαμάλι (το) [dhamali] young cow.
δαμαλισμός (ο) [dhamalismos] vaccination.
δαμάσκηνο (το) [dhamaskino] plum, prune [ξηρό].
δανείζομαι (ρ) [dhanizome] borrow.
δανειζόμενος (ο) [dhanizomenos] borrower.
δανείζω (ρ) [dhanizo] lend.
δανεικός-ή-ό (ε) [dhanikos] borrowed, on loan.

δάνειο (το) [dhanio] loan.
δανεισμός (ο) [dhanismos] borrowing, lending.
δανειστής (ο) [dhanistis] lender.
δαντέλα (η) [dhandela] lace.
δαντελωτός-ή-ό (ε) [dhandelotos] laced.
δαπάνη (η) [dhapani] expense, cost, charge, consumption.
δαπανηρός-ή-ό (ε) [dhapaniros] costly, expensive.
δαπανώ (ρ) [dhapano] spend.
δάπεδο (το) [dhapedho] floor, ground.
δαρμένος-η-ο (μ) [dharmenos] beaten.
δαρμός (ο) [dharmos] beating.
δάρσιμο (το) [dharsimo] beating, churning [γάλακτος].
δάρτης (ο) [dhartis] beater.
δασάρχης (ο) [dhasarhis] [chief] forester.
δασεία (η) [dhasia] rough breathing [γραμμ].
δασικός-ή-ό (ε) [dhasikos] forest.
δασκάλα (η) [dhaskala] teacher.
δασκάλεμα (το) [dhaskalema] teaching, coaching.
δασκαλεύω (ρ) [dhaskalevo] coach, teach, advise.
δάσκαλος (ο) [dhaskalos] teacher.
δασμολόγηση (η) [dhasmoloyisi] taxation, assessment.
δασμολογικός-ή-ό (ε) [dhasmoloyikos] of taxation.
δασμολογώ (ρ) [dhasmologo] rate, assess, tariff.
δασμός (ο) [dhasmos] tax, duty.
δασοκομία (η) [dhasokomia] forest police.
δάσος (το) [dhasos] forest.
δασοφύλακας (ο) [dhasofilakas] forest guard.
δασύλλιο (το) [dhasillio] wood.
δασύς-ιά-ύ (ε) [dhasis] thick, bushy, hairy, dense.
δασώδης-ης-ες (ε) [dhasodhis] wooded, woody.
δαυλί (το) [dhavli] torch.
δαυλός (ο) [dhavlos] torch.
δάφνη (η) [dhafni] bay tree.
δαφνοστεφάνωτος-η-ο (ε) [dhafnostefanotos] laureate.
δαχτυλήθρα (η) [dhahtilithra] thimble.
δαχτυλιά (η) [dhahtilia] fingermark, thimbleful.
δαχτυλίδι (το) [dhahtilidhi] ring.
δαχτυλικός-ή-ό (ε) [dhahtilikos] digital.
δάχτυλο (το) [dhahtilo] digit, finger [χεριού], toe [ποδιού].
δε (μο) [dhe] and, but, on the other hand, no, not.
δεδηλωμένος-η-ο (μ) [dhedhilomenos] self-confessed.
δεδομένα (τα) [dhedhomena] data, facts.
δεδομένο (το) [dhedhomeno] fact.

δείγμα (το) [dhigma] sample.
δειγματοληπτικός-ή-ό (ε) [dhigmatoliptikos] sampling, test.
δειγματοληψία (η) [dhigmatolipsia] sampling, testing.
δεικνύω (ρ) [dhiknio] show, mark.
δείκτης (ο) [dhiktis] indicator, forefinger, index [ζυγού].
δεικτικός-ή-ό (ε) [dhiktikos] indicative, demonstrative.
δειλά (επ) [dhila] timidly.
δείλι (το) [dhili] afternoon.
δειλία (η) [dhilia] cowardice.
δειλιάζω (ρ) [dhiliazo] be afraid.
δείλιασμα (το) [dhiliasma] hesitation.
δειλινό (το) [dhilino] afternoon.
δειλός-ή-ό (ε) [dhilos] timid, cowardly.
δειλός (ο) [dhilos] coward.
δεινά (επ) [dhina] capably.
δεινοπάθημα (το) [dhinopathima] ordeal.
δεινοπαθώ (ρ) [dhinopatho] suffer, go through.
δεινός-ή-ό (ε) [dhinos] horrid, able [ικανός], capable [ικανός].
δεινόσαυρος (ο) [dhinosavros] dinosaur.
δεινότητα (η) [dhinotita] skill, talent, competence.
δείξιμο (το) [dhiksimo] showing.
δείπνο (το) [dhipno] dinner.
δειπνώ (ρ) [dhipno] dine.
δεισιδαίμονας (ο) [dhisidhemonas] superstitious.
δεισιδαιμονία (η) [dhisidhemonia] superstition.
δείχνω (ρ) [dhihno] show, point.
δείχτης (ο) [dhihtis] index, finger.
δέκα (το) [dheka] ten.
δεκαδικός-ή-ό (ε) [dhekadhikos] decimal.
δεκαεννέα (το) [dhekaennea] nineteen.
δεκαέξι (το) [dhekaeksi] sixteen.
δεκαετηρίδα (η) [dhekaetiridha] decade.
δεκαετία (η) [dhekaetia] decade.
δεκαεφτά (το) [dhekaefta] seventeen.
δεκάζω (ρ) [dhekazo] bribe.
δεκάλογος (ο) [dhekalogos] Ten Commandments.
δεκανέας (ο) [dhekaneas] corporal.
δεκανίκι (το) [dhekaniki] crutch.
δεκάξι (αριθ) [dhekaksi] sixteen.
δεκαοκτώ (αριθ) [dhekaokto] eighteen.
δεκαπενθήμερο (το) [dhekapenthimero] fortnight.
δεκαπέντε (αριθ) [dhekapende] fifteen.
δεκάρα (η) [dhekara] one tenth of a drachma.
δεκασμός (ο) [dhekasmos] bribery, corruption.
δεκατέσσερα (αριθ) [dhekates-

sera] fourteen.
δεκατρία (αριθ) [dhekatria] thirteen.
Δεκέμβρης,(ο) [Dhekemvris] December.
δέκτης (ο) [dhektis] receiver.
δεκτικότητα (η) [dhektikotita] susceptibility, permeability.
δεκτός-ή-ό (ε) [dhektos] accepted.
δελεάζω (ρ) [dheleazo] tempt.
δέλεαρ (το) [dhelear] lure, bait.
δελέασμα (το) [dheleasma] temptation, enticement, bait.
δελεαστικός-ή-ό (ε) [dheleastikos] tempting, attractive.
δελτάριο (το) [dheltario] card.
δελτίο (το) [dheltio] bulletin, report, ballot [ψηφοδέλτιο].
δελφίνι (το) [dhelfini] dolphin.
δέμα (το) [dhema] bundle, parcel.
δεμάτι (το) [dhemati] bundle.
δεματιάζω (ρ) [dhematiazo] cord, bale, truss, bundle.
δεματίζω (ρ) [dhematizo] bale.
δεν (μο) [dhen] not, no.
δένδρο (το) [dhendhro] tree.
δενδρολίβανο (το) [dhendhrolivano] rosemary [βοτ].
δεντρογαλιά (η) [dhendrogalia] tree-snake, adder.
δεντρόμορφος-η-ο (ε) [dhendromorfos] arboreous.
δεντροπερίβολο (το) [dhevdroperivolo] orchard.
δεντροφυτεία (η) [dhendrofitia] plantation.
δεντροφυτεμένος-η-ο (μ) [dhendrofitemenos] wooded.
δένω (ρ) [dheno] tie, link, fasten.
δεξαμενή (η) [dheksameni] tank.
δεξαμενόπλοιο (το) [dheksamenoplio] tanker.
δεξιά (επ) [dheksia] to the right.
δεξιά (η) [dheksia] right wing.
δεξιός-ά-ό (ε) [dheksios] right-handed, right-wing [πολιτ].
δεξιόστροφος-η-ο (ε) [dheksiostrofos] clockwise.
δεξιοτέχνης-ης (ε) [dheksiotehnis] gifted.
δεξιοτεχνία (η) [dheksiotehnia] skill, mastery, craft.
δεξιόχειρας (ο) [dheksiohiras] right-handed [person].
δεξίωση (η) [dheksiosi] reception.
δεοντολογικός-ή-ό (ε) [dheondoloyikos] ethical.
δέος (το) [dheos] fear, fright.
δέρμα (το) [dherma] skin, leather.
δερμάτινος-η-ο (ε) [dhermatinos] leather.
δερματίτιδα (η) [dhermatitidha] dermatitis.
δερματολογία (η) [dhermatoloyia] dermatology.
δερματολόγος (ο) [dhermatologos] dermatologist.
δέρνω (ρ) [dherno] beat, flog.

δέσιμο (το) [dhesimo] tying.
δεσμά (τα) [dhesma] chains.
δέσμευση (η) [dhesmefsi] binding, commitment, engagement.
δεσμεύω (ρ) [dhesmevo] pledge.
δεσμός (ο) [dhesmos] tie, bond.
δεσμοφύλακας (ο) [dhesmofilakas] prison warder.
δεσμώτης (ο) [dhesmotis] prisoner, slave [μεταφ].
δεσπόζω (ρ) [dhespozo] rule.
δέσποινα (η) [dhespina] matron, mistress, madam.
δεσποινίδα (η) [dhespinidha] Miss, young lady.
δεσπότης (ο) [dhespotis] ruler, master, [arch]bishop [εκκλ].
δεσποτικός-ή-ό (ε) [dhespotikos] despotic, authoritative.
δεσποτισμός (ο) [dhespotismos] tyranny.
δέστρα (η) [dhestra] binder.
δέτης (ο) [dhetis] binder.
δετός-ή-ό (ε) [dhetos] tied.
Δευτέρα (η) [Dheftera] Monday.
δευτερεύων (ο) [dhefterevon] secondary, subordinate.
δευτερόλεπτο (το) [dhefterolepto] second.
δεύτερος-η-ο (ε) [dhefteros] second, inferior.
δευτερώνω (ρ) [dhefterono] do again, repeat, renew, return.
δεφτέρι (το) [dhefteri] [account] book.
δέχομαι (ρ) [dhehome] accept, receive, approve, welcome.
δήθεν (επ) [dhithen] apparently, so-called.
δηκτικός-ή-ό (ε) [dhiktikos] biting.
δηλαδή (σ) [dhiladhi] that is to say.
δηλητηριάζω (ρ) [dhilitiriazo] poison.
δηλητηρίαση (η) [dhilitiriasi] poisoning.
δηλητήριο (το) [dhilitirio] poison.
δηλητηριώδης-ης-ες (ε) [dhilitiriodhis] poisonous, venomous.
δηλώνω (ρ) [dhilono] declare.
δήλωση (η) [dhilosi] declaration.
δηλωτικός-ή-ό (ε) [dhilotikos] declaratory, entry, manifest.
δημαγωγός (ο) [dhimagogos] demagogue.
δημαρχείο (το) [dhimarhio] town hall.
δημαρχεύω (ρ) [dhimarhevo] be acting mayor.
δημαρχία (η) [dhimarhia] town hall.
δήμαρχος (ο) [dhimarhos] mayor.
δημεγέρτης (ο) [dhimeyertis] rioter, agitator.
δημευμένος-η-ο (μ) [dhimevmenos] confiscated.
δήμευση (η) [dhimefsi] confis-

cation.

δημητριακά (τα) [dhimitriaka] cereals, crops.

δήμιος (o) [dhimios] torturer.

δημιούργημα (το) [dhimiuryima] creation, creature.

δημιουργία (η) [dhimiuryia] creation, coinage [μεταφ].

δημιουργικός-ή-ό (ε) [dhimiuryikos] creative.

δημιουργός (o) [dhimiurgos] creator, maker, builder.

δημιουργώ (ρ) [dhimiurgo] create, establish.

δημοδιδάσκαλος (o) [dhimodhidhaskalos] primary schoolteacher.

δημοκράτης (o) [dhimokratis] democrat, republican.

δημοκρατία (η) [dhimokratia] democracy, republic.

δημοπρασία (η) [dhimoprasia] auction.

δημοπράτης (o) [dhimopratis] auctioneer.

δήμος (o) [dhimos] municipality.

δημόσια (επ) [dhimosia] publicly.

δημοσιά (η) [dhimosia] highway.

δημοσίευμα (το) [dhimosievma] publication.

δημοσιεύω (ρ) [dhimosievo] publish.

δημόσιο (το) [dhimosio] state.

δημοσιογραφία (η) [dhimosiografia] journalism.

δημοσιογράφος (o) [dhimosiografos] journalist, reporter.

δημοσιονομικός-ή-ό (ε) [dhimosionomikos] financial, fiscal.

δημόσιος-α-ο (ε) [dhimosios] public, national, prostitute.

δημοσιότητα (η) [dhimosiotita] publicity.

δημότης (o) [dhimotis] citizen.

δημοτικός-ή-ό (ε) [dhimotikos] municipal.

δημοτικότητα (η) [dhimotikotita] popularity.

δημοτολόγιο (το) [dhimotoloyio] municipal roll.

δημοφιλής-ής-ές (ε) [dhimofilis] popular, well-liked.

δημώδης-ης-ες (ε) [dhimodhis] popular, folk.

διά (π) [dhia] for, by, with, about.

διάβα (το) [dhiava] passage.

διαβάζω (ρ) [dhiavazo] read, study.

διαβαθμίζω (ρ) [dhiavathmizo] graduate, grade.

διαβάθμιση (η) [dhiavathmisi] grading, graduation.

διαβαίνω (ρ) [dhiaveno] go.

διαβάλλω (ρ) [dhiavallo] slander.

διάβαση (η) [dhiavasi] crossing, passage.

διάβασμα (το) [dhiavasma] reading, lecture, studying.

διαβασμένος-η-ο (μ) [dhiavasmenos] prepared.

διαβατήριο (το) [dhiavatirio] passport.

διαβατός-ή-ό (ε) [dhiavatos] passable, fordable [ποταμός].

διαβεβαιώνω (ρ) [dhiaveveono] assure, assert, affirm.

διαβεβαίωση (η) [dhiaveveosi] assurance, affirmation.

διάβημα (το) [dhiavima] step, move, measure, proceeding.

διαβήτης (ο) [dhiavitis] pair of compasses, diabites, dividers.

διαβητικός-ή-ό (ε) [dhiavitikos] diabetic.

διαβιβάζω (ρ) [dhiavivazo] transmit, forward, convey.

διαβίβαση (η) [dhiavivasi] transmission, forwarding.

διαβιβαστικός-ή-ό (ε) [dhiavivastikos] covering, forwarding.

διαβίωση (η) [dhiaviosi] living.

διαβλέπω (ρ) [dhiavlepo] foresee.

διαβλητός-ή-ό (ε) [dhiavlitos] open to misinterpretation.

διαβόητος-η-ο (ε) [dhiavoitos] famous, ill famed [επί κακού].

διαβολάκι (το) [dhiavolaki] little devil, mischievous little boy.

διαβολέας (ο) [dhiavoleas] slanderer.

διαβολεμένος-η-ο (μ) [dhiavolemenos] cunning, devilish.

διαβολή (η) [dhiavoli] slander, insinuation, aspertion.

διαβολιά (η) [dhiavolia] mischief.

διαβολικός-ή-ό (ε) [dhiavolikos] satanic, diabolical, fiendish.

διαβολοθήλυκο (το) [diavolothiliko] minx.

διάβολος (ο) [dhiavolos] devil.

διαβουλεύομαι (ρ) [dhiavulevome] deliberate, confer, plot.

διαβούλευση (η) [dhiavulefsi] consultation.

διαβούλιο (το) [dhiavulio] deliberation, conference, plot.

διαβρέχω (ρ) [dhiavreho] wet.

διάβρωση (η) [dhiavrosi] erosion.

διαγγέλλω (ρ) [dhiangello] announce, notify.

διάγγελμα (το) [dhiangelma] proclamation, message.

διαγιγνώσκω (ρ) [dhiayignosko] diagnose.

διάγνωση (η) [dhiagnosi] diagnosis.

διαγνωστικός-ή-ό (ε) [dhiagnostikos] diagnostic.

διαγουμίζω (ρ) [dhiagumizo] sack, pillage, plunder.

διαγούμισμα (το) [dhiagumisma] plundering, sacking, pillage.

διάγραμμα (το) [dhiagramma] plan, diagram, drawing, chart.

διαγραφή (η) [dhiagrafi] cancellation, deletion.

διαγράφω (ρ) [dhiagrafo] trace out, cancel.

διάγω (ρ) [dhiago] live.

διαγωγή (n) [dhiagoyi] behaviour.

διαγώνια (επ) [dhiagonia] diagonally.

διαγωνίζομαι (ρ) [dhiagonizome] compete, contest.

διαγωνιζόμενος-n-o (μ) [dhiagonizomenos] contestant.

διαγώνιος-α-ο (ε) [dhiagonios] diagonial.

διαγώνισμα (το) [dhiagonisma] competition, contest.

διαγωνισμός (ο) [dhiagonismos] competition, examination.

διαδεδομένος-n-o (μ) [dhiadhedhomenos] wide-spread.

διαδέχομαι (ρ) [dhiadhehome] succeed, follow.

διαδηλώνω (ρ) [dhiadhilono] demonstrate, show, manifest.

διαδήλωση (n) [dhiadhilosi] demonstration, manifestation.

διάδημα (το) [dhiadhima] crown.

διαδιδόμενος-n-o (μ) [dhiadhidhomenos] distributed.

διαδίδω (ρ) [dhiadhidho] spread, circulate, disperse, distribute.

διαδικασία (n) [dhiadhikasia] procedure, legal inquiry.

διάδικος-n-o (ε) [dhiadhikos] litigand, contestant.

διάδοση (n) [dhiadhosi] spreading, rumour.

διαδοχή (n) [dhiadhohi] succession, sequence.

διαδοχικός-ή-ό (ε) [dhiadhohikos] successive.

διάδοχος-n-o (ε) [dhiadhohos] successor, crown prince.

διαδραματίζω (ρ) [dhiadhramatizo] play [a role], act.

διαδρομή (n) [dhiadhromi] course, distance, circuit.

διάδρομος (ο) [dhiadhromos] passage, hall.

διάζευγμα (το) [dhiazevgma] crossbar.

διαζευγμένος-n-o (μ) [dhiazevgmenos] divorced.

διάζευξη (n) [dhiazefksi] separation, severance.

διαζύγιο (το) [dhiaziyio] divorce.

διάθεση (n) [dhiathesi] arrangement, disposal, humour [κέφι].

διαθέσιμος-n-o (ε) [dhiathesimos] available, free, disposable.

διαθεσιμότητα (n) [dhiathesimotita] suspension, availability.

διαθέτης (ο) [dhiathetis] testator.

διαθέτω (ρ) [dhiatheto] dispose of, arrange, employ, allocate.

διαθήκη (n) [dhiathiki] will.

διαθλαστικός-ή-ό (ε) [dhiathlastikos] refracting, refractive.

διαθλώ (ρ) [dhiathlo] diffract.
διαίρεση (η) [dhieresi] division, separation, discord, difference.
διαιρετέος-α-ο (ε) [dhiereteos] dividend.
διαιρέτης (ο) [dhieretis] divisor, divider.
διαιρετός-ή-ό (ε) [dhieretos] divisible.
διαιρώ (ρ) [dhiero] separate.
διαισθάνομαι (ρ) [dhiesthanome] feel, foresee.
διαίσθηση (η) [dhiesthisi] presentiment, premonition.
διαισθητικός-η-ο (ε) [dhiesthitikos] intuitive.
δίαιτα (η) [dhieta] diet.
διαιτησία (η) [dhietisia] arbitration, refereeing [αθλητ].
διαιτητεύω (ρ) [dhietitevo] arbitrate.
διαιτητής (ο) [dhietitis] referee.
διαιτολόγιο (το) [dhietoloyio] diet.
διαιωνιζόμενος-η-ο (μ) [dhieonizomenos] continuing.
διαιωνίζω (ρ) [dhieonizo] perpetuate, prolong.
διαιώνιση (η) [dhieonisi] perpetuation, prolongation.
διακαής-ής-ές (ε) [dhiakais] ardent, eager, devout [κρυφός].
διακανονίζω (ρ) [dhiakanonizo] regulate, settle.
διακανονισμός (ο) [dhiakanonismos] settlement.
διακατέχω (ρ) [dhiakateho] possess, enjoy.
διακεκομμένος-η-ο (μ) [dhiakekommenos] discontinuous.
διακεκριμένος-η-ο (μ) [dhiakekrimenos] distinguished.
διάκενο (το) [dhiakeno] clearance, interval, void, gap.
διάκενος-η-ο (ε) [dhiakenos] vacant, empty, hollow.
διακήρυξη (η) [dhiakiriksi] declaration, proclamation.
διακηρύσσω (ρ) [dhiakirisso] declare, announce.
διακηρύττω (ρ) [dhiakiritto] declare, proclaim, announce.
διακινδύνευση (η) [dhiakindhinefsi] jeopardy, endangering.
διακινδυνεύω (ρ) [dhiakindhinevo] risk, endanger, hazard.
διακίνηση (η) [dhiakinisi] trading, trafficking [ναρκωτικών].
διακινώ (ρ) [dhiakino] trade.
διακλαδίζομαι (ρ) [dhiakladhizome] branch off.
διακλαδώνω (ρ) [dhiakladhono] bisect.
διακλάδωση (η) [dhiakladhosi] fork, branch [δρόμου κτλ].
διακοινοτικός-ή-ό (ε) [dhiakinotikos] intercommunal.
διακομίζω (ρ) [dhiakomizo] transport, carry.
διακονεύω (ρ) [dhiakonevo]

beg.

διακονιά (η) [dhiakonia] beggary.

διακονιάρης (ο) [dhiakoniaris] beggar.

διάκονος (ο) [dhiakonos] deacon.

διακοπή (η) [dhiakopi] suspension, break, pause.

διακόπτω (ρ) [dhiakopto] suspend, discontinue.

διακορεύω (ρ) [dhiakorevo] deflower, corrupt.

διάκος (ο) [dhiakos] deacon.

διακόσμηση (η) [dhiakosmisi] decoration, embellishment.

διακοσμητής (ο) [dhiakosmitis] decorator.

διακοσμητική (η) [dhiakosmitiki] decorative art.

διακοσμητικός-ή-ό (ε) [dhiakosmitikos] decorative.

διακοσμώ (ρ) [dhiakosmo] decorate embellish.

διακρίνω (ρ) [dhiakrino] discern, discriminate, distinguish.

διακριτικό (το) [dhiakritiko] sign.

διακριτικός-ή-ό (ε) [dhiakritikos] distinctive, characteristic.

διακριτικότητα (η) [dhiakritikotita] characterization.

διακυβέρνηση (η) [dhiakivernisi] conning [ναυτ], governing.

διακυβεύομαι (ρ) [dhiakivevome] be at stake.

διακύβευση (η) [diakivefsi] risking.

διακυμαίνομαι (ρ) [dhiakimenome] fluctuate.

διακύμανση (η) [dhiakimansi] fluctuation, range.

διακωμώδηση (η) [dhiakomodhisi] mockery, ridiculing.

διακωμωδώ (ρ) [dhiakomodho] ridicule, satirize, mock.

διαλαλητής (ο) [dhialalitis] town-crier, bellman.

διαλαλώ (ρ) [dhialalo] proclaim, cry out.

διάλεγμα (το) [dhialegma] choice.

διαλεγμένος-η-ο (μ) [dhialegmenos] chosen.

διαλέγω (ρ) [dhialego] choose.

διάλειμμα (το) [dhialimma] interval.

διάλειψη (η) [dhialipsi] irregularity, intermittence.

διάλεκτος (η) [dhialektos] dialect.

διαλεκτός-ή-ό (ε) [dhialektos] chosen.

διάλεξη (η) [dhialeksi] lecture.

διαλευκαίνω (ρ) [dhialefkeno] solve.

διαλεύκανση (η) [dhialefkansi] elucidation, clearing.

διαλλακτικός-ή-ό (ε) [dhiallaktikos] conciliatory.

διαλογή (n) [dhialoyi] sorting.
διαλογίζομαι (ρ) [dhialoyizome] meditate, consider.
διαλογισμός (o) [dhialoyismos] reflection, thought.
διαλογιστικός-ή-ό (ε) [dhialoyistikos] thoughtful.
διάλογος (o) [dhialogos] dialogue.
διάλυμα (το) [dhialima] solution.
διαλυμένος-η-ο (μ) [dhialimenos] exhausted.
διάλυση (n) [dhialisi] dissolution, liquidation.
διαλύτης (o) [dhialitis] disintegrator, dissolver.
διαλυτικό (το) [dhialitiko] solvent [χημ].
διαλυτικός-ή-ό (ε) [dhialitikos] dissolving, liquidating.
διαλυτός-ή-ό (ε) [dhialitos] soluble.
διαλύω (ρ) [dhialio] liquidate, dissolve, cancel, defeat.
διαμαντένιος-α-ο (ε) [dhiamandenios] diamond.
διαμάντι (το) [dhiamandi] diamond.
διαμαρτύρηση (n) [dhiamartirisi] protest.
διαμαρτυρία (n) [dhiamartiria] protest.
διαμαρτύρομαι (ρ) [dhiamartirome] protest.
διαμαρτυρόμενος-η-ο (μ) [dhiamartiromenos] protesting.
διαμαρτυρώ (ρ) [dhiamartiro] protest.
διαμάχη (n) [dhiamahi] dispute, fight.
διαμελίζω (ρ) [dhiamelizo] dismember, disrupt.
διαμελισμός (o) [dhiamelismos] dismemberment.
διαμένω (ρ) [dhiameno] reside.
διαμέρισμα (το) [dhiamerisma] region, district, flat [οικία].
διάμεσο (το) [dhiameso] interval.
διάμεσος (n) [dhiamesos] intermediary.
διαμέσου (πρ) [dhiamesu] via, by means of.
διαμετακομίζω (ρ) [dhiametakomizo] transport.
διαμετακομιστικός-ή-ό (ε) [dhiametakomistikos] transport.
διαμέτρηση (n) [dhiametrisi] calibration.
διαμετρικός-ή-ό (ε) [dhiametrikos] diametrical.
διάμετρος (n) [dhiametros] diameter.
διαμετρώ (ρ) [dhiametro] calibrate.
διαμήνυση (n) [dhiaminisi] warning, message.
διαμηνύω (ρ) [dhiaminio] warn, notify.
διαμιάς (επ) [dhiamias] all at

once, at one go.

διαμοιράζω (ρ) [dhiamirazo] distribute, share.

διαμονή (n) [dhiamoni] stay, residence, dwelling.

διαμορφώνω (ρ) [dhiamorfono] model, shape, form.

διαμόρφωση (n) [dhiamorfosi] moulding, conformation.

διαμορφωτικός-ή-ό (ε) [dhiamorfotikos] formative.

διαμπερής-ής-ές (ε) [dhiamperis] from side to side, through.

διαμφισβήτηση (n) [dhiamfisvitisi] contestation, dispute.

διαμφισβητώ (ρ) [dhiamfisvito] contest, dispute, question.

διανεμητής (ο) [dhianemitis] distributor.

διανεμητικός-ή-ό (ε) [dhinemitikos] distributive.

διανέμω (ρ) [dhianemo] distribute, divide.

διανθίζω (ρ) [dhianthizo] decorate, garnish [μεταφ].

διανόηση (n) [dhianoisi] thought, intelligence.

διανοητής (ο) [dhianoitis] thinker, intellectual.

διανοητικός-ή-ό (ε) [dhianoitikos] mental, intellectual.

διανοητικότητα (n) [dhianoitikotita] intelligence.

διάνοια (n) [dhiania] intellect.

διάνοιξη (n) [dhianiksi] opening.

διανομέας (ο) [dhianomeas] distributor, postman.

διανομή (n) [dhianomi] distribution, dispensation, round.

διανοούμαι (ρ) [dhianoume] conceive, think, conceptualize.

διανοουμενίστικος-η-ο (ε) [dhianoumenistikos] highbrow.

διανοούμενος (ο) [dhianoumenos] intellectual.

διάνος (ο) [dhianos] turkey-cock.

διανυκτέρευση (n) [dhianikterefsi] staying overnight.

διανυκτερεύω (ρ) [dhianikterevo] spend the night.

διάνυσμα (το) [dhianisma] vector.

διανύω (ρ) [dhianio] go through.

διαξιφισμός (ο) [dhiaksifismos] sword-thrust, fencing.

διαπαιδαγώγηση (n) [dhiapedhagoyisi] education.

διαπαιδαγωγώ (ρ) [dhiapedhagogo] educate, school.

διαπάλη (n) [dhiapali] fight.

διαπαντός (επ) [dhiapandos] for ever, for good.

διαπασών (το) [dhiapason] octave.

διαπεραστικός-ή-ό (ε) [dhiaperastikos] piercing, drenching.

διαπερατός-ή-ό (ε) [dhiaperatos] pervious, permeable.

διαπερνώ (ρ) [dhiaperno] pierce.

διαπιστευμένος-η-ο (μ) [dhiapistevmenos] accredited.

διαπιστεύομαι (ρ) [dhiapistevome] accredit.
διαπιστευτήρια (τα) [dhiapisteftiria] credentials.
διαπιστώνω (ρ) [dhiapistono] ascertain, find out, confirm.
διαπίστωση (η) [dhiapistosi] ascertainment, confirmation.
διαπλάθω (ρ) [dhiaplatho] fashion, mould, shape, educate.
διαπλανητικός-ή-ό (ε) [dhiaplanitikos] interplanetary, space.
διάπλαση (η) [dhiaplasi] formation, moulding.
διαπλάσσω (ρ) [dhiaplasso] form, shape, educate [μεταφ].
διάπλατα (επ) [dhiaplata] wide-open.
διαπλάτυνση (η) [dhiaplatinsi] widening.
διαπλέω (ρ) [dhiapleo] cross over.
διαπληκτίζομαι (ρ) [dhiapliktizome] squabble, dispute.
διαπληκτισμός (ο) [dhiapliktismos] quarrel, argument.
διαπνέομαι (ρ) [dhiapneome] animated by, be driven.
διαπνεόμενος-η-ο (μ) [dhiapneomenos] instinct.
διαπνέω (ρ) [dhiapneo] perspire.
διαπνοή (η) [dhiapnoi] perspiration.
διαπορώ (ρ) [dhiaporo] doubt.
διαποτίζω (ρ) [dhiapotizo] soak.
διαπραγματεύομαι (ρ) [dhiapragmatevome] discuss, bargain.
διαπραγμάτευση (η) [dhiapragmatefsi] negotiation, discussion.
διαπραγματεύσιμος-η-ο (ε) [dhiapragmatefsimos] negotiable.
διαπραγματευτής (ο) [dhiapragmateftis] bargainer.
διαπράττω (ρ) [dhiapratto] perpetrate, commit.
διαπρεπής-ής-ές (ε) [dhiaprepis] eminent, distinguished.
διαπρέπω (ρ) [dhiaprepo] excel.
διάπυρος-η-ο (ε) [dhiapiros] eager.
διαρηγνύω (ρ) [dhiarignio] break in/into.
διάρθρωση (η) [dhiarthrosi] articulation, joint.
διάρκεια (η) [dhiarkia] duration.
διαρκής-ής-ές (ε) [dhiarkis] continuous, lasting, endless.
διαρκώ (ρ) [dhiarko] last.
διαρπάζω (ρ) [dhiarpazo] loot.
διαρρέω (ρ) [dhiarreo] traverse, leak.
διαρρηγνύω (ρ) [dhiarrignio] tear, burst open, break.
διαρρήκτης (ο) [dhiarriktis] burglar, thief.
διάρρηξη (η) [dhiarriksi] breaking, rupture, burglary.
διαρροή (η) [dhiarroi] flow.
διάρροια (η) [dhiarria] diar-

rhoea.
διαρρυθμίζω (ρ) [dhiarrithmizo] arrange, settle.
διαρρύθμιση (n) [dhiarrithmisi] arrangement, settlement.
διασάλευση (n) [dhiasalefsi] shaking, agitation.
διασαλεύω (ρ) [dhiasalevo] agitate, convulse, shake [μεταφ].
διασαφηνίζω (ρ) [dhiasafinizo] clarify.
διασαφήνιση (n) [dhiasafinisi] clarification.
διασάφηση (n) [dhiasafisi] clarification.
διάσειση (n) [dhiasisi] concussion[εγκεφαλική].
διάσημα (τα) [dhiasima] insignia.
διάσημος-η-ο (ε) [dhiasimos] famous, celebrated.
διασημότητα (n) [dhiasimotita] fame, celebrity.
διασκεδάζω (ρ) [dhiaskedhazo] scatter, divert.
διασκέδαση (n) [dhiaskedhasi] dispersion, entertainment.
διασκεδαστικός-ή-ό (ε) [dhiaskedhastikos] entertaining.
διασκελίζω (ρ) [dhiaskelizo] stride.
διασκέπτομαι (ρ) [dhiaskeptome] confer, deliberate.
διασκευάζω (ρ) [dhiaskevazo] arrange, alter.
διασκευή (n) [dhiaskevi] arrangement, adaptation.
διάσκεψη (n) [dhiaskepsi] deliberation, conference.
διασκορπίζω (ρ) [dhiaskorpizo] scatter, waste [χρήμα].
διασπαθίζω (ρ) [dhiaspathizo] waste.
διασπάθιση (n) [dhiaspathisi] waste.
διασπαστικός-ή-ό (ε) [dhiaspastikos] disruptive.
διασπείρω (ρ) [dhiaspiro] disperse, scatter, circulate.
διασπορά (n) [dhiaspora] dispersion.
διασπώ (ρ) [dhiaspo] separate.
διασταλτικός-ή-ό (ε) [dhiastaltikos] dilating.
διάσταση (n) [dhiastasi] separation, disagreement.
διαστατικός-ή-ό (ε) [dhiastatikos] dimensional.
διασταυρώνω (ρ) [dhiastavrono] cross, meet.
διασταύρωση (n) [dhiastavrosi] crossing.
διαστέλλω (ρ) [dhiastello] distinguish, expand, dilate.
διάστημα (το) [dhiastima] space.
διαστημικός-ή-ό (ε) [dhiastimikos] space, spatial.
διαστημόπλοιο (το) [dhiastimoplio] spacecraft.
διάστικτος-η-ο (ε) [dhiastiktos]

dotted, spotted.
διάστιχο (το) [dhiastiho] lead.
διαστολή (n) [dhiastoli] distinction, comma [γραμμ].
διαστρεβλώνω (ρ) [dhiastrevlono] twist, bend, distort [μεταφ].
διαστρέβλωση (n) [dhiastrevlosi] twisting, warping.
διάστρεμμα (το) [dhiastremma] sprain, twist, strain.
διαστρέφω (ρ) [dhiastrefo] twist, bend, corrupt, contort.
διαστροφή (n) [dhiastrofi] perversion, twist.
διασυρμός (ο) [dhiasirmos] scandal.
διασύρω (ρ) [dhiasiro] defame.
διασχίζω (ρ) [dhiashizo] tear.
διασώζω (ρ) [dhiasozo] preserve, rescue, deliver.
διάσωση (n) [dhiasosi] deliverance, rescue, preservation.
διαταγή (n) [dhiatayi] order.
διάταγμα (το) [dhiatagma] order.
διατάζω (ρ) [dhiatazo] order.
διατακτική (n) [dhiataktiki] warrant, voucher.
διατακτικό (το) [dhiataktiko] purview.
διάταξη (n) [dhiataksi] arrangement, layout.
διατάραξη (n) [dhiataraksi] disturbance, disorder.
διαταράσσω (ρ) [dhiatarasso] disturb.
διάταση (n) [dhiatasi] straining.
διατάσσω (ρ) [dhiatasso] arrange, order, command.
διατεθειμένος-n-ο (μ) [dhiatethimenos] disposed.
διατείνομαι (ρ) [dhiatinome] declare, maintain.
διατελώ (ρ) [dhiatelo] be, stand.
διατέμνω (ρ) [dhiatemno] intersect, split.
διατηρημένος-n-ο (μ) [dhiatirimenos] bottled, chilled.
διατήρηση (n) [dhiatirisi] maintenance, conservation.
διατηρητέος-α-ο (ε) [dhiatiriteos] preservable.
διατηρώ (ρ) [dhiatiro] hold, maintain, preserve, keep.
διατί (μορ) [dhiati] why, what for.
διατίμηση (n) [dhiatimisi] tariff, rate, price list.
διατιμώ (ρ) [dhiatimo] fix the price of.
διατοίχισμα (το) [diatihisma] partition.
διατομή (n) [dhiatomi] cross-cut.
διατρανώνω (ρ) [dhiatranono] manifest.
διατρέξαντα (τα) [dhiatreksanda] happenings, events.
διατρέφω (ρ) [dhiatrefo] keep.
διατρέχω (ρ) [dhiatreho] run through, cover, traverse.
διάτρηση (n) [dhiatrisi] drilling.

διατρητικός-ή-ό (ε) [dhiatritikos] boring, drilling.
διατριβή (η) [dhiatrivi] stay, study, dissertation.
διατροφή (η) [dhiatrofi] board, food, alimony.
διατρυπώ (ρ) [dhiatripo] bore, pierce, perforate.
διάττων (ο) [dhiatton] shooting star.
διατυμπανίζω (ρ) [dhiatimbanizo] divulge, let out.
διατυπώνω (ρ) [dhiatipono] state, formulate, formalize.
διατύπωση (η) [dhiatiposi] wording, expression.
διαύγεια (η) [dhiavyia] clearness, transparency.
διαυγής-ής-ές (ε) [dhiavyiss] lucid, clear, transparent.
δίαυλος (ο) [dhiavlos] channel.
διαφαίνομαι (ρ) [dhiafenome] appear, show through, come in
διαφάνεια (η) [dhiafania] slide.
διαφανής-ής-ές (ε) [dhiafanis] clear, transparent.
διάφανος-η-ο (ε) [dhiafanos] diaphanous, transparent.
διαφέντεμα (το) [dhiafentema] advocacy.
διαφεντεύω (ρ) [dhiafendevo] manage, champion, advocate.
διαφέρω (ρ) [dhiafero] be different from, differ.
διαφεύγω (ρ) [dhiafevgo] escape, get away.
διαφημίζω (ρ) [dhiafimizo] advertise, extol, praise, disclose.
διαφήμιση (η) [dhiafimisi] advertisement, billing, publicity.
διαφημιστικός-ή-ό (ε) [dhiafimistikos] advertising, publicity.
διαφθείρω (ρ) [dhiafthiro] spoil.
διαφιλονικώ (ρ) [dhiafiloniko] contest, dispute.
διαφορά (η) [dhiafora] difference, contention, contrast.
διαφορετικός-ή-ό (ε) [dhiaforetikos] different, dissimilar.
διαφορικός-ή-ό (ε) [dhiaforikos] differential.
διαφορισμός (ο) [dhiaforismos] differentiation, discrimination.
διάφορο (το) [dhiaforo] interest.
διαφοροποίηση (η) [dhiaforopiisi] differentiation.
διαφοροποιώ (ρ) [dhiaforopio] chequer, differentiate, specialize.
διάφορος-η-ο (ε) [dhiaforos] different, various, mixed.
διάφραγμα (το) [dhiafragma] partition, diaphragm [ανατ].
διαφυγή (η) [dhiafiyi] escape, evasion, leakage [υγρού κτλ].
διαφύλαξη (η) [dhiafilaksi] preservation, protection.
διαφυλάσσω (ρ) [dhiafilasso] preserve, protect, keep.
διαφωνία (η) [dhiafonia] discord, disagreement.

διαφωνώ (ρ) [dhiafono] disagree.
διαφωτίζω (ρ) [dhiafotizo] clear up, enlighten, illuminate.
διαφώτιση (n) [dhiafotisi] enlightenment.
διαφωτισμός (o) [dhiafotismos] enlightenment.
διαφωτιστής (o) [dhiafotistis] propagandist.
διαχειμάζω (ρ) [dhiahimazo] spend the winter, hibernate.
διαχειρίζομαι (ρ) [dhiahirizome] manage, handle.
διαχείριση (n) [dhiahirisi] management, administration.
διαχειριστής (o) [dhiahiristis] administrator.
διαχειριστικός-ή-ό (ε) [dhiahiristikos] administrative.
διαχέω (ρ) [dhiaheo] give out.
διαχυτικός-ή-ό (ε) [dhiahitikos] effusive, communicative.
διάχυτος-η-ο (ε) [dhiahitos] diffuse, diffusible, effuse [βοτ].
διαχωρίζω (ρ) [dhiahorizo] separate, divide, part.
διαχώριση (n) [dhiahorisi] separation, parting, severing.
διαχώρισμα (το) [dhiahorisma] partition, screen.
διαχωρισμός (o) [dhiahorismos] segregation, separation.
διαχωριστικός-ή-ό (ε) [dhiahoristikos] dividing, separating.
διαψεύδω (ρ) [dhiapsevdho] deny, disappoint, misrepresent.
διάψευση (n) [dhiapsefsi] denial, contradiction.
διγαμία (n) [dhigamia] bigamy.
δίγαμος-η-ο (ε) [dhigamos] bigamist, bigamous.
δίγλωσσος-η-ο (ε) [dhiglossos] bilingual.
δίδαγμα (το) [dhidhagma] teaching, moral lesson [εκκλ].
διδακτήριο (το) [dhidhaktirio] school building.
διδακτορία (n) [dhidhaktoria] doctorate.
διδακτορική (n) [dhidhaktoriki] doctorate.
δίδακτρα (τα) [dhidhaktra] tuition fees, fees.
διδάκτωρ (o) [dhidhaktor] doctor.
διδασκαλία (n) [dhidhaskalia] instruction, teaching.
διδάσκαλος (o) [dhidhaskalos] teacher, tutor.
διδάσκω (ρ) [dhidhasko] teach.
διδαχή (n) [dhidhahi] teaching.
δίδυμος-η-ο (ε) [dhidhimos] twin.
δίδω (ρ) [dhidho] give, pass, offer, pay, deliver, set, contribute.
διεγείρω (ρ) [dhieyiro] excite, arouse.
διέγερση (n) [dhieyersi] excitation, excitement, arousal.
διεγερτικό (το) [dhieyertiko] stimulant, stimulus.

διεγερτικός-ή-ό (ε) [dhieyertikos] exciting, stirring, rousing.
διεδικώ (ρ) [dhiedhiko] contest.
διεθνής-ής-ές (ε) [dhiethnis] international.
διείσδυση (η) [dhiisdhisi] penetration, piercing.
διεισδυτικός-ή-ό (ε) [dhiisdhitikos] penetrating, searching.
διεισδύω (ρ) [dhiisdhio] penetrate, enter, further, progress.
διεκδίκηση (η) [dhiekdhikisi] claim, contestration.
διεκδικητής (ο) [dhiekdhikitis] claimant, contestant.
διεκδικώ (ρ) [dhiekdhiko] claim, contest, arrogate.
διεκπεραιώνω (ρ) [dhiekpereono] bring to a conclusion.
διεκφεύγω (ρ) [dhiekfevgo] escape, evade.
διέλευση (η) [dhielefsi] crossing, passing.
διένεξη (η) [dhieneksi] dispute.
διενεργώ (ρ) [dhienergo] operate, effect, hold.
διεξάγω (ρ) [dhieksago] conduct, accomplish, hold, wage.
διεξαγωγή (η) [dhieksagoyi] conduct, management.
διεξέρχομαι (ρ) [dhiekserhome] traverse, travel through.
διεξοδικός-ή-ό (ε) [dhieksodhikos] lengthy, extensive, detailed.
διεξοδικότητα (η) [dhieksodhikotita] extensiveness.
διέξοδος (η) [dhieksodhos] issue, outlet, way out [μεταφ].
διέπω (ρ) [dhiepo] govern, rule.
διερευνημένος-η-ο (μ) [dhierevnimenos] beaten, scrutinized.
διερεύνηση (η) [dhierevnisi] investigation, research, inquire.
διερευνώ (ρ) [dhierevno] search, explore, examine.
διερμηνέας (ο) [dhiermineas] interpreter, translator.
διερμηνεύω (ρ) [dhierminevo] interpret, translate.
διέρχομαι (ρ) [dhierhome] pass by.
διερωτώμαι (ρ) [dhierotome] ask myself, wonder.
δίεση (η) [dhiesi] sharp.
διεσπαρμένος-η-ο (μ) [dhiesparmenos] dispersed, scattered.
διεστραμμένος-η-ο (μ) [dhiestrammenos] perverse, wicked.
διετία (η) [dhietia] two years.
διευθέτηση (η) [dhiefthetisi] arrangement, settlement.
διευθετώ (ρ) [dhieftheto] arrange, settle.
διεύθυνση (η) [dhiefthinsi] address, direction.
διευθυντής (ο) [dhiefthindis] head, director, warden, manager.
διευθυντικός-ή-ό (ε) [dhiefthindikos] directive, managerial.
διευθύνω (ρ) [dhiefthino] direct, run, manage.

διευκόλυνση (η) [dhiefkolinsi] easing, help.
διευκολύνω (ρ) [dhiefkolino] facilitate, help forward.
διευκρινίζω (ρ) [dhiefkrinizo] clear up, explain.
διευκρίνιση (η) [dhiefkrinisi] explanation, making clear.
διευκρινιστής (ο) [dhiefkrinistis] discriminator.
διεύρυνση (η) [dhievrinsi] widening, enlargement, expanding.
διευρύνω (ρ) [dhievrino] expand, increase, broaden, widen, enlarge.
διεφθαρμένος-η-ο (μ) [dhiefthamenos] corrupt, decadent.
δίζηση (η) [dhizisi] discussion.
δίζυγο (το) [dhizigo] parallel bars.
διήγημα (το) [dhiiyima] story.
διηγηματικός-ή-ό (ε) [dhiiyimatikos] narrative.
διηγηματογράφος (ο) [dhiiyimatografos] writer.
διήγηση (η) [dhiiyisi] narration.
διηγούμαι (ρ) [dhiigume] tell.
διήθημα (το) [dhiithima] filter.
διηθητός-ή-ό (ε) [dhiithitos] filterable, finable.
διηθώ (ρ) [dhiitho] filtrate.
διηπειρωτικός-ή-ό (ε) [dhiipirotikos] intercontinental.
διηρημένος-η-ο (μ) [dhiirimenos] divided, separated, cleft.
διίσταμαι (ρ) [dhiistame] disagree.
διισχυρίζομαι (ρ) [dhiishirizome] maintain.
δικάζω (ρ) [dhikazo] try, judge.
δίκαιο (το) [dhikeo] law.
δικαιόγραφο (το) [dhikeografo] title deed.
δικαιοδοσία (η) [dhikeodhosia] jurisdiction.
δικαιολογημένος-η-ο (μ) [dhikeoloyimenos] justified.
δικαιολόγηση (η) [dhikeoloyisi] justification, excuse.
δικαιολογητικός-ή-ό (ε) [dhikeoloyitikos] justifying.
δικαιολογία (η) [dhikeoloyia] justification, excuse, apology.
δικαιολογώ (ρ) [dhikeologo] justify, excuse.
δικαιοπραξία (η) [dhikeopraksia] legal transaction.
δίκαιος-α-ο (ε) [dhikeos] fair.
δικαιοσύνη (η) [dhikeosini] justice, fairness, judicature.
δικαιούμαι (ρ) [dhikeume] be entitled to, qualify for.
δικαιούχος-α-ο (ε) [dhikeuhos] beneficiary, payee.
δικαίωμα (το) [dhikeoma] right.
δικαιώνω (ρ) [dhikeono] justify.
δικανικός-ή-ό (ε) [dhikanikos] forensic.
δικαστήριο (το) [dhikastirio] law court, tribunal.
δικαστής (ο) [dhikastis] judge.
δικαστικός-ή-ό (ε) [dhikasti-

kos] judicial, judicatory.
δίκη (η) [dhiki] trial, lawsuit, case, proceeding.
δικηγορία (η) [dhikigoria] law, the Bar, practice, law practice.
δικηγόρος (ο) [dhikigoros] lawyer, barrister, attorney.
δίκιο (το) [dhikio] right.
δικλίδα (η) [dhiklidha] valve.
δίκλινο (το) [dhiklino] double room, twin room.
δικονομία (η) [dhikonomia] procedure.
δίκοπος-η-ο (ε) [dhikopos] two-edged, double-edged.
δικός-ή-ό (αν) [dhikos] own.
δικράνι (το) [dhikrani] pitchfork.
δικτάτορας (ο) [dhiktatoras] dictator, autocrat.
δικτατορία (η) [dhiktatoria] dictatorship.
δικτατορικός-ή-ό (ε) [dhiktatorikos] dictatorial, autocratic.
δίκτυο (το) [dhiktio] net, snare.
δικτυωτό (το) [dhiktioto] wire netting, lattice, grille.
δικτυωτός-ή-ό (ε) [dhiktiotos] net-like, latticed.
δίκυκλο (το) [dhikiklo] bike.
δίλημμα (το) [dhilimma] dilemma.
διλημματικός-ή-ό (ε) [dhilimatikos] puzzling.
διμοιρία (η) [dhimiria] platoon.
δίνη (η) [dhini] whirlpool.
δίνω (ρ) [dhino] give, grant, pass, turn over.
διογκωμένος-η-ο (μ) [dhiogomenos] bulbous.
διογκώνω (ρ) [dhiongono] swell, inflate, bulge.
διόγκωση (η) [dhiongosi] swelling, inflation, creep, expansion.
διόδια (τα) [dhiodhia] port toll.
δίοδος (η) [dhiodhos] passage.
διοίκηση (η) [dhiikisi] administration, command.
διοικητήριο (το) [dhiikitirio] headquarters.
διοικητής (ο) [dhiikitis] governor, commissioner, commander.
διοικητικός-ή-ό (ε) [dhiikitikos] administrative, governmental.
διοικώ (ρ) [dhiiko] administer, govern, rule, command.
διοικών (ε) [dhiikon] commanding.
διολισθαίνω (ρ) [dhiolistheno] slip, slide.
διολίσθηση (η) [dhiolisthisi] creeping, slipping, escape.
διόλου (επ) [dhiolu] not at all.
διόπτρα (η) [dhioptra] binoculars, diopter.
διορατικός-ή-ό (ε) [dhioratikos] shrewd, far-seeing.
διορατικότητα (η) [dhioratikotita] sharpness.
διοργανώνω (ρ) [dhiorganono] organize, form, arrange.

διοργάνωση (η) [dhiorganosi] organization, arrangement.
διοργανωτής (ο) [dhiorganotis] organizer.
διόρθωμα (το) [dhiorthoma] repair.
διορθώνω (ρ) [dhiorthono] correct, mend, make good.
διόρθωση (η) [dhiorthosi] correction, putting right, mending, fixing.
διορθωτής (ο) [dhiorthotis] proofreader, corrector.
διορθωτικός-ή-ό (ε) [dhiorthotikos] corrective, adjusting.
διορία (η) [dhioria] delay.
διορίζω (ρ) [dhiorizo] appoint.
διορισμένος-η-ο (μ) [dhiorismenos] appointed, fixed.
διορισμός (ο) [dhiorismos] appointment, fixation.
διόρυξη (η) [dhioriksi] digging.
διότι (σ) [dhioti] because.
διοχέτευση (η) [dhiohetefsi] conduct [ηλεκ], conveyance.
διοχετεύω (ρ) [dhiohetevo] conduct, transmit, divert.
δίπλα (επ) [dhipla] near, next door, close.
διπλά (επ) [dhipla] twice.
δίπλα (η) [dhipla] fold, pleat, wrinkle.
διπλανός-ή-ό (ε) [dhiplanos] next door, nearby.
διπλαρώνω (ρ) [dhiplarono] accost, come alongside [ναυτ].
διπλασιάζω (ρ) [dhiplasiazo] duplicate, double.
διπλασιασμός (ο) [dhiplasiasmos] reduplication, doubling.
διπλάσιος-α-ο (ε) [dhiplasios] twofold, double, twice as much.
διπλός-ή-ό (ε) [dhiplos] double.
διπλότυπο (το) [dhiplotipo] duplicate receipt, stub, counterfoil.
διπλότυπος-η-ο (ε) [dhiplotipos] duplicate.
δίπλωμα (το) [dhiploma] diploma, folding, certificate.
διπλωμάτης (ο) [dhiplomatis] diplomat.
διπλωματικός-ή-ό (ε) [dhiplomatikos] diplomatic.
διπλώνω (ρ) [dhiplono] fold, wrap.
δίπλωση (η) [dhiplosi] folding, wrapping.
δίποδος-η-ο (ε) [dhipodhos] two-legged, two-footed.
διπρόσωπος-η-ο (ε) [dhiprosopos] two-faced, deceitful.
δις (αριθ) [dhis] twice.
δισάκι (το) [dhisaki] travel bag.
δισέγγονος (ο) [dhisengonos] great-grandchild.
δισεκατομμύριο (το) [dhisekatommirio] billion.
δισεκατομμυριούχος-α-ο (ε) [dhisekatommiriuhos] multimillionare.

δίσεκτο έτος (το) [dhisekto etos] leap year.
δισκίο (το) [dhiskio] tablet, pill.
δισκοβόλος (ο) [dhiskovolos] discus thrower.
δισκοπότηρο (το) [dhiskopotiro] chalice, ciborium.
δίσκος (ο) [dhiskos] tray, disc, scale [ζυγού], discus, dial.
δισταγμός (ο) [dhistagmos] doubt, hesitation, indecision.
διστάζω (ρ) [dhistazo] hesitate, doubt, waver, falter.
διστακτικός-ή-ό (ε) [dhistaktikos] hesitant, doubtful.
δίστιγμο (το) [dhistigmo] colon.
δίστομος-η-ο (ε) [dhistomos] double-edged [μαχαίρι].
δίτομος-η-ο (ε) [dhitomos] two-volume.
δίτροχο (το) [dhitroho] hansom.
δίτροχος-η-ο (ε) [dhitrohos] two-wheeled.
διυλίζω (ρ) [dhiilizo] filter, distil.
διύλιση (η) [dhiilisi] filtering, distilling, straining.
διυλίσιμος-η-ο (ε) [dhiilisimos] filterable.
διυλιστήριο (το) [dhiilistirio] filter, strainer, refinery, distillery.
διφθέρα (η) [difthera] leather.
διφθερίτιδα (η) [dhiftheritidha] diphtheria.
δίφθογγος (η) [dhifthongos] diphthong.
διφορούμενος-η-ο (μ) [dhiforumenos] ambiguous.
διχάζομαι (ρ) [dhihazome] disagree [μεταφ].
διχάζω (ρ) [dhihazo] divide.
διχάλα (η) [dhihala] fork.
διχάλη (η) [dhihali] pitchfork.
διχαλωτός-ή-ό (ε) [dhihalotos] forked.
διχασμός (ο) [dhihasmos] division, disagreement.
διχαστικός-ή-ό (ε) [dhihastikos] divisive, disjunctive.
διχογνωμία (η) [dhihognomia] dissent, disagreement.
διχογνωμώ (ρ) [dhihognomo] dissent, disagree.
διχοτόμηση (η) [dhihotomisi] partition, bisection.
διχοτομία (η) [dhihotomia] dichotomy.
δίχρονος-η-ο (ε) [dhihronos] two-stroke [μηχανή].
δίχτυ (το) [dhihti] net, rack, web, snare [μεταφ], meshes.
δίχως (π) [dhihos] without.
δίψα (η) [dhipsa] thirst, craving.
διψασμένος-η-ο (μ) [dhipsasmenos] thirsty, eager for.
διψώ (ρ) [dhipso] thirst for, be eager for.
διωγμός (ο) [dhiogmos] hunting.
διωδία (η) [dhiodhia] duet.
διώκτης (ο) [dhioktis] persecutor, hunter.

διώκω (ρ) [dhioko] pursue, chase, expel, dispel [μεταφ].
δίωξη (n) [dhioksi] persecution, hunting.
διώξιμο (το) [dhioksimo] dismissal, expulsion, persecution.
δίωρος-η-ο (ε) [dhioros] two-hour.
διώρυγα (n) [dhioriga] canal.
διώχνω (ρ) [dhiohno] pursue, expel, chase, persecute.
δόγα (n) [dhoya] stave.
δόγμα (το) [dhogma] creed.
δογματικός-ή-ό (ε) [dhogmatikos] assertive, assumptive.
δογματισμός (o) [dhogmatismos] dogmatism.
δοθιήνας (o) [dhothiinas] boil.
δόκανο (το) [dhokano] trap.
δοκιμάζω (ρ) [dhokimazo] taste, try out, experience.
δοκιμασία (n) [dhokimasia] suffering, trial.
δοκιμασμένος-η-ο (μ) [dhokimasmenos] tried, approved.
δοκιμαστής (o) [dhokimastis] tester.
δοκιμαστικός-ή-ό (ε) [dhokimastikos] trial, test, exploring.
δοκιμή (n) [dhokimi] trial, test, rehearsal, fitting [ρούχα].
δόκιμος-η-ο (ε) [dhokimos] skillful, esteemed, first rate.
δόκιμος (o) [dhokimos] apprentice.
δόκτορας (o) [dhoktoras] doctor.
δολάριο (το) [dholario] dollar.
δολερός-ή-ό (ε) [dholeros] deceitful, treacherous, fraudulent.
δόλιος-α-ο (ε) [dholios] poor, wretched, unlucky, crafty.
δολιότητα (n) [dholiotita] deceit, fraud, artfulness, falseness.
δολιοφθορά (n) [dholiofthora] sabotage, manipulation.
δολοπλοκία (n) [dholoplokia] machination, intrigue.
δολοπλόκος-ος-ο (ε) [dholoplokos] treacherous, artful.
δολοπλοκώ (ρ) [dholoploko] machinate, scheme, trick, plot.
δόλος (o) [dholos] fraud, deceit.
δολοφονία (n) [dholofonia] murder, assasination.
δολοφόνος (o) [dholofonos] murderer, killer, assassin.
δολοφονώ (ρ) [dholofono] murder, assassinate, kill.
δόλωμα (το) [dholoma] bait.
δολώνω (ρ) [dholono] bait.
δομή (n) [dhomi] structure.
δομικός-ή-ό (ε) [dhomikos] structural.
δόνηση (n) [dhonisi] vibration.
δονητής (o) [dhonitis] vibrator.
δόντι (το) [dhondi] tooth, tusk.
δονώ (ρ) [dhono] vibrate, shake.
δόξα (n) [dhoksa] glory, fame.
δοξάζω (ρ) [dhoksazo] glorify.
δοξάρι (το) [dhoksari] bow.

δοξασία (η) [dhoksasia] belief.
δόξασμα (το) [dhoksasma] glory.
δοξολογώ (ρ) [dhoksologo] glorify, praise.
δόρυ (το) [dhori] spear.
δορυφόρος (ο) [dhoriforos] satellite.
δόση (η) [dhosi] portion, dose, installment [πληρωμή].
δοσιλογισμός (ο) [dhosiloyismos] collaboration.
δοσοληψία (η) [dhosolipsia] transaction.
δότης (ο) [dhotis] giver, donor.
δοτική (η) [dhotiki] dative.
δούκας (ο) [dhukas] duke.
δουκικός-ή-ό (ε) [dhukikos] duchy.
δούκισσα (η) [dhukissa] duchess.
δούλα (η) [dhula] maid, servant.
δουλεία (η) [dhulia] slavery.
δουλειά (η) [dhulia] work, affair, job, occupation, profession.
δούλεμα (το) [dhulema] teasing.
δουλεμπόριο (το) [dhulemborio] slave trade.
δουλευτάρης-α-ικο (ε) [dhuleftaris] hardworker.
δουλεύω (ρ) [dhulevo] work.
δούλη (η) [dhuli] slave.
δουλικός-ή-ό (ε) [dhulikos] mean.
δουλοπρέπεια (η) [dhuloprepia] obsequiousness, subservience.
δουλοπρεπής-ής-ές (ε) [dhuloprepis] servile, mean.
δούλος (ο) [dhulos] enslaved.
δουλώνω (ρ) [dhulono] enslave.
δούπος (ο) [dhupos] thump.
δοχείο (το) [dhohio] pot, vessel.
δραγάτης (ο) [dhragatis] field guard.
δράκα (η) [dhraka] handful.
δράκαινα (η) [dhrakena] ogress.
δράκοντας (ο) [dhrakondas] ogre.
δρακόντειος-α-ο (ε) [dhrakondios] severe, harsh, draconian.
δράκος (ο) [dhrakos] ogre.
δράμα (το) [dhrama] ordeal.
δραματικός-ή-ό (ε) [dhramatikos] dramatic, tragic.
δραματοποίηση (η) [dhramatopiisi] dramatization.
δραματοποιώ (ρ) [dhramatopio] dramatize.
δραματουργός (ο) [dhramaturgos] playwright, dramatist.
δράξιμο (το) [dhraksimo] clutch.
δραπέτευση (η) [dhrapetefsi] escape, bolting, breakaway.
δραπετεύω (ρ) [dhrapetevo] escape.
δραπέτης (ο) [dhrapetis] fugitive, escapee.
δράση (η) [dhrasi] activity.
δρασκελιά (η) [dhraskelia] stride.
δρασκελίζω (ρ) [dhraskelizo] stride over, step over.

δραστήρια (ε) [dhrastiria] actively, busily.
δραστηριοποίηση (η) [dhrastiriopiisi] activation, shake-up.
δραστηριοποιώ (ρ) [dhrastiriopio] activate, make active.
δραστήριος-α-ο (ε) [dhrastirios] active, operative, working.
δραστηριότητα (η) [dhrastiriotita] activity, energy.
δραστικός-ή-ό (ε) [dhrastikos] efficacious, effective, efficient.
δραστικότητα (η) [dhrastikotita] efficacy, potency, efficiency.
δραχμή (η) [dhrahmi] drachma.
δράχτης (ο) [dhrahtis] catcher.
δρεπάνι (το) [dhrepani] sickle.
δρέπω (ρ) [dhrepo] reap, win.
δριμύς-εία-ύ (ε) [dhrimis] sharp.
δριμύτητα (η) [dhrimitita] sharpness, keeness, acerbity.
δρομάκι (το) [dhromaki] lane, path, alley, track, alleyway.
δρομέας (ο) [dhromeas] runner.
δρομολόγιο (το) [dhromoloyio] itinery, timetable.
δρομολογώ (ρ) [dhromologo] run.
δρόμος (ο) [dhromos] road, street, distance, walk, trip, drive.
δροσερός-ή-ό (ε) [dhroseros] cool, fresh, dew.
δροσιά (η) [dhrosia] coolness.
δροσίζομαι (ρ) [dhrosizome] cool down.
δροσίζω (ρ) [dhrosizo] refresh.
δρόσισμα (το) [dhrosisma] cooling, refreshing.
δρόσος (η) [dhrosos] dew.
δρύινος-η-ο (ε) [dhriinos] oak.
δρυμός (ο) [dhrimos] forest.
δρυοκολάπτης (ο) [dhriokolaptis] woodpecker.
δρυς (η) [dhris] oak.
δρω (ρ) [dhro] act, do.
δρωτσίλα (η) [dhrotsila] blotch.
δυάδα (η) [dhiadha] couple.
δυαδικός-ή-ό (ε) [dhiadhikos] binary [μαθημ], dual.
δυάρι (το) [dhiari] deuce [τράπουλας], two-roomed flat.
δυικός-ή-ό (ε) [dhiikos] dual.
δύναμη (η) [dhinami] strength, power, force, vigour, authority.
δυναμική (η) [dhinamiki] dynamics.
δυναμικός-ή-ό (ε) [dhinamikos] energetic, dynamic.
δυναμικότητα (η) [dhinamikotita] capacity, potentiality.
δυναμισμός (ο) [dhinamismos] dynamism, drive.
δυναμίτιδα (η) [dhinamitidha] dynamite.
δυναμό (το) [dhinamo] dynamo.
δυνάμωμα (το) [dhinamoma] intensification, strengthening.
δυναμώνω (ρ) [dhinamono] strengthen, brace.
δυναμωτικό (το) [dhinamotiko]

tonic, restorative.
δυναμωτικός-ή-ό (ε) [dhinamotikos] strengthening, tonic.
δυναστεία (η) [dhinastia] rule.
δυναστεύω (ρ) [dhinastevo] oppress, rule, govern.
δυνάστης (ο) [dhinastis] ruler.
δυναστικός-ή-ό (ε) [dhinastikos] dynastic, oppressive.
δυνατός-ή-ό (ε) [dhinatos] loud, strong, possible, influential.
δυνατότητα (η) [dhinatotita] possibility, contingency.
δύο (το) [dhio] two.
δυοσμαρίνι (το) [dhiosmarini] rosemary [φυτ].
δυόσμος (ο) [dhiosmos] [spear] mint.
δυσανάγνωστος-η-ο (ε) [dhisanagnostos] illegible, cramped.
δυσαναλογία (η) [dhisanaloyia] disproportion.
δυσανάλογος-η-ο (ε) [dhisanalogos] disproportionate.
δυσανασχέτηση (η) [dhisanashetisi] indignation, annoyance.
δυσανασχετώ (ρ) [dhisanasheto] get angry, lose patience.
δυσαρέσκεια (η) [dhisareskia] displeasure, discontent.
δυσαρεστημένος-η-ο (μ) [dhisarestimenos] dissatisfied.
δυσάρεστος-η-ο (ε) [dhisarestos] unpleasant, disagreeable, displeasing, nasty, offensive.
δυσαρεστώ (ρ) [dhisaresto] displease, dissatisfy.
δυσαρμονία (η) [dhisarmonia] discord, variance, conflict.
δυσαρμονικός-ή-ό (ε) [dhisarmonikos] disagreeing.
δυσβάστακτος-η-ο (ε) [dhisvastaktos] unbearable.
δύσβατος-η-ο (ε) [dhisvatos] inaccessible, unapproachable.
δυσειδής-ής-ές (ε) [dhisidhis] ugly.
δυσεξήγητος-η-ο (ε) [dhiseksiyitos] inexplicable.
δυσεύρετος-η-ο (ε) [dhisevretos] difficult to find, scarce.
δύση (η) [dhisi] west, setting.
δυσθυμία (η) [dhisthimia] sadness, depression, gloominess.
δύσθυμος-η-ο (ε) [dhisthimos] depressed, sad, gloomy.
δυσκαμψία (η) [dhiskampsia] stiffness, rigidity, inflexibility.
δυσκίνητος-η-ο (ε) [dhiskinitos] slow, sluggish, cumbersome.
δυσκοίλιος-α-ο (ε) [dhiskilios] constipated.
δυσκοιλιότητα (η) [dhiskiliotita] constipation.
δυσκολεύομαι (ρ) [dhiskolevome] find difficult.
δυσκολεύω (ρ) [dhiskolevo] make difficult.
δυσκολία (η) [dhiskolia] difficulty.

δύσκολος-η-ο (ε) [dhiskolos] difficult, hard to please.
δυσμενής-ής-ές (ε) [dhismenis] adverse, unfavourable.
δυσμετακίνητος-η-ο (ε) [dhismetakinitos] cumbersome.
δύσμοιρος-η-ο (ε) [dhismiros] hapless, unlucky, ill-fated.
δυσμορφία (η) [dhismorfia] ugliness, deformity.
δύσμορφος-η-ο (ε) [dhismorfos] deformed, ugly.
δυσνόητος-η-ο (ε) [dhisnoitos] difficult to understand.
δυσοίωνος-η-ο (ε) [dhisionos] inauspicious, ill-omened.
δυσοσμία (η) [dhisosmia] stink.
δύσοσμος-η-ο (ε) [dhisosmos] stinking, smelly, stenching.
δύσπεπτος-η-ο (ε) [dhispeptos] indigestible, dyspeptic.
δυσπεψία (η) [dhispepsia] indigestion.
δυσπιστία (η) [dhispistia] mistrust.
δύσπιστος-η-ο (ε) [dhispistos] distrustful.
δυσπιστώ (ρ) [dhispisto] mistrust.
δυσπραγία (η) [dhisprayia] recession.
δυσπροσάρμοστος-η-ο (ε) [dhisprosarmostos] maladjusted.
δυσπρόσιτος-η-ο (ε) [dhisprositos] inaccessible.
δυστοκία (η) [dhistokia] difficult birth, indecision.
δύστροπος-η-ο (ε) [dhistropos] cantankerous, captious.
δυστύχημα (το) [dhistihima] accident, misfortune, disaster.
δυστυχής-ής-ές (ε) [dhistihiss] unhappy, unfortunate.
δύστυχος-η-ο (ε) [dhistihos] miserable, poor, pathetic.
δυστυχώ (ρ) [dhistiho] be unhappy, be unfortunate, be poor.
δυστυχώς (επ) [dhistihos] unfortunately.
δυσφημίζω (ρ) [dhisfimizo] slander.
δυσφήμιση (η) [dhisfimisi] slander, libel, disparagement.
δυσφημώ (ρ) [dhisfimo] defame, libel, discredit.
δυσφορία (η) [dhisforia] discomfort, discontent, annoyance.
δυσφορώ (ρ) [dhisforo] be displeased, be discontented.
δυσχεραίνω (ρ) [dhishereno] impede, make difficult.
δυσχέρεια (η) [dhisheria] hardship.
δυσχερής-ής-ές (ε) [dhisheris] difficult.
δύσχρηστος-η-ο (ε) [dhishristos] inconvenient, awkward.
δυσχρωματοψία (η) [dhishromatopsia] colour-blindness.
δυσώδης-ης-ες (ε) [dhisodhis]

stinking, foul.
δυσωδία (η) [dhisodhia] stink.
δύτης (ο) [dhitis] diver.
δυτικός-ή-ό (ε) [dhitikos] western.
δύω (ρ) [dhio] set, decline, wane.
δώδεκα (άκλ) [dhodheka] twelve.
δωδεκάδα (η) [dhodhekadha] dozen.
Δωδεκάνησα (τα) [Dhodhekanisa] Dodecanese.
δώμα (το) [dhoma] chamber [λογ], terrace, apartment.
δωμάτιο (το) [dhomatio] room.
δωρεά (η) [dhorea] gift, present, donation, endowment.
δωρεάν (επ) [dhorean] free.
δωρεοδόχος (ο) [dhoreodhohos] beneficiary, grantee.
δωρητής (ο) [dhoritis] donor.
δωρίζω (ρ) [dhorizo] donate.
δώρο (το) [dhoro] gift.
δωροδοκία (η) [dhorodhokia] corruption, bribery.
δωροδοκώ (ρ) [dhorodhoko] corrupt.
δωροληψία (η) [dhorolipsia] bribery.
δωσίλογος-ος-η (ε) [dhosilogoss] answerable, responsible.

Ε

εάν (σ) [ean] if, whether.
εαρινός-ή-ό (ε) [earinos] spring.
εαυτός (αν) [eaftos] oneself.
έβγα (ρ) [evga] come out!
εβδομάδα (η) [evdhomadha] week.
εβδομήντα (αριθ) [evdhominda] seventy.
έβδομος-η-ο (ε) [evdhomos] seventh.
εβένινος-η-ο (ε) [eveninos] ebony.
έβενος (ο) [evenos] ebony.
Εβραίος (ο) [Evreos] Hebrew, Jew.
έγγαμος-η-ο (ε) [engamos] married.
εγγαστρίμυθος-η-ο (ε) [engastrimithos] ventriloquist.
εγγεγραμμένος-η-ο (μ) [engegrammenos] registered.
εγγειοβελτιωτικός-ή-ό (ε) [engioveltiotikos] [land]reclamation.
εγγενής-ής-ές (ε) [engenis] intrinsic.
εγγίζω (ρ) [engizo] draw near.
εγγονή (η) [engoni] granddaughter.
εγγόνι (το) [engoni] grandchild.
εγγονός (ο) [engonos] grandson.
εγγράμματος-η-ο (ε) [engrammatos] literate, educated.
εγγραφή (η) [engrafi] registration, record, entry, booking.
έγγραφο (το) [engrafo] document.
έγγραφος-η-ο (ε) [engrafos] written, documentary.
εγγράφω (ρ) [engrafo] register.
εγγύηση (η) [engiisi] security.
εγγυητής (ο) [engiitis] guarantor.
εγγυοδοσία (η) [engiodhosia] bond.
εγγυούμαι (ρ) [engiume] guarantee, stand bail for.
εγγύς (επ) [engis] near, close to.
εγγύτατος-η-ο (ε) [engitatos] nearest, closest.
εγγύτερος-η-ο (ε) [engiteros] nearer, closer.
εγγύτητα (η) [engitita] proximity.
εγγυώμαι (ρ) [engiome] guarantee, vouch for, attest.
εγείρω (ρ) [eyiro] raise, build.
έγερση (η) [eyersi] raising, building.
εγερτήριο (το) [eyertirio] reveille.
εγκάθειρκτος-η-ο (ε) [engathirktos] imprisoned.
εγκαθίδρυση (η) [engathidhrisi] establishment.
εγκαθιδρύω (ρ) [engathidhrio]

set up, establish.

εγκαθίσταμαι (ρ) [engathistame] settle, put up.

εγκαθιστώ (ρ) [engathisto] set up, settle, establish.

εγκαίνια (τα) [engenia] opening.

έγκαιρος-η-ο (ε) [engeros] timely, opportune, prompt.

εγκαλώ (ρ) [egalo] cite, accuse.

εγκάρδιος-α-ο (ε) [engardhios] affectionate.

εγκαρδιότητα (η) [engardhiotita] warmth.

εγκαρδιώνω (ρ) [engardhiono] cheer up, encourage.

εγκαρδιωτικός-ή-ό (ε) [engardhiotikos] encouraging.

εγκάρσιος-α-ο (ε) [engarsios] transverse, slanting, oblique.

εγκαρτέρηση (η) [engarterisi] resignation.

εγκαρτερώ (ρ) [engartero] resign oneself to.

έγκατα (τα) [engata] depths.

εγκαταλειμμένος-η-ο (μ) [engatalimmenos] deserted, abandoned, derelict.

εγκαταλείπω (ρ) [engatalipo] desert, abandon.

εγκατάσταση (η) [engatastasi] installation, establishment.

έγκαυμα (το) [engavma] burn.

εγκεκριμένος-η-ο (ε) [engekrimenos] approved, licensed.

εγκεντρίζω (ρ) [egendrizo] cleft-graft, engraft.

εγκέφαλος (ο) [engefalos] brain.

εγκιβωτίζω (ρ) [engivotizo] case.

έγκλειση (η) [englisi] interment.

έγκλειστος-η-ο (ε) [englistos] confined, cloistered.

εγκλείω (ρ) [englio] enclose, confine, lock up, encage.

έγκλημα (το) [englima] crime.

εγκληματίας (ο) [englimatias] criminal.

εγκληματικός-ή-ό (ε) [englimatikos] criminal.

εγκληματικότητα (η) [englimatikotita] delinquency, wrong doing, crime.

εγκληματώ (ρ) [englimato] commit a crime, break the law.

εγκλιματίζω (ρ) [englimatizo] acclimatize, climatize.

εγκλιματισμός (ο) [englimatismos] acclimatization.

έγκλιση (η) [englisi] mood [γραμ], bent, inclination.

εγκλωβίζω (ρ) [englovizo] encircle.

εγκόλπιο (το) [engolpio] manual.

εγκολπώνομαι (ρ) [engolponome] embrace, adopt, espouse.

εγκοπή (η) [engopi] incision.

εγκόσμιος-α-ο (ε) [engosmios] social, mundane, worldly.

εγκράτεια (η) [engratia] sobriety, moderation, temperance.

εγκρατής-ής-ές (ε) [engratis]

temperate, self-restraining.

εγκρίνω (ρ) [engrino] approve.

εγκριτικός-ή-ό (ε) [engritikos] confirmative, confirmatory.

εγκύκλιος (η) [engiklios] circular.

εγκυκλοπαίδεια (η) [engiklopedhia] encyclopedia.

εγκυμονώ (ρ) [engimono] be pregnant with, wait for, include.

εγκυμοσύνη (η) [engimosini] pregnancy.

έγκυος (η) [engios] pregnant.

έγκυρος-η-ο (ε) [engiros] valid.

εγκυρότητα (η) [engirotita] validity, authenticity.

εγκωμιαστικός-ή-ό (ε) [engomiastikos] complimentary.

εγκώμιο (το) [engomio] praise.

έγνοια (η) [egnia] care, anxiety.

εγρήγορση (η) [egrigorsi] alertness.

εγχείρημα (το) [eghirima] venture, undertaking, attempt.

εγχείρηση (η) [eghirisi] operation.

εγχειρίδιο (το) [eghiridhio] manual.

εγχειρίζω (ρ) [eghirizo] perform an operation, hand, deliver.

έγχορδος-η-ο (ε) [eghordhos] stringed.

έγχρωμος-η-ο (ε) [eghromos] coloured.

εγχώριος-α-ο (ε) [eghorios] native.

εγώ (το) [ego] self.

εγωισμός (ο) [egoismos] egotism.

εγωιστής (ο) [egoistis] egotist.

εγωιστικός-ή-ό (ε) [egoistikos] egoistical, selfish, vain.

εγωκεντρικός-ή-ό (ε) [egokendrikos] egocentric, self-centered.

εδαφιαίος-α-ο (ε) [edhafieos] very low, ground-level.

εδαφικός-ή-ό (ε) [edhafikos] territorial.

εδάφιο (το) [edhafio] section.

εδαφολογικός-ή-ό (ε) [edhafoloyikos] territorial.

έδαφος (το) [edhafos] ground.

έδεσμα (το) [edhesma] dish, food.

έδρα (η) [edhra] seat, chair.

εδραιώνω (ρ) [edhreono] strengthen.

έδρανο (το) [edhrano] bench.

εδρεύω (ρ) [edhrevo] reside.

εδώ (επ) [edho] here.

εδωδά (επ) [edhodha] right here.

εδώδιμα (τα) [edhodhima] victuals.

εδωδιμοπωλείο (το) [edhodhimopolio] grocery, delicatessen.

εδώλιο (το) [edholio] seat.

εθελοντής (ο) [ethelondis] volunteer.

εθελοντικός-ή-ό (ε) [ethelondikos] voluntary.

εθίζω (ρ) [ethizo] addict, habituate.

εθιμικός-ή-ό (ε) [ethimikos] customary.

έθιμο (το) [ethimo] habit.

εθιμοτυπία (η) [ethimotipia] formality, etiquette, ceremonial.

εθισμός (ο) [ethismos] addiction.

εθνάρχης (ο) [ethnarhis] ethnarch.

εθνικιστής (ο) [ethnikistis] nationalist, chauvinist.

εθνικιστικός-ή-ό (ε) [ethnikistikos] nationalistic, chauvinistic.

εθνικοποιώ (ρ) [ethnikopio] nationalize, communize.

εθνικός-ή-ό (ε) [ethnikos] national.

εθνικότητα (η) [ethnikotita] nationality.

έθνος (το) [ethnos] nation.

εθνοσυνέλευση (η) [ethnosinelefsi] national assembly.

εθνότητα (η) [ethnotita] nationality.

εθνοφρουρά (η) [ethnofrura] national guard, home guard.

ειδάλλως (επ) [idhallos] if not, otherwise, or else.

ειδήμονας (ο) [idhimonas] expert.

ειδησεογραφία (η) [idhiseografia] [news] reporting.

ειδησεογραφικός-ή-ό (ε) [idhiseografikos] news.

είδηση (η) [idhisi] [an item of] news, message, idea, notice.

ειδικευμένος-η-ο (μ) [idhikevmenos] specialized, skilled.

ειδίκευση (η) [idhikefsi] specialization.

ειδικεύω (ρ) [idhikevo] specify.

ειδικός-ή-ό (ε) [idhikos] special.

ειδικότητα (η) [idhikotita] speciality.

ειδοποίηση (η) [idhopiisi] notice.

ειδοποιητήριο (το) [idhopiitirio] note, notice.

ειδοποιός-ός (ε) [idhopios] specific.

ειδοποιώ (ρ) [idhopio] notify, inform, advise.

είδος (το) [idhos] sort, kind.

ειδύλλιο (το) [idhillio] romance.

ειδώλιο (το) [idholio] statuette.

είδωλο (το) [idholo] idol, image.

ειδωλολάτρης (ο) [idhololatris] pagan, heathen, idolater.

ειδωλολατρία (η) [idhololatria] paganism, idolatry.

είθε! (μορ) [ithe!] may, wish.

εικάζω (ρ) [ikazo] conjecture.

εικόνα (η) [ikona] image.

εικονίζω (ρ) [ikonizo] portray.

εικονικός-ή-ό (ε) [ikonikos] figurative, sham [επίθεση], bogus [πράξη].

εικονικότητα (η) [ikonikotita] fictitiousness.

εικόνισμα (το) [ikonisma] icon [αγιογραφία].
εικονογραφημένος-η-ο (μ) [ikonografimenos] illustrated.
εικονογραφία (η) [ikonografia] illustration [εκκλ], iconography.
εικονοστάσι (το) [ikonostasi] shrine, screen.
εικοσάδα (η) [ikosadha] score.
είκοσι (το) [ikosi] twenty.
ειλικρίνεια (η) [ilikrinia] sincerity, frankness, candour, honesty.
ειλικρινής-ής-ές (ε) [ilikrinis] sincere, candid, frank, earnest.
είλωτας (ο) [ilotas] helot, slave.
είμαι (ρ) [ime] be, I am.
ειμαρμένη (η) [imarmeni] fate.
είναι (ο) [ine] being, life.
ειρήνευση (η) [irinefsi] pacification.
ειρηνευτικός-ή-ό (ε) [irineftikos] peace-keeping, conciliatory.
ειρηνεύω (ρ) [irinevo] pacify.
ειρήνη (η) [irini] peace.
ειρηνικός-ή-ό (ε) [irinikos] peaceful, calm, tranquil quiet.
ειρηνιστής (ο) [irinistis] pacifist.
ειρηνοδικείο (το) [irinodhikio] magistrate's court.
ειρηνόφιλος (ο) [irinofilos] pacifist.
ειρκτή (η) [irkti] imprisonment.
ειρμός (ο) [irmos] train of thought.
είρωνας (ο) [ironas] ironist.
ειρωνεία (η) [ironia] irony.
ειρωνεύομαι (ρ) [ironevome] speak ironically, banter.
ειρωνικός-ή-ό (ε) [ironikos] ironical.
εις (π) [is] in, among, at, within, to, into, on.
εισαγγελέας (ο) [isangeleas] public prosecutor.
εισαγγελία (η) [isangelia] Public Prosecutor's Office.
εισάγω (ρ) [isago] import, introduce, present.
εισαγωγέας (ο) [isagoyeas] importer.
εισαγωγικά (επ) [isagoyika] inverted commas.
εισαγωγικός-ή-ό (ε) [isagoyikos] introductory.
εισακούω (ρ) [isakuo] hear, grant.
εισβάλλω (ρ) [isvallo] invade, flow into, overrun, break into.
εισβολέας (ο) [isvoleas] invader.
εισβολή (η) [isvoli] invasion.
εισδοχή (η) [isdhohi] admission, entrance, entry, accession.
εισδύω (ρ) [isdhio] slip into.
εισήγηση (η) [isiyisi] suggestion.
εισηγητής (ο) [isiyitis] sponsor.
εισηγητικός-ή-ό (ε) [isiyitikos] introductory, suggestive.
εισηγούμαι (ρ) [isigume] propose.

εισιτήριο (το) [isitirio] ticket.
εισόδημα (το) [isodhima] income, revenue, annuity.
είσοδος (n) [isodhos] entry.
εισορμώ (ρ) [isormo] burst in rush.
εισπλέω (ρ) [ispleo] sail in.
εισπνέω (ρ) [ispneo] inhale.
εισπνοή (n) [ispnoi] inhalation.
εισπρακτέος-α-ο (ε) [isprakteos] due], receivable.
εισπράκτορας (o) [ispraktoras] conductor, collector.
είσπραξη (n) [ispraksi] collection.
εισπράττω (ρ) [ispratto] collect.
εισροή (n) [isroi] inflow, influx.
εισφέρω (ρ) [isfero] contribute.
εισφορά (n) [isfora] contribution.
εισχωρώ (ρ) [ishoro] penetrate.
είτε (σ) [ite] either...or, whether ... or.
εκ (π) [ek] from, out of, by, of.
έκαστο (επ) [ekasto] apiece.
έκαστος-n-ο (αν) [ekastos] each.
εκατό (αριθ) [ekato] hundred.
εκατόλιτρο (το) [ekatolitro] cental.
εκατομμύριο (το) [ekatommirio] million.
εκατομμυριοστός-ή-ό (ε) [ekatommiriostos] millionth.
εκατομμυριούχος-α-ο (ε) [ekatommiriuhos] millionaire.
εκατονταετηρίδα (n) [ekatondaetiridha] century, centenary.
εκατονταετία (n) [ekatondaetia] century.
εκατοστόμετρο (το) [ekatostometro] centimeter, centigram.
εκβαθύνω (ρ) [ekvathino] deepen.
εκβάλλω (ρ) [ekvallo] take out.
έκβαση (n) [ekvasi] issue, outcome.
εκβιάζω (ρ) [ekviazo] force.
εκβιασμός (o) [ekviasmos] blackmail, extortion, constraint.
εκβιαστής (o) [ekviastis] blackmailer.
εκβιομηχανίζω (ρ) [ekviomihanizo] industrialize.
εκβιομηχάνιση (n) [ekviomihanisi] industrialization.
εκβράζω (ρ) [ekvrazo] wash up.
έκβρασμα (το) [ekvrasma] wreckage.
εκγυμνάζω (ρ) [ekyimnazo] train.
εκδέρω (ρ) [ekdhero] bark.
έκδηλος-n-ο (ε) [ekdhilos] manifest, evident, obvious.
εκδηλώνω (ρ) [ekdhilono] show.
εκδήλωση (n) [ekdhilosi] demonstration, manifestation.
εκδημοκρατίζω (ρ) [ekdhimokratizo] democratize.
εκδίδω (ρ) [ekdhidho] issue.
εκδικάζω (ρ) [ekdhikazo] try.
εκδίκαση (n) [ekdhikasi] trial.

εκδίκηση (η) [ekdhikisi] vengeance.
εκδικητικός-ή-ό (ε) [ekdhikitikos] revengeful, vindictive.
εκδικούμαι (ρ) [ekdhikume] take revenge on, get even with.
εκδιώκω (ρ) [ekdhioko] expel.
εκδορά (η) [ekdhora] scratch.
έκδοση (η) [ekdhosi] publication, edition, issue, version.
εκδοτήριο (το) [ekdhotirio] ticket office, box-office.
εκδότης (ο) [ekdhotis] publisher.
εκδοτικός-ή-ό (ε) [ekdhotikos] publishing, publishing house.
έκδοτος-η-ο (ε) [ekdhotos] addict.
εκδούλευση (η) [ekdhulefsi] service.
εκδοχή (η) [ekdhohi] interpretation.
εκδράμω (ρ) [ekdhramo] go on a trip.
εκδρομή (η) [ekdhromi] excursion.
εκδρομικός-ή-ό (ε) [ekdhromikos] excursion, travelling.
εκεί (επ) [eki] there.
εκείνος-η-ο (αν) [ekinos] he.
εκεχειρία (η) [ekehiria] truce.
έκζεμα (το) [ekzema] eczema.
εκζήτηση (η) [ekzitisi] affectation.
έκθαμβος-η-ο (ε) [ekthamvos] dazzled, astounded.
εκθαμβωτικός-ή-ό (ε) [ekthamvotikos] dazzling, splendid.
εκθειάζω (ρ) [ekthiazo] praise.
έκθεμα (το) [ekthema] exhibit.
έκθεση (η) [ekthesi] exhibition, display, composition.
έκθετος-η-ο (ε) [ekthetos] exposed.
εκθέτω (ρ) [ektheto] display, exhibit, expound, abandon.
έκθλιψη (η) [ekthlipsi] elision.
εκθρονίζω (ρ) [ekthronizo] dethrone, depose.
εκκαθαρίζω (ρ) [ekkatharizo] clear out, clean, liquidate, settle.
εκκαθαρίζω (ρ) [ekkatharizo] clean.
εκκαθάριση (η) [ekkatharisi] liquidation, winding up.
εκκαθαριστής (ο) [ekkatharistis] administrator, receiver [πτώχευσης].
εκκαθαριστικός-ή-ό (ε) [ekkatharistikos] mopping-up.
εκκεντρικός-ή-ό (ε) [ekkendrikos] eccentric, odd, bizarre.
εκκεντρικότητα (η) [ekkendrikotita] eccentricity, oddity.
εκκενώνω (ρ) [ekkenono] empty.
εκκένωση (η) [ekkenosi] evacuation, emptying.
εκκίνηση (η) [ekkinisi] departure.
έκκληση (η) [ekklisi] appeal.
εκκλησία (η) [ekklisia] church.

εκκλησίασμα (το) [ekklisiasma] congregation.

εκκοκκιστήριο (το) [ekkokkistirio] ginning house.

εκκολάπτω (ρ) [ekkolapto] incubate.

εκκρεμές (το) [ekkremes] pendulum.

εκκρεμής-ής-ές (ε) [ekkremis] unsettled, pending, hanging.

εκκρεμότητα (η) [ekkremotita] suspense, abeyance, doldrums.

εκκρεμώ (ρ) [ekkremo] pending.

έκκριση (η) [ekkrisi] excretion.

εκκωφαντικός-ή-ό (ε) [ekkofandikos] deafening.

εκλαΐκευση (η) [eklaikefsi] popularization.

εκλαμβάνω (ρ) [eklamvano] take for, mistake for.

εκλέγω (ρ) [eklego] choose, elect.

έκλειψη (η) [eklipsi] eclipse.

εκλεκτικός-ή-ό (ε) [eklektikos] choosy, selective, eclectic.

εκλέκτορας (ο) [eklektoras] elector.

εκλεκτός-ή-ό (ε) [eklektos] select.

εκλέξιμος-η-ο (ε) [ekleksimos] eligible.

εκλεπτύνω (ρ) [ekleptino] chasten.

εκλεπτυσμένος-η-ο (μ) [ekleptismenos] refined, azurine.

εκλιπαρώ (ρ) [ekliparo] entreat.

εκλογέας (ο) [ekloyeas] elector.

εκλογείς (οι) [eklogis] constituency.

εκλογή (η) [ekloyi] choice.

εκλογικός-ή-ό (ε) [ekloyikos] electoral, elective.

εκλόγιμος-η-ο (ε) [ekloyimos] eligible.

έκλυτος-η-ο (ε) [eklitos] loose, dissolute, wanton, flaggy, slack, profligate.

εκμαγείο (το) [ekmayio] cast.

εκμάθηση (η) [ekmathisi] learning.

εκμεταλλεύομαι (ρ) [ekmetallevome] exploit, take advantage.

εκμετάλλευση (η) [ekmetallefsi] exploitation, operating.

εκμηδενίζω (ρ) [ekmidhenizo] annihilate.

εκμισθώνω (ρ) [ekmisthono] let.

εκμίσθωση (η) [ekmisthosi] lease.

εκμισθωτής (ο) [ekmisthotis] lessor.

εκμυστηρεύομαι (ρ) [ekmistirevome] confide a secret, confess.

εκμυστήρευση (η) [ekmistirefsi] confidence, confession.

εκναυλωτής (ο) [eknavlotis] charterer, freighterer.

εκνευρίζω (ρ) [eknevrizo] annoy, exasperate, enervate, fluster.

εκνευρισμένος-η-ο (μ) [eknevrismenos] nervy, on edge.

εκνευρισμός (ο) [eknevrismos] vexation, exasperation.
εκνευριστικός-ή-ό (ε) [eknevristikos] exasperating.
εκούσιος-α-ο (ε) [ekusios] voluntary.
εκπαιδευμένος-η-ο (μ) [ekpedhevmenos] trained, educated.
εκπαίδευση (η) [ekpedhefsi] education, training.
εκπαιδευτήριο (το) [ekpedheftirio] school, institute.
εκπαιδευτικός-ή-ό (ε) [ekpedheftikos] educational.
εκπαιδεύω (ρ) [ekpedhevo] train.
εκπατρισμένος-η-ο (μ) [ekpatrismenos] expatriated.
εκπίπτω (ρ) [ekpipto] decline, fall, deduct [μεταφ].
εκπλειστηριάζω (ρ) [ekplistiriazo] auction off.
εκπλειστηριασμός (ο) [ekplistiriasmos] auction.
εκπληκτικός-ή-ό (ε) [ekpliktikos] astonishing, surprising.
έκπληκτος-η-ο (ε) [ekpliktos] surprised, astonished.
έκπληξη (η) [ekpliksi] surprise.
εκπληρώνω (ρ) [ekplirono] perform, fulfil, realize, carry out.
εκπλήρωση (η) [ekplirosi] performance, achievement.
εκπλήσσω (ρ) [ekplisso] surprise.
εκπνέω (ρ) [ekpneo] exhale, die, expire, terminate [μεταφ].
εκπνοή (η) [ekpnoi] breathing out, dying, expiration, expiry.
εκποίηση (η) [ekpiisi] sale.
εκπολιτίζω (ρ) [ekpolitizo] civilize.
εκπολιτιστικός-ή-ό (ε) [ekpolitistikos] civilizing, cultural.
εκπομπή (η) [ekpombi] emission, broadcast [ραδιοφώνου].
εκπόνηση (η) [eksponisi] designing, elaboration, working out.
εκπονώ (ρ) [ekpono] labour over.
εκπορεύομαι (ρ) [ekporevome] originate, spring from, issue.
εκπόρευση (η) [ekporefsi] issue, springing [from].
εκπόρθηση (η) [ekporthisi] conquest, storming, capture.
εκπορθώ (ρ) [ekportho] conquer, take by siege, capture.
εκπόρνευση (η) [ekpornefsi] prostitution.
εκπρόθεσμος-η-ο (ε) [ekprothesmos] overdue.
εκπροσώπηση (η) [ekprosopisi] representation.
εκπρόσωπος (ο) [ekprosopos] representative.
έκπτωση (η) [ekptosi] decline, fall, reduction [τιμή κτλ].
εκπυρηνίζω (ρ) [ekpirinizo] core.
εκπυρσοκρότηση (η) [ekpirsokrotisi] report, detonation.
εκπυρσοκροτώ (ρ) [ekpirsokro-

to] detonate, go off, explode.
εκρηκτικός-ή-ό (ε) [ekriktikos] explosive.
έκρηξη (η) [ekriksi] explosion.
εκρίζωση (η) [ekrizosi] uprooting, extraction, eradication.
εκριζωτής (ο) [ekrizotis] grubber.
εκροή (η) [ekroi] flush.
έκρυθμος-η-ο (ε) [ekrithmos] not normal, abnormal.
εκσκαφέας (ο) [ekskafeas] excavator.
εκσκαφή (η) [ekskafi] excavation, cutting.
εκσπερματίζω (ρ) [ekspermatizo] ejaculate.
εκσπερμάτωση (η) [ekspermatosi] ejaculation.
έκσταση (η) [ekstasi] ecstasy.
εκστατικός-ή-ό (ε) [ekstatikos] ecstatic, stunned.
εκστομίζω (ρ) [ekstomizo] utter.
εκστρατεία (η) [ekstratia] expedition.
εκστρατεύω (ρ) [ekstratevo] go to war, campaign.
εκσυγχρονίζω (ρ) [eksighronizo] modernize, update.
εκσυγχρονισμός (ο) [eksighronismos] modernization.
εκσφενδονίζω (ρ) [eksfendhonizo] throw, hurl, catapult.
εκσφενδόνηση (η) [eksfendhonisi] hurl, projection, launching.
έκτακτος-η-ο (ε) [ektaktos] temporary, emergency, special.
έκταση (η) [ektasi] extent, stretch, spreading, extension.
εκτατός-ή-ό (ε) [ektatos] extensible.
εκταφή (η) [ektafi] disinterment, unearthing.
εκτεθειμένος-η-ο (μ) [ektethimenos] exposed, displayed.
εκτείνω (ρ) [ektino] stretch.
εκτέλεση (η) [ektelesi] execution, performance.
εκτελεστής (ο) [ektelestis] executioner, administrator, performer, achiever.
εκτελώ (ρ) [ektelo] perform, carry out, accomplish, fulfil.
εκτελωνίζω (ρ) [ektelonizo] clear [through customs].
εκτελωνισμός (ο) [ektelonismos] clearance, clearing.
εκτελωνιστικός-ή-ό (ε) [ektelonistikos] clearance.
εκτέμνω (ρ) [ektemno] castrate.
εκτενής-ής-ές (ε) [ektenis] extensive, lengthy, stretched.
εκτεταμένος-η-ο (μ) [ektetamenos] extensive, long.
εκτίμηση (η) [ektimisi] esteem, estimation, appreciation.
εκτιμητής (ο) [ektimitis] evaluator.
εκτιμώ (ρ) [ektimo] value, appreciate, estimate, respect, assess.
εκτίναξη (η) [ektinaksi] fling.
εκτινάσσω (ρ) [ektinasso] throw.

εκτομή (η) [ektomi] castration.
εκτόμηση (η) [ektomisi] castration.
εκτονώνω (ρ) [ektonono] defuse [βόμβα], unbend, relax.
εκτόνωση (η) [ektonosi] relaxation.
εκτόξευση (η) [ektoksefsi] launching, hurling, blast-off.
εκτοξεύω (ρ) [ektoksevo] shoot.
εκτοπίζω (ρ) [ektopizo] displace, dislodge, exile [εξορίζω].
εκτόπιση (η) [ektopisi] displacement, banishment, exile.
εκτόπισμα (το) [ektopisma] displacement.
εκτός (επ) [ektos] outside, besides.
έκτος-η-ο (ε) [ektos] sixth.
εκτός (επ) [ektos] without, outside, beside.
εκτός (πρ) [ektos] barring, except, besides.
έκτοτε (επ) [ektote] ever since, since then, from that time.
εκτραχύνομαι (ρ) [ektrahinome] be aggravated.
εκτράχυνση (η) [ektrahinsi] aggravation, worsening.
εκτραχύνω (ρ) [ektrahino] coarsen, embitter, aggravate.
εκτρέπομαι (ρ) [ektrepome] deviate from, go astray [μεταφ].
εκτρέπω (ρ) [ektrepo] deflect.
εκτρέφω (ρ) [ektrefo] breed, raise.
εκτροπή (η) [ektropi] diversion, deviation, drift [πλοίου κλπ].
εκτροχιάζομαι (ρ) [ektrohiazome] become derailed.
εκτροχιάζω (ρ) [ektrohiazo] derail.
έκτρωμα (το) [ektroma] monster, freak, abnormity.
εκτρωματικός-ή-ό (ε) [ektromatikos] freakish, monstrous.
έκτρωση (η) [ektrosi] abortion, miscarriage.
εκτυλίσσομαι (ρ) [ektilissome] develop, evolve.
εκτυπώνω (ρ) [ektipono] print.
εκτύπωση (η) [ektiposi] printing.
εκφαυλίζω (ρ) [ekfaflizo] corrupt.
εκφαυλισμός (ο) [ekfaflismos] corruption, depravity.
εκφέρω (ρ) [ekfero] express.
εκφοβίζω (ρ) [ekfovizo] frighten.
εκφοβισμός (ο) [ekfovismos] intimidation.
εκφορά (η) [ekfora] funeral.
εκφόρτωση (η) [ekfortosi] unloading, docking.
εκφορτωτής (ο) [ekfortotis] docker, unloader.
εκφράζω (ρ) [ekfrazo] express.
έκφραση (η) [ekfrasi] expression.
εκφυλίζω (ρ) [ekfilizo] degenerate.
έκφυλος-η-ο (ε) [ekfilos] degenerate.

εκφώνηση (η) [ekfonisi] roll-call, announcement.

εκφωνητής (ο) [ekfonitis] announcer, newsreader.

εκφωνώ (ρ) [ekfono] deliver a speech, read aloud.

εκχέρσωση (η) [ekhersosi] clearance.

εκχιονιστήρας (ο) [ekhionistiras] snow-plough.

εκχριστιανισμός (ο) [ekhristianismos] christianization.

εκχυδαΐζω (ρ) [ekhidhaizo] vulgarize, trivialize.

εκχυδαϊσμός (ο) [ekhidhaismos] trivialization.

εκχύλισμα (το) [ekhilisma] extract.

εκχύμωση (η) [ekhimosi] bruise.

έκχυση (η) [ekhisi] bleeding.

εκχώρηση (η) [ekhorisi] transfer, concession.

εκχωρητής (ο) [ekhoritis] donator.

εκχωρώ (ρ) [ekhoro] transfer.

έλα! (επιφ) [ela!] come!.

έλαιο (το) [eleo] olive oil.

ελαιόλαδο (το) [eleoladho] olive oil.

ελαιώνας (ο) [eleonas] olive grove.

έλασμα (το) [elasma] metal plate.

ελασματοποίηση (η) [elasmatopiisi] flexible.

ελαστικό (το) [elastiko] tyre, rubber, elastic.

ελαστικός-ή-ό (ε) [elastikos] flexible.

ελαστικότητα (η) [elastikotita] elasticity, compliance [μεταφ].

ελατήριο (το) [elatirio] spring, incentive, motive [μεταφ].

ελάτι (το) [elati] fir, spruce.

ελατότητα (η) [elatotita] ductibility.

ελάττωμα (το) [elattoma] fault.

ελαττωματικός-ή-ό (ε) [elattomatikos] faulty, defective.

ελαττωματικότητα (η) [elattomatikotita] imperfection.

ελαττώνω (ρ) [elattono] diminish, decrease, alleviate, subside.

ελάττωση (η) [elattosi] decrease.

ελάφειος-α-ο (ε) [elafios] cervine.

ελάφι (το) [elafi] deer, stag.

ελαφίνα (η) [elafina] doe, hind.

ελαφρόμυαλος-η-ο (ε) [elafromialos] frivolous.

ελαφρόπετρα (η) [elafropetra] pumice stone.

ελαφρός-ία-ό (ε) [elafros] chaffy [μεταφ].

ελαφρός-ιά-ύ (ε) [elafros] light, slight, mild, weak [καφές κτλ].

ελαφρότητα (η) [elafrotita] lightness, gentleness, frivolity.

ελάφρυνση (η) [elafrinsi] relief.

ελαφρυντικό (το) [elafrindiko]

extenuation.

ελαφρυντικός-ή-ό (ε) [elafrindikos] lightening, mitigating.

ελαφρώνω (ρ) [elafrono] lighten.

ελάχιστα (επ) [elahista] very little.

ελαχιστοποίηση (η) [elahistopiisi] minimization.

ελαχιστοποιώ (ρ) [elahistopio] minimize.

ελάχιστος-η-ο (ε) [elahistos] least, very little.

ελαχιστότητα (η) [elahistotita] insignificance.

Ελβετίδα (η) [Elvetidha] Swiss woman.

ελβετικός-ή-ό (ε) [elvetikos] Swiss.

Ελβετός (ο) [Elvetos] Swiss man, Helvetian.

ελεγειακός-ή-ό (ε) [eleyiakos] sad.

ελεγκτής (ο) [elengtis] inspector, auditor, controller.

ελεγκτικός-ή-ό (ε) [elegtikos] auditorial.

έλεγχος (ο) [eleghos] inspection, examination, verification.

ελέγχω (ρ) [elegho] check, control, test, inspect, examine.

ελέγχων (μ) [eleghon] commanding.

ελεεινολογώ (ρ) [eleinologo] deplore.

ελεεινός-ή-ό (ε) [eleinos] pitiful.

ελεημοσύνη (η) [eleimosini] alms, charity.

ελέηση (η) [eleisi] charity.

ελευθερία (η) [eleftheria] liberty, freedom.

ελευθεριάζω (ρ) [eleftheriazo] take liberties.

ελευθέριος-α-ο (ε) [eleftherios] liberal, loose.

ελευθεριότητα (η) [eleftheriotita] liberality, looseness.

ελεύθερος-η-ο (ε) [eleftheros] free, unmarried, clear.

ελευθερόστομος-η-ο (ε) [eleftherostomos] frank.

ελευθερώνω (ρ) [eleftherono] release, rid, liberate, clear.

έλευση (η) [elefsi] arrival.

ελέφαντας (ο) [elefandas] elephant.

ελεφαντόδοντο (το) [elefandodhondo] tusk, ivory.

ελεφαντοστούν (το) [elefandostun] ivory.

ελεώ (ρ) [eleo] take pity on, .

ελιά (η) [elia] olive, olive tree, mole [προσώπου κτλ].

ελιγμός (ο) [eligmos] twisting.

έλικας (ο) [elikas] coil, spiral, propeller [προπέλα].

ελικόπτερο (το) [elikoptero] helicopter.

ελίσσομαι (ρ) [elissome] wind.

ελίσσω (ρ) [elisso] coil.

έλκηθρο (το) [elkithro] sledge.

έλκος (το) [elkos] ulcer [ιατρ].
ελκυστήρας (ο) [elkistiras] tractor.
ελκυστικά (επ) [elkistika] appealingly, beseemly.
ελκυστικός-ή-ό (ε) [elkistikos] attractive, handsome, appealing.
ελκυστικότητα (η) [elkistikotita] attractiveness, allurement.
ελκύω (ρ) [elkio] charm, attract.
έλκω (ρ) [elko] draw, pull.
ελκώδης-ης-ες (ε) [elkodhis] ulcerous, ulcerated.
έλκωμα (το) [elkoma] sore.
έλκωση (η) [elkosi] ulceration.
Ελλάδα (η) [Elladha] Greece.
ελλανοδικώ (ρ) [ellanodhiko] umpire, judge.
ελλανοδίκης (ο) [ellanodhikis] referee, judge, umpire.
έλλειμμα (το) [ellimma] shortage.
ελλειπτικότητα (η) [elliptikotita] defectiveness, ellipticity.
έλλειψη (η) [ellipsi] deficiency.
ελληνικός-ή-ό (ε) [ellinikos] Greek.
ελλιμενισμός (ο) [ellimenismos] anchoring, mooring.
ελλιπής-ής-ές (ε) [ellipis] defective, wanting.
έλξη (η) [elksi] pulling, traction, drawing, attraction, haulage, lug.
ελονοσία (η) [elonosia] malaria.
έλος (το) [elos] marsh, swamp.
ελπίδα (η) [elpidha] hope, expectation, anticipation.
ελπιδοφόρος-α-ο (ε) [elpidhoforos] promising, hopeful.
ελπίζω (ρ) [elpizo] hope[for], trust, anticipate.
ελώδης-ης-ες (ε) [elodhis] marshy, swampy.
εμαγιέ (το) [emayie] enamel.
εμβαδό (το) [emvadho] area.
εμβάζω (ρ) [emvazo] remit, send.
εμβαθύνω (ρ) [emvathino] examine thoroughly.
εμβάλλω (ρ) [emvallo] infix, put in, throw into.
εμβαλωματικός-ή-ό (ε) [emvalomatikos] patchwork.
εμβαπτίζω (ρ) [emvaptizo] plunge into, steep, sink into.
έμβασμα (το) [emvasma] remittance [of money].
εμβατήριο (το) [emvatirio] march.
εμβέλεια (η) [emvelia] range.
έμβιος-α-ο (ε) [emvios] living.
έμβλημα (το) [emvlima] emblem, crest, symbol.
εμβολιάζω (ρ) [emvoliazo] graft [φυτό], vaccinate.
εμβολιασμός (ο) [emvoliasmos] vaccination, grafting [βοτ].
έμβολο (το) [emvolo] piston, rod, ram [πλοίου].
εμβριθής-ής-ές (ε) [emvrithis]

profound.

εμβρόντητος-η-ο (ε) [emvrondítos] thunderstruck, stupefied.

έμβρυο (το) [emvrio] embryo.

εμβρυώδης-ης-ες (ε) [emvriodhis] embryonic.

εμείς (αν) [emis] we.

εμένα (αν) [emena] me, I.

εμετός (ο) [emetos] vomiting.

εμιράτο (το) [emirato] emirate.

εμμένω (ρ) [emmeno] persist.

έμμεσος-η-ο (ε) [emmesos] indirect, collateral, circumstantial.

έμμετρος-η-ο (ε) [emmetros] metrical, in verse.

έμμηνα (τα) [emmina] menstruation, period.

εμμηνόπαυση (η) [emminopafsi] menopause.

εμμηνόρροια (η) [emminorria] menstruation.

έμμηνος-η-ο (ε) [emminos] regular, continuous.

έμμισθος-η-ο (ε) [emmisthos] salaried, paid.

εμμονή (η) [emmoni] persistence, perseverance, insistence.

έμμονος-η-ο (ε) [emmonos] persistent, obstinate.

έμπα (το) [emba] entrance.

εμπάθεια (η) [embathia] animosity, ill-feeling.

εμπαθής-ής-ές (ε) [embathis] malicious, passionate, spiteful.

εμπαιγμός (ο) [embegmos] sneer.

εμπαίζω (ρ) [embezo] tease.

εμπεδώνω (ρ) [embedhono] consolidate, steady, strengthen.

εμπέδωση (η) [embedhosi] strengthening, making firm.

εμπειρία (η) [embiria] experience, skill, competence.

εμπειρικά (επ) [embirika] practically.

εμπειρικός-ή-ό (ε) [embirikos] practical.

εμπειρογνώμονας (ο) [embirognomonas] expert, specialist.

έμπειρος-η-ο (ε) [embiros] experienced, skilled in, capable.

εμπεριστατωμένος-η-ο (μ) [emberistatomenos] thorough.

εμπηγνύω (ρ) [embignio] embed, infix, drive in, push in.

εμπιστεύομαι (ρ) [embistevome] entrust, confide, trust.

εμπιστευτικός-ή-ό (ε) [embisteftikos] confidential.

έμπιστος-η-ο (ε) [embistos] trustworthy, reliable, faithful.

εμπιστοσύνη (η) [embistosini] confidence, trust, faith.

έμπλαστρο (το) [emblastro] plaster.

εμπλοκή (η) [embloki] engagement [στρατ].

εμπλοκή (η) [embloki] encounter.

εμπλουτίζω (ρ) [emblutizo] enrich.

εμπλουτισμός (ο) [emplutis-

mos] enrichment.
έμπνευση (η) [embnefsi] inspiration.
εμπνευσμένος-η-ο (μ) [embnevsmenos] inspired.
εμπνευστικός-ή-ό (ε) [embnevstikos] inspiring, stimulating.
εμπνέω (ρ) [embneo] inspire.
εμποδίζω (ρ) [embodhizo] hinder, obstruct, prevent.
εμπόδιο (το) [embodhio] obstacle, impediment, obstruction.
εμπόρευμα (το) [emborevma] merchandise, commodity.
εμπορευματοποίηση (η) [emborevmatopiisi] commercialization.
εμπορεύομαι (ρ) [emborevome] deal in, trade in.
εμπορία (η) [emboria] trading, trafficking [για ναρκωτικά].
εμπορικό (το) [emboriko] shop.
εμπορικός-ή-ό (ε) [emborikos] commercial.
εμπόριο (το) [emborio] trade.
εμποροπανήγυρη (η) [emboropaniyiri] trade fair.
έμπορος (ο) [emboros] dealer.
εμποροϋπάλληλος (ο) [emboroipallilos] shop assistant.
εμποτίζω (ρ) [embotizo] soak.
εμποτισμένος-η-ο (μ) [embotismenos] soaked, saturated.
εμπρεσιονισμός (ο) [embresionismos] impressionism.
εμπρησμός (ο) [embrismos] arson.
εμπρηστής (ο) [embristis] arsonist.
εμπρηστικός-ή-ό (ε) [embristikos] incendiary, burning.
εμπριμέ (το) [embrime] print.
εμπρόθεσμος-η-ο (ε) [embrothesmos] within the time limit.
εμπρός (επ) [embros] before, forwards, in front of, forward.
έμπυο (το) [embio] pus, matter.
εμπύρετος-η-ο (ε) [embiretos] feverish.
εμφανής-ής-ές (ε) [emfanis] apparent, obvious, clear, profound.
εμφανίζομαι (ρ) [emfanizome] appear, turn up, emerge.
εμφάνιση (η) [emfanisi] appearance, presentation, development.
έμφαση (η) [emfasi] emphasis.
εμφατικός-ή-ό (ε) [emfatikos] emphatic, expressive.
εμφιαλωμένος-η-ο (μ) [emfialomenos] bottled.
έμφραγμα (το) [emfragma] heart attack [ιατρ], shutter.
έμφραξη (η) [emfraksi] filling, obstruction, stopping [ιατρ].
εμφύλιος-α-ο (ε) [emfilios] civil.
εμφυσώ (ρ) [emfiso] infuse, instill.
εμφυτεύω (ρ) [emfitevo] engraft, infix.
έμψυχος-η-ο (ε) [empsihos] liv-

ing.

εμψυχώνω (ρ) [empsihono] encourage, stimulate.

ένα (αριθ) [ena] one, a, an.

εναγκαλισμός (ο) [enangalismos] hug, embrace.

εναγόμενος-η-ο (μ) [enagomenos] defendant.

ενάγω (ρ) [enago] sue.

ενάγων (ο) [enagon] plaintiff.

εναγώνιος-α-ο (ε) [enagonios] anguished, anxious.

εναέριος-α-ο (ε) [enaerios] aerial, overhead, airy, pneumatic.

ενακτέος-α-ο (ε) [enakteos] actionable [νομ], accusable.

εναλλαγή (η) [enallayi] exchange, interchange.

εναλλακτικός-ή-ό (ε) [enallaktikos] alternate.

εναλλάξ (επ) [enallaks] alternatively, in turn.

εναλλασσόμενος-η-ο (μ) [enallassomenos] alternating.

εναλλάσσω (ρ) [enallasso] alternate, exchange.

ενάμισι (το) [enamisi] one and a half.

ενανθρακώ (ρ) [enanthrako] carbonate.

έναντι (επ) [enandi] towards, against.

ενάντια (επ) [enandia] adversely, contrarily, against.

εναντίον (επ) [enandion] against, contrary to, contra.

ενάντιος-α-ο (ε) [enandios] adverse, contrary, opposite, opposed, opposing.

ενάντιος (ο) [enandios] con.

εναντιότητα (η) [enandiotita] adversity.

εναντιώνομαι (ρ) [enandionome] be opposed to, be against, object to.

εναντίωση (η) [enandiosi] opposition, objection.

εναπόθεμα (το) [enapothema] deposit, lodgement.

εναποθέτω (ρ) [enapotheto] deposit, entrust, bestow.

εναποθηκευμένος-η-ο (μ) [enapothikevmenos] bottled.

εναποθηκεύω (ρ) [enapothikevo] store up.

εναπόκειται (ρ) [enapokite] it is up to.

ενάργεια (η) [enaryia] vividness.

ενάρετος-η-ο (ε) [enaretos] upright.

έναρθρος-η-ο (ε) [enarthros] articulate, jointed.

εναρμονίζομαι (ρ) [enarmonizome] assort, chime [μεταφ], concert.

εναρμονίζω (ρ) [enarmonizo] harmonize, coordinate.

εναρμόνιος-α-ο (ε) [enarmonios] harmonious, symmetrical.

εναρμόνιση (η) [enarmonisi]

harmonization.

έναρξη (η) [enarksi] opening, beginning, inauguration.

ενάσκηση (η) [enaskisi] exercise.

έναστρος-η-ο (ε) [enastros] starry, starlit.

ενασχόληση (η) [enasholisi] occupation, activity, hobby.

ενατένιση (η) [enatenisi] stare.

ένατος-η-ο (ε) [enatos] ninth.

έναυσμα (το) [enavsma] spark.

ενδεδειγμένος-η-ο (ε) [endhedhigmenos] advisable, fit.

ενδεδυμένος-η-ο (μ) [endhedhimenos] clad.

ένδεια (η) [endhia] poverty.

ενδείκνυμαι (ρ) [endhiknime] be called for, be necessary.

ενδεικνύω (ρ) [endhiknio] indicate.

ενδεικτικό (το) [endhiktiko] certificate.

ενδεικτικός-ή-ό (ε) [endhiktikos] indicative.

ένδειξη (η) [endhiksi] indication, sign, earnest.

ένδεκα (αριθ) [endheka] eleven.

ενδέχεται (ρ) [endhehete] it is possible, it is likely.

ενδεχόμενο (το) [endhehomeno] eventuality, possibility.

ενδεχόμενος-η-ο (μ) [endhehomenos] potential, possible.

ενδημία (η) [edhimia] endemic.

ενδιαίτημα (το) [endhietima] lodgings, accommodation.

ενδιάμεσος-η-ο (ε) [endhiamesos] in-between, intermediate.

ενδιατρίβω (ρ) [endhiatrivo] dwell on.

ενδιαφέρομαι (ρ) [endhiaferome] be interested in, concern.

ενδιαφερόμενος-η-ο (μ) [endhiaferomenos] interested.

ενδιαφέρω (ρ) [endhiafero] concern, interest.

ενδιαφέρων-ουσα-ον (μ) [endhiaferon] interesting.

ενδίδω (ρ) [endhidho] give way.

ένδικος-η-ο (ε) [endhikos] legal.

ενδοδερμικός-ή-ό (ε) [endhodhermikos] hypodermic.

ενδοιασμός (ο) [endhiasmos] scruple, hesitation.

ενδομυϊκός-ή-ό (ε) [endhomiikos] intramuscular.

ενδόμυχος-η-ο (ε) [endhomihos] inward, intimate, inner.

ένδοξος-η-ο (ε) [endhoksos] celebrated, glorious, famous.

ενδοσκόπηση (η) [endhoskopisi] endoscopy [ιατρ].

ενδοστρεφής-ής-ές (ε) [endhostrefis] introvert.

ενδότερος-η-ο (ε) [endhoteros] inner, interior.

ενδοτικός-ή-ό (ε) [endhotikos] compliant, concessive.

ενδοτικότητα (η) [endhotikoti-

ta] compliance.
ενδοφλέβιος-α-ο (ε) [endhoflevios] intravenous.
ένδυμα (το) [endhima] dress.
ενδυματολόγος (ο) [endhimatologos] dress designer.
ενδυνάμωση (η) [endhinamosi] strengthening, invigoration.
ενδυναμωτής (ο) [endhinamotis] intensifier.
ενδύω (ρ) [endhio] clothe.
ενέδρα (η) [enedhra] ambush.
ενεδρεύω (ρ) [enedhrevo] ambush, lurk.
ένεκα (π) [eneka] because of.
ενενήντα (αριθ) [eneninda] ninety.
ενέργεια (η) [eneryia] energy, action, effect.
ενεργητικό (το) [eneryitiko] assets, credit [μεταφ].
ενεργητικός-ή-ό (ε) [eneryitikos] energetic, active, effective [φάρμακο], dynamic, running.
ενεργητικότητα (η) [eneryitikotita] energy, push, drive.
ενεργοποιώ (ρ) [energopio] call into action, activate.
ενεργός-ή-ό (ε) [energos] active, effective, alive, dynamic.
ενεργώ (ρ) [energo] act, take steps, work [φάρμακο κτλ].
ένεση (η) [enesi] injection.
ενεστώτας (ο) [enestotas] present tense, current.
ενετικός-ή-ό (ε) [enetikos] Venetian.
ενέχομαι (ρ) [enehome] be implicated, be involved.
ενεχυριάζω (ρ) [enehiriazo] pawn, pledge.
ενεχυροδανειστής (ο) [enehirodhanistis] pawnbroker.
ένζυμο (το) [enzimo] enzyme.
ένζυμος-η-ο (ε) [enzimos] yeasty, leavened.
ενηλικιότητα (η) [enilikiotita] majority, coming of age.
ενηλικιώνομαι (ρ) [enilikionome] come of age.
ενηλικίωση (η) [enilikiosi] coming of age.
ενήλικος-η-ο (ε) [enilikos] of age, adult, grown-up.
ενήμερος-η-ο (ε) [enimeros] informed, aware.
ενημερωμένος-η-ο (μ) [enimeromenos] informed.
ενημερώνω (ρ) [enimerono] inform, brief, acquaint.
ενημέρωση (η) [enimerosi] information, briefing.
ενθάρρυνση (η) [entharrinsi] encouragement, cheering up.
ενθαρρυντικός-ή-ό (ε) [entharrindikos] encouraging, cheering.
ενθαρρύνω (ρ) [entharrino] encourage, cheer up.
ένθετο (το) [endheto] inset.
ένθετος-η-ο (ε) [enthetos] inlaid.

ενθουσιάζομαι (ρ) [enthusiazome] be enthusiastic about.
ενθουσιάζω (ρ) [enthusiazo] fill with enthusiasm.
ενθουσιασμένος-η-ο (μ) [enthusiasmenos] crazed.
ενθουσιασμός (ο) [enthusiasmos] enthusiasm, zest.
ενθουσιώδης-ης-ες (ε) [enthusiodhis] enthusiastic, rousing,.
ενθρονίζω (ρ) [enthronizo] enthrone.
ενθύμιο (το) [enthimio] souvenir.
ενθύμιση (η) [enthimisi] reminder.
ενθυμούμαι (ρ) [enthimume] recall, remember.
ενιαίος-α-ο (ε) [enieos] single.
ενικός (ο) [enikos] singular [number].
ενίοτε (επ) [eniote] occasionally.
ενίσταμαι (ρ) [enistame] object.
ενίσχυση (η) [enishisi] strengthening, aid, assistance.
ενισχυτής (ο) [enishitis] supporter, amplifier [μηχ].
ενισχυτικό (το) [enishitiko] corroborant.
ενισχυτικός-ή-ό (ε) [enishitikos] reinforcing, confirmatory.
ενισχύω (ρ) [enishio] support, reinforce, assist, strenghthen.
εννέα (αριθ) [ennea] nine.
εννιακόσια (αριθ) [enniakosia] nine hundred.
εννοείται (ρ) [ennoite] certainly.
έννοια (η) [ennia] sense, concept, meaning, interpretation.
εννοιολογικός-ή-ό (ε) [enniologikos] conceptual.
εννοιολογικός-ή-ό (ε) [enniologikos] semantic.
έννομος-η-ο (ε) [ennomos] lawful, legal.
εννοώ (ρ) [ennoo] understand, intend.
ενοίκηση (η) [enikisi] lodgment.
ενοικιάζεται (ρ) [enikiazete] to let, for rent, for hire.
ενοικιάζω (ρ) [enikiazo] rent, let, hire.
ενοικίαση (η) [enikiasi] letting out, renting out, lease.
ενοικιαστής (ο) [enikiastis] tenant, lessee [νομ].
ενοίκιο (το) [enikio] rent.
ένοικος-ος (ε) [enikos] tenant.
ενοικώ (ρ) [eniko] inhabit.
ένοπλος-η-ο (ε) [enoplos] armed.
ενοποίηση (η) [enopiisi] unification, integration.
ενόραση (η) [enorasi] vision.
ενόργανος-η-ο (ε) [enorganos] organic, instrumental.
ενοργανώνω (ρ) [enorganono] orchestrate.
ενοργάνωση (η) [enorganosi] orchestration.
ενορία (η) [enoria] parish.

ενοριακός-ή-ό (ε) [enoriakos] parish.

ενορίτης (ο) [enoritis] parishioner.

ένορκοι (οι) [enorki] jury.

ένορκος-η-ο (ε) [enorkos] sworn, under oath.

ένορκος (ο) [enorkos] juror.

ενόρκως (επ) [enorkos] under oath.

ενορχηστρωμένος-η-ο (μ) [enorhistromenos] concerted.

ενόσω (σ) [enoso] as long as.

ενότητα (η) [enotita] unity.

ενοφθαλμίζω (ρ) [enofthalmizo] engraft.

ενοχή (η) [enohi] guilt.

ενοχικός-ή-ό (ε) [enohikos] incriminating, guilty.

ενόχλημα (το) [enohlima] trouble.

ενόχληση (η) [enohlisi] trouble.

ενοχλητικός-ή-ό (ε) [enohlitikos] inconvenient, annoying.

ενοχλώ (ρ) [enohlo] trouble.

ενοχοποίηση (η) [enohopiisi] incrimination.

ενοχοποιώ (ρ) [enohopio] incriminate, implicate.

ένοχος-η-ο (ε) [enohos] guilty.

ένσαρκος (ο) [ensarkos] bodied.

ενσαρκώνω (ρ) [ensarkono] incarnate, personify.

ενσάρκωση (η) [ensarkosi] incarnation, embodiment.

ένσημο (το) [ensimo] stamp.

ενσκήπτω (ρ) [enskipto] happen suddenly, break out.

ενσπείρω (ρ) [enspiro] raise.

ενσταλάζω (ρ) [enstalazo] instill, infuse.

ενσταντανέ (το) [enstandane] snapshot.

ένσταση (η) [enstasi] objection.

ενστερνίζομαι (ρ) [ensternizome] embrace, espouse, adopt.

ένστικτο (το) [enstikto] instinct.

ενστικτώδης-ης-ες (ε) [enstiktodhis] instinctive.

ενσυνείδητος-η-ο (ε) [ensinidhitos] conscious.

ενσωματώνω (ρ) [ensomatono] embody, incorporate.

ένταλμα (το) [endalma] warrant.

εντάξει (επ) [endaksi] OK.

ένταξη (η) [endaksi] accession.

ένταση (η) [endasi] strain, stress.

εντατικός-ή-ό (ε) [endatikos] intensive.

εντaύθα (επ) [endaftha] here, in town, local.

ενταφιάζω (ρ) [endafiazo] bury.

ενταφιασμός (ο) [endafiasmos] interment, burial.

εντείνω (ρ) [endino] stretch.

εντειχίζω (ρ) [entihizo] wall around.

έντεκα (αριθ) [endeka] eleven.

εντέλεια (η) [endelia] perfection.

εντέλλομαι (ρ) [endellome] bid.

εντελώς (επ) [endelos] completely.
έντερα (η) [endera] inwards, intestines, bowels.
εντερικός-ή-ό (ε) [enderikos] intestinal.
εντερίτιδα (η) [enteritidha] enteritis.
έντερο (το) [endero] intestine, bowel.
εντεταλμένος-η-ο (μ) [endetalmenos] responsible for.
εντεύθεν (επ) [endefthen] hence.
εντευκτήριο (το) [endefktirio] lounge, meeting-place.
έντεχνος-η-ο (ε) [endehnos] skilful, artistic, ingenious.
έντιμος-η-ο (ε) [endimos] honest, respectable, creditable.
εντιμότητα (η) [endimotita] honesty, truthfulness.
εντοιχίζω (ρ) [endihizo] wall in.
έντοκος-η-ο (ε) [endokos] with interest.
εντολέας (ο) [endoleas] principal.
εντολές (οι) [endoles] orders.
εντολή (η) [endoli] order.
εντολοδότης (ο) [endolodhotis] principal, client.
εντολοδόχος-ος (ε) [endolodhohos] agent, assignee.
εντομή (η) [endomi] incision.
έντομο (το) [endomo] insect.
εντομολόγος (ο) [endomologos] entomologist.
έντονος-η-ο (ε) [endonos] intense, strong, bright, deep.
εντοπίζομαι (ρ) [endopizome] focalize.
εντοπίζω (ρ) [endopizo] restrict.
εντόπιος-α-ο (ε) [endopios] local.
εντόπιση (η) [entopisi] focus.
εντοπισμός (ο) [endopismos] fixation.
εντός (επ) [endos] within, inside, in, into, soon.
εντόσθια (τα) [endosthia] entrails, intestines, inwards, offal.
εντριβή (η) [endrivi] massage, friction [μηχανική].
έντρομος-η-ο (ε) [endromos] scared, frightened, horrified.
εντρυφώ (ρ) [endrifo] indulge.
έντυπο (το) [endipo] printed
εντύπωση (η) [endiposi] impression, sensation, feeling.
εντυπωσιάζω (ρ) [endiposiazo] impress.
ενυδρείο (το) [enidhrio] aquarium.
ενυπόγραφος-η-ο (ε) [enipografos] signed.
ενυπόδυτος (ο) [enipodhitos] booted.
ενυπόθηκος-η-ο (ε) [enipothikos] mortgaged.
ενυπόστατος-η-ο (ε) [enipostatos] existential.
ενώ (σ) [eno] while, whereas.

ενωμένος-η-ο (μ) [enomenos] united, corporate.
ενωμοτάρχης (ο) [enomotarhis] [police-]sergeant.
ενώνω (ρ) [enono] unite, join.
ενώπιον (επ) [enopion] in front of.
ενωρίς (επ) [enoris] early.
ένωση (η) [enosi] union, short circuit [ηλεκτ], coupling.
εξαγγέλλω (ρ) [eksangello] announce.
εξαγιασμός (ο) [eksayiasmos] sanctification.
εξαγνίζω (ρ) [eksagnizo] purify, chasten, circumcise [μεταφ].
εξαγνιστικός-ή-ό (ε) [eksagnistikos] chastening, cleansing.
εξαγόμενο (το) [eksagomeno] product, result.
εξαγορά (η) [eksagora] bribery, buying off, buying out.
εξαγρίωση (η) [eksagriosi] fury.
εξάγω (ρ) [eksago] take out, extract, export, deduce [φιλοσ].
εξάγωνο (το) [eksagono] hexagon.
εξαδέλφη (η) [eksadhelfi] cousin.
εξαερώνω (ρ) [eksaerono] take the air out, vaporize.
εξαετία (η) [eksaetia] six-year period.
εξαθλιώνω (ρ) [eksathliono] reduce to poverty, degrade.
εξαιρέσει (πρ) [ekseresi] apart from, excluding.
εξαίρεση (η) [ekseresi] exception, exemption [from], immunity [from].
εξαίρετα (επ) [ekseretа] admirably, excellently.
εξαιρετικός-ή-ό (ε) [ekseretikos] exceptional, excellent.
εξαίρετος-η-ο (ε) [ekseretos] excellent, remarkable.
εξαιρώ (ρ) [eksero] except.
εξαίρω (ρ) [eksero] praise.
εξαιτίας (επ) [eksetias] because of, on account of.
εξακολουθώ (ρ) [eksakolutho] continue, carry on.
εξακοντίζω (ρ) [eksakondizo] fling, throw, launch, send up.
εξακριβώνω (ρ) [eksakrivono] verify, ascertain, establish.
εξακύλινδρος-η-ο (ε) [eksakilindhros] six-cylinder.
εξαλείφω (ρ) [eksalifo] rub out, remove, obliterate.
έξαλλος-η-ο (ε) [eksallos] frenzied, infuriated, berserk, wild.
εξάλλου (επ) [eksallu] besides.
εξαμβλώνω (ρ) [eksamvlono] miscarry, have an abortion.
εξάμηνο (το) [eksamino] semester, half a year.
εξαναγκασμός (ο) [eksanangasmos] constraint, compulsion.
εξανδραποδίζω (ρ) [eksandhrapodhizo] enslave.

εξανεμίζω (ρ) [eksanemizo] squander.

εξάνθημα (το) [eksanthima] rash, pimple.

εξανθρωπίζω (ρ) [eksanthropizo] civilize.

εξανίσταμαι (ρ) [eksanistame] rebel.

εξάντας (ο) [eksandas] sextant.

εξαντλημένος-η-ο (μ) [eksandlimenos] exhausted.

εξαντλώ (ρ) [eksandlo] exhaust, consume.

εξάπαντος (επ) [eksapandos] without fail.

εξαπατώ (ρ) [eksapato] cheat, deceive, be unfaithful to.

εξαπλάσιος-α-ο (ε) [eksaplasios] sixfold.

εξάπλευρος-η-ο (ε) [eksaplevros] six-sided.

εξαπλώνω (ρ) [eksaplono] spread, extend.

εξαπολύω (ρ) [eksapolio] let loose, hurl, launch.

εξαποστέλλω (ρ) [eksapostello] dispatch, send pack off.

εξάπτω (ρ) [eksapto] stir, excite, provoke.

εξαργύρωση (η) [eksaryirosi] change, cashing.

εξαρθρώνω (ρ) [eksarthrono] twist, sprain, dislocate, disrupt.

έξαρση (η) [eksarsi] elevation [μεταφ], excitement.

εξαρτήματα (τα) [eksartimata] gear, tackle, rigging, accessories.

εξαρτούμαι (ρ) [eksartume] depend on, be based on.

εξαρχής (επ) [eksarhis] from the beginning, from the outset.

εξασθενίζω (ρ) [eksasthenizo] azurine.

εξάσκηση (η) [eksaskisi] exercise, practice, training.

εξασφαλίζω (ρ) [eksasfalizo] assure, book [θέση], secure.

εξατμίζω (ρ) [eksatmizo] evaporate, vanish [μεταφ].

εξατομικεύω (ρ) [eksatomikevo] individualize.

εξαϋλώνω (ρ) [eksailono] dematerialize.

εξαφανίζομαι (ρ) [eksafanizome] disappear, vanish.

εξαχρειώνω (ρ) [eksahriono] corrupt, deprave.

έξαψη (η) [eksapsi] fit of anger, excitement.

εξεγείρω (ρ) [ekseyiro] rouse, incite, excite.

εξέδρα (η) [eksedhra] platform, stand, pier [λιμανιού], dais.

εξεζητημένος-η-ο (μ) [eksezitimenos] affected, pretended, artificial, sophisticated.

εξελιγμένος-η-ο (μ) [ekseligmenos] developed, evolved.

εξέλιξη (η) [ekseliksi] evolution, development, progress.

εξελίσσω (ρ) [ekselisso] develop [μεταφ], uncoil, progress.
εξέλκωση (n) [ekselkosi] bedsore.
εξεμώ (ρ) [eksemo] disgorge.
εξεπίτηδες (επ) [eksepitidhes] intentionally.
εξερεύνηση (n) [ekserevnisi] exploration.
εξερευνώ (ρ) [ekserevno] explore, investigate.
εξέρχομαι (ρ) [ekserhome] leave.
εξετάζω (ρ) [eksetazo] examine, interrogate, investigate.
εξευγενίζω (ρ) [eksevgenizo] uplift, chasten, civilize, refine.
εξευμένιση (n) [eksevmenisi] appeasement.
εξεύρεση (n) [eksevresi] discovery.
εξευρωπαΐζω (ρ) [eksevropaizo] westernize.
εξευτελίζω (ρ) [ekseftelizo] cheapen, humiliate, degrade.
εξέχω (ρ) [ekseho] stand out, project.
εξέχων-ουσα-ον (ε) [eksehon] prominent, eminent.
έξη (n) [eksi] habit, custom, use.
εξήγηση (n) [eksigisi] explanation, interpretation.
εξηγώ (ρ) [eksigo] explain.
εξηλεκτρίζω (ρ) [eksilektrizo] electrify.
εξημέρωμα (το) [eksimeroma] taming, domestication.
εξηνταβελόνης (ο) [eksindavelonis] miser.
εξής (τα) [eksis] the following.
εξής (ως) (επ) [eksis] as follows.
εξιδανίκευση (n) [eksidhanikefsi] idealization.
εξίδρωση (n) [eksidhrosi] perspiration, sweating.
εξιλεώνω (ρ) [eksileono] appease, pacify, calm.
εξισλαμισμός (ο) [eksislamismos] Islamization.
εξισορροπώ (ρ) [eksisoropo] counterbalance, equalize.
εξίσου (επ) [eksisu] equally.
εξίσταμαι (ρ) [eksistame] be astonished, be surprised.
εξιστόρηση (n) [eksistorisi] narration.
εξίσωση (n) [eksisosi] balancing, equalizing.
εξιχνίαση (n) [eksihniasi] solution.
εξοβελίζω (ρ) [eksovelizo] eliminate, remove.
εξόγκωμα (το) [eksogoma] tumor, swelling.
εξογκώνω (ρ) [eksogono] swell.
έξοδο (το) [eksodho] expense, cost.
έξοδος (n) [eksodhos] opening, emergence, exit [πόρτα].
εξοικείωση (n) [eksikiosi] familiarity, familiarization.

εξοικονομώ (ρ) [eksikonomo] save up, economize, help.

εξοκείλλω (ρ) [eksokillo] run ashore, get lost [μεταφ].

εξολόθρευση (n) [eksolothrefsi] extermination, elimination.

εξομάλυνση (n) [eksomalinsi] smoothing out, regularization.

εξομοιώνω (ρ) [eksomiono] assimilate to, liken to.

εξομοίωση (n) [eksomiosi] equation, simulation.

εξομολογητής (ο) [eksomologitis] confessor [εκκλ].

εξομολογούμαι (ρ) [eksomologume] admit.

εξόν (επ) [ekson] except [for], besides.

εξοντώνω (ρ) [eksondono] annihilate, exterminate, eliminate.

εξοντωτικός-ή-ό (ε) [eksondotikos] destructive, murderous.

εξονυχίζω (ρ) [eksonihizo] probe, scrutinize.

εξονυχιστικός-ή-ό (ε) [eksonihistikos] close, thorough.

εξοπλισμός (ο) [eksoplismos] arms, armament, equipment, gear.

εξοργίζω (ρ) [eksorgizo] enrage.

εξορία (n) [eksoria] banishment, exile.

εξορκισμός (ο) [eksorkismos] exorcism, exhortation.

εξορμώ (ρ) [eksormo] launch a campaign, dash, rush.

εξόρυξη (n) [eksoriksi] mining.

εξοστρακίζω (ρ) [eksostrakizo] ostracize.

εξουδετέρωση (n) [eksudheterosi] neutralization, elimination, overpowering.

εξουθενώνω (ρ) [eksuthenono] overwhelm, overpower.

εξουσία (n) [eksusia] power, authority, government.

εξουσιαστής (ο) [eksusiastis] ruler, master.

εξουσιοδοτημένος-η-ο (μ) [eksusiodhotimenos] commissioned, authorized.

εξουσιοδοτώ (ρ) [eksusiodhoto] authorize.

εξόφθαλμος-η-ο (ε) [eksofthalmos] obvious, self-evident, clear.

εξόφληση (n) [eksoflisi] payment, settlement, liquidation.

εξοφλητήριο (το) [eksoflitirio] deed of settlement, receipt.

εξοφλώ (ρ) [eksoflo] pay off [λογαριασμό], liquidate, clear.

εξοχή (n) [eksohi] countryside, eminence [εδαφική].

έξοχος-η-ο (ε) [eksohos] excellent, eminent, notable.

εξοχότατος-η-ο (ε) [eksohotatos] Excellency.

εξπρές (το) [ekspres] express.

έξτρα (ο, n) [ekstra] extra, additional.

εξτρεμιστής (ο) [ekstremistis] extremist.
εξυβρίζω (ρ) [eksivrizo] insult.
εξύβριση (η) [eksivrisi] insult.
εξυγιαίνω (ρ) [eksigieno] make healthy, cure, cleanse.
εξυμνώ (ρ) [eksimno] praise, celebrate.
εξυπακούεται (ρ) [eksipakuete] it is understood, it follows.
εξυπηρετώ (ρ) [eksipireto] serve, assist, help.
έξυπνα (επ) [eksipna] cleverly.
εξυπνάδα (η) [eksipnadha] cleverness, artfulness, astuteness.
εξύφανση (η) [eksifansi] engineering, hatching.
εξυψώνω (ρ) [eksipsono] elevate, raise, glorify.
έξω (επ) [ekso] out, outside, by heart, without, abroad.
εξώγαμος-η-ο (ε) [eksogamos] illegitimate, bastard, hybrid.
εξωγενής-ής-ές (ε) [eksoyenis] exogenous, external.
εξωδίκως (επ) [eksodhikos] out of court, unofficially, informally.
εξώθηση (η) [eksothisi] instigation, prompting.
εξώθυρα (η) [eksothira] outside-door, gate-way, street-door.
εξωθώ (ρ) [eksotho] push.
εξωκείλω (ρ) [eksokilo] run aground.
εξωκλήσι (το) [eksoklisi] chapel.
εξωκοινοβουλευτικός-ή-ό (ε) [eksokinovuleftikos] extraparliamentary.
εξωλέμβιος-α-ο (ε) [eksolemvios] outboard.
έξωμος-η-ο (ε) [eksomos] off-the-shoulder, low-cut.
εξώπορτα (η) [eksoporta] outside door, gateway.
εξωραϊσμός (ο) [eksoraismos] beautification.
έξωση (η) [eksosi] eviction, expulsion.
εξώστης (ο) [eksostis] balcony.
εξωστρέφεια (η) [eksostrefia] extroversion.
εξωσυζυγικός-ή-ό (ε) [eksosiziyikos] extramarital.
εξωτερίκευση (η) [eksoterikefsi] manifestation, expression.
εξωτερικό (το) [eksoteriko] exterior, abroad.
εξωτικό (το) [eksotiko] ghost.
εξωφρενικός-ή-ό (ε) [eksofrenikos] crazy, absurd.
εξώφυλλο (το) [eksofillo] cover, flyleaf, shutter [παραθύρου].
εορτάζω (ρ) [eortazo] celebrate.
εορταστικός-ή-ό (ε) [eortastikos] convivial, ferial, festive.
εορτή (η) [eorti] name day.
επαγγελία (η) [epangelia] promise.
επάγγελμα (το) [epangelma] profession, vocation, trade.

επαγρύπνηση (n) [epagripnisi] vigilance, alertness.
επαγρυπνώ (ρ) [epagripno] be vigilant, watch over.
επάγω (ρ) [epago] bring against, administer [νομ].
επαγωγή (n) [epagogi] induction,.
έπαθλο (το) [epathlo] prize, trophy.
επαινετικός-ή-ό (ε) [epenetikos] appreciative.
επαινώ (ρ) [epeno] commend.
επαίσχυντος-η-ο (ε) [epeshindos] disgraceful, shameful.
επαίτης (ο) [epetis] beggar.
επαιτώ (ρ) [epeto] beg.
επακόλουθο (το) [epakolutho] consequence.
επακριβώς (επ) [epakrivos] precisely.
έπακρο (το) [epakro] extremely.
επάκτιος-α-ο (ε) [epaktios] coastal.
επάλειψη (n) [epalipsi] coating, plastering, dressing.
επαλήθευση (n) [epalithefsi] verification, confirmation.
επάλληλος-η-ο (ε) [epallilos] successive.
επάλξεις (οι) [epalksis] castellation.
επαμφοτερισμός (ο) [epamfoterismos] wavering, hedging.
επαναβεβαιώνω (ρ) [epanaveveono] reaffirm.
επαναβλέπω (ρ) [epanavlepo] see again.
επαναδίπλωση (n) [epanadiplosi] refolding, withdrawal.
επανάκαμψη (n) [epanakampsi] return.
επανάκτηση (n) [epanaktisi] recovery, recapture.
επαναλαμβάνω (ρ) [epanalamvano] repeat, resume.
επανάληψη (n) [epanalipsi] repetition.
επαναπατρίζω (ρ) [epanapatrizo] repatriate.
επαναπαύομαι (ρ) [epanapavome] be content with.
επανάσταση (n) [epanastasi] revolution, rebellion.
επανασύνδεση (n) [epanasindhesi] reconnection, rejoining.
επαναφέρω (ρ) [epanafero] restore, bring back, return.
επανειλημμένος-η-ο (μ) [epanilimmenos] repeated.
επανεκδίδω (ρ) [epanekdhidho] re-issue, republish.
επανεκλέγω (ρ) [epaneklego] re-elect.
επανεκτίμηση (n) [epanektimisi] reappraisal, reassessment.
επανεμφανίζομαι (ρ) [epanemfanizome] reappear.
επανεξάγω (ρ) [epaneksago] re-export.

επανεξετάζω (ρ) [epaneksetazo] re-examine, reconsider.
επανεξοπλισμός (ο) [epanekso-plismos] rearmament, rearming.
επανέρχομαι (ρ) [epanerhome] return, come again.
επανίδρυση (n) [epanidhrisi] re-establishment.
επανορθώνω (ρ) [epanorthono] redress, retrieve, right, make good [αποζημιώνω].
επάνω (επ) [epano] up, upstairs, above, over, at, against, on.
επανωφόρι (το) [epanofori] overcoat.
επάξιος-α-ο (ε) [epaksios] deserving, worthy.
επάρατος-n-o (ε) [eparatos] hateful, abominable, cursed.
επάργυρος-n-o (ε) [epargiros] silver-plated.
επαρκής-ής-ές (ε) [eparkis] sufficient, adequate, enough.
επαρκώ (ρ) [eparko] be enough.
επαρκώς (επ) [eparkos] adequately.
έπαρση (n) [eparsi] conceit, ego.
επαρχία (n) [eparhia] province.
έπαυλη (n) [epavli] villa.
επαυξάνω (ρ) [epafksano] increase.
επαφή (n) [epafi] contact.
επαχθής-ής-ές (ε) [epahthis] oppressive.
επείγων-ουσα-ον (μ) [epigon] urgent, pressing, clamant.
επειδή (σ) [epidhi] because, as.
επεισόδιο (το) [episodhio] episode, incident, quarrel [καβγάς].
έπειτα (επ) [epita] next, then, afterwards, moreover.
επέκταση (n) [epektasi] extension.
επελαύνω (ρ) [epelavno] charge, fall upon.
επεμβαίνω (ρ) [epemveno] interfere, intervene.
επένδυση (n) [ependhisi] lining, covering, investment [οικον].
επενδύω (ρ) [ependhio] invest [οικον], coat [τεχν], line [τεχν].
επενέργεια (n) [epenergia] action, effect, doing.
επεξεργάζομαι (ρ) [epeksergazome] elaborate, work out, process [τεχν].
επεξηγηματικός-ή-ό (ε) [epeksiyimatikos] explanatory.
επεξήγηση (n) [epeksigisi] explanation.
επέρχομαι (ρ) [eperhome] occur, happen, develop.
επερώτηση (n) [eperotisi] question.
επέτειος (n) [epetios] anniversary.
επετηρίδα (n) [epetiridha] list, annual, records, calendar.
επευφημία (n) [epeffimia]

cheering, applause.

επευφημώ (ρ) [epeffimo] cheer, applaud.

επηρεάζω (ρ) [epireazo] influence, affect.

επί (π) [epi] on, upon, over, above, for [διάρκεια].

επιβάλλομαι (ρ) [epivallome] assert oneself, be indispensable.

επιβαρυνόμενος-η-ο (μ) [epivarinomenos] chargeable.

επιβάτης (ο) [epivatis] passenger.

επιβατικό (το) [epivatiko] passenger vehicle.

επιβεβαιώ (ρ) [epiveveo] attest, certify, confirm.

επιβεβλημένος-η-ο (μ) [epivevlimenos] imperative.

επιβήτορας (ο) [epivitoras] stud, stallion.

επιβιβάζω (ρ) [epivivazo] put aboard, embark, take on board.

επιβιώνω (ρ) [epiviono] survive.

επιβλαβής-ής-ές (ε) [epivlavis] harmful, detrimental.

επίβλεψη (η) [epivlepsi] supervision, watch.

επιβλητικός-ή-ό (ε) [epivlitikos] imposing, commanding.

επιβλητικότητα (η) [epivlitikotita] stateliness, dignity.

επιβοήθηση (η) [epivoithisi] assistance.

επιβοηθητικός-ή-ό (ε) [epivoithitikos] assisting, subsidiary, auxiliary.

επιβοηθώ (ρ) [epivoitho] succor, aid, assist.

επιβολή (η) [epivoli] imposition, application.

επιβουλή (η) [epivuli] scheming, conspiracy, attempt.

επιβραβεύω (ρ) [epivravevo] reward, recompense.

επιβράδυνση (η) [epivradhinsi] go-slow, delay, deceleration.

επιγαμία (η) [epigamia] intermarriage.

επίγειος-α-ο (ε) [epigios] earthly, worldly.

επίγνωση (η) [epignosi] knowledge.

επιγονατίδα (η) [epigonatidha] knee-cap.

επίγονος (ο) [epigonos] descendant, posterior, later.

επίγραμμα (το) [epigramma] epigram.

επιγραφή (η) [epigrafi] inscription, title [βιβλίου].

επιδεικνύομαι (ρ) [epidhikniome] show off, flaunt.

επιδεικνύω (ρ) [epidhiknio] display, show off, flaunt.

επιδεικτικός-ή-ό (ε) [epidhiktikos] showy, brash.

επιδεινώνω (ρ) [epidhinono] aggravate, worsen.

επίδειξη (η) [epidhiksi] display,

showing off, show, parade.
επιδειξίας (ο) [epidhiksias] show-off, exhibitionist [ιατρ].
επιδεκτικός-ή-ό (ε) [epidhektikos] susceptible, capable of.
επιδένω (ρ) [epidheno] dress, bandage.
επιδέξιος-α-ο (ε) [epidheksios] skilful, artful, canny.
επιδερμίδα (η) [epidhermidha] complexion, epidermis.
επίδεσμος (ο) [epidhesmos] bandage.
επιδέχομαι (ρ) [epidhehome] allow, be susceptible to, tolerate.
επιδημία (η) [epidhimia] epidemic.
επιδίδομαι (ρ) [epidhidhome] take up, devote oneself to.
επιδικάζω (ρ) [epidhikazo] award.
επίδικος-η-ο (ε) [epidhikos] at issue, in question.
επιδιόρθωμα (το) [epidhiorthoma] mend, repair, fixing.
επιδιώκω (ρ) [epidhioko] aim at, pursue, seek.
επιδίωξη (η) [epidhioksi] aim, pursuit, objective.
επιδοκιμάζω (ρ) [epidhokimazo] approve, canonize.
επίδομα (το) [epidhoma] extra pay, allowance, subsidy.
επίδοξος-η-ο (ε) [epidhoksos] would-be, aspiring.
επιδόρπιο (το) [epidhorpio] dessert.
επίδοση (η) [epidhosi] presentation, delivery, deposit [νομ], development [μεταφ].
επιδότηση (η) [epidhotisi] subsidy.
επίδραση (η) [epidhrasi] effect.
επιδρομέας (ο) [epidhromeas] invader, raider.
επιείκεια (η) [epiikia] leniency, indulgence, forbearance.
επίζηλος-η-ο (ε) [epizilos] enviable, envied.
επιζήμιος-α-ο (ε) [epizimios] harmful, counter-productive.
επιζητώ (ρ) [epizito] seek, pursue.
επιζώ (ρ) [epizo] survive, outlive.
επιθανάτιος-α-ο (ε) [epithanatios] death, dying.
επίθεμα (το) [epithema] compress, application.
επίθεση (η) [epithesi] attack, application, aggression.
επιθετικός-ή-ό (ε) [epithetikos] aggressive, self-assertive.
επιθετικότητα (η) [epithetikotita] aggressiveness.
επίθετο (το) [epitheto] adjective [γραμ], surname, attributive.
επιθέτω (ρ) [epitheto] apply.
επιθεωρώ (ρ) [epitheoro] inspect, review, survey.
επιθυμία (η) [epithimia] desire,

wish, aspiration.

επικαιρότητα (η) [epikerotita] actuality, suitableness, timeliness.

επικαλούμαι (ρ) [epikalume] invoke, cite.

επικάλυψη (η) [epikalipsi] covering, coating.

επικαρπία (η) [epikarpia] enjoyment.

επίκειμαι (ρ) [epikime] be imminent, impend.

επίκεντρο (το) [epikendro] epicentre, focal point.

επικερδής-ής-ές (ε) [epikerdhis] profitable, gainful.

επικεφαλίδα (η) [epikefalidha] headline, title.

επικήδειος (ο) [epikidhios] funeral.

επικηρυγμένος-η-ο (μ) [epikirigmenos] outlaw.

επικίνδυνος-η-ο (ε) [epikindhinos] dangerous, hazardous, risky.

επίκληση (η) [epiklisi] invocation, appeal.

επικλινής-ής-ές (ε) [epiklinis] sloping, inclining, atilt.

επικοινωνία (η) [epikinonia] contact, communication.

επικόλληση (η) [epikollisi] affixing, affix.

επικονίαση (η) [epikoniasi] pollination [φυτολ].

επικός-ή-ό (ε) [epikos] epic.

επικουρία (η) [epikuria] assistance, reinforcement.

επικράτεια (η) [epikratia] state, authority, nation, sovereignty.

επικρατέστερος-η-ο (ε) [epikratesteros] predominant.

επικρεμάμενος-η-ο (μ) [epikremamenos] overhanging.

επικρίνω (ρ) [epikrino] criticize, castigate, blame.

επικρότηση (η) [epikrotisi] approbation, approval.

επικροτώ (ρ) [epikroto] approve, accept, agree.

επίκρουση (η) [epikrusi] percussion.

επίκτητος-η-ο (ε) [epiktitos] acquired.

επικυρίαρχος-η-ο (ε) [epikiriarhos] overlord.

επικυρώ (ρ) [epikiro] validate, certify, attest, agree.

επικυρώνω (ρ) [epikirono] ratify, confirm, attest, authenticate.

επικυρωτικός-ή-ό (ε) [epikirotikos] confirmative.

επιλαμβάνομαι (ρ) [epilamvanome] take in hand, see to.

επιλαρχία (η) [epilarhia] squadron.

επιλαχών-ούσα-όν (μ) [epilahon] runner-up.

επιλεγόμενος-η-ο (μ) [epilegomenos] nicknamed.

επιλέγω (ρ) [epilego] select.
επίλεκτος-η-ο (ε) [epilektos] select, choice.
επιληπτικός-ή-ό. (ε) [epiliptikos] epileptic.
επιλήσμονας (ο) [epilismonas] forgetful.
επιλήσμων (μ) [epilismon] oblivious.
επιλήψιμος-η-ο (ε) [epilipsimos] blamable, censurable.
επιλογή (η) [epilogi] choice, option, alternative.
επίλογος (ο) [epilogos] epilogue, conclusion.
επιλοχίας (ο) [epilohias] sergeant-major.
επίλυση (η) [epilisi] settlement.
επιλύω (ρ) [epilio] resolve, settle.
επίμαχος-η-ο (ε) [epimahos] disputed, controversial.
επιμειξία (η) [epimiksia] intermarriage, cross-breeding.
επιμέλεια (η) [epimelia] custody, attention, application.
επιμελής-ής-ές (ε) [epimelis] diligent, industrious, careful,
επιμελητήριο (το) [epimelitirio] chamber of commerce.
επιμελητής (ο) [epimelitis] superintendent, tutor.
επίμεμπτος-η-ο (ε) [epimemptos] reproachable, censurable.
επιμένω (ρ) [epimeno] insist.
επιμερίζω (ρ) [epimerizo] apportion, allocate, distribute, share out.
επιμεταλλώνω (ρ) [epimetallono] plate, metallize.
επιμέτρηση (η) [epimetrisi] measurement, quantity, survey.
επιμήκης-ης-ες (ε) [epimikis] oblong, elongated.
επιμνημόσυνος-η-ο (ε) [epimnimosinos] memorial.
επίμονα (επ) [epimona] obstinately, stubbornly, insistently.
επιμονή (η) [epimoni] insistence, perseverance.
επίμονος-η-ο (ε) [epimonos] persistent, stubborn, obstinate.
επιμόρφωση (η) [epimorfosi] further education.
επίμοχθος-η-ο (ε) [epimohthos] laborious, hard-working, difficult.
επίνειο (το) [epinio] seaport.
επινεφρίδια (τα) [epinefridhia] suprarenal glands.
επινίκια (τα) [epinikia] victory.
επινόημα (το) [epinoima] invention, device, contrivance.
επινοώ (ρ) [epinoo] invent.
επιορκία (η) [epiorkia] perjury.
επίπεδος-η-ο (ε) [epipedhos] flat, plane, level, even.
επιπέδωση (η) [epipedhosi] flattening, smoothing.
επιπεφυκίτις (η) [epipefikitis]

conjunctivitis.
επιπίπτω (ρ) [epipipto] fall upon.
έπιπλα (τα) [epipla] furniture.
επίπλαστος-η-ο (ε) [epiplastos] feigned, false, artificial.
επιπλέον (επ) [epipleon] in addition, besides, moreover.
επιπλέω (ρ) [epipleo] float.
επιπλήττω (ρ) [epiplitto] reproach, castigate, censure.
επιπλοποιός (ο) [epiplopios] cabinet-maker.
επιπόλαια (επ) [epipolea] idly.
επιπόλαιος-η-ο (ε) [epipoleos] superficial, frivolous, careless.
επίπονος-η-ο (ε) [epiponos] laborious.
επιπρόσθετος-η-ο (ε) [epiprosthetos] additional, extra.
επίπτωση (η) [epiptosi] effect.
επιρρεπής-ής-ές (ε) [epirrepis] inclined, prone to, disposed [to].
επίρρημα (το) [epirrima] adverb.
επιρριπτόμενος-η-ο (μ) [epirriptomenos] chargeable.
επίρριψη (η) [epirripsi] attributing, attribution.
επιρροή (η) [epirroi] influence.
επισείω (ρ) [episio] threaten.
επίσημα (επ) [episima] ceremoniously.
επισημαίνω (ρ) [episimeno] stress, point out, mark.
επισημοποιώ (ρ) [episimopio] make official, formalize, confirm, validate.
επίσημος-η-ο (ε) [episimos] official, formal, celebrity.
επίσης (επ) [episis] likewise, also, too.
επισιτίζω (ρ) [episitizo] provision.
επισκεπτήριο (το) [episkeptirio] visiting card, visiting hour.
επισκευή (η) [episkevi] repairing, mending.
επίσκεψη (η) [episkepsi] visit.
επισκιάζω (ρ) [episkiazo] overshadow, cloud over, excel.
επισκοπή (η) [episkopi] diocese, bishopric, episcopacy.
επισκόπηση (η) [episkopisi] survey, review.
επίσκοπος (ο) [episkopos] bishop.
επισμηναγός (ο) [episminagos] squadron leader.
επισμηνίας (ο) [episminias] flight sergeant.
επίσπευση (η) [epispefsi] haste, hurrying, urging, acceleration.
επισταμένος-η-ο (ε) [epistamenos] close, careful, thorough.
επιστάτης (ο) [epistatis] supervisor, attendant, bailiff.
επιστέγασμα (το) [epistegasma] crowning.
επιστήθιος-α-ο (ε) [epistithios]

bosom friend, close, intimate.
επιστήμη (n) [epistimi] science.
επιστολή (n) [epistoli] letter.
επιστόμιο (το) [epistomio] mouthpiece, muzzle, nozzle.
επιστρατευμένος (ο) [epistratevmenos] draftee.
επιστρατεύω (ρ) [epistratevo] mobilize, conscript.
επιστρέφω (ρ) [epistrefo] return.
επιστρωμένος-η-ο (μ) [epistromenos] faced.
επιστρώνω (ρ) [epistrono] coat, cover, pave, line.
επιστύλιο (το) [epistilio] architrave.
επισυμβαίνω (ρ) [episimveno] befall, come.
επισυνάπτω (ρ) [episinapto] annex, attach.
επισύρω (ρ) [episiro] attract.
επισφαλής-ής-ές (ε) [episfalis] risky, unstable.
επισφράγιση (n) [episfrayisi] crowning, sealing.
επίσχεση (n) [epishesi] retention, attachment.
επισωρεύω (ρ) [episorevo] accumulate, heap up, pile up.
επιταγή (n) [epitagi] cheque.
επιτακτικός-ή-ό (ε) [epitaktikos] imperative, compelling.
επίταξη (n) [epitaksi] requisition.
επιτάσσω (ρ) [epitasso] order.
επιτατικός-ή-ό (ε) [epitatikos] intensive.
επιτάφιος (ο) [epitafios] Good Friday procession.
επιτάχυνση (n) [epitahinsi] acceleration.
επιταχύνω (ρ) [epitahino] accelerate.
επιτελάρχης (ο) [epitelarhis] chief of staff.
επιτέλους (επ) [epitelus] at last.
επιτελώ (ρ) [epitelo] do, carry out.
επιτετραμμένος-η-ο (μ) [epitetrammenos] charge d'affaires.
επίτευγμα (το) [epitevgma] achievement, performance.
επιτήδειος-α-ο (ε) [epitidhios] suitable for, clever, skilful.
επίτηδες (επ) [epitidhes] on purpose.
επιτήδευμα (το) [epitidhevma] trade, occupation.
επιτηδευμένος-η-ο (μ) [epitidhevmenos] affected, unnatural.
επιτηρητής (ο) [epitiritis] supervisor, invigilator.
επιτηρώ (ρ) [epitiro] supervise.
επιτίθεμαι (ρ) [epititheme] attack, assault, commit.
επιτίμηση (n) [epitimisi] rebuke, scolding.
επίτιμος-η-ο (ε) [epitimos] honorary.
επιτιμώ (ρ) [epitimo] rebuke.

επιτόκιο (το) [epitokio] compound interest.
επιτομή (n) [epitomi] epitome.
επιτόπου (επ) [epitopu] on the spot.
επιτρεπτός-ή-ό (ε) [epitreptos] permissible, admissible.
επιτρέπω (ρ) [epitrepo] allow.
επιτροπάτο (το) [epitropato] commissariat.
επιτροπεύω (ρ) [epitropevo] be manager, be a guardian.
επιτροπή (n) [epitropi] committee, commission, board.
επιτροχάδην (επ) [epitrohadhin] hastily, cursorily.
επιτυγχάνω (ρ) [epitighano] attain, get, get right.
επιτύμβιος-α-ο (ε) [epitimvios] tomb.
επιτυχημένος-η-ο (μ) [epitihimenos] successful.
επιτυχία (n) [epitihia] success.
επιφάνεια (n) [epifania] surface.
επιφανειακός-ή-ό (ε) [epifaniakos] surface, superficial, shallow.
επιφανής-ής-ές (ε) [epifanis] eminent, prominent.
επίφαση (n) [epifasi] gloss.
επιφέρω (ρ) [epifero] cause.
επίφοβος-η-ο (ε) [epifovos] formidable.
επιφοίτηση (n) [epifitisi] inspiration, brainwave.
επιφορτίζω (ρ) [epifortizo] charge, entrust, assign.
επιφυλακή (n) [epifilaki] on the alert, alert, stand by.
επιφυλακτικός-ή-ό (ε) [epifilaktikos] cautious, reserved.
επιφυλάσσω (ρ) [epifilasso] have in store, withhold, reserve.
επιφυτία (n) [epifitia] blight.
επιφώνηση (n) [epifonisi] exclamation, interjection.
επιχαίρω (ρ) [epihero] gloat over.
επιχάλκωση (n) [epihalkosi] coppering, copper-sheathing.
επίχειρα (τα) [epihira] deserts.
επιχειρηματίας (ο) [epihirimatias] businessman.
επιχειρηματικός-ή-ό (ε) [epihirimatikos] enterprising.
επιχειρηματολογία (n) [epihirimatologia] reasoning.
επιχείρηση (n) [epihirisi] undertaking, business.
επιχειρώ (ρ) [epihiro] attempt.
επιχορήγημα (το) [epihorigima] allowance, assignment.
επίχριση (n) [epihrisi] plastering.
επιχρίω (ρ) [epihrio] coat.
επίχωμα (το) [epihoma] embankment.
εποικίζω (ρ) [epikizo] settle.
εποικοδόμημα (το) [epikodhomima] superstructure.
έποικος (ο) [epikos] settler.
έπομαι (ρ) [epome] follow.

επομένως (επ) [epomenos] consequently, therefore.
επονείδιστος-η-ο (ε) [eponidhistos] disgraceful, dishonorable.
εποποιία (η) [epopiia] epic,.
εποπτεία (η) [epoptia] supervision, inspection, control.
επουλώνω (ρ) [epulono] heal.
επουράνιος-α-ο (ε) [epuranios] celestial, heavenly.
επουσιώδης-ης-ες (ε) [epusiodhis] minor, dispensable.
εποφθαλμιώ (ρ) [epofthalmio] covet.
εποχή (η) [epohi] epoch, era, season.
έποχο (το) [epoho] girth.
έποψη (η) [epopsi] view, aspect.
επωάζω (ρ) [epoazo] incubate, brood, hatch.
επωδός (η) [epodhos] refrain.
επώδυνος-η-ο (ε) [epodhinos] painful, sore.
επωμίζομαι (ρ) [epomizome] shoulder [a burden].
επωνυμία (η) [eponimia] [nick] name, surname, title [εταιρίας].
επωφελής-ής-ές (ε) [epofelis] profitable, beneficial, useful.
έρανος (ο) [eranos] fund.
ερασιτεχνία (η) [erasitehnia] amateurishness, dabbling, amateurism.
εραστής (ο) [erastis] lover.
εργάζομαι (ρ) [ergazome] work.
εργαζόμενος-η-ο (μ) [ergazomenos] working person.
εργαλείο (το) [ergalio] tool, implement, appliance.
εργασία (η) [ergasia] work, job.
εργασιακός-ή-ό (ε) [ergasiakos] labour.
εργασιοθεραπεία (η) [ergasiotherapia] occupational therapy.
εργαστηριακός-ή-ό (ε) [ergastiraikos] laboratory.
εργάτης (ο) [ergatis] labourer.
εργατικός-ή-ό (ε) [ergatikos] industrious, of the working class.
εργένης (ο) [eryenis] bachelor.
έργο (το) [ergo] work, job, play [θεάτρου], film [κινηματ], act.
εργοδηγός (ο) [ergodhigos] foreman.
εργοδότης (ο) [ergodhotis] employer.
εργολαβία (η) [ergolavia] contract work.
εργολάβος (ο) [ergolavos] contractor.
εργοστασιάρχης (ο) [ergostasiarhis] factory owner.
εργόχειρο (το) [ergohiro] handiwork, embroidery [κέντημα].
ερεθίζω (ρ) [erethizo] irritate, incent, excite, provoke.
ερείπιο (το) [eripio] ruin.
ερειπωμένος-η-ο (μ) [eripomenos] derelict, dilapidated.
έρεισμα (το) [erisma] support.

έρευνα (η) [erevna] search.
ερευνητής (ο) [erevnitis] researcher, explorer.
ερήμην (επ) [erimin] by default.
ερημικός-ή-ό (ε) [erimikos] solitary, secluded, deserted.
ερημίτης (ο) [erimitis] hermit.
έρημος (η) [erimos] desert, wasteland, wilderness.
ερημότοπος (ο) [erimotopos] wilderness, wasteland.
έριδα (η) [eridha] dispute.
έριο (το) [erio] wool.
εριστικός-ή-ό (ε) [eristikos] quarrelsome, combative.
ερίφιο (το) [erifio] kid.
έρμα (το) [erma] principles.
έρμαιο (το) [ermeo] prey.
ερμάριο (το) [ermario] cabinet.
ερμάτιση (η) [ermatisi] ballasting.
ερμαφροδισία (η) [ermafrodhisia] bisexuality.
ερμηνεία (η) [erminia] interpretation, explanation, translation.
ερμηνεύω (ρ) [erminevo] interpret, explain, translate.
ερμίνα (η) [ermina] ermine.
ερπετό (το) [erpeto] reptile.
έρπης (ο) [erpis] shingles, herpes.
ερπυσμός (ο) [erpismos] crawl.
ερπύστρια (η) [erpistria] track, caterpillar.
έρπω (ρ) [erpo] crawl, creep.
έρπων (μ) [erpon] creepy.
έρρινος-η-ο (ε) [errinos] nasal.
ερύθημα (το) [erithima] blotch.
ερυθρά (η) [erithra] rubella [ιατρ], German measles [ιατρ].
ερυθραίνω (ρ) [erithreno] blotch, crimson.
ερυθρίαση (η) [erithriasi] flush.
ερυθρός-ή-ό (ε) [erithros] red, claret.
ερυσίβη (η) [erisivi] blight.
έρχομαι (ρ) [erhome] come.
ερωδιός (ο) [erodhios] heron.
ερωμένη (η) [eromeni] mistress.
ερωμένος (ο) [eromenos] lover.
έρωτας (ο) [erotas] love, passion, sex, love-affair.
ερωτεύομαι (ρ) [erotevome] fall in love.
ερώτημα (το) [erotima] question, problem.
ερωτηματικό (το) [erotimatiko] question mark.
ερώτηση (η) [erotisi] question.
ερωτικός-ή-ό (ε) [erotikos] erotic, loving, amorous.
ερωτοτροπώ (ρ) [erototropo] flirt, court.
ερωτοχτυπημένος-η-ο (μ) [erotohtipimenos] lovesick.
ερωτώ (ρ) [eroto] ask, demand, question.
εσκεμμένος-η-ο (μ) [eskemmenos] premeditated, calculated.
εσοδεία (η) [esodhia] crop.
έσοδο (το) [esodho] income.

εσοχή (η) [esohi] recess.
εσπέρα (η) [espera] evening.
εσπεριδοειδή (τα) [esperidhoidhi] citrus fruits.
εσπερινός (ο) [esperinos] evening, vespers [εκκλ].
εσπευσμένος-η-ο (ε) [espevsmenos] hasty, hurried.
Εσταυρωμένος (ο) [Estavromenos] Crucifix.
εστεμμένος-η-ο (μ) [estemmenos] crowned.
εστία (η) [estia] hearth, fireplace, home].
εστιάζω (ρ) [estiazo] focalize.
εστίαση (η) [estiasi] focalization.
εστιατόριο (το) [estiatorio] restaurant.
έστω (επ) [esto] so be it.
εσύ (αν) [esi] you [singular].
εσφαλμένος-η-ο (μ) [esfalmenos] mistaken, wrong.
εσχάρα (η) [eshara] grill, grid.
εσχατιά (η) [eshatia] end.
έσω (επ) [eso] within, inside.
εσωκλείω (ρ) [esoklio] enclose.
εσώρουχα (τα) [esoruha] underwear.
εσωστρέφεια (η) [esostrefia] introversion.
εσωτερικός-ή-ό (ε) [esoterikos] interior, inner, internal, domestic.
εσώτερος-η-ο (ε) [esoteros] intrinsic.
εταζέρα (η) [etazera] shelf.
εταίρα (η) [etera] prostitute.
εταιρία (η) [eteria] company, firm, society, partnership.
εταίρος (ο) [eteros] partner, associate, member.
ετεροβαρής-ής-ές (ε) [eterovaris] one-sided.
ετερογενής-ής-ές (ε) [eterogenis] heterogeneous.
ετεροθαλής-ής-ές (ε) [eterothalis] half, step.
ετερόκλητος-η-ο (ε) [eteroklitos] scratch, heterogenous.
έτερος (αν) [eteros] another.
ετερώνυμος-η-ο (ε) [eteronimos] dissimilar, heteronymous.
ετήσιος-α-ο (ε) [etisios] annual.
ετικέτα (η) [etiketa] label.
ετοιμάζω (ρ) [etimazo] prepare.
ετοιμοθάνατος-η-ο (ε) [etimothanatos] dying.
ετοιμολογία (η) [etimologia] repartee.
ετοιμόρροπος-η-ο (ε) [etimorropos] dilapidated, derelict.
έτοιμος-η-ο (ε) [etimos] ready, prepared, ready-made.
έτος (το) [etos] year.
έτσι (επ) [etsi] thus, so, like this, like that, in this way.
ετυμηγορία (η) [etimigoria] verdict.
ετυμολογία (η) [etimologia] etymology.

ευ (επ) [ef] well, easily.
ευαγγελικός-ή-ό (ε) [evangelikos] evangelical.
ευαγγελισμός (ο) [evangelismos] annunciation.
ευάερος-η-ο (ε) [evaeros] well-ventilated, airy.
ευαίσθητος-η-ο (ε) [evesthitos] sensitive, delicate, sensible.
ευάλωτος-η-ο (ε) [evalotos] vulnerable.
ευανάγνωστος-η-ο (ε) [evanagnostos] legible, readable.
ευαρέσκεια (η) [evareskia] satisfaction.
ευαρεστούμαι (ρ) [evarestume] be pleased.
εύγε! (επιφ) [evge!] bravo! well done!.
ευγένεια (η) [evgenia] courtesy.
ευγενείς (οι) [evyenis] baronage.
ευγενής-ής-ές (ε) [evgenis] polite, courteous, civil.
εύγευστος-η-ο (ε) [evgevstos] tasty.
ευγηρία (η) [evyiria] happy old age.
ευγλωττία (η) [evglottia] eloquence.
ευγνώμονας (ο) [evgnomonas] grateful, thankful.
ευδαιμονία (η) [evdhemonia] prosperity, happiness.
ευδιαθεσία (η) [evdhiathesia] good humour, good temper.
ευδιάκριτος-η-ο (ε) [evdhiakritos] distinct, clear.
ευδιάλυτος-η-ο (ε) [evdhialitos] dissolvable.
ευδοκίμηση (η) [evdhokimisi] success.
ευδόκιμος-η-ο (ε) [evdhokimos] successful.
ευδοκιμώ (ρ) [evdhokimo] succeed, thrive.
ευδοκώ (ρ) [evdhoko] be pleased to, allow.
εύελπις (ο) [evelpis] army cadet.
ευελπιστώ (ρ) [evelpisto] hope.
ευέξαπτος-η-ο (ε) [eveksaptos] irritable, excitable.
ευεργεσία (η) [evergesia] kindness, benefaction, benevolence.
εύζωνας (ο) [evzonas] evzone.
ευήθεια (η) [evithia] credulity.
ευήλιος-α-ο (ε) [evilios] sunny.
ευημερώ (ρ) [evimero] prosper.
ευθανασία (η) [efthanasia] euthanasia.
ευθαρσής-ής-ές (ε) [eftharsis] bold.
ευθεία (η) [efthia] straight.
εύθετος-η-ο (ε) [efthetos] suitable, convenient.
ευθιξία (η) [efthiksia] touchiness, sensitiveness.
εύθραυστος-η-ο (ε) [efthrafstos] fragile, brittle, frail.
ευθυγραμμίζω (ρ) [efthigram-

mizo] align, bring into line.
εύθυμος-η-ο (ε) [efthimos] merry, cheerful.
ευθυμώ (ρ) [efthimo] brighten.
ευθύνη (n) [efthini] responsibility.
ευθύς (επ) [efthis] immediately, directly.
ευθυτενής-ής-ές (ε) [efthitenis] erect, upright, straight.
ευκαιρία (n) [efkeria] opportunity, chance.
ευκαιρώ (ρ) [efkero] have time.
ευκάλυπτος (ο) [efkaliptos] eucalyptus, blue-gum.
εύκαμπτος-η-ο (ε) [efkamptos] flexible, pliable.
ευκατάστατος-η-ο (ε) [efkatastatos] well-off, comfortable.
ευκινησία (n) [efkinisia] agility, nimbleness, mobility.
ευκίνητος (ο) [efkinitos] limber.
ευκοίλιος-α-ο (ε) [efkilios] laxative [φαρμακ].
εύκολα (επ) [efkola] easily.
εύκολος-η-ο (ε) [efkolos] easy, convenient.
εύκρατος-η-ο (ε) [efkratos] mild.
ευκρινώς (επ) [efkrinos] clear.
ευκταίος-α-ο (ε) [efkteos] desirable.
ευκτήριο (το) [efktirio] bethel.
ευλάβεια (n) [evlavia] piety.
εύληπτος-η-ο (ε) [evliptos] easy to take.
ευλογία (n) [evlogia] blessing.
ευλογιά (n) [evlogia] smallpox.
εύλογος-η-ο (ε) [evlogos] just, justifiable, good.
ευλογοφανής-ής-ές (ε) [evlogofanis] plausible, likely.
ευλογώ (ρ) [evlogo] bless.
ευλογών (μ) [evlogon] benedictory.
ευλύγιστος-η-ο (ε) [evligistos] supple, flexible, pliant.
ευμάρεια (n) [evmaria] prosperity.
ευμεγέθης-ης-ες (ε) [evmeyethis] sizeable.
ευμενής-ής-ές (ε) [evmenis] kind.
ευμετάβλητος-η-ο (ε) [evmetavlitos] changeable, inconstant.
ευνόητος-η-ο (ε) [evnoitos] easily understood.
εύνοια (n) [evnia] goodwill.
ευνοϊκός-ή-ό (ε) [evnoikos] propitious, favorable.
ευνουχίζω (ρ) [evnuhizo] castrate.
ευνοώ (ρ) [evnoo] favour, aid.
ευοδώνομαι (ρ) [evodhonome] succeed, come off.
ευοίωνος-η-ο (ε) [evionos] auspicious, favouring, hopeful.
εύοσμος-η-ο (ε) [evosmos] fragrant.
ευπάθεια (n) [efpathia] liability to, sensitivity, delicacy.
ευπαρουσίαστος-η-ο (ε) [efpar-

usiastos] presentable.

ευπατρίδης (ο) [efpatridhis] peer, gentleman.

ευπείθεια (η) [efpithia] obedience.

ευπειθής-ής-ές (ε) [efpithis] docile, persuadable.

εύπεπτος-η-ο (ε) [efpeptos] digestible.

εύπιστος-η-ο (ε) [efpistos] credulous, gullible.

εύπλαστος-η-ο (ε) [efplastos] malleable, ductile, well-formed.

ευπορία (η) [efporia] prosperity, opulence, affluence.

ευπρέπεια (η) [efprepia] fine appearance, correctness.

ευπρεπίζω (ρ) [efprepizo] embellish, deck, dress up.

ευπρεπισμός (ο) [efprepismos] tidying up.

ευπροσάρμοστος-η-ο (ε) [efprosarmostos] adaptable.

ευπρόσβλητος-η-ο (ε) [efprosvlitos] vulnerable.

ευπρόσδεκτος-η-ο (ε) [efprosdhektos] welcome, acceptable.

ευπρόσιτος-η-ο (ε) [efprositos] accessible, approachable.

εύρεση (η) [evresi] finding, recovery.

ευρεσιτεχνία (η) [evresitehnia] patent.

ευρετήριο (το) [evretirio] list.

ευρέτης (ο) [evretis] finder.

ευρέως (επ) [evreos] largely.

εύρηκα (το) [evrika] eureka.

εύρημα (το) [evrima] find.

ευρίσκω (ρ) [evrisko] find, come across [τυχαία], discover.

εύρος (το) [evros] width.

ευρυμάθεια (η) [evrimathia] erudition, learning.

ευρυχωρία (η) [evrihoria] spaciousness.

ευρωστία (η) [evrostia] vigour.

εύρωστος-η-ο (ε) [evrostos] robust, strong, powerful.

ευσαρκία (η) [efsarkia] plumpness, fatness.

ευσεβής-ής-ές (ε) [efsevis] devout, godly, respectful.

εύσημο (το) [efsimo] distinction.

ευσπλαχνίζομαι (ρ) [efsplahnizome] take pity on, sympathize with, have mercy on.

ευστάθεια (η) [efstathia] stability, firmness, steadiness.

ευστοχία (η) [efstohia] accuracy, definiteness, preciseness.

ευστοχώ (ρ) [efstoho] hit the bull's eye.

εύστροφος-η-ο (ε) [efstrofos] agile, nimble, versatile.

ευσυμβίβαστο (το) [efsimvivasto] compatibility.

ευσυνείδητος-η-ο (ε) [efsinidhitos] conscientious, scrupulous.

εύσωμος-η-ο (ε) [efsomos] well-built, stout.

εύτακτος-η-ο (ε) [eftaktos] feat.
ευτέλεια (n) [eftelia] meanness, baseness, cheapness.
ευτραφής-ής-ές (ε) [eftrafis] stout, fat.
ευτυχής-ής-ές (ε) [eftihis] lucky, fortunate, happy.
ευτυχισμένος-η-ο (μ) [eftihismenos] lucky, fortunate, happy.
ευυπόληπτος-η-ο (ε) [evipoliptos] reputable, esteemed.
εύφημος-η-ο (ε) [effimos] complimentary, praising.
εύφλεκτος-η-ο (ε) [efflektos] inflammable, combustible.
ευφορία (n) [efforia] fruitfulness, fertility.
ευφραίνω (ρ) [effreno] delight.
ευφυής-ής-ές (ε) [effiis] intelligent, clever.
ευφωνία (n) [effonia] euphony.
ευφωνικός-ή-ό (ε) [effonikos] euphonious.
ευχάριστα (επ) [efharista] comfortably, companionably.
ευχαριστημένος-η-ο (μ) [efharistimenos] pleased, contented.
ευχαριστία (n) [efharistia] thanks, thanks giving.
ευχάριστος-η-ο (ε) [efharistos] pleasant, agreeable, comfortable.
ευχαριστώ (ρ) [efharisto] thank, please.
ευχαρίστως (επ) [efharistos] gladly.
ευχέρεια (n) [efheria] ease.
ευχετήριος-α-ο (ε) [efhetirios] of greetings, congratulatory.
ευχή (n) [efhi] prayer, wish.
εύχομαι (ρ) [efhome] wish, hope.
εύχρηστος-η-ο (ε) [efhristos] useful, handy.
εύχυμος-η-ο (ε) [efhimos] juicy, succulent.
ευψυχία (n) [efpsihia] courage, spirit.
ευωδιάζω (ρ) [evodhiazo] smell sweetly, perfume.
ευωχία (n) [evohia] feast.
εφαλτήριο (το) [efaltirio] vaulting-horse [γυμν].
εφάμιλλος-η-ο (ε) [efamillos] equal to, comparable to.
εφάπαξ (ε) [efapaks] in a lump sum, once only.
εφάπτομαι (ρ) [efaptome] adjoin, touch lightly, be adjacent.
εφαρμογή (n) [efarmogi] application, fitting.
εφαρμόζω (ρ) [efarmozo] fit.
εφεδρεία (n) [efedhria] reserve.
έφεδρος (ο) [efedhros] reservist.
εφεξής (επ) [efeksis] henceforth, hereafter.
έφεση (n) [efesi] appeal [νομ], disposition, wish.
εφετείο (το) [efetio] court of appeal.
εφέτης (ο) [efetis] judge.

εφέτος (επ) [efetos] this year.
εφευρετικός-ή-ό (ε) [efevretikos] inventive, ingenious.
εφεύρημα (το) [efefrima] figment.
εφευρίσκω (ρ) [efevrisko] invent.
εφηβεία (η) [efivia] puberty.
εφημερεύω (ρ) [efimerevo] be on duty.
εφημερία (η) [efimeria] vicarage.
εφημερίδα (η) [efimeridha] newspaper, journal.
εφημέριος (ο) [efimerios] vicar.
εφήμερος-η-ο (ε) [efimeros] fleeting, passing.
εφήμερος (ο) [efimeros] caducous.
εφησυχάζω (ρ) [efisihazo] relax.
εφιάλτης (ο) [efialtis] nightmare.
εφίδρωση (η) [efidhrosi] perspiration, sweating.
εφικτός-ή-ό (ε) [efiktos] possible, attainable.
έφιππος-η-ο (ε) [efippos] on horseback, equestrian.
εφιστώ (ρ) [efisto] draw attention to.
εφοδιάζω (ρ) [efodhiazo] supply, furnish, provide, equip.
εφόδιο (το) [efodhio] equipment, supplies.
εφοδιοπομπή (η) [efodhiopombi] convoy.
έφοδος (η) [efodhos] charge, assault, attack.
εφοπλιστής (ο) [efoplistis] shipowner.
εφορευτικός-ή-ό (ε) [eforeftikos] supervisory.
εφορία (η) [eforia] tax office, inland revenue.
εφοριακός (ο) [eforiakos] tax collector, tax inspector.
εφορμώ (ρ) [eformo] assault.
έφορος (ο) [eforos] inspector.
εφόσον (σ) [efoson] as long as, provided.
εφταμηνίτικο (το) [eftaminitiko] premature baby.
εφφέ (το) [effe] effect, stir.
εχεμύθεια (η) [ehemithia] secrecy, closeness, secret.
εχθές (επ) [ehthes] yesterday.
έχθρα (η) [ehthra] hostility.
εχθρεύομαι (ρ) [ehthrevome] hate, dislike.
εχθρός (ο) [ehthros] enemy.
έχιδνα (η) [ehidhna] viper, adder.
έχω (ρ) [eho] have, keep.
εψές (επ) [epses] yesterday.
εωθινός-ή-ό (ε) [eothinos] morning.
έωλος-ο (ε) [eolos] commonplace.
έως (επ) [eos] till, until, to, as far as, as much as, as many as, up to.
Εωσφόρος (ο) [Eosforos] Lucifer, Satan.

ζα (τα) [za] animals, cattle.
ζαβά (επ) [zava] wrongly, badly.
ζαβλακωμένος-η-ο (μ) [zavlakomenos] stupefied, dazed.
ζαβολιάρης (ο) [zavoliaris] bilker.
ζαβομάρα (η) [zavomara] stupidity.
ζαβός-ή-ό (ε) [zavos] crooked, perverse, clumsy.
ζακέτα (η) [zaketa] jacket.
ζαλάδα (η) [zaladha] dizziness, headache.
ζάλη (η) [zali] dizziness.
ζαλίζω (ρ) [zalizo] make dizzy.
ζαμπόν (το) [zambon] ham.
ζάντα (η) [zanda] wheel-rim.
ζάρα (η) [zara] crease, wrinkle.
ζαργάνα (η) [zargana] garfish.
ζαρζαβατικά (τα) [zarzavatika] vegetables.
ζάρι (το) [zari] dice.
ζαρκάδι (το) [zarkadhi] roebuck, roe-deer.
ζαρτινιέρα (η) [zartiniera] window-box.
ζαρτιέρα (η) [zartiera] suspender-belt.
ζαρωματιά (η) [zaromatia] wrinkle, crease, line, crinkle.
ζαφείρι (το) [zafiri] sapphire.
ζαχαράτο (το) [zaharato] sweet.
ζαχαρένιος-α-ο (ε) [zaharenios] sugary, honeyed [μεταφ].
ζάχαρη (η) [zahari] sugar.
ζαχαροπλαστείο (το) [zaharoplastio] confectioner's.
ζαχαρώνω (ρ) [zaharono] sugar, canoodle [μεταφ], granulate.
ζέβρα (η) [zevra] zebra.
ζελατίνη (η) [zelatini] gelatin.
ζελέ (το) [zele] jelly.
ζεματίζω (ρ) [zematizo] be very hot, scald.
ζεμπίλι (το) [zembili] basket.
ζενίθ (το) [zenith] zenith, peak.
ζερβός-ή-ό (ε) [zervos] left, lefthanded.
ζέση (η) [zesi] boiling, warmth.
ζεστά (επ) [zesta] cosily, warmly, with zeal [μεταφ].
ζεσταίνω (ρ) [zesteno] heat up.
ζέστη (η) [zesti] heat, warmth.
ζευγαράκι (το) [zevgaraki] pair [of lovers].
ζευγάρι (το) [zevgari] pair.
ζευγάρωμα (το) [zevgaroma] pairing off, mating [ζώων].
ζευγάς (ο) [zevgas] ploughman.
ζεύξη (η) [zefksi] bridging.
ζεύω (ρ) [zevo] yoke, harness.
ζήλεια (η) [zilia] jealousy, envy.
ζήλια (η) [zilia] envy, jealousy.

ζήλος (ο) [zilos] zeal, ardor.
ζηλόφθονος-η-ο (ε) [zilofthonos] envious, jealous, possesive.
ζηλωτής (ο) [zilotis] zealot.
ζημία (η) [zimia] damage, loss, injury, harm.
ζημιώνω (ρ) [zimiono] damage.
ζήση (η) [zisi] life.
ζήτημα (το) [zitima] question.
ζήτηση (η) [zitisi] demand.
ζητιανεύω (ρ) [zitianevo] beg.
ζήτω! (επιφ) [zito!] hip, hurrah!.
ζητώ (ρ) [zito] seek, ask for, look for, demand, beg.
ζόρι (το) [zori] force, violence.
ζορίζω (ρ) [zorizo] force, stress.
ζούγκλα (η) [zungla] jungle.
ζούδι (το) [zudhi] living thing.
ζουζούνι (το) [zuzuni] insect.
ζούληγμα (το) [zuligma] squeezing, pressing.
ζουμερός-ή-ό (ε) [zumeros] juicy, succulent, significant.
ζουμί (το) [zumi] juice, broth, gravy [ψητού].
ζούρλα (η) [zurla] folly.
ζουρλαίνομαι (ρ) [zurlenome] go mad, be nuts.
ζοφερός-ή-ό (ε) [zoferos] dark.
ζοχάδα (η) [zohadha] peevishness [μεταφ], moroseness.
ζοχάδες (οι) [zohadhes] piles, hemorrhoids.
ζοχαδιακός-ή-ό (ε) [zohadhiakos] choleric.
ζύγι (το) [ziyi] weighing.
ζύγιση (η) [ziyisi] weighing, dress [στρατ].
ζυγογέφυρα (η) [ziyoyefira] weigh-bridge, scales.
ζυγός (ο) [zigos] yoke, scale.
ζυγοσταθμίζω (ρ) [zigostathmizo] balance, trim [πλοίο].
ζυγωματικός-ή-ό (ε) [zigomatikos] malar, cheekbone.
ζυγώνω (ρ) [zigono] get near.
ζυθοποιείο (το) [zithopiio] brewery.
ζύθος (ο) [zithos] beer, ale.
ζυμάρι (το) [zimari] dough.
ζυμώνω (ρ) [zimono] ferment.
ζυμωτήριο (το) [zimotirio] kneading-trough.
ζυμωτής (ο) [zimotis] kneader.
ζω (ρ) [zo] exist, be alive, live.
ζωαγορά (η) [zoagora] cattle fair.
ζωγραφιά (η) [zografia] painting, drawing.
ζώδιο (το) [zodhio] sign of the zodiac, fate [μεταφ].
ζωή (η) [zoi] life, living.
ζωηρά (ε) [zoira] actively, briskly, keenly, vividly.
ζωηρεύω (ρ) [zoirevo] become lively, brighten up, cheer up.
ζωηρόχρωμος-η-ο (ε) [zoirohromos] colourific.
ζωικός-ή-ό (ε) [zoikos] animal, vital [της ζωής].
ζωμός (ο) [zomos] soup.

ζωνάρι (το) [zonari] belt, girdle.
ζωντανά (επ) [zondana] vividly, quickly, lively.
ζωντανά (τα) [zondana] cattle.
ζωντανεύω (ρ) [zondanevo] revive, invigorate, brighten.
ζωντάνια (η) [zondania] liveliness, alertness, vividness.
ζωντόβολο (το) [zondovolo] animal, beast.
ζωντοχήρα (η) [zondohira] divorced woman, divorcee.
ζώνω (ρ) [zono] belt, buckle on, hem in [περιζώνω], encircle.
ζώο (το) [zoo] animal, beast.
ζωογόνηση (η) [zoogonisi] animation, encouragement.
ζωογόνος-α-ο (ε) [zoogonos] life giving, refreshing.
ζωοδότης (ο) [zoodhotis] giver of life.
ζωοδόχος-ος-ο (ε) [zoodhohos] source of life [πηγή].
ζωοθεϊσμός (ο) [zootheismos] zoolatry.
ζωοκλοπή (η) [zooklopi] cattle rustling, sheep stealing.
ζωολατρία (η) [zoolatria] love of animals, zoolatry [θρησκ].
ζωολογία (η) [zooloyia] zoology.
ζωοποιός (ο) [zoopios] animating, invigorating, bracing.
ζωοτομία (η) [zootomia] vivisection, zootomy.
ζωοτροφές (οι) [zootrofes] animal fodder, food stuffs.
ζωοφάγος-α-ο (ε) [zoofagos] carnivorous.
ζωόφιλος-η-ο (ε) [zoofilos] fond of animals, animal-lover.
ζωπυρώ (ρ) [zopiro] revive.
ζώσιμο (το) [zosimo] girdling.
ζωστήρας (ο) [zostiras] belt.
ζωτικός-ή-ό (ε) [zotikos] vital.
ζωύφιο (το) [zoifio] insect.
ζωώδης-ης-ες (ε) [zoodhis] animal, beastly, brutish.

Η

ή (διαζ) [i] either, or.
η (άρθρο) [i] the.
ήβη (η) [ivi] puberty.
ηβικός-ή-ό (ε) [ivikos] pubic.
ηγεμόνας (ο) [iyemonas] prince, sovereign.
ηγεμονία (η) [iyemonia] domination, principality [χώρα].
ηγεμονικός-ή-ό (ε) [iyemonikos] regal, princely, royal.
ηγεμονίσκος (ο) [iyemoniskos] petty prince.
ηγεσία (η) [iyesia] leadership.
ηγέτης (ο) [iyetis] leader, chief.
ηγήτορας (ο) [iyitoras] commander, head, leader, chief.
ηγούμαι (ρ) [igume] lead, captain, head.
ηγουμενείο (το) [igumenio] abbot's quarters, abbey.
ηγούμενος (ο) [igumenos] prior, superior, abbot.
ήδη (επ) [idhi] even now, already, by that time, by now.
ηδονή (η) [idhoni] delight.
ηδονοβλεψίας (ο) [idhonovlepsias] peeping Tom, voyeur.
ηδυπάθεια (η) [idhipathia] voluptuousness, sensuality.
ηδύποτο (το) [idhipoto] liqueur.
ηθικά (επ) [ithika] morally.
ηθική (η) [ithiki] ethics, morality.
ηθικοποιώ (ρ) [ithikopio] edify.
ηθογραφία (η) [ithografia] folklore.
ηθολογία (η) [itholoyia] ethology.
ηθοπλαστικός-ή-ό (ε) [ithoplastikos] uplifting, edifying.
ηθοποιία (η) [ithopiia] acting.
ηθοποιός (η) [ithopios] actress.
ήθος (το) [ithos] character, nature, manner, morals.
ηλεκτρικό (το) [ilektriko] electricity.
ήλεκτρο (το) [ilektro] amber.
ηλεκτρόδιο (το) [ilektrodhio] electrode.
ηλεκτροκίνηση (η) [ilektrokinisi] electrification.
ηλεκτροκίνητος-η-ο (ε) [ilektrokinitos] electrified, power
ηλεκτροκόλληση (η) [ilektrokolisi] electric welding.
ηλεκτρολογία (η) [ilektroloyia] electrology.
ηλεκτρόνιο (το) [ilektronio] electron.
ηλεκτροπληξία (η) [ilektropliksia] electric shock.
ηλεκτροτεχνίτης (ο) [ilektrotehnitis] electric fitter.
ηλεκτροφόρος-α-ο (ε) [ilektroforos] electric, live.

ηλιάζομαι (ρ) [iliazome] sunbathe.
ηλιακό στέμα (το) [iliako stema] corona, aureola [αστρον].
ηλιακός-ή-ό (ε) [iliakos] solar.
ηλίαση (η) [iliasi] sunstroke.
ηλιαχτίδα (η) [iliahtidha] sunbeam, sunray.
ηλίθιος-α-ο (ε) [ilithios] idiotic.
ηλικία (η) [ilikia] age.
ηλικιωμένος-η-ο (ε) [ilikiomenos] aged, elderly.
ηλιοβασίλεμα (το) [iliovasilema] sunset.
ηλιοθεραπεία (η) [iliotherapia] sunbathing.
ηλιοκαμένος-η-ο (ε) [iliokamenos] sunburnt, tanned.
ηλιόλουστος-η-ο (ε) [iliolustos] sunny, sundrenched.
ηλιόλουτρο (το) [iliolutro] sunbathing.
ήλιος (ο) [ilios] sun, sunflower.
ηλιοστάσιο (το) [iliostasio] solstice.
ηλιοτρόπιο (το) [iliotropio] bloodstone [ορυκτ].
ηλιόφως (το) [iliofos] sunlight.
ηλιοφώτιστος-η-ο (ε) [iliofotistos] sunlit, sunny.
ηλιοψημένος-η-ο (μ) [iliopsimenos] sunburnt, suntanned.
ημεδαπός-ή-ό (ε) [imedhapos] domestic, native, national.
ημέρα (η) [imera] day, daytime.
ημερεύω (ρ) [imerevo] tame, domesticate, calm down.
ημερήσιος-α-ο (ε) [imerisios] daily.
ημερίδα (η) [imeridha] meeting.
ημερολόγιο (το) [imeroloyio] calendar, logbook, diary.
ημερομηνία (η) [imerominia] date.
ημερομίσθιο (το) [imeromisthio] daily wage.
ημερονύκτιο (το) [imeroniktio] 24-hour period.
ημερότητα (η) [imerotita] tameness, placidity, gentleness.
ημέτερος-η-ο (αντ) [imeteros] follower.
ημιανάπαυση (η) [imianapafsi] at ease.
ημιαπασχόληση (η) [imiapasholisi] part-time job.
ημιαργία (η) [imiargia] half-day.
ημιαυτόματος-η-ο (ε) [imiaftomatos] semi-automatic.
ημιεπίσημος-η-ο (ε) [imiepisimos] semi-official.
ημιθανής-ής-ές (ε) [imithanis] half-dead.
ημίθεος (ο) [imitheos] demigod, immortal [επί ανθρώπων].
ημίκοσμος (ο) [imikosmos] demimonde.
ημικρανία (η) [imikrania] migraine.
ημιμάθεια (η) [imimathia] little learning, superficial knowledge.
ημίονος (ο) [imionos] hinny, mule.
ημιπληγία (η) [imipliyia] stroke, paralysis, hemiplegia.

ημιπολύτιμος-η-ο (ε) [imipolitimos] semi-precious.
ημισέληνος (η) [imiselinos] crescent, half moon.
ήμισυ (το) [imisi] half.
ημισφαιρικός-ή-ό (ε) [imisferikos] hemispherical.
ημιτελής-ής-ές (ε) [imitelis] incomplete, deficient, defective.
ημιτελικός-ή-ό (ε) [imitelikos] semifinal.
ημιφορτηγό (το) [imifortigo] van [κλειστό], truck [ανοικτό].
ημίφως (το) [imifos] twilight.
ημιχρόνιο (το) [imihronio] half-time.
ημίψηλο (το) [imipsilo] silk-hat, top-hat.
ημίωρο (το) [imioro] half-hour.
ηνίο (το) [inio] rein, bridle.
ηνίοχος (ο) [iniohos] charioteer, coachman, coachdriver.
ήπαρ (το) [ipar] liver.
ήπειρος (η) [ipiros] continent.
ήπιος-α-ο (ε) [ipios] mild, indulgent, gentle.
ηπιότητα (η) [ipiotita] mildness.
ήρα (η) [ira] tare, cockle.
ήρεμα (επ) [irema] calmly.
ηρεμιστικό (το) [iremistiko] tranquillizer, sedative.
ήρωας (ο) [iroas] hero.
ηρωίδα (η) [iroidha] heroine.
ηρωίνη (η) [iroini] heroin.
ηρωινομανής (ο) [iroinomanis] heroin addict.
ηρώο (το) [iroo] war-memorial.
ησυχάζω (ρ) [isihazo] rest, calm
ησυχία (η) [isihia] peace.
ήτοι (μο) [iti] that is, namely.
ήττα (η) [itta] defeat, beating.
ηττημένος-η-ο (μ) [ittimenos] loser, defeated, beaten.
ηττώμαι (ρ) [ittome] be defeated, be overpowered, give way.
ηφαίστειο (το) [ifestio] volcano.
ηφαιστειογενής-ής-ές (ε) [ifestioyenis] volcanic.
ηχείο (το) [ihio] resonator.
ηχηρός-ή-ό (ε) [ihiros] loud.
ηχηρότητα (η) [ihirotita] resonance, volume.
ήχηση (η) [ihisi] blast.
ηχητικός-ή-ό (ε) [ihitikos] producing sound, resounding.
ηχοβολίδα (η) [ihovolidha] echo sounder.
ηχογράφηση (η) [ihografisi] recording.
ηχογραφώ (ρ) [ihografo] record.
ηχολήπτης (ο) [iholiptis] sound engineer.
ηχομόνωση (η) [ihomonosi] sound-proofing.
ήχος (ο) [ihos] sound, boom.
ηχώ (ρ) [iho] ring, sound, strike (η) echo, repercussion [μεταφ].

θα (μο) [tha] shall, will, should, would.
θάβω (ρ) [thavo] bury, hide.
θαλαμάρχης (ο) [thalamarhis] person in charge of a dormitory,
θαλάμη (η) [thalami] chamber [όπλου], nest, nostril [μύτης].
θαλαμηγός (η) [thalamigos] yacht.
θαλαμηπόλος (ο) [thalamipolos] valet, steward.
θαλαμίσκος (ο) [thalamiskos] cabin.
θάλαμος (ο) [thalamos] room, ward.
θαλαμοφύλακας (ο) [thalamofilakas] billet orderly [στρατ].
θάλασσα (η) [thalassa] sea.
θαλασσινά (τα) [thalassina] shellfish, sea-food.
θαλασσογραφία (η) [thalassografia] seascape.
θαλασσοδέρνω (ρ) [thalassodherno] buffet, struggle against.
θαλασσόλυκος (ο) [thalassolikos] sea dog, mariner.
θαλασσοπνίγομαι (ρ) [thalassopnigome] drown at sea, risk one's life at sea.
θαλασσοπορία (η) [thalassoporia] long voyage, navigation.
θαλασσοταραχή (η) [thalassotarahi] rough seas.
θαλασσοχελώνα (η) [thalassohelona] turtle.
θαλάσσωμα (το) [thalassoma] muddle.
θαλασσώνω (ρ) [thalassono] topsy-turvy, mess it up, flood, submerge, overflow.
θαλερός-ή-ό (ε) [thaleros] green, in bloom, fresh [μεταφ].
θαλπωρή (η) [thalpori] warmth, comfort.
θάμβος (το) [thamvos] astonishment, wonder.
θαμνοειδής-ής-ές (ε) [thamnoidhis] shrubby, bushy.
θάμνος (ο) [thamnos] bush.
θαμπάδα (η) [thambadha] blur, dimness, haziness.
θαμπός-ή-ό (ε) [thambos] lifeless, dim, cloudy, fuzzy, clouded.
θαμώνας (ο) [thamonas] regular customer, frequent visitor.
θανάσιμος-η-ο (ε) [thanasimos] deadly, fatal, lethal.
θάνατος (ο) [thanatos] death.
θανάτωση (η) [thanatosi] execution, killing.
θαρραλέος-α-ο (ε) [tharraleos] daring, bold, courageous.
θάρρος (το) [tharros] daring,

courage, boldness.
θαύμα (το) [thavma] miracle.
θαυμάζω (ρ) [thavmazo] wonder at, admire, be amazed at.
θαυμάσιος-α-ο (ε) [thavmasios] marvellous, wonderful.
θαυμαστής (ο) [thavmastis] fan, admirer.
θαυμαστικό (το) [thavmastiko] exclamation mark.
θαυματοποιΐα (η) [thavmatopiia] juggling, conjuring.
θαυματουργικός-ή-ό (ε) [thavmaturyikos] miraculous.
θέα (η) [thea] view, sight.
θεαματικός-ή-ό (ε) [theamatikos] spectacular, wonderful.
θεάρεστος-η-ο (ε) [thearestos] good.
θεατής (ο) [theatis] spectator.
θεατός-ή-ό (ε) [theatos] visible.
θεατρίνα (η) [theatrina] actress.
θέατρο (το) [theatro] theatre, stage, show, drama.
θεατρόφιλος-η-ο (ε) [theatrofilos] stagestruck.
θεία (η) [thia] aunt, auntie.
θειάφι (το) [thiafi] sulphur.
θεϊκός-ή-ό (ε) [theikos] divine.
θείος-α-ο (ε) [thios] holy, sacred.
θείος (ο) [thios] uncle.
θειότητα (η) [thiotita] divinity.
θεϊσμός (ο) [theismos] theism.
θέλγητρο (το) [thelyitro] attraction, fascination, spell.
θέλγω (ρ) [thelgo] charm, fascinate, attract, appeal, delight.
θέλημα (το) [thelima] wish.
θέληση (η) [thelisi] will, wish, desire, message.
θέλω (ρ) [thelo] wish, want, be willing, like, try, love, desire.
θέμα (το) [thema] subject, point, stem, topic, theme.
θεματοφύλακας (ο) [thematofilakas] guardian, trustee.
θεμελιακός-ή-ό (ε) [themeliakos] fundamental, basic.
θεμέλιο (το) [themelio] foundation, basis [μεταφ].
θεμελιωτής (ο) [themeliotis] founder.
θεμιτός-ή-ό (ε) [themitos] legal.
θεογονία (η) [theogonia] theogony, God's Will.
θεοκατάρατος-η-ο (ε) [theokataratos] godforsaken, accursed.
θεόκουφος-η-ο (ε) [theokufos] stone-deaf.
θεολογία (η) [theoloyia] theology.
θεομηνία (η) [theominia] disaster, destruction.
θεοπάλαβος-η-ο (ε) [theopalavos] stark staring mad.
θεόπεμπτος-η-ο (ε) [theopemptos] god-sent, providential.
θεοποίηση (η) [theopiisi] glorification.
θεοποιώ (ρ) [theopio] idolize, praise, glorify, exalt.

θεόρατα (επ) [theorata] colossally.
θεός (ο) [theos] God.
θεοσέβεια (η) [theosevia] piety.
θεοσκότεινος-η-ο (ε) [theoskotinos] pitch-dark.
θεοσοφία (η) [theosofia] theosophy.
θεότητα (η) [theotita] deity.
θεοτόκος (η) [theotokos] the Virgin Mary.
Θεοφάνια (τα) [Theofania] the Epiphany.
θεοφιλέστατος (ο) [theofilestatos] [His] Grace.
θεοφοβούμενος-η-ο (μ) [theofovumenos] godly, pious.
θεραπαινίδα (η) [therapenidha] maidservant.
θεραπεία (η) [therapia] cure, treatment, therapy.
θεραπεύσιμος-η-ο (ε) [therapefsimos] curable, remendable.
θεραπεύω (ρ) [therapevo] cure, treat, satisfy.
θεράποντας (ο) [therapondas] servant, attendant [ιατρός].
θέρετρο (το) [theretro] resort, country house.
θέριεμα (το) [theriema] giant growth, recovery.
θερίζω (ρ) [therizo] mow, cut, reap, crop.
θερινός-ή-ό (ε) [therinos] summer.
θεριό (το) [therio] beast.
θερμαίνω (ρ) [thermeno] heat up, animate, encourage, excite.
θέρμανση (η) [thermansi] heating, warming.
θερμαστής (ο) [thermastis] fireman.
θερμάστρα (η) [thermastra] [heating] stove, furnace.
θέρμες (οι) [thermes] hot springs.
θέρμη (η) [thermi] fever, ardor.
θερμίδα (η) [thermidha] calorie.
θερμόαιμος-η-ο (ε) [thermoemos] hot-blooded, irritable.
θερμογόνος-η-ο (ε) [thermogonos] calefactory.
θερμοηλεκτρικός-ή-ό (ε) [thermoilektrikos] thermo-electric.
θερμοκήπιο (το) [thermokipio] greenhouse.
θερμοκρασία (η) [thermokrasia] temperature.
θερμόμετρο (το) [thermometro] thermometer.
θερμομόνωση (η) [thermomonosi] thermal insulation.
θερμοπαρακαλώ (ρ) [thermoparakalo] implore, beg.
θερμοπηγή (η) [thermopiyi] thermal spring.
θερμοπίδακας (ο) [thermopidhakas] geyser.
θερμοπληξία (η) [thermopliksia] heat-stroke.
θερμός-ή-ό (ε) [thermos] warm, passionate [μεταφ].
θερμοσίφωνας (ο) [thermosifo-

nas] water heater, geyser.
θερμοστάτης (ο) [thermostatis] thermostat.
θερμότητα (η) [thermotita] heat, warmth, zeal [μεταφ].
θερμοφόρα (η) [thermofora] hot-water bottle.
θέρος (ο) [theros] harvest.
θέρος (το) [theros] summer.
θέση (η) [thesi] place, seat, position, employment, space, thesis.
θεσιθήρας (ο) [thesithiras] jobchaser.
θέσμια (τα) [thesmia] customs, tradition[s].
θεσμικός-ή-ό (ε) [thesmikos] institutional.
θεσμοθεσία (η) [thesmothesia] legislation.
θεσμοθέτης (ο) [thesmothetis] legislator, law-giver.
θεσμός (ο) [thesmos] institution, law.
θεσπέσιος-α-ο (ε) [thespesios] divine.
θεσπίζω (ρ) [thespizo] decree.
θετικισμός (ο) [thetikismos] positivism.
θετικός-ή-ό (ε) [thetikos] positive, real, actual, assertive.
θετός-ή-ό (ε) [thetos] adopted, foster.
θέτω (ρ) [theto] put, set, impose, station, post, place.
θεωρείο (το) [theorio] box [θεάτρου], gallery [τύπου κτλ].
θεώρημα (το) [theorima] formula.
θεώρηση (η) [theorisi] visa.
θεωρητικά (επ) [theoritika] ideally.
θεωρία (η) [theoria] theory, view, aspect, sight.
θεωρούμενος-η-ο (μ) [theorumenos] alleged, supposed.
θεωρώ (ρ) [theoro] consider, regard.
θηκάρι (το) [thikari] scabbard.
θήκη (η) [thiki] box, case.
θηλάζω (ρ) [thilazo] suckle.
θηλαστικός-ή-ό (ε) [thilastikos] suckling.
θήλαστρο (το) [thilastro] feeding-bottle.
θηλιά (η) [thilia] eyelet, mesh.
θηλυκός-ή-ό (ε) [thilikos] female, feminine.
θηλυκώνω (ρ) [thilikono] clasp.
θηλυπρέπεια (η) [thiliprepia] effeminacy.
θηλυπρεπής νέος (ο) [thiliprepis neos] homosexual.
θημωνιά (η) [thimonia] stack, pile, haystack [σανού].
θήρα (η) [thira] chase, hunt.
θηρίο (το) [thirio] wild beast, brute, monster [μεταφ].
θηριοδαμαστής (ο) [thiriodhamastis] tamer.
θηριώδης-ης-ες (ε) [thiriodhis]

fierce, savage, brutal, brutish.
θησαυρός (ο) [thisavros] treasure, storehouse, thesaurus.
θητεία (η) [thitia] military service, term of office.
θίασος (ο) [thiasos] cast.
θιασώτης (ο) [thiasotis] partisan, supporter, enthusiast, fan.
θίγω (ρ) [thigo] offend, insult.
θλάση (η) [thlasi] breaking, fracture, bruise.
θλιβερός-ή-ό (ε) [thliveros] sad, crush, afflict [μεταφ], distress.
θλίβω (ρ) [thlivo] squeeze, crush, afflict, distress.
θνησιγενής-ής-ές (ε) [thnisiyenis] still-born, short-lived.
θνησιμότητα (η) [thnisimotita] death rate.
θνητός-ή-ό (ε) [thnitos] mortal.
θολός-ή-ό (ε) [tholos] dull, turbit, confused, hazy.
θόλος (ο) [tholos] vault, dome [αρχιτεκ], roof.
θολότητα (η) [tholotita] cloudiness, muddiness, dullness, confusion [μεταφ].
θολότυπος (ο) [tholotipos] centering.
θολωμένος-η-ο (μ) [tholomenos] blear, clouded.
θολώνω (ρ) [tholono] make dull, confuse, get overcast, fog.
θολωτός-ή-ό (ε) [tholotos] vaulted, arched.
θορύβηση (η) [thorivisi] alarm.
θόρυβος (ο) [thorivos] noise.
θορυβούμαι (ρ) [thorivume] worry, be uneasy, be anxious.
θούριος (ο) [thurios] war-song.
θρανίο (το) [thranio] desk, bench, seat.
θρασεμένος-η-ο (ε) [thrasemenos] rank.
θρασέως (επ) [thraseos] cockily.
θρασομανώ (ρ) [thrasomano] run riot, spread fast [για φωτιά].
θράσος (το) [thrasos] impudence, insolence.
θρασύδειλος-η-ο (ε) [thrasidhilos] cowardly bully.
θρασύτητα (η) [thrasitita] impudence, cheekiness.
θραύση (η) [thrafsi] fracture, destruction, ruin, breakage.
θραύσμα (το) [thrafsma] fragment, splinter [λίθου].
θραυστήρας (ο) [thrafstiras] disintegrator.
θραύστης (ο) [thrafstis] breaker.
θρέμμα (το) [tremma] nursling.
θρεμμένος-η-ο (μ) [thremmenos] plump.
θρεπτικός-ή-ό (ε) [threptikos] nourishing, nutritious.
θρεφτάρι (το) [threftari] plump.
θρέφω (ρ) [threfo] nourish, nurture, grow, support.
θρέψη (η) [threpsi] feeding.
θρηνητικός-ή-ό (ε) [thriniti-

kos] plaintive, mournful.
θρηνολόγημα (το) [thrinoloyima] wailing, lamentation.
θρήνος (ο) [thrinos] lamentation, moaning, complaint.
θρηνώ (ρ) [thrino] lament.
θρησκεία (η) [thriskia] religion.
θρησκευτικός-ή-ό (ε) [thriskeftikos] religious.
θρήσκος-α-ο (ε) [thriskos] religious.
θριαμβευτικά (επ) [thriamveftika] triumphantly, arrogantly.
θριαμβολογώ (ρ) [thriamvologo] brag, gloat, crow, exult.
θροΐζω (ρ) [throizo] rustle, swish.
θρόμβος (ο) [thromvos] clot.
θρονί (το) [throni] seat, throne.
θρονιάζομαι (ρ) [throniazome] install oneself, settle down.
θρούμπα (η) [thrumba] ripe
θρούμπη (η) [thrumbi] savory, board, fodder [για ζώα].
θρυαλλίδα (η) [thriallidha] wick, fuse, time-bomb.
θρύλος (ο) [thrilos] legend.
θρύμμα (το) [thrimma] fragment, scrap.
θρύψαλα (τα) [thripsala] shivers, splinters, pieces.
θυγατέρα (η) [thigatera] daughter.
θυγατρικός-ή-ό (ε) [thigatrikos] daughterly.
θύελλα (η) [thiella] storm, gale.
θύλακας (ο) [thilakas] satchel.
θυλάκιο (το) [thilakio] pocket, small bag.
θύμα (το) [thima] victim.
θυμάμαι (ρ) [thimame] remember.
θυμάρι (το) [thimari] thyme.
θύμηση (η) [thimisi] memory.
θυμιατήρι (το) [thimiatiri] censer.
θυμιατό (το) [thimiato] censer.
θυμίζω (ρ) [thimizo] remind.
θυμός (ο) [thimos] anger, rage.
θυμοσοφία (η) [thimosofia] wisdom, coolness, placidity.
θυμούμαι (ρ) [thimume] recall.
θύμωμα (το) [thimoma] anger.
θύρα (η) [thira] door, gate.
θυρίδα (η) [thiridha] small box office, counter.
θυροειδής-ής-ές (ε) [thiroidhis] thyroid.
θυρωρός (ο) [thiroros] porter.
θυσία (η) [thisia] sacrifice.
θυσιαστήριο (το) [thisiastirio] altar, sactarium.
θύτης (ο) [thitis] sacrificer, persecutor, sacrificial priest.
θωπεύω (ρ) [thopevo] caress.
θώρακας (ο) [thorakas] breastplate.
θωράκιση (η) [thorakisi] armouring, plating.
θωρακισμένος-η-ο (μ) [thorakismenos] armored, shielded.
θωρηκτό (το) [thorikto] battleship.
θωριά (η) [thoria] air.
θωρώ (ρ) [thoro] see, look.

ιαίνω (ρ) [ieno] cure, heal.
ιαματικός-ή-ό (ε) [iamatikos] curative, healing.
ιαματικότητα (η) [iamatikotita] effectiveness.
ίαση (η) [iasi] cure, therapy.
ιατρείο (το) [iatrio] surgery, clinic.
ιατρική (η) [iatriki] medicine.
ιατροδικαστής (ο) [iatrodhikastis] forensic surgeon, coroner.
ιατρός (ο) [iatros] doctor, physician.
ιαχή (η) [iahi] cheer, shout.
ίγγλα (η) [ingla] girth, cinch.
ιγμορίτιδα (η) [igmoritidha] sinusitis.
ιδανικά (επ) [idhanika] ideally.
ιδανικό (το) [idhaniko] ideal.
ιδέα (η) [idhea] notion, thought, idea, concept.
ιδεαλισμός (ο) [idhealismos] idealism.
ιδεατά (επ) [idheata] ideally.
ιδεώδες (το) [idheodhes] ideal.
ιδιαίτερος-η-ο (ε) [idhieteros] special, characteristic.
ιδιαιτέρως (επ) [idhieteros] privately, separately.
ιδιοκτησία (η) [idhioktisia] ownership, property.
ιδιομορφία (η) [idhiomorfia] peculiarity, oddity, singularity.
ιδιοποίηση (η) [idhiopiisi] appropriation.
ιδιορρυθμία (η) [idhiorithmia] eccentricity, oddness.
ίδιος-α-ο (ε) [idhios] same, own, oneself.
ιδιοσκεύασμα (το) [idhioskevasma] patent medicine.
ιδιοσυγκρασία (η) [idhiosingrasia] temperament.
ιδιοσυστασία (η) [idhiosistasia] constitution.
ιδιοτέλεια (η) [idhiotelia] selfishness.
ιδιοτελής-ής-ές (ε) [idhiotelis] selfish.
ιδιότητα (η) [idhiotita] property, quality, characteristic.
ιδιοτροπία (η) [idhiotropia] caprice, eccentricity.
ιδιοφυής-ής-ές (ε) [idhiofiis] gifted.
ιδιοφυΐα (η) [idhiofiia] talent.
ιδιόχειρος-η-ο (ε) [idhiohiros] with one's own hand.
ιδίωμα (το) [idhioma] idiom, property, dialect.
ιδίως (επ) [idhios] specially, particularly, especially.
ιδιωτεύω (ρ) [idhiotevo] go into

retirement.

ιδιώτης (ο) [idhiotis] individual.

ιδιωτικός-ή-ό (ε) [idhiotikos] private, particular.

ιδού (επ) [idhu] look! here it is!.

ίδρυμα (το) [idhrima] institution, establishment.

ίδρυση (η) [idhrisi] establishment, affiliation.

ίδρωμα (το) [idhroma] sweating, perspiration.

ιεραποστολή (η) [ierapostoli] mission.

ιεράρχης (ο) [ierarhis] prelate.

ιεραρχία (η) [ierarhia] hierarchy.

ιεραρχώ (ρ) [ierarho] form, have one's own scale of values.

ιερατείο (το) [ieratio] clergy.

ιερατικά άμφια (ε) [ieratika amfia] canonicals.

ιερέας (ο) [iereas] priest, clergyman, pastor.

ιέρεια (η) [ieria] priestess.

ιερό (το) [iero] sanctuary, bethel, sanctum.

ιερογλυφικός-ή-ό (ε) [ieroglifikos] hieroglyphic.

ιεροδιάκονος (ο) [ierodhiakonos] deacon.

ιεροδιδασκαλείο (το) [ierodhidhaskalio] seminary.

ιερόδουλος (η) [ierodhulos] prostitute.

ιεροεξεταστής (ο) [ieroeksetastis] inquisitor.

ιεροκήρυκας (ο) [ierokirikas] missionary, preacher.

ιερομάρτυρας (ο) [ieromartiras] holy martyr.

ιερομόναχος (ο) [ieromonahos] priest-monk.

ιερός-ή-ό (ε) [ieros] holy, sacred, religious.

ιεροσυλία (η) [ierosilia] sacrilege.

Ιεροσύνη (η) [Ierosini] priesthood, holy orders.

ιεροτελεστία (η) [ierotelestia] rite, ritual.

ιερότητα (η) [ierotita] holiness.

ιερουργώ (ρ) [ierurgo] officiate.

ιεροψάλτης (ο) [ieropsaltis] cantor.

ίζημα (το) [izima] sediment, deposit.

Ιησούς (ο) [Iisus] Jesus.

ιθαγένεια (η) [ithayenia] nationality, citizenship.

ιθαγενείς (οι) [ithayenis] aborigines.

ιθύνοντες (οι) [ithinondes] rulers.

ικανά (επ) [ikana] capably.

ικανοποίηση (η) [ikanopiisi] satisfaction, contentment.

ικεσία (η) [ikesia] entreaty.

ικετευτικός-ή-ό (ε) [iketeftikos] imploring, begging.

ίκτερος (ο) [ikteros] jaundice.

ιλαρά (n) [ilara] measles.
ιλαρός-ή-ό (ε) [ilaros] hilarious.
ίλαρχος (ο) [ilarhos] cavalry captain.
ίλη (n) [ili] squadron.
ιλιγγιώδης-ης-ες (ε) [ilingiodhis] dizzy.
ιμάντας (ο) [imandas] strap, belt.
ιμάτιο (το) [imatio] coat, cloak.
ιματιοθήκη (n) [imatiothiki] wardrobe, cloakroom.
ιμπεριαλισμός (ο) [imberialismos] imperialism.
ίνα (n) [ina] fibre, filament.
ινκόγνιτο (το) [inkognito] incognito.
ίνδαλμα (το) [indhalma] ideal, illusion, fancy.
ινσουλίνη (n) [insulini] insulin.
ινστιτούτο (το) [instituto] institute.
ιντερμέδιο (το) [indermedhio] interlude.
ίντσα (n) [intsa] inch.
ινώδης-ης-ες (ε) [inodhis] fibrous, stringy [κρέας].
ιξώδης-ης-ες (ε) [iksodhis] sticky.
ιός (ο) [ios] venom, virus [ιατρ], malice [μεταφ].
ιππασία (n) [ippasia] riding.
ιππέας (ο) [ippeas] rider.
ίππευση (n) [ippefsi] riding.
ιππευτικός-ή-ό (ε) [ippeftikos] riding, equestrian.
ιππεύω (ρ) [ippevo] ride.
ιππικό (το) [ippiko] cavalry.
ιπποδρομία (n) [ippodhromia] [horse-] race.
ιππόδρομιο (το) [ippodhromio] racecourse.
ιπποδύναμη (n) [ippodhinami] horsepower.
ιππόκαμπος (ο) [ippokambos] sea-horse, hippocampus.
ιπποκομία (n) [ippokomia] horse-grooming.
ιπποπόταμος (ο) [ippopotamos] hippopotamus.
ίππος (ο) [ippos] horse.
ιππότης (ο) [ippotis] knight.
ιπποτικότητα (ε) [ippotikotita] chivalrousness.
ιπποτισμός (ο) [ippotismos] chivalry.
ιπποτροφείο (το) [ippotrofio] stud-farm.
ίπταμαι (ρ) [iptame] fly, soar.
ιπτάμενος (ο) [iptamenos] flyer.
ίριδα (n) [iridha] rainbow, iris.
ιριδισμός (ο) [iridhismos] iridescence.
ίσα-ίσα (επ) [isa-isa] equally, as far as, straight, directly.
ίσαλος (n) [isalos] water-line.
ίσαμε (επ) [isame] up to, until.
ισάξιος-α-ο (ε) [isaksios] equivalent, worthy of.
ισάριθμος-η-ο (ε) [isarithmos] equal in number.

ίση διάρκεια (η) [isi dhiarkia] coextension.

ίση έκταση (η) [isi ektasi] coextension.

ισημερία (η) [isimeria] equinox.

ισημερινός (ο) [isimerinos] equinoctial, equator.

ίσια (επ) [isia] equally, as far as, straight, directly.

ίσκιος (ο) [iskios] shade, shadow.

ισκιώνω (ρ) [iskiono] shade.

ισόβαθμος-η-ο (ε) [isovathmos] coordinate.

ισόβιος-α-ο (ε) [isovios] for life.

ισοβίτης (ο) [isovitis] lifer.

ισόγειο (το) [isoyio] ground floor, basement.

ισοδύναμος-η-ο (ε) [isodhinamos] equivalent, equal in force.

ισοζυγίζω (ρ) [isoziyizo] balance, hover.

ισοζύγιο (το) [isoziyio] balance.

ισολογισμός (ο) [isoloyismos] balance sheet.

ισομεγέθης-ης-ες (ε) [isomeyethis] of equal size.

ισόμετρος-η-ο (ε) [isometros] symmetrical.

ίσον (το) [ison] equals.

ισοπαλία (η) [isopalia] draw, tie.

ισοπεδώνω (ρ) [isopedhono] level up, smooth.

ισοπέδωμα (το) [isopedhoma] flattening, levelling.

ισόπλευρος-η-ο (ε) [isoplevros] equilateral.

ισοπολιτεία (η) [isopolitia] equality before the law.

ισορρόπηση (η) [isorropisi] balance, counterbalance [μεταφ].

ισόρροπος-η-ο (ε) [isorropos] balanced, harmonious.

ισορροπώ (ρ) [isorropo] balance, counterbalance.

ίσος-η-ο (ε) [isos] equal to, the same as, even, smooth, alike.

ισοσκελής-ής-ές (ε) [isoskelis] isosceles.

ισοσταθμίζω (ρ) [isostathmizo] counterpoise, counterbalance.

ισότητα (η) [isotita] equality.

ισοτιμία (η) [isotimia] parity.

ισότιμος-η-ο (ε) [isotimos] equal in rank, equal in value.

ισοφαρίζω (ρ) [isofarizo] equal, be equal to, equalize.

ισοψηφώ (ρ) [isopsifo] gain equal votes.

ιστίο (το) [istio] sail.

ιστιοπλοΐα (η) [istioploia] sailing.

ιστόρημα (το) [istorima] narrative.

ιστορία (η) [istoria] story, history.

ιστορικό (το) [istoriko] background, case-history.

ιστορώ (ρ) [istoro] narrate, tell, decorate [ανιστορώ].

ιστός (ο) [istos] mast, pole.
ισχαιμία (η) [ishemia] ischemia.
ισχίο (το) [ishio] hip.
ισχναίνω (ρ) [ishneno] slim, lose weight.
ισχνός-ή-ό (ε) [ishnos] lean, thin, scanty, emaciated.
ισχυρά (επ) [ishira] strongly, powerfully.
ισχυρίζομαι (ρ) [ishirizome] assert, maintain, declare.
ισχυρογνώμονας (ο) [ishirognomonas] stubborn, obstinate.
ισχυροποίηση (η) [ishiropiisi] strengthening.
ισχυρός-ή-ό (ε) [ishiros] strong, sturdy, loud [φωνή], stiff.
ισχύς (η) [ishis] strength, power, force, validity [νόμου κτλ].
ίσως (επ) [isos] perhaps, probably, maybe.
ιταμός-ή-ό (ε) [itamos] insolent, cheeky, rude, impertinent.
ιτιά (η) [itia] willow tree.
ιχθυοπωλείο (το) [ihthiopolio] fish-shop, fish-market.
ιχθυοτροφείο (το) [ihthiotrofio] fishery, fish-farm, aquarium.
ιχθύς (ο) [ihthis] fish.
ιχνογράφημα (το) [ihnografima] drawing, sketch.
ιχνογραφία (η) [ihnografia] drawing, sketching.
ίχνος (το) [ihnos] footprint, track, trace, sign.
ιώδιο (το) [iodhio] iodine.
ιωνικός-ή-ό (ε) [ionikos] Ionic,

K

κάβα (η) [kava] wine cellar, cellar.
καβάλα (επ) [kavala] on horseback, astride [σε τοίχο].
καβάλα (η) [kavala] riding, ride.
καβαλάρης (ο) [kavalaris] rider.
καβαλέτο (το) [kavaleto] easel.
καβαλιέρος (ο) [kavalieros] escort, partner.
καβαλίκευμα (το) [kavalikevma] riding, straddling.
καβαλίνα (η) [kavalina] horse manure.
καβάλος (ο) [kavalos] seat, fork.
καβατζάρω (ρ) [kavatzaro] weather, turn the corner.
καβγαδάκι (το) [kavgadhaki] disagreement.
καβγάς (ο) [kavgas] row, quarrel.
καβγατζής (ο) [kavgatzis] brawler.
κάβος (ο) [kavos] cape.
καβούκι (το) [kavuki] shell.
καβουρδίζω (ρ) [kavurdhizo] roast, brown.
καβούρι (το) [kavuri] crab.
καβουρνιάζω (ρ) [kavurniazo] char.
καγκελαρία (η) [kangelaria] chancellery.
κάγκελο (το) [kangelo] railing, grille, banister.
καγχάζω (ρ) [kaghazo] chuckle.
καδένα (η) [kadhena] chain.
κάδος (ο) [kadhos] bucket, tub.
κάδρο (το) [kadhro] frame, border.
καδρόνι (το) [kadhroni] rafter, beam, balk.
καζαμίας (ο) [kazamias] almanac.
καζάνι (το) [kazani] cauldron, boiler.
καζίνο (το) [kazino] casino.
κάζο (το) [kazo] reverse.
καζούρα (η) [kazura] ragging.
καημένος-η-ο (μ) [kaimenos] poor, miserable, dear.
καθαγιάζω (ρ) [kathayiazo] hallow, sanctify.
καθαγίαση (η) [kathayiasi] consecration, hallowing.
καθαίρεση (η) [katheresi] degradation, cashiering, demolition.
καθαρά (επ) [kathara] in the open.
καθαρεύουσα (η) [katharevusa] formal Greek.
καθαρίζω (ρ) [katharizo] clean, clear, peel, polish, clarify, wash.
καθαριστήριο (το) [katharistirio] (dry) cleaner's.

κάθαρμα (το) [katharma] villain, scoundrel.
καθαρμός (ο) [katharmos] purification.
καθαρόαιμος-η-ο (ε) [katharoemos] thoroughbred.
καθαρόγραμμος-η-ο (ε) [katharogrammos] clean-cut.
καθαρογράφω (ρ) [katharografo] write neatly.
καθαρός-ή-ό (ε) [katharos] neat, tidy, clear, distinct.
καθαρότητα (η) [katharotita] purity, cleanness.
κάθαρση (η) [katharsi] cleansing, purification, menstruation.
καθαρτήριος-α-ο (ε) [kathartirios] purgatory, purifying.
καθαρτικό (το) [kathartiko] purge, purgative, cathartic, aperient.
καθαυτό (επ) [kathafto] exactly, precisely, really, genuinely.
κάθε (αν) [kathe] each, every.
καθέδρα (η) [kathedhra] chair.
καθεδρικός-ή-ό (ε) [kathedhrikos] cathedral.
κάθειρξη (η) [kathirksi] imprisonment, confinement.
καθείς (αν) [kathis] everyone, each one, everybody.
καθελκύω (ρ) [kathelkio] launch.
καθένα (επ) [kathena] each.
καθένας (αν) [kathenas] everyone, each one, everybody.
καθεστώς (το) [kathestos] regime, status quo.
καθετή (η) [katheti] fishing-line.
καθετήρας (ο) [kathetiras] probe, catheter.
καθετί (αν) [katheti] everything.
κάθετος-η-ο (ε) [kathetos] vertical.
καθηγητής (ο) [kathiyitis] professor, teacher.
καθήκον (το) [kathikon] duty.
καθηλώνω (ρ) [kathilono] pin down, immobilize.
καθήλωση (η) [kathilosi] fixing, freeze, nailing.
καθημερινώς (επ) [kathimerinos] daily.
καθιερωμένος-η-ο (μ) [kathieromenos] established, standard.
καθιερώνω (ρ) [kathierono] consecrate, dedicate, establish.
καθίζημα (το) [kathizima] precipitate.
καθίζηση (η) [kathizisi] subsidence, landslide.
καθίζω (ρ) [kathizo] seat, place.
καθισιά (η) [kathisia] sitting.
καθισιό (το) [kathisio] idleness, unemployment.
κάθισμα (το) [kathisma] chair, seat, standing.
καθισμένος-η-ο (μ) [kathismenos] seated, aground.
καθίσταμαι (ρ) [kathistame] become, get, grow.

καθιστικό (το) [kathistiko] sitting-room, lounge.

καθιστώ (ρ) [kathisto] establish, install.

καθό (επ) [katho] as.

καθοδηγητής (ο) [kathodhiyitis] instructor, adviser.

καθοδικός-ή-ό (ε) [kathodhikos] downward.

κάθοδος (η) [kathodhos] descent, alighting, kathode.

καθολίκευση (η) [katholikefsi] generalization.

Καθολικισμός (ο) [Katholikismos] Catholicism.

καθολικότητα (η) [katholikotita] universality, catholicity.

καθόλου (επ) [katholu] generally, not at all [διόλου], no way.

κάθομαι (ρ) [kathome] be seated, sit down, sit.

καθομιλουμένη (η) [kathomilumeni] the spoken language.

καθορισμός (ο) [kathorismos] defining, fixing, determination.

καθόσο (επ) [kathoso] as, being, according to what, in so far as.

καθότι (επ) [kathoti] because.

καθρεπτίζω (ρ) [kathreptizo] reflect, mirror.

καθυποβάλλω (ρ) [kathipovallo] present, submit.

καθυβρίζω (ρ) [kathivrizo] revile.

καθυποτάζω (ρ) [kathipotazo] subjugate, harness.

καθυστερημένος-η-ο (μ) [kathisterimenos] backward, late.

καθυστερούμενα (τα) [kathisterumena] arrears.

καθυστερώ (ρ) [kathistero] delay, be overdue, hold up.

καθώς (σ) [kathos] like, as, just as, as soon as, such as.

καθωσπρέπει (επ) [kathosprepi] proper.

και (σ) [ke] and, also, too.

καΐκι (το) [kaiki] sailing-boat.

καϊμάκι (το) [kaimaki] cream, froth [του καφέ].

καϊμακλίδικος-η-ο (ε) [kaïmaklidhikos] creamy.

καινός-ή-ό (ε) [kenos] new, novel.

καινούριος-α-ο (ε) [kenurios] new.

καίομαι (ρ) [keome] to be hot, to be desperate.

καίριος-α-ο (ε) [kerios] timely, deadly [πλήγμα], important.

καιρός (ο) [keros] time, period, weather, occasion, opportunity.

καιροσκοπία (η) [keroskopia] temporization, opportunism.

καιροφυλακτώ (ρ) [kerofilakto] lurk, lie in wait.

καΐσι (το) [kaisi] apricot.

καίτοι (σ) [keti] although.

καίω (ρ) [keo] burn, blast.

κακαβιά (η) [kakavia] fish soup.

κακάο (το) [kakao] cocoa.
κακαρίζω (ρ) [kakarizo] cluck.
κακαρώνω (ρ) [kakarono] kick the bucket.
κακέκτυπο (το) [kakektipo] bad copy, misprint.
κακεντρέχεια (n) [kakendrehia] maliciousness, nastiness.
κακία (n) [kakia] malice, spitefulness, mischievousness.
κάκιωμα (το) [kakioma] anger.
κακό (το) [kako] evil, ill, wrong, harm.
κακοαναθρεμμένος-n-o (μ) [kakoanathremmenos] ill-bred, impolite.
κακοβαλμένος-n-o (μ) [kakovalmenos] untidy.
κακοβουλία (n) [kakovulia] malice, malevolence, evil doing.
κακογλωσσιά (n) [kakoglossia] slander, gossip.
κακόγουστος-n-o (ε) [kakogustos] vulgar, inelegant.
κακογράφω (ρ) [kakografo] scribble.
κακοδαιμονία (n) [kakodhemonia] misfortune.
κακοδιάθετος-n-o (ε) [kakodhiathetos] unwell, bad-tempered.
κακοδιοικώ (ρ) [kakodhiiko] mismanage, misgovern.
κακόζηλος-n-o (ε) [kakozilos] pompous.
κακοήθης-ης-ες (ε) [kakoithis] dishonest, vile, malignant [ιατρ].
κακόηχος-n-o (ε) [kakoihos] dissonant, unpleasant to hear.
κακοκαρδίζω (ρ) [kakokardhizo] displease, bring sorrow.
κακοκατασκευασμένος-n-o (μ) [kakokataskevasmenos] botchy.
κακοκέφαλος-n-o (ε) [kakokefalos] stubborn.
κακόκεφος-n-o (ε) [kakokefos] grumpy.
κακόλογος-n-o (ε) [kakologos] backbiting.
κακομαθαίνω (ρ) [kakomatheno] spoil, acquire bad habits.
κακομαθημένος-n-o (μ) [kakomathimenos] spoilt, rude.
κακομεταχειρίζομαι (ρ) [kakometahirizome] maltreat, abuse.
κακομοιριά (n) [kakomiria] misery, poverty, misfortune.
κακομούτσουνος-n-o (ε) [kakomutsunos] ugly.
κακοντυμένος-n-o (μ) [kakondimenos] badly-dressed.
κακοπαθαίνω (ρ) [kakopatheno] have a hard time.
κακοπαίρνω (ρ) [kakoperno] misconstrue, misinterpret, treat roughly.
κακοπιστία (n) [kakopistia] faithlessness.
κακοπληρώνω (ρ) [kakopliro-no] underpay.
κακοποίηση (n) [kakopiisi]

manhandling.
κακοποιώ (ρ) [kakopio] rape.
κακορίζικος-η-ο (ε) [kakorizikos] wretched.
κακός-ή-ό (ε) [kakos] nasty, bad, ugly, vicious, naughty.
κακοσμία (η) [kakosmia] stench, stink.
κακοστρωμένος-η-ο (μ) [kakostromenos] cobbly.
κακοσυνηθίζω (ρ) [kakosinithizo] spoil [μωρό κτλ], acquire bad habits.
κακοτράχαλος-η-ο (ε) [kakotrahalos] rough, stony.
κακότροπος-η-ο (ε) [kakotropos] sour, ill-mannered.
κακότυχος-η-ο (ε) [kakotihos] unlucky.
κακουργιοδικείο (το) [kakuryiodhikio] criminal court.
κακούργος (ο) [kakurgos] criminal, villain [μεταφ].
κακουχία (η) [kakuhia] hardship, privation.
κακοφέρνομαι (ρ) [kakofernome] behave rudely.
κακοφημία (η) [kakofimia] ill repute.
κακοφτιαγμένος-η-ο (μ) [kakoftiagmenos] botchy.
κακόφωνος-η-ο (ε) [kakofonos] discordant, dissonant.
κακόψυχος-η-ο (ε) [kakopsihos] malicious.
κάκτος (ο) [kaktos] cactus.
κάκωση (η) [kakosi] ill treatment, suffering [αποτέλεσμα].
καλά (επ) [kala] well, all right, properly, thoroughly, correctly.
καλάθι (το) [kalathi] basket.
καλαθοπλεχτική (η) [kalathoplehtiki] wickerwork, basketwork.
καλάι (το) [kalai] tin.
καλαισθησία (η) [kalesthisia] good taste, elegance.
καλαμάκι (το) [kalamaki] straw.
καλαμαράς (ο) [kalamaras] pen-pusher.
καλαμάρι (το) [kalamari] inkstand, cuttlefish [ψάρι], squid.
καλαμένιος-α-ο (ε) [kalamenios] reed, straw, cane.
καλαμοζάχαρο (το) [kalamozaharo] sugar-cane.
καλαμοσκεπή (η) [kalamoskepi] thatch.
καλαμόφυτος-η-ο (ε) [kalamofitos] reedy.
καλαμπόκι (το) [kalamboki] corn, maize.
καλαμπουρίζω (ρ) [kalamburizo] crack a joke, have a laugh.
καλαμωτή (η) [kalamoti] mat.
κάλαντα (τα) [kalanda] carols.
καλαρέσω (ρ) [kalareso] like.
καλάρω (ρ) [kalaro] drop the nets.
καλαφατίζω (ρ) [kalafatizo]

caulk, careen.
καλέμι (το) [kalemi] chisel.
καλεσμένος-η-ο (μ) [kalesmenos] invited, guest.
καλημαύκι (το) [kalimafki] priest's high hat.
καλημέρα (η) [kalimera] good morning.
καληνύχτα! (επιφ) [kalinihta!] good night.
καλησπέρα! (επιφ) [kalispera!] good afternoon, good evening.
κάλι (το) [kali] potash.
καλιγώνω (ρ) [kaligono] shoe.
καλικάντζαρος (ο) [kalikandzaros] gnome.
κάλιο (το) [kalio] potassium.
καλλίγραμμος-η-ο (ε) [kalligrammos] shapely.
καλλιγραφία (η) [kalligrafia] penmanship, calligraphy.
καλλιεργήσιμος-η-ο (ε) [kallieryisimos] arable.
καλλιεργητής (ο) [kallieryitis] farmer.
καλλιεργώ (ρ) [kalliergo] cultivate, till, grow.
κάλλιο (επ) [kallio] better, rather, sooner.
καλλιτέχνημα (το) [kallitehnima] work of art.
καλλιτεχνικός-ή-ό (ε) [kallitehnikos] of art, of artists, artistic.
καλλονή (η) [kalloni] beauty.
καλλυντικά (τα) [kallindika] cosmetics.
καλλωπίζω (ρ) [kallopizo] decorate.
κάλμα (η) [kalma] calm, lull.
καλμάρω (ρ) [kalmaro] relax.
καλντερίμι (το) [kalnderimi] paving stone, cobbled street.
καλό (το) [kalo] good, benefit.
καλοαναθρεμμένος-η-ο (μ) [kaloanathremmenos] well brought-up.
καλοβαλμένος-η-ο (μ) [kalovalmenos] well turned-out, tidy.
καλοβλέπω (ρ) [kalovlepo] see well, like.
καλοβολεύω (ρ) [kalovolevo] make oneself comfortable.
καλογερεύω (ρ) [kaloyerevo] be a monk, be a nun.
καλόγουστος-η-ο (ε) [kalogustos] tasteful, elegant.
καλόγρια (η) [kalogria] nun.
καλοδεχούμενος-η-ο (μ) [kalodhehumenos] welcome.
καλοδιάθετος-η-ο (ε) [kalodhiathetos] good-tempered.
καλοδουλεμένος-η-ο (μ) [kalodhulemenos] well-made.
καλοζώ (ρ) [kalozo] live well.
καλοήθης-ης-ες (ε) [kaloithis] moral, virtuous.
καλοθρεμμένος-η-ο (μ) [kalothremmenos] well-bred.
καλοκάγαθος-η-ο (ε) [kalokagathos] kind-natured, good.

καλοκαίρι (το) [kalokeri] summer.
καλοκαμωμένος-η-ο (μ) [kalokamomenos] well-made.
καλοκαρδίζω (ρ) [kalokardhizo] cheer, please.
καλοκοιτάζω (ρ) [kalokitazo] look closely at, look after well.
καλομαθαίνω (ρ) [kalomatheno] spoil, pamper.
καλομεταχειρίζομαι (ρ) [kalometahirizome] cocker.
καλομίλητος-η-ο (ε) kalomilitos] well-spoken.
καλονή (η) [kaloni] belle.
καλοντυμένος-η-ο (μ) [kalondimenos] well-dressed.
καλοπαντρεύω (ρ) [kalopandrevo] marry well.
καλοπέραση (η) [kaloperasi] comfort, happy life.
καλόπιασμα (το) [kalopiasma] cajolery, blandishment.
καλοριφέρ (το) [kalorifer] central heating, radiator.
καλός-ή-ό (ε) [kalos] kind, good, able, efficient.
κάλος (ο) [kalos] callus, corn.
καλοσκέφτομαι (ρ) [kaloskeftome] think carefully.
καλοστεκούμενος-η-ο (μ) [kalostekumenos] well-preserved.
καλοσυγυρισμένος-η-ο (ε) [kalosigirismenos] tidy, neat.
καλοσυνάτος-η-ο (ε) [kalosinatos] kindly, genial.
καλοσυνεύω (ρ) [kalosinevo] clear up, improve.
καλοσύνη (η) [kalosini] kindness, goodness, fair weather.
καλοσυνηθίζω (ρ) [kalosinithizo] spoil, pamper.
καλοτυχία (η) [kalotihia] good luck.
καλούπι (το) [kalupi] form.
καλούπωμα (το) [kalupoma] casting.
καλούτσικος-η-ο (ε) [kalutsikos] not bad, adequate.
καλοφαγία (η) [kalofayia] gourmandism, gastronomy.
καλοφτιάχνω (ρ) [kaloftiahno] make well.
καλόψυχος-η-ο (ε) [kalopsihos] kind- hearted.
καλπάζω (ρ) [kalpazo] gallop, walk fast, run.
κάλπη (η) [kalpi] ballot box.
κάλπικος-η-ο (ε) [kalpikos] false, counterfeit, worthless.
καλπονοθεία (η) [kalponothia] electoral fraud.
καλσόν (το) [kalson] tights.
κάλτσα (η) [kaltsa] sock, stocking.
καλτσοδέτα (η) [kaltsodheta] garter.
καλύβα (η) [kaliva] cabin, hut, cottage, shed.
κάλυκας (ο) [kalikas] calyx, car-

tridge [στρατ], calyx [ανατ].
κάλυμμα (το) [kalimma] cover, blanket, cap, margin.
κάλυπτρα (η) [kaliptra] veil.
καλύπτω (ρ) [kalipto] cover, hide, mask [προθέσεις], case.
καλυστεγία (η) [kalisteyia] bindweed [βοτ].
καλύτερα (επ) [kalitera] better.
καλυτέρευση (η) [kaliterefsi] improvement.
κάλυψη (η) [kalipsi] covering, screening.
καλύψω (η) [kalipso] calypso.
κάλφας (ο) [kalfas] apprentice.
καλώ (ρ) [kalo] call, beckon, name, invite, summon [νομ].
καλώδιο (το) [kalodhio] rope, cable, wire.
καλώς (επ) [kalos] rightly, properly.
καλωσορίζω (ρ) [kalosorizo] welcome.
καμάκι (το) [kamaki] harpoon.
κάμαρα (η) [kamara] room.
καμάρα (η) [kamara] arch.
καμάρι (το) [kamari] pride.
καμαριέρα (η) [kamariera] chambermaid, parlourmaid.
καμαρίνι (το) [kamarini] dressing room.
καμαρώνω (ρ) [kamarono] take pride in.
καμβάς (ο) [kamvas] canvass.
καμέλια (η) [kamelia] camellia.
κάμερα (η) [kamera] cinecamera.
καμήλα (η) [kamila] camel.
καμηλό (το) [kamilo] camelhair, duffel [ύφασμα].
καμηλοπάρδαλη (η) [kamilopardhali] giraffe.
καμιά (αν) [kamia] anyone, one, some, no, no one.
καμινάδα (η) [kaminadha] chimney.
καμίνι (το) [kamini] furnace.
καμιόνι (το) [kamioni] lorry.
καμουτσί (το) [kamutsi] horsewhip, riding-crop.
καμπάνα (η) [kambana] bell, bell-bottomed [παντελόνια].
καμπαναριό (το) [kambanario] belfry, steeple.
καμπάνια (η) [kambania] drive.
καμπανούλα (η) [kambanula] bluebell, harebell, campanula.
καμπαρέ (το) [kambare] cabaret.
καμπή (η) [kambi] bend, turn, elbow [σωλήνα κτλ].
κάμπια (η) [kambia] caterpillar.
καμπίνα (η) [kambina] cabin.
καμπινές (ο) [kambines] toilet.
κάμπος (ο) [kambos] plain.
κάμποτο (το) [kamboto] calico.
καμπούρα (η) [kambura] hump, hunch.
καμπουρωτός-ή-ό (ε) [kamburotos] stooping, crooked.

κάμπτομαι (ρ) [kamptome] bow, sag, go down [τιμές].
κάμπτω (ρ) [kampto] bend, turn, curve, flex.
καμπυλώνω (ρ) [kambilono] curve, bow, bend.
καμτσίκι (το) [kamtsiki] cowhide.
κάμψη (η) [kampsi] bending, flexion, fall [τιμών].
κάμωμα (το) [kamoma] doing, making.
καμώματα (τα) [kamomata] affected manners.
καν (σ) [kan] at least, even, not so much as.
κανάγιας (ο) [kanayias] scoundrel.
κανακάρης (ο) [kanakaris] spoilt, only child.
κανακεύω (ρ) [kanakevo] pamper, canoodle.
κανάλι (το) [kanali] channel, canal.
καναπές (ο) [kanapes] sofa.
καναρίνι (το) [kanarini] canary.
κανάτα (η) [kanata] jug, pitcher.
κανάτι (το) [kanati] jug, pot.
κανείς (αν) [kanis] someone, anyone, no one, nobody, a, any.
κανέλα (η) [kanela] cinnamon.
κανένας (αν) [kanenas] anyone, one, some, no, no one.
κάνθαρος (ο) [kantharos] beetle.
κανίβαλος (ο) [kanivalos] cannibal.
κάνιστρο (το) [kanistro] basket.
κανναβάτσο (το) [kannavatso] canvas, pack cloth.
καννάβι (το) [kannavi] hemp.
κανναβούρι (το) [kannavuri] birdseed, hempseed.
κάννη (η) [kanni] barrel of a gun.
κανό (το) [kano] canoe.
κανόνας (ο) [kanonas] rule, canon [εκκλ], scale.
κανόνι (το) [kanoni] cannon, gun.
κανονιά (η) [kanonia] gunshot.
κανονίδι (το) [kanonidhi] gunfire.
κανονίζω (ρ) [kanonizo] regulate, settle, close.
κανονικός-ή-ό (ε) [kanonikos] regular, ordinary, canonical, even.
κανονικότητα (η) [kanonikotita] regularity, normality.
κανονιοβολισμός (ο) [kanoniovolismos] gunfire.
κανονιοβολώ (ρ) [kanoniovolo] bombard, shell.
κανόνισμα (το) [kanonisma] settlement, arrangement.
κανονισμός (ο) [kanonismos] regulation, rule, by-laws.
κανονιστική βολή (η) [kanonistiki voli] bracket.
κανονιστικός-ή-ό (ε) [kanonis-

tikos] prescriptive, regulative.
κάνουλα (η) [kanula] tap.
καντάδα (η) [kandadha] serenade.
κανταράκι (το) [kandaraki] spring balance.
καντήλα (η) [kandila] lamp.
καντηλέρι (το) [kandileri] candlestick.
καντήλι (το) [kandili] nightlight.
καντηλίτσα (η) [kandilitsa] bowline [ναυτ].
καντίνα (η) [kandina] canteen.
καντιοζάκχαρο (το) [kandiozaharo] candy.
κάντιο (το) [kandio] barley-sugar.
καντράν (το) [kandran] dial.
κάνω (ρ) [kano] do, make, create, build, play.
καούρα (η) [kaura] heartburn.
καουτσούκ (το) [kautsuk] rubber.
κάπα (η) [kapa] peasant's cloak.
καπάκι (το) [kapaki] lid, cover.
καπάκωμα (το) [kapakoma] covering.
καπάρο (το) [kaparo] deposit.
καπαρώνω (ρ) [kaparono] book.
καπάτσος-α-ο (ε) [kapatsos] shrewd, sharp.
καπατσοσύνη (η) [kapatsosini] shrewdness, sharpness.
κάπελας (ο) [kapelas] wine merchant, barman.
καπέλο (το) [kapelo] hat.
καπετάν (ο) [kapetan] captain.
καπετάνιος (ο) [kapetanios] skipper, captain.
καπηλεία (η) [kapilia] exploiting.
καπίκι (το) [kapiki] point.
καπίστρι (το) [kapistri] bridle.
καπιστρώνω (ρ) [kapistrono] harness, bridle.
καπιταλισμός (ο) [kapitalismos] capitalism.
καπιταλιστής (ο) [kapitalistis] capitalist.
καπλαμάς (ο) [kaplamas] veneer.
καπνέμπορος (ο) [kapnemboros] tobacconist.
καπνιά (η) [kapnia] soot.
καπνίζω (ρ) [kapnizo] smoke.
κάπνισμα (το) [kapnisma] smoking.
καπνιστής (ο) [kapnistis] smoker, curer [κρέατος].
καπνιστός-ή-ό (ε) [kapnistos] smoked.
καπνοδόχος (η) [kapnodhohos] chimney, funnel [πλοίου].
καπνοπώλης (ο) [kapnopolis] tobacconist.
καπνός (ο) [kapnos] smoke, tobacco.
καπό (το) [kapo] bonnet.
κάποιος (αν) [kapios] someone.
κάποτε (επ) [kapote] now and again, sometimes.

κάπου (επ) [kapu] somewhere.
καπούλια (τα) [kapulia] rump, buttocks, behinds.
κάππαρη (η) [kappari] caper.
καπρίτσιο (το) [kapritsio] caprice, capriccio [μουσ].
κάπρος (ο) [kapros] boar.
κάπως (επ) [kapos] somehow, somewhat, someway.
καραβάνα (η) [karavana] mess tin.
καραβανάς (ο) [karavanas] brass hat, ranker.
καράβι (το) [karavi] ship, vessel.
καραβίδα (η) [karavidha] crayfish.
καραβοκύρης (ο) [karavokiris] owner of a vessel, captain.
καραβόπανο (το) [karavopano] canvas.
καραγκιόζης (ο) [karangiozis]comedian [μεταφ], jester.
καραγκιοζιλίκια (τα) [karangiozilikia] clowning.
καραδοκώ (ρ) [karadhoko] watch for, look out for.
καρακάξα (η) [karakaksa] magpie.
καραμέλα (η) [karamela] sweet.
καραμούζα (η) [karamuza] toy flute, horn [αυτοκινήτου].
καραμπινιέρος (ο) [karambinieros] carabineer.
καραμπόλα (η) [karambola] cannon, pile up.
καραντίνα (η) [karandina] quarandine.
καραούλι (το) [karauli] lookout post, sentry.
καράτε (το) [karate] karate.
καράτι (το)[karati] carat.
καρατόμηση (η) [karatomisi] guillotining.
καράφα (η) [karafa] carafe.
καράφλα (η) [karafla] baldness.
καραφλαίνω (ρ) [karafleno] grow bald.
καρβουνιάρης (ο) [karvuniaris] coalman.
καρβουνιάρικο (το) [karvuniariko] coal yard.
κάρβουνο (το) [karvuno] charcoal.
κάργα (επ) [karga] quite full.
καργάρω (ρ) [kargaro] fill up.
κάρδαμο (το) [kardhamo] cress.
καρδάμωμα (το) [kardhamoma] invigoration, strengthening.
καρδαμώνω (ρ) [kardhamono] fortify, invigorate.
καρδιά (η) [kardhia] heart, core.
καρδιαλγία (η) [kardhialyia] heartburn, cardialgia [ιατρ].
καρδινάλιος (ο) [kardhinalios] cardinal.
καρδιογράφος (ο) [kardhiografos] cardiograph.
καρδιοειδής (ε) [kardhioidhis] cordate.
καρδιολογία (η) [kardhioloyia]

cardiology.
καρδιολόγος (ο) [kardhiologos] heart specialist, cardiologist.
καρδιοπάθεια (η) [kardhiopathia] heart condition.
καρδιοχτύπι (το) [kardhiohtipi] heartbeat, palpitation.
καρδιοχτυπώ (ρ) [kardhiohtipo] feel anxious, ache for.
καρέ (το) [kare] square, still, low neckline.
καρέκλα (η) [karekla] chair.
καριέρα (η) [kariera] career.
καρικατούρα (η) [karikatura] caricature, cartoon.
καρίκωμα (το) [karikoma] mending.
καρικώνω (ρ) [karikono] mend.
καριοφίλι (το) [kariofili] flintlock.
καρκινογόνος-α-ο (ε) [karkinogonos] carcinogenic.
καρκινολόγος (ο) [karkinologos] cancer specialist.
καρκίνος (ο) [karkinos] cancer, crab.
καρκινώδης-ης-ες (ε) [karkinodhis] cancerous.
καρμανιόλα (η) [karmaniola] guillotine, dishonest card game.
καρμίρης (ο) [karmiris] skinflint.
καρμπιρατέρ (το) [karmbirater] carburetor.
καρναβάλι (το) [karnavali] carnival, mardigra.
καρνάγιο (το) [karnayio] careenage.
καρνέ (το) [karne] chequebook, notebook.
καρό (το) [karo] check, diamond [χαρτοπ].
κάρο (το) [karo] cart.
καρότο (το) [karoto] carrot.
καρότσα (η) [karotsa] coach, body [αυτοκ].
καροτσάκι (το) [karotsaki] pram, wheel-chair, barrow.
καροτσιέρης (ο) [karotsieris] carter, coachman.
καρούλα (η) [karula] blister.
καρούλι (το) [karuli] reel, spool.
καρούμπαλο (το) [karumbalo] bump.
καρπαζιά (η) [karpazia] clout.
καρπίζω (ρ) [karpizo] fruit.
καρπός (ο) [karpos] fruit, wrist.
καρπούζι (το) [karpuzi] watermelon.
καρποφορώ (ρ) [karpoforo] produce fruit.
καρπόφυλλο (το) [karpofillo] carpel [βοτ].
καρπώνομαι (ρ) [karponome] reap the fruits of, benefit by.
κάρπωση (η) [karposi] profit.
κάρτα (η) [karta] postcard, card.
καρτέλ (το) [kartel] cartel, combine.
καρτέλα (η) [kartela] file, index card.

καρτελοθήκη (η) [kartelothiki] card file.
κάρτερ (το) [karter] oil-sump.
καρτέρι (το) [karteri] ambush.
καρτερικός-ή-ό (ε) [karterikos] resigned.
καρτερικότητα (η) [karterikotita] endurance, fortitude.
καρτερώ (ρ) [kartero] persist, wait for, expect.
καρύδα (η) [karidha] coconut.
καρύδι (το) [karidhi] walnut, Adam's apple.
καρυδιά (η) [karidhia] walnut tree.
καρυδότσουφλο (το) [karidhotsuflo] walnut shell, cockle.
καρύκευμα (το) [karikevma] seasoning, condiment, spice.
καρυκεύω (ρ) [karikevo] spice, season, flavour.
καρυοθραύστης (ο) [kariothrafstis] nutcracker.
καρφί (το) [karfi] nail.
καρφίτσα (η) [karfitsa] pin.
καρφιτσώνω (ρ) [karfitsono] pin.
καρφώνω (ρ) [karfono] nail, pin, fix, clench, embed, infix.
καρφωτός-ή-ό (ε) [karfotos] nailed.
καρχαρίας (ο) [karharias] shark.
καρωτίδα (η) [karotidha] carotid.
κάσα (η) [kasa] case, box.
κασέλα (η) [kasela] wooden chest, trunk.
κασετίνα (η) [kasetina] pencil box, jewellery box.
κάσκα (η) [kaska] helmet.
κασκαρίκα (η) [kaskarika] fiasco, practical joke.
κασκέτο (το) [kasketo] cap.
κασκόλ (το) [kaskol] scarf.
κασκορσές (ο) [kaskorses] camisole.
κασμάς (ο) [kasmas] pickaxe.
κασμίρι (το) [kasmiri] cashmere.
κασόνι (το) [kasoni] packing case.
κασσίτερος (ο) [kassiteros] tin.
κάστα (η) [kasta] caste.
καστανιά (η) [kastania] chestnut tree.
καστανός-ή-ό (ε) [kastanos] maroon.
καστανόχωμα (το) [kastanohoma] mould.
καστέλι (το) [kasteli] castle.
κάστορας (ο) [kastoras] castor.
καστόρι (το) [kastori] beaver.
κάστρο (το) [kastro] castle.
κατά (π) [kata] against, upon, by, during, according to, about.
κατάβαθα (επ) [katavatha] deep.
καταβάλλω (ρ) [katavallo] overthrow, overcome, exhaust, pay.
κατάβαση (η) [katavasi] getting off.
καταβεβλημένος-η-ο (μ) [kata-

vevlimenos] run down.
καταβιβάζω (ρ) [katavivazo] let down, take down, lower [ύψος].
καταβολή (n) [katavoli] deposit.
καταβολιάζω (ρ) [katavoliazo] layer.
καταβρεχτήρι (το) [katavrehtiri] sprinkler.
καταβρέχω (ρ) [katavreho] soak, sprinkle, water.
καταβροχθίζω (ρ) [katavrohthizo] devour, swallow.
καταβρόχθισμα (το) [katavrohthisma] bolting.
καταβυθίζω (ρ) [katavithizo] sink.
καταγγελία (n) [katangelia] denunciation, revocation.
καταγγέλλω (ρ) [katangello] lodge a complaint.
καταγεμίζω (ρ) [katayemizo] accuse, arraign.
καταγίνομαι (ρ) [katayinome] see to.
κάταγμα (το) [katagma] fracture.
καταγοητεύω (ρ) [katagoitevo] enchant.
κατάγομαι (ρ) [katagome] be descended from, come from.
καταγραφή (n) [katagrafi] booking.
καταγράφω (ρ) [katagrafo] record, register.
καταγωγή (n) [katagoyi] descent, ancestry, blood.
καταδεικνύω (ρ) [katadhiknio] prove, demonstrate.
καταδεκτικότητα (n) [katadhektikotita] condescention.
καταδεχτικός-ή-ό (ε) [katadhehtikos] condescending.
κατάδηλος-η-ο (ε) [katadhilos] evident, clear.
καταδίδω (ρ) [katadhidho] denounce, betray.
καταδικάζω (ρ) [katadhikazo] condemn, sentence.
καταδικασμένος-η-ο (μ) [katadhikasmenos] losing, fey.
καταδικαστέος-η-ο (ε) [katadhikasteos] condemnable.
καταδίκη (n) [katadhiki] sentence, conviction, ban.
κατάδικος (o,n) [katadhikos] prisoner, convict.
καταδιωκτικός-ή-ό (ε) [katadhioktikos] pursuit, prosecuting.
καταδιώκω (ρ) [katadhioko] chase, persecute [πολιτικώς].
καταδίωξη (n) [katadhioksi] pursuit, chase, hunting.
καταδότης (o) [katadhotis] informer, stool pigeon.
καταδρομέας (o) [katadhromeas] ranger, commando.
καταδρομή (n) [katadhromi] pursuit.
καταδυνάστευση (n) [katadhinastefsi] tyranny, oppressing.

καταδυναστεύω (ρ) [katadhinastevo] oppress, tyrannize.
κατάδυση (n) [katadhisi] dive.
καταζητώ (ρ) [katazito] pursue.
κατάθεση (n) [katathesi] account, deposit, testimony [νομ].
καταθέτω (ρ) [katatheto] deposit, lay down, give evidence.
καταθλίβω (ρ) [katathlivo] distress, oppress.
καταθλιπτικός-ή-ό (ε) [katathliptikos] overwhelming.
κατάθλιψη (n) [katathlipsi] depression, oppression.
καταιγίδα (n) [kateyidha] storm, hurricane.
καταιγισμός (ο) [kateyismos] hail, shower.
καταισχύνη (n) [kateshini] disgrace, shame, humiliation.
κατακάθι (το) [katakathi] residue, sediment.
κατακάθισμα (το) [katakathisma] settling, subsidence.
κατακαίνουριος-η-ο (ε) [katakenurios] brand new.
κατακαλόκαιρο (το) [katakalokero] high summer.
κατάκαρδα (επ) [katakardha] seriously, deeply.
κατάκειμαι (ρ) [katakime] lie flat, lie down.
κατακεραυνώνω (ρ) [katakeravnono] wither, crush.
κατακερματίζω (ρ) [katakermatizo] cut up, smash.
κατακερματισμός (ο) [katakermatismos] cutting up.
κατακέφαλα (επ) [katakefala] headlong.
κατακλέβω (ρ) [kataklevo] steal one's last penny, rob everything.
κατάκλειστος-η-ο (ε) [kataklistos] shut up.
κατάκλιση (n) [kataklisi] going to bed, lying down.
κατακλύζω (ρ) [kataklizo] flood.
κατακλυσμιαίος-α-ο (ε) [kataklismieos] torrential.
κατακλυσμός (ο) [kataklismos] flood, deluge.
κατακόβω (ρ) [katakovo] cut to pieces, lacerate, shred.
κατακοκκινίζω (ρ) [katakokkinizo] flush, go red.
κατακόκκινος-η-ο (ε) [katakokkinos] crimson, purple.
κατάκοπος-η-ο (ε) [katakopos] exhausted.
κατακόρυφο (το) [katakorifo] zenith, height, climax.
κατακουρασμένος-η-ο (μ) [katakurasmenos] exhausted.
κατακράτηση (n) [katakratisi] detainment.
κατακρατώ (ρ) [katakrato] withhold, keep illegally.
κατακραυγή (n) [katakravyi] outcry.
κατακρεούργηση (n) [katak-

reuryisi] massacre, butchering.
κατακρεουργώ (ρ) [katakreurgo] butcher, mangle, massacre.
κατακρημνίζω (ρ) [katakrimnizo] demolish, pull down.
κατακρίνω (ρ) [katakrino] blame, criticize, condemn.
κατάκριση (η) [katakrisi] criticism, condemnation.
κατακριτέος-α-ο (ε) [katakriteos] reprehensible, chargeable.
κατάκτηση (η) [kataktisi] conquest.
κατακυρώνω (ρ) [katakirono] knock down.
καταλαβαίνω (ρ) [katalaveno] understand, see, realize.
καταλαγιάζω (ρ) [katalayiazo] settle [down].
καταλαλώ (ρ) [katalalo] backbite, gossip.
καταλαμβάνω (ρ) [katalamvano] take, take up, occupy, seize.
καταλήγω (ρ) [kataligo] end in.
κατάληξη (η) [kataliksi] ending, conclusion.
καταληκτικός-ή-ό (ε) [kataliptikos] final, outcome.
καταληπτός-ή-ό (ε) [kataliptos] comprehensible, clear.
καταλήστευση (η) [katalistefsi] pillaging, soaking.
καταληστεύω (ρ) [katalistevo] plunder, rob completely.
κατάληψη (η) [katalipsi] occupation, comprehension.
καταληψία (η) [katalipsia] trance.
κατάλληλος-η-ο (ε) [katallilos] suitable, appropriate, fit.
καταλιανίζω (ρ) [katalianizo] mince, chop up.
καταλογίζω (ρ) [kataloyizo] attribute, impute.
καταλογισμός, (ο) [kataloyismos] charge, assessment.
κατάλογος (ο) [katalogos] catalogue, list, menu.
κατάλοιπα (τα) [katalipa] waste.
κατάλοιπο (το) [katalipo] remnant.
κατάλυμα (το) [katalima] lodging, housing, barracks [στρατ].
καταλυπώ (ρ) [katalipo] distress, grieve, afflict.
κατάλυση (η) [katalisi] abolition [χημ].
καταλυτικός-ή-ό (ε) [katalitikos] catalytic.
καταλύω (ρ) [katalio] abolish.
καταμαγεύω (ρ) [katamayevo] charm.
καταμαρτυρία (η) [katamartiria] accusation.
καταματωμένος-η-ο (μ) [katamatomenos] blood-stained.
καταμερίζω (ρ) [katamerizo] share out, distribute.
κατάμεστος-η-ο (ε) [katamestos] quite full, crowded.

καταμετρώ (ρ) [katametro] survey, measure, gauge, admeasure.
καταναγκάζω (ρ) [katanangazo] force, constrain.
καταναγκασμός (ο) [katanangasmos] coercion, force.
καταναγκαστικός-ή-ό (ε) [katanagastikos] coercive, compulsive.
καταναλίσκω (ρ) [katanalisko] consume, spend, drink [ποτά].
καταναλώνω (ρ) [katanalono] consume, use up.
καταναλωτής (ο) [katanalotis] consumer, customer.
καταναλωτικός-ή-ό (ε) [katanalotikos] consumer.
κατανέμω (ρ) [katanemo] distribute, assign.
κατανίκηση (η) [katanikisi] overcoming, mastering.
κατανοητός-ή-ό (ε) [katanoitos] understandable.
κατανομή (η) [katanomi] division, allocation, assignation.
κατανοώ (ρ) [katanoo] understand, comprehend.
κατάντημα (το) [katandima] wretched state.
καταντροπιάζω (ρ) [katandropiazo] shame.
καταντώ (ρ) [katando] bring to.
κατάνυξη (η) [kataniksi] devoutness, piety.
καταξεσκίζω (ρ) [katakseskizo] tear up, lacerate.
καταξιωμένος-η-ο (μ) [kataksiomenos] recognized, famous.
καταξοδεύω (ρ) [kataksodhevo] squander, waste.
καταπακτή (η) [katapakti] trap.
καταπάνω (επ) [katapano] on, against.
καταπατημένος-η-ο (μ) [katapatimenos] downtrodden.
καταπατώ (ρ) [katapato] violate.
καταπαύω (ρ) [katapavo] cease, end, stop.
καταπέλτης (ο) [katapeltis] catapult.
καταπέτασμα (το) [katapetasma] bursting point.
καταπέφτω (ρ) [katapefto] fall.
καταπιάνομαι (ρ) [katapianome] undertake, enter upon.
καταπιεζόμενος-η-ο (μ) [katapiezomenos] downtrodden.
καταπιέζω (ρ) [katapiezo] oppress, crush, clamp.
καταπίεση (η) [katapiesi] oppression, tyranny.
καταπιεστής (ο) [katapiestis] oppressor, tyrant.
καταπιεστικός-ή-ό (ε) [katapiestikos] oppressive, tyrannical.
καταπικραίνω (ρ) [katapikreno] embitter, grieve, distress.
κατάπικρος-η-ο (ε) [katapikros] very bitter.
καταπίνω (ρ) [katapino] swal-

low.

καταπίπτω (ρ) [katapipto] fall.

καταπλακώνω (ρ) [kataplakono] flatten, crush.

καταπλέω (ρ) [katapleo] sail in.

καταπληκτικός-ή-ό (ε) [katapliktikos] amazing, wonderful.

κατάπληκτος-η-ο (ε) [katapliktos] stupefied, amazed.

κατάπληξη (η) [katapliksi] surprise, astonishment, amazement.

καταπλήσσω (ρ) [kataplisso] astonish, surprise, amaze.

καταπνίγω (ρ) [katapnigo] strangle, throttle, suppress.

καταπολέμηση (η) [katapolemisi] opposition, fighting.

καταπολεμώ (ρ) [katapolemo] oppose, fight against.

καταποντίζομαι (ρ) [katapondizome] go down, sink.

καταπράϋνση (η) [katapraïnsi] alleviation, relief, soothing.

καταπραϋντικό (το) [katapraindiko] calmative.

καταπραΰνω (ρ) [katapraino] pacify, appease, calm.

καταπτοώ (ρ) [kataptoo] intimidate.

κατάπτωση (η) [kataptosi] downfall, depression.

κατάρα (η) [katara] curse, hell [μεταφ], damnation, ban.

καταραμένος-ο-η (μ) [kataramenos] cursed, damned.

κατάργηση (η) [kataryisi] abolition.

καταργώ (ρ) [katargo] abolish.

καταριέμαι (ρ) [katarieme] curse.

καταρράκτης (ο) [katarraktis] cascade, waterfall [τεχν].

καταρρακτώδης-ης-ες (ε) [katarraktodhis] torrential.

καταρρακώνω (ρ) [katarrakono] bring shame upon.

κατάρρευση (η) [katarrefsi] collapse, breakdown, exhaustion.

καταρρέω (ρ) [katarreo] collapse, fall down [μεταφ].

καταρρίπτω (ρ) [katarripto] demolish, beat, shoot down.

κατάρριψη (η) [katarripsi] downing, breaking, demolition.

καταρροή (η) [katarroi] catarrh.

κατάρρους (ο) [katarrus] catarrh.

κατάρτι (το) [katarti] mast.

καταρτίζω (ρ) [katartizo] organize, establish, form, prepare.

κατάρτιση (η) [katartisi] formation, setting up, preparation.

καταρώμαι (ρ) [katarome] curse, damn.

κατάσαρκα (επ) [katasarka] next to one's skin.

κατάσβεση (η) [katasvesi] extinction, blowing out.

κατασιγάζω (ρ) [katasigazo] silence, subside [μεταφ].

κατασκευάζω (ρ) [kataskevazo]

construct, make, build, model.
κατασκεύασμα (το) [kataskevasma] construction, creation.
κατασκευαστής (ο) [kataskevastis] manufacturer, constructor.
κατασκευή (η) [kataskevi] construction, confection.
κατασκήνωση (η) [kataskinosi] camp, encampment.
κατασκονισμένος-η-ο (μ) [kataskonismenos] covered in dust.
κατασκοπεία (η) [kataskopia] spying, espionage.
κατασκοπευτικός-ή-ό (ε) [kataskopeftikos] spying.
κατάσκοπος (ο) [kataskopos] spy.
κατασκορπίζω (ρ) [kataskorpizo] scatter, litter, throw away.
κατασκότεινος-η-ο (ε) [kataskotinos] pitch-dark.
κατάσπαρτος-η-ο (ε) [kataspartos] studded.
κατασπατάληση (η) [kataspatalisi] waste.
κάτασπρος-η-ο (ε) [kataspros] pure white.
κατασταλαγμα (το) [katastalagma] deposit.
κατασταλάζω (ρ) [katastalazo] end in, conclude [μεταφ].
κατασταλτικός-ή-ό (ε) [katastaltikos] repressive, suppressive.
κατάσταση (η) [katastasi] situation, condition, property, register.
καταστατικό (το) [katastatiko] statute [εταιρίας].
καταστατικός-ή-ό (ε) [katastatikos] constitutive.
καταστέλλω (ρ) [katastello] suppress, overcome, control.
καταστενοχωρώ (ρ) [katastenohoro] distress, grieve.
κατάστημα (το) [katastima] shop, establishment, institution.
καταστηματάρχης (ο) [katastimatarhis] shopkeeper.
κατάστιχο (το) [katastiho] accounts book, register.
καταστολή (η) [katastoli] suppression, checking.
καταστόλιστος-η-ο (ε) [katastolistos] ornate, florid, decorated.
καταστρατήγηση (η) [katastratiyisi] infraction, violation.
καταστρατηγώ (ρ) [katastratigo] break, violate, transgress.
καταστρεπτικός-ή-ό (ε) [katastreptikos] destructive.
καταστρέφω (ρ) [katastrefo] destroy, ruin, spoil, damage.
καταστροφή (η) [katastrofi] destruction, ruin, disaster, catastrophe, bane, blasting.
κατάστρωμα (το) [katastroma] deck.
καταστρώνω (ρ) [katastrono] draw up, make up, frame.
κατασυκοφάντηση (η) [katasikofantisi] slandering.
κατασυντρίβω (ρ) [katasindri-

vo] smash, shatter.
κατασφάζω (ρ) [katasfazo] massacre, slaughter.
κατάσχεση (n) [katas-hesi] seizure, attachment [λόγω χρέους].
κατασχέσιμος-η-ο (ε) [katas-hesimos] confiscable.
κατασχετήριος-α-ο (ε) [katas-hetirios] seizure, distraint.
κατάσχω (ρ) [katas-ho] seize.
κατατακτέος-η-ο (ε) [katatakteos] classifiable.
καταταλαιπωρώ (ρ) [katataleporo] harass.
κατάταξη (n) [katataksi] classification, sorting, grading.
καταταράζω (ρ) [katatarazo] shock, alarm.
κατατάσσομαι (ρ) [katatassome] enlist.
κατατάσσω (ρ) [katatasso] class.
κατατείνω (ρ) [katatino] aim at.
κατάτμηση (n) [katatmisi] cleavage.
κατατομή (n) [katatomi] profile.
κατατόπια (τα) [katatopia] locality, every nook and cranny.
κατατοπίζομαι (ρ) [katatopizome] find one's bearings.
κατατοπίζω (ρ) [katatopizo] direct, explain.
κατατόπιση (n) [katatopisi] information, explanation.
κατατοπισμένος-η-ο (μ) [katatopismenos] knowledgeable.
κατατοπιστικός-ή-ό (ε) [katatopistikos] informative.
κατατρέχω (ρ) [katatreho] persecute.
κατατριβή (n) [katatrivi] wearing down.
κατατρίβω (ρ) [katatrivo] waste away.
κατατρομάζω (ρ) [katatromazo] frighten, terrify, horrify.
κατατρομοκρατώ (ρ) [katatromokrato] terrorize.
κατάτρομος-η-ο (ε) [katatromos] terrified, terrorized.
κατατρόπωση (n) [katatroposi] rout, crushing defeat.
κατατρώγω (ρ) [katatrogo] consume, devour, eat away, waste.
καταυγάζω (ρ) [katavgazo] light up.
καταφανής-ής-ές (ε) [katafanis] obvious.
κατάφαση (n) [katafasi] affirmation.
καταφατικός-ή-ό (ε) [katafatikos] affirmative, positive.
καταφέρνω (ρ) [kataferno] convince, persuade, manage.
καταφερτζής (ο) [katafertzis] cajoler.
καταφέρω (ρ) [katafero] deal, strike.
καταφεύγω (ρ) [katafevgo] take refuge in, resort to.
καταφθάνω (ρ) [katafthano] ar-

rive, overtake.

καταφρόνεση (η) [katafronesi] contempt.

καταφρόνηση (η) [katafronisi] contempt, scorn.

καταφρονώ (ρ) [katafrono] scorn, despise, diseteem.

καταφυγή (η) [katafiyi] recourse.

καταφύγιο (το) [katafiyio] refuge, hiding place, shelter.

κατάφωρος-η-ο (ε) [kataforos] flagrant, blatant.

καταφώτιστος-η-ο (ε) [katafotistos] illuminated.

καταχειροκροτώ (ρ) [katahirokroto] cheer wildly.

καταχθόνιος-α-ο (ε) [katahthonios] fiendish, devilish.

κατάχλομος-η-ο (ε) [katahlomos] ghastly, very pale.

καταχνιά (η) [katahnia] fog, mist, haze.

καταχρεωμένος-η-ο (μ) [katahreomenos] deep in debt.

κατάχρηση (η) [katahrisi] abuse.

καταχρώμαι (ρ) [katahrome] abuse, take advantage of.

καταχωνιάζω (ρ) [katahoniazo] hide, bury.

καταχωρίζω (ρ) [katahorizo] insert, register, enter.

καταχώριση (η) [katahorisi] entry, booking, recording.

καταχωρώ (ρ) [katahoro] insert, register, record.

καταψηφίζω (ρ) [katapsifizo] oppose.

καταψήφιση (η) [katapsifisi] voting against, negative note.

κατάψυξη (η) [katapsiksi] refrigeration, freezer.

κατεβάζω (ρ) [katevazo] let down, lower, reduce.

κατεβαίνω (ρ) [kateveno] come down, go down, descend.

κατεδάφιση (η) [katedhafisi] demolition.

κατειλημμένος-η-ο (μ) [katilimenos] occupied, reserved.

κατεξοχή (επ) [kateksohi] par excellence, chief, main.

κατεπείγων-ουσα-ον (μ) [katepigon] urgent, pressing.

κατεργάζομαι (ρ) [katergazome] elaborate, work out.

κατεργαριά (η) [katergaria] cunning, deception.

κατεργάρικα (επ) [katergarika] archly, craftily.

κατεργασία (η) [katergasia] process, treatment.

κατέρχομαι (ρ) [katerhome] come down, go down, descend.

κατεστημένο (το) [katestimeno] establishment, status quo.

κατεστραμμένος-η-ο (μ) [katestrammenos] destroyed.

κατευθείαν (επ) [katefthian] directly, straight.

κατευθύνομαι (ρ) [katefthinome] turn, head [for].

κατεύθυνση (η) [katefthinsi] line, direction, course.

κατευθύνω (ρ) [katefthino] direct, guide, aim, turn.

κατευνάζω (ρ) [katevnazo] calm, pacify, allay, attemper.

κατευνασμός (ο) [katevnasmos] appeasement, conciliation.

κατευναστικός-ή-ό (ε) [katevnastikos] anodyne.

κατευόδιο (το) [katevodhio] farewell.

κατέχω (ρ) [kateho] possess, own, have, hold, occupy [θέση].

κατηγόρημα (το) [katigorima] complement, predicate.

κατηγορηματικός-ή-ό (ε) [katigorimatikos] explicit, assertive.

κατηγορητήριο (το) [katigoritirio] accusation.

κατηγορητέος-α-ο (ε) [katigoriteos] chargeable.

κατήγορος (ο) [katigoros] plaintiff, accuser.

κατηγορούμενο (το) [katigorumeno] complement, attribute.

κατηγορούμενος-η-ο (μ) [katigorumenos] defendant.

κατήφεια (η) [katifia] gloom.

κατηφορικός-ή-ό (ε) [katiforikos] sloping, downward.

κατήφορος (ο) [katiforos] descent, slope.

κατήχηση (η) [katihisi] indoctrination.

κατηχητικό (το) [katihitiko] Sunday School.

κατηχώ (ρ) [katiho] catechize

κάτι (αν) [kati] some, something.

κάτισχνος-η-ο (ε) [katishnos] emaciated.

κατισχύω (ρ) [katishio] prevail.

κατιφές (ο) [katifes] marigold.

κατοικία (η) [katikia] dwelling.

κατοικίδιος-α-ο (ε) [katikidhios] domesticated.

κάτοικοι (οι) [katiki] population.

κατοικώ (ρ) [katiko] live in, dwell, inhabit, reside.

κατολισθαίνω (ρ) [katolistheno] slide, subside.

κατολίσθηση (η) [katolisthisi] landslide.

κατονομάζω (ρ) [katonomazo] name, specify.

κατόπιν (επ) [katopin] after, then, behind, afterwhile.

κατοπινός-ή-ό (ε) [katopinos] following.

κατόπτευση (η) [katoptefsi] survey, observation.

κατοπτεύω (ρ) [katoptevo] observe, survey.

κατοπτρίζω (ρ) [katoptrizo] reflect, represent [μεταφ].

κάτοπτρο (το) [katoptro] lens, mirror.

κατόρθωμα (το) [katorthoma] feat, achievement, deed.
κατορθώνω (ρ) [katorthono] succeed in, perform well.
κατορθωτός-ή-ό (ε) [katorthotos] feasible, possible.
κατούρημα (το) [katurima] urination, piss.
κατουρλιό (το) [katurlio] urine, piss.
κάτουρο (το) [katuro] urine.
κατουρώ (ρ) [katuro] piss, urinate.
κατοχή (η) [katohi] possession, occupation.
κάτοχος (ο) [katohos] possessor, experienced person.
κατοχυρώνω (ρ) [katohirono] fortify, secure [μεταφ].
κατοχύρωση (η) [katohirosi] consolidation.
κάτοψη (η) [katopsi] plan.
κατρακύλα (η) [katrakila] tumble.
κατρακυλάω (ρ) [katrakilao] back-slide.
κατρακυλώ (ρ) [katrakilo] bring down, come down.
κατράμι (το) [katrami] tar, asphalt.
κατραπακιά (η) [katrapakia] hit, smack, clout, clump.
κατσαβίδι (το) [katsavidhi] screwdriver.
κατσάδα (η) [katsadha] scolding, dressing-down.
κατσαδιάζω (ρ) [katsadhiazo] scold.
κατσαρίδα (η) [katsaridha] cockroach.
κατσαρόλα (η) [katsarola] saucepan.
κατσαρός-ή-ό (ε) [katsaros] curly, curled, fuzzy, crimp.
κατσάρωμα (το) [katsaroma] waving, curling.
κατσαρώνω (ρ) [katsarono] wave, curl.
κατσιάζω (ρ) [katsiazo] stunt.
κατσιασμένος-η-ο (μ) [katsiasmenos] stunted, undersized.
κατσίκα (η) [katsika] goat.
κατσικάκι (το) [katsikaki] kid.
κατσίκι (το) [katsiki] kid.
κατσικοπόδαρος-η-ο (ε) [katsikopodharos] devil, Jonah.
κατσούφης-α-ικο (ε) [katsufis] gloomy, moody.
κατσουφιά (η) [katsufia] moodiness.
κατσουφιάζω (ρ) [katsufiazo] frown.
κάτω (επ) [kato] down, under, underneath, below.
κατώγι (το) [katoyi] basement.
κάτωθεν (επ) [katothen] beneath.
κατώτατος-η-ο (ε) [katotatos] least, lowest, bottom.
κατώτερος-η-ο (ε) [katoteros]

lower, poorer [quality], inferior.
κατώφλι (το) [katofli] threshold, doorstep.
κάτωχρος-η-ο (ε) [katohros] pale.
καυγάς (ο) [kavgas] quarrel.
καυγατζής-ής-ές (ε) [kavgatzis] cantankerous.
καύκαλο (το) [kafkalo] skull, shell.
καυκάσιος-α-ο (ε) [kafkasios] caucasian.
καυσαέρια (τα) [kafsaeria] fumes.
καυσαέριο (το) [kafsaerio] exhaust gas.
καύση (η) [kafsi] burning.
καύσιμα (τα) [kafsima] fuel.
καύσιμο (το) [kafsimo] combustible.
καύσιμος-η-ο (ε) [kafsimos] combustible, inflammable.
καυστήρας (ο) [kafstiras] burner.
καύσωνας (ο) [kafsonas] heatwave.
καυτερά (επ) [kaftera] very hot.
καυτερός-ή-ό (ε) [kafteros] hot.
καυτήρι (το) [kaftiri] cautery, styptic pencil.
καυτηριάζω (ρ) [kaftiriazo] cauterize, brand, stigmatize.
καυτηρίαση (η) [kaftiriasi] scathing criticism, castigation.
καυτός-ή-ό (ε) [kaftos] scalding.
καύτρα (η) [kaftra] snuff.
καύχηση (η) [kafhisi] boasting.
καυχησιάρης-α-ικο (ε) [kafhisiaris] boaster, big-head.
καυχησιολογία (η) [kafhisiologia] bragging.
καφάσι (το) [kafasi] trellis, lattice.
καφασωτός-ή-ό (ε) [kafasotos] latticed.
καφεΐνη (η) [kafeini] caffeine.
καφές (ο) [kafes] coffee.
καφετζής (ο) [kafetzis] café owner.
καφετιέρα (η) [kafetiera] coffeepot.
κάφρος (ο) [kafros] savage.
καχεκτικός-ή-ό (ε) [kahektikos] weak [person].
καχύποπτος-η-ο (ε) [kahipoptos] distrustful.
καχυποψία (η) [kahipopsia] suspicion, distrust.
κάψα (η) [kapsa] excessive heat.
καψαλίζω (ρ) [kapsalizo] singe, char.
καψερός-ή-ό (ε) [kapseros] poor.
κάψιμο (το) [kapsimo] burning.
κάψουλα (η) [kapsula] capsule.
κέδρος (ο) [kedhros] cedar tree.
κέικ (το) [keik] cake.
κείμαι (ρ) [kime] be situated, be
κείμενο (το) [kimeno] text.
κειμήλιο (το) [kimilio] treasure.
κεκαμμένος-η-ο (μ) [kekam-

menos] bended.

κεκτημένος-η-ο (μ) [kektimenos] vested, won.

κελάηδημα (το) [kelaidhima] singing, chirping.

κελαηδώ (ρ) [kelaidho] sing.

κελάρι (το) [kelari] cellar, larder.

κελαρύζω (ρ) [kelarizo] burble.

κελάρυσμα (το) [kelarisma] murmur.

κελεπούρι (το) [kelepuri] bargain.

κελευστής (ο) [kelefstis] petty officer.

κελί (το) [keli] cell, honeycomb.

κελλάρης (ο) [kellaris] cellarer.

κέλυφος (το) [kelifos] shell, husk, bark.

κενό (το) [keno] empty space.

κενοδοξία (η) [kenodhoksia] vanity.

κενοτάφιο (το) [kenotafio] cenotaph.

κενότητα (η) [kenotita] emptiness.

κέντα (η) [kenda] straight.

κέντημα (το) [kendima] sting, bite, embroidery.

κεντήματα (τα) [kendimata] apparel.

κεντράρισμα (το) [kendrarisma] centering.

κεντράρω (ρ) [kendraro] centre.

κεντρί (το) [kendri] sting, thorn.

κεντρίζω (ρ) [kendrizo] prick, goad, graft, stir up [μεταφ].

κεντρικός-ή-ό (ε) [kendrikos] central, middle, principal.

κέντρο (το) [kendro] centre, club, taverna.

κεντρόφυγος-ος-ο (ε) [kendrofigos] centrifugal.

κέντρωμα (το) [kendroma] grafting, stinging, pricking.

κεντρώνω (ρ) [kendrono] graft.

κεντρώος-α-ο (ε) [kendroos] centrist.

κεντώ (ρ) [kendo] embroider, awaken, stir.

κένωση (η) [kenosi] emptying.

κεραία (η) [kerea] antenna, feeler, aerial [ασυρμάτου].

κεραμίδι (το) [keramidhi] tile.

κέρας (το) [keras] horn, wing.

κερασένιος-α-ο (ε) [kerasenios] cerise, cherry.

κέρασμα (το) [kerasma] treat.

κερατάς (ο) [keratas] cuckold.

κεράτινος-η-ο (ε) [keratinos] corneous.

κέρατο (το) [kerato] horn, obstinate [για άνθρωπο], perverse.

κεραυνοβολώ (ρ) [keravnovolo] strike with lightning.

κεραυνός (ο) [keravnos] thunderbolt.

κερδίζω (ρ) [kerdhizo] win, earn, profit by.

κέρδος (το) [kerdhos] earnings, advantage, handicap, head start.

κερδοφόρος-α-ο (ε) [kerdhoforos] profitable.
κερένιος-α-ο (ε) [kerenios] wax.
κερήθρα (η) [kerithra] honeycomb.
κερί (το) [keri] wax candle.
κερκίδα (η) [kerkidha] tier of seats.
κέρμα (το) [kerma] fragment, coin.
κερνώ (ρ) [kerno] treat.
κερώνω (ρ) [kerono] wax.
κεσάτια (τα) [kesatia] business stagnation.
κετσές (ο) [ketses] felt.
κεφάλαια (τα) [kefalea] funds.
κεφάλαιο (το) [kefaleo] funds, chapter [βιβλίου].
κεφαλαιοκράτης (ο) [kefaleokratis] capitalist.
κεφαλαιοποιώ (ρ) [kefaleopio] capitalize.
κεφαλαιούχος (ο) [kefaleuhos] financier, capitalist.
κεφαλαιώδης-ης-ες (ε) [kefaleodhis] essential.
κεφαλαλγία (η) [kefalalyia] headache.
κεφαλάρι (το) [kefalari] headwaters.
κεφαλή (η) [kefali] head, leader.
κεφαλιά (η) [kefalia] header.
κεφαλόδεσμος (ο) [kefalodhesmos] headband.
κεφαλόπονος (ο) [kefaloponos] headache.
κέφαλος (ο) [kefalos] mullet.
κεφαλόσκαλο (το) [kefaloskalo] landing, stairs.
κεφαλοχώρι (το) [kefalohori] large village.
κεφάτος-η-ο (ε) [kefatos] merry, cheerful, chirpy, elevated.
κέφι (το) [kefi] good humour.
κεφτές (ο) [keftes] meatball.
κεχρί (το) [kehri] millet.
κεχριμπάρι (το) [kehrimbari] amber.
κηδεία (η) [kidhia] funeral [procession].
κηδεμόνας (ο) [kidhemonas] guardian.
κηδεύω (ρ) [kidhevo] bury.
κήλη (η) [kili] hernia, rupture.
κηλίδα (η) [kilidha] spot, stain, blemish [μεταφ], blot, blotch.
κηπευτικός-ή-ό (ε) [kipeftikos] horticultural.
κήπος (ο) [kipos] garden.
κηπουρική (η) [kipuriki] gardening, horticulture.
κηρήθρα (η) [kirithra] honeycomb.
κηροζίνη (η) [kirozini] ceresin.
κηροπήγιο (το) [kiropiyio] candlestick.
κηροπλαστική (η) [kiroplastiki] ceroplastics.
κηροποιός (ο) [kiropios] chandler.

κηροπώλης (ο) [kiropolis] chandler.
κήρυγμα (το) [kirigma] proclamation, preaching [εκκλ].
κήρυκας (ο) [kirikas] herald, preacher [εκκλ].
κήρυξη (η) [kiriksi] declaration, proclamation.
κήρωμα (το) [kiroma] cerate.
κήτος (το) [kitos] cetacean, whale.
κηφήνας (ο) [kifinas] drone, idler [μεταφ], loafer [μεταφ].
κιάλια (τα) [kialia] binoculars, opera glasses.
κίβδηλος-η-ο (ε) [kivdhilos] adulterated, fraudulent, counterfeit [μεταφ].
κιβώτιο (το) [kivotio] chest, box.
κιβωτός (η) [kivotos] ark.
κιγκαλερία (η) [kingaleria] ironmongery.
κιγκλίδωμα (το) [kinglidhoma] barrier, fence, lattice work.
κιθάρα (η) [kithara] guitar.
κιλίκιο (το) [kilikio] cilice.
κιλίμι (το) [kilimi] handmade rug.
κιλό (το) [kilo] kilogram.
κιλοβάτ (το) [kilovat] kilowatt.
κιλότα (η) [kilota] panties [γυν], riding-breeches [ιππασίας].
κιμάς (ο) [kimas] minced meat.
κιμονό (το) [kimono] kimono.
κιμωλία (η) [kimolia] chalk.
Κίνα (η) [Kina] China.
κίναιδος (ο) [kinedhos] homosexual.
κινδυνεύω (ρ) [kindhinevo] endanger, risk, venture.
κίνδυνος (ο) [kindhinos] danger, hazard.
κίνημα (το) [kinima] movement, revolt [μεταφ].
κινηματίας (ο) [kinimatias] mutineer.
κινηματογράφηση (η) [kinimatografisi] filming, shooting.
κινηματογραφικός-ή-ό (ε) [kinimatografikos] film, cinefilm, cinema[tic].
κινηματογραφιστής (ο) [kinimatografistis] film-maker.
κίνηση (η) [kinisi] movement, motion, move, gesture, activity.
κίνηση (κυκλοφορίας) (η) [kinisi kikloforias] flow of traffic, transactions [αξιών].
κινητήρας (ο) [kinitiras] motor.
κινητικότητα (η) [kinitikotita] mobility.
κινητός-ή-ό (ε) [kinitos] mobile.
κίνητρο (το) [kinitro] motive.
κινίνο (το) [kinino] quinine.
κινούμαι (ρ) [kinume] move.
κινώ (ρ) [kino] set in motion, move, make go, set going.
κιόλας (επ) [kiolas] already, al-

so, even.
κίονας (ο) [kionas] column.
κιονόκρανο (το) [kionokrano] chapiter.
κιονοστοιχία (η) [kionostihia] colonnade.
κιόσκι (το) [kioski] kiosk.
κιούπι (το) [kiupi] jar.
κιρσός (ο) [kirsos] varicose
κίσσα (η) [kissa] magpie.
κισσός (ο) [kissos] ivy.
κιτάπι (το) [kitapi] book.
κιτρινίζω (ρ) [kitrinizo] go yellow, make yellow.
κιτρινολούλουδο (το) [kitrinoluludho] primrose.
κίτρινος-η-ο (ε) [kitrinos] yellow, pale.
κιτρινωπός-ή-ό (ε) [kitrinopos] pale.
κίτρο (το) [kitro] citron, citrus.
κλαβιέ (το) [klavie] clavier.
κλαδάκι (το) [kladhaki] sprig, twig.
κλαδευτήρα (η) [kladheftira] pruning-hook.
κλαδί (το) [kladhi] branch, twig.
κλαδικός-ή-ό (ε) [kladhikos] departmental.
κλάδος (ο) [kladhos] branch, sector.
κλαίγομαι (ρ) [klegome] complain.
κλαίω (ρ) [kleo] cry, weep.
κλακέτες (οι) [klaketes] tap-dance.
κλάμα (το) [klama] crying.
κλαμένος-η-ο (μ) [klamenos] in tears.
κλάνω (ρ) [klano] fart.
κλάξον (το) [klakson] horn.
κλαπέτο (το) [klapeto] flap.
κλαρί (το) [klari] small branch.
κλαρίνο (το) [klarino] clarinet.
κλάση (η) [klasi] class, age group, category.
κλασικός-ή-ό (ε) [klasikos] classical, standard.
κλάσμα (το) [klasma] fraction, fragment.
κλασματικός-ή-ό (ε) [klasmatikos] fractional.
κλαυθμός (ο) [klafthmos] lamentation, wailing.
κλέβω (ρ) [klevo] steal, rob, cheat [με απάτη], swindle.
κλειδαράς (ο) [klidharas] locksmith.
κλειδαριά (η) [klidharia] lock.
κλείδωμα (το) [klidhoma] locking, bolting.
κλειδώνω (ρ) [klidhono] lock.
κλείδωση (η) [klidhosi] joint, knuckle, collar-bone.
κλείνω (ρ) [klino] close, shut, lock, stop, plug, conclude.
κλεις (η) [klis] clavicle.
κλείσιμο (το) [klisimo] closing.
κλειστός-ή-ό (ε) [klistos] closed.
κλειστοφοβία (η) [klistofovia]

claustrophobia.
κλειτορίδα (n) [klitoridha] clitoris.
κλεπταποδόχος (o) [kleptapodhohos] dealer in stolen goods, pawn-broker.
κλεπτομανής (o,n) [kleptomanis] kleptomaniac.
κλεφτά (επ) [klefta] furtively.
κλέφτης (o) [kleftis] thief.
κλεφτός-ή-ό (ε) [kleftos] stolen, furtive, stealthy.
κλεφτοφάναρο (το) [kleftofanaro] electric torch.
κλεψιά (n) [klepsia] theft, robbery, burglary.
κλέψιμο (το) [klepsimo] theft, robbery, burglary.
κλεψύδρα (n) [klepsidhra] water clock, sandglass.
κλήδονας (o) [klidhonas] ivy, fortune telling.
κλήμα (το) [klima] vine.
κληματαριά (n) [klimataria] vine arbor, climbing vine.
κληρικός-ή-ό (ε) (o) [klirikos] clerical.
κληροδότημα (το) [klirodhotima] legacy, bequest.
κληροδοτώ (ρ) [klirodhoto] bequeath, legate.
κληρονομιά (n) [klironomia] inheritance, heritage.
κληρονομικός-ή-ό (ε) [klironomikos] hereditary.
κληρονομικότητα (n) [klironomikotita] heredity.
κληρονόμος (o) [klironomos] heiress, heir.
κληρονομώ (ρ) [klironomo] inherit.
κλήρος (o) [kliros] lot, fate, clergy [εκκλ].
κληρώνω (ρ) [klirono] draw lots.
κλήρωση (n) [klirosi] drawing of lottery, prize drawing.
κλήση (n) [klisi] call, calling.
κλήτευση (n) [klitefsi] summons, subpoena.
κλητήρας (o) [klitiras] bailiff [δικαστικός], clerk, crier.
κλητική (n) [klitiki] vocative [case].
κλίβανος (o) [klivanos] oven, kiln.
κλίκα (n) [klika] clique, faction, caucus.
κλίμα (το) [klima] climate, atmosphere [μεταφ].
κλίμακα (n) [klimaka] staircase, ladder, scale [μουσ].
κλιμάκιο (το) [klimakio] echelon [στρατ].
κλιμάκωση (n) [klimakosi] escalation, spreading.
κλιματολογία (n) [klimatoloyia] climatology.
κλινάμαξα (n) [klinamaksa] sleeping-car.

κλίνη (η) [klini] bed.
κλινήρης-ης-ες (ε) [kliniris] bedridden, abed, infirm.
κλινική (η) [kliniki] clinic, hospital[private].
κλίνω (ρ) [klino] lean, bend, conjugate, slope.
κλισέ (το) [klise] plate.
κλίση (η) [klisi] inclination, slope, proneness, tendency, declension
κλοιός (ο) [klios] pincer movement, cordon, ring, collar.
κλομπ (το) [klomb] baton, club.
κλονίζομαι (ρ) [klonizome] stagger, hesitate [μεταφ], falter [μεταφ].
κλονίζω (ρ) [klonizo] shake, unsettle, damage [υγεία].
κλονισμός (ο) [klonismos] shaking, concussion, hesitation [μεταφ].
κλόουν (ο) [klooun] clown.
κλοπή (η) [klopi] theft, thieving, stealing.
κλοπιμαίος-α-ο (ε) [klopimeos] stolen, furtive.
κλοτσηδόν (επ) [klotsidhon] with kicks.
κλοτσιά (η) [klotsia] kick.
κλοτσοσκούφι (το) [klotsoskufi] sport, toy.
κλουβί (το) [kluvi] cage.
κλουβιάζω (ρ) [kluviazo] addle.
κλούβιος-α-ο (ε) [kluvios] bad, rotten [μεταφ], stupid [μεταφ].
κλυδωνίζομαι (ρ) [klidhonizome] toss about.
κλύσμα (το) [klisma] enema.
κλωθογυρίζω (ρ) [klothoyirizo] hang about, turn over.
κλωθογύρισμα (το) [klothoyirisma] brooding, hanging around.
κλώθω (ρ) [klotho] spin.
κλώσιμο (το) [klosimo] spinning.
κλώσσημα (το) [klossima] clutch.
κλωστή (η) [klosti] thread, string.
κλωσσώ (ρ) [kloso] brood, sit on.
κνήμη (η) [knimi] shank, leg.
κνησμός (ο) [knismos] itching.
κόβομαι (ρ) [kovome] cut ourselves.
κόβω (ρ) [kovo] cut, slice, carve, mint, turn off, grind.
κογκρέσο (το) [kongreso] congress.
κόγχη (η) [koghi] marine shell, eye socket, niche [αρχιτεκ].
κοζάκος (ο) [kozakos] Cossack.
κοθώνι (το) [kothoni] bumpkin, raw recruit.
κοιλάδα (η) [kiladha] valley.
κοιλαράς (ο) [kilaras] potbellied man.
κοιλιά (η) [kilia] belly, abdomen.

κοιλόπονος (ο) [kiloponos] stomach-ache.

κοιλοπονώ (ρ) [kilopono] be in labour.

κοιλότητα (n) [kilotita] hollowness.

κοιμάμαι (ρ) [kimame] sleep, be asleep.

κοιμητήριο (το) [kimitirio] cemetery, graveyard.

κοιμίζω (ρ) [kimizo] put to sleep, quiet.

κοινά (τα) [kina] public affairs.

κοινό (το) [kino] public, commons.

κοινοβούλιο (το) [kinovulio] parliament.

κοινολεκτικός-ή-ό (ε) [kinolektikos] colloquial.

κοινοποιώ (ρ) [kinopio] notify, inform, serve [a notice].

κοινοπραξία (n) [kinopraksia] co-operative, combine.

κοινός-ή-ό (ε) [kinos] common, ordinary, collective.

κοινοτάρχης (ο) [kinotarhis] village head.

κοινότητα (n) [kinotita] community, parish.

κοινοτικός-ή-ό (ε) [kinotikos] communal.

κοινόχρηστα (τα) [kinohrista] shared upkeep expenses [in a block of flats].

κοινωνία (n) [kinonia] society, community, association, Holy Communion [εκκλ].

κοινωνικός-ή-ό (ε) [kinonikos] social, sociable, companionable.

κοινωνιολόγος (ο) [kinoniologos] sociologist.

κοινωνώ (ρ) [kinono] receive Holy Communion, administer Holy Communion.

κοινώς (επ) [kinos] commonly.

κοινωφελής-ής-ές (ε) [kinofelis] of public benefit.

κοίταγμα (το) [kitagma] look.

κοιτάζω (ρ) [kitazo] look at, pay attention to, consider, see.

κοίτασμα (το) [kitasma] layer, deposit.

κοίτη (n) [kiti] bed.

κοιτίδα (n) [kitidha] cradle.

κοκαΐνη (n) [kokaini] cocaine.

κοκαϊνομανής (ο) [kokaïnomanis] cocainist, cokey.

κοκαλιάρης-α-ικο (ε) [kokaliaris] bony, skinny.

κοκάλινος-η-ο (ε) [kokalinos] of horn, of bone.

κόκαλο (το) [kokalo] bone.

κοκάλωμα (το) [kokaloma] numbness.

κοκάρι (το) [kokari] seed onions.

κοκέτα (n) [koketa] coquette.

κοκεταρία (n) [koketaria] smartness, stylishness.

κοκκινάδα (n) [kokkinadha]

redness, blush.
κοκκινέλι (το) [kokkineli] red wine.
κοκκινίζω (ρ) [kokkinizo] redden, blush.
κοκκινογούλι (το) [kokkinoguli] beetroot, beet.
κοκκινοπίπερο (το) [kokkinopipero] cayenne.
κόκκινος-η-ο (ε) [kokkinos] red, scarlet, rosy [μάγουλα].
κοκκινοσκουφίτσα (η) [kokkinoskufitsa] Little Red Riding Hood.
κοκκινόχωμα (το) [kokkinohoma] red chalk, clay earth.
κοκκορεύομαι (ρ) [kokkorevome] assume.
κόκκος (ο) [kokkos] grain, bean [καφέ], speck [σκόνης], coccus.
κόκορας (ο) [kokoras] cock, rooster.
κοκορέτσι (το) [kokoretsi] sheep's entrails.
κοκορεύομαι (ρ) [kokorevome] swagger, boast.
κοκορομαχία (η) [kokoromahia] cock-fighting.
κοκτέιλ (το) [kokteil] cocktail.
κόλα (η) [kola] cola [βοτ].
κολάζω (ρ) [kolazo] punish, chasten.
κόλακας (ο) [kolakas] flatterer.
κολακεία (η) [kolakia] flattery.
κολακευτικός-ή-ό (ε) [kolakeftikos] complimentary.
κολακεύω (ρ) [kolakevo] flatter.
κολάρο (το) [kolaro] collar.
κόλαση (η) [kolasi] hell.
κολάσιμος-η-ο (ε) [kolasimos] punishable.
κολατσιό (το) [kolatsio] snack.
κολεγιακός-ή-ό (ε) [koleyiakos] collegial.
κολέγιο (το) [koleyio] college.
κολεκτιβισμός (ο) [kolektivismos] collectivism.
κολιέ (το) [kolie] necklace.
κολικός-ή-ό (ε) [kolikos] colic.
κολιός (ο) [kolios] kind of mackerel.
κολίτιδα (η) [kolitidha] colitis.
κόλλα (η) [kolla] glue, gum, paste, starch, paper.
κολλάζ (το) [kollaz] collage.
κολλάρισμα (το) [kollarisma] clearcole.
κολλαριστός-ή-ό (ε) [kollaristos] starched.
κόλλημα (το) [kollima] gluing, sticking.
κολλητήρι (το) [kollitiri] soldering-iron.
κολλητικός-ή-ό (ε) [kollitikos] contagious, infectious, adhesive..
κολλητός-ή-ό (ε) [kollitos] close-fitting, soldered.
κολλιτσίδα (η) [kollitsidha] leech, bind, cleavers, cockle.
κολλοειδές (το) [kolloidhes]

colloid.

κολλύριο (το) [kollirio] eyewash.

κολλώ (ρ) [kollo] glue, stick, paste, solder, fuse, catch [αρρώστεια], attach to, clap, press.

κολοβός-ή-ό (ε) [kolovos] tailless, crop-tailed.

κολοκύθα (η) [kolokitha] gourd, pumpkin.

κολοκύθι (το) [kolokithi] vegetable marrow, pumpkin.

κόλον (το) [kolon] colon [ανατ].

κολόνα (η) [kolona] pillar, column.

κολοσσιαίος-α-ο (ε) [kolossieos] colossal, enormous.

κολούριασμα (το) [koluriasma] convolution.

κολοφών (ο) [kolofon] apex.

κολπατζής (ο) [kolpatzis] trickster.

κολπίσκος (ο) [kolpiskos] creek.

κολπίτιδα (η) [kolpitidha] plitis, thrush.

κόλπο (το) [kolpo] trick.

κόλπος (ο) [kolpos] breast, bosom, gulf [γεωγραφικός].

κόλυβα (τα) [koliva] boiled wheat [given after funerals].

κολυμβήθρα (η) [kolimvithra] font, baptistery.

κολύμβηση (η) [kolimvisi] swimming.

κολυμβητήριο (το) [kolimvitirio] swimming-pool.

κολώνω (ρ) [kolono] balk.

κόμα (το) [koma] coma.

κόμβος (ο) [komvos] knot.

κόμη (η) [komi] coma [αστρον].

κόμης (ο) [komis] count, earl.

κόμικς (τα) [komiks] comic strip.

κόμμα (το) [komma] party [πολιτικό], comma, decimal point.

κομματάρχης (ο) [kommatarhis] party leader.

κομμάτι (το) [kommati] piece, slice, lump, fragment, chip.

κομματισμός (ο) [kommatismos] partisanship.

κομμένος-η-ο (μ) [kommenos] sliced, cut, exhausted.

κομμουνισμός (ο) [kommunismos] communism.

κόμμωση (η) [komosi] hairdressing, hair style.

κομμωτήριο (το) [komotirio] hairdressing salon.

κομμωτής (ο) [komotis] hairdresser, coiffeur.

κομοδίνο (το) [komodhino] bedside table.

κομός (ο) [komos] commode.

κομπανία (η) [kombania] company, troupe.

κομπάρσος (ο) [kombarsos] walk-on.

κομπίνα (η) [kombina] racket,

combine, scheme.
κομπιναδόρος (ο) [kombinadhoros] racketeer, schemer.
κομπινεζόν (το) [kombinezon] slip, petticoat.
κομπλάρισμα (το) [komblarisma] coupling.
κομπλέ (επ) [komble] full up, packet.
κομπλιμέντο (το) [komblimendo] compliment.
κομπογιαννίτης (ο) [komboyiannitis] quack.
κομπόδεμα (το) [kombodhema] hoard of money, savings.
κομπόστα (n) [kombosta] compote.
κόμπρα (n) [kombra] cobra.
κομπρεσέρ (το) [kombreser] pneumatic drill.
κομφόρ (τα) [komfor] necessities.
κομψά (επ) [kompsa] daintily.
κομψευόμενος-n-o (μ) [kompsevomenos] smartly dressed.
κομψός-ή-ό (ε) [kompsos] fashionable, stylish, smart, elegant.
κονδύλιο (το) [kondhilio] item, entry.
κονδυλώδης-ης-ες (ε) [kondhilodhis] nodular, tuberous.
κονιάκ (το) [koniak] brandy.
κόνιδα (n) [konidha] nit.
κονιορτοποίnσn (n) [koniortopiisi] pulverization.
κονκάρδα (n) [konkardha] badge, favour.
κονσέρβα (n) [konserva] tinned food.
κονσερβοποιώ (ρ) [konservopio] can, tin.
κονσέρτο (το) [konserto] concert.
κονσόλα (n) [konsola] console.
κοντά (επ) [konda] close to, near, almost, handy.
κονταίνω (ρ) [kondeno] shorten, curtail, get shorter.
κοντάρι (το) [kondari] pole, staff.
κονταρομαχία (n) [kondaromahia] joust.
κόντεμα (το) [kontema] shortening.
κοντεύω (ρ) [kondevo] be about to, come near, draw near.
κοντοκόβω (ρ) [kondokovo] cut short.
κοντολογίς (επ) [kondoloyis] in short.
κοντομάνικος-n-o (ε) [kondomanikos] short-sleeved.
κοντός-ή-ό (ε) [kondos] short.
κοντοστέκω (ρ) [kondosteko] hesitate, pause.
κοντοστούμπης (ο) [kondostumbis] dumpy.
κοντόσωμος-n-o (ε) [kondosomos] short.
κοντόφθαλμος-n-o (ε) [kon-

dofthalmos] short-sighted.

κοντόχοντρος-η-ο (ε) [kondohondros] stocky, stubby, podgy.

κόντρα (επ) [kondra] against, opposite, counter.

κοντραμπάσσο (το) [kondrambasso] contrabass.

κοντραπλακέ (το) [kondraplake] plywood.

κοντύλι (το) [kondili] slate pencil.

κοντυλοφόρος (ο) [kondilofo-ros] fountain pen.

κοπάδι (το) [kopadhi] flock, herd, drove, crowd.

κοπάζω (ρ) [kopazo] calm down, grow quiet.

κοπανίζω (ρ) [kopanizo] beat, grind, thump, bang, wallop.

κόπανος (ο) [kopanos] pestle, crusher, fool [μεταφ], idiot.

κοπανώ (ρ) [kopano] cob.

κοπέλα (η) [kopela] girl, servant.

κοπή (η) [kopi] cutting.

κόπια (η) [kopia] copy.

κοπιαστικός-ή-ό (ε) [kopiastikos] hard, troublesome.

κοπίδι (το) [kopidhi] chisel.

κόπιτσα (η) [kopitsa] press-stud.

κόπος (ο) [kopos] fatigue, toil, labour.

κόπρανα (τα) [koprana] excrement.

κοπριά (η) [kopria] dung.

κοπροσκυλιάζω (ρ) [koproskiliazo] loaf, bum, lazy about.

κοπρώδης-ης-ες (ε) [koprodhis] dungy.

κοπτική (η) [koptiki] cutting, tailoring.

κόπτω (ρ) [kopto] cut, slice, style, carve, mint, turn off.

κόρα (η) [kora] crust [bread].

κόρακας (ο) [korakas] crow.

κοραλλένιος-α-ο (ε) [koralleni-os] coral, coraline.

κοράλλι (το) [koralli] coral.

κοράσι (το) [korasi] girl.

κορβανάς (ο) [korvanas] money-box.

κορδέλα (η) [kordhela] ribbon, band, tape.

κορδόνι (το) [kordhoni] cord, string, bootlace.

κόρδωμα (το) [kordhoma] cockiness.

nome] swagger, put on airs.

κορδώνω (ρ) [kordhono] tighten, stretch.

κορέος (ο) [koreos] bed-bug.

κορεσμένος-η-ο (μ) [koresmenos] saturated, full up.

κορεσμός (ο) [koresmos] satisfaction.

κόρη (η) [kori] daughter, pupil, girl, virgin.

κορίτσι (το) [koritsi] girl, virgin, girlfriend.

κορμί (το) [kormi] body, trunk,

figure.
κορμός (o) [kormos] trunk, block, bole, torso.
κορμοστασιά (n) [kormostasia] figure, build, bearing.
κόρνα (n) [korna] horn.
κορνέτα (n) [korneta] cornet.
κορνίζα (n) [korniza] frame, cornice, architrave.
κόρο (το) [koro] chorus, choir.
κοροϊδευτικός-ή-ό (ε) [koroidheftikos] mocking, taunting.
κορόιδο (το) [koroidho] laughing stock, scapegoat, fool.
κορόμηλο (το) [koromilo] sloe, wild plum.
κορσές (o) [korses] corset.
κορτάκιας (o) [kortakias] skirt-chaser.
κορτάρισμα (το) [kortarisma] flirting, courting.
κορτιζόνη (n) [kortizoni] cortisone.
κορυδαλλός (o) [koridhallos] [sky]lark.
κορυφαίος-α-ο (ε) [korifeos] leader, chief, crowning.
κορυφογραμμή (n) [korifogrammi] ridge, watershed, crest.
κορφή (n) [korfi] top [όρους], peak, vertex.
κορώνα (n) [korona] corona.
κορωνίδα (n) [koronidha] coronet, zenith.
κόσκινο (το) [koskino] sieve.
κοσμάκης (o) [kosmakis] commons.
κοσμήματα (τα) [kosmimata] jewellery, bijouterie, accessories.
κόσμια (επ) [kosmia] decorously.
κοσμικός-ή-ό (ε) [kosmikos] lay, mundane, social [γεγονός].
κόσμιος-α-ο (ε) [kosmios] decent, modest, proper, comely.
κοσμοθεωρία (n) [kosmotheoria] ideology.
κοσμοϊστορικός-ή-ό (ε) [kosmoistorikos] historic.
κοσμοναύτης (o) [kosmonaftis] cosmonaut.
κοσμοπλημμύρα (n) [kosmoplimmira] deluge of people.
κοσμοπολίτης (o) [kosmopolitis] cosmopolitan.
κόσμος (o) [kosmos] world, people, earth, realm, society.
κοσμοσυρροή (n) [kosmosirroi] rush of people.
κοσμώ (ρ) [kosmo] adorn, embellish, decorate.
κοστίζω (ρ) [kostizo] cost.
κοστολόγηση (n) [kostoloyisi] cost accounting, costing.
κοστολογώ (ρ) [kostologo] cost.
κόστος (το) [kostos] cost, price.
κοστούμι (το) [kostumi] suit.
κότα (n) [kota] hen, chicken.
κότερο (το) [kotero] yacht.
κοτέτσι (το) [kotetsi] hen coop.

κοτολέτα (η) [kotoleta] chop.
κοτρόνι (το) [kotroni] large stone, boulder.
κοτσάνα (η) [kotsana] stupid remark, tall story.
κότσι (το) [kotsi] anklebone.
κότσια (τα) [kotsia] guts, strength.
κουβάλημα (το) [kuvalima] transport, carriage.
κουβαλώ (ρ) [kuvalo] carry, bring, transport, bear.
κουβάρι (επ) [kuvari] ball.
κουβαριάζομαι (ρ) [kuvariazome] roll into a ball, crouch.
κουβαριάζω (ρ) [kuvariazo] wind into a ball, crumple, cheat.
κουβαρίστρα (η) [kuvaristra] bobbin, spool, reel.
κουβάς (ο) [kuvas] bucket, pail.
κουβεντιάζω (ρ) [kuvendiazo] converse, discuss, chat, talk.
κουβεντολόι (το) [kuvendoloi] small talk, chit-chat.
κουβέρ (το) [kuver] service charge, cover charge.
κουβέρτα (η) [kuverta] blanket, deck [ναυτ], coverlid.
κουβερτούρα (η) [kuvertura] dust-jacket.
κουβούκλιο (το) [kuvuklio] bakehouse.
κουδούνι (το) [kudhuni] bell.
κουδουνίζω (ρ) [kudhunizo] ring, tinkle, jingle, chink.
κουζίνα (η) [kuzina] kitchen.
κουζινέτο (το) [kuzineto] bearing, bush.
κουζουλός-ή-ό (ε) [kuzulos] barmy, batty, daft, crazy.
κουκέτα (η) [kuketa] berth.
κουκί (το) [kuki] broad bean.
κούκλα (η) [kukla] doll, dummy, lovely child, pretty woman.
κούκος (ο) [kukos] cuckoo, bonnet.
κουκούλα (η) [kukula] hood.
κουκουλώνω (ρ) [kukulono] keep secret, bury, wrap warmly.
κουκούτσι (το) [kukutsi] stone, kernel, pip, morsel [μεταφ].
κουλαμάρα (η) [kulamara] maiming.
κουλουβάχατα (επ) [kuluvahata] mess, topsy-turvy.
κουλούκι (το) [kuluki] bastard.
κουλούρα (η) [kulura] roll, French roll, lifebuoy [ναυτ].
κουλουριάζομαι (ρ) [kuluriazome] huddle up, double up.
κουλουριάζω (ρ) [kuluriazo] roll up, fold.
κουλτουριάρης (ο) [kulturiaris] arty fellow.
κουμαντάρω (ρ) [kumandaro] manage, handle, command, run.
κουμάντο (το) [kumando] order, control, management.
κουμπάρα (η) [kumbara] godmother, matron of honour.

κουμπί (το) [kumbi] button, stud, switch [φώτων].

κουμπούρα (n) [kumbura] gun, pistol.

κούμπωμα (το) [kumboma] doing up, fastening, buttoning up.

κουνέλι (το) [kuneli] rabbit,.

κουνενές (o) [kunenes] dimwit.

κούνημα (το) [kunima] shaking, swaying, movement.

κούνια (n) [kunia] cradle, cot, swing.

κουνιέμαι (ρ) [kunieme] move, shake, get moving.

κουνούπι (το) [kunupi] mosquito.

κουνουπίδι (το) [kunupidhi] cauliflower.

κουνώ (ρ) [kuno] move, shake, wave, wag, rock, shake, stir.

κούπα (n) [kupa] cup, bowl, glass, heart [σε χαρτιά], mug.

κουπαστή (n) [kupasti] handrail.

κουπί (το) [kupi] oar, paddle.

κουπόνι (το) [kuponi] coupon.

κούρα (n) [kura] cure.

κουρά (n) [kura] tonsure, clip.

κουράγιο (το) [kurayio] bravery, fearlessness, courage, pluck.

κουράζω (ρ) [kurazo] tire, bore.

κουραμάνα (n) [kuramana] army bread.

κουραμπιές (o) [kurambies] desk soldier, sugared bun.

κουράντης (o) [kurandis] attendant doctor.

κουράρισμα (το) [kurarisma] treatment.

κούραση (n) [kurasi] weariness, fatigue, wear and tear.

κουραστικός-ή-ό (ε) [kurastikos] tiresome, troublesome.

κουραφέξαλα (τα) [kurafeksala] bullshit, balls.

κουρδίζω (ρ) [kurdhizo] wind up, tune, stir up.

κουρέας (o) [kureas] barber.

κουρέλι (το) [kureli] rag, tatter.

κουρελού (n) [kurelu] patchwork.

κούρεμα (το) [kurema] haircut, shearing.

κουρεύω (ρ) [kurevo] cut hair, trim, clip, shear [πρόβατο].

κουρκούτι (το) [kurkuti] batter.

κουρνιάζω (ρ) [kurniazo] roost, perch, sit, settle.

κουρνιαχτός (o) [kurniahtos] dust [cloud of].

κούρσα (n) [kursa] race, ride.

κουρσάρος (o) [kursaros] pirate.

κούρσεμα (το) [kursema] raid.

κουρτίνα (n) [kurtina] curtain.

κουσούρι (το) [kusuri] defect, fault.

κουστωδία (n) [kustodhia] guard, party.

κούτα (n) [kuta] carton.

κουτάβι (το) [kutavi] puppy.
κουτάλα (η) [kutala] ladle.
κουτάλι (το) [kutali] spoon.
κουταμάρα (η) [kutamara] nonsense, stupidity.
κούτελο (το) [kutelo] forehead.
κουτεντές (ο) [kutendes] silly.
κουτί (το) [kuti] box, case, matchbox.
κουτοπονηριά (η) [kutoponiria] slyness, cunning.
κουτός (ο) [kutos] cabbage.
κουτούκι (το) [kutuki] dive.
κουτουλιά (η) [kutulia] header.
κουτουρού (επ) [kuturu] haphazardly, by chance.
κούτρα (η) [kutra] nut, noddle.
κουτρουβαλώ (ρ) [kutruvalo] tumble down.
κουτσαίνω (ρ) [kutseno] limp, cripple.
κουτσοδόντης (ο) [kutsodhondis] gap-toothed.
κουτσοκαταφέρνω (ρ) [kutsokataferno] muddle through.
κουτσομπολεύω (ρ) [kutsombolevo] gossip.
κουτσοπίνω (ρ) [kutsopino] sip, hobnob, tipple.
κουτσός-ή-ό (ε) [kutsos] lame.
κουτσουλιά (η) [kutsulia] dropping.
κουτσουρεύω (ρ) [kutsurevo] mutilate.
κουφαίνω (ρ) [kufeno] deafen.
κουφάλα (η) [kufala] hollow, cavity, tart [γυν], sod [άντρας].
κουφάρι (το) [kufari] body.
κουφέτο (το) [kufeto] sugared almond, candy.
κουφιοκεφαλάκης (ο) [kufiokefalakis] empty-headed person.
κούφιος-α-ο (ε) [kufios] cavernous.
κουφοβράζω (ρ) [kufovrazo] simmer.
κουφός-ή-ό (ε) [kufos] deaf.
κούφωμα (το) [kufoma] hollow, opening.
κόφα (η) [kofa] pannier.
κοφίνι (το) [kofini] basket, hamper.
κοφτά (επ) [kofta] abruptly.
κόφτης (ο) [koftis] cropper.
κοφτός-ή-ό (ε) [koftos] curt, abrupt, sharp, brisk.
κόφτω (ρ) [kofto] cut, slice, trim, pare, carve, mint, turn off.
κόχη (η) [kohi] corner, crease.
κοχλασμός (ο) [kohlasmos] boiling, bubbling.
κοχύλι (το) [kohili] sea shell.
κοψιά (η) [kopsia] cut, nick, lie.
κόψιμο (το) [kopsimo] cut, gash, bellyache [ασθένεια].
κραγιόν (το) [krayion] crayon, lipstick.
κραδαίνω (ρ) [kradheno] flourish, wave.
κράζω (ρ) [krazo] croak, cry

out, call.
κραιπάλη (η) [krepali] riot, drunkenness.
κράμα (το) [krama] mixture, blend.
κράμπα (η) [kramba] cramp.
κρανιά (η) [krania] cornel [βοτ].
κρανίο (το) [kranio] cranium, skull.
κράνος (το) [kranos] helmet.
κρασί (το) [krasi] wine.
κρασοβάρελο (το) [krasovarelo] wine cask.
κράσπεδο (το) [kraspedho] foot, kerb, curb.
κραταιός-ή-ό (ε) [krateos] mighty, powerful.
κράτημα (το) [kratima] hold[ing], keeping.
κρατήρας (ο) [kratiras] crater.
κράτηση (η) [kratisi] deduction[s], booking, keeping, custody.
κρατητήριο (το) [kratitirio] jail.
κρατίδιο (το) [kratidhio] tiny state.
κρατιέμαι (ρ) [kratieme] be well preserved.
κρατικοποιώ (ρ) [kratikopio] nationalize.
κράτος (το) [kratos] country, power, state, government.
κρατούμενο (το) [kratumeno] be carried over [μαθημ].
κρατώ (ρ) [krato] last, keep, rule, have, hold, carry, bear.
κραυγάζω (ρ) [kravgazo] cry, howl, shout, scream.
κραυγαλέα (επ) [kravgalea] blatantly.
κραυγή (η) [kravyi] shout, cry, outcry, scream.
κραχ (το) [krah] crash.
κράχτης (ο) [krahtis] tout, draw, barker.
κρέας (το) [kreas] meat, flesh.
κρεατοελιά (η) [kreatoelia] wart, mole.
κρεατομηχανή (η) [kreatomihani] meat-mincer.
κρεατωμένος-η-ο (μ) [kreatomenos] fleshed.
κρεβάτι (το) [krevati] bed.
κρεβατοκάμαρα (η) [krevatokamara] bedroom.
κρεμ (ε) [krem] creamy.
κρέμα (η) [krema] cream.
κρεμάζω (ρ) [kremazo] hang.
κρεμάλα (η) [kremala] gallows.
κρέμασμα (το) [kremasma] suspension, hooking on, hanging.
κρεμάω (ρ) [kremao] hang, suspend.
κρεμμύδι (το) [kremmidhi] onion.
κρεμώ (ρ) [kremo] hang.
κρεοπωλείο (το) [kreopolio] butcher's.
κρεουργώ (ρ) [kreurgo] butcher, slaughter.
κρέπα (η) [krepa] pancake.

κρεπάλη (η) [krepali] debauch, orgy.

κρεπάρω (ρ) [kreparo] have a fit.

κρετινισμός (ο) [kretinismos] cretinism.

κρημνίζω (ρ) [krimnizo] hurl down, pull down, wreck.

κρημνός (ο) [krimnos] cliff.

κρησαρίζω (ρ) [krisarizo] sieve, sift.

κρησφύγετο (το) [krisfiyeto] retreat.

κριάρι (το) [kriari] ram.

κριθάρι (το) [krithari] barley.

κριθαρόνερο (το) [kritharonero] barley-water.

κρίκετ (το) [kriket] cricket.

κρίκος (ο) [krikos] link, ring, jack.

κρίμα (το) [krima] sin, pity, misfortune, trespass.

κρίνος (ο) [krinos] lily.

κρίνω (ρ) [krino] judge, consider, decide, hear, try, appreciate.

κριός (ο) [krios] ram, Aries.

κρίση (η) [krisi] judgment, crisis, deficiency, judgment, decision, verdict, opinion, mood.

κρίσιμα (επ) [krisima] critically.

κρισκράφτ (το) [kriskraft] speedboat.

κριτήριο (το) [kritirio] criterion, test, measure.

κριτής (ο) [kritis] judge, critic.

κριτική (η) [kritiki] criticism.

κροκέτα (η) [kroketa] croquette.

κροκόδειλος (ο) [krokodhilos] crocodile.

κρόκος (ο) [krokos] crocus, yolk [αυγού].

κρόουλ (το) [kroul] crawl.

κρόσι (το) [krosi] fringe.

κροταλίας (ο) [krotalias] rattlesnake.

κροτάλισμα (το) [krotalisma] rattle, jingle, clatter.

κρόταφος (ο) [krotafos] [ανατ] temple.

κροτίδα (η) [krotidha] squib, cracker.

κρότος (ο) [krotos] crash, bang, noise, sensation [μεταφ].

κρουαζιέρα (η) [kruaziera] cruise.

κρουνός (ο) [krunos] torrent.

κρούση (η) [krusi] striking, sounding, encounter.

κρούσμα (το) [krusma] case.

κρούστα (η) [krusta] crust, rind.

κρουσταλλένιος-α-ο (ε) [krustallenios] crystal.

κρούω (ρ) [kruo] strike, sound, ring [κουδούνι].

κρυάδα (η) [kriadha] cold, chill.

κρυαίνω (ρ) [krieno] get cold.

κρύβω (ρ) [krivo] hide, conceal, cover, screen, hold back.

κρύο (το) [krio] cold, chill.

κρυολογώ (ρ) [kriologo] catch a cold.
κρύος-α-ο (ε) [krios] cold, chilly.
κρύπτη (η) [kripti] hiding place.
κρυπτόγαμο (το) [kriptogamo] cryptogam.
κρυπτογραφώ (ρ) [kriptografo] code, cipher.
κρύπτω (ρ) [kripto] cache.
κρυσταλλικός-ή-ό (ε) [kristallikos] crystalline.
κρυσφήγετο (το) [krisfiyeto] covert.
κρυφά (επ) [krifa] secretly.
κρυφάκουσμα (το) [krifakusma] eavesdropping.
κρυφοκοιτάζω (ρ) [krifokitazo] peep.
κρυφός-ή-ό (ε) [krifos] private, secret, hidden, concealed.
κρυφτό (το) [krifto] hide-and-seek.
κρυψίνους (ο) [kripsinus] cagey, secretive.
κρυώνω (ρ) [kriono] grow cold, feel cold, cool down, chill.
κτένι (το) [kteni] comb, rake.
κτενίζω (ρ) [ktenizo] comb.
κτήμα (το) [ktima] estate, land.
κτηματίας (ο) [ktimatias] landowner.
κτηνιατρείο (το) [ktiniatrio] veterinary surgery.
κτήνος (το) [ktinos] animal.
κτηνοτροφία (η) [ktinotrofia] stockbreeding.
κτηνοτρόφος (ο) [ktinotrofos] cattle-breeder.
κτηνώδης-ης-ες (ε) [ktinodhis] beastly, bestial.
κτήση (η) [ktisi] occupation.
κτητικός-ή-ό (ε) [ktitikos] possessive [γραμμ], acquisitive.
κτήτορας (ο) [ktitoras] owner.
κτίζω (ρ) [ktizo] construct.
κτίριο (το) [ktirio] building.
κτίση (η) [ktisi] creation.
κτίσιμο (το) [ktisimo] building.
κτίστης (ο) [ktistis] builder.
κτυπητός-ή-ό (ε) [ktipitos] arresting.
κτυπιέμαι (ρ) [ktipieme] flog.
κτυπώ (ρ) [ktipo] beat, strike.
κυάνιο (το) [kianio] cyanide.
κυανός-ή-ό (ε) [kianos] blue.
κυανούς (ε) [kianus] cyanic.
κυβερνείο (το) [kivernio] Government House.
κυβέρνηση (η) [kivernisi] government, management.
κυβερνήτης (ο) [kivernitis] governor, commander.
κυβερνώ (ρ) [kiverno] govern, steer [πλοίο], manage [σπίτι].
κυβισμός (ο) [kivismos] cubing.
κύβος (ο) [kivos] cube, die.
κύηση (η) [kiisi] pregnancy.
κυκεώνας (ο) [kikeonas] chaos.
κύκλος (ο) [kiklos] cycle, peri-

od, set, circle.

κυκλοφορία (n) [kikloforia] circulation, traffic flowt.

κυκλοφορώ (ρ) [kikloforo] put into circulation, spread, diffuse.

κύκλωμα (το) [kikloma] electric circuit.

κυκλώνας (o) [kiklonas] cyclone.

κυκλώνω (ρ) [kiklono] surround, encircle.

κύκνος (o) [kiknos] swan.

κυλάω (ρ) [kilao] roll.

κυλιέμαι (ρ) [kilieme] roll over, wallow [χοίρος].

κυλικείο (το) [kilikio] buffet, refreshment room.

κυλινδρικός-ή-ό (ε) [kilindhrikos] cylindrical.

κυλότες (οι) [kilottes] culottes.

κυλώ (ρ) [kilo] roll, flow, bowl.

κύμα (το) [kima] cyma.

κυμαίνομαι (ρ) [kimenome] wave, ripple, hesitate.

κυματάκι (το) [kimataki] ripple.

κυματιστός-ή-ό (ε) [kimatistos] wavy.

κυματοθραύστης (o) [kimatothrafstis] breakwater.

κύμινο (το) [kimino] cumin.

κυνηγετικός-ή-ό (ε) [kiniyetikos] hunting, shooting.

κυνηγός (n) [kinigos] huntress.

κυνηγώ (ρ) [kinigo] hunt, chase, run after, go shooting.

κυπαρίσσι (το) [kiparissi] cypress tree.

κύπελλο (το) [kipello] cup, goblet, tumbler.

κυρία (n) [kiria] lady, mistress.

κυριαρχία (n) [kiriarhia] sovereignty, dominion.

κυρίαρχος-n-o (ε) (o) [kiriarhos] sovereign, ruling.

κυριαρχώ (ρ) [kiriarho] dominate, exercise authority.

κυριεύω (ρ) [kirievo] subjugate, dominate, capture, seize.

κυριολεκτικά (επ) [kiriolektika] exactly.

κυριολεξία (n) [kirioleksia] full sense, strict sense.

κύριος-α-ο (ε) [kirios] essential, vital, main, prime, major.

κύριος (o) [kirios] master, sir, gentleman, Mr, owner, man.

κυριότητα (n) [kiriotita] ownership, property, possession.

κυρτός-ή-ό (ε) [kirtos] bent, convex, crooked, bulging.

κυρώνω (ρ) [kirono] confirm, sanction, validate [απόφαση].

κύρωση (n) [kirosi] confirmation, penalty.

κύστη (n) [kisti] bladder, cyst.

κύτος (το) [kitos] hold [ναυτ].

κυτταρικός-ή-ό (ε) [kittarikos] cellular.

κύτταρο (το) [kittaro] cell.

κυψέλη (n) [kipseli] swarm [of bees], beehive, earwax.

κώδικας (ο) [kodhikas] code.
κωκ (το) [kok] coke.
κωλικός-ή-ό (ε) [kolikos] colic.
κωλίτιδα (η) [kolitidha] colitis.
κώλος (ο) [kolos] arse, bottom.
κώλυμα (το) [kolima] obstacle, impediment.
κωλύω (ρ) [kolio] stop, prevent.
κώμα (το) [koma] coma.
κωματώδης-ης-ες (ε) [komatodhis] comatose, lethargic.
κωμικός-ή-ό (ε) [komikos] funny, comical, comic.
κωμόπολη (η) [komopoli] market town.
κωμωδία (η) [komodhia] comedy.
κώνος (ο) [konos] cone.
κωνοφόρος-α-ο (ε) [konoforos] coniferous.
κωπηλατώ (ρ) [kopilato] row, canoe.
κωφάλαλος-η-ο (ε) [kofalalos] deaf-and-dumb.
κωφεύω (ρ) [kofevo] turn a deaf ear to.

λάβα (η) [lava] lava.
λαβαίνω (ρ) [laveno] receive.
λάβαρο (το) [lavaro] banner.
λαβή (η) [lavi] handle, grip.
λαβίδα (η) [lavidha] forceps.
λάβρα (η) [lavra] sweltering.
λαβράκι (το) [lavraki] bass fish.
λαβύρινθος (ο) [lavirinthos] labyrinth, cochlea[ανατομ].
λαβώνω (ρ) [lavono] wound, injure.
λαγάνα (η) [lagana] flat-cake.
λαγκάδα (η) [lagkadha] ravine, dale.
λάγνος-α-ο (ε) [lagnos] lewd, lustful.
λαγοκοιμούμαι (ρ) [lagokimume] doze [off], sleep lightly.
λαγός (ο) [lagos] hare.
λαγουδέρα (η) [lagudhera] tiller.
λαγούμι (το) [lagumi] conduit.
λαγωνικό (το) [lagoniko] hunting dog, greyhound.
λαδερό (το) [ladhero] oil can.
λάδι (το) [ladhi] oil.
λαδιά (η) [ladhia] oil-stain.
λαδομπογιά (η) [ladhomboyia] oil paint.
λαδόχαρτο (το) [ladhoharto] greaseproof paper.
λάδωμα (το) [ladhoma] oiling, lubrication, bribery [μεταφ].
λαδώνω (ρ) [ladhono] apply oil, lubricate, bribe [μεταφ].
λαζάνια (τα) [lazania] lasagne.
λαθεύω (ρ) [lathevo] mistaken.
λάθος (το) [lathos] error, mistake, slip, fault.
λάθρα (επ) [lathra] on the sly.
λαθραίος-α-ο (ε) [lathreos] secret, furtive, underhand.
λαθρεμπόριο (το) [lathremborio] smuggling.
λαθρεπιβάτης (ο) [lathrepivatis] stowaway.
λαθροθήρας (ο) [lathrothiras] poacher.
λαϊκίστικος-η-ο (ε) [laikistikos] populistic.
λαϊκοί (οι) [laiki] laity.
λαιμαργία (η) [lemargia] greed.
λαιμητόμος (η) [lemitomos] guillotine.
λαιμοδέτης (ο) [lemodhetis] necktie.
λαιμός (ο)[lemos] neck, throat.
λάκημα (το) [lakima] fleeing.
λακκάκι (το) [lakkaki] dimple.
λάκκος (ο) [lakkos] pit, grave.
λακριντί (το) [lakrindi] chat.
λακτίζω (ρ) [laktizo] kick, boot.

λάκτισμα (το) [laktisma] kick
λακώ (ρ) [lako] run off.
λακωνικός-ή-ό (ε) [lakonikos] laconic, terse, brief, compressed.
λάλημα (το) [lalima] cockcrow, singing, chirping, twitter.
λαλώ (ρ) [lalo] speak, talk, crow.
λαμβάνω (ρ) [lamvano] take.
λάμνω (ρ) [lamno] row.
λαμπατέρ (το) [lambater] standard-lamp.
λαμπερός-ή-ό (ε) [lamberos] brilliant, shining, shimmering.
λαμπιόνι (το) [lambioni] lamp, fairy.
λαμπρός-ή-ό (ε) [lambros] brilliant, splendid, glorious.
λάμψη (η) [lampsi] brightness, brilliance, glaze, blaze.
λανθάνω (ρ) [lanthano] be latent.
λανθασμένος-η-ο (ε) [lanthasmenos] mistaken, wrong.
λανσάρισμα (το) [lansarisma] launching.
λαντζιέρισσα (η) [landzierissa] scullery-maid.
λαξεύω (ρ) [laksevo] chisel.
λαογραφία (η) [laografia] folklore.
λαοπλάνος (ο) [laoplanos] demagogue.
λαοπρόβλητος-η-ο (ε) [laoprovlitos] elected by the people.
λαός (ο) [laos] people.
λαούτο (το) [lauto] lute.
λαοφιλής-ής-ές (ε) [laofilis] popular.
λαπάς (ο) [lapas] boiled rice.
λαρδί (το) [lardhi] lard, fat.
λάρνακα (η) [larnaka] urn [αρχαιολ], shrine, reliquary [θρησκ].
λάρυγγας (ο) [lariggas] throat.
λασκάρω (ρ) [laskaro] loosen.
λάσο (το) [laso] lasso.
λάσπη (η) [laspi] mud, mortar.
λασπολόγος (ο) [laspologos] mud-slinger.
λασπώδης-ης-ες (ε) [laspodhis] muddy, slimy, slushy.
λάστιχο (το) [lastiho] rubber, elastic, rubber band, tyre.
λατέρνα (η) [laterna] barrel organ.
λατομείο (το) [latomio] quarry.
λατρεία (η) [latria] adoration, worship, fervent love [αγάπη], cult.
λάτρης (ο) [latris] worshipper.
λαφυραγωγώ (ρ) [lafiragogo] loot, sack.
λάφυρο (το) [lafiro] spoils.
λαχαίνω (ρ) [laheno] happen.
λαχαναγορά (η) [lahanagora] vegetable market.
λαχανιάζω (ρ) [lahaniazo] pant.
λαχανίδα (η) [lahanidha] cabbage leaves, colewort.
λαχανικό (το) [lahaniko] vege-

table.

λαχανοσαλάτα (n) [lahanosalata] coleslaw.

λαχείο (το) [lahio] lottery, raffle.

λαχειοφόρος-α-ο (ε) [lahioforos] lottery, premium.

λαχνός (o) [lahnos] lot, prize, share, chance, ticket.

λαχταρώ (ρ) [lahtaro] yearn, desire, crave, ache, wish for.

λεβάντα (n) [levanda] lavender.

λεβέντης (o) [levendis] fine man.

λεβεντιά (n) [levendia] manliness, gallantry

λέβητας (o) [levitas] cauldron, boiler.

λεβιές (o) [levies] lever.

λεγάμενος-n-o (μ) [legamenos] you know who, the so-called.

λεγεώνα (n) [legeona] legion.

λεγόμενος-o-n (μ) [legomenos] known as, so-called.

λέγω (ρ) [lego] say, tell, speak.

λεζάντα (n) [lezanda] caption.

λεηλασία (n) [leilasia] plundering, looting, pillage.

λεηλατώ (ρ) [leilato] plunder.

λεία (n) [lia] prey, loot.

λείανση (n) [liansi] grinding, smoothing.

λέιζερ (το) [leizer] laser.

λείος-α-ο (ε) [lios] smooth, even, level.

λείπω (ρ) [lipo] be absent, be missing, want.

λειτουργία (n) [lituryia] function, operation, mass [εκκλ].

λειτουργικός-ή-ό (ε) [lituryikos] functional, operational.

λειτουργός (o) [liturgos] officer, official, civil servant.

λειτουργώ (ρ) [liturgo] function, work, celebrate mass.

λειχήνα (n) [lihina] rash.

λείψανα (τα) [lipsana] remains, relics.

λείψανο (το) [lipsano] corpse, body, relics [αγίου].

λειψός-ή-ό (ε) [lipsos] deficient, defective.

λεκάνη (n) [lekani] basin.

λεκές (o) [lekes] stain, splash.

λεκιάζω (ρ) [lekiazo] stain, soil.

λεκτικό (το) [lektiko] diction.

λέκτορας (o) [lektoras] lecturer.

λελέκι (το) [leleki] stork, tall person [μεταφ].

λεμβοδρομία (n) [lemvodhromia] regatta, boat race.

λέμβος (n) [lemvos] rowboat.

λεμονάδα (n) [lemonadha] lemonade.

λεμόνι (το) [lemoni] lemon.

λεμφαδένας (o) [lemfadhenas] lymph gland, lymphoglandula.

λέμφος (n) [lemfos] lymph.

λέξη (n) [leksi] word.

λεξικό (το) [leksiko] dictionary.

λεξιλόγιο (το) [leksiloyio] vo-

cabulary.
λεοντάρι (το) [leondari] lion.
λεοντή (η) [leondi] lion's hide.
λέπι (το) [lepi] scale[of fish].
λεπίδα (η) [lepidha] blade.
λέπρα (η) [lepra] leprosy.
λεπτά (επ) [lepta] delicately.
λεπτά (τα) [lepta] money.
λεπταίνω (ρ) [lepteno] thin.
λεπτό (το) [lepto] minute.
λεπτοδείχτης (ο) [leptodhihtis] minute-hand.
λεπτολόγος-ος-ο (ε) [leptologos] ceremonious.
λεπτολογώ (ρ) [leptologo] scrutinize.
λεπτομέρεια (η) [leptomeria] detail.
λεπτομερώς (επ) [leptomeros] minutely, closely, in detail.
λεπτός-ή-ό (ε) [leptos] thin, slight, slim, light, delicate.
λεπτόσωμος-η-ο (ε) [leptosomos] slim.
λεπτότητα (η) [leptotita] delicacy.
λεπτύνω (ρ) [leptino] azurine.
λέρα (η) [lera] dirt, filth, rascal.
λερωμένος-η-ο (μ) [leromenos] dirty, filthy, grubby.
λερώνω (ρ) [lerono] dirty, soil, stain, tarnish [μεταφ.
λεσβία (η) [lesvia] lesbian.
λέσχη (η) [leshi] club, casino.
λέτσος (ο) [letsos] scruff, slob.
λεύγα (η) [levga] league.
λεύκα (η) [lefka] poplar, aspen.
λευκαίνω (ρ) [lefkeno] whiten, bleach, whitewash [τοίχο].
λευκαντικό (το) [lefkandiko] whitener, bleach.
λευκοπλάστης (ο) [lefkoplastis] sticking-plaster.
λευκός-ή-ό (ε) [lefkos] white, clean, blank.
λευκόχρυσος (ο) [lefkohrisos] platinum.
λεύκωμα (το) [lefkoma] album, albumin, leucoma.
λευτεριά (η) [lefteria] freedom.
λευχαιμία (η) [lefhemia] leukemia.
λεφτά (τα) [lefta] money.
λεχρίτης (ο) [lehritis] scum.
λεχώνα (η) [lehona] woman who has just given birth.
λεωφορείο (το) [leoforio] bus.
λεωφόρος (η) [leoforos] avenue.
λήγω (ρ) [ligo] terminate, mature, fall due [οικονομ].
λήθη (η) [lithi] forgetfulness.
λημέρι (το) [limeri] retreat.
λήξη (η) [liksi] termination, conclusion, expiration date, end.
ληξιπρόθεσμος-η-ο (ε) [liksiprothesmos] due, mature.
λήπτης (ο) [liptis] recipient.
λησμονιάρης-α-ικο (ε) [lismoniaris] forgetful.
λησμονώ (ρ) [lismono] forget.

ληστεία (η) [listia] robbery.
ληστεύω (ρ) [listevo] rob, hold up, stick up.
ληστής (ο) [listis] robber, thief.
λήψη (η) [lipsi] receipt, receiving, reception, taking.
λιάζομαι (ρ) [liazome] sunbathe.
λιακάδα (η) [liakadha] sunshine.
λιανά (επ) [liana] change, petty cash.
λιανέμπορος (ο) [lianemboros] retailer.
λιάσιμο (το) [liasimo] sunning.
λιβάδι (το) [livadhi] meadow.
λιβάνι (το) [livani] incense, frankincense.
λιβανίζω (ρ) [livanizo] burn incense, flatter basely [μεταφ].
λιβάνισμα (το) [livanisma] censing, adulation.
λίβρα (η) [livra] pound.
λιγάκι (επ) [ligaki] a little, a bit.
λίγδα (η) [ligdha] grease, dirt.
λιγδιάζω (ρ) [ligdhiazo] stain.
λιγνός-ή-ό (ε) [lignos] skinny.
λίγο (επ) [ligo] a little, a bit.
λιγοθυμία (η) [ligothimia] fainting fit, blackout.
λιγόλογος-η-ο (ε) [ligologos] reticent, taciturn.
λίγος-η-ο (ε) [ligos] a little, a bit, small [για χώρο].
λιγοστεύω (ρ) [ligostevo] lessen.
λιγότερος-η-ο (ε) [ligoteros] less.
λιγουλάκι (το) [ligulaki] a little.
λιγούρα (η) [ligura] faintness from hunger.
λιγόφαγος-η-ο (ε) [ligofagos] poor eater.
λίγωμα (το) [ligoma] faintness.
λιγώνω (ρ) [ligono] nauseate.
λιθανθρακοφόρος-α-ο (ε) [lithanthrakoforos] coal-bearing.
λιθάρι (το) [lithari] stone.
λιθοβολώ (ρ) [lithovolo] pelt with stones, stone.
λιθογράφημα (το) [lithografima] lithograph.
λιθογραφία (η) [lithografia] lithography.
λίθος (ο) [lithos] stone, calculus, concretion.
λιθόστρωτο (το) [lithostroto] pavement.
λιθρίνι (το) [lithrini] pandora.
λικέρ (το) [liker] liqueur.
λιλιπούτειος-α-ο (ε) [liliputios] lilliputian.
λίμα (η) [lima] file [εργαλείο].
λιμάρω (ρ) [limaro] file, gossip.
λιμεναρχείο (το) [limenarhio] port authority.
λιμενάρχης (ο) [limenarhis] port-master.
λιμένας (ο) [limenas] port.
λιμενεργάτης (ο) [limenergatis] docker.
λιμενοβραχίονας (ο) [limenov-

rahionas] breakwater, jetty.
λιμενοφύλακας (ο) [limenofilakas] port guard.
λιμήν (ο) [limin] port, harbour.
λιμνάζω (ρ) [limnazo] stagnate, lie stagnant.
λίμνη (η) [limni] lake.
λιμνοθάλασσα (η) [limnothalassa] lagoon.
λιμοκτονία (η) [limoktonia] famine.
λιμουζίνα (η) [limuzina] limousine.
λιμπίζομαι (ρ) [limbizome] fancy, desire.
λινάρι (το) [linari] flax.
λινάτσα (η) [linatsa] sacking.
λινό (το) [lino] linen, ply.
λινός-ή-ό (ε) [linos] linen.
λιόγερμα (το) [liogerma] sunset.
λιόδεντρο (το) [liodhendro] olive-tree.
λιόλαδο (το) [lioladho] olive oil.
λιοντάρι (το) [liondari] lion.
λιοπύρι (το) [liopiri] sweltering heat.
λιοτρίβι (το) [liotrivi] oil-press.
λιπαίνω (ρ) [lipeno] lubricate, grease, fertilize.
λιπαντικό (το) [lipandiko] lubricant.
λιπαρότητα (η) [liparotita] greasiness, oiliness, fertility.
λίπασμα (το) [lipasma] fertilizer, manure.
λιπίδιο (το) [lipidhio] lipid.
λιπόβαρος-η-ο (ε) [lipovaros] underweight.
λιποθυμία (η) [lipothimia] fainting.
λίπος (το) [lipos] fat, grease.
λιποτάκτης (ο) [lipotaktis] deserter.
λίπωμα (το) [lipoma] fatty tumor, lipoma [ιατρ].
λίρα (η) [lira] pound, sovereign.
λίστα (η) [lista] list, catalogue.
λιτά (επ) [lita] charily.
λιτανεία (η) [litania] religious procession.
λιτανεύω (ρ) [litanevo] carry in procession.
λιτότητα (η) [litotita] temperance, moderation, frugality.
λίτρα (η) [litra] pound, litre.
λίτρο (το) [litro] pound, litre.
λιχούδης (ο) [lihudhis] greedy.
λιώμα (το) [lioma] crushing.
λιώνω (ρ) [liono] melt, thaw.
λοβός (ο) [lovos] lobe, husk, foil.
λογαριάζω (ρ) [logariazo] count, measure, compute, rely on, aim to.
λογαριασμός (ο) [logariasmos] calculation, bill, accounts.
λογάριθμος (ο) [logarithmos] logarithm.
λογάς (ο) [logas] gossiper.
λογιάζω (ρ) [loyiazo] take into consideration.
λογικεύομαι (ρ) [loyikevome]

listen to, see reason.

λογική (η) [loyiki] logic.

λογικός-ή-ό (ε) [loyikos] rational, logical, sensible, right, fair.

λόγιος-α-ο (ε) [loyios] scholar.

λογιστήριο (το) [loyistirio] bursar's office, accounts office.

λογιστής (ο) [loyistis] accountant.

λογοδοσία (η) [logodhosia] report, accounting.

λογοκλοπία (η) [logoklopia] cribbing.

λογοκρίνω (ρ) [logokrino] censor.

λογομαχία (η) [logomahia] dispute, controversy.

λογοπαίγνιο (το) [logopegnio] pun, play on words.

λόγος (ο) [logos] speech, word, saying, purpose, discourse, explanation, account, promise.

λογοτέχνης (ο) [logotehnis] author, writer.

λογοφέρνω (ρ) [logoferno] argue.

λόγχη (η) [loghi] bayonet, spear.

λογχίζω (ρ) [loghizo] spear, bayonet.

λογχοφόρος (ο) [loghoforos] lancer.

λοιδορώ (ρ) [lidhoro] taunt, jeer.

λοιμός (ο) [limos] pest, plague.

λοίμωξη (η) [limoksi] infection.

λοιπόν (σ) [lipon] then, thus, and so, well, what then.

λοιπός-ή-ό (ε) [lipos] left, remaining, rest.

λοξά (επ) [loksa] on the slant.

λόξα (η) [loksa] mania, fancy.

λόξιγκας (ο) [loksigkas] hiccup.

λοξοδρόμηση (η) [loksodhromisi] swerving, diversion.

λοξοκοιτάζω (ρ) [loksokitazo] leer.

λόρδα (η) [lordha] acute hunger.

λόρδος (ο) [lordhos] lord, peer.

λοσιόν (η) [losion] lotion.

λοστός (ο) [lostos] crow bar.

λοστρόμος (ο) [lostromos] boatswain.

λοταρία (η) [lotaria] lottery.

λούζομαι (ρ) [luzome] wash one's hair.

λούζω (ρ) [luzo] wash, bathe, reproach severely [μεταφ].

λουκάνικο (το) [lukaniko] sausage.

λουκέτο (το) [luketo] padlock, lock.

λούκι (το) [luki] pipe, gutter.

λουκουμάς (ο) [lukumas] doughnut.

λουλάκι (το) [lulaki] indigo.

λουλάς (ο) [lulas] hoolah, bowl.

λουλουδάτος-η-ο (ε) [luludha-

tos] flowered, floral.
λουλούδι (το) [luludhi] flower, bloom.
λούλουδο (το) [luludho] flower, bloom, blossom.
λουξ (το) [luks] luxurious.
λουράκι (το) [luraki] wristband.
λουρί (το) [luri] strap, belt.
λουριές (οι) [luries] belting.
λούσο (το) [luso] smart clothes.
λουστράρω (ρ) [lustraro] gloss, glaze, polish.
λούστρο (το) [lustro] gloss-paint, polish, varnish.
λουτρά (τα) [lutra] hot springs.
λουτρό (το) [lutro] bathroom.
λουτρόπολη (η) [lutropoli] spa.
λούτσος (ο) [lutsos] pike.
λοφίο (το) [lofio] plume, tuft, crest, pompom [στρατ].
λοφίσκος (ο) [lofiskos] hillock, cop.
λόφος (ο) [lofos] hill, height.
λοχαγός (ο) [lohagos] captain.
λοχίας (ο) [lohias] sergeant.
λόχος (ο) [lohos] company.
λυγερός-ή-ό (ε) [liyeros] slim, graceful.
λύκειο (το) [likio] secondary school.
λυκίσκος (ο) [likiskos] hop[s].
λυκόπουλο (το) [likopulo] wolf-cub.
λύκος (ο) [likos] wolf.
λυκόφως (το) [likofos] dusk.
λυμαίνομαι (ρ) [limenome] ravage, devastate, infest.
λυντσάρω (ρ) [lintsaro] lynch.
λύνω (ρ) [lino] loosen, untie.
λυπηρός-ή-ό (ε) [lipiros] sad, distressing, painful.
λυπούμαι (ρ) [lipume] be sorry.
λυπώ (ρ) [lipo] sadden, distress.
λύρα (η) [lira] lyre, fiddle.
λύση (η) [lisi] answer, solution.
λύσσα (η) [lissa] rabies, rage.
λυσσάω (ρ) [lissao] be furious.
λυσσώδης-ης-ες (ε) [lissodhis] fierce, rabid.
λυτός-ή-ό (ε) [litos] loose, untied.
λύτρα (τα) [litra] ransom money.
λυτρωμός (ο) [litromos] freedom, redemption.
λυτρωτής (ο) [litrotis] liberator, redeemer, rescuer.
λυχνάρι (το) [lihnari] oil-lamp.
λύω (ρ) [lio] unloose, untie, unfasten, resolve.
λωλάδα (η) [loladha] stupidity.
λωλός (ο) [lolos] mad.
λωποδύτης (ο) [lopodhitis] thief.
λωρίδα (η) [loridha] strip, band.
λώρος (ο) [loros] umbilical cord.
λωτός (ο) [lotos] lotus.

M

μα (σ) [ma] but, by, upon.
μαγαζάτορας (o) [magazatoras] shopkeeper.
μαγαζί (το) [magazi] shop, bar, disco.
μαγαρίζω (ρ) [magarizo] mess up, pollute.
μαγγώνω (ρ) [mangono] grip.
μαγεία (n) [mayia] sorcery, witchcraft.
μάγειρας (o) [mayiras] cook.
μαγειρείο (το) [mayirio] kitchen.
μαγείρεμα (το) [mayirema] cooked food, cooking.
μαγειρεύω (ρ) [mayirevo] cook, plot [μεταφ].
μαγειρική (n) [mayiriki] cooking, cookery.
μαγειρικός-ή-ό (ε) [mayirikos] cooking, culinary.
μαγείρισσα (n) [mayirissa] cook.
μάγειρος (o) [mayiros] cook, chef.
μάγεμα (το) [mayema] spell, magic, witchcraft.
μαγεμένος-n-o (μ) [mayemenos] spellbound, bewitched.
μαγευτικός-ή-ό (ε) [mayeftikos] charming, enchanting.
μαγιά (n) [mayia] yeast.
μάγια (τα) [mayia] witchcraft,
μαγιό (το) [mayio] swimsuit,
μαγιονέζα (n) [mayioneza] mayonnaise.
μάγισσα (n) [mayissa] witch, enchantress, sorceress.
μαγκάλι (το) [mangali] firepan.
μαγκάνι (το) [mangani] winch.
μαγκανοπήγαδο (το) [manganopigadho] draw-well, treadmill.
μάγκας (o) [mangas] rascal, crafty guy, sly guy.
μαγκιά (n) [mangia] cunning, tricks.
μαγκούρα (n) [mangura] crook.
μαγκούφης (o) [mangufis] lonely, solitary.
μάγκωμα (το) [mangoma] squeezing.
μαγκώνω (ρ) [mangono] grip, bite.
μαγνήσιο (το) [magnisio] magnesium.
μαγνήτης (o) [magnitis] magnet.
μαγνητοταινία (n) [magnitotenia] magnetic tape.
μαγνητόφωνο (το) [magnitofono] tape recorder.
μάγος (o) [magos] magician, wizard, sorcerer.
μαγουλάδες (οι) [maguladhes]

mumps.

μάγουλο (το) [magulo] cheek.

μαδέρι (το) [madheri] beam, joist, plank.

μάδημα (το) [madhima] plucking, depilation, skinning.

μαεστρία (η) [maestria] mastery.

μαέστρος (ο) [maestros] conductor, authority [μεταφ].

μάζα (η) [maza] paste, lump, mass.

μάζεμα (το) [mazema] collecting, gathering.

μαζί (επ) [mazi] together, with,

μαζούτ (το) [mazut] fuel oil.

μαζοχισμός (ο) [mazohismos] masochism.

Μάης (ο) [Mais] May.

μαθαίνω (ρ) [matheno] learn, teach [διδάσκω].

μαθεύομαι (ρ) [mathevome] become known.

μάθημα (το) [mathima] lesson, subject.

μαθηματικά (τα) [mathimatika] mathematics.

μάθηση (η) [mathisi] learning,

μαθητεία (η) [mathitia] apprenticeship, time.

μαθητεύω (ρ) [mathitevo] teach, instruct, study.

μαθητής (ο) [mathitis] student, schoolboy, schoolgirl, follower.

μαθήτρια (η) [mathitria] pupil, schoolgirl.

μαία (η) [mea] midwife [λόγιο].

μαιευτήριο (το) [meeftirio] maternity hospital.

μαϊμού (η) [maimu] monkey, ape, a canning person.

μαϊντανός (ο) [maindanos] parsley.

μαΐστρος (ο) [maistros] northwest wind.

μαιτρέσσα (η) [metressa] mistress.

μακάβριος-α-ο (ε) [makavrios] gruesome.

μακάρι (επ) [makari] I wish.

μακαρίζω (ρ) [makarizo] envy.

μακάριος-α-ο (ε) [makarios] happy, fortunate, blessed.

μακαρίτης (ο) [makaritis] late, deceased.

μακαρονάδα (η) [makaronadha] spaghetti [dish].

μακελειό (το) [makelio] slaughter, massacre.

μακετίστας (ο) [maketistas] graphics artist, artist.

μακιγιάζ (το) [makiyiaz] make-up.

μακραίνω (ρ) [makreno] make longer, grow taller.

μακρηγορώ (ρ) [makrigoro] speak at length.

μακριά (επ) [makria] far off, at a distance.

μακροζωία (η) [makrozoia] longevity.

μακροθυμία (η) [makrothimia]

tolerance.

μακρομάλλης-α-ικο (ε) [makromallis] long-haired.

μάκρος (το) [makros] length, duration.

μακρόστενος-η-ο (ε) [makrostenos] oblong.

μακροχρόνιος-α-ο (ε) [makrohronios] age-old.

μακρυά (επ) [makria] far off.

μακρύνω (ρ) [makrino] make longer, grow taller, extend.

μακρύς-ιά-ύ (ε) [makris] long, extensive.

μακρύτερα (επ) [makritera] further, farther.

μαλάζω (ρ) [malazo] massage, knead, soften, pacify.

μαλάκας (ο) [malakas] arsehole, wanker.

μαλακία (η) [malakia] self-abuse, wanking, stupid action.

μαλάκιο (το) [malakio] mollusc.

μαλακός-ή-ό (ε) [malakos] soft, mild, gentle, tender.

μαλακότητα (η) [malakotita] softness, mildness, gentlennes,

μάλαμα (το) [malama] gold.

μαλάσσω (ρ) [malasso] massage, knead, soften, pacify, alleviate.

μαλθακότητα (η) [malthakotita] softness, gentleness,

μάλιστα (επ) [malista] yes, of course, certainly.

μαλλί (το) [malli] wool, fleece, hair.

μαλλιαρός-ή-ό (ε) [malliaros] hairy, woolly.

μαλώνω (ρ) [malono] argue,

μαμά (η) [mama] mother, mummy.

μαμή (η) [mami] midwife.

μάμη (η) [mami] grandmother.

μαμόθρεφτο (το) [mamothrefto] weakling.

μαμούδι (το) [mamudhi] vermin, bug.

μαμούθ (το) [mamuth] mammoth.

μαμούνι (το) [mamuni] small insect, grub.

μάνα (η) [mana] mother.

μανάβης (ο) [manavis] greengrocer.

μανάβικο (το) [manaviko] greengrocer's.

μάνγκο (το) [mango] mango.

μανδρόσκυλο (το) [mandhroskilo] bandog.

μανδύας (ο) [mandhias] mantle, cloak.

μανεκέν (το) [maneken] fashion model.

μάνι μάνι (επ) [mani mani] in no time, quickly.

μανία (η) [mania] fury, passion,

μανιασμένος-η-ο (μ) [maniasmenos] furious.

μάνικα (η) [manika] hose.

μανικέτι (το) [maniketi] cuff.

μανίκι (το) [maniki] sleeve.

μανικιούρ (το) [manikiur] manicure.
μανιτάρι (το) [manitari] mushroom.
μανιώδης-ης-ες (ε) [maniodhis] passionate, furious.
μάννα (το) [manna] godsend.
μανόμετρο (το) [manometro] pressure gauge.
μανουβράρω (ρ) [manuvraro] manoeuvre, manipulate.
μανούλα (η) [manula] mummy.
μανούλι (το) [manuli] cute bird.
μανούρι (το) [manuri] kind of white cheese.
μανταλάκι (το) [mandalaki] clothes peg.
μαντάλωμα (το) [mantaloma] latching, bolting.
μανταλώνω (ρ) [mandalono] latch, lock up.
μαντάμ (η) [mandam] madam.
μαντάρα (η) [mandara] mess,
μανταρίνι (το) [mandarini] tangerine, mandarin.
μαντάρισμα (το) [mandarisma] darning.
μαντάρω (ρ) [mandaro] darn,
μαντάτο (το) [mandato] information, news.
μαντείο (το) [mandio] oracle.
μάντεμα (το) [mandema] guess.
μαντεύω (ρ) [mandevo] foretell, guess, prophesy.
μαντζούνι (το) [mandzuni] lollipop, potion.
μάντης (ο) [mandis] wizard, prophet, fortune teller.
μαντίλι (το) [mandili] handkerchief.
μαντολίνο (το) [mandolino] mandolin.
μάντρα (η) [mandra] pen, fold, sty, enclosure.
μαντρί (το) [mandri] pen, fold.
μαντρόσκυλο (το) [mandroskilo] sheepdog, watchdog.
μαξιλάρι (το) [maksilari] pillow, cushion.
μάξιμουμ (το) [maksimum] maximum.
μαόνι (το) [maoni] mahogany.
μάπα (η) [mapa] cabbage, face.
μάπας (ο) [mapas] idiot.
μαραγκός (ο) [marangos] carpenter.
μαράζι (το) [marazi] pining, depression.
μαραζώνω (ρ) [marazono] pine.
μάραθο (το) [maratho] fennel.
μαραθώνιος-α-ο (ε) [marathonios] marathon race.
μαραίνομαι (ρ) [marenome] fade, waste away [μεταφ].
μαραφέτι (το) [marafeti] gadget, contraption.
μαργαρίνη (η) [margarini] margarine.
μαργαρίτα (η) [margarita] daisy.
μαργαριτάρι (το) [margaritari]

pearl.

μαργιόλικος-η-ο (ε) [maryiolikos] roguish.

μαρέγκα (η) [marenga] meringue.

μαρίδα (η) [maridha] whitebait.

μαρίνα (η) [marina] marina.

μαριονέτα (η) [marioneta] puppet.

μαριχουάνα (η) [marihuana] marijuana, cannabis.

μαρκαδόρος (ο) [markadhoros] marker [pen].

μαρκάρισμα (το) [markarisma] marking.

μαρκήσιος (ο) [markisios] marquis.

μαρκίζα (η) [markiza] eaves, ledge.

μαρμαράς (ο) [marmaras] marble mason.

μαρμαρώνω (ρ) [marmarono] turn into stone, dumbfound.

μαρμελάδα (η) [marmeladha] marmelade.

μαροκέν (το) [maroken] marocain.

μαρούλι (το) [maruli] lettuce.

μαρσάρω (ρ) [marsaro] rev up, accelerate.

μαρσιποφόρος-α-ο (ε) [marsipoforos] marsupial.

μάρτυρας (ο) [martiras] witness, martyr, [εκκλ].

μαρτυράω (ρ) [martirao] let on.

μαρτυρία (η) [martiria] deposition, giving of evidence,

μάρτυς (ο) [martis] witness, martyr [εκκλ].

μασάζ (το) [masaz] massage.

μασέλα (η) [masela] false teeth.

μάσημα (το) [masima] chewing.

μασιά (η) [masia] tongs, pincers.

μάσκα (η) [maska] mask, disguise.

μασκαράτα (η) [maskarata] masquerade.

μασκαρεύω (ρ) [maskarevo] masquerade, disguise.

μασκότ (το) [maskot] mascot.

μασκοφορεμένος-η-ο (μ) [maskoforemenos] masked, in disguise.

μασόνος (ο) [masonos] mason.

μασουλάω (ρ) [masulao] chew.

μασούρι (το) [masuri] spool, bobbin.

μαστάρι (το) [mastari] udder.

μαστεκτομή (η) [mastektomi] mastectomy.

μάστιγα (η) [mastiga] whip, curse [μεταφ].

μαστίγιο (το) [mastiyio] whip, switch.

μαστίζω (ρ) [mastizo] infest, devastate, desolate.

μαστίχα (η) [mastiha] mastic, mastic brandy [ποτό].

μάστορας (ο) [mastoras] workman, expert [μεταφ], craftsman.

μαστόρεμα (το) [mastorema] repair.

μαστοριά (η) [mastoria] craftsmanship, workmanship, artistry.

μαστός (ο) [mastos] breast, udder [ζώων], nipple.

μαστουρωμένος-η-ο (μ) [masturomenos] stoned.

μαστροπεία (η) [mastropia] pandering.

μασχάλη (η) [mashali] armpit, axilla.

μασώ (ρ) [maso] chew,

ματ (το) [mat] matt[e], dull, checkmate [στο σκάκι].

μάταια (επ) [matea] in vain.

ματαιοδοξία (η) [mateodhoksia] vanity.

ματαιοπονώ (ρ) [mateopono] try in vain.

μάταιος-η-ο (ε) [mateos] futile, gratuitous, vain, useless.

ματαιώνω (ρ) [mateono] frustrate, foil, cancel.

μάτι (το) [mati] eye, bud [φύλλου κτλ], peeper [αργκό].

μάτισμα (το) [matisma] coupling.

ματοβαμμένος-η-ο (μ) [matovammenos] blood-stained.

ματογυάλια (τα) [matoyialia] spectacles.

ματόκλαδο (το) [matokladho] eyelash.

ματοτσίνουρο (το) [matotsinuro] eyelash.

ματόφρυδο (το) [matofridho] eyebrow.

ματόφυλλο (το) [matofillo] eyelid.

ματσαράγκα (η) [matsaranga] hoax, trick.

ματσούκα (η) [matsuka] club.

ματσούκι (το) [matsuki] cudgel.

ματωμένος-η-ο (μ) [matomenos] bloody, blood-stained.

ματώνω (ρ) [matono] bleed.

μαυρίζω (ρ) [mavrizo] blacken, darken, get tanned [από ήλιο].

μαύρισμα (το) [mavrisma] blackening, tan, bruise.

μαυροδάφνη (η) [mavrodhafni] kind of sweet red wine.

μαυρομάτης-α-ικο (ε) [mavromatis] black-eyed.

μαυροπίνακας (ο) [mavropinakas] blackboard, blacklist.

μαύρος-η-ο (ε) [mavros] black, brown, miserable [μεταφ], luckless [μεταφ].

μαυσωλείο (το) [mafsolio] mausoleum.

μαφία (η) [mafia] mafia.

μαφιόζος (ο) [mafiozos] mobster.

μαχαίρι (το) [maheri] knife.

μαχαιριά (η) [maheria] stab.

μαχαιροβγάλτης (ο) [maherovgaltis] cut-throat.

μαχαιροπίρουνα (τα) [maheropiruna] cutlery.

μάχη (η) [mahi] battle, struggle, fight.

μαχμουρλής (ο) [mahmurlis]

drowsy, sleepy.

μάχομαι (ρ) [mahome] fight, combat, struggle, hate,

με (π) [me] with, by, through.

με ζήλο (επ) [me zilo] busily.

μεγαθήριο (το) [megathirio] giant, monster.

μεγαλείο (το) [megalio] splendour, splendid, magnificence.

μεγαλειοτάτη (η) [megaliotati] Her Majesty.

μεγαλειότατος (ο) [megaliotatos] His Majesty.

μεγαλειότητα (η) [megaliotita] majesty.

μεγαλειώδης-ης-ες (ε) [megalodhis] magnificent, superb.

μεγαλέμπορος (ο) [megalemboros] wholesaler.

Μεγαλοδύναμος (ο) [Megalodhinamos] the Almighty.

μεγαλόδωρος-η-ο (ε) [megalodhoros] bounteous, bountiful.

μεγαλοκτηματίας (ο) [megaloktimatias] landowner.

μεγαλόπνευστος-η-ο (ε) [megalopnefstos] inspired.

μεγάλος-η-ο (ε) [megalos] great, large, big, long, old, adult,

μεγαλόσταυρος (ο) [megalostavros] Grand Cross.

μεγαλόστομος-η-ο (ε) [megalostomos] grandiloquent.

μεγαλουργώ (ρ) [megalurgo] achieve great things.

μεγαλούτσικος-η-ο (ε) [megalutsikos] biggish, oldish.

μεγαλοφροσύνη (η) [megalofrosini] generosity.

μεγαλοφυής-ής-ές (ε) [megalofiis] gifted.

μεγαλοφώνως (επ) [megalofonos] aloud.

Μεγαλόχαρη (η) [Megalohari] the Blessed Virgin.

μεγαλόψυχος-η-ο (ε) [megalopsihos] magnanimous, generous.

μεγαλύτερος-η-ο (ε) [megaliteros] older, bigger, larger, greater.

μεγάλωμα (το) [megaloma] growing, enlargement, increase,

μεγαλώνω (ρ) [megalono] increase, enlarge, bring up [ανατρέφω], exaggerate [μεγαλοποιώ].

μέγαρο (το) [megaro] mansion, palace.

μεγάφωνο (το) [megafono] loudspeaker.

μέγγενη (η) [mengeni] clamp.

μέγεθος (το) [meyethos] size, greatness, height, length.

μεγέθυνση (η) [meyethinsi] enlargement, increase, extension.

μεγεθύνω (ρ) [meyethino] enlarge, magnify, blow up.

μέγιστος-η-ο (ε) [meyistos] greatest, largest, enormous, biggest, highest.

μεδούλι (το) [medhuli] marrow.

μεζεδάκι (το) [mezedhaki] snack.
μεζές (ο) [mezes] snack.
μεζούρα (η) [mezura] tape measure.
μεθαύριο (επ) [methavrio] the day after tomorrow.
μέθη (η) [methi] intoxication, drunkenness.
μεθόδευση (η) [methodhefsi] approach, setting about.
μέθοδος (η) [methodhos] method, process.
μεθοριακός-ή-ό (ε) [methoriakos] frontier, border.
μεθόριος (η) [methorios] frontier, border.
μεθύσι (το) [methisi] intoxication, enthusiasm [μεταφ].
μείγμα (το) [migma] mixture, blend.
μειδιώ (ρ) [midhio] smile.
μεικτός-ή-ό (ε) [miktos] mixed,
μειοδότης (ο) [miodhotis] lowest bidder.
μειοδοτώ (ρ) [miodhoto] bid the lowest price.
μείον (επ) [mion] less, minus.
μειονεκτικός-ή-ό (ε) [mionektikos] disadvantageous, inconvenient.
μειονεκτικότητα (η) [mionektikota] inferiority.
μειονότητα (η) [mionotita] minority.
μειούμαι (ρ) [miume] bate.
μειοψηφία (η) [miopsifia] few.
μειώνω (ρ) [miono] diminish, reduce, decrease.
μείωση (η) [miosi] decrease, reduction, humiliation [μεταφ].
μελαγχολία (η) [melagholia] melancholy.
μελάνι (το) [melani] ink.
μελανιά (η) [melania] inkstain,
μελανιάζω (ρ) [melaniazo] bruise, turn blue with cold.
μελανοδοχείο (το) [melanodhohio] inkpot.
μελανούρι (το) [melanuri] saddled, dark-haired girl[μεταφ].
μελάνωμα (το) [melanoma] inking, melanoma.
μελάτος-η-ο (ε) [melatos] soft-boiled [αυγό], thickish.
μελαχρινή (η) [melahrini] brunnete [γυναίκα], dark.
μελέτη (η) [meleti] treatise, study, plan [κτιρίου].
μελετηρός-ή-ό (ε) [meletiros] studious.
μελετητής (ο) [meletitis] student, researcher.
μελετώ (ρ) [meleto] study, investigate, read, learn, examine.
μέλι (το) [meli] honey.
μελιά (η) [melia] ash-tree.
μέλισσα (η) [melissa] bee.
μελίσσι (το) [melissι] bee-hive, swarm.
μελισσοκομείο (το) [melissoko-

mio] apiary.

μελιτζάνα (n) [melitzana] egg-plant, aubergine.

μελλοθάνατος-n-o (ε) [mellothanatos] condemned to death.

μέλλον (το) [mellon] future.

μέλλοντας (o) [mellondas] future [tense] [γραμμ].

μελλόνυμφος (n) [mellonimfos] wife-to-be.

μελοποίnσn (n) [melopiisi] setting to music.

μέλος (το) [melos] member, melody, limb [του σώματος].

μελτέμι (το) [meltemi] north wind.

μελωδία (n) [melodhia] melody, tune.

μελώνω (ρ) [melono] dip in honey.

μεμβράνn (n) [memvrani] membrane, parchment [χαρτί].

μεμιάς (επ) [memias] all at once, all of a sudden, at one go.

μεμονωμένος-n-o (μ) [memonomenos] isolated, lonely, alone.

μενεξές (o) [menekses] violet.

μένος (το) [menos] wrath, anger, fury, passion, fierceness,

μενού (το) [menu] menu, carte.

μέντα (n) [menda] [pepper]-mint.

μενταγιόν (το) [mendayion] pendant, medallion.

μεντεσές (o) [mendeses] hinge.

μέντιουμ (το) [mendium] medium.

μένω (ρ) [meno] remain, stop, stay, be left, live, stand, last.

μεράκι (το) [meraki] desire, yearning, regret [λύπn].

μερακλής (o) [meraklis] devotee, lover.

μερακλωμένος-n-o (μ) [meraklomenos] mellow, merry.

μεραρχία (n) [merarhia] division.

μερδικό (το) [merdhiko] share, lot.

μερεμέτι (το) [meremeti] mending, repair.

μερεύω (ρ) [merevo] break in, tame, domesticate, calm down.

μερί (το) [meri] thigh, haunch.

μεριά (n) [meria] place, side, spot, way.

μεριάζω (ρ) [meriazo] stand aside, step aside, push aside.

μερίδιο (το) [meridhio] share, portion.

μερίζω (ρ) [merizo] share out, divide.

μέριμνα (n) [merimna] care, anxiety.

μερμήγκι (το) [mermingi] ant.

μεροδούλι (το) [merodhuli] a day's work wages.

μεροκαματιάρnς (o) [merokamatiaris] casual labourer.

μεροκάματο (το) [merokamato] daily wage.

μερολnπτικός-ή-ό (ε) [meroliptikos] biased, prejudiced, unfair.

μέρος (το) [meros] part, party, portion, place, side, WC.

μέσα (επ) [mesa] in, into, inside, within, among, during,

μεσάζοντας (ο) [mesazondas] go-between, middleman.

μεσάζω (ρ) [mesazo] mediate.

μεσάζων (ε) [mesazon] fixer.

μεσαιωνικός-ή-ό (ε) [meseonikos] medieval.

μεσάνυχτα (τα) [mesanihta] midnight.

μέση (η) [mesi] middle, waist.

μεσήλικας (ο) [mesilikas] middle–aged [man].

μεσημβρία (η) [mesimvria] midday.

μεσημβρινός (ο) [mesimvrinos] of noon, southern.

μεσημέρι (το) [mesimeri] noon.

μεσημεριανός-ή-ό (ε) [mesimerianos] midday.

μεσιτεία (η) [mesitia] broker's fee.

μεσίτης (ο) [mesitis] mediator, agent.

μεσιτικό (το) [mesitiko] estate agent, house agency.

μέσο (το) [meso] middle, midst, means [τρόπος], appliance, medium, vehicle, shift.

μεσόκοπος-η-ο (ε) [mesokopos] middle-aged.

μεσολαβή (η) [mesolavi] clinch.

μεσολαβώ (ρ) [mesolavo] intercede, come between [σε χρόνο].

μέσος-η-ο (ε) [mesos] middle, mean, ordinary, reflexive.

μεσουρανώ (ρ) [mesurano] be at the height, be overhead.

μεσοφόρι (το) [mesofori] petticoat.

μεσοχείμωνο (το) [mesohimono] mid-winter.

μεστά (επ) [mesta] compactly.

μεστώνω (ρ) [mestono] mature, ripen.

μέσω (επ) [meso] through, via.

μετά (π) [meta] with, after, in.

μεταβαίνω (ρ) [metaveno] go, proceed.

μεταβάλλω (ρ) [metavallo] change.

μεταβιβάζω (ρ) [metavivazo] transmit, hand on, transfer.

μεταβλητός-ή-ό (ε) [metavlitos] unsettled, changeable, alterable.

μεταβολή (η) [metavoli] alteration, change, about-turn.

μεταβολισμός (ο) [metavolismos] metabolism.

μεταγγίζω (ρ) [metangizo] transfuse [αίμα], decant.

μεταγλώττιση (η) [metaglottisi] translation, dubbing.

μεταγράφω (ρ) [metagrafo] transcribe, register, transfer.

μεταγωγός (ο) [metagogos] transporter, conveyer, feeder.

μεταδίδω (ρ) [metadhidho] impart, broadcast], infect.

μετάδοση (n) [metadhosi] transmission, spreading.

μεταθανάτιος-α-ο (ε) [metathanatios] posthumous.

μετάθεση (n) [metathesi] transfer, removal.

μεταθέτω (ρ) [metatheto] transfer, remove, move.

μετακίνηση (n) [metakinisi] shifting, drift, removal.

μετακινώ (ρ) [metakino] move, shift.

μετακομίζω (ρ) [metakomizo] transport, transfer, move [σπίτι].

μεταλαβαίνω (ρ) [metalaveno] give communion, receive communion.

μεταλαμβάνω (ρ) [metalamvano] commune, communicate.

μετάληψη (n) [metalipsi] Holy Communion.

μεταλλάκτης (ο) [metallaktis] converter.

μεταλλάσσω (ρ) [metallasso] transform, alter, change into.

μεταλλείο (το) [metallio] mine.

μεταλλευτικός-ή-ό (ε) [metalleftikos] mineral, mining.

μεταλλικός-ή-ό (ε) [metallikos] metallic, mineral.

μετάλλιο (το) [metallio] medal.

μέταλλο (το) [metallo] metal.

μεταμελούμαι (ρ) [metamelume] be sorry for.

μεταμορφώνω (ρ) [metamorfono] transform, reform.

μεταμοσχεύω (ρ) [metamoshevo] transplant, graft.

μεταμφίεση (n) [metamfiesi] disguise, masquerade.

μετανάστευση (n) [metanastefsi] emigration, immigration.

μετανιώνω (ρ) [metaniono] repent of, be sorry for, regret.

μεταξένιος-α-ο (ε) [metaksenios] silk, silky [μεταφ].

μετάξι (το) [metaksi] silk.

μεταξοσκώληκας (ο) [metaksoskolikas] silkworm.

μεταξύ (επ) [metaksi] between, among, amongst, amidst.

μεταπείθω (ρ) [metapitho] dissuade.

μεταπηδώ (ρ) [metapidho] go over, switch over.

μεταπίπτω (ρ) [metapipto] veer, change into, fall, degenerate.

μεταποίηση (n) [metapiisi] alteration, processing.

μεταποιώ (ρ) [metapio] transform, alter, convert.

μεταπράτης (ο) [metapratis] retailer, secondhand dealer.

μεταπτυχιακός-ή-ό (ε) [metaptihiakos] postgraduate.

μεταπωλητής (ο) [metapolitis] retailer.

μεταρρυθμίζω (ρ) [metarrith-

mizo] reform, rearrange.
μετάσταση (n) [metastasi] changeover.
μεταστρέφομαι (ρ) [metastrefome] swing, veer, turn.
μετασχηματιστής (ο) [metashimatistis] transformer.
μετατοπίζω (ρ) [metatopizo] shift, displace.
μετατρέπω (ρ) [metatrepo] transform, turn, change.
μετατροπή (n) [metatropi] conversion, switch.
μεταφέρω (ρ) [metafero] carry, convey, transfer [οικον].
μεταφορέας (ο) [metaforeas] transporter, conveyor, carrier.
μεταφορικός-ή-ό (ε) [metaforikos] transport, figurative.
μεταφράζω (ρ) [metafrazo] translate.
μεταφραστής (ο) [metafrastis] translator, interpreter.
μεταφύτευση (n) [metafitefsi] transplantation.
μεταχείριση (n) [metahirisi] use, employment, handling, treatment, deal.
μετεκλογικός-ή-ό (ε) [metekloyikos] post-election.
μετεκπαίδευση (n) [metekpedhefsi] postgraduate study.
μετεμψύχωση (n) [metempsihosi] reincarnation.
μετενσάρκωση (n) [metensarkosi] reincarnation.
μετεξέταση (n) [meteksetasi] reexamination.
μετέπειτα (επ) [metepita] after, afterwards, subsequently.
μετέχω (ρ) [meteho] participate, partake.
μετεωρίτης (ο) [meteoritis] meteorite.
μετεωρολογικός-ή-ό (ε) [meteoroloyikos] weather.
μετέωρος-η-ο (ε) [meteoros] dangling, in the air, undecided.
μετοικίζω (ρ) [metikizo] emigrate, move house [σπίτι].
μετοικώ (ρ) [metiko] move [house].
μετονομασία (n) [metonomasia] renaming.
μετόπισθεν (τα) [metopisthen] the rear.
μετοχή (n) [metohi] stock [οικον], share, participle.
μετοχικός-ή-ό (ε) [metohikos] of a share, participial [γραμμ].
μέτοχος (ο) (n) [metohos] participant, sharer, shareholder.
μέτρα (τα) [metra] measurements, proceedings, steps.
μέτρημα (το) [metrima] counting, numbering, measurement.
μέτρηση (n) [metrisi] measuring, calculation, measurement.
μετριάζω (ρ) [metriazo] moderate, diminish, slacken, lessen,

μετρική (n) [metriki] metric.
μετριοπάθεια (n) [metriopathia] moderation, temperance,
μετριοπαθής-ής-ες (ε) [metriopathis] temperate, reasonable.
μέτριος-α-ο (ε) [metrios] ordinary, moderate, semi-sweetened [καφές], middle, medium.
μετριόφρονας (ο) [metriofronas] modest, unassuming,
μέτρο (το) [metro] measure, metre, bar [μουσ].
μετρό (το) [metro] subway, underground.
μετροταινία (n) [metrotenia] [measuring] tape.
μετρώ (ρ) [metro] measure, count, number, estimate,
μετωπιαίος-α-ο (ε) [metopieos] frontal.
μετωπικός-ή-ό (ε) [metopikos] frontal, head-on.
μέχρι (επ) [mehri] till, until, down to, up to, as far as, about.
μη (μο) [mi] don't, not, no, lest.
μηδαμινός-ή-ό (ε) [midhaminos] worthless, of no account, insignificant, minimal.
μηδέν (το) [midhen] nothing,
μήκος (το) [mikos] length, longitude [γεωγραφικό].
μηλιά (n) [milia] apple-tree.
μηλίγγι (το) [milingi] temple.
μήνας (ο) [minas] month.
μηνιαίος-α-ο (ε) [minieos] monthly, month's.
μηνιάτικο (το) [miniatiko] month's wages.
μηνιγγίτιδα (n) [miningitidha] meningitis.
μηνόρροια (n) [minorria] menstruation.
μήνυμα (το) [minima] message,
μήνυση (n) [minisi] summons, charge, complaint.
μηνύω (ρ) [minio] give notice,
μήπως (σ) [mipos] in case, I wonder if.
μηριαίος-η-ο (ε) [mirieos] crural.
μηρός (ο) [miros] thigh, leg,
μηρυκασμός (ο) [mirikasmos] rumination.
μήτε (μο) [mite] not even, neither, nor, not either.
μητέρα (n) [mitera] mother.
μήτρα (n) [mitra] uterus, womb, mould, form, cast.
μητριά (n) [mitria] step-mother.
μητρόπολη (n) [mitropoli] metropolis, capital, cathedral.
μητρότητα (n) [mitrotita] motherhood, maternity.
μητρώο (το) [mitroo] register,
μηχανεύομαι (ρ) [mihanevome] contrive, engineer, plot, bring about, scheme.
μηχανή (n) [mihani] machine, works, typewriter [μεταφ], camera, engine, motor.

μηχάνημα (το) [mihanima] machine, contraption, device,
μηχανική (η) [mihaniki] engineering, mechanics.
μηχανοδηγός (ο) [mihanodhigos] engine driver.
μηχανοκίνητος-η-ο (ε) [mihanokinitos] motorized, machine-operated.
μηχανολογία (η) [mihanoloyia] mechanical engineering.
μηχανοποίηση (η) [mihanopiisi] mechanization.
μηχανοστάσιο (το) [mihanostasio] engine-room.
μηχανουργός (ο) [mihanurgos] machinist, mechanic.
μια (αν) [mia] one, a, an.
μιάμιση (η) [miamisi] one and a half.
μιγάδας (ο) [migadhas] half-caste.
μίζα (η) [miza] self-starter, stake.
μιζέρια (η) [mizeria] misery, meanness [τσιγκουνιά].
μίζερος-η-ο (ε) [mizeros] fussy, miserable, wretched, mean.
μικραίνω (ρ) [mikreno] lessen, shorten, grow smaller.
μικρό (το) [mikro] little one, young one, baby.
μικροαστικός-ή-ό (ε) [mikroastikos] lower middle-class.
μικρόβιο (το) [mikrovio] microbe, germ.
μικροβιολογία (η) [mikrovioloyia] bacteriology,
μικρογραφία (η) [mikrografia] miniature, micrography.
μικροεπαγγελματίας (ο) [mikroepagelmatias] small tradesman.
μικροϊδιοκτησία (η) [mikroidhioktisia] small-holding.
μικροκλοπή (η) [mikroklopi] petty theft.
μικροκύμα (το) [mikrokima] microwave.
μικρολεπτομέρεια (η) [mikroleptomeria] small detail.
μικρολογία (η) [mikroloyia] captiousness, trifle.
μικροπρέπεια (η) [mikroprepia] meanness, pettiness.
μικροπρεπής-ής-ές (ε) [mikroprepis] mean.
μικρός-ή-ό (ε) [mikros] small, little, short, young, trivial.
μικροσκοπικός-ή-ό (ε) [mikroskopikos] minute, baby.
μικροσκόπιο (το) [mikroskopio] microscope.
μικρόσωμος-η-ο (ε) [mikrosomos] small, little, undersized.
μικροτέχνημα (το) [mikrotehnima] miniature.
μικρότητα (η) [mikrotita] pettiness, meanness.
μικρούλα (η) [mikrula] little girl, young girl.

μικροψυχία (η) [mikropsihia] meanness, pettiness.
μικρύνω (ρ) [mikrino] curtail, lessen, shorten, grow smaller.
μικτός-ή-ό (ε) [miktos] mixed,
μίλι (το) [mili] mile.
μιλιά (η) [milia] speech, word.
μιλώ (ρ) [milo] speak, talk, tell, mention.
μίμηση (η) [mimisi] imitation, impersonation.
μιμική (η) [mimiki] mimicry.
μίμος (ο) [mimos] mimic, jester, impersonator.
μίνα (η) [mina] mine.
μιναρές (ο) [minares] minaret.
μινιατούρα (η) [miniatura] miniature.
μίνιμουμ (το) [minimum] minimum.
μίνιο (το) [minio] minium.
μινιόν (το) [minion] dainty, cute.
μινόρε (το) [minore] minor [μουσ].
μίξερ (το) [mikser] liquidizer.
μίξη (η) [miksi] mixture, blend.
μισαλλοδοξία (η) [misallodhoksia] intolerance.
μισανθρωπία (η) [misanthropia] misanthropy.
μισεύω (ρ) [misevo] emigrate.
μισητός-ή-ό (ε) [misitos] hated, hateful, abhorrent.
μίσθιο (το) [misthio] rented property, leasehold, lease.
μισθοδοσία (η) [misthodhosia] pay, wages.
μισθός (ο) [misthos] salary, wages, pay.
μισθοσυντήρητος-η-ο (ε) [misthosintiritos] wage-earner.
μισθοφορικός-ή-ό (ε) [misthoforikos] hired.
μίσθωμα (το) [misthoma] rent.
μισθώνω (ρ) [misthono] hire, rent, let out, hire out.
μισό (το) [miso] half.
μισογύνης (ο) [misoyinis] misogynist.
μισός-ή-ό (ε) [misos] half.
μίσος (το) [misos] hatred,
μίσχος (ο) [mishos] stalk[of leaf].
μίτρα (η) [mitra] mitre.
μνεία (η) [mnia] mention, citation.
μνήμα (το) [mnima] grave, tomb.
μνημειακός-ή-ό (ε) [mnimiakos] monumental.
μνημείο (το) [mnimio] monument.
μνήμη (η) [mnimi] memory, mind.
μνημονικός-ή-ό (ε) [mnimonikos] mnemonic.
μνησικακία (η) [mnisikakia] malice, resentment, spitefulness.
μνησικακώ (ρ) [mnisikako]

bear somebody a grudge.
μνηστευμένος (ο) [mnistevmenos] engaged.
μνηστεύομαι (ρ) [mnistevome] get engaged.
μνηστή (n) [mnisti] fiancee.
μνηστήρας (ο) [mnistiras] fiance, claimant [μεταφ].
μόδα (n) [modha] fashion, custom, habit, way.
μοδίστρα (n) [modhistra] dressmaker.
μοιάζω (ρ) [miazo] look like.
μοίρα (n) [mira] fate, fortune, squadron, degree.
μοιράζω (ρ) [mirazo] share out, divide, distribute, deliver, deal.
μοιραίο (το) [mireo] fate, death.
μοιρολατρικός-ή-ό (ε) [mirolatrikos] fatalistic.
μοιρολογώ (ρ) [mirologo] lament, mourn.
μοιχαλίδα (n) [mihalidha] adulteress.
μοιχεία (n) [mihia] adultery.
μοιχεύω (ρ) [mihevo] commit adultery.
μοιχός (ο) [mihos] adulterer.
μόλις (επ) [molis] just.
μολυβδίαση (n) [molivdhiasi] lead poisoning.
μόλυβδος (ο) [molivdhos] lead.
μολύβι (το) [molivi] lead, pencil.
μόλυνση (n) [molinsi] contamination, infection, pollution.
μολύνω (ρ) [molino] infect, contaminate, pollute.
μομφή (n) [momfi] blame, reproach.
μονάδα (n) [monadha] unit, squad.
μοναδικός-ή-ό (ε) [monadhikos] unique, singular, only, signal.
μονάζω (ρ) [monazo] cloister, live a solitary life,
μονάζων (μ) [monazon] cloistered, cloistral.
μονάκριβος-η-ο (ε) [monakrivos] [one and] only, single.
μοναξιά (n) [monaksia] isolation, loneliness.
μοναστήρι (το) [monastiri] monastery, abbey, convent.
μονάχα (επ) [monaha] only.
μοναχή (n) [monahi] nun.
μοναχογιός (ο) [monahoyios] only son.
μοναχοπαίδι (το) [monahopedhi] only child.
μοναχός-ή-ό (ε) [monahos] alone, single, only, sole, real,
μοναχός (ο) [monahos] monk.
μονέδα (n) [monedha] money.
μονή (n) [moni] monastery,
μονιμοποίηση (n) [monimopiisi] fixation, stabilization, consolidation.
μόνιμος-η-ο (ε) [monimos] per-

manent, lasting, fixed, resident, standing.

μόνιππο (το) [monippo] hackney carriage.

μονογαμία (η) [monogamia] monogamy.

μονόγραμμα (το) [monogramma] monogram, initials.

μονογραφία (η) [monografia] monograph.

μονοδιάστατος-η-ο (ε) [monodhiastatos] one dimensional.

μονόδρομος (ο) [monodhromos] one-way street.

μονόζυγο (το) [monozigo] horizontal bar.

μονοθεϊστής (ο) [monotheistis] monotheist.

μονοθέσιο (το) [monothesio] single-seater.

μονοιάζω (ρ) [moniazo] agree with, reconcile.

μονοκατοικία (η) [monokatikia] maisonnette.

μονόκλ (το) [monokl] monocle.

μονοκομματικός-ή-ό (ε) [monokommatikos] one-party.

μονοκόμματος-η-ο (ε) [monokommatos] in one piece, stiff, massive, unbending, unyielding.

μονοκοντυλιά (η) [monokondilia] just like that [με μια-].

μονοκοπανιά (επ) [monokopania] at one go.

μονολεκτικά (επ) [monolektika] in one word.

μονολιθικός-ή-ό (ε) [monolithikos] monolithic.

μονόλογος (ο) [monologos] monologue.

μονομανία (η) [monomania] monomania, obsession.

μονομαχώ (ρ) [monomaho] fight a duel.

μονομερής-ής-ές (ε) [monomeris] one-sided.

μονομερίς (επ) [monomeris] in one day.

μονομιάς (επ) [monomias] all at once, at one go.

μονόπαντος-η-ο (ε) [monopandos] lopsided.

μονοπάτι (το) [monopati] footpath.

μονόπετρο (το) [monopetro] solitaire.

μονόπρακτο (το) [monoprakto] one-act play.

μονοπώληση (η) [monopolisi] monopolization.

μονοπωλώ (ρ) [monopolo] corner, monopolize.

μονορούφι (επ) [monorufi] at one gulp, at a stretch.

μόνος-η-ο (ε) [monos] alone, single, apart, sole.

μονός-ή-ό (ε) [monos] single, simple, odd [αριθμός].

μονοσήμαντος-η-ο (ε) [monosimantos] one-track, one-way.

μονοσύλλαβος-η-ο (ε) [monosillavos] monosyllabic.
μονοτάξιος-α-ο (ε) [monotaksios] one-class, one-year.
μονοτονία (η) [monotonia] monotony.
μονόφθαλμος-η-ο (ε) [monofthalmos] one-eyed.
μονόχειρας (ο) [monohiras] one-armed person.
μονόχνοτος-η-ο (ε) [monohnotos] unsociable, withdrawn.
μονόχρωμος-η-ο (ε) [monohromos] monochrome, plain.
μονοψήφιος-α-ο (ε) [monopsifios] one-digit.
μοντάρω (ρ) [mondaro] assemble, mount.
μοντέλο (το) [mondelo] model, pattern, style.
μοντέρνα (επ) [monderna] modern.
μονωδία (η) [monodhia] solo.
μονώροφος-η-ο (ε) [monorofos] one-storeyed.
μόνωση (η) [monosi] insulation, solitude.
μόριο (το) [morio] particle, molecule.
μόρτης (ο) [mortis] hooligan.
μόρτικος-η-ο (ε) [mortikos] roguish, devilish.
μορφάζω (ρ) [morfazo] grimace, make faces.
μορφή (η) [morfi] shape, form, look, face, aspect, phase.
μόρφημα (το) [morfima] morpheme.
μορφίνη (η) [morfini] morphine.
μορφινομανής-ής-ές (ε) [morfinomanis] morphine addict.
μορφολογία (η) [morfoloyia] morphology.
μορφονιός (ο) [morfonios] dandy.
μορφόπλασμα (το) [morfoplasma] endoplasm.
μορφοποίηση (η) [morfopiisi] figuration.
μορφωμένος-η-ο (μ) [morfomenos] educated, cultivated.
μορφώνω (ρ) [morfono] shape, form, train, educate.
μόρφωση (η) [morfosi] education, learning, culture.
μορφωτικός-ή-ό (ε) [morfotikos] cultural, instructive.
μοσκοκάρυδο (το) [moskokaridho] nutmeg.
μοσκολίβανο (το) [moskolivano] frankincense.
μόστρα (η) [mostra] shop window, display, specimen, sample.
μοσχάρι (το) [mos-hari] calf, veal.
μοσχάτο (το) [mos-hato] muscatel.
μόσχευμα (το) [mos-hevma] graft.
μοσχοβολώ (ρ) [mos-hovolo]

smell sweetly, be fragrant.
μοσχοκάρυδο (το) [mos-hokaridho] nutmeg.
μοσχολίβανο (το) [mos-holivano] frankincense.
μοσχοπωλώ (ρ) [mos-hopolo] sell at a good price.
μόσχος (ο) [mos-hos] calf, musk.
μοτέλ (το) [motel] motel.
μοτέρ (το) [moter] motor.
μοτίβο (το) [motivo] motif, theme [song].
μοτοποδήλατο (το) [motopodhilato] moped.
μοτοσικλέτα (η) [motosikleta] motorbike.
μοτοσικλετιστής (ο) [motosikletistis] motorcyclist.
μου (αν) [mu] me, my.
μουγγρί (το) [mungri] conger.
μουγκός-ή-ό (ε) [mungos] dumb, mute.
μουγκρητό (το) [mungrito] groan, moan.
μουδιάζω (ρ) [mudhiazo] become numb.
μουδιασμένος-η-ο (μ) [mudhiasmenos] numb, chilled.
μουζίκος (ο) [muzikos] muzhik, a Russian peasant.
μουλάρι (το) [mulari] mule.
μουλιάζω (ρ) [muliazo] soak,
μούμια (η) [mumia] mummy.
μουνί (το) [muni] cunt.
μουνουχίζω (ρ) [munuhizo] castrate, spay [θηλ ζώο].
μουντάρω (ρ) [mundaro] pitch into, pounce upon.
μουντζαλώνω (ρ) [mundzalono] smudge, smear.
μουντζούρα (η) [mundzura] smudge, stain, smear, blemish.
μουντζουρώνω (ρ) [mundzurono] smudge, dirty, stain, spot,
μουντός-ή-ό (ε) [mundos] dull,
μουράγιο (το) [murayio] breakwater.
μούργα (η) [murga] dregs.
μούργος (ο) [murgos] churl.
μούρη (η) [muri] face.
μουρλαίνω (ρ) [murleno] drive mad.
μούρλια (η) [murlia] madness,
μουρμουρίζω (ρ) [murmurizo] mutter, murmur, whisper.
μουρντάρης (ο) [murndaris] womanizer.
μούσα (η) [musa] muse.
μουσαμάς (ο) [musamas] oilcloth, linoleum.
μουσάτος-η-ο (ε) [musatos] bearded (ο) bearded man.
μουσαφίρης (ο) [musafiris] guest.
μουσείο (το) [musio] museum.
μουσελίνα (η) [muselina] muslin.
μούσι (το) [musi] beard, goatee.
μουσική (η) [musiki] music,

band.

μουσικοσυνθέτης (ο) [musikosinthetis] composer.

μουσικότητα (η) [musikotita] musicality, melodiousness.

μούσκεμα (το) [muskema] wetting, soaking.

μουσκίδι (το) [muskidhi] soaked, drenched.

μουσουργός (ο) [musurgos] composer.

μουστάκι (το) [mustaki] moustache.

μουσταλευριά (η) [mustalevria] must-jelly.

μουστάρδα (η) [mustardha] mustard.

μουστερής (ο) [musteris] buyer, customer.

μουστοκούλουρο (το) [mustokuluro] must-roll.

μούστος (ο) [mustos] must.

μούτρο (το) [mutro] face, rascal.

μούτσος (ο) [mutsos] deck hand.

μουτσούνα (η) [mutsuna] snout, muzzle.

μούχλα (η) [muhla] mould, mildew.

μουχλιασμένος-η-ο (μ) [muhliasmenos] mouldy.

μοχθηρία (η) [mohthiria] malice, spite, wickedness.

μοχλός (ο) [mohlos] lever, [crow] bar.

μπα! (επιφ) [ba] I say! well!, I doubt it.

μπαγαπόντης (ο) [bagapondis] trickster.

μπαγάσας (ε) [bagasas] bleeder.

μπαγιάτικος-η-ο (ε) [bayiatikos] stale, rancid.

μπαγκάζια (τα) [bangazia] baggage, luggage.

μπαγκατέλα (η) [bangatela] bagatelle, rubbish, trifle.

μπαγκέτα (η) [bageta] clock.

μπάζα (η) [baza] hand, trick, pile, packet.

μπάζα (τα) [baza] debris, rubble.

μπάζω (ρ) [bazo] usher in, thrust, shrink.

μπαίνω (ρ) [beno] go into, enter, shrink, understand.

μπαϊράκι (το) [bairaki] standard, banner.

μπακάλης (ο) [bakalis] grocer.

μπακαλιάρος (ο) [bakaliaros] salted codfish.

μπακίρι (το) [bakiri] copper.

μπάλα (η) [bala] ball, bullet.

μπαλαμούτι (το) [balamuti] swindle.

μπαλάντα (η) [balanda] ballad.

μπαλαντέζα (η) [balandeza] inspection lamp.

μπαλαντέρ (το) [balander] joker.

μπαλάσκα (η) [balaska] cartridge belt, pouch.

μπαλέτο (το) [baleto] ballet.
μπαλκόνι (το) [balkoni] balcony.
μπαλόνι (το) [baloni] balloon.
μπάλσαμο (το) [balsamo] balsam.
μπαλτάς (ο) [baltas] axe, hatchet.
μπάλωμα (το) [baloma] mending, patching.
μπαλώνω (ρ) [balono] patch, mend, repair, make up.
μπάμια (η) [bamia] okra.
μπαμπάκι (το) [bambaki] cotton.
μπαμπάς (ο) [babas] daddy,
μπαμπέσης (ο) [babesis] treacherous man.
μπαμπέσικος-η-ο (ε) [babesikos] treacherous, underhand.
μπαμπού (το) [bambu] bamboo.
μπαμπούλας (ο) [bambulas] bogey man.
μπανάνα (η) [banana] banana.
μπανιέρα (η) [baniera] bathtub.
μπανιερό (το) [baniero] swimsuit, swimming-trunks.
μπανίζω (ρ) [banizo] ogle, peep.
μπάνιο (το) [banio] bath, bathing, swimming, tub [λεκάνη], bathroom [δωμάτιο].
μπάντα (η) [banda] corner, side, band, gang.
μπαξές (ο) [bakses] garden.
μπαξίσι (το) [baksisi] bribe.
μπαούλο (το) [baulo] trunk,
μπαρ (το) [bar] bar.
μπάρα (η) [bara] bar, crow bar.
μπαράκι (το) [baraki] cellaret.
μπαρκάρω (ρ) [barkaro] go on board [επί επιβατών].
μπάρμπας (ο) [barbas] old man, uncle.
μπαρμπέρης (ο) [barberis] barber.
μπαρμπούνι (το) [barbuni] red mullet.
μπαρμπούτι (το) [barbuti] craps.
μπαρούτι (το) [baruti] gunpowder.
μπαρούφα (η) [barufa] whacker, cock-and-bull story.
μπάσιμο (το) [basimo] entrance.
μπασμένος, -η-ο (μ) [basmenos] aware, knowledgeable,
μπάσος (ο) [basos] bass.
μπασταρδεύω (ρ) [bastardhevo] bastardize.
μπαστάρδικος-η-ο (ε) [bastardhikos] bastard, illegitimate.
μπαταριά (η) [bataria] volley.
μπαταρία (η) [bataria] battery.
μπατάρω (ρ) [bataro] overturn.
μπατζάκι (το) [batzaki] trouser-leg.
μπάτης (ο) [batis] sea-breeze.
μπατίρης (ο) [batiris] penniless.
μπάτσος (ο) [batsos] slap, po-

liceman.
μπαφιάζω (ρ) [bafiazo] be tired of.
μπαχάρι (το) [bahari] pimento.
μπεζ (το) [bez] beige.
μπεζαχτάς (ο) [bezahtas] cash-box, purse.
μπέης (ο) [beis] bey.
μπεκάτσα (η) [bekatsa] woodcock.
μπεκιάρης (ε) [bekiaris] bachelor, unmarried, spinster.
μπεκρής (ο) [bekris] drunkard.
μπελαλίδικος-η-ο (ε) [belalidhikos] bothersome, cumberous.
μπελάς (ο) [belas] trouble, embarrassment, annoyance, worry, inconvenience.
μπεμπέκα (η) [bebeka] baby girl.
μπέμπης (ο) [bebis] baby.
μπέρδεμα (το) [berdhema] tangle, confusion, disorder.
μπερδεμένος-η-ο (μ) [berdhemenos] complicated, muddled,
μπερδεύω (ρ) [berdhevo] involve, confuse, make a muddle of, entangle.
μπερές (ο) [beres] beret.
μπερμπάντης (ο) [berbandis] rascal, womanizer.
μπερντές (ο) [berndes] curtain.
μπέρτα (η) [berta] cloak, cape.
μπετόν (το) [beton] concrete.
μπετονιέρα (η) [betoniera] cement mixer.
μπετούγια (η) [betuyia] catch.
μπήζω (ρ) [bizo] drive in, hammer in, stick in.
μπιζέλι (το) [bizeli] pea.
μπιζού (το) [bizu] jewellery.
μπίλια (η) [bilia] ball, marble.
μπιλιάρδο (το) [biliardho] billiards, snooker, pool.
μπιλιέτο (το) [bilieto] visiting-card.
μπιμπελό (το) [bibelo] bibelot.
μπιμπερό (το) [bibero] dummy, feeding bottle.
μπιμπίκι (το) [bibiki] spot, blackhead.
μπιντές (ο) [bindes] bidet.
μπίρα (η) [bira] beer.
μπισκότο (το) [biskoto] biscuit.
μπιτόνι (το) [bitoni] can.
μπιφτέκι (το) [bifteki] hamburger.
μπιχλιμπίδι (το) [bihlibidhi] trinket.
μπλάστρι (το) [blastri] plaster.
μπλε (ε) [ble] blue.
μπλέκω (ρ) [bleko] complicate, get implicated, entangle, involve.
μπλοκ (το) [blok] block, notebook.
μπλοκάρισμα (το) [blokarisma] jamming, locking, blocking.
μπλόκο (το) [bloko] roadblock.
μπλουζ (το) [bluz] blues.

μπλούζα (η) [bluza] blouse.
μπλόφα (η) [blofa] bluff, deception.
μπογιά (η) [boyia] paint, dye, shoe polish [παπουτσιών].
μπόγιας (ο) [boyias] dogcatcher, hangman, headsman.
μπόι (το) [boi] height, size.
μποϊκοτάζ (το) [boikotaz] boycott.
μπολ (το) [bol] bowl.
μπολερό (το) [bolero] bolero.
μπόλι (το) [boli] graft, vaccine.
μπόλικος-η-ο (ε) [bolikos] plenty, lots, plentiful.
μπόμπα (η) [bomba] bomb.
μπομπίνα (η) [bobina] spool.
μπόμπιρας (ο) [bobiras] brat, toddler, wasp [έντομο].
μποναμάς (ο) [bonamas] New Year gift, gratuity, present [δώρο], tip.
μποξ (το) [boks] box[ing].
μπόουλινγκ (το) [bo-uling] bowling.
μπόρεση (η) [boresi] power.
μπορντέλο (το) [borndelo] brothel.
μπορντώ (ε) [bordo] claret.
μπορώ (ρ) [boro] can, be able, may.
μπόσικα (τα) [bosika] play, slack [ναυτ].
μποστάνι (το) [bostani] market garden, melon patch.
μπότα (η) [bota] boot.
μποτίλια (η) [botilia] bottle.
μποτιλιάρισμα (το) [botiliarisma] traffic jam.
μποτίνι (το) [botini] ankle boot.
μπουγάτσα (η) [bugatsa] custard-filled pastry.
μπούγιο (το) [buyio] bulk.
μπούκα (η) [buka] entrance, mouth, muzzle [όπλου].
μπουκάλι (το) [bukali] bottle.
μπουκαπόρτα (η) [bukaporta] hatch [way] [ναυτ].
μπουκάρω (ρ) [bukaro] burst in, rush into, invade.
μπουκέτο (το) [buketo] bouquet, bunch.
μπουκιά (η) [bukia] mouthful, bite.
μπουκλίτσα (η) [buklitsa] frizz.
μποϋκοτάρω (ρ) [boikotaro] boycott, oppose, react [against].
μπούκωμα (το) [bukoma] stoppage, filling one's mouth.
μπουλντόζα (η) [bulndoza] bulldozer.
μπουλούκι (το) [buluki] flock, herd, group, disorderly troops, travelling troupe.
μπουλούκος (ο) [bulukos] plump person.
μπουμπούκι (το) [bubuki] bud.
μπουμπουνητό (το) [bubunito] roll of thunder.
μπουνιές (οι) [bunies] punches.

μπουνταλάς (ο) [bundalas] oaf.
μπούρδα (η) [burdha] drivel.
μπουρδούκλωμα (το) [burdhukloma] mess-up.
μπουρέκι (το) [bureki] pastry.
μπουρί (το) [buri] stovepipe, flue.
μπουρίνια (τα) [burinia] tantrums.
μπουρλότο (το) [burloto] fireship.
μπουρμπουλήθρα (η) [burbulithra] bubble.
μπουρνούζι (το) [burnuzi] bathrobe.
μπούσουλας (ο) [busulas] compass.
μπουσουλώ (ρ) [busulo] crawl.
μπούστο (το) [busto] bust.
μπούτι (το) [buti] thigh, leg.
μπουτίκ (η) [butik] boutique.
μπούφαλο (το) [bufalo] bison.
μπουφές (ο) [bufes] buffet.
μπούφος (ο) [bufos] horn-owlidiot [μεταφ].
μπόχα (η) [boha] stink.
μπράβο! (επιφ) [bravo!] bravo!, well done!, good for you!.
μπράβος (ο) [bravos] body guard, bully.
μπράτσο (το) [bratso] arm, brace.
μπριζόλα (η) [brizola] chop, cutlet, steak.
μπρίκι (το) [briki] pot for boiling coffee.
μπρίο (το) [brio] zest, relish, brio.
μπροστινός-ή-ό (ε) [brostinos] in front.
μπρούμυτα (επ) [brumita] prone, on one's stomach, on one's face.
μπρούντζινος-η-ο (ε) [brundzinos] bronze, brass.
μπρούσκος-α-ο (ε) [bruskos] dry.
μπύρα (η) [bira] beer, ale, bitter.
μυαλό (το) [mialo] brain, mind.
μυαλωμένος-η-ο (ε) [mialomenos] sensible, wise.
μύγα (η) [miga] fly.
μυγδαλιά (η) [migdhalia] almond-tree.
μύγδαλο (το) [migdhalo] almond.
μυγιάζομαι (ρ) [miyiazome] get into a huff.
μυγοχάφτης (ο) [migohaftis] fly-catcher, lazy, idle.
μύδι (το) [midhi] mussel.
μυδραλλιοβόλο (το) [midhralliovolo] machine-gun.
μυελός (ο) [mielos] marrow.
μυημένος-η-ο (ε) [miimenos] initiate, insider, knowledgeable.
μύηση (η) [miisi] initiation.
μυθικός-ή-ό (ε) [mithikos] mythical, legendary, unreal [μεταφ].

μυθιστόρημα (το) [mithistorima] novel, fiction.
μύθος (ο) [mithos] myth, fable.
μυϊκός-ή-ό (ε) [miikos] muscular.
μύκητας (ο) [mikitas] fungus, mushroom.
μυκητοκτόνο (το) [mikitoktono] fungicide.
μυλόπετρα (η) [milopetra] millstone.
μύλος (ο) [milos] mill.
μυλωνάς (ο) [milonas] miller.
μύξα (η) [miksa] mucus, snot.
μυριάδα (η) [miriadha] myriad.
μυρίζω (ρ) [mirizo] smell, sniff.
μύριοι-ες-α (ε) [mirii] ten thousand, incalculable, countless.
μυρμήγκι (το) [mirmingi] ant.
μυρμηκίαση (η) [mirmikiasi] pins and needles.
μύρο (το) [miro] perfume, myrrh.
μυρουδιά (η) [mirudhia] smell, odour, fragrance, scent, stink.
μυρωδιά (η) [mirodhia] smell, odour, fragrance, stink, .
μυρώνω (ρ) [mirono] scent, anoint [εκκλ].
μυς (ο) [mis] muscle.
μυσταγωγία (η) [mistagoyia] mystagogy, rite[s].
μυστήριο (το) [mistirio] mystery, sacrament [εκκλ].
μυστηριωδώς (επ) [mistiriodhos] mysteriously, obscurely.
μύστης (ο) [mistis] initiator.
μυστικά (επ) [mistika] secretly, privately, discreetly.
μυστικοπάθεια (η) [mistikopathia] mysticism.
μυστικός-ή-ό (ε) [mistikos] secret, undercover, hidden.
μυστικότητα (η) [mistikotita] secrecy, privateness.
μυστρί (το) [mistri] trowel.
μυτερός-ή-ό (ε) [miteros] pointed, sharp.
μύτη (η) [miti] nose, point, tip, end, bill.
μυχός (ο) [mihos] cove, inlet, recess.
μυώ (ρ) [mio] initiate, introduce, admit.
μυώδης-ης-ες (ε) [miodhis] muscular.
μώλος (ο) [molos] breakwater, pier.
μώλωπας (ο) [molopas] bruise.
μωρία (η) [moria] stupidity.
μωρό (το) [moro] baby, babe [για κορίτσι ΗΠΑ].
μωρός-ή-ό (ε) [moros] foolish, idiotic.
μωρουδιακά (τα) [morudhiaka] layette.
μωρουδίστικος-η-ο (ε) [morudhistikos] babyish.
μωσαϊκό (το) [mosaiko] mosaic,
Μωσαϊκός-ή-ό (ε) [Mosaikos] Mosaic.

N

να (μο) [na] here it is!.
να (σ) [na] that, in order to.
ναδίρ (το) [nadhir] nadir.
νάζι (το) [nazi] mincing, airs and graces, manner, frills.
ναζιάρικος-η-ο (ε) [naziarikos] affected, mincing, coy.
ναι (επ) [ne] yes, indeed, certainly.
νάιλον (το) [nailon] nylon.
νάνι (το) [nani] sleep.
νάνος (ο) [nanos] dwarf, midget.
νανουρίζω (ρ) [nanurizo] lull to sleep, rock [στην κούνια].
ναός (ο) [naos] church, temple.
νάρθηκας (ο) [narthikas] nave, narthex [εκκλ], fennel [βοτ].
ναρκαλιευτικό (το) [narkalieftiko] mine-sweeper.
νάρκη (η) [narki] mine [ναυτ], sluggishness [πνεύματος].
νάρκισσος (ο) [narkissos] narcissus [βοτ], Narcissus [μυθολ].
ναρκοθέτηση (η) [narkothetisi] mining, mine-laying.
ναρκομανής (ο) [narkomanis] drug addict.
ναρκοπέδιο (το) [narkopedhio] minefield.
νάρκωση (η) [narkosi] numbness, anaesthesia, drugging, drowse.
ναρκωτικό (το) [narkotiko] drug, narcotic, anaesthetic.
νατουραλισμός (ο) [naturalismos] naturalism.
νάτριο (το) [natrio] sodium.
ναυαγός (ο) [navagos] shipwrecked person, castaway.
ναυαγοσώστης (ο) [navagosostis] lifeguard.
ναυαγώ (ρ) [navago] be wrecked, be shipwrecked, fail [μεταφ].
ναυαρχείο (το) [navarhio] admiralty.
ναύαρχος (ο) [navarhos] admiral.
ναύκληρος (ο) [nafkliros] boatswain.
ναύλα (τα) [navla] fare, passage money.
ναυλομεσίτης (ο) [navlomesitis] shipping agent.
ναύλος (ο) [navlos] freight, fare.
ναυλώνω (ρ) [navlono] charter, freight.
ναυλωτής (ο) [navlotis] shipper, charterer.
ναυμαχία (η) [navmahia] sea battle, naval action.

ναυπηγείο (το) [nafpiyio] shipyard, dockyard.
ναυπηγός (ο) [nafpigos] shipbuilder.
ναυσιπλοΐα (n) [nafsiploia] shipping, navigation.
ναύσταθμος (ο) [nafstathmos] dockyard.
ναύτης (ο) [naftis] sailor, seaman.
ναυτία (n) [naftia] nausea, seasickness.
ναυτικό (το) [naftiko] navy.
ναυτιλία (n) [naftilia] navigation, shipping.
ναυτοδικείο (το) [naftodhikio] naval court.
ναυτολογία (n) [naftoloyia] engaging of sailors, signing up.
ναφθαλίνη (n) [nafthalini] mothballs.
νανούρισμα (το) [nanurisma] lulling to sleep.
νέα (n) [nea] young girl.
νέα (τα) [nea] news.
νεανίας (ο) [neanias] youngster.
νεανικός-ή-ό (ε) [neanikos] juvenile, adolescent.
νεανικότητα (n) [neanikotita] juvenility, youthfulness.
νέγρος (ο) [negros] black person.
νέκρα (n) [nekra] dead silence, stagnation.
νεκραναστaίνω (ρ) [nekranasteno] raise from the dead.
νεκρικός-ή-ό (ε) [nekrikos] funeral, gloomy, ghastly [μεταφ].
νεκροθάλαμος (ο) [nekrothalamos] mortuary.
νεκροθάπτης (ο) [nekrothaptis] gravedigger.
νεκροκεφαλή (n) [nekrokefali] skull.
νεκρός-ή-ό (ε) [nekrós] dead, lifeless.
νεκροταφείο (το) [nekrotafio] cemetery.
νεκροτομείο (το) [nekrotomio] mortuary.
νεκροφόρα (n) [nekrofora] hearse.
νεκροψία (n) [nekropsia] autopsy, postmortem.
νεκρώνω (ρ) [nekrono] deaden, dull, kill.
νέκρωση (n) [nekrosi] deadening, stagnation.
νεκρώσιμος-η-ο (ε) [nekrosimos] burial, funeral.
νέκταρ (το) [nektar] nectar.
νέμω (ρ) [nemo] distribute.
νέο (το) [neo] piece of news.
νεογέννητο (το) [neoyennito] newborn.
νεογέννητος-η-ο (ε) [neoyennitos] newborn.
νεογνό (το) [neogno] newborn animal, newborn baby.
νεόκοπος-η-ο (ε) [neokopos]

newfangled.
νεολαία (η) [neolea] youth.
νεολιθικός-ή-ό (ε) [neolithikos] neolithic.
νεολογισμός (ο) [neoloyismos] back-formation.
νεόνυμφος (ο) [neonimfos] recently married man.
νεόπλουτος-η-ο (ε) [neoplutos] nouveau riche.
νέος-α-ο (ε) [neos] young, new [καινούριο], fresh [καινούριο].
νέος (ο) [neos] a young man.
νεοσσός (ο) [neossos] nestling.
νεοσύλλεκτος (ο) [neosillektos] recruit.
νεοσύστατος-η-ο (ε) [neosistatos] newly-established.
νεότερος-η-ο (ε) [neoteros] younger, recent.
νεότητα (η) [neotita] youth.
νεοφερμένος-η-ο (μ) [neofermenos] newcomer.
νεοφώτιστος-η-ο (ε) [neofotistos] newly baptized.
νερά (τα) [nera] backwater.
νεράιδα (η) [neraidha] mermaid.
νεράτζι (το) [neratzi] bitter orange.
νερό (το) [nero] water.
νερόβραστος-η-ο (ε) [nerovrastos] boiled, tasteless..
νεροκουβαλητής (ο) [nerokuvalitis] water-carrier, stalking horse [μεταφ].
νερομπογιά (η) [neromboyia] watercolour.
νερόμυλος (ο) [neromilos] watermill.
νεροποντή (η) [neropondi] shower of rain, downpour.
νερουλάς (ο) [nerulas] water-seller.
νερούλιασμα (το) [neruliasma] softness.
νεροχύτης (ο) [nerohitis] kitchen sink.
νέτος-η-ο (ε) [netos] done, finished.
νετρόνιο (το) [netronio] neutron.
νεύμα (το) [nevma] sign, nod, wink.
νευραλγία (η) [nevralyia] neuralgia.
νευραλγικός-ή-ό (ε) [nevralyikos] weak spot, neuralgic [ιατρ].
νευρασθένεια (η) [nevrasthenia] depression, nervous breakdown.
νευριάζω (ρ) [nevriazo] make angry, irritate.
νευριασμένος-η-ο (μ) [nevriasmenos] nervous, cross, irritated.
νευρικός-ή-ό (ε) [nevrikos] nervous, excitable, irritable.
νεύρο (το) [nevro] nerve, muscle, vigour, energy, punch.
νευρολόγος (ο) [nevrologos] neurologist.
νευρόσπαστο (το) [nevrospasto]

puppet.

νευροχειρούργος (ο) [nevrohirurgos] neurosurgeon.

νευρώδης-ης-ες (ε) [nevrodhis] nervous, strong [μεταφ].

νεύρωση (η) [nevrosi] neurosis.

νεφέλωμα (το) [nefeloma] nebula.

νέφος (το) [nefos] cloud, gloom [μεταφ].

νέφτι (το) [nefti] turpentine, turps.

νέφωση (η) [nefosi] cloudiness.

νεωκόρος (ο) [neokoros] sacristan [εκκλ].

νεώριο (το) [neorio] dockyard.

νεωτερίζω (ρ) [neoterizo] innovate, break fresh ground, modernize.

νεωτερισμός (ο) [neoterismos] innovation, novelty, fashion.

νεωτεριστής (ο) [neoteristis] innovator, modernist.

νήμα (το) [nima] cotton thread [βαμβακερό], yarn [μάλλινο].

νηολόγηση (η) [nioloyisi] registry, registration.

νηοψία (η) [niopsia] search of a ship.

νηπιαγωγείο (το) [nipiagoyio] kindergarten, nursery school.

νηπιαγωγός (ο,η) [nipiagogos] nursery-school teacher.

νήπιο (το) [nipio] infant, baby, toddler.

νησάκι (το) [nisaki] islet.

νησί (το) [nisi] island.

νησιώτης (ο) [nisiotis] islander.

νήσος (η) [nisos] island.

νηστεία (η) [nistia] fasting.

νηστεύω (ρ) [nistevo] fast.

νηστικός-ή-ό (ε) [nistikos] hungry, fasting.

νηφάλιος-α-ο (ε) [nifalios] sober, calm [μεταφ].

νιαουρίζω (ρ) [niaurizo] miaow.

νιάτα (τα) [niata] youth.

νίβω (ρ) [nivo] wash.

νίκελ (το) [nikel] nickel.

νικέλινος-η-ο (ε) [nikelinos] nickel.

νικέλιο (το) [nikelio] nickel.

νίκη (η) [niki] victory, triumph.

νικητήριος-α-ο (ε) [nikitirios] victorious, triumphal.

νικητής (ο) [nikitis] victor.

νικηφόρος-α-ο (ε) [nikiforos] victorious, triumphant.

νικοτίνη (η) [nikotini] nicotine.

νικώ (ρ) [niko] defeat [τον εχθρό], beat [ανταγωνιστή], overcome [εμπόδια κτλ].

νίλα (η) [nila] practical joke.

νιότη (η) [nioti] youth.

νιόφερτος-η-ο (ε) [niofertos] newcomer.

νιπτήρας (ο) [niptiras] washbasin.

νίπτω (ρ) [nipto] wash, wash out

[μεταφ].
νισάφι (το) [nisafi] mercy, pity.
νιφάδα (n) [nifadha] snowflake.
νιώθω (ρ) [niotho] feel, sense, appreciate, understand.
νοβοπάν (το) [novopan] chipboard.
νοερός-ή-ό (ε) [noeros] mental, intellectual.
νόημα (το) [noima] reflection, thought, sense [έννοια].
νοημοσύνη (n) [noimosini] intellect, brain.
νοήμων (ο,n) [noimon] intelligent, smart.
νόηση (n) [noisi] understanding, intellect, mind.
νοθεία (n) [nothia] falsification, adulteration, fraud.
νόθευση (n) [nothefsi] adulteration, forgery, falsification, alteration.
νόθος-α-ο (ε) [nothos] bastard, hybrid, unstable [μεταφ].
νοιάζομαι (ρ) [niazome] care about, look after, be anxious about.
νοίκι (το) [niki] rent.
νοικιάζω (ρ) [nikiazo] rent, hire.
νοικιάρης (ο) [nikiaris] tenant.
νοικοκυρά (n) [nikokira] housewife, landlady.
νοκάουτ (το) [nokaut] knockout.
νομάδες (οι) [nomadhes] nomads.
νομάρχης (ο) [nomarhis] prefect.
νομαρχιακός-ή-ό (ε) [nomarhiakos] prefectorial.
νομάτοι (οι) [nomati] persons.
νομέας (ο) [nomeas] occupant.
νομίζω (ρ) [nomizo] believe, think, suppose, presume, seem.
νομική (n) [nomiki] law.
νομιμοποίηση (n) [nomimopiisi] legitimization, justification.
νόμιμος-η-ο (ε) [nomimos] legal, legitimate.
νομιμόφρονας (ο) [nomimofronas] law-abiding, obedient.
νόμισμα (το) [nomisma] money, coin, currency.
νομισματικό σύστημα (το) [nomismatiko sistima] monetary system.
νομισματοκοπία (n) [nomismatokopia] coinage, minting.
νομισματοκόπος (ο) [nomismatokopos] clipper, coiner.
νομοθεσία (n) [nomothesia] legislation, legal system.
νομολογία (n) [nomoloyia] case-law.
νομομαθής-ής-ές (ε) [nomomathis] jurist, legist.
νόμος (ο) [nomos] law, act of Parliament.
νομός (ο) [nomos] prefecture.

νομοσχέδιο (το) [nomoshedhio] bill.
νομοταγής-ής-ές (ε) [nomotayis] law-abiding.
νομοτέλεια (n) [nomotelia] determinism.
νονά (n) [nona] Godmother.
νονός (o) [nonos] godfather, sponsor.
νοοτροπία (n) [nootropia] mentality, mental character.
νόρμα (n) [norma] norm.
νοσηλεία (n) [nosilia] nursing, treatment.
νοσήλεια (τα) [nosilia] medical charges.
νοσηλεύομαι (ρ) [nosilevome] undergo treatment.
νοσηλεύω (ρ) [nosilevo] treat.
νόσημα (το) [nosima] disease, illness.
νοσηρός-ή-ό (ε) [nosiros] unhealthy, sickly.
νοσοκόμα (n) [nosokoma] nurse.
νοσοκομειακό (το) [nosokomiako] ambulance.
νοσοκομείο (το) [nosokomio] hospital.
νόσος (n) [nosos] illness.
νοσταλγία (n) [nostalyia] homesickness.
νοστιμάδα (n) [nostimadha] tastiness, savour, flavour.
νοστιμιά (n) [nostimia] relish.
νόστιμος-η-ο (ε) [nostimos] tasty, attractive, charming.
νότα (n) [nota] note [διπλωματική], note [μουσ].
νοτιά (n) [notia] south, south wind.
νοτίζω (ρ) [notizo] moisten, dampen.
νοτιοδυτικός-ή-ό (ε) [notiodhitikos] south- western.
νότιος-α-ο (ε) [notios] south, southern.
νότισμα (το) [notisma] moisture, wet, dampness.
νότος (o) [notos] south.
νουθεσία (n) [nuthesia] advice, counsel, lecture, preach.
νουθετώ (ρ) [nutheto] advise.
νούλα (n) [nula] zero, nobody, worthless, naught.
νούμερο (το) [numero] number, act, odd character.
νουνά (n) [nuna] godmother.
νουνός (o) [nunos] godfather.
νους (o) [nus] mind, intelligence, sense, intellect.
νούφαρο (το) [nufaro] water lily.
νοώ (ρ) [noo] understand, think, reflect.
νταβάς (o) [davas] copper pan.
νταβατζής (o) [davatzis] pimp.
νταηλίκι (το) [dailiki] blustering, bullying, bluster.
νταής (o) [dais] bully, bouncer.

ντάμα (η) [dama] lady, partner, queen, game of draughts.
νταμάρι (το) [damari] quarry.
νταμπλάς (ο) [damblas] apoplexy, amazement [μεταφ].
ντάνα (η) [dana] pile, heap.
νταντά (η) [danda] nanny.
νταντέλα (η) [dandela] lace.
νταντεύω (ρ) [dandevo] mother, nurse.
νταούλι (το) [dauli] drum.
νταραβέρι (το) [daraveri] relation, trouble [φασαρία].
ντεκολτέ (το) [dekolte] low neck, V-neck.
ντεκόρ (το) [dekor] decor.
ντελάλης (ο) [delalis] public crier.
ντεμπούτο (το) [dembuto] debut.
ντεπόζιτο (το) [depozito] cistern, tank.
ντεραπάρισμα (το) [deraparisma] side-slipping.
ντεραπάρω (ρ) [deraparo] sideslip.
ντέρτι (το) [derti] regret, pain, yearning.
ντετέκτιβ (ο) [detektiv] detective.
ντέφι (το) [defi] tambourine.
ντήζελ (το) [dizel] diesel.
ντιβάνι (το) [divani] divan.
ντισκοτέκ (η) [diskotek] discotheque.
ντοκουμέντο (το) [dokumendo] document.
ντομάτα (η) [domata] tomato.
ντόμπρα (επ) [dombra] bluffly.
ντομπροσύνη (η) [dombrosini] directness.
ντόπιος-α-ο (ε) [dopios] local.
ντορβάς (ο) [dorvas] nosebag, wallet.
ντόρος (ο) [doros] trouble.
ντοσιέ (το) [dosie] file, folder.
ντουβάρι (το) [duvari] wall, fool.
ντουγρού (επ) [dugru] directly.
ντουέτο (το) [dueto] duet.
ντουζίνα (η) [duzina] dozen.
ντουλάπα (η) [dulapa] wardrobe.
ντουνιάς (ο) [dunias] people, mankind.
ντους (το) [dus] shower.
ντουφέκι (το) [dufeki] rifle, gun.
ντρέπομαι (ρ) [drepome] be shy.
ντροπή (η) [dropi] shame, modesty, bashfulness.
ντύμα (το) [dima] cover.
ντυμένος-η-ο (μ) [dimenos] dressed.
ντύνω (ρ) [dino] dress, upholster.
ντύσιμο (το) [disimo] dressing, attire, outfit.
νυκτερίδες (οι) [nikteridhes] bats.
νυκτερινός-ή-ό (ε) [nikterinos] nocturnal.

νυκτοφύλακας (ο) [niktofilakas] night watchman.
νυμφεύω (ρ) [nimfevo] marry, wed.
νύμφη (n) [nimfi] bride, nymph [μυθολογία], larva [ζωολ].
νύξη (n) [niksi] hint, pricking, stinging, stab.
νύστα (n) [nista] sleepiness.
νυστέρι (το) [nisteri] lancet, scalpel.
νύφη (n) [nifi] bride, nymph [μυθολογία], larva [ζωολ].
νυφικό (το) [nifiko] wedding dress.
νυφίτσα (n) [nifitsa] weasel, beech-marten.
νυχάτος (ο) [nihatos] clawed.
νύχι (το) [nihi] nail, toenail.
νύχτα (επ) [nihta] at night, by night.
νυχτερίδα (n) [nihteridha] bat.
νυχτερινός-ή-ό (ε) [nihterinos] nightly, nocturnal.
νυχτικό (το) [nihtiko] nightgown.
νυχτοήμερος-η-ο (ε) [nihtoimeros] night-and-day.
νυχτώνει (ρ) [nihtoni] night falls.
νωθρά (επ) [nothra] limply, idly, lazily.
νωθρότητα (n) [nothrotita] sluggishness, dullness, laziness.
νωματάρχης (ο) [nomatarhis] [police]sergeant.
νωπός-ή-ό (ε) [nopos] fresh, new, recent, still damp [για ρούχα].
νωρίς (επ) [noris] early, soon.
νώτα (τα) [nota] back, rear [στρατ].
νωτιαίος-α-ο (ε) [notieos] dorsal.
νωχελής-ής-ές (ε) [nohelis] idle, slothful, languid.

ξαγκίστρωμα (το) [ksangistroma] unhooking, weighing out [άγκυρα].
ξαγρυπνώ (ρ) [ksagripno] stay awake, watch over.
ξαδέλφη (η) [ksadhelfi] cousin.
ξάδελφος (ο) [ksadhelfos] cousin.
ξαίνω (ρ) [kseno] card, comb.
ξακουσμένος-η-ο (μ) [ksakusmenos] celebrated, famous, well-known.
ξαλαφρώνω (ρ) [ksalafrono] help, relieve [μεταφ], relieve one's mind, sooth.
ξαμολώ (ρ) [ksamolo] let loose, unleash.
ξαμπαρώνω (ρ) [ksambarono] unbar, unlatch.
ξανά (επ) [ksana] again, afresh,
ξαναβάζω (ρ) [ksanavazo] put back again, replace.
ξανάβω (ρ) [ksanavo] irritate, become annoyed.
ξαναγεννιέμαι (ρ) [ksanayennieme] be reborn [μεταφ].
ξαναγίνομαι (ρ) [ksanayinome] happen again, be again.
ξαναγλιστράω (ρ) [ksanaglistrao] back-slide.
ξαναγυρίζω (ρ) [ksanayirizo] return, send back.
ξαναδένω (ρ) [ksanadheno] bind again, reset [κόσμημα].
ξαναδοκιμάζω (ρ) [ksanadhokimazo] try again, attempt again.
ξανακάνω (ρ) [ksanakano] redo, remake, repeat.
ξανακοιμάμαι (ρ) [ksanakimame] sleep again.
ξανακοιτάζω (ρ) [ksanakitazo] look again, look back, look over.
ξανακούω (ρ) [ksanakuo] hear again, hear before.
ξαναλέω (ρ) [ksanaleo] repeat, reiterate.
ξαναμμένος-η-ο (μ) [ksanammenos] excited, flushed, heated.
ξαναπαίρνω (ρ) [ksanaperno] take again, pluck up again.
ξαναπιάνω (ρ) [ksanapiano] catch again, recapture, seize again.
ξαναπουλώ (ρ) [ksanapulo] resell, sell again.
ξαναρχίζω (ρ) [ksanarhizo] renew, resume, begin again, restart.
ξανασαίνω (ρ) [ksanaseno] recover, refresh ourselves, relax.
ξανασμίγω (ρ) [ksanasmigo] reunite, bring together again, get

together again.

ξανάστροφος-η-ο (ε) [ksanastrofos] reverse, inverse.

ξανατύπωμα (το) [ksanatipoma] reprint, new impression.

ξαναφαίνομαι (ρ) [ksanafenome] reappear, show up again.

ξαναφορμάρω (ρ) [ksanaformaro] recast.

ξαναχτίζω (ρ) [ksanahtizo] rebuild, reconstruct, erect again.

ξαναχύνω (ρ) [ksanahino] recast, pour again.

ξανθή (ε) [ksanthi] blonde.

ξανθιά (ε) [ksanthia] blonde.

ξανθομάλλα (ε) [ksanthomalla] blonde.

ξανθός-ή-ό (ε) [ksanthos] blond, fair, light, yellow, golden.

ξάνοιγμα (το) [ksanigma] clearing up, brightening, launching out.

ξανοίγω (ρ) [ksanigo] look [μεταφ], see.

ξάπλωμα (το) [ksaploma] lying down, stretching out, spreading.

ξαπλώνομαι (ρ) [ksaplonome] spread, lie down.

ξαπλώνω (ρ) [ksaplono] spread out, lie down.

ξαπλώστρα (η) [ksaplostra] deck-chair.

ξαρματώνω (ρ) [ksarmatono] disarm, unrigg [πλοίο].

ξάσπρισμα (το) [ksasprisma] fading, whitening.

ξάστερα (επ) [ksastera] frankly, flatly, categorically.

ξάστερος-η-ο (ε) [ksasteros] cloudless, bright.

ξαφνιάζω (ρ) [ksafniazo] surprise, frighten.

ξαφρίζω (ρ) [ksafrizo] skim, steal.

ξέβαθος-η-ο (ε) [ksevathos] shallow.

ξεβγάζω (ρ) [ksevgazo] wash out, get rid of [προπέμπω].

ξεβίδωμα (το) [ksevidhoma] unscrewing, exhaustion [μεταφ].

ξεβουλώνω (ρ) [ksevulono] uncork, unclog.

ξεβράκωτος-η-ο (ε) [ksevrakotos] trouserless, penniless [μεταφ].

ξεβρομίζω (ρ) [ksevromizo] clean up, clear up.

ξεγάντζωμα (το) [ksegantzoma] unhooking.

ξεγεννώ (ρ) [kseyenno] deliver a child.

ξεγλίστημα (το) [kseglistrima] slip, wriggle.

ξέγνοιαστος-η-ο (ε) [ksegniastos] carefree, off one's guard,

ξεγράφω (ρ) [ksegrafo] strike out, wipe out [μεταφ], write off.

ξεγυμνώνω (ρ) [kseyimnono] strip naked, lay bare, unmask.

ξεγυρίζω (ρ) [kseyirizo] recover,

pick-up.
ξεδιάλεγμα (το) [ksedhialegma] picking, sorting out.
ξεδιαλέγω (ρ) [ksedhialego] choose, sort.
ξεδιαντροπιά (η) [ksedhiandropia] shamelessness.
ξεδίνω (ρ) [ksedhino] relax, unwind.
ξεδίπλωμα (το) [ksedhiploma] unfolding, unwrapping.
ξεδιψώ (ρ) [ksedhipso] quench one's thirst, refresh.
ξεδοντιάζω (ρ) [ksedhondiazo] make harmless.
ξέζεμα (το) [ksezema] unharnessing.
ξεζεύω (ρ) [ksezevo] unharness.
ξεζουμίζω (ρ) [ksezumizo] squeeze out, suck dry.
ξεθάβω (ρ) [ksethavo] unearth [μεταφ], dig up [μεταφ].
ξεθεμελιώνω (ρ) [ksethemeliono] raze, wipe out.
ξεθέωμα (το) [ksetheoma] sweat, exhaustion.
ξεθηλυκώνω (ρ) [ksethilikono] unclasp, unfasten, undo.
ξεθολώνω (ρ) [ksetholono] clear.
ξεθυμαίνω (ρ) [ksethimeno] escape, leak out, calm down [μεταφ].
ξεθυμώνω (ρ) [ksethimono] be no longer angry.
ξεθωριάζω (ρ) [ksethoriazo] fade.
ξέθωρος-η-ο (ε) [ksethoros] faded, discoloured.
ξεκαβαλικεύω (ρ) [ksekavalikevo] dismount.
ξεκαθαρίζω (ρ) [ksekatharizo] liquidate, settle accounts, clear.
ξεκάλτσωτος-η-ο (ε) [ksekaltsotos] barelegged.
ξεκάνω (ρ) [ksekano] sell off, kill.
ξεκαπακώνω (ρ) [ksekapakono] remove the lid.
ξεκαρδίζομαι (ρ) [ksekardhizome] burst out laughing.
ξεκαρφιτσώνω (ρ) [ksekarfitsono] unpin.
ξεκαρφώνω (ρ) [ksekarfono] unnail.
ξεκίνημα (το) [ksekinima] start, departure.
ξεκινώ (ρ) [ksekino] set off, start, depart, begin.
ξεκλειδώνω (ρ) [kseklidhono] unlock.
ξεκληρίζω (r) [kseklirizo] exterminate, die out.
ξεκόβω (ρ) [ksekovo] wean [away], break away, get out of, give up [σταματώ].
ξεκοιλιάζω (ρ) [ksekiliazo] disembowel, tear open.
ξεκοκαλίζω (ρ) [ksekokalizo] eat to the bone, spend foolishly

[μεταφ].
ξεκολλώ (ρ) [ksekollo] unstick, dislodge, wring, take off.
ξεκομμένα (επ) [ksekommena] frankly.
ξεκουμπώνω (ρ) [ksekumbono] unbutton, unfasten.
ξεκουράζω (ρ) [ksekurazo] rest, relieve.
ξεκούραστος-η-ο (ε) [ksekurastos] rested, easy, relaxed.
ξεκουρδίζω (ρ) [ksekurdhizo] unwind.
ξεκούτης-α-ικο (ε) [ksekutis] simpleton.
ξεκουφαίνω (ρ) [ksekufeno] deafen, stun.
ξεκρέμαστος-η-ο (ε) [ksekremastos] at a loose end [μεταφ].
ξεκρεμώ (ρ) [ksekremo] unhook, take down.
ξελαρυγγιάζομαι (ρ) [kselaringiazome] bawl.
ξελασπώνω (ρ) [kselaspono] scrape mud off, get somebody out of a scrape [μεταφ].
ξελεκιάζω (ρ) [kselekiazo] remove a stain.
ξελέω (ρ) [kseleo] take back, go back on.
ξελιγωμένος-η-ο (μ) [kseligomenos] be hungry for, hunger for.
ξελογιάζω (ρ) [kseloyiazo] seduce, lead astray, fascinate.
ξελογιάστρα (η) [kseloyiastra] seductress, temptress.
ξεμαθαίνω (ρ) [ksematheno] forget, dishabituate.
ξεμέθυστος-η-ο (ε) [ksemethistos] sober.
ξεμένω (ρ) [ksemeno] run out of, be stranded.
ξεμοντάρω (ρ) [ksemondaro] dismantle, dismount.
ξεμουδιάζω (ρ) [ksemudhiazo] stretch one's legs.
ξεμπέρδεμα (το) [ksemberdhema] unravelling, disentanglement.
ξεμπλέκω (ρ) [ksembleko] get free of.
ξεμυαλίζω (ρ) [ksemializo] infatuate, lead astray.
ξεμυτίζω (ρ) [ksemitizo] venture out, show one's face.
ξεμωραίνομαι (ρ) [ksemorenome] go senile.
ξένα (τα) [ksena] foreign parts.
ξενάγηση (η) [ksenayisi] conducted tour.
ξενέρωτος-η-ο (ε) [ksenerotos] sober.
ξενίζω (ρ) [ksenizo] surprise.
ξενικός-ή-ό (ε) [ksenikos] foreign, alien.
ξενιτεύομαι (ρ) [ksenitevome] live abroad.
ξενιτιά (η) [ksenitia] foreign country.

ξενοδοχείο (το) [ksenodhohio] hotel.

ξενοιάζω (ρ) [kseniazo] be free from cares.

ξενομανία (η) [ksenomania] xenomania.

ξένος-η-ο (ε) [ksenos] foreign, strange, unfamiliar, visitor.

ξένος (ο) [ksenos] foreigner, stranger, alien, visitor, guest.

ξενόφερτος-η-ο (ε) [ksenofertos] alien, outlandish.

ξενοφοβία (η) [ksenofovia] xenophobia.

ξενόφωνος-η-ο (ε) [ksenofonos] foreign-speaking.

ξεντύνω (ρ) [ksendino] undress.

ξενυχιάζω (ρ) [ksenihiazo] pull out somebody's nails, tread on somebody's toes.

ξενώνας (ο) [ksenonas] spare room.

ξεπαγιάζω (ρ) [ksepayiazo] freeze, get frozen.

ξεπαγιασμένος-η-ο (μ) [ksepayiasmenos] ice-cold, frozen.

ξεπαρθένεμα (το) [kseparthenema] defloration.

ξεπαστρεύω (ρ) [ksepastrevo] exterminate.

ξεπατώνω (ρ) [ksepatono] wear out.

ξεπέζεμα (το) [kseepezema] dismounting, getting off.

ξεπερνώ (ρ) [kseperno] surmount, overcome, top, overstep, surpass, overtake.

ξεπεσμός (ο) [ksepesmos] decay, decline, fall [τιμών].

ξεπετώ (ρ) [ksepeto] flush, smoke out, polish off, spring up, jump up.

ξεπλέκω (ρ) [ksepleko] undo, let down [μαλλιά].

ξεπλένω (ρ) [ksepleno] rinse.

ξεπληρώνω (ρ) [kseplirono] pay off.

ξέπνοος-η-ο (ε) [ksepnoos] breathless.

ξεποδαριάζω (ρ) [ksepodhariazo] walk somebody off his legs.

ξεπορτίζω (ρ) [kseportizo] slip out, steal out.

ξεπούλημα (το) [ksepulima] sale, liquidation.

ξεπουλώ (ρ) [ksepulo] sell off, liquidate.

ξεπροβάλλω (ρ) [kseprovallo] come into view.

ξεπροβόδισμα (το) [kseprovodhisma] send-off.

ξέρα (η) [ksera] rock, reef, drought, dryness.

ξεραΐλα (η) [kseraila] dryness, drought.

ξεραίνομαι (ρ) [kserenome] dry up, wither, cake, crisp.

ξερακιανός-ή-ό (ε) [kserakianos] lanky, weedy.

ξέρασμα (το) [kserasma] vomit,

bilge [μεταφ].

ξερατό (το) [kserato] vomiting.

ξερίζωμα (το) [kserizoma] uprooting, upheaving.

ξεριζώνω (ρ) [kserizono] pull up, uproot, wipe out.

ξερόβηχας (ο) [kserovihas] dry cough.

ξεροβόρι (το) [kserovori] icy wind.

ξεροβούνι (το) [kserovuni] bald mountain.

ξερογλείφομαι (ρ) [kseroglifome] lick one's lips.

ξεροκεφαλιά (η) [kserokefalia] stubbornness.

ξεροκοκκινίζω (ρ) [kserokokkinizo] blush.

ξερονήσι (το) [kseronisi] desert island.

ξεροπήγαδο (το) [kseropigadho] dried-up well.

ξερός-ή-ό (ε) [kseros] arid, dry, barren, parched, curt.

ξεροσταλιάζω (ρ) [kserostaliazo] kick one's heels.

ξεροτηγανίζω (ρ) [kserotiganizo] fry something brown, fritter.

ξερότοπος (ο) [kserotopos] barren place.

ξερούτσικος-η-ο (ε) [kserutsikos] dryish.

ξεροψημένος-η-ο (μ) [kseropsimenos] well-done, crisp.

ξέρω (ρ) [ksero] know how to, understand, be aware of.

ξεσήκωμα (το) [ksesikoma] uprising, uplifting.

ξεσκάζω (ρ) [kseskazo] relax.

ξεσκαλίζω (ρ) [kseskalizo] dig up [μεταφ].

ξεσκεπάζω (ρ) [kseskepazo] unveil, uncover, reveal.

ξεσκίζω (ρ) [kseskizo] lacerate, shred to pieces.

ξεσκλαβώνω (ρ) [kseskiavono] liberate, deliver, emancipate.

ξεσκονίζω (ρ) [kseskonizo] dust, brush, furbish.

ξεσκονιστήρι (το) [kseskonistiri] feather-duster.

ξεσπάζω (ρ) [ksespazo] burst into [μεταφ], burst out [μεταφ].

ξεσπαθώνω (ρ) [ksespathono] unsheathe one's sword, speak out [μεταφ].

ξέσπασμα (το) [ksespasma] outburst, fit, burst.

ξεσπώ (ρ) [ksespo] burst out, burst into, break out, break into, take it out [on somebody].

ξεστομίζω (ρ) [ksestomizo] utter, launch.

ξεσχίζω (ρ) [kseshizo] tear to pieces.

ξετινάζω (ρ) [ksetinazo] toss, beat, reduce to poverty [μεταφ].

ξετρελαίνομαι (ρ) [ksetrelenome] be mad about, be infatuated with.

ξετρυπώνω (ρ) [ksetripono] crop up.

ξετσίπωτος-η-ο (ε) [ksetsipotos] shameless, brazen.

ξετυλίγω (ρ) [ksetiligo] uncoil, unroll.

ξεφάντωμα (το) [ksefandoma] merrymaking.

ξεφεύγω (ρ) [ksefevgo] elude, slip out, balk, bilk.

ξεφλουδίζω (ρ) [ksefludhizo] peel, shell, lose the skin.

ξεφορτώνω (ρ) [ksefortono] unload, get rid of.

ξεφουρνίζω (ρ) [ksefurnizo] remove something from oven, blurt out [μεταφ].

ξεφούσκωμα (το) [ksefuskoma] deflation.

ξέφρενος-η-ο (ε) [ksefrenos] wild, frenzied.

ξεφτέρι (το) [ksefteri] sharp person.

ξέφτι (το) [ksefti] loose thread.

ξεφτίζω (ρ) [kseftizo] fray out, pull out [νήμα].

ξεφτιλισμένος-η-ο (μ) [kseftilismenos] scurvy, mean.

ξεφτισμένος-η-ο (μ) [kseftismenos] frayed, threadbare.

ξεφυλλίζω (ρ) [ksefillizo] run through, pluck, defoliate.

ξεφυσώ (ρ) [ksefiso] puff, snort, wheeze, pant, gasp.

ξεφυτρώνω (ρ) [ksefitrono] sprout, appear suddenly.

ξεφωνητό (το) [ksefonito] yell, shout.

ξέφωτο (το) [ksefoto] clearing, glade.

ξεχαρβαλώνω (ρ) [kseharvalono] disorganize,

ξεχασιάρης-α-ικο (ε) [ksehasiaris] forgetful.

ξεχασμένος-η-ο (μ) [ksehasmenos] forgotten.

ξεχειλίζω (ρ) [ksehilizo] overflow.

ξεχειλώνω (ρ) [ksehilono] lose shape.

ξεχειμωνιάζω (ρ) [ksehimoniazo] pass the winter.

ξεχερσώνω (ρ) [ksehersono] clear.

ξεχνώ (ρ) [ksehno] forget, leave out, neglect.

ξεχρεώνω (ρ) [ksehreono] pay up, settle, fulfil.

ξεχύνομαι (ρ) [ksehinome] overflow.

ξεχώνω (ρ) [ksehono] dig up.

ξεχωρίζω (ρ) [ksehorizo] separate, single out, distinguish.

ξεψαχνίζω (ρ) [ksepsahnizo] sift, scrutinize, pump [μεταφ].

ξεψυχώ (ρ) [ksepsiho] die, expire.

ξηλώνω (ρ) [ksilono] take apart.

ξημέρωμα (το) [ksimeroma] dawn.

ξηρά (η) [ksira] dry land, mainland.
ξηραίνω (ρ) [ksireno] dry, drain.
ξηραντήριο (το) [ksirandirio] drier.
ξηρασία (η) [ksirasia] drought.
ξηρός-ή-ό (ε) [ksiros] crisp.
ξηρότητα (η) [ksirotita] aridity.
ξίγκι (το) [ksingi] fat, lard.
ξίδι (το) [ksidhi] vinegar.
ξινό (το) [ksino] citric acid.
ξινός-ή-ό (ε) [ksinos] sour, acid, sharp, unripe [για φρούτα], green [για φρούτα].
ξιπάζω (ρ) [ksipazo] impress.
ξιπασιά (η) [ksipasia] ego.
ξιφασκία (η) [ksifaskia] fencing.
ξιφίας (ο) [ksifias] swordfish.
ξιφολόγχη (η) [ksifologhi] bayonet.
ξίφος (το) [ksifos] sword.
ξιφουλκώ (ρ) [ksifulko] draw one's sword.
ξόβεργα (η) [ksoverga] birdlime.
ξοδεύω (ρ) [ksodhevo] spend, use up, consume, expend.
ξοπίσω (επ) [ksopiso] behind, after.
ξόρκι (το) [ksorki] entreaty, spell.
ξοφλημένος-η-ο (μ) [ksoflimenos] a wiped-out.
ξυλαποθήκη (η) [ksilapothiki] woodshed.
ξυλεία (η) [ksilia] timber, lumber.
ξυλεμπόριο (το) [ksilemborio] timber trade.
ξυλέμπορος (ο) [ksilemboros] timber merchant.
ξυλιάζω (ρ) [ksiliazo] be stiff, be numb, make stiff.
ξύλινος-η-ο (ε) [ksilinos] wooden, wood.
ξύλο (το) [ksilo] wood.
ξυλοκοπώ (ρ) [ksilokopo] thrash, bludjeon, cudgel.
ξυλουργείο (το) [ksiluryio] carpenter's workshop.
ξυλουργική (η) [ksiluryiki] joinery, carpentry.
ξυλουργός (ο) [ksilurgos] carpenter, joiner.
ξυνίζω (ρ) [ksinizo] acidify.
ξύνω (ρ) [ksino] scratch, scrape, sharpen [μολύβι].
ξυπνητήρι (το) [ksipnitiri] alarm clock.
ξύπνιος-α-ο (ε) [ksipnios] wakeful, awake, intelligent.
ξυπνώ (ρ) [ksipno] wake up.
ξυπολιέμαι (ρ) [ksipolieme] take off one's shoes.
ξυράφι (το) [ksirafi] razor.
ξυρίζομαι (ρ) [ksirizome] shave, have a shave.
ξυρίζω (ρ) [ksirizo] shave.
ξύσιμο (το) [ksisimo] scratch-

ing, scraping, sharpening.
ξυστήρι (το) [ksistiri] scraper, sharpener.
ξυστός-ή-ό (ε) [ksistos] grated, scratched.
ξύστρα (η) [ksistra] grater, scraper, pencil sharpener.
ξυστρίζω (ρ) [ksistrizo] curry.
ξωκλήσι (το) [ksoklisi] country chapel.
ξώπετσος-η-ο (ε) [ksopetsos] superficial.
ξωτικό (το) [ksotiko] ghost,
ξώφυλλο (το) [ksofillo] book cover, outside shutter.

ο (άρθ) [o] the [art]**ό,τι** (αν) [o,ti] what[ever].
ό,τιδήποτε (αν) [otidhipote] anything.
όαση (η) [oasi] oasis.
οβάλ (το) [oval] oval.
οβελίας (ο) [ovelias] lamb on the spit.
οβίδα (η) [ovidha] explosive shell.
όβολα (τα) [ovola] money.
ογκόλιθος (ο) [ongolithos] block of stone.
ογκόπαγος (ο) [ongopagos] ice-pack.
όγκος (ο) [ongos] volume, mass, lump, tumour [ιατρ], clump, size, growth [ιατρ].
ογκούμαι (ρ) [ongume] swell, grow fatter, increase [μεταφ].
ογκώδης-ης-ες (ε) [ongodhis] voluminous, massive, stout [άτομο].
όγκωμα (το) [ongoma] bulge, swelling, tumour.
ογκώνομαι (ρ) [ongonome] swell, increase.
οδεύω (ρ) [odhevo] walk, tramp, trudge, accompany, advance, carry, further, progress.
οδήγηση (η) [odhiyisi] driving, steering, piloting.
οδηγητής (ο) [odhiyitis] guide, leader.
οδηγία (η) [odhiyia] instruction, directions, orders, advice.
οδηγίες (οι) [odhiyies] briefing.
οδηγός (ο) [odhigos] guide, conductor, chauffeur.
οδηγώ (ρ) [odhigo] guide, lead, drive.
οδικός-ή-ό (ε) [odhikos] road, street.
οδοιπορία (η) [odhiporia] walk, journey.
οδοκαθαριστής (ο) [odhokatharistis] street sweeper.
οδομαχία (η) [odhomahia] street fighting.
οδοντιατρείο (το) [odhondiatrio] dentist's surgery.
οδοντιατρικός-ή-ό (ε) [odhondiatrikos] dental.
οδοντίατρος (ο) [odhondiatros] dentist.
οδοντόβουρτσα (η) [odhondovurtsa] toothbrush.
οδοντογλυφίδα (η) [odhondoglifidha] toothpick.
οδοντόπαστα (η) [odhondopasta] toothpaste.
οδόντοστοιχία (η) [odhondosti-

hia] denture.

οδοντοτεχνίτης (ο) [odhondotehnitis] dental technician.

οδοντωτός-ή-ό (ε) [odhondotos] toothed, jagged, castellated.

οδοποιία (η) [odhopiia] road construction.

οδός (η) [odhos] street, main street [ευρεία], thoroughfare [ευρεία].

οδόστρωμα (το) [odhostroma] road surface, paving.

οδοστρωτήρας (ο) [odhostrotiras] steamroller.

οδόφραγμα (το) [odhofragma] roadblock.

οδύνη (η) [odhini] pain, suffering, grief [ηθική].

οδυρμός (ο) [odhirmos] lamentation, wailing.

οζίδιο (το) [ozidhio] carunkle.

όζον (το) [ozon] ozone.

όζος (ο) [ozos] knot, knuckle [των δακτύλων].

οζώδης (ο) [ozodhis] knotty, gnarled.

οθόνη (η) [othoni] screen.

οίδημα (το) [idhima] swelling, tumour.

οικειοθελώς (επ) [ikiothelos] voluntarily [υπακούω], purposely [κάνω κάτι].

οικειοποίηση (η) [ikiopiisi] appropriation.

οικείος-α-ο (ε) [ikios] intimate, familiar, sociable.

οικήσιμος-η-ο (ε) [ikisimos] habitable.

οικία (η) [ikia] house, home, residence.

οικιακός-ή-ό (ε) [ikiakos] domestic, home.

οικογένεια (η) [ikoyenia] family.

οικογενειάρχης (ο) [ikoyeniarhis] head of the family.

οικοδέσποινα (η) [ikodhespina] lady of the house.

οικοδεσπότης (ο) [ikodhespotis] master of the house.

οικοδομή (η) [ikodhomi] construction, act of building.

οικοδόμημα (το) [ikodhomima] building, structure.

οικοδόμος (ο) [ikodhomos] construction worker, builder.

οικολογία (η) [ikoloyia] ecology.

οικονομημένος-η-ο (ε) [ikonomimenos] well-off.

οικονομία (η) [ikonomia] economy, saving.

οικονομικά (επ) [ikonomika] reasonably, cheaply.

οικονομολόγος (ο) [ikonomologos] economist.

οικονόμος (ο, η) [ikonomos] steward, stewardess, thrifty person [μεταφ].

οικονομώ (ρ) [ikonomo] save,

economize, make money.
οικόπεδο (το) [ikopedho] building site, plot.
οικοπεδοφάγος (ο) [ikopedhofagos] land-grabber.
οίκος (ο) [ikos] house.
οικόσημο (το) [ikosimo] coat of arms.
οικοτροφείο (το) [ikotrofio] boarding school.
οικουμένη (η) [ikumeni] world, universe.
οικουμενικός-ή-ό (ε) [ikumenikos] universal.
οικτίρω (ρ) [iktiro] pity, despise, scorn.
οίκτος (ο) [iktos] pity, contempt.
οινόπνευμα (το) [inopnevma] alcohol.
οινοποιείο (το) [inopiio] wine factory.
οινοπωλείο (το) [inopolio] wineshop, off-licence.
οίνος (ο) [inos] wine.
οιοσδήποτε, οιαδήποτε, οιοδήποτε (αν) [iosdhipote, iadhipote, iodhipote] any, anybody, any kind of, whichever.
οισοφάγος (ο) [isofagos] oesophagus.
οκαζιόν (η) [okazion] bargain.
οκλαδόν (επ) [okladhon] cross-legged.
οκνηρά (επ) [oknira] idly.
οκνηρία (η) [okniria] laziness, sloth.
οκνηρός-ή-ό (ε) [okniros] lazy, idle.
οκτάπους (ο) [oktapus] octopus.
ολάκερος-η-ο (ε) [olakeros] whole, entire.
ολάνοιχτος-η-ο (ε) [olanihtos] wide open.
όλεθρος (ο) [olethros] destruction, ruin, disaster, devastation.
ολημέρα (επ) [olimera] all day long.
ολιγάριθμος-η-ο (ε) [oligarithmos] few in number, a few.
ολιγοήμερος-η-ο (ε) [oligoimeros] lasting few days, short.
ολίγοι (οι) [oligi] few.
ολιγόλογος (ο) [oligologos] clam [μεταφ].
ολίγος-η-ο (ε) [oligos] short, a little, a few.
ολιγωρία (η) [oligoria] neglect.
ολικός-ή-ό (ε) [olikos] total, whole.
ολικώς (επ) [olikos] totally.
ολισθαίνω (ρ) [olistheno] slip, slide, lapse into [μεταφ].
ολκή (η) [olki] attraction, pull, weight, calibre, bore.
όλμος (ο) [olmos] mortar.
όλο (επ) [olo] forever, always.
ολόγερος-η-ο (ε) [oloyeros] intact.

ολόγυρα (επ) [oloyira] all round.
ολοένα (επ) [oloena] constantly.
ολοζώντανος-η-ο (ε) [olozondanos] full of life.
ολοήμερος-η-ο (ε) [oloimeros] lasting a whole day.
ολόισια (επ) [oloisia] straight, directly.
ολοκάθαρος-η-ο (ε) [olokatharos] spotlessly clean, crystal clear.
ολοκαίνουριος-α-ο (ε) [olokenurios] brand new.
ολοκαύτωμα (το) [olokaftoma] holocaust, sacrifice.
ολόκληρος-η-ο (ε) [olokliros] entire, whole, full.
ολοκληρώνω (ρ) [oloklirono] complete, finish, integrate [μαθημ], clench [επιχείρημα].
ολοκληρωτικός-ή-ό (ε) [oloklirotikos] full, entire, complete, integral [μαθημ].
ολόλευκος-η-ο (ε) [ololefkos] all white, snow-white.
ολομέταξος-η-ο (ε) [olometaksos] all silk, pure silk.
ολομόναχος-η-ο (ε) [olomonahos] quite alone.
ολονυχτία (η) [olonihtia] wake, vigil [εκκλ].
ολονυχτίς (επ) [olonihtis] the whole night long.
ολοπρόθυμος-η-ο (ε) [oloprothimos] enthusiastic.
ολόρθος-η-ο (ε) [olorthos] straight, upright.
όλος-η-ο (ε) [olos] all, whole, entire.
ολοσέλιδος-η-ο (ε) [oloselidhos] full-page.
ολόστεγνος-η-ο (ε) [olostegnos] bone-dry.
ολοταχώς (επ) [olotahos] at top speed.
ολότελα (επ) [olotela] entirely, altogether, completely, fully.
ολούθε (επ) [oluthe] everywhere, on all sides.
ολοφάνερος-η-ο (ε) [olofaneros] obvious, plain, clear, evident.
ολόχαρος-η-ο (ε) [oloharos] joyful, happy.
ολοχρονίς (επ) [olohronis] all the year round.
ολόψυχος-η-ο (ε) [olopsihos] wholehearted.
όλως (επ) [olos] altogether, totally.
ολωσδιόλου (επ) [olosdhiolu] quite, utterly.
ομάδα (η) [omadha] group, band, team [αθλητική].
ομαδοποίηση (η) [omadhopiisi] factionalism, grouping.
ομαλοποίηση (η) [omalopiisi] normalization.
ομαλός-ή-ό (ε) [omalos] even, level, smooth, regular.

ομαλότητα (η) [omalotita] regularity, smoothness.
ομελέτα (η) [omeleta] omelette.
ομήγυρη (η) [omiyiri] party, meeting, assembly, circle.
όμηρος (ο) [omiros] hostage.
ομιλητής (ο) [omilitis] speaker, lecturer.
ομιλητικός-ή-ό (ε) [omilitikos] sociable, talkative, chirrupy, communicative.
ομιλία (η) [omilia] talk, conversation, speech, lecture.
ομιλώ (ρ) [omilo] speak, talk.
ομίχλη (η) [omihli] fog, mist.
ομοβάθμιος-α-ο (ε) [omovathmios] coequal.
ομοβροντία (η) [omovrondia] volley, broadside.
ομογένεια (η) [omoyenia] homogeny.
ομόθρησκος-η-ο (ε) [omothriskos] of the same religion.
ομοιάζω (ρ) [omiazo] resemble, look like.
ομοϊδεάτης (ο) [omoidheatis] like-minded.
ομοιογένεια (η) [omioyenia] homogeneity.
ομοιοκαταληξία (η) [omiokataliksia] rhyme.
ομοιομορφία (η) [omiomorfia] uniformity, sameness.
ομοιπάθεια (η) [omiopathia] homeopathy.
ομοιοπαθητική (η) [omiopathitiki] homeopathy.
όμοιος-α-ο (ε) [omios] similar [a]like, same, identical.
ομοίωμα (το) [omioma] likeness, image.
ομόκεντρος-η-ο (ε) [omokendros] concentric.
ομόκλινος (ο) [omoklinos] bedfellow.
ομολογία (η) [omoloyia] confession, acknowledgement, admission, share, profession.
ομόλογο (το) [omologo] bond, promissory note, obligation.
ομολογουμένως (επ) [omologumenos] avowedly, admittedly.
ομόνοια (η) [omonia] concord, agreement, accord, peace, amity.
όμορος-η-ο (ε) [omoros] neighbouring.
ομόρρυθμος-η-ο (ε) [omorrithmos] partnership [in business].
ομορφαίνω (ρ) [omorfeno] become beautiful, embellish.
ομορφιά (η) [omorfia] beauty, glory.
όμορφος-η-ο (ε) [omorfos] handsome, beautiful, nice, goodlooking.
ομοσπονδία (η) [omospondhia] federation, confederacy, confederation, union.
ομότιμος-η-ο (ε) [omotimos] professor emeritus [καθηγητής].

ομοτράπεζος-η-ο (ε) [omotrapezos] table-mate.
ομόφρονας (ο) [omofronas] having the same ideas.
ομόφυλος-η-ο (ε) [omofilos] of the same race, of the same sex.
ομοφωνία (η) [omofonia] unanimity.
ομοψυχία (η) [omopsihia] union of hearts.
ομπρέλα (η) [ombrela] umbrella, parasol [ηλίου],.
ομφάλιος λώρος (ο) [omfalios loros] umbilical cord.
ομφαλός (ο) [omfalos] navel.
όμως (σ) [omos] yet, nevertheless, but, however.
ον (το) [on] creature, being.
ονειδισμός (ο) [onidhismos] blame, reproach, mocking.
ονειρεμένος-η-ο (μ) [oniremenos] dream-like.
όνειρο (το) [oniro] dream, vision, imagination.
ονειροπόλος-α-ο (ε) [oniropolos] dreamy, moony.
ονειροπόλος (ο) [oniropolos] dreamy.
ονειροπολώ (ρ) [oniropolo] daydream.
ονειρώδης-ης-ες (ε) [onirodhis] dreamlike, fantastic, grand.
όνομα (το) [onoma] name, noun [γραμμ], fame.
ονομασία (η) [onomasia] name, designation, appointment.
ονομαστική (η) [onomastiki] nominative [case] [γραμμ].
ονομαστικός-ή-ό (ε) [onomastikos] nominal.
ονοματεπώνυμο (το) [onomateponimo] full name.
ονοματίζω (ρ) [onomatizo] name.
οντότητα (η) [ondotita] being, personality.
όντως (επ) [ondos] really, truly.
ονυχοφόρος (ο) [onihoforos] clawed.
οξεία (η) [oksia] acute accent.
οξειδώ (ρ) [oksidho] anodize.
οξιά (η) [oksia] beech.
οξίδιο (το) [oksidhio] oxide.
οξιδώνω (ρ) [oksidhono] rust, make rusty.
οξίδωση (η) [oksidhosi] rustiness.
οξικός-ή-ό (ε) [oksikos] acetic.
όξινος-η-ο (ε) [oksinos] sour, bitter, acid.
οξύ (το) [oksi] acid.
οξυγόνο (το) [oksigono] oxygen.
οξυγονοκολλητής (ο) [oksigonokollitis] welder.
οξυδέρκεια (η) [oksidherkia] perspicacity, clear-sightedness, vision, insight.
οξυζενέ (το) [oksizene] peroxide.
οξύθυμος-η-ο (ε) [oksithimos]

irritable.

οξύνοια (η) [oksinia] canniness.

οξύνω (ρ) [oksino] sharpen, sharpen, arouse.

οξύς-εία-ύ (ε) [oksis] sharp, pointed, piercing, sour [γεύση], strong [γεύση].

οξύτητα (η) [oksitita] sharpness, keenness.

όξω (επ) [okso] out, outside, without, abroad.

οπαδός (ο) [opadhos] adherent, believer, follower.

όπερα (η) [opera] opera.

οπή (η) [opi] opening, hole, gap.

όπιο (το) [opio] opium.

οπιομανής (ο) [opiomanis] opium addict.

όπισθεν (επ) [opisthen] behind, in the rear.

οπίσθιος-α-ο (ε) [opisthios] hind, posterior, back.

οπισθογράφος (ο) [opisthografos] endorser.

οπισθοδρομώ (ρ) [opisthodhromo] retrogress.

οπισθοχώρηση (η) [opisthohorisi] retreat, withdrawal.

οπισθοχωρώ (ρ) [opisthohoro] retreat, fall back, withdraw.

οπίσω (επ) [opiso] behind, back, again.

όπλα (τα) [opla] arms.

οπλή (η) [opli] hoof.

οπλίζω (ρ) [oplizo] arm, reinforce [μεταφ], strengthen.

οπλισμός (ο) [oplismos] armament, equipment.

οπλίτης (ο) [oplitis] soldier.

όπλο (το) [oplo] arm, weapon, rifle.

οπλονόμος (ο) [oplonomos] master-at-arms.

οπλοστάσιο (το) [oplostasio] arsenal, armoury.

οπλοφόρος (ο) [oploforos] armed man.

όποιος, όποια, όποιο (αν) [opios, opia, opio] whoever, whichever, anybody.

οποιοσδήποτε, οποιαδήποτε, οποιοδήποτε (αν) [opiosdhipote, opiadhipote, opiodhipote] whoever, whatsoever, anyone.

οπόταν (σ) [opotan] whenever, when.

οπότε (σ) [opote] at which time, when.

όποτε (σ) [opote] whenever, at any time.

οποτεδήποτε (επ) [opotedhipote] any time, whenever.

όπου (επ) [opu] where, wherever.

οπουδήποτε (επ) [opudhipote] wheresoever, wherever, anywhere.

οπτική (η) [optiki] optics.

οπτικο-ακουστικός-ή-ό (ε) [o-

ptiko-akustikos] audio-visual.
οπτικός (ο) [optikos] optician.
οπωρικό (το) [oporiko] fruit.
οπωροπωλείο (το) [oporopolio] fruit market.
οπωροφόρος-α-ο (ε) [oporoforos] bearing fruit, fruit-producing.
όπως (επ) [opos] as, like.
όπως-όπως (επ) [opos-opos] somehow or other.
οπωσδήποτε (επ) [oposdhipote] howsoever, anyway, without fail, definitely.
όραμα (το) [orama] vision.
όραση (η) [orasi] sense of sight, vision.
ορατός-ή-ό (ε) [oratos] visible, perceptible.
οργανάκι (το) [organaki] hand-organ.
οργανισμός (ο) [organismos] organism, organization.
όργανο (το) [organo] organ, instrument [μουσ], tool.
οργανώνω (ρ) [organono] organize, form, club, stage, lay on.
οργάνωση (η) [organosi] organization, arranging.
οργανωτής (ο) [organotis] organizer.
οργασμός (ο) [orgasmos] orgasm, feverish activity [μεταφ].
οργή (η) [oryi] anger, rage, fury.
όργια (τα) [oryia] orgies, corrupt practices [μεταφ].
οργιάζω (ρ) [oryiazo] revel, debauch.
οργιαστικός-ή-ό (ε) [oryiastikos] orgiastic, wild, luxuriant.
οργίζω (ρ) [oryizo] anger, enrage, irritate.
οργίλος-η-ο (ε) [oryilos] biliary [μεταφ].
όργιο (το) [oryio] orgy, riot.
οργισμένος-η-ο (μ) [oryismenos] angry, furious.
οργυιά (η) [oryiia] fathom [1,83m].
όργωμα (το) [orgoma] ploughing, tilling.
ορδή (η) [ordhi] host, rabble.
ορέγομαι (ρ) [oregome] covet, lust for, hunger for, crave for.
ορειβασία (η) [orivasia] mountain, climbing.
ορειβάτης (ο) [orivatis] mountain, climber.
ορείχαλκος (ο) [orihalkos] brass, bronze.
ορεκτικό (το) [orektiko] appetizer, aperitif.
όρεξη (η) [oreksi] appetite, desire, liking.
ορθά (επ) [ortha] right, rightly, upright, appropriately.
όρθιος-α-ο (ε) [orthios] on end, upright, erect, standing.
ορθογώνιο (το) [orthogonio] rectangle.

ορθογώνιος-α-ο (ε) [orthogonios] right-angled, rectangular.
ορθοδοξία (n) [orthodhoksia] catholicity [κατά τους Δυτικούς], orthodoxy.
ορθολογικός-ή-ό (ε) [ortholoyikos] rational, reasonable.
ορθοπεδική (n) [orthopedhiki] orthopaedics.
ορθοποδώ (ρ) [orthopodho] walk straight.
ορθός-ή-ό (ε) [orthos] right, correct, proper, upright, erect.
ορθοστασία (n) [orthostasia] standing.
ορθοστάτης (o) [orthostatis] brace.
ορθότητα (n) [orthotita] accuracy, soundness, appropriateness, aptitude, correctness.
όρθρος (o) [orthros] matins [εκκλ], dawn.
ορθώνω (ρ) [orthono] raise, pull up, lift up, lift, erect.
ορθώς (επ) [orthos] right, rightly.
οριακός-ή-ό (ε) [oriakos] marginal, limitary.
ορίζοντας (o) [orizondas] horizon.
οριζόντιος-α-ο (ε) [orizondios] horizontal, level.
ορίζω (ρ) [orizo] mark, bound, delimit, fix, settle, govern, appoint, assign, specify, prescribe, term.
όριο (το) [orio] boundary, limit, border, scope, boundary.
ορισμένος-n-o (μ) [orismenos] defined, fixed, certain, special.
ορισμός (o) [orismos] fixing, definition, order, instruction.
οριστική (n) [oristiki] indicative [mood] [γραμμ].
οριστικός-ή-ό (ε) [oristikos] definitive, final.
ορκίζομαι (ρ) [orkizome] swear.
ορκίζω (ρ) [orkizo] put on oath, swear in.
όρκιση (n) [orkisi] swearing.
όρκος (o) [orkos] oath, vow, pledge.
ορκωτοί (οι) [orkoti] the jury.
ορμή (n) [ormi] impulse, vehemence, passion.
ορμηνεύω (ρ) [orminevo] advise, put somebody up to.
ορμήνια (n) [orminia] [a piece of] advice.
ορμητήριο (το) [ormitirio] starting place, motive.
ορμίσκος (o) [ormiskos] bight.
ορμόνη (n) [ormoni] hormone.
ορμώ (ρ) [ormo] rush, come from.
όρνεο (το) [orneo] bird of prey.
όρνιθα (n) [ornitha] hen, chicken, fowl.
ορνιθοτροφείο (το) [ornithot-

rofio] poultry farm.
ορνιθώνας (ο) [ornithonas] chicken coop, henhouse.
όρνιο (το) [ornio] bird of prey.
οροθεσία (n) [orothesia] fixing of boundaries.
οροθετικός-ή-ό (ε) [orothetikos] border, boundary.
οροθετώ (ρ) [orotheto] delimit.
ορολογία (n) [oroloyia] terminology.
οροπέδιο (το) [oropedhio] plateau.
όρος (το) [oros] mountain.
όρος (ο) [oros] term, condition, stipulation, limit, end, term [επιστημονικός].
ορός (ο) [oros] serum.
ορόσημο (το) [orosimo] boundary mark, boundary stone.
οροφή (n) [orofi] ceiling, roof.
ορτύκι (το) [ortiki] quail.
όρυζα (n) [oriza] rice.
ορυκτέλαιο (το) [orikteleo] lubricant.
ορυκτό (το) [orikto] mineral, ore.
ορυκτός-ή-ό (ε) [oriktos] mineral, dug-up.
ορυχείο (το) [orihio] mine.
ορφάνεμα (το) [orfanema] orphanhood, becoming an orphan.
ορφανός-ή-ό (ε) [orfanos] orphan.
ορφανοτροφείο (το) [orfanotrofio] orphanage.
όρχεις (οι) [orhis] bollocks.
ορχεκτομία (n) [orhektomia] castration.
ορχήστρα (n) [orhistra] orchestra.
ορχηστικός-ή-ό (ε) [orhistrikos] dancing.
όσιος-α-ο (ε) [osios] holy, blessed.
οσμή (n) [osmi] odour, smell, scent.
όσο (επ) [oso] as, as far as, as long as, till, until, by the time.
όσος-η-ο (αν) [osos] as much as, as many as, all.
όσπριο (το) [osprio] pulse.
οστεαρθρίτιδα (n) [ostearthritidha] osteoarthritis.
οστεώδης-ης-ες (ε) [osteodhis] skinny.
οστρακιά (n) [ostrakia] scarlet fever.
όστρια (n) [ostria] south wind.
οσφραίνομαι (ρ) [osfrenome] smell, scent.
οσφυαλγία (n) [osfialyia] lumbago.
οσφύς (n) [osfis] waist.
όταν (σ) [otan] when, at the time when, whenever.
ότι (σ) [oti] that.
οτιδήποτε (αν) [otidhipote] whatsoever, anything at all.

οτοστόπ (το) [otostop] hitch-hiking.
ούγια (η) [uyia] webbing.
ουγκιά (η) [ungia] ounce.
ουδέ (σ) [udhe] not even.
ουδείς, ουδεμία, ουδέν (αν) [udhis, udhemia, udhen] no one, none.
ουδέποτε (επ) [udhepote] never.
ουδέτερο (το) [udhetero] neuter.
ουδετεροποιώ (ρ) [udheteropio] neutralize.
ουδέτερος-η-ο (ε) [udheteros] neither, neutral.
ουδόλως (επ) [udholos] by no means, no wise, by no manner of means.
ουίσκι (το) [uiski] whisky.
ουλαμός (ο) [ulamos] platoon.
ουλή (η) [uli] scar, mark.
ούλο (το) [ulo] gum.
ουρά (η) [ura] tail, train of dress, queue.
ούρα (τα) [ura] urine.
ουραγός (ο) [uragos] the last one.
ουρακοτάγκος (ο) [urakotangos] orang-outang.
ουράνιο (το) [uranio] uranium.
ουρανοξύστης (ο) [uranoksistis] skyscraper.
ουρανός (ο) [uranos] sky, heaven.
ουρανόσταλτος-η-ο (ε) [uranostaltos] heaven-sent.
ούρηση (η) [urisi] urination.
ουρητήριο (το) [uritirio] urinal.
ουρία (η) [uria] urea.
ουρικός-ή-ό (ε) [urikos] urinary.
ουρλιάζω (ρ) [urliazo] howl, roar, scream [από πόνο].
ουροδόχος-ος-ο (ε) [urodhohos] urinary.
ουρώ (ρ) [uro] urinate.
ουσία (η) [usia] matter, substance, essence, gist [μεταφ].
ουσιαστικό (το) [usiastiko] substantive [γραμμ], noun [γραμμ].
ουσιώδης-ης-ες (ε) [usiodhis] essential, vital, indispensable, capital, basal.
ούτε (σ) [ute] not even, neither, nor.
ουτιδανός-ή-ό (ε) [utidhanos] wretch.
ουτοπικός-ή-ό (ε) [utopikos] utopian.
ουτοπιστής (ο) [utopistis] utopian, visionary.
ούτως (επ) [utos] so, such, thus.
οφειλέτης (ο) [ofiletis] debtor.
οφειλή (η) [ofili] debt, sum due, obligation [γραμμ].
όφελος (το) [ofelos] profit, advantage, benefit, handicap, interest.
οφθαλμαπάτη (η) [ofthalmapati] optical illusion.
οφθαλμίατρος (ο, η) [ofthalmi-

atros] eye specialist.

οφθαλμός (ο) [ofthalmos] eye, bud [βιολ].

οφιοειδής-ής-ές (ε) [ofioidhis] anguiform, anguine.

όφις (ο) [ofis] serpent, snake.

όχεντρα (n) [ohendra] viper.

οχετός (ο) [ohetos] drain, sewer, pipe.

όχημα (το) [ohima] vehicle, coach, carriage, car.

οχηματαγωγό (το) [ohimatagogo] car ferry.

όχθη (n) [ohthi] bank, shore, edge, side.

όχι (μο) [ohi] no, not.

οχιά (n) [ohia] viper.

οχλαγωγία (n) [ohlagoyia] disturbance, riot, din, row.

όχληση (n) [ohlisi] reminder, annoyance.

οχλοκρατία (n) [ohlokratia] mob rule.

όχλος (ο) [ohlos] populace, mob, crowd, rabble.

οχλώ (ρ) [ohlo] remind, bother, trouble.

οχταπόδι (το) [ohtapodhi] octopus.

οχτρός (ο) [ohtros] enemy, foe.

οχτώ (αριθ) [ohto] eight.

οχυρό (το) [ohiro] fort, stronghold, bunker.

οχυρώνομαι (ρ) [ohironome] justify.

οχυρώνω (ρ) [ohirono] fortify, entrench.

οχύρωση (n) [ohirosi] fortification.

όψη (n) [opsi] aspect, appearance, look, view, sight, face.

παγάκια (τα) [pagakia] ice cubes.
παγάνα (η) [pagana] battue.
παγανιά (η) [pagania] battue.
παγανισμός (ο) [paganismos] paganism.
παγερότητα (η) [pagerotita] chilliness, frigidity.
παγετός (ο) [pagetos] frost.
παγετώδης-ης-ες (ε) [pagetodhis] icy cold, freezing.
παγετώνας (ο) [pagetonas] glacier.
παγίδα (η) [payidha] trap.
παγίδευση (η) [payidhefsi] trapping, snaring.
παγιδεύω (ρ) [payidhevo] snare, catch, entice.
πάγιος-α-ο (ε) [payios] fixed, stable, settle.
παγιώνω (ρ) [payiono] stabilize.
παγίωση (η) [payiosi] fixation, consolidation, stabilization.
πάγκος (ο) [pagkos] bench.
παγκόσμιος-α-ο (ε) [pagkosmios] universal, world-wide.
πάγκρεας (το) [pagreas] pancreas.
παγόβουνο (το) [pagovuno] iceberg.
παγοδρομία (η) [pagodhromia] skating.
παγοδρόμιο (το) [pagodhromio] ice rink.
παγοδρόμος (ο) [pagodhromos] ice skater.
παγοθραύστης (ο) [pagothrafstis] icebreaker.
παγοκύστη (η) [pagokisti] ice pack.
παγόνι (το) [pagoni] peacock.
παγοπέδιλο (το) [pagopedhilo] iceskate.
παγοποιείο (το) [pagopiio] ice factory.
πάγος (ο) [pagos] ice, frost.
παγούρι (το) [paguri] can, tin.
πάγωμα (το) [pagoma] freezing.
παγωμένος-η-ο (μ) [pagomenos] frozen, frostbitten, chilled.
παγωνιά (η) [pagonia] frost.
παγώνω (ρ) [pagono] freeze.
παγωτιέρα (η) [pagotiera] freezer.
παγωτό (το) [pagoto] ice cream.
παζάρεμα (το) [pazarema] haggling.
παζαρεύω (ρ) [pazarevo] bargain for.
παζάρι (το) [pazari] bargaining.
παθαίνω (ρ) [patheno] undergo, suffer, be injured, meet with.

πάθημα (το) [pathima] accident, misfortune, setback.
πάθηση (η) [pathisi] complaint, sickness, trouble, disease.
παθητικός-ή-ό (ε) [pathitikos,] passive, emotional, submissive.
παθιάζομαι (ρ) [pathiazome] have a passion [for].
παθιασμένος-η-ο (μ) [pathiasmenos] passionate.
παθολογία (η) [patholoyia] pathology.
παθολογικός-ή-ό (ε) [patholoyikos] pathological, morbid.
παθολόγος (ο) [pathologos] general practitioner, pathologist.
πάθος (το) [pathos] passion, illness, mania, obsession, feeling.
παιανίζω (ρ) [peanizo] play.
παιγνιόχαρτα (τα) [pegnioharta] playing-cards.
παιδαγωγείο (το) [pedhagoyio] children's school.
παιδαγώγηση (η) [pedhagoyisi] training, education.
παιδαγωγός (ο, η) [pedhagogos] tutor, preceptor.
παιδαγωγώ (ρ) [pedhagogo] educate, instruct.
παϊδάκι (το) [paidhaki] cutlet.
παιδαριώδης-ης-ες (ε) [pedhariodhis] childish.
παιδεία (η) [pedhia] education, instruction, culture.
παίδεμα (το) [pedhema] torture, trial.
παιδεύομαι (ρ) [pedhevome] try hard, struggle.
παιδεύω (ρ) [pedhevo] pester.
παΐδι (το) [paidhi] rib.
παιδί (το) [pedhi] child, little boy, little girl.
παιδιαρίζω (ρ) [pedhiarizo] be childish.
παιδιατρική (η) [pedhiatriki] paediatrics.
παιδίατρος (ο) [pedhiatros] paediatrician.
παιδικός σταθμός (ο) [pedhikos stathmos] kindergarten.
παιδοκτονία (η) [pedhoktonia] infanticide.
παίζω (ρ) [pezo] play, gamble, swing, perform, act, show.
παίνεμα (το) [penema] appraisal.
παινεύω (ρ) [penevo] praise.
παινώ (ρ) [peno] praise.
παίξιμο (το) [peksimo] playing, performance.
παίρνω (ρ) [perno] receive, take hold of, get, marry, catch .
παιχνιδάκι (το) [pehnidhaki] plaything, sport.
παιχνίδι (το) [pehnidhi] play, game, sport, toy [για παιδιά].
παιχνιδιάρης-α-ικο (ε) [pehnidhiaris] playful.
παιχνιδίζω (ρ) [pehnidhizo] play, blink [βλέφαρα].

παιχνίδισμα (το) [pehnidhisma] play, dancing [φωτός].
παίχτης (ο) [pehtis] player.
πακετάρισμα (το) [paketarisma] packing, package.
πακετάρω (ρ) [paketaro] pack.
πακέτο (το) [paketo] pack, packet, parcel.
πάκο (το) [pako] pack, packet.
παλαβιάρης (ο) [palaviaris] looney.
παλαβομάρα (η) [palavomara] madness, lunacy, foolish act.
παλαβός-ή-ό (ε) [palavos] mad.
παλαβώνω (ρ) [palavono] drive somebody mad, go mad.
παλαίμαχος-η-ο (ε) [palemahos] veteran, old-timer.
παλαιοπώλης (ο) [paleopolis] secondhand dealer, antiquarian.
παλαιός-ή-ό (ε) [paleos] old, ancient, old.
παλαιότητα (η) [paleotita] age.
παλαιστής (ο) [palestis] wrestler.
παλαίστρα (η) [palestra] arena, ring.
παλαιώνω (ρ) [paleono] wear out.
παλαμάκια,(τα) [palamakia] applause.
παλαμάρι (το) [palamari] cable.
παλάμη (η) [palami] palm, span [μέτρο].
παλαμίζω (ρ) [palamizo] careen.
παλάντζα (η) [palandza] scales.
παλάτι (το) [palati] palace, mansion.
παλατιανός-ή-ό (ε) [palatianos] courtier.
παλέτα (η) [paleta] palette.
παλεύω (ρ) [palevo] fight.
πάλη (η) [pali] struggle [μεταφ], contest [μεταφ].
πάλι (επ) [pali] again, once more, over again.
παλιανθρωπιά (η) [palianthropia] meanness.
παλιάνθρωπος (ο) [palianthropos] rogue, rascal.
παλιατζής (ο) [paliatzis] scrap dealer.
παλιατσαρία (η) [paliatsaria] back-number.
παλιάτσος (ο) [paliatsos] clown, buffoon, jester, antic, droll.
παλιγγενεσία (η) [paligenesia] regeneration.
παλικάρι (το) [palikari] bravehearted man.
παλικαριά (η) [palikaria] bravery, spirit.
παλινδρομικός-ή-ό (ε) [palindhromikos] alternating, reciprocating.
παλιννόστηση (η) [palinnostisi] repatriation.
παλινόρθωση (η) [palinorthosi] re-establishment.

παλιοβρόμα (η) [paliovroma] slut, bitch.

παλιόγερος (ο) [palioyeros] nasty old man.

παλιόγρια (η) [paliogria] old hag.

παλιογυναίκα (η) [palioyineka] trollop.

παλιοθήλυκο (το) [paliothiliko] slut.

παλιοκόριτσο (το) [paliokoritso] hussy, tart.

παλιόλογα (τα) [paliologa] obscenities.

παλιός-ά-ό (ε) [palios] old, former.

παλιοσίδερα (τα) [paliosidhera] scrap metal.

παλιοτόμαρο (το) [paliotomaro] scoundrel.

παλίρροια (η) [palirria] tide, floodtide.

παλιωμένος-η-ο (μ) [paliomenos] worn out.

παλιώνω (ρ) [paliono] date, wear [out], become old.

παλλαϊκός-ή-ό (ε) [pallaikos] general, universal.

παλλακίδα (η) [pallakidha] concubine.

πάλλευκος-η-ο (ε) [palefkos] snow-white.

παλληκαρισμός (ο) [pallikarismos] bravado.

παλλόμενος-η-ο (μ) [pallomenos] flickering.

παλμικός-ή-ό (ε) [palmikos] throbbing, vibrating.

παλμός (ο) [palmos] oscillation, vibration, palpitation.

παλούκι (το) [paluki] stake, pole, difficulty [μεταφ].

παλουκώνομαι (ρ) [palukonome] sit still.

παλουκώνω (ρ) [palukono] impale.

παλτό (το) [palto] overcoat.

παμπάλαιος-α-ο (ε) [pampaleos] ancient, out-of-date.

πάμπλουτος-η-ο (ε) [pamplutos] extremely wealthy.

παμφάγος-ος-ο (ε) [pamfagos] omnivorous.

πάμφθηνος-η-ο (ε) [pamfthinos] very cheap.

πάμφτωχος-η-ο (ε) [pamftohos] very poor.

παν (το) [pan] the whole word, everything, all, anything.

πάνα (η) [pana] nappy.

πανάγαθος-η-ο (ε) [panagathos] merciful.

Παναγία (η) [Panagia] the Virgin Mary.

πανάδα (η) [panadha] brown patch, freckle.

πανάθεμά με! (επιφ) [panathema me!] blimey!, oh blast!.

πανάθλιος-α-ο (ε) [panathlios] wretched, miserable.

πανανθρώπινος-η-ο (ε) [pananthropinnos] universal.
πανάρχαιος-α-ο (ε) [panarheos] very ancient, immemorial.
πανδαιμόνιο (το) [pandhemonio] din.
πανδαισία (η) [pandhesia] feast.
πάνδημος-η-ο (ε) [pandhimos] general.
πανδοχείο (το) [pandhohio] inn.
πανδρειά (η) [pandhria] marriage.
πανδρεύω (ρ) [pandhrevo] marry.
πανεθνικός-ή-ό (ε) [panethnikos] nation wide.
πανέμορφος-η-ο (ε) [panemorfos] exquisite, divine.
πανένδοξος-η-ο (ε) [panendhoksos] illustrious.
πανέξυπνος-η-ο (ε) [paneksipnos] sharp as a needle.
πανεπιστήμιο (το) [panepistimio] university.
πανέρι (το) [paneri] wide basket.
πανέτοιμος-η-ο (ε) [panetimos] in readiness.
πανήγυρη (η) [paniyiri] fair.
πανηγύρι (το) [paniyiri] festival.
πανηγυρίζω (ρ) [paniyirizo] celebrate.
πανηγυρικός (ο) [paniyirikos] festive.
πανηγυρισμός (ο) [paniyirismos] celebration, festivities.
πάνθεον (το) [pantheon] pantheon.
πάνθηρας (ο) [panthiras] panther.
πανί (το) [pani] cloth, linen, sail.
πανιάζω (ρ) [paniazo] go pale.
πάνιασμα (το) [paniasma] freckles, paleness.
πανιερότατος (ο) [panierotatos] Most Reverend.
πανικοβάλλομαι (ρ) [panikovallome] panic.
πανικοβάλλω (ρ) [panikovallo] panic, throw into panic.
πανικόβλητος-η-ο (ε) [panikovlitos] panic-stricken.
πανικός (ο) [panikos] panic.
πάνινος-η-ο (ε) [paninos] of cloth, of linen, of cotton.
πανίσχυρος-η-ο (ε) [panishiros] all-powerful.
πανόμοιος-α-ο (ε) [panomios] similar, alike.
πανομοιότυπο (το) [panomiotipo] facsimile, counterpart.
πανοπλία (η) [panoplia] arms.
πάνοπλος-η-ο (ε) [panoplos] fully armed, fully equipped.
πανόραμα (το) [panorama] panorama.
πανοραμικός-ή-ό (ε) [panoramikos] panoramic.
πανοσιότατος (ο) [panosiota-

tos] Reverend.

πανούκλα (η) [panukla] plague.

πανουργία (η) [panuryia] trick, craftiness.

πανούργος-α-ο (ε) [panurgos] malicious, tricky, cunning.

πανσέληνος (η) [panselinos] full moon.

πανσιόν (η) [pansion] boarding house.

πάνσοφος-η-ο (ε) [pansofos] omniscient.

πανσπερμία (η) [panspermia] racial mixture, medley.

πάντα (επ) [panda] forever, always, anyway, in any case.

παντελής-ής-ές (ε) [pandelis] complete, absolute.

παντελόνι (το) [pandeloni] trousers.

παντελώς (επ) [pandelos] utterly, absolutely, totally.

παντέρημος-η-ο (ε) [panderimos] god-forsaken, all alone.

παντεσπάνι (το) [pandespani] sponge cake.

παντζάρι (το) [pandzari] beetroot.

παντζούρι (το) [pandzuri] shutter.

παντιέρα (η) [pandiera] flag.

παντοδυναμία (η) [pandodhinamia] omnipotence.

παντοειδώς (επ) [pandoidhos] in every way.

παντοιοτρόπως (επ) [pandiotropos] in every way.

Παντοκράτορας (ο) [Pandokratoras] the Almighty.

παντομίμα (η) [pandomima] pantomime.

παντοπωλείο (το) [pandopolio]grocery.

πάντοτε (επ) [pandote] always.

παντοτινά (επ) [pandotina] perpetually.

παντοτινός-ή-ό (ε) [pandotinos] everlasting, eternal.

παντού (επ) [pandu] everywhere, all over.

παντόφλα (η) [pandofla] slipper.

παντρεμένος-η-ο (μ) [pandremenos] married.

παντρεύομαι (ρ) [pandrevome] get married.

παντρεύω (ρ) [pandrevo] marry, wed.

παντριά (η) [pandria] marriage, wedding.

πάνω (επ) [pano] up, upstairs, above, over, at, on, upon.

πανωλεθρία (η) [panolethria] heavy loss, total ruin.

πανώλης (η) [panolis] plague.

πανώριος-α-ο (ε) [panorios] very beautiful.

πανωφόρι (το) [panofori] overcoat.

παξιμάδι (το) [paksimadhi]

rusk, nut[of screw].

παπαγάλος (ο) [papagalos] parrot.

παπαδιά (n) [papadhia] priest's wife.

παπαδίτσα (n) [papadhitsa] ladybird.

παπαδολόι (το) [papadholoi] clergy.

παπαδοπαίδι (το) [papadhopedhi] priest's son, altar-boy.

παπάκι (το) [papaki] duckling.

παπαρδέλα (n) [papardhela] drivel.

παπαριάζω (ρ) [papariazo] soak.

παπαρούνα (n) [paparuna] cockle, poppy.

πάπας (ο) [papas] Pope.

παπάς (ο) [papas] priest.

παπί (το) [papi] young duck.

πάπια (n) [papia] duck, bedpan.

παπιγιόν (το) [papiyion] bow-tie.

πάπλωμα (το) [paploma] cotton quilt.

παπόρι (το) [papori] steamer.

παπούτσι (το) [paputsi] shoe.

παπουτσίδικο (το) [paputsidhiko] shoemaker's.

παππούς (ο) [pappus] grandfather.

πάπυρος (ο) [papiros] papyrus.

παρά (επ) [para] than, but, in spite of, near.

παρά (π) [para] despite.

παραβαίνω (ρ) [paraveno] break, violate.

παραβάλλω (ρ) [paravallo] compare.

παραβάν (το) [paravan] folding screen.

παραβαραίνω (ρ) [paravareno] overload.

παράβαση (n) [paravasi] violation, transgression, breach.

παραβγαίνω (ρ) [paravgeno] go out too often, compete.

παραβιάζω (ρ) [paraviazo] force entry, burgle.

παραβίαση (n) [paraviasi] violation, forcing, breaking.

παραβλάπτω (ρ) [paravlapto] prejudice, harm.

παραβλάσταρο (το) [paravlastaro] runner.

παραβλέπω (ρ) [paravlepo] neglect, omit.

παραβλητός-ή-ό (ε) [paravlitos] comparable.

παραβολή (n) [paravoli] comparison, collation, parabola.

παράβολο (το) [paravolo] fee, deposit.

παραγάδι (το) [paragadhi] large fishing net.

παραγγελία (n) [paraggelia] command, commission, order.

παραγγέλλω (ρ) [paraggello] order, command.

παραγεμίζω (ρ) [paragemizo] fill up, bulge, clutter.
παραγέμισμα (το) [parayemisma] stuffing, cramming.
παραγεμιστός-ή-ό (μ) [paragemistos] stuffed, crammed.
παραγερασμένος-η-ο (μ) [parageramenos] aged, elderly.
παραγιός (ο) [parayios] servant-boy.
παράγκα (η) [paragka] wooden hut, shack.
παραγκωνίζω (ρ) [paragkonizo] elbow.
παραγνωρίζω (ρ) [paragnorizo] ignore, misinterpret.
παραγνωρισμένος-η-ο (ε) [paragnorismenos] unknown.
παράγομαι (ρ) [paragome] be derived from.
παραγραφή (η) [paragrafi] prescription.
παραγράφομαι (ρ) [paragrafome] dismiss, ignore.
παράγραφος (η) [paragrafos] paragraph.
παράγω (ρ) [parago] produce.
παραγωγή (η) [paragoyi] production, output.
παράγωγο (το) [paragogo] derivative.
παραγωγός (ο, η) [paragogos] producer, grower.
παράγων (ο) [paragon] agent.
παραγώνι (το) [paragoni] fireside.
παραδάκι (το) [paradhaki] money.
παραδεδεγμένος-η-ο (μ) [paradhedhegmenos] allowed.
παράδειγμα (το) [paradhigma] example, model, pattern.
παράδεισος (ο) [paradhisos] paradise.
παραδεκτός-ή-ό (ε) [paradhektos] admitted, acceptable.
παραδέχομαι (ρ) [paradhehome] admit, acknowledge, confess, allow, avow.
παραδίδομαι (ρ) [paradhidhome] surrender, submit.
παραδίδω (ρ) [paradhidho] commit, consign, teach.
παραδίνομαι (ρ) [paradhinome] surrender, submit, yield.
παραδίνω (ρ) [paradhino] ommit, consign, hand over, teach.
παράδοξος-η-ο (ε) [paradhoksos] peculiar, odd, unusual.
παραδοξότητα (η) [paradhoksotita] oddity, peculiarity.
παραδόξως (επ) [paradhoksos] paradoxically.
παραδόπιστος-η-ο (ε) [paradhopistos] greedy.
παράδοση (η) [paradhosi] delivery, tradition, teaching.
παραδοσιακός-ή-ό (ε) [paradhosiakos] traditional.
παραδοχή (η) [paradhohi] ac-

ceptance, admission.
παραδρομή (n) [paradhromi] carelessness.
παραζάλη (n) [parazali] confusion, bewilderment.
παραζάλισμα (το) [parazalisma] confusion, commotion.
παραθαλάσσιος-α-ο (ε) [parathalassios] by the sea, coastal.
παραθερίζω (ρ) [paratherizo] spend the summer.
παράθεση (n) [parathesi] apposition.
παραθέτω (ρ) [paratheto] contrast, compare, quote, allege.
παράθλαση (n) [parathlasi] diffraction.
παράθυρο (το) [parathiro] window.
παραθυρόφυλλο (το) [parathirofillo] shutter.
παραίνεση (n) [parenesi] exhortation, advice, counsel.
παραίσθηση (n) [paresthisi] illusion, delusion.
παραισθησιογόνος-η-ο (ε) [paresthisiogonos] hallucinatory.
παραίτηση (n) [paretisi] resignation, abdication.
παραιτούμαι (ρ) [paretume] resign, give up, avoid, abdicate.
παράκαιρος-η-ο (ε) [parakeros] unseasonable, untimely.
παρακαλώ (ρ) [parakalo] ask, beg, don't mention it!.
παρακαμπτήριος-α-ο (ε) [parakamptirios] by-pass, diversion.
παρακάμπτω (ρ) [parakampto] get round, surpass, evade.
παρακαταθέτης (ο) [parakatathetis] bailor.
παρακαταθέτω (ρ) [parakatatheto] deposit.
παρακαταθήκη (n) [parakatathiki] consignation, deposit, stock, provisions.
παρακατιανός-ή-ό (ε) [parakatianos] inferior, second-rate.
παρακείμενος-η-ο (μ) [parakimenos] adjoining, perfect tense.
παρακέντηση (n) [parakendisi] puncture.
παρακινδυνευμένος-η-ο (μ) [parakindhinevmenos] risky.
παρακίνηση (n) [parakinisi] prompting, incitation.
παρακινώ (ρ) [parakino] urge.
παρακλάδι (το) [parakladhi] shoot, bough, branch.
παράκληση (n) [paraklisi] request, prayer [εκκλ].
παρακοή (n) [parakoi] disobedience.
παρακολούθημα (το) [parakoluthima] sequel.
παρακολούθηση (n) [parakoluthisi] supervision, observation.
παρακολουθώ (ρ) [parakolutho] follow, watch, understand.
παρακούω (ρ) [parakuo] hear

wrongly, disobey.

παρακράτηση (η) [parakratisi] deduction.

παρακρατώ (ρ) [parakrato] retain, keep back, last too long.

παράκρουση (η) [parakrusi] delusion.

παράκτιος-α-ο (ε) [paraktios] coastal.

παρακώλυση (η) [parakolisi] obstruction.

παρακωλυτικός-ή-ό (ε) [parakolitikos] obstructive.

παρακωλύω (ρ) [parakolio] obstruct, impede.

παραλαβαίνω (ρ) [paralaveno] receive, take delivery of.

παραλαβή (η) [paralavi] receipt.

παραλείπω (ρ) [paralipo] leave out, miss, neglect.

παραλέω (ρ) [paraleo] exaggerate.

παραλήπτης (ο) [paraliptis] payee, addressee.

παραλήρημα (το) [paralirima] frenzy.

παραληρώ (ρ) [paraliro] rave.

παραληρών (μ) [paraliron] delirious.

παραλής (ο) [paralis] moneybags.

παραλία (η) [paralia] seashore, shore, coast, beach.

παραλίγο (επ) [paraligo] almost.

παράλιος-α-ο (ε) [paralios] coastal.

παραλλαγή (η) [parallayi] variation, change, deviation.

παραλλάζω (ρ) [parallazo] vary, be different.

παραλληλίζω (ρ) [parallilizo] parallel, compare.

παραλληλισμός (ο) [parallilismos] parallel, comparison.

παράλληλος-η-ο (ε) [parallilos] parallel.

παράλογα (επ) [paraloga] absurdly, improperly.

παράλογος-η-ο (ε) [paralogos] absurd, foolish.

παραλυμένος-η-ο (μ) [paralimenos] dissolute, rake.

παράλυση (η) [paralisi] paralysis, helplessness.

παράλυτος-η-ο (ε) [paralitos] paralytic, crippled, paralyzed.

παραλύω (ρ) [paralio] make loose, slacken, relax, paralyze.

παραμάνα (η) [paramana] nurse, nanny, safety pin.

παραμάσκαλα (επ) [paramaskala] under one's arm.

παραμεθόριος-α-ο (ε) [paramethorios] border.

παραμέληση (η) [paramelisi] neglect.

παραμελώ (ρ) [paramelo] neglect, leave undone.

παραμένω (ρ) [parameno] stay by, remain, continue to exist.

παράμερα (επ) [paramera] out of the way, apart.
παραμερίζω (ρ) [paramerizo] set aside, get out of the way.
παραμερισμός (ο) [paramerismos] side-stepping.
παράμερος-η-ο (ε) [parameros] out-of-the-way.
παράμετρος (η) [parametros] constant, parameter.
παραμικρός-ή-ό (ε) [paramikros] least, slightest.
παραμίλημα (το) [paramilima] raving, delirium.
παραμιλώ (ρ) [paramilo] speak too much.
παραμονεύω (ρ) [paramonevo] watch for.
παραμονή (η) [paramoni] stay, eve.
παραμορφώνω (ρ) [paramorfono] deform, disfigure, twist.
παραμόρφωση (η) [paramorfosi] deformity, distortion.
παραμυθάς (ο) [paramithas] story-teller, liar.
παραμυθένιος-α-ο (ε) [paramithenios] fairylike.
παραμύθι (το) [paramithi] story, fairy tale.
παρανόηση (η) [paranoisi] misunderstanding.
παράνοια (η) [parania] paranoia.
παρανομία (η) [paranomia] illegality, breach of the law.
παράνομος-η-ο (ε) [paranomos] illegal, unlawful.
παρανοώ (ρ) [paranoo] misunderstand, misconceive.
παράνυμφος (η) [paranimfos] bridesmaid, groomsman.
παράξενα (επ) [paraksena] oddly, strangely, crankily.
παραξενεύομαι (ρ) [paraksenevome] be astonished.
παραξενεύω (ρ) [paraksenevo] startle, intrigue, surprise.
παραξενιά (η) [paraksenia] fancy, whim, capriciousness.
παράξενος-η-ο (ε) [paraksenos] peculiar, singular, odd, bizarre.
παραπαίω (ρ) [parapeo] flounder.
παραπανίσιος-α-ο (ε) [parapanisios] superfluous.
παραπάνω (επ) [parapano] higher up, more than.
παραπάτημα (το) [parapatima] false step, misconduct [μεταφ].
παραπατώ (ρ) [parapato] slip.
παραπειστικός-ή-ό (ε) [parapistikos] misleading, catchy.
παραπέμπω (ρ) [parapembo] refer to, hand over.
παραπέρα (επ) [parapera] further on, over there.
παραπεταμένος-η-ο (μ) [parapetamenos] thrown away.
παραπέτασμα (το) [parapetas-

ma] curtain, Iron Curtain.

παραπετώ (ρ) [parapeto] mislay, cast off.

παράπηγμα (το) [parapigma] wooden hut, shack.

παραπήγματα (τα) [parapigmata] barracks.

παραπίσω (επ) [parapiso] further back.

παραπλάνηση (η) [paraplanisi] deception, misleading.

παραπλανητικός-ή-ό (ε) [paraplanitikos] deceptive.

παραπλανώ (ρ) [paraplano] seduce, mislead.

παράπλευρα (επ) [paraplevra] abreast.

παράπλευρος-η-ο (ε) [paraplevros] collateral, adjoining.

παραπλεύρως (επ) [paraplevros] next door, next to, beside.

παραπλέω (ρ) [parapleo] coast.

παραποίηση (η) [parapoiisi] forgery, falsification, tampering.

παραποιώ (ρ) [parapio] forge.

παραπομπή (η) [parapombi] reference, footnote.

παραπονετικός-ή-ό (ε) [paraponetikos] doleful, whining.

παραπονιάρης-α-ικο (ε) [paraponiaris] grumbling.

παράπονο (το) [parapono] complaint, grievance.

παραπονούμαι (ρ) [paraponume] complain.

παράπτωμα (το) [paraptoma] fault, mistake, breach.

παράρτημα (το) [parartima] annex, supplement.

παράς (ο) [paras] money, cash.

παρασέρνω (ρ) [paraserno] carry off, carry away, drift.

παράσημο (το) [parasimo] decoration, medal, order.

παρασημοφορία (η) [parasimoforia] decoration.

παρασημοφορώ (ρ) [parasimoforo] decorate.

παράσιτο (το) [parasito] parasite.

παρασιτοκτόνο (το) [parasitoktono] pesticide.

παρασιώπηση (η) [parasiopisi] suppression.

παρασκευάζω (ρ) [paraskevazo] prepare, arrange, brew.

παρασκευαστήριο (το) [paraskevastirio] laboratory.

Παρασκευή (η) [Paraskevi] Friday.

παρασκευή (η) [paraskevi] preparation, confection.

παρασκήνια (τα) [paraskinia] wings [θέατρο], backstage.

παρασκηνιακός-ή-ό (ε) [paraskiniakos] backdoor, backstage.

παρασκοτίζω (ρ) [paraskotizo] bother, pester.

παρασπονδώ (ρ) [paraspondho] break one's word.

παρασταίνω (ρ) [parasteno] perform, pretend, sham, play.
παράσταση (η) [parastasi] representation, portrayal.
παραστατικός-ή-ό (ε) [parastatikos] expressive, descriptive.
παραστέκω (ρ) [parasteko] help.
παράστημα (το) [parastima] carriage, bearing, figure.
παραστολισμένος-η-ο (ε) [parastolismenos] flowery.
παραστράτημα (το) [parastratima] straying, misconduct.
παραστρατώ (ρ) [parastrato] go astray.
παρασύνθημα (το) [parasinthima] password.
παρασύρω (ρ) [parasiro] drag along, run over, lead astray.
παράτα (η) [parata] parade.
παράταιρος-η-ο (ε) [parateros] odd, unmatching.
παράταξη (η) [parataksi] order, ceremony, political party.
παράταση (η) [paratasi] extension, renewal.
παρατάσσω (ρ) [paratasso] arrange, set in order, line up.
παρατατικός (ο) [paratatikos] imperfect tense [γραμμ].
παρατεταμένος-η-ο (μ) [paratetamenos] continued.
παρατήρηση (η) [paratirisi] observation, remark, comment.
παρατηρητήριο (το) [paratiritirio] observation post.
παρατηρώ (ρ) [paratiro] observe, notice, blame [επιτιμώ].
παράτολμος-η-ο (ε) [paratolmos] reckless, audacious, bold.
παράτονος-η-ο (ε) [paratonos] dissonant.
παρατραβώ (ρ) [paratravo] prolong, last too long, go too far.
παρατρώγω (ρ) [paratrogo] overeat.
παρατσούκλι (το) [paratsukli] nickname.
παρατώ (ρ) [parato] desert, jilt, abandon, give up, stop.
πάραυτα (επ) [parafta] immediately, at once.
παραφέρνω (ρ) [paraferno] carry more than necessary.
παραφθορά (η) [parafthora] corruption, change.
παραφίνη (η) [parafini] paraffin.
παράφορος-η-ο (ε) [paraforos] furious.
παραφρονώ (ρ) [parafrono] go mad.
παράφρων (μ) [parafron] crazed.
παραφυάδα (η) [parafiadha] sprout.
παραχαράκτης (ο) [paraharaktis] forger.
παραχορταίνω (ρ) [parahorteno] have too much.

παραχώρηση (η) [parahorisi] concession, transfer.
παραχωρώ (ρ) [parahoro] grant, surrender [παραδίδω], barter.
παρδαλός-ή-ό (ε) [pardhalos] spotted, multicoloured, mottled.
παρέα (η) [parea] company, set, party.
παρεγκεφαλίς (η) [paregefalis] cerebellum.
πάρεδρος (ο) [paredhros] associate judge.
παρειά (η) [paria] cheek, wall.
παρείσακτος-η-ο (ε) [parisaktos] intrusive.
παρέκει (επ) [pareki] further on.
παρεκκλήσι (το) [parekklisi] halidom, chapel.
παρεκκλίνω (ρ) [parekklino] deviate from, turn aside from.
παρεκτείνω (ρ) [parektino] prolong, extend.
παρεκτροπή (η) [parekropi] deviation, misconduct [ηθική].
παρέλαση (η) [parelasi] parade, procession.
παρέλευση (η) [parelefsi] passage of time.
παρελθόν (το) [parelthon] the past.
παρέλκυση (η) [parelkisi] delay.
παρελκυστικός-ή-ό (ε) [parelkistikos] delaying.
παρεμβαίνω (ρ) [paremveno] interfere, intervene.
παρεμβολή (η) [paremvoli] insertion.
παρεμποδίζω (ρ) [parebodhizo] obstruct.
παρεμφερής-ής-ές (ε) [paremferis] similar, resembling.
παρενέργεια (η) [pareneryia] side effect.
παρένθεση (η) [parenthesi] insertion, parenthesis [γραμμ].
παρενόχληση (η) [parenohlisi] harassment.
παρενοχλώ (ρ) [parenohlo] trouble, harass, annoy.
παρεξηγώ (ρ) [pareksigo] misunderstand, misinterpret.
παρεπιδημώ (ρ) [parepidhimo] stay temporarily.
παρεπόμενα (τα) [parepomena] consequences, issues.
παρερμηνεία (η) [parerminia] misinterpretation.
παρέρχομαι (ρ) [parerhome] elapse, pass, come to an end.
παρευθύς (επ) [parefthis] at once.
παρέχω (ρ) [pareho] give supply, bring about [ευκαιρία].
παρηγορητής (ο) [parigoritis] comforter.
παρηγοριά (η) [parigoria] consolation, comfort.
παρηγορώ (ρ) [parigoro] com-

fort.
παρήλικας (ο) [parilikas] old man.
παρήχηση (η) [parihisi] alliteration.
παρθένα (η) [parthena] virgin.
παρθενιά (η) [parthenia] virginity, chastity.
παρίσταμαι (ρ) [paristame] be present at.
παριστάνω (ρ) [paristano] represent, portray, depict.
παρκάρω (ρ) [parkaro] park.
παρκέ (το) [parke] flooring.
παρκετέζα (η) [parketeza] floor polisher.
παρκετίνη (η) [parketini] floor polish.
πάρκο (το) [parko] park.
πάρλα (η) [parla] gab.
παρλάτα (η) [parlata] patter.
παρμετζάνα (η) [parmetzana] parmesan cheese.
παρμπρίζ (το) [parbriz] windscreen.
παροδικός-ή-ό (ε) [parodhikos] passing, fleeting, momentary.
πάροδος (η) [parodhos] side street.
παροικία (η) [parikia] colony, quarter.
παροιμία (η) [parimia] proverb, saying.
παροιμιώδης-ης-ες,(ε) [parimiodhis] proverbial, famous.
παρομοιάζω (ρ) [paromiazo] compare, resemble.
παρόμοιος-α-ο (ε) [paromios] similar, alike.
παρόν (το) [paron] the present.
παρονομαστής (ο) [paronomastis] denominator.
παροξυσμός (ο) [paroksismos] fit, attack.
παροπλίζω (ρ) [paroplizo] demilitarize.
παρόρμηση (η) [parormisi] prompting, stimulation.
παρορμώ (ρ) [parormo] actuate.
παρότρυνση (η) [parotrinsi] instigation.
παρουσία (η) [parusia] presence.
παρουσιάζω (ρ) [parusiazo] present, show, introduce.
παρουσιαστής (ο) [parusiastis] newscaster, speaker.
παροχετεύω (ρ) [parohetevo] channel, divert.
παροχή (η) [parohi] furnishing, contribution, donation, granting.
παρτέρι (το) [parteri] flowerbed.
πάρτι (το) [parti] party.
παρτίδα (η) [partidha] part, portion, game [of cards].
παρτιζάνος (ο) [partizanos] partisan.
παρωδία (η) [parodhia] parody,

farce.

παρών-ούσα-όν (μ) [paron -usa -on] present, actual, existent.

παρωνύμιο (το) [paronimio] cognomen.

παρωπίδα (η) [paropidha] blinker, blind.

παρωχημένος-η-ο (μ) [parohimenos] past, gone by.

πάσα (η) [pasa] pass, hand.

πασαλείβω (ρ) [pasalivo] smear, smudge.

πασαπόρτι (το) [pasaporti] passport.

πασάρω (ρ) [pasaro] pass on, pass round.

πασάς (ο) [pasas] pasha.

πασατέμπος (ο) [pasatembos] roasted pumpkin-seed.

πασίγνωστος-η-ο (ε) [pasignostos] well-known, notorious.

πασιέντζα (η) [pasiendza] patience, solitaire.

πασπαλίζω (ρ) [paspalizo] sprinkle.

πασπάτεμα (το) [paspatema] groping, pawing.

πάσσαλος (ο) [passalos] stake, post.

πάσσο (το) [paso] stride, step.

πάστα (η) [pasta] dough, paste, pastry, character.

παστεριώνω (ρ) [pasteriono] pasteurize.

πάστορας (ο) [pastoras] pastor, minister.

παστός-ή-ό (ε) [pastos] salted.

πάστρα (η) [pastra] cleanliness.

παστρικά (επ) [pastrika] cleanly.

παστώνω (ρ) [pastono] salt, cure, corn.

πασχίζω (ρ) [pas-hizo] strive, endeavour.

πάσχω (ρ) [pas-ho] be ill, suffer.

πάσχων (μ) [pas-hon] the patient.

πάταγος (ο) [patagos] noise, sensation [μεταφ], stir [μεταφ].

πατάρι (το) [patari] loft, attic.

πατάσσω (ρ) [patasso] crack down on, stamp out.

πατάτα (η) [patata] potato.

πατέντα (η) [patenda] patent.

πατέρας (ο) [pateras] father.

πατικώνω (ρ) [patikono] press down, crush.

πάτημα (το) [patima] step, footprint [ίχνος], pressing [σταφυλιών].

πατημασιά (η) [patimasia] footprint, trace, track.

πατινάζ (το) [patinaz] skating.

πατίνι (το) [patini] roller-skate.

πάτος (ο) [patos] bottom.

πατούσα (η) [patusa] sole.

πάτρια (τα) [patria] traditions.

πατριαρχείο (το) [patriarhio] patriarchate.

πατρίδα (η) [patridha] native country, birthplace.

πάτριος-α-ο (ε) [patrios] paternal.

πατριώτης (ο) [patriotis] compatriot.

πατρογονικός-ή-ό (ε) [patrogonikos] ancestral.

πατροκτόνος (ο) [patroktonos] patricide.

πατρόν (το) [patron] pattern.

πατρονάρω (ρ) [patronaro] patronize.

πατρότητα (η) [patrotita] fatherhood.

πατρώος-α-ο (ε) [patroos] paternal, traditional.

πατσαβούρα (η) [patsavura] dish cloth.

πατσάς (ο) [patsas] tripe.

πάτσι (το) [patsi] quits, even.

πατώ (ρ) [pato] step on, press, violate [μεταφ].

πάτωμα (το) [patoma] floor, ground.

πατώνω (ρ) [patono] lay a floor, touch bottom.

παυσίπονο (το) [pafsipono] tranquilizer, pain-killer.

παύω (ρ) [pavo] cease, stop, dismiss [απολύω], stop [σταματώ].

παχαίνω (ρ) [paheno] fatten.

πάχνη (η) [pahni] hoarfrost.

παχνί (το) [pahni] manger, crib.

πάχος (το) [pahos] plumpness, thickness, grease [λίπος], depth.

παχυδερμία (η) [pahidhermia] insensitivity.

παχυλός-ή-ό (ε) [pahilos] tidy [μεταφ].

παχύνω (ρ) [pahino] grow fat.

παχύς-ιά-ύ (ε) [pahis] fleshy, fat, rich [λιβάδι], creamy.

παχυσαρκία (η) [pahisarkia] obesity.

πάω (ρ) [pao] go, take, carry.

πέδηση (η) [pedhisi] braking.

πεδιάδα (η) [pedhiadha] plain, flat country.

πέδιλο (το) [pedhilo] sandal.

πεδινός-ή-ό (ε) [pedhinos] flat, level, even [έδαφος].

πεδίο (το) [pedhio] plain, flat country, ground.

πεζεύω (ρ) [pezevo] dismount.

πεζή (επ) [pezi] on foot.

πεζικό (το) [peziko] infantry.

πεζογραφία (η) [pezografia] prose.

πεζοδρόμιο (το) [pezodhromio] pavement.

πεζοπορία (η) [pezoporia] walking, walk, march.

πεζοπορώ (ρ) [pezoporo] hike, walk.

πεζός-ή-ό (ε) [pezos] pedestrian, trivial [μεταφ], common [μεταφ].

πεζότητα (η) [pezotita] prosiness, banality.

πεζούλι (το) [pezuli] parapet, bench, terrace [σε λόφο].

πεθαίνω (ρ) [petheno] die, perish, be mad about.
πεθαμένος-η-ο (μ) [pethamenos] dead.
πεθερά (η) [pethera] mother-in-law.
πειθαρχείο (το) [pitharhio] guard-room.
πειθαρχία (η) [pitharhia] discipline, obedience.
πειθαρχώ (ρ) [pitharho] be obedient, discipline.
πειθώ (η) [pitho] persuasion.
πείθω (ρ) [pitho] convince, persuade, coax.
πείνα (η) [pina] hunger, famine.
πειναλέος-α-ο (ε) [pinaleos] starving, famished.
πείρα (η) [pira] experience.
πείραγμα (το) [piragma] teasing, annoyance.
πείραμα (το) [pirama] experiment, test.
πειραματισμός (ο) [piramatismos] experimentation.
πειρασμός (ο) [pirasmos] temptation.
πειρατεία (η) [piratia] piracy.
πειρατής (ο) [piratis] pirate.
πειρατικός-ή-ό (ε) [piratikos] pirate.
πειραχτήρι (το) [pirahtiri] teaser.
πείσμα (το) [pisma] stubbornness.
πεισματάρης-α-ικο (ε) [pismataris] obstinate, stubborn.
πειστήριο (το) [pistirio] proof, evidence.
πειστικός-ή-ό (ε) [pistikos] convincing, persuasive.
πελαργός (ο) [pelargos] stork.
πελατεία (η) [pelatia] customers.
πελεκάνος (ο) [pelekanos] pelican.
πελέκημα (το) [pelekima] chopping, chipping, knocking down.
πελεκούδι (το) [pelekudhi] chip, shaving.
πελεκώ (ρ) [peleko] axe, hew, carve, chip.
πέλμα (το) [pelma] sole [ανατ], shoe [τεχνική].
πελτές (ο) [peltes] tomato puree, jelly.
πελώριος-α-ο (ε) [pelorios] enormous.
πένα (η) [pena] pen, writing, penny.
πένθιμος-η-ο (ε) [penthimos] sorrowful, mournful, morbid.
πένθος (το) [penthos] bereavement, mourning.
πενία (η) [penia] poverty.
πενιά (η) [penia] stroke of the pen.
πενιχρός-ή-ό (ε) [penihros] poor, mean.
πενιχρώς (επ) [penihros] barely.

πένσα (η) [pensa] tweezers, forceps, dart.
πεντάγραμμο (το) [pendagrammo] stave, staff.
πεντακάθαρος-η-ο (ε) [pendakatharos] spotlessly clean.
πεντάλι (το) [pendali] pedal.
πενταμελής-ής-ές (ε) [pendamelis] five-member.
πεντάμορφος-η-ο (ε) [pendamorfos] extremely beautiful.
πεντάρα (η) [pendara] farthing, nickel.
πεντάωρος-η-ο (ε) [pendaoros] five-hour.
πέος (το) [peos] penis.
πεπαλαιωμένος-η-ο (μ) [pepaleomenos] old-fashioned.
πεπατημένη (η) [pepatimeni] the beaten track.
πεπειραμένος-η-ο (μ) [pepiramenos] experienced.
πέπλο (το) [peplo] veil.
πεποίθηση (η) [pepithisi] certainly, assurance.
πεπόνι (το) [peponi] melon.
πεπραγμένα (τα) [pepragmena] proceedings.
πεπρωμένο (το) [pepromeno] fate, destiny.
πεπτικός-ή-ό (ε) [peptikos] digestive, peptic.
πέρα (επ) [pera] beyond, over, on the other side.
περαιτέρω (επ) [peretero] further, moreover.
πέραση (η) [perasi] be popular, be in vogue [έχω], carry weight [έχω].
πέρασμα (το) [perasma] passage, threading [βελόνας], passing [ασθένειας].
περασμένος-η-ο (μ) [perasmenos] past, gone, last, by.
περαστικά (επ) [perastika] get well soon.
περατώνω (ρ) [peratono] finish.
περβάζι (το) [pervazi] frame.
περγαμηνή (η) [pergamini] parchment.
περγουλιά (η) [pergulia] bower.
πέρδικα (η) [perdhika] partridge.
πέρδομαι (ρ) [perdhome] fart, break wind.
περηφάνια (η) [perifania] pride, dignity.
περί (επ) [peri] circa.
περί (π) [peri] about, concerning, regarding of, near, approximately.
περιαυτολογία (η) [periaftoloyia] boasting, bragging.
περιβάλλον (το) [perivallon] environment, surroundings, ambience. atmosphere.
περιβάλλω (ρ) [perivallo] dress, clothe [ρούχα], bank, case, circle, encircle.
περίβλημα (το) [perivlima]

wrapper, shell [καρπού], husk.

περιβόητος-η-ο (ε) [perivoitos] famous, renowned.

περιβολάρης (ο) [perivolaris] gardener.

περιβολή (η) [perivoli] garment, dress.

περιβόλι (το) [perivoli] garden.

περίβολος (ο) [perivolos] enclosure, yard, park.

περιβραχιόνιο (το) [perivrahionio] armband, armlet.

περιβρέχω (ρ) [perivreho] bathe, wash.

περιγελώ (ρ) [perigelo] mock, ridicule, derive.

περίγελως (ο) [periyelos] byword.

περιγιάλι (το) [periyiali] seashore.

περίγραμμα (το) [perigramma] outline, circumscription.

περιγραφή (η) [perigrafi] description, account, circumscription.

περιγράφω (ρ) [perigrafo] describe, portray.

περίγυρος (ο) [periyiros] environment.

περιδεής-ής-ές (ε) [peridheis] scared.

περιδέραιο (το) [peridhereo] necklace.

περίδοξος-η-ο (ε) [peridhoxos] famous.

περιεκτικός-ή-ό (ε) [periektikos] capacious, substantial.

περιέλιξη (η) [perieliksi] circumvolution, involution.

περιέργεια (η) [perieryia] curiosity.

περίεργος-η-ο (ε) [periergos] curious, strange.

περιέρχομαι (ρ) [perierhome] go about, come to.

περιεχόμενο (το) [periehomeno] contents, meaning.

περιέχω (ρ) [perieho] contain, hold.

περίζηλος-η-ο (ε) [perizilos] enviable.

περιζήτητος-η-ο (ε) [perizititos] in great demand.

περίζωμα (το) [perizoma] copestone.

περιήγηση (η) [periiyisi] tour, travel, sightseeing.

περιθάλπω (ρ) [perithalpo] attend, look after.

περιθώριο (το) [perithorio] margin, room.

περικάλυμμα (το) [perikalimma] wrapper, shell.

περικεφαλαία (η) [perikefalea] helmet, casque.

περικλείω (ρ) [periklio] enclose, include, case, compass.

περικνημίδα (η) [periknimidha] legging, garter.

περικοκλάδα (η) [perikokladha] climbing plant, bindweed.

περίκομψος-η-ο (ε) [perikompsos] very elegant.

περικοπή (η) [perikopi] cutting off, deduction, passage, clip.

περικυκλώνω (ρ) [perikiklono] surround, case, encompass.

περιλαβαίνω (ρ) [perilaveno] include, contain, comprise.

περιλαίμιο (το) [perilemio] animal's collar, necklace.

περιλάλητος-η-ο (ε) [perilalitos] celebrated, famous.

περιληπτικός-ή-ό (ε) [periliptikos] comprehensive, concise.

περίληψη (η) [perilipsi] summary, precis, resume.

περιλούω (ρ) [periluo] shower, pour on.

περίλυπος-η-ο (ε) [perilipos] sad, sorrowful.

περιμαζεύω (ρ) [perimazevo] gather up, rescue [από το δρόμο], check [περιορίζω].

περιμένω (ρ) [perimeno] wait, wait for, expect.

περίμετρος (η) [perimetros] circumference, perimeter, circuit.

πέριξ (επ) [periks] about, around.

περιοδεύω (ρ) [periodhevo] tour.

περιοδικό (το) [periodhiko] magazine.

περίοδος (η) [periodhos] period, age, season, period.

περίοικος (ο) [periikos] neighbour.

περιορίζομαι (ρ) [periorizome] limit oneself.

περιορίζω (ρ) [periorizo] limit, restrict, reduce [ελαττώνω], cut down, constrain.

περιορισμένος-η-ο (μ) [periorismenos] confined, limited.

περιορισμός (ο) [periorismos] limitation, detention, restriction, reduction.

περιουσία (η) [periusia] property, estate, wealth [πλούτη].

περιοχή (η) [periohi] area, region, district, extent, expanse, compass, territory.

περιπαθής-ής-ές (ε) [peripathis] passionate.

περιπαίζω (ρ) [peripezo] ridicule, mock, trick.

περίπατος (ο) [peripatos] walk, ride.

περιπέτεια (η) [peripetia] adventure, misadventure.

περιπλάνηση (η) [periplanisi] ramble, wandering.

περιπλανώ (ρ) [periplano] send long way round.

περιπλέκω (ρ) [peripleko] interlace, complicate, confuse.

περιπλέω (ρ) [peripleo] circumnavigate.

περίπλους (ο) [periplus] circumnavigation.

περιποίηση (n) [peripiisi] care.

περιποιητικός-ή-ό (ε) [peripiitikos] considerate, ceremonious.

περιποιούμαι (ρ) [peripiume] take care of, nurse.

περιπολία (n) [peripolia] patrol, beat.

περίπολος (n) [peripolos] patrol.

περιπολώ (ρ) [peripolo] patrol, be on patrol, go the rounds [νυχτοφ].

περίπου (επ) [peripu] about, nearly.

περίπτερο (το) [periptero] pavilion, kiosk.

περίπτωση (n) [periptosi] case, condition.

περισκάπτω (ρ) [periskapto] countersink.

περίσκεψη (n) [periskepsi] prudence, caution.

περισπούδαστος-η-ο (ε) [perispudhastos] profound.

περισπωμένη (n) [perispomeni] circumflex.

περίσσεια (n) [perissia] excess.

περίσσεμα (το) [perissema] surplus, excess.

περίσσιος-α-ο (ε) [perissios] abundant [άφθονος], unnecessary [περιττός], excessive.

περισσότερο (το) [perissotero] more.

περίσταση (n) [peristasi] circumstance, event, fact, occasion.

περιστατικό (το) [peristatiko] incident, event.

περιστέλλω (ρ) [peristelo] repress, check, restrain.

περιστέρι (το) [peristeri] pigeon, dove.

περιστερώνας (ο) [peristeronas] dovecote, pigeonhouse.

περιστοιχίζω (ρ) [peristihizo] surround, encompass, beset.

περιστολή (n) [peristoli] limitation, decrease, restriction.

περιστρέφω (ρ) [peristrefo] turn.

περιστροφή (n) [peristrofi] revolution, turn, rotation, gyration, gyre.

περίστροφο (το) [peristrofo] revolver.

περισυλλέγω (ρ) [perisillego] collect.

περισυλλογή (n) [perisilloyi] concentration.

περισώζω (ρ) [perisozo] save, preserve.

περιτέμνω (ρ) [peritemno] circumcise.

περιτομή (n) [peritomi] circumcision.

περίτρανος-η-ο (ε) [peritranos] obvious, clear.

περιτρέχω (ρ) [peritreho] go round, circuit.

περιτριγυρίζω (ρ) [peritriyirizo] surround, encircle.

περίτρομος-η-ο (ε) [peritromos] terrified.

περιτροπή (η) [peritropi] turn.

περιττός-ή-ό (ε) [perittos] useless, unnecessary, needless, gratuitous.

περιττώματα (τα) [perittomata] excrement.

περιτύλιγμα (το) [peritiligma] wrapper.

περιτυλίγω (ρ) [peritiligo] wrap up.

περιτύλιξη (η) [peritiliksi] circumvallation.

περιφανής-ής-ές (ε) [perifanis] glorious, great.

περιφέρεια (η) [periferia] girth [δέντρου], circumference.

περιφέρομαι (ρ) [periferome] stroll, walk up and down, rotate.

περιφέρω (ρ) [perifero] turn, revolve.

περίφημος-η-ο (ε) [perifimos] famous, celebrated.

περίφοβος-η-ο (ε) [perifovos] afraid.

περιφορά (η) [perifora] rotation, revolution, procession [εκκλ].

περίφραγμα (το) [perifragma] enclosure.

περίφραξη (η) [perifraksi] fencing, hedging.

περιφραστικός-ή-ό (ε) [perifrastikos] periphrastical.

περιφρόνηση (η) [perifronisi] contempt.

περιφρονώ (ρ) [perifrono] hold in contempt, despise, scorn.

περιφρουρώ (ρ) [perifruro] protect, safeguard.

περιχαρακώνομαι (ρ) [periharakonome] entrench oneself.

περιχαρής-ής-ές (ε) [periharis] cheerful, happy.

περιχύνω (ρ) [perihino] pour on, pour over.

περίχωρα (τα) [perihora] neighbourhood, environs, suburb [πόλη].

περιωπή (η) [periopi] eminence, importance [μεταφ].

πέρκα (η) [perka] perch.

περμανάντ (η) [permanand] perm.

περνώ (ρ) [perno] cross, hand over, pass through, spend, thread, filter, pass [νόμο].

περόνη (η) [peroni] bolt.

περονιάζω (ρ) [peroniazo] pierce.

περούκα (η) [peruka] wig.

περπάτημα (το) [perpatima] walking.

περπατώ (ρ) [perpato] walk, go across.

περσινός-ή-ό (ε) [persinos] of last year.

περτσίνι (το) [pertsini] clinch.
περτσινώνω (ρ) [pertsinono] clench.
πέσιμο (το) [pesimo] falling, fall.
πεσκέσι (το) [peskesi] gift.
πεσμένος-η-ο (μ) [pesmenos] fallen, impaired.
πέταγμα (το) [petagma] flying, flight, throwing away.
πετάγομαι (ρ) [petagome] fly up, rush, dash, spring.
πετάλι (το) [petali] pedal.
πεταλίδα (η) [petalidha] barnacle.
πέταλο (το) [petalo] petal, horseshoe.
πεταλούδα (η) [petaludha] butterfly, bow tie.
πεταλωτής (ο) [petalotis] blacksmith.
πέταμα (το) [petama] flying.
πεταμένος-η-ο (ε) [petamenos] wasted, thrown away.
πέταυρο (το) [petavro] batten.
πεταχτά (επ) [petahta] quickly.
πεταχτός-ή-ό (ε) [petahtos] nimble, sticking out.
πετάω (ρ) [petao] aviate.
πετεινός (ο) [petinos] cock.
πετονιά (η) [petonia] fishing line.
πέτρα (η) [petra] rock, stone.
πετραδάκι (το) [petradhaki] grit.
πετράδι (το) [petradhi] precious stone, pebble.
πετραχήλι (το) [petrahili] stole.
πετρέλαιο (το) [petreleo] petroleum, oil, crude oil.
πετρελαιοπηγή (η) [petreleopiyi] oil well.
πετρελαιοφόρο (το) [petreleoforo] oil tanker.
πετροβολώ (ρ) [petrovolo] pelt with stones.
πετροχελίδονο (το) [petrohelidhono] martin.
πετρώδης-ης-ες (ε) [petrodhis] stony, rocky.
πέτρωμα (το) [petroma] rock.
πετρώνω (ρ) [petrono] petrify, turn into stone.
πέτσα (η) [petsa] skin, cream.
πετσέτα (η) [petseta] napkin, towel.
πετσί (το) [petsi] skin, hide, leather.
πέτσινος-η-ο (ε) [petsinos] leather.
πετσοκόβω (ρ) [petsokovo] cut up, cut badly, butcher.
πετυχαίνω (ρ) [petiheno] attain, get, get right, succeed, achieve.
πετυχημένος-η-ο (μ) [petihimenos] successful.
πετώ (ρ) [peto] fly, jump for joy throw away, kick out.
πεύκο (το) [pefko] pine.
πευκόφυτος-η-ο (ε) [pefkofi-

tos] pine-clad, piny.
πέφτω (ρ) [pefto] tumble, fall, drop, subside, run aground.
πέψη (η) [pepsi] digestion.
πηγαδάς (ο) [pigadhas] well-driller.
πηγάδι (το) [pigadhi] well.
πηγάζω (ρ) [pigazo] originate.
πηγαίνω (ρ) [pigeno] go, escort, take.
πηγαίος-α-ο (ε) [pigeos] spontaneous.
πηγή (η) [piyi] spring, source.
πηγμένος-η-ο (μ) [pigmenos] clotted.
πηγούνι (το) [piguni] chin.
πηδάλιο (το) [pidhalio] rudder, helm, wheel.
πηδαλιουχώ (ρ) [pidhaliuho] steer.
πήδημα (το) [pidhima] jumping, spring, sudden rise.
πηδηχτός-ή-ό (ε) [pidhihtos] springy, bouncing, lively.
πηδώ (ρ) [pidho] leap, jump, jump over, leave out.
πήζω (ρ) [pizo] coagulate, thicken, curdle, clot, gel, freeze.
πηκτή (η) [pikti] aspic.
πηκτικό (το) [piktiko] coagulant.
πηλήκιο (το) [pilikio] kepi, cap.
πηλίκο (το) [piliko] quotient.
πήλινος-η-ο (ε) [pilinos] earthen, of clay.
πηλός (ο) [pilos] clay, mud.
πηλοφόρι (το) [pilofori] hood.
πηλώδης-ης-ες (ε) [pilodhis] clayey.
πηνίο (το) [pinio] spool.
πήξη (η) [pixi] coagulation.
πήξιμο (το) [piksimo] setting.
πήχης (ο) [pihis] measure of length [046m].
πηχτή (η) [pihti] pork jelly.
πήχυς (ο) [pihis] batten.
πια (επ) [pia] not any longer, now, finally, at last, at long last.
πιανίστας (ο) [pianistas] pianist.
πιάνο (το) [piano] piano.
πιάνομαι (ρ) [pianome] be caught at, quarrel with.
πιάνω (ρ) [piano] take hold of, occupy, contain, land.
πιάσιμο (το) [piasimo] hold, feeling, touch, stiffness, catch.
πιασμένος-η-ο (μ) [piasmenos] occupied, cramped [στο σώμα].
πιατάκι (το) [piataki] saucer, dessert plate.
πιατέλα (η) [piatela] large dish, platter.
πιατικά (τα) [piatika] crockery.
πιάτο (το) [piato] dish, plate.
πιάτσα (η) [piatsa] market, public square, taxi rank.
πιγκουίνος (ο) [piguinos] penguin.
πιέζω (ρ) [piezo] press, squeeze, compress, force.

πίεση (η) [piesi] pressure, oppression, blood pressure.
πιεσόμετρο (το) [piesometro] pressure-gauge.
πιεστήριο (το) [piestirio] press.
πιεστικός-ή-ό (ε) [piestikos] oppressive, urgent, compelling.
πιέτα (η) [pieta] pleat.
πιθαμή (η) [pithami] span of hand.
πιθανολογία (η) [pithanoloyia] speculation.
πιθανολογώ (ρ) [pithanologo] speculate, think likely.
πιθανός-ή-ό (ε) [pithanos] probable, likely.
πιθανότητα (η) [pithanotita] likelihood, probability.
πιθανώς (επ) [pithanos] probably, likely, credibly.
πιθάρι (το) [pithari] jar.
πιθηκίζω (ρ) [pithikizo] imitate.
πίθηκος (ο) [pithikos] ape.
πίθος (ο) [pithos] large jar.
πίκα (η) [pika] umbrage, pique, spade [στα χαρτιά].
πικάπ (το) [pikap] record-player.
πικέτο (το) [piketo] piquet.
πίκρα (η) [pikra] grief, bitterness.
πικραίνω (ρ) [pikreno] grieve, distress, acerbate.
πικρία (η) [pikria] bitterness.
πικρίζω (ρ) [pikrizo] be bitter.
πικρίλα (η) [pikrila] bitter taste.
πικρός-ή-ό (ε) [pikros] biting, harsh, bitter.
πικρότητα (η) [pikrotita] acrimony.
πικρόχολος-η-ο (ε) [pikroholos] irritable.
πιλαλώ (ρ) [pilalo] run, rush.
πιλατεύω (ρ) [pilatevo] harass.
πιλάφι (το) [pilafi] pilaf.
πιλοτάρω (ρ) [pilotaro] pilot.
πιλότος (ο) [pilotos] pilot.
πίνακας (ο) [pinakas] list, table.
πινακίδα (η) [pinakidha] number plate.
πινακοθήκη (η) [pinakothiki] art gallery.
πινέζα (η) [pineza] drawing pin.
πινέλο (το) [pinelo] artist's paintbrush, brush.
πίνω (ρ) [pino] drink, take in, smoke.
πιο (επ) [pio] more, greater.
πιόνι (το) [pioni] pawn.
πιοτό (το) [pioto] drink, liquor.
πίπα (η) [pipa] pipe.
πιπεράτος-η-ο (ε) [piperatos] peppery, caustic, piquant.
πιπέρι (το) [piperi] pepper.
πιπεριά (η) [piperia] pepper, pepper tree, capsicum.
πίπιζα (η) [pipiza] flute.
πιπιλίζω (ρ) [pipilizo] suck.
πιρόγα (η) [piroga] dugout.

πιρούνι (το) [piruni] fork.
πισίνα (η) [pisina] swimming pool.
πισινά (τα) [pisina] backside.
πισινός-ή-ό (ε) [pisinos] back.
πισινός (ο) [pisinos] backside.
πίσσα (η) [pissa] tar, asphalt.
πισσώνω (ρ) [pissono] tar, pitch.
πίστα (η) [pista] ring, racetrack.
πιστευτός-ή-ό (ε) [pisteftos] trustworthy, credible.
πιστεύω (ρ) [pistevo] believe, suppose, fancy, think.
πίστη (η) [pisti] faith, confidence, trust, credit, belief.
πιστοδοτώ (ρ) [pistodhoto] finance.
πιστολάς (ο) [pistolas] gunman.
πιστόλι (το) [pistoli] pistol.
πιστολιά (η) [pistolia] gunshot.
πιστόνι (το) [pistoni] piston.
πιστοποίηση (η) [pistopiisi] certification.
πιστοποιητικό (το) [pistopiitiko] certificate.
πιστοποιώ (ρ) [pistopio] certify, guarantee, vouch for.
πιστός-ή-ό (ε) [pistos] faithful, accurate, constant, precise.
πιστός (ο) [pistos] believer.
πιστότητα (η) [pistotita] fidelity, loyalty, accuracy, correctness.
πιστώνω (ρ) [pistono] credit with, accredit.
πίστωση (η) [pistosi] credit.
πιστωτής (ο) [pistotis] creditor.
πιστωτικός-ή-ό (ε) [pistotikos] credit.
πίσω (επ) [piso] behind, back.
πισώκωλα (επ) [pisokola] backwards.
πισώπλατα (επ) [pisoplata] on the back, in the back.
πίτα (η) [pita] kind of cake, pie.
πίτουρο (το) [pituro] bran.
πιτσιλάδα (η) [pitsiladha] freckle.
πιτσιλιά (η) [pitsilia] splash.
πιτσιλίζω (ρ) [pitsilizo] splash.
πιτσιρίκος (ο) [pitsirikos] small boy.
πιτσουνάκια (τα) [pitsunakia] lovebirds.
πιτυρίδα (η) [pitiridha] dandruff.
πιωμένος-η-ο (ε) [piomenos] legless, drunk, tipsy.
πλάγια (επ) [playia] askew.
πλαγιά (η) [playia] slope of hill.
πλαγιάζω (ρ) [playiazo] go to bed, lie down, put to bed.
πλαγιαστός-ή-ό (ε) [playiastos] lying down, reclining, slanting.
πλάγιος-α-ο (ε) [playios] indirect, crooked, dishonest.
πλαγίως (επ) [playios] indirectly, next door.
πλαδαρός-ή-ό (ε) [pladharos] soft, feeble.

πλαδαρότητα (η) [pladharotita] flabbiness.
πλαζ (η) [plaz] beach.
πλάθω (ρ) [platho] mould, create.
πλάι (επ) [plai] aside.
πλάι (το) [plai] alongside, next door.
πλαίημπόι (το) [pleimboi] playboy.
πλαϊνός-ή-ό (ε) [plainos] adjoining, next door.
πλαίσιο (το) [plesio] frame, framework, chassis, range.
πλαισιώνω (ρ) [plesiono] border, surround, frame.
πλάκα (η) [plaka] slab, plate, slate, record, plate.
πλακάκι (το) [plakaki] tile.
πλακάτ (το) [plakat] placard.
πλακοστρώνω (ρ) [plakostrono] pave, tile, slate.
πλάκωμα (το) [plakoma] pressure, unexpected arrival.
πλακώνω (ρ) [plakono] press down, happen unexpectedly.
πλάνη (η) [plani] mistake.
πλανήτης (ο) [planitis] planet.
πλανίζω (ρ) [planizo] plane.
πλάνο (το) [plano] plan.
πλανόδιος-α-ο (ε) [planodhios] travelling.
πλαντάζω (ρ) [plandazo] be furious.
πλανώ (ρ) [plano] deceive.
πλανώμαι (ρ) [planome] ramble, wander, be mistaken.
πλανώμενος-η-ο (μ) [planomenos] aberrant.
πλασάρω (ρ) [plasaro] place, sell, fob off.
πλάση (η) [plasi] foundation, creation, moulding, formation.
πλασιέ (ο) [plasie] salesman.
πλάσιμο (το) [plasimo] shaping.
πλάσμα (το) [plasma] creature, being, invention.
πλασματικός-ή-ό (ε) [plasmatikos] fictitious.
πλαστελίνη (η) [plastelini] plasticine.
πλαστήρι (το) [plastiri] rolling pin.
πλάστης (ο) [plastis] maker, Creator, rolling-pin.
πλάστιγγα (η) [plastigga] balance.
πλαστική (η) [plastiki] plastic surgery.
πλαστικός-ή-ό (ε) [plastikos] plastic, comely.
πλαστογραφία (η) [plastografia] forgery.
πλαστογράφος (ο) [plastografos] forger.
πλαστουργός (ο) [plasturgos] maker, creator.
πλαστρώνω (ρ) [plastrono] splash.
πλαταγίζω (ρ) [platayizo]

smack, click.
πλαταίνω (ρ) [plateno] make wider, stretch, become wider.
πλάτανος (ο) [platanos] plane tree.
πλατεία (η) [platia] town square, pit [θεάτρου].
πλατειάζω (ρ) [platiazo] draw out.
πλατειαστικός-ή-ό (ε) [platiastikos] longwinded.
πλάτεμα (το) [platema] expansion, widening.
πλατιά (επ) [platia] widely.
πλατίνα (η) [platina] platinum.
πλάτος (το) [platos] width, broadness, breadth.
πλατσαρίζω (ρ) [platsarizo] squelch.
πλατύνω (ρ) [platino] make wider, stretch, let out, broaden.
πλατυποδία (η) [platipodhia] splay-foot.
πλατύς-ιά-ύ (ε) [platis] wide, broad, large, ample.
πλατύσκαλο (το) [platiskalo] landing.
πλατφόρμα (η) [platforma] platform.
πλατωνικός-ή-ό (ε) [platonikos] platonic.
πλαφονιέρα (η) [plafoniera] ceiling-lamp.
πλέγμα (το) [plegma] network.
πλειοδότης (ο) [pliodhotis] highest bidder.
πλειοδοτώ (ρ) [pliodhoto] outbid.
πλειονότητα (η) [plionotita] majority.
πλειοψηφία (η) [pliopsifia] majority.
πλειοψηφώ (ρ) [pliopsifo] outvote.
πλειστηριασμός (ο) [plistiriasmos] auction.
πλείστος-η-ο (ε) [plistos] very many, most.
πλεκτάνη (η) [plektani] frame-up, machination, plot.
πλεκτήριο (το) [plektirio] knitting workshop.
πλεκτό (το) [plekto] knitting.
πλεκτός-ή-ό (ε) [plektos] knitted, plaited.
πλέκω (ρ) [pleko] plait, weave.
πλεμόνι (το) [plemoni] lung.
πλένω (ρ) [pleno] wash, clean.
πλέξιμο (το) [pleksimo] knitting, involvement [σε υπόθεση].
πλεξούδα (η) [pleksudha] plait, braid, tress.
πλέον (επ) [pleon] more, not any longer, moreover, now.
πλεονάζω (ρ) [pleonazo] abound, be plentiful, exceed.
πλεόνασμα (το) [pleonasma] surplus, overweight [βάρους].
πλεοναστικός-ή-ό (ε) [pleonastikos] superfluous.

πλεονέκτημα (το) [pleonektima] advantage, gift, quality.
πλεονέκτης (ο) [pleonektis] greedy person.
πλεονεξία (η) [pleoneksia] cupidity, greed.
πλεούμενο (το) [pleumeno] vessel, craft.
πλευρά (η) [plevra] side, rib, slope [όρους], point of view.
πλευρίζω (ρ) [plevrizo] come alongside [ναυτ], board.
πλευρικός-ή-ό (ε) [plerikos] side, flank, costal [ανατ].
πλευρό (το) [plevro] side, rib.
πλευροκόπημα (το) [plevrokopima] flanking attack.
πλευροκοπώ (ρ) [plevrokopo] flank.
πλεύση (η) [plefsi] navigation.
πλεύσιμος-η-ο (ε) [plefsimos] buoyant.
πλεχτό (το) [plehto] pullover.
πλεχτός-ή-ό (ε) [plehtos] plaited.
πλέω (ρ) [pleo] navigate, sail.
πληβείος (ο) [plivios] plebeian.
πληγή (η) [pliyi] wound, injury, plague, evil, sore, blight.
πληγιάζω (ρ) [pliyiazo] hurt, injure, blister, chafe.
πλήγμα (το) [pligma] injure.
πληγώνω (ρ) [pligono] wound, injure, offend, hurt, disoblige.
πληθαίνω (ρ) [plitheno] increase, multiply.
πλήθη (τα) [plithi] the masses.
πλήθος (το) [plithos] crowd, mass, great number, cloud.
πληθυντικός (ο) [plithindikos] plural.
πληθύνω (ρ) [plithino] multiply, increase.
πληθυσμός (ο) [plithismos] population.
πληθώρα (η) [plithora] abundance, excess.
πληθωρικός-ή-ό (ε) [plithorikos] excessive, prolific.
πληθωρικότητα (η) thorikotita] exuberance.
πληθωρισμός (ο) [plithorismos] inflation.
πληκτικός-ή-ό (ε) [pliktikos] boring, tiresome, dull, trying.
πλήκτρο (το) [pliktro] key, plectrum, drumstick.
πληκτρολόγιο (το) [pliktroloyio] keyboard.
πλημμελειοδικείο (το) [plimmeliodhikio] magistrates' court.
πλημμέλημα (το) [plimmelima] offence.
πλημμελής-ής-ές (ε) [plimmelis] faulty, inefficient.
πλημμύρα (η) [plimmira] flood, inundation, plenitude.
πλημμυρίδα (η) [plimmiridha] overflow, flood.
πλημμυρίζω (ρ) [plimmirizo]

inundate, overflow, flood.
πλην (επ) [plin] unless, except that.
πλην (σ) [plin] except, save, but.
πλήξη (η) [pliksi] boredom.
πληρεξούσιο (το) [plireksusio] power of attorney.
πληρεξούσιος-α-ο (ε) [plireksusios] representative, proxy.
πληρεξουσιότητα (η) [plireksusiotita] power of attorney.
πληρέστατα (επ) [plirestata] fully.
πλήρης-ης-ες (ε) [pliris] full, complete, whole, packed.
πληρότητα (η) [plirotita] completeness.
πληροφορία (η) [pliroforia] information, report.
πληροφορική (η) [pliroforiki] informatics, computer science.
πληροφορούμαι (ρ) [pliroforume] learn, discover.
πληροφορώ (ρ) [pliroforo] inform, notify, communicate.
πληρώ (ρ) [pliro] fill, perform.
πλήρωμα (το) [pliroma] crew, fullness, filling.
πληρωμή (η) [pliromi] payment, reward, salary.
πληρώνω (ρ) [plirono] pay.
πλήρως (επ) [pliros] clear.
πληρωτέος-α-ο (ε) [pliroteos] payable.
πληρωτής (ο) [plirotis] payer, approach, go near, draw near.
πλησιάζω (ρ) [plisiazo] approach.
πλησίον (επ) [plision] near.
πλησίστιος-α-ο (ε) [plisistios] in full sail.
πλήττω (ρ) [plito] strike, hit, wound, be bored.
πλιάτσικα (τα) [pliatsika] spoils.
πλιάτσικο (το) [pliatsiko] loot.
πλιατσικολογώ (ρ) [pliatsikologo] loot, plunder.
πλιγούρι (το) [pliguri] hulled oats, crushed grain.
πλίθα (η) [plitha] mud-brick.
πλιθιά (η) [plithia] cob.
πλιθοδομή (η) [plithodhomi] bricklaying.
πλίθος (ο) [plithos] brick.
πλίθρα (η) [plithra] cob.
πλισές (ο) [plises] frill, pleats.
πλισσάρισμα (το) [plissarisma] crimp.
πλισσάρω (ρ) [plissaro] crimp.
πλοήγηση (η) [ploiyisi] piloting.
πλοηγός (ο) [ploigos] pilot.
πλοιάριο (το) [pliario] small boat, launch.
πλοίαρχος (ο) [pliarhos] captain [ναυτ], master [εμπορικού].
πλοίο (το) [plio] ship, vessel.
πλοκάμι (το) [plokami] tress, plait, tentacle [χταποδιού].
πλοκή (η) [ploki] plot.
πλουμίδια (τα) [plumidhia] frills, trimmings.

πλουμιστός-ή-ό (ε) [plumistos] embroidered, adorned.
πλους (ο) [plus] sailing, passage.
πλούσια (επ) [plusia] abundantly.
πλουσιοπάροχος-η-ο (ε) [plusioparohos] generous, abundant.
πλούσιος-α-ο (ε) [plusios] rich, wealthy, splendid, magnificent.
πλούσιος (ο) [plusios] playboy.
πλουταίνω (ρ) [pluteno] enrich.
πλούτη (τα) [pluti] wealth.
πλουτίζω (ρ) [plutizo] make rich, get rich.
πλούτος (ο) [plutos] wealth.
πλυντήριο (το) [plindirio] laundry room, washing machine.
πλύνω (ρ) [plino] wash, clean.
πλύση (η) [plisi] wash[ing].
πλύσιμο (το) [plisimo] wash[ing].
πλύστρα (η) [plistra] washerwoman, wash-board.
πλώρη (η) [plori] prow.
πλωτήρας (ο) [plotiras] float.
πλωτός-ή-ό (ε) [plotos] navigable, floating, pontoon bridge [γέφυρα].
πνεύμα (το) [pnevma] ghost, soul, breath of life, mind, genius, spirit.
πνευματικός-ή-ό (ε) [pnevmatikos] spiritual, intellectual, mental.
πνευματικότητα (η) [pnevmatikotita] inwardness.
πνευματώδης-ης-ες (ε) [pnevmatodhis] witty.
πνεύμονας (ο) [pnevmonas] lung.
πνευμονία (η) [pnevmonia] pneumonia.
πνευστός-ή-ό (ε) [pnefstos] blown, wind.
πνιγηρός-ή-ό (ε) [pniyiros] stifling, suffocating, choking.
πνίγω (ρ) [pnigo] drown, stifle, suffocate, choke.
πνίξιμο (το) [pniksimo] drowning, strangulation, choking.
πνοή (η) [pnoi] breathing, inspiration.
ποδάρι (το) [podhari] foot, leg.
ποδηλασία (η) [podhilasia] cycling.
ποδηλάτης (ο) [podhilatis] cyclist.
ποδήλατο (το) [podhilato] bicycle.
ποδηλατοδρόμιο (το) [podhilatodhromio] cycling track.
ποδηλατώ (ρ) [podhilato] cycle, pedal, bike.
πόδι (το) [podhi] foot, leg.
ποδιά (η) [podhia] apron, overall, windowsill.
ποδόγυρος (ο) [podhoyiros] border, hem.
ποδοκρότημα (το) [podhokrotima] stamping of feet.
ποδόλουτρο (το) [podholutro]

foot-bath.

ποδοσφαιριστής (ο) [podhosferistis] football player.

ποδόσφαιρο (το) [podhosfero] game of football.

ποδόφρενο (το) [podhofreno] foot-brake.

ποζάρω (ρ) [pozaro] pose, sit for, put on.

ποθητός-ή-ό (ε) [pothitos] desirable.

πόθος (ο) [pothos] desire, wish, yearning.

ποθώ (ρ) [potho] desire, long for, wish.

ποίημα (το) [piima] poem.

ποίηση (η) [piisi] poetry.

ποιητής (ο) [piitis] poet, creator.

ποικιλία (η) [pikilia] variety, diversity.

ποικίλλω (ρ) [pikillo] embellish, vary, change, deck, ornament.

ποικίλος-η-ο (ε) [pikilos] varied, diverse, different.

ποινή (η) [pini] penalty, punishment.

ποινικολόγος (ο) [pinikologos] criminal lawyer.

ποινικοποιώ (ρ) [pinikopio] penalize.

ποινικός-ή-ό (ε) [pinikos] penal, criminal.

ποιός-ά-ό (αν) [pios-a-o] who, which, what.

ποιότητα (η) [piotita] quality.

ποιοτικός-ή-ό (ε) [piotikos] quality, qualitative.

πόκα (η) [poka] [stud] poker.

ποκάρι (το) [pokari] clip.

πόκος (ο) [pokos] clip.

πολεμικό (το) [polemiko] warship.

πολεμικός (ο) [polemikos] controversialist.

πολέμιος (ο) [polemios] enemy.

πολέμιος-α-ο (ε) [polemios] hostile (ο) enemy, opponent.

πολεμιστής (ο) [polemistis] fighter, warrior.

πολεμοπαθής-ής-ές (ε) [polemopathis] war victim.

πόλεμος (ο) [polemos] war.

πολεμοφόδια (τα) [polemofodhia] ammunition.

πολεμώ (ρ) [polemo] fight.

πολεοδομία (η) [poleodhomia] town planning.

πόλη (η) [poli] city, town.

πολικός-ή-ό (ε) [polikos] polar.

πολιορκώ (ρ) [poliorko] besiege, surround.

πολιούχος-α-ο (ε) [poliuhos] patron saint.

πολιτεία (η) [politia] state, government, country.

πολιτειακά (επ) [politiaka] constitutionally.

πολιτειακός-ή-ό (ε) [politiakos]

state, constitutional.

πολίτευμα (το) [politevma] system of government, regime.

πολιτεύομαι (ρ) [politevome] go into politics.

πολιτευόμενος-η-ο (μ) [politevomenos] politician.

πολιτευτής (ο) [politeftis] politician.

πολίτης (ο) [politis] citizen.

πολιτικά (τα) [politika] politics.

πολιτική (η) [politiki] politics.

πολιτικός-ή-ό (ε) [politikos] civic, civilian, political.

πολιτικός (ο) [politikos] politician.

πολιτισμένος-η-ο (ε) [politismenos] civilized, cultured.

πολιτισμός (ο) [politismos] civilization, culture.

πολιτογραφώ (ρ) [politografo] naturalize.

πολιτοφύλακας (ο) [politofilakas] civil guard, militiaman.

πολιτοφυλακή (η) [politofilaki] militia, civil guard.

πολίχνη (η) [polihni] small town, township.

πολλαπλασιάζω (ρ) [pollaplasiazo] multiply, increase.

πολλαπλασιασμός (ο) [pollaplasiasmos] multiplication, increase.

πολλαπλασιαστής (ο) [pollaplasiastis] intensifier.

πολλαπλάσιο (το) [pollaplasio] multiple.

πολλαπλάσιος-α-ο (ε) [pollaplasios] multiple.

πολλαπλότητα (η) [pollaplotita] multiplicity.

πόλο (το) [polo] polo.

πόλος (ο) [polos] pole.

πολτοποιώ (ρ) [poltopio] mash.

πολτός (ο) [poltos] pap, puree.

πολύ (επ) [poli] much, several.

πολυαγαπημένος-η-ο (μ) [poliagapimenos] beloved, dearest.

πολυάνθρωπος-η-ο (ε) [polianthropos] populous, crowded.

πολυάριθμος-η-ο (ε) [poliarithmos] numerous.

πολυάσχολος-η-ο (ε) [poliasholos] very busy, very occupied.

πολυβολισμός (ο) [polivolismos] machine-gun fire, burst.

πολυβόλο (το) [polivolo] machine gun.

πολύβουος-η-ο (ε) [polivuos] bustling, noisy.

πολυγαμία (η) [poligamia] polygamy.

πολύγαμος-η-ο (ε) [poligamos] polygamous.

πολύγλωσσος-η-ο (ε) [poliglossos] multilingual.

πολυγράφος (ο) [poligrafos] duplicator.

πολυγραφώ (ρ) [poligrafo] duplicate.

πολύγωνο (το) [poligono] polygon.
πολυδάπανος-η-ο (ε) [polidhapanos] costly, extravagant.
πολυεθνικός-ή-ό (ε) [poliethnikos] multinational.
πολυειδής-ής-ές (ε) [poliidhis] manifold.
πολυεκατομμυριούχος (ο) [poliekatomiriuhos] multimillionaire.
πολυέξοδος-η-ο (ε) [polieksodhos] costly.
πολυήμερος-η-ο (ε) [poliimeros] many days.
πολυθεϊσμός (ο) [politheismos] polytheism.
πολυθρόνα (η) [polithrona] armchair.
πολυκαιρία (η) [polikeria] age, long time.
πολυκαιρινός-ή-ό (ε) [polikerinos] stale, worn.
πολυκατάστημα (το) [polikatastima] department store, mall.
πολυκατοικία (η) [polikatikia] block of flats.
πολυκοσμία (η) [polikosmia] crowds of people.
πολυκύμαντος-η-ο (ε) [polikimandos] eventful, adventurous.
πολυλογάς (ο) [polilogas] chatterbox.
πολυλογώ (ρ) [polilogo] clatter.
πολυμαθής-ής-ές (ε) [polimathis] scholarly.
πολυμέρεια (η) [polimeria] versatility.
πολυμερής-ής-ές (ε) [polimeris] varied.
πολυμέτωπος-η-ο (ε) [polimetopos] on several fronts.
πολυμήχανος-η-ο (ε) [polimihanos] cunning, crafty.
πολύμορφος-η-ο (ε) [polimorfos] multiform.
πολύμοχθος-η-ο (ε) [polimohthos] toilsome.
πολύπαθος-η-ο (ε) [polipathos] sorely tried.
πολύπλευρος-η-ο (ε) [poliplevros] many-sided.
πολυπληθής-ής-ές (ε) [poliplithis] numerous, crowded.
πολύπλοκος-η-ο (ε) [poliplokos] intricate, complicated.
πολυπόθητος-η-ο (ε) [polipothitos] much desired.
πολυποίκιλος-η-ο (ε) [polipikilos] various.
πολυπραγμοσύνη (η) [polipragmosini] meddling.
πολύπτυχος-η-ο (ε) [poliptihos] with many folds.
πολύς, πολλή, πολύ (ε) [polis, polli, poli] much, many, great.
πολυσήμαντος-η-ο (ε) [polisimandos] comprehensive.
πολύστροφος-η-ο (ε) [polistrofos] high-speed [μηχανή], quick-

witted.

πολυσύνθετος-η-ο (ε) [polisinthetos] very complex.

πολυσχιδής-ής-ές (ε) [polishidhis] manifold.

πολυτάλαντος-η-ο (ε) [politalandos] rich, gifted, talented.

πολυτάραχος-η-ο (ε) [politarahos] stormy, turbulent, eventful.

πολυτέλεια (η) [politelia] luxury.

πολυτελής-ής-ές (ε) [politelis] splendid, rich.

πολυτεχνείο (το) [politehnio] Polytechnic, Technical School.

πολυτεχνίτης (ο) [politehnitis] Jack of all trades.

πολύτιμος-η-ο (ε) [politimos] valuable, precious.

πολύτομος-η-ο (ε) [politomos] manifold.

πολυφαγία (η) [polifayia] gluttony, greediness.

πολύφωτο (το) [polifoto] chandelier, candelabra.

πολύχρονος-η-ο (ε) [polihronos] long, age-old.

πόλωση (η) [polosi] polarization.

πόμολο (το) [pomolo] handle.

πομπή (η) [pombi] procession.

πομπός (ο) [pombos] transmitter.

πομπώδης-ης-ες (ε) [pombodhis] pompous, bombastic.

πονεμένος-η-ο (μ) [ponemenos] in distress, sad, hurt.

πονετικός-ή-ό (ε) [ponetikos] compassionate.

πονηρά (επ) [ponira] craftily.

πονηρεύομαι (ρ) [ponirevome] become suspicious.

πονηρεύω (ρ) [ponirevo] make/become suspicious.

πονηριά (η) [poniria] trick, guile, suspicion.

πονηρός-ή-ό (ε) [poniros] cunning, crafty, suspicious, astute.

πονόδοντος (ο) [ponodhondos] toothache.

πονοκέφαλος (ο) [ponokefalos] headache, embarrassment.

πόνος (ο) [ponos] suffering, pain, labour, ache, compassion.

πονόψυχος-η-ο (ε) [ponopsihos] soft-hearted, compassionate, sympathetic.

ποντάρω (ρ) [pondaro] punt, back.

ποντίζω (ρ) [pondizo] cast [άγκυρα], lay [νάρκη].

ποντίκι (το) [pondiki] mouse, rat.

ποντικοπαγίδα (η) [pondikopayidha] mousetrap.

ποντικός (ο) [pondikos] mouse, rat, muscle.

ποντικοφάρμακο (το) [pondikofarmako] rat poison.

ποντίφηκας (ο) [pondifikas] pontiff.

πόντος (ο) [pondos] sea, point [παιχνιδιού], centimetre [μέτρο], stitch.
πονώ (ρ) [pono] sympathize with, hurt, pain, suffer [αμετ], ache.
ποπλίνα (n) [poplina] poplin.
ποπός (ο) [popos] bum.
πορδή (n) [pordhi] fart.
πορεία (n) [poria] march, route, course, run.
πορεύομαι (ρ) [porevome] proceed, go, walk, march.
πορθητής (ο) [porthitis] conqueror.
πορθμέας (ο) [porthmeas] ferryman.
πορθμός (ο) [porthmos] straight.
πορίζομαι (ρ) [porizome] get, draw.
πόρισμα (το) [porisma] deduction, conclusion, finding.
πορνεία (n) [pornia] prostitution.
πορνείο (το) [pornio] brothel.
πόρνn (n) [porni] prostitute.
πόρνος (ο) [pornos] sodomite.
πόροι (οι) [pori] income.
πόρος (ο) [poros] passage, ford.
πόρπn (n) [porpi] brooch.
πορσελάνn (n) [porselani] porcelain.
πόρτα (n) [porta] door, gate.
πορτιέρnς (ο) [portieris] doorman.
πορτοκαλάδα (n) [portokaladha] orangeade.
πορτοκάλι (το) [portokali] orange.
πορτοφολάς (ο) [portofolas] pickpocket.
πορτοφόλι (το) [portofoli] wallet.
πορφύρα (n) [porfira] purple.
πορφυρούν (ε) [porfirun] crimson.
πορώδnς-nς-ες (ε) [porodhis] porous.
πορωμένος-n-ο (μ) [poromenos] fleshed.
πόσιμος-n-ο (ε) [posimos] drinkable.
ποσό (το) [poso] amount.
ποσολογία (n) [posoloyia] dosage.
πόσος-n-ο (ε) [posos] how much, how many, how large.
ποσοστό (το) [pososto] percentage, share.
ποσότnτα (n) [posotita] amount.
πόστο (το) [posto] strategic position.
ποσώς (επ) [posos] not at all, in no way, by no means.
ποτάμι (το) [potami] river.
ποταμός (ο) [potamos] river.
ποταπός-ń-ό (ε) [potapos] base, vile, sordid.
ποτάσα (n) [potasa] potash.
ποτέ (επ) [pote] once, formerly,

ever, never [μετά από αρνητ].
πότε (επ) [pote] when.
ποτήρι (το) [potiri] drinking glass, burnet [βοτ].
πότης (ο) [potis] heavy drinker.
ποτίζω (ρ) [potizo] water.
πότισμα (το) [potisma] watering, irrigation.
ποτιστήρι (το) [potistiri] watering can.
ποτό (το) [poto] drink.
ποτοποιείο (το) [potopiio] distillery.
που (αν) [pu] who, whom, which, that.
πού (επ) [pu] where, somewhere.
πουγκί (το) [pugi] purse, bag, money.
πούδρα (η) [pudhra] powder.
πούθε (επ) [puthe] from where.
πουθενά (επ) [puthena] not anywhere, nowhere, anywhere.
πουκαμισάκι (το) [pukamisaki] chemise.
πουκάμισο (το) [pukamiso] shirt.
πουλάκι (το) [pulaki] little bird.
πουλάρι (το) [pulari] foal, colt.
πουλερικά (τα) [pulerika] poultry.
πούλημα (το) [pulima] sale.
πουλημένος-η-ο (μ) [pulimenos] venal, sold out.
πούλι (το) [puli] piece, checker.
πουλί (το) [puli] bird.
πούλια (η) [pulia] tinsel, sequin.
πούλμαν (το) [pulman] coach.
πουλώ (ρ) [pulo] sell.
πούμα (το) [puma] cougar.
πουνέντες (ο) [punendes] west wind.
πούντα (η) [punda] cold.
πουντιάζω (ρ) [pundiazo] cool, chill, feel very cold.
πουπουλένιος-α-ο (ε) [pupulenios] feather[y].
πούπουλο (το) [pupulo] feather.
πουρές (ο) [pures] puree.
πουρί (το) [puri] fur, scale.
πουρμπουάρ (το) [purbuar] tip.
πουρνάρι (το) [purnari] evergreen oak.
πουρνό (το) [purno] morning.
πούρο (το) [puro] cigar.
πούσι (το) [pusi] mist, fog.
πούστης (ο) [pustis] homosexual.
πουτάνα (η) [putana] whore.
πουτίγκα (η) [putiga] pudding.
πράγμα (το) [pragma] thing, matter, business, goods, cloth.
πραγματεύομαι (ρ) [pragmatevome] deal with, treat, negotiate.
πράγματι (επ) [pragmati] actually.
πραγματικός-ή-ό (ε) [pragmatikos] real, actual, authentic.
πραγματικότητα (η) [pragma-

tikotita] reality, fact, truth.
πραγματιστής (ο) [pragmatistis] pragmatist, realist.
πραγματογνώμονας (ο) [pragmatognomonas] assessor, valuer.
πραγματογνωμοσύνη (n) [pragmatognomosini] expert evidence.
πραγματοποίηση (n) [pragmatopiisi] realization.
πραγματοποιήσιμος-η-ο (ε) [pragmatopiisimos] feasible.
πραγματοποιώ (ρ) [pragmatopio] carry out, realize, work out.
πρακτική (n) [praktiki] practice.
πρακτικό (το) [praktiko] record.
πρακτικός-ή-ό (ε) [praktikos] useful, practical.
πράκτορας (ο) [praktoras] agent.
πρακτορείο (το) [praktorio] agency, travel agency.
πραματευτής (ο) [pramateftis] pedlar, merchant, mercer.
πράξη (n) [praksi] action, act, practice, certificate, deal.
πραξικόπημα (το) [praksikopima] coup d'etat.
πραξικοπηματικός-ή-ό (ε) [praksikopimatikos] arbitrary.
πράος-α-ο (ε) [praos] gentle.
πραότητα (n) [praotita] mildness, gentleness, kindness.
πρασιά (n) [prasia] flower bed.
πράσινο (το) [prasino] green.
πράσινος-η-ο (ε) [prasinos] green, unripe.
πράσο (το) [praso] leek.
πράττω (ρ) [pratto] perform, act, do.
πραΰνω (ρ) [praino] appease, calm, soothe, pacify.
πρέζα (n) [preza] pinch.
πρεζάκιας (ο) [prezakias] junky.
πρεμιέρα (n) [premiera] opening night.
πρέπει (ρ) [prepi] it is necessary.
πρέσα (n) [presa] press.
πρεσάρω (ρ) [presaro] pressure, pressurize, press.
πρεσβεία (n) [presvia] embassy.
πρεσβευτής (ο) [presveftis] ambassador, minister, representative.
πρεσβεύω (ρ) [presvevo] profess, represent, avow.
πρεσβύτερος (ο) [presviteros] priest.
πρεσβύτερος-η-ο (ε) [presviteros] elder, older, senior, eldest.
πρεσβυωπία (n) [presviopia] long-sightedness, presbyopia.
πρέφα (n) [prefa] card game.
πρήζομαι (ρ) [prizome] become swollen, swell.
πρήζω (ρ) [prizo] infuriate.
πρήξιμο (το) [priximo] swelling, tumour.
πρησμένος-η-ο (μ) [prismenos]

bellied, bloated, blubber.
πρίγκιπας (ο) [prigipas] prince.
πριγκιπάτο (το) [prigipato] principality.
πριγκίπισσα (η) [prigipissa] princess.
πριγκιπόπουλο (το) [prigipopulo] young prince, prince's son.
πρίζα (η) [priza] plug, socket.
πρίμα (η) [prima] fine, fair.
πρίμο (το) [primo] treble.
πριμοδότηση (η) [primodhotisi] bounty.
πρίμος-α-ο (ε) [primos] fair.
πριν (π) [prin] before, previously, prior to.
πριόνι (το) [prioni] saw, handsaw.
πριονίζω (ρ) [prionizo] saw.
πρίσμα (το) [prisma] prism.
πριτσίνι (το) [pritsini] rivet.
προ (π) [pro] before, in front of, ahead of.
προαγγελία (η) [proangelia] warning, notice.
προαγγέλλω (ρ) [proangello] predict, prophesy.
προάγω (ρ) [proago] put forward, promote, advance, speed up, forward, further, get along.
προαγωγή (η) [proagoyi] advancement, promotion.
προαγωγός (ο) [proagogos] pimp, pander.
προαιρετικός-ή-ό (ε) [proeretikos] optional, voluntary, elective.
προαίσθημα (το) [proesthima] foreboding, presentiment.
προάλλες (επ) [proalles] just the other day, recently.
προαναγγέλλω (ρ) [proanagelo] forewarn.
προανάκριση (η) [proanakrisi] preliminary investigation.
προανάκρουσμα (το) [proanakrusma] prelude.
προαναφερθείς-είσα-έν (μ) [proanaferthis-isa-en] abovementioned, aforementioned.
προαναφέρω (ρ) [proanafero] mention before.
προαποφασίζω (ρ) [proapofasizo] decide in advance.
προασπιστής (ο) [proaspistis] defender.
προάστιο (το) [proastio] suburb.
πρόβα (η) [prova] fitting of clothes, trial.
προβάδισμα (το) [provadhisma] precedence, priority.
προβαίνω (ρ) [proveno] advance, move forward, get along.
προβάλλω (ρ) [provallo] project, show, raise, allege.
προβάρω (ρ) [provaro] try on.
προβατάκι (το) [provataki] lamb.
πρόβατο (το) [provato] sheep.

προβιβάζω (ρ) [provivazo] promote.

προβλεπόμενος-η-ο (μ) [provlepomenos] prospective.

προβλέπω (ρ) [provlepo] foresee, forecast, anticipate, expect.

πρόβλημα (το) [provlima] problem, puzzle [μεταφ].

προβληματίζομαι (ρ) [provlimatizome] think hard.

προβληματίζω (ρ) [provlimatizo] make one think.

προβληματικός-ή-ό (ε) [provlimatikos] problem[atic].

προβλήτα (η) [provlita] jetty, mole.

προβολή (η) [provoi] ostentation.

προβοκάτορας (ο) [provokatoras] agent provocateur.

προβολέας (ο) [provoleas] searchlight, headlight, projector.

προβολή (η) [provoli] projection, promotion.

προβοσκίδα (η) [provoskidha] trunk, proboscis.

προγαμιαίος-α-ο (ε) [progamieos] premarital, antenuptial.

προγενέστερος-η-ο (ε) [progenesteros] anterior, previous.

πρόγευμα (το) [progevma] breakfast.

προγεφύρωμα (το) [progefiroma] bridgehead, beachhead.

πρόγνωση (η) [prognosi] forecast, prognosis.

πρόγονος (ο) [progonos] ancestor, forefather.

προγούλι (το) [proguli] double chin.

πρόγραμμα (το) [programma] programme, plan, schedule, blueprint [μεταφ].

προγραμματίζω (ρ) [programmatizo] schedule.

προγράφω (ρ) [prografo] proscribe, outlaw.

προγυμνάζω (ρ) [proyimnazo] exercise, train.

προδιαγραφές (οι) [prodhiagrafes] specifications.

προδιαθέτω (ρ) [prodhiatheto] forewarn, influence, prejudice, dispose.

προδίδω (ρ) [prodhidho] betray.

προδικάζω (ρ) [prodhikazo] know in advance, judge in advance.

προδίνω (ρ) [prodhino] reveal, betray, inform.

προδοσία (η) [prodhosia] betrayal, treachery.

προδότης (ο) [prodhotis] traitor, informer, betrayer.

πρόδρομος (ο) [prodhromos] forerunner, precursor.

προεγγραφή (η) [proegrafi] subscription.

προεδρεία (η) [proedhria] presidency, chairmanship.

προεδρείο (το) [proedhrio] chair.
προεδρεύω (ρ) [proedhrevo] preside, chair.
πρόεδρος (ο) [proedhros] president, chairman.
προειδοποιώ (ρ) [proidhopio] let know, warn.
προεισαγωγή (n) [proisagoyi] introduction.
προεισαγωγικός-ή-ό (ε) [proisagoyikos] introductory.
προεκλογικός-ή-ό (ε) [proekloyikos] pre-election.
προέκταση (n) [proektasi] extension, prolongation.
προεκτείνω (ρ) [proektino] extend.
προέλαση (n) [proelasi] advance, headway.
προελαύνω (ρ) [proelavno] advance, further, get along, get on.
προέλευση (n) [proelefsi] place of origin.
προεξέχω (ρ) [proekseho] project, protrude, bulge.
προεξέχων (μ) [proeksehon] beetle.
προεξόφληση (n) [proeksoflisi] discount.
προεξοφλώ (ρ) [proeksoflo] pay off in advance, take for granted.
προεξοφλών (μ) [proeksoflon] anticipant.
προεξοχή (n) [proeksohi] projection, protrusion.
προέρχομαι (ρ) [proerhome] originate, issue from.
προετοιμάζω (ρ) [proetimazo] prepare, train for, brief.
προετοιμασία (n) [proetimasia] preparation.
προέχω (ρ) [proeho] jut out, surpass, predominate.
πρόζα (n) [proza] prose.
προζύμι (το) [prozimi] yeast.
προηγμένος-η-ο (μ) [proigmenos] developed.
προηγούμαι (ρ) [proigume] surpass, be ahead, precede.
προηγούμενο (το) [proigumeno] precedent.
προηγούμενος-η-ο (μ) [proigumenos] previous, earlier.
προθάλαμος (ο) [prothalamos] antechamber, waiting room.
πρόθεμα (το) [prothema] prefix.
προθέρμανση (n) [prothermansi] warming up [αθλ].
πρόθεση (n) [prothesi] purpose, intension, preposition, prefix.
προθεσμία (n) [prothesmia] time limit, delay, term.
προθήκη (n) [prothiki] shop window.
πρόθυμα (επ) [prothima] fain.
προθυμία (n) [prothimia] eagerness, readiness, goodwill.
προθυμοποιούμαι (ρ) [prothimopiume] be willing.

πρόθυμος-η-ο (ε) [prothimos] eager, willing, ready.
πρόθυρα (τα) [prothira] gates, approach, verge, threshold.
προίκα (η) [prika] dowry.
προικίζω (ρ) [prikizo] endow [with], equip [with].
προικισμένος-η-ο (μ) [prikismenos] endowed, gifted.
προϊόν (το) [proion] product.
προϊόντα (τα) [proinda] produce, articles, products.
προΐσταμαι (ρ) [proistame] direct, manage.
προϊστάμενος-η-ο (μ) [proistamenos] superior, chief, supervisor.
προϊστορία (η) [proistoria] prehistory.
προκαθορίζω (ρ) [prokathorizo] predetermine.
προκαθορισμένος-η-ο (μ) [prokathorismenos] foregone.
προκάλυμμα (το) [prokalimma] cover, screen.
προκαλώ (ρ) [prokalo] challenge, provoke, incite.
προκάνω (ρ) [prokano] catch up with, have time to.
προκαταβάλλω (ρ) [prokatavallo] advance.
προκαταβολή (η) [prokatavoli] advance payment, deposit.
προκαταβολικός-ή-ό (ε) [prokatavolikos] anticipatory.
προκαταβολικώς (επ) [prokatavolikos] in advance.
προκατάληψη (η) [prokatalipsi] bias, prejudice.
προκαταρκτικός-ή-ό (ε) [prokatarktikos] preliminary.
προκατασκευάζω (ρ) [prokataskevazo] prefabricate.
προκατειλημμένος-η-ο (ε) [prokatilimmenos] biased.
προκάτοχος (ο) [prokatohos] predecessor, previous holder.
προκείμενο (το) [prokimeno] point.
προκείμενος-η-ο (μ) [prokimenos] in question, at issue.
προκήρυξη (η) [prokiriksi] proclamation, announcement.
προκηρύσσω (ρ) [prokirisso] proclaim, announce.
πρόκληση (η) [proklisi] affront, challenge, provocation.
προκλητικά (επ) [proklitika] challengingly, defiantly.
προκλητικός-ή-ό (ε) [proklitikos] seductive, challenging.
προκλητικότητα (η) [proklitikotita] provocativeness.
προκόβω (ρ) [prokovo] progress, succeed, prosper.
προκομμένος-η-ο (μ) [prokommenos] hard working.
προκοπή (η) [prokopi] progress, industry, success.
προκριματικός-ή-ό (ε) [prokrimatikos] preliminary.

προκρίνω (ρ) [prokrino] prefer.
πρόκριτος (ο) [prokritos] notable.
προκυμαία (n) [prokimea] quay, pier.
προκύπτων (μ) [prokipton] emergent.
προλαβαίνω (ρ) [prolaveno] get a start on, forestall, be on time .
προλαμβάνω (ρ) [prolamvano] anticipate.
προλεγόμενα (τα) [prolegomena] preface, foreword.
προλέγω (ρ) [prolego] forecast, predict, say previously.
προληπτικό (το) [proliptiko] deterrent.
προληπτικός-ή-ό (ε) [proliptikos] precautionary, preventive.
πρόληψη (n) [prolipsi] prevention, superstition.
πρόλοβος (ο) [prolovos] craw.
προλογίζω (ρ) [proloyizo] preface.
πρόλογος (ο) [prologos] prologue, preface.
προμάμμη (n) [promammi] great-grandmother.
προμαντεύω (ρ) [promandevo] foretell, predict.
πρόμαχος (ο) [promahos] champion, defender.
προμελέτη (n) [promeleti] preliminary study, premeditation.
προμελετημένος-η-ο (μ) [promeletimenos] premeditated.
προμέρισμα (το) [promerisma] divident.
προμεσημβρία (n) [promesimvria] morning.
προμήθεια (n) [promithia] supply, provision, commission.
προμηθεύομαι (ρ) [promithevome] get.
προμηθευτής (ο) [promitheftis] provider, supplier.
προμηθεύω (ρ) [promithevo] supply, provide, furnish.
προμήνυμα (το) [prominima] omen, foreboding.
προμηνύω (ρ) [prominio] foretell, bode.
πρόναος (ο) [pronaos] vestibule.
προνοητικός-ή-ό (ε) [pronoitikos] having foresight, careful.
πρόνοια (n) [pronia] care.
προνομιακός-ή-ό (ε) [pronomiakos] preferential.
προνόμιο (το) [pronomio] privilege, advantage, gift, head start.
προνομιούχος-α-ο (ε) [pronomiuhos] privileged, favoured.
προνοώ (ρ) [pronoo] foresee.
προξενείο (το) [proksenio] consulate.
προξενητής (ο) [proksenitis] matchmaker.
προξενιά (n) [proksenia] matchmaking.

προξενικός-ή-ό (ε) [prokseni-kos] consular.

πρόξενος (ο) [proksenos] con-sul.

προξενώ (ρ) [prokseno] cause.

προοδευτικός-ή-ό (ε) [prood-heftikos] progressive, forward.

προοδεύω (ρ) [proodhevo] make headway, progress.

πρόοδος (η) [proodhos] pro-gress, development.

προοπτική (η) [prooptiki] per-spective, prospect in view.

προορίζω (ρ) [proorizo] des-tine, intend, earmark, mean for.

προορισμός (ο) [proorismos] end, intention, destination.

προπαίδεια (η) [propedhia] multiplication table.

προπαντός (επ) [propandos] above all, in particular.

προπάππος (ο) [propappos] great-grandfather.

προπαρασκευάζω (ρ) [propa-raskevazo] prepare.

προπαρασκευή (η) [proparas-kevi] preparation.

προπάτορας (ο) [propatoras] forefather.

προπατορικός-ή-ό (ε) [propa-torikos] ancestral.

προπέλα (η) [propela] propel-ler.

πρόπερσι (επ) [propersi] two years ago.

προπέτασμα (το) [propetasma] screen.

προπέτεια (η) [propetia] inso-lence, cheek.

προπετής-ής-ές (ε) [propetis] insolent.

προπηλακίζω (ρ) [propilakizo] abuse, jeer.

προπίνω (ρ) [propino] toast.

πρόπλασμα (το) [proplasma] model.

πρόποδες (οι) [propodhes] foot of mountain.

προπομπός (ο) [propombos] scout.

προπόνηση (η) [proponisi] training.

προπονητής (ο) [proponitis] trainer, coach.

προπονώ (ρ) [propono] train.

προπορεύομαι (ρ) [propore-vome] go ahead, be in front.

πρόποση (η) [proposi] toast.

προς θεού (επιφ) [pros theu] for Heaven's sake!.

προς (προθ) [pros] towards, for.

προσαγόρευση (η) [prosagoref-si] address, skill.

προσαγορεύω (ρ) [prosagore-vo] address.

προσανατολίζομαι (ρ) [prosan-atolizome] find one's bearings.

προσανατολίζω (ρ) [prosanato-lizo] orientate, direct, guide.

προσαράζω (ρ) [prosarazo] run

aground, be stranded.
προσάραξη (n) prosaraksi] running aground.
προσαράσσω (ρ) [prosarasso] beach, moor.
προσαρμογή (n) [prosarmoyi] accommodation, adjustment.
προσαρμόζω (ρ) [prosarmozo] fit to, adjust, apply, tailor-make.
προσαρμόσιμος-η-ο (ε) [prosarmosimos] conformable.
προσαρμοστικός-ή-ό (ε) [prosarmostikos] adaptable.
προσαρμοστικότητα (n) [prosarmostikotita] adaptability.
προσάρτημα (το) [prosartima] accessory, addition.
προσαυξάνω (ρ) [prosafksano] increase, augment.
προσαύξηση (n) [prosafksisi] increment, augment.
προσβάλλω (ρ) [prosvallo] assail, attack, harm.
πρόσβαση (n) [prosvasi] access.
προσβεβλημένος-η-ο (μ) [prosvevlimenos] afflicted.
προσβλητικός-ή-ό (ε) [prosvlitikos] offensive, abusive.
προσβολή (n) [prosvoli] onset, attack, stroke, offence, blow.
προσγειώνομαι (ρ) [prosyionome] land.
προσγειώνω (ρ) [prosyiono] land, touch down, put down.
προσγείωση (n) [prosyiosi] landing.
προσδεκτικότητα (n) [prosdhektikotita] aptitude, aptness.
προσδένω (ρ) [prosdheno] fasten, attach.
προσδίδω (ρ) [prosdhidho] lend, add to, give.
προσδιορίζω (ρ) [prosdhiorizo] define, fix, allocate, assign.
προσδιορισμός (ο) [prosdhiorismos] determination.
προσδιοριστικός-ή-ό (ε) [prosdhioristikos] determinant.
προσδοκία (n) [prosdhokia] expectation, hope.
προσδοκώ (ρ) [prosdhoko] hope, expect, anticipate.
προσδοκών (μ) [prosdhokon] anticipant.
προσεγγίζω (ρ) [prosengizo] put near, approach, come near.
προσέγγιση (n) [prosengisi] approach, approximation.
προσεκτικός-ή-ό (ε) [prosektikos] attentive, mindful.
προσεκτικότητα (n) [prosektikotita] canniness.
προσέλευση (n) [proselefsi] arrival, approach.
προσελκύω (ρ) [proselkio] attract, win, draw, catch, win over.
προσέρχομαι (ρ) [proserhome] attend, present ourselves, apply for.
προσεταιρίζομαι (ρ) [proseteri-

zome] win over.

προσέτι (επ) [proseti] in addition.

προσευχή (η) [prosefhi] prayer.

προσεύχομαι (ρ) [prosefhome] pray.

προσεχής-ής-ές (ε) [prosehis] next.

προσεχτικός-ή-ό (ε) [prosehtikos] careful, attentive, close.

προσέχω (ρ) [proseho] pay attention to, notice, take care of.

προσεχώς (επ) [prosehos] shortly.

προσηλυτίζω (ρ) [prosilitizo] convert.

προσηλυτισμός (ο) [prosilitismos] conversion.

προσηλωμένος-η-ο (ε) [prosilomenos] attached to, devoted to.

προσηλώνω (ρ) [prosilono] nail, fix, look fixedly at [μεταφ].

προσήλωση (η) [prosilosi] concentration.

προσηνής-ής-ές (ε) [prosinis] affable, bland, communicable.

προσηραγμένος-η-ο (μ) [prosiragmenos] aground, beached.

πρόσθεση (η) [prosthesi] addition, increase, increment.

πρόσθετος-η-ο (ε) [prosthetos] additional, extra, accessional.

προσθέτω (ρ) [prostheto] add.

προσθήκη (η) [prosthiki] addition, increase.

πρόσθιος-α-ο (ε) [prosthios] front, fore.

προσιδιάζω (ρ) [prosidhiazo] be peculiar to, be proper to.

προσιτά (επ) [prosita] economically.

προσιτός-ή-ό (ε) [prositos] attainable, accessible, reasonable.

πρόσκαιρος-η-ο (ε) [proskeros] passing, momentary.

προσκαλώ (ρ) [proskalo] call, send for, invite [σε γεύμα κτλ].

προσκεκλημένος-η-ο (μ) [proskeklimenos] invited.

προσκέφαλο (το) [proskefalo] pillow, cushion.

πρόσκληση (η) [prosklisi] call, invitation, calling up.

προσκλητήριο (το) [prosklitirio] invitation.

προσκολλημένος-η-ο (μ) [proskollimenos] clinging.

προσκόλληση (η) [proskollisi] adherence, attaching, fidelity.

προσκολλώ (ρ) [proskollo] stick, attach.

προσκομίζω (ρ) [proskomizo] bring forward, offer, bring.

πρόσκομμα (το) [proskoma] obstacle, stumbling-block.

προσκοπίνα (η) [proskopina] girl guide.

πρόσκοπος (ο) [proskopos] scout.

πρόσκρουση (η) [proskrusi] bump.

προσκρούω (ρ) [proskruo] crash, strike [against].
πρόσκτηση (η) [prosktisi] affiliation.
προσκύνημα (το) [proskinima] submission, worship.
προσκυνητάρι (το) [proskinitari] shrine.
προσκυνητής (ο) [proskinitis] pilgrim.
προσκυνώ (ρ) [proskino] adore, worship, pay homage to.
προσλαμβάνω (ρ) [proslamvano] take on, engage, employ.
πρόσληψη (η) [proslipsi] engagement.
πρόσμειξη (η) [prosmiksi] blending, mixing.
προσμένω (ρ) [prosmeno] wait for, hope for.
προσμέτρηση (η) [prosmetrisi] addition.
προσμονή (η) [prosmoni] waiting.
πρόσοδος (η) [prosodhos] income, revenue, profit.
προσόν (το) [proson] fitness, qualification, advantage.
προσορμίζω (ρ) [prosormizo] moor.
προσοχή (η) [prosohi] attention, notice, caution.
πρόσοψη (η) [prosopsi] front.
προσόψιο (το) [prosopsio] towel.
προσπάθεια (η) [prospathia] effort, attempt, labour.
προσπαθώ (ρ) [prospatho] try.
προσπέλαση (η) [prospelasi] access.
προσπέρασμα (το) [prosperasma] overtaking.
προσπερνώ (ρ) [prosperno] overtake.
προσπιούμαι (ρ) [prospiume] assume.
προσποίηση (η) [prospoiisi] pretence, artificiality.
προσποιητά (επ) [prospiita] artfully.
προσποιητός-ή-ό (ε) [prospiitos] affected, pretentive.
προσποιούμαι (ρ) [prospiume] affect, put on, pretend.
προσπορίζω (ρ) [prosporizo] provide, give.
προσταγή (η) [prostayi] order.
προστάζω (ρ) [prostazo] order.
προστακτική (η) [prostaktiki] imperative[mood].
προστασία (η) [prostasia] protection, defence.
προστατευόμενος-η-ο (μ) [prostatevomenos] dependant.
προστατεύω (ρ) [prostatevo] defend, protect.
προστάτης (ο) [prostatis] protector, patron, prostate [ανατ].
προστιμάρω (ρ) [prostimaro] fine.
πρόστιμο (το) [prostimo] fine.
προστριβή (η) [prostrivi] fric-

tion, rubbing, dispute [μεταφ].
πρόστυχα (επ) [prostiha] basely.
προστυχεύω (ρ) [prostihevo] coarsen.
προστυχιά (η) [prostihia] vulgarity, rudeness, coarseness.
προσύμφωνο (το) [prosimfono] draft agreement.
προσυπογράφω (ρ) [prosipografo] countersign.
πρόσφατα (επ) [prosfata] currently, last.
πρόσφατος-η-ο (ε) [prosfatos] recent, new, modern.
προσφέρω (ρ) [prosfero] offer.
προσφεύγω (ρ) [prosfevgo] have recourse to, turn to.
προσφιλής-ής-ές (ε) [prosfilis] dear, precious.
προσφορά (η) [prosfora] offer, offering, proposal, thing offered.
πρόσφορο (το) [prosforo] altar-bread.
πρόσφορος-η-ο (ε) [prosforos] convenient, opportune, suitable.
πρόσφυγας (ο) [prosfigas] refugee.
προσφυγή (η) [prosfiyi] recourse, resort, appeal [νομ].
προσφυγικός-ή-ό (ε) [prosfiyikos] refugee.
προσφυής-ής-ές (ε) [prosfiis] suitable, fitting, apt.
πρόσφυμα (το) [prosfima] suffix.
πρόσφυση (η) [prosfisi] accretion.
προσφώνηση (η) [prosfonisi] address, adroitness [νομ].
προσφωνώ (ρ) [prosfono] address.
πρόσχαρος-η-ο (ε) [pros-haros] cheerful, lively, merry.
προσχεδιασμένος-η-ο (μ) [pros-hedhiasmenos] concerted.
προσχέδιο (το) [pros-hedhio] rough draft, sketch.
πρόσχημα (το) [pros-hima] pretext, excuse.
προσχώρηση (η) [pros-horisi] accession, adherence, joining.
προσχωρώ (ρ) [pros-horo] join, go over to, cleave to.
προσωνυμία (η) [prosonimia] nickname, name.
προσωπάρχης (ο) [prosoparhis] personnel officer.
προσωπείο (το) [prosopio] mask, coverture.
προσωπίδα (η) [prosopidha] mask.
προσωπικά (επ) [prosopika] personally, in person.
προσωπικά (τα) [prosopika] personals, private affairs.
προσωπικό (το) [prosopiko] personnel, staff, servants.
προσωπικός-ή-ό (ε) [prosopikos] personal.
προσωπικότητα (η) [prosopiko-

tita] personality, individuality.
πρόσωπο (το) [prosopo] face, visage, person, role.
προσωποκρατώ (ρ) [prosopokrato] take into custody.
προσωπολατρία (η) [prosopolatria] personality cult.
προσωποποίηση (η) [prosopopiisi] impersonation.
προσωποποιώ (ρ) [prosopopio] personify.
προσωρινός-ή-ό (ε) [prosorinos] provisional, passing.
προσωρινότητα (η) [prosorinotita] caducity, temporariness.
πρόταση (η) [protasi] proposal, suggestion, offer, sentence.
προτάσσω (ρ) [protasso] put before, prefix.
προτείνω (ρ) [protino] extend, stretch out, propose, suggest.
προτεραιότητα (η) [protereotita] priority, primacy.
προτέρημα (το) [proterima] gift, advantage, talent.
πρότερος-η-ο (ε) [proteros] earlier, previous to, prior to.
προτίθεμαι (ρ) [protitheme] intend, propose, mean, think.
προτίμηση (η) [protimisi] preference.
προτιμητέος-α-ο (ε) [protimiteos] preferable.
προτιμώ (ρ) [protimo] prefer.
προτού (επ) [protu] before.
προτρέπω (ρ) [protrepo] exhort, instigate, incite.
προτρέχω (ρ) [protreho] be rash, outrun, anticipate.
προτροπή (η) [protropi] exhortation, prompting.
πρότυπο (το) [protipo] original, pattern, model, example.
προϋπαντώ (ρ) [proipando] go to meet.
προϋπάρχω (ρ) [proiparho] come before [σε χρόνο].
προϋπηρεσία (η) [proipiresia] previous service.
προϋπόθεση (η) [proipothesi] assumption.
προϋποθέτω (ρ) [proipotheto] presuppose, presume.
προϋπολογίζω (ρ) [proipoloyizo] estimate.
προύχοντας (ο) [pruhondas] wealthy.
προφανής-ής-ές (ε) [profanis] obvious, evident.
προφανώς (επ) [profanos] obviously, evidently.
πρόφαση (η) [profasi] excuse.
προφασίζομαι (ρ) [profasizome] pretend, sham.
προφέρω (ρ) [profero] pronounce, utter, articulate.
προφητεία (η) [profitia] prophecy.
προφήτης (ο) [profitis] prophet.

προφθάνω (ρ) [profthano] anticipate, catch, overtake.
προφίλ (το) [profil] profile.
προφορά (η) [profora] pronunciation, accent.
προφορικός-ή-ό (ε) [proforikos] verbal.
προφταίνω (ρ) [profteno] anticipate, forestall, catch.
προφυλάγομαι (ρ) [profilagome] guard, shelter, take cover.
προφυλάγω (ρ) [profilago] protect, shield, shelter.
προφυλακή (η) [profilaki] vanguard.
προφυλακίζω (ρ) [profilakizo] hold in custody, detain.
προφυλάκιση (η) [profilakisi] custody, detention.
προφυλακτήρας (ο) [profilaktiras] bumper.
προφυλακτικό (το) [profilaktiko] contraceptive, condom.
προφυλακτικός-ή-ό (ε) [profilaktikos] wary, careful.
προφύλαξη (η) [profilaksi] precaution, cautiousness.
προφυλάσσομαι (ρ) [profilassome] take precautions.
προφυλάσσω (ρ) [profilasso] defend, protect.
πρόχειρα (επ) [prohira] offhand, roughly, anyhow.
προχειροδουλειά (η) [prohirodhulia] patchwork.
προχειρολογία (η) [prohiroloyia] improvisation.
πρόχειρος-η-ο (ε) [prohiros] ready, handy, impromptu.
προχθές (επ) [prohthes] the day before yesterday.
προχρονολογώ (ρ) [prohronologo] predate.
πρόχωμα (το) [prohoma] earthwork.
προχωρώ (ρ) [prohoro] go forward, further, march, progress.
προψές (επ) [propses] two days ago.
προώθηση (η) [proothisi] promotion, boost.
προωθώ (ρ) [prootho] impel.
προωρισμένος-η-ο (μ) [proorismenos] calculated.
πρόωρος-η-ο (ε) [prooros] premature, hasty.
πρύμνη (η) [primni] stern.
πρυτανεύω (ρ) [pritanevo] prevail.
πρύτανης (ο) [pritanis] head of university, dean.
πρώην (ο) [proin] former, ex.
πρωθυπουργός (ο) [prothipurgos] prime minister, premier.
πρωί (το) [proi] morning.
πρώιμος-η-ο (ε) [proimos] untimely, premature, early.
πρωινό (το) [proino] morning, breakfast.
πρωκτός (ο) [proktos] anus.

πρώρα (η) [prora] prow.
πρώτα (επ) [prota] first, at first, before, once.
πρωταγωνιστής (ο) [protagonistis] protagonist, hero.
πρωταγωνίστρια (η) [protagonistria] leading lady.
πρωταγωνιστώ (ρ) [protagonisto] play a leading part, star.
πρωτάθλημα (το) [protathlima] championship.
πρωταθλητής (ο) [protathlitis] champion.
πρωτάρης (ο) [protaris] novice.
πρωταρχικός-ή-ό (ε) [protarhikos] most important.
πρωτεία (τα) [protia] first place.
πρωτεΐνη (η) [proteini] protein.
πρωτεύουσα (η) [protevusa] capital.
πρωτεύω (ρ) [protevo] be first, lead, surpass.
πρωτιά (η) [protia] lead, first.
πρώτιστος-η-ο (ε) [protistos] chief.
πρωτοβλέπω (ρ) [protovlepo] see first, first see.
πρωτοβουλία (η) [protovulia] initiative.
πρωτογενής-ής-ές (ε) [protogenis] primary.
πρωτογέννητος-η-ο (ε) [protogennitos] first-born.
πρωτόγονος-η-ο (ε) [protogonos] primitive, rude [ήθη].
πρωτοετής-ής-ές (ε) [protoetis] first-year, freshman.
πρωτοκαθεδρία (η) [protokathedhria] place of honour.
πρωτόκολλο (το) [protokollo] register, record, protocol.
πρωτόλειο (το) [protolio] juvenile.
πρωτοξάδελφος (ο) [protoksadhelfos] first cousin.
πρωτόπειρος-η-ο (ε) [protopiros] inexperienced, green.
πρωτόπλαστοι (οι) [protoplasti] Adam and Eve.
πρωτοπορία (η) [protoporia] vanguard.
πρωτοπόρος-α-ο (ε) [protoporos] pioneer, forerunner.
πρώτος-η-ο (ε) [protos] first, best, top, initial, elementary.
πρωτοστατώ (ρ) [protostato] lead.
πρωτοσύγκελλος (ο) [protosigellos] canon.
πρωτοσύστατος-η-ο (ε) [protosistatos] newly-formed.
πρωτοτόκια (τα) [prototokia] birthright.
πρωτότοκος-η-ο (ε) [prototokos] first-born, oldest, eldest.
πρωτοτυπία (η) [prototipia] originality, eccentricity.
πρωτότυπος-η-ο (ε) [prototipos] original, novel.
πρωτοφανής-ής-ές (ε) [protofanis] new, fresh.
Πρωτοχρονιά (η) [Protohro-

nia] New Year's Day.

πρωτύτερα (επ) [protitera] earlier on, at first, before.

πταίσμα (το) [ptesma] petty offence, error, fault, mistake.

πταισματοδικείο (το) [ptesmatodhikio] police court.

πταισματοδίκης (ο) [ptesmatodhikis] police magistrate.

πτερόσχημος-η-ο (ε) [pteroshimos] feathered.

πτέρυγα (η) [pteriga] wing.

πτέρωμα (το) [pteroma] feathering.

πτέρωση (η) [pterosi] feathering.

πτερωτός-ή-ό (ε) [pterotos] winged, feathered.

πτηνό (το) [ptino] bird, fowl.

πτηνοτροφείο (το) [ptinotrofio] aviary, poultry farm.

πτηνοτρόφος (ο) [ptinotrofos] poultry farmer.

πτήση (η) [ptisi] flight, flying.

πτοημένος-η-ο (μ) [ptoimenos] abashed.

πτοώ (ρ) [ptoo] intimidate.

πτύελο (το) [ptielo] sputum.

πτυσσόμενος-η-ο (μ) [ptissomenos] collapsible.

πτύσσω (ρ) [ptisso] flex.

πτυχή (η) [ptihi] fold, pleat, wrinkle, crease.

πτυχίο (το) [ptihio] certificate.

πτυχιούχος-α-ο (ε) [ptihiuhos] graduate, having a diploma.

πτυχώνω (ρ) [ptihono] fold.

πτύχωση (η) [ptihosi] folding, pleating.

πτυχωτός-ή-ό (ε) [ptihotos] folded, pleated, wrinkled.

πτώμα (το) [ptoma] corpse.

πτώση (η) [ptosi] fall, case.

πτώχευση (η) [ptohefsi] bankruptcy, failure.

πτωχεύω (ρ) [ptohevo] go bankrupt.

πτωχοκομείο (το) [ptohokomio] home for the poor.

πτωχός-ή-ό (ε) [ptohos] poor.

πυγμαίος (ο) [pigmeos] Pygmy.

πυγμαχία (η) [pigmahia] boxing, pugilism.

πυγμάχος (ο) [pigmahos] boxer.

πυγμαχώ (ρ) [pigmaho] box.

πυγμή (η) [pigmi] fist, determination.

πυγολαμπίδα (η) [pigolambidha] glow-worm, firefly.

πυθμένας (ο) [pithmenas] bottom.

πυκνά (επ) [pikna] closely.

πυκνός-ή-ό (ε) [piknos] thick, dense, close, bushy.

πυκνότητα (η) [piknotita] density, thickness, frequency.

πυκνοφυτεύω (ρ) [piknofitevo] clump.

πυκνώνω (ρ) [piknono] thick-

en, condense.
πυκνωτής (ο) [piknotis] condenser.
πύλη (n) [pili] gate, gateway.
πυξίδα (n) [piksidha] compass.
πυξιδοθήκη (n) [piksidhothiki] binnacle.
πύον (το) [pion] pus, matter.
πυρ (το) [pir] fire, firing.
πύρα (n) [pira] heat, warm.
πυρά (n) [pira] fire.
πυρακτώνω (ρ) [piraktono] make red-hot.
πυράκτωση (n) [piraktosi] candescence.
πυραμίδα (n) [piramidha] pyramid.
πύραυλος (ο) [piravlos] rocket.
πυργίσκος (ο) [piryiskos] turret, pinnacle, barbican.
πύργος (ο) [pirgos] tower, castle, palace.
πυρετός (ο) [piretos] fever, energy [μεταφ].
πυρετώδης-ης-ες (ε) [piretodhis] feverish, restless [μεταφ].
πυρήνας (ο) [pirinas] stone, pip, centre, core.
πυρηνέλαιο (το) [pirineleo] seed oil.
πυρηνικός-ή-ό (ε) [pirinikos] nuclear.
πυρίμαχος-η-ο (ε) [pirimahos] fireproof.
πύρινος-η-ο (ε) [pirinos] burning, red-hot, ardent.
πυρίτης (ο) [piritis] flint.
πυρίτιδα (n) [piritidha] gunpowder.
πυριτιδαποθήκη (n) [piritidhapothiki] powder-magazine.
πυρκαγιά (n) [pirkayia] fire.
πυροβολαρχία (n) [pirovolarhia] battery.
πυροβολητής (ο) [pirovolitis] gunner.
πυροβολικό (το) [pirovoliko] artillery.
πυροβολισμός (ο) [pirovolismos] firing, shot.
πυροβόλο (το) [pirovolo] gun.
πυροβολώ (ρ) [pirovolo] fire, shoot at.
πυροδότηση (n) [pirodhotisi] firing.
πυροδοτικός-ή-ό (ε) [pirodhotikos] firing.
πυροδοτώ (ρ) [pirodhoto] fire.
πυροκροτητής (ο) [pirokrotitis] detonator.
πυρόλιθος (ο) [pirolithos] flint, quartz.
πυρομανής-ής-ές (ε) [piromanis] pyromaniac, arsonist.
πυρομαχικά (τα) [piromahika] ammunition.
πυροσβεστήρας (ο) [pirosvestiras] fire-extinguisher.
πυροσβέστης (ο) [pirosvestis] fireman.

πυροσβεστική (η) [pirosvestiki] fire brigade.

πυροσωλήνας (ο) [pirosolinas] fuse.

πυροτέχνημα (το) [pirotehnima] firework.

πυρπολικό (το) [pirpoliko] fire ship.

πυρπολώ (ρ) [pirpolo] set on fire, burn down.

πυρσός (ο) [pirsos] torch.

πύρωμα (το) [piroma] warming, glowing.

πώληση (η) [polisi] sale, selling.

πωλητήριο (το) [politirio] deed of sale.

πωλητής (ο) [politis] salesman.

πωλήτρια (η) [politria] saleswoman.

πωλώ (ρ) [polo] sell.

πώμα (το) [poma] cork, plug, lid.

πωματίζω (ρ) [pomatizo] cap.

πωρόλιθος (ο) [porolithos] porous stone.

πώς (επ) [pos] how, what, yes, certainly.

πως (συνδ) [pos] that.

P

ραβανί (το) [ravani] cake.
ραβασάκι (το) [ravasaki] love-letter.
ραβδί (το) [ravdhi] cane, stick.
ραβδίζω (ρ) [ravdhizo] flog.
ράβδος (n) [ravdhos] stick, staff, wand, pastoral staff, rail.
ράβδωση (n) [ravdhosi] stripe.
ραβδωτός-ή-ό (ε) [ravdhotos] striped, fluted, lined, ruled.
ραβίνος (o) [ravinos] rabbi.
ράβω (ρ) [ravo] stitch.
ράγα (n) [raga] rail, track.
ραγάδα (n) [ragadha] crack, fissure, chink.
ραγδαίος-α-ο (ε) [ragdheos] violent, turbulent.
ραγιάς (o) [rayias] slave.
ραγίζω (ρ) [rayizo] crack, split.
ράγισμα (το) [rayisma] crack.
ραδιενέργεια (n) [radhieneryia] radioactivity.
ραδιενεργός-ή-ό (ε) [radhienergos] radioactive.
ραδίκι (το) [radhiki] chicory, dandelion.
ράδιο (το) [radhio] radium.
ραδιοθεραπεία (n) [radhiotherapia] X-ray treatment.
ραδιολογία (n) [radhioloyia] radiology.
ραδιολογικός-ή-ό (ε) [radhioloyikos] radiologist.
ραδιοπομπός (o) [radhiopombos] radio transmitter.
ραδιοπυξίδα (n) [radhiopiksidha] radio compass.
ραδιοτηλεφωνητής (o) [radhiotilefonitis] radiotelephone operator.
ραδιοτηλέφωνο (το) [radhiotilefono] walkie-talkie .
ραδιουργία (n) [radhiuryia] intrigue, scheme.
ραδιούργος (o) [radhiurgos] designing.
ραδιουργώ (ρ) [radhiurgo] intrigue, scheme, plot.
ραδιοφάρος (o) [radhiofaros] radio beacon.
ραδιοφωνία (n) [radhiofonia] broadcasting.
ραδιόφωνο (το) [radhiofono] radio.
ράθυμος-η-ο (ε) [rathimos] languid, listless, lazy.
ραΐζω (ρ) [raizo] crack.
ρακένδυτος-η-ο (ε) [rakendhitos] in rags, tattered.
ρακέτα (n) [raketa] racket.
ράκος (το) [rakos] rag.
ρακοσυλλέκτης (o) [rakosillek-

tis] rag-and-bone man.
ράμμα (το) [ramma] stitch.
ραμμένος-η-ο (μ) [rammenos] sewn, stitched.
ράμφισμα (το) [ramfisma] recking.
ραμφίζω (ρ) [ramfizo] peck at.
ράμφος (το) [ramfos] bill
ρανίδα (η) [ranidha] drop, blob.
ραντεβού (το) [randevu] meeting, engagement.
ράντζο (το) [randzo] camp-bed.
ραντίζω (ρ) [randizo] sprinkle.
ράντισμα (το) [randisma] watering.
ραντιστήρι (το) [randistiri] watering can, sprinkler.
ράντσο (το) [randso] camp-bed.
ραπάνι (το) [rapani] radish.
ραπίζω (ρ) [rapizo] slap in the face, biff.
ράπισμα (το) [rapisma] slap.
ράπτης (ο) [raptis] tailor.
ραπτική (η) [raptiki] tailoring.
ραπτομηχανή (η) [raptomihani] sewing machine.
ράπτρια (η) [raptria] dressmaker.
ράπτω (ρ) [rapto] sew on, stitch.
ράσο (το) [raso] frock, cassock.
ρασοφόρος (ο) [rasoforos] priest, monk.
ράτσα (η) [ratsa] race, .
ρατσισμός (ο) [ratsismos] racism.
ρατσιστής (ο) [ratsistis] racist.
ραφείο (το) [rafio] tailor's shop.
ράφι (το) [rafi] shelf, bracket.
ραφινάρισμα (το) [rafinarisma] refinement, distillation subtlety.
ραφινάτος-η-ο (ε) [rafinatos] refined, sophisticated.
ράφτης (ο) [raftis] tailor.
ραφτική (η) [raftiki] sewing.
ράφτρα (η) [raftra] dressmaker.
ράχη (η) [rahi] back, backbone.
ραχιαίος-η-ο (ε) [rahieos] dorsal.
ραχίτιδα (η) [rahitidha] rickets.
ραχιτισμός (ο) [rahitismos] rickets.
ραχοκοκαλιά (η) [rahokokalia] backbone, spine.
ράψιμο (το) [rapsimo] sewing, stitching, tailoring, dressmaking.
ραψωδός (ο) [rapsodhos] epic poet.
ρεαλισμός (ο) [realismos] realism.
ρεαλιστής (ο) [realistis] realist.
ρεβίθι (το) [revithi] chickpea.
ρεγάλο (το) [regalo] kickback.
ρέγγα (η) [renga] herring.
ρέγουλα (η) [regula] order.
ρεγουλάρισμα (το) [regularisma] regulation, adjustment.
ρεγουλάρω (ρ) [regularo] regulate, adjust.
ρεζέρβα (η) [rezerva] stock, spare wheel.
ρεζερβουάρ (το) [rezervuar] petrol tank.
ρεζίλεμα (το) [rezilema] ridicule.
ρεζιλεύω (ρ) [μετ] [rezilevo] ridicule, make a fool of, humiliate.
ρεζίλης (ο) [rezilis] laughing-stock.
ρεζίλι (το) [rezili] shame.

ρεζιλίκι (το) [reziliki] shame.
ρείθρο (το) [rithro] ditch.
ρείκι (το) [riki] heath, heather.
ρεκάζω (ρ) [rekazo] bell.
ρεκλάμα (n) [reklama] advertisement, show.
ρεκλαμάρω (ρ) [reklamaro] advertise, show.
ρελιάζω (ρ) [reliazo] hem.
ρελιασμένος-η-ο (μ) [reliasmenos] faced.
ρέμα (το) [rema] river bed.
ρεμάλι (το) [remali] worthless person.
ρεματιά (n) [rematia] river bed.
ρεμβάζω (ρ) [remvazo] muse, daydream.
ρέμβη (n) [remvi]mediation.
ρεμούλα (n) [remula] cheating.
ρεμούλκα (n) [remulka] trailer.
ρεμπέλεμα (το) [rembelema] loafing, lounging.
ρεμπελεύω (ρ) [rembelevo] loaf, lounge.
ρέμπελος-η-ο (ε) [rembelos] lazy.
ρεμπεσκές (ο) [rembeskes] rascal, scamp.
ρεπάνι (το) [repani] radish.
ρεπό (το) [repo] break, rest.
ρεπορτάζ (το) [reportaz] reporting.
ρεπούμπλικα (n) [repumblika] trilby.
ρέπω (ρ) [repo] lean, incline, slope.
ρεσάλτο (το) [resalto] assault.
ρεσεψιόν (n) [resepsion] reception.
ρεσιτάλ (το) [resital] recital.
ρέστα (τα) [resta] change.
ρέστος-η-ο (ε) [restos] rest.
ρετάλι (το) [retali] remnant,.
ρετιρέ (το) [retire] penthouse.
ρετουσάρω (το) [retusaro] touch up.
ρετσίνα (n) [retsina] retsina.
ρετσινιά (n) [retsinia] slander.
ρετσινόλαδο (το) [retsinoladho] castor oil.
ρεύμα (το) [revma] current, stream, flow, airstream.
ρευματικός-ή-ό (ε) [revmatikos] rheumatic.
ρευματισμός (ο) [revmatismos] rheumatism.
ρεύομαι (ρ) [revome] burp.
ρεύση (n) [refsi] outflow.
ρευστό (το) [refsto] ready cash.
ρευστοποιώ (ρ) [refstopio] liquefy.
ρευστός-ή-ό (ε) [refstos] fluid, liquid, inconstant [μεταφ].
ρευστότητα (n) [refstotita] fluidity, changeability.
ρεφενές (ο) [refenes] share.
ρέψιμο (το) [repsimo], burp.
ρήγας (ο) [rigas] king [χαρτιά].
ρηγάτο (το) [rigato] kingdom.
ρήγμα (το) [rigma] crack, hole.
ρήμα (το) [rima] saying, verb.
ρήμαγμα (το) [rimagma] devastation, havoc, ruination.
ρημάδι (το) [rimadhi] ruin.

ρημάζω (ρ) [rimazo] ruin.
ρηματικός-ή-ό (ε) [rimatikos] verbal.
ρήξη (η) [riksi] rupture, breach, conflict, quarrel.
ρηξικέλευθος-η-ο (ε) [riksikelefthos] forward-looking.
ρήση (η) [risi] saying, utterance.
ρητίνη (η) [ritini] resin.
ρητό (το) [rito] saying, motto.
ρήτορας (ο) [ritoras] orator.
ρητορεία (η) [ritoria] rhetoric.
ρητορεύω (ρ) [ritorevo] make speeches.
ρητορικός-ή-ό (ε) [ritorikos] oratorical, rhetorical.
ρητός-ή-ό (ε) [ritos] formal.
ρήτρα (η) [ritra] clause.
ρητώς (επ) [ritos] expressly.
ρηχός-ή-ό (ε) [rihos] shallow.
ρίγα (η) [riga] ruler.
ρίγανη (η) [rigani] origanum.
ριγέ (ο, η, το) [riye] striped.
ρίγος (το) [rigos] shiver, thrill.
ριγώ (ρ) [rigo] shiver, tremble.
ρίγωμα (το) [rigoma] ruling.
ριγώνω (ρ) [rigono] rule, line.
ριγωτός-ή-ό (ε) [rigotos] lined, ruled, striped [ύφασμα].
ρίζα (η) [riza] root, foot, origin.
ριζάλευρο (το) [rizalevro] cornflour.
ριζικό (το) [riziko] destiny.
ριζικός-ή-ό (ε) [rizikos] radical.
ριζόγαλο (το) [rizogalo] rice pudding.
ριζωμένος-η-ο (μ) [rizomenos] rooted, fixed, implanted.
ριζώνω (ρ) [rizono] become established, take root, grow.
ρικνωτικός-ή-ό (ε) [riknotikos] contractile.
ρίμα (η) [rima] rhyme.
ριμαδόρος (ο) [rimadhoros] ballad-monger.
ρινικός-ή-ό (ε) [rinikos] nasal.
ρίνισμα (το) [rinisma] chip.
ρινόκερος (ο) [rinokeros] rhinoceros.
ριξιά (η) [riksia] throw, shot.
ρίξιμο (το) [riksimo] casting, throwing, dropping, shooting.
ριπή (η) [ripi] throwing, blast.
ριπίζω (ρ) [ripizo] fan.
ριπολίνη (η) [ripolini] enamel paint.
ρίπτω (ρ) [ripto] throw, cast, drop, fell.
ρισκάρω (ρ) [riskaro] risk.
ρίχνομαι (ρ) [rihnome] fling myself, rush, plunge [στο νερό].
ρίχνω (ρ) [rihno] throw, fling, cast, drop, fire, overthrow.
ρίψη (η) [ripsi] throw[ing].
ριψοκινδυνεύω (ρ) [ripsokindhinevo] risk, endanger.
ριψοκίνδυνος-η-ο (ε) [ripsokindhinos] risky, dangerous.
ρόγα (η) [roga] berry.

ρόγχος (ο) [roghos] rattle.
ρόδα (η) [rodha] wheel.
ροδάκινο (το) [rodhakino] peach.
ροδαλός-ή-ό (ε) [rodhalos] rosy.
ροδέλα (η) [rodhela] washer.
ρόδι (το) [rodhi] pomegranate.
ροδιά (η) [rodhia] pomegranate, track [αυτοκ].
ροδίζω (ρ) [rodhizo] brown.
ρόδινος-η-ο (ε) [rodhinos] rosy,
ρόδισμα (το) [rodhisma] browning, becoming rose.
ρόδο (το) [rodho] rose.
ροδοδάφνη (η) [rodhodhafni] oleander.
ροδομάγουλος-η-ο (ε) [rodhomagulos] rosy-cheeked.
ροδόσταμα (το) [rodhostama] rosewater.
ροζ (ε) [roz] pink.
ροζιάζω (ρ) [roziazo] become knotty.
ροζιάρης-α-ικο (ε) [roziaris] gnarled.
ροζιασμένος-η-ο (μ) [roziasmenos] callous.
ρόζος (ο) [rozos] knot, knuckle.
ροή (η) [roi] flow, discharge.
ρόκα (η) [roka] distaff, rocket.
ροκανίδι (το) [rokanidhi] chip.
ροκάνισμα (το) [rokanisma] nibbling, crunching.
ρολό (το) [rolo] shutter, cylinder.
ρολογάς (ο) [rologas] watchmaker.
ρολόγι (το) [roloyi] clock, watch.
ρόλος (ο) [rolos] roll, part.
ρομαντικός-ή-ό (ε) [romandikos] romantic.
ρομάντσο (το) [romantso] romance.
ρομβία (η) [romvia] street organ.
ρόμβος (ο) [romvos] rhombus.
ρόμπα (η) [romba] dressing gown.
ρομπότ (το) [rombot] robot.
ρόπαλο (το) [ropalo] club.
ροπαλοειδής-ής-ές (ε) [ropaloidhis] claviform.
ροπή (η) [ropi] inclination.
ρότα (η) [rota] course.
ρούβλι (το) [ruvli] ruble.
ρουθούνι (το) [ruthuni] nostril.
ρουθουνίζω (ρ) [ruthunizo] sniff.
ρουκέτα (η) [ruketa] rocket.
ρουλεμάν (το) [ruleman] ball bearings.
ρουλέτα (η) [ruleta] roulette.
ρούμι (το) [rumi] rum.
ρουμπινές (ο) [rumbines] bib.
ρουμπίνι (το) [rumbini] ruby.
ρούπι (το) [rupi] measure of length.
ρους (ο) [rus] flow, discharge.
ρουσφέτι (το) [rusfeti] favour.
ρουσφετολογία (η) [rusfetoloyia] favouritism, corruption.
ρουσφετολόγος (ο) (η) (ε) [rusfetologos] corrupt dealer.
ρουσφετολογώ (ρ) [rusfetolo-

go] do special favours.
ρουτινιέρικος-η-ο (ε) [rutinierikos] routine.
ρούφηγμα (το) [rufigma] noisy sipping.
ρουφηξιά (η) [rufiksia] mouthful.
ρουφήχτρα (η) [rufihtra] whirlpool.
ρουφιανιά (η) [rufiania] scandalmongering.
ρουφώ (ρ) [rufo] draw in.
ρουχικά (τα) [ruhika] clothing.
ρουχισμός (ο) [ruhismos] fit out.
ρούχο (το) [ruho] cloth, dress.
ρόφημα (το) [rofima] hot drink.
ροφός (ο) [rofos] blackfish.
ροχαλητό (το) [rohalito] snoring.
ροχαλίζω (ρ) [rohalizo] snore.
ρόχαλο (το) [rohalo] phlegm.
ρυάκι (το) [riaki] stream, brook.
ρύγχος (το) [righos] muzzle, nose.
ρύζι (το) [rizi] rice.
ρυθμίζω (ρ) [rithmizo] regulate.
ρυθμικός-ή-ό (ε) [rithmikos] rhythmical.
ρύθμιση (η) [rithmisi] regulating, adjusting.
ρυθμιστής (ο) [rithmistis] regulator, controller.
ρυθμιστικός-ή-ό (ε) [rithmistikos] regulatory.
ρυθμός (ο) [rithmos] rhythm.
ρυμοτομία (η) [rimotomia] street plan.
ρυμοτομώ (ρ) [rimotomo] plan a town.
ρυμούλκα (η) [rimulka] trailer.
ρυμούλκηση (η) [rimulkisi] towing.
ρυμουλκό (το) [rimulko] tugboat, steam tug, tractor.
ρυμουλκώ (ρ) [rimulko] tow, tug, pull, drag by the nose.
ρυπαίνω (ρ) [ripeno] make dirty, soil, tarnish [μεταφ], pollute.
ρύπανση (η) [ripansi] blemishing, defiling, pollution.
ρυπαντικός-ή-ό (ε) [ripandikos] polluting, fouling.
ρυπαρογράφημα (το) [riparografima] obscene piece of writing.
ρυπαρός-ή-ό (ε) [riparos] filthy.
ρυπαρότητα (η) [riparotita] filthiness, dirtiness.
ρύπος (ο) [ripos] filth, dirt.
ρυτίδα (η) [ritidha] wrinkle, seam, line, ripple.
ρυτιδωμένος-η-ο (μ) [ritidhomenos] crumpled, crinkle.
ρυτιδώνω (ρ) [ritidhono] wrinkle, line.
ρώγα (η) [roga] nipple.
ρωγμή (η) [rogmi] crack, split, crevice, cleavage, cleft, cranny.
ρωμαλέος-α-ο (ε) [romaleos] robust, strong, forceful.
ρώμη (η) [romi] strength.
ρώτημα (το) [rotima] question.
ρωτώ (ρ) [roto] ask, question.

Σ

σάβανο (το) [savano] winding sheet.
σαβάνωμα (το) [savanoma] shrouding.
σαββατογεννημένος-η-ο (ε) [savvatoyennimenos] born on a Saturday, moonstruck,
Σαββατοκύριακο (το) [Savvatokiriako] weekend.
σαβούρα (η) [savura] rubbish, junk.
σαβουρώνω (ρ) [savurono] guzzle.
σαγανάκι (το) [saganaki] frying pan, dish of fried cheese.
σαγηνευτικός-ή-ό (ε) [sayineftikos] enchanting, charming,
σαγηνεύω (ρ) [sayinevo] seduce, charm, attract, allure.
σαγόνι (το) [sagoni] chin.
σαδισμός (ο) [sadhismos] sadism.
σαθρότητα (η) [sathrotita] decay, rottenness.
σαιζόν (η) [sezon] season.
σαΐνι (το) [saini] sharp-witted person.
σαΐτα (η) [saita] arrow, dart.
σάκα (η) [saka] satchel, gamebag, briefcase.
σακάκι (το) [sakaki] jacket, coat.
σακαράκα (η) [sakaraka] old motorcar [μεταφ].
σακάτεμα (το) [sakatema] maiming, crippling,.
σακάτης (ο) [sakatis] cripple,
σακί (το) [saki] sack, bag.
σακίδιο (το) [sakidhio] haversack, satchel, rucksack.
σακοράφα (η) [sakorafa] sack needle, packing needle.
σάκος (ο) [sakos] sack, bag, mailbag [ταχυδρομικός].
σακούλα (η) [sakula] sack, bag, paper bag.
σακχαρίνη (η) [sakharini] saccharin[e].
σακχαρόπηκτο (το) [sakharopikto] sugar-coated pill.
σακχαρότευτλο (το) [sakharoteftlo] sugar beet.
σάλα (η) [sala] hall, drawing-room.
σαλάμι (το) [salami] salami.
σαλαμούρα (η) [salamura] brine.
σαλάτα (η) [salata] salad.
σαλέπι (το) [salepi] salep.
σαλεύω (ρ) [salevo] move, stir,
σάλι (το) [sali] shawl.
σαλιάρα (η) [saliara] baby's bib.
σαλιάρης-α-ικο (ε) [saliaris] lecherous man.
σαλιαρίζω (ρ) [saliarizo] chatter.

σαλιαρίσματα (τα) [saliarismata] slobbering.
σαλιγκάρι (το) [salingari] snail.
σάλιο (το) [salio] saliva.
σαλιώνω (ρ) [saliono] moisten, lick, wet.
σάλος (ο) [salos] swell, rolling [πλοίου], disturbance [μεταφ].
σαλπάρισμα (το) [salparisma] sailing.
σάλπιγγα (η) [salpinga] trumpet, tube.
σαλπιγγίτιδα (η) [salpingitidha] salpingitis.
σάλπιγκα (η) [salpiga] clarion.
σαλτάρισμα (το) [saltarisma] leap, jump.
σάλτο (το) [salto] jump, leap, bound.
σάλτσα (η) [saltsa] gravy, sauce.
σαμάρι (το) [samari] packsaddle, copestone.
σαματάς (ο) [samatas] noise, clatter.
σαμοβάρι (το) [samovari] tea-urn.
σαμποτάρισμα (το) [sambotarisma] sabotaging.
σαμπρέλα (η) [sambrela] inner tube.
σαν (επ) [san] when, as soon as, if, like, as if.
σανδάλι (το) [sandhali] sandal.
σανίδα (η) [sanidha] board, beam, plank, ironing board.
σανίδι (το) [sanidhi] block.
σανιδόσκαλα (η) [sanidhoskala] gangplank.
σανίδωμα (το) [sanidhoma] boarding, panelling, battening.
σανιδώνω (ρ) [sanidhono] floor, plank, cover with board.
σανός (ο) [sanos] hay, fodder.
σαντιγύ (η) [sandiyi] whipped cream.
σάντουιτς (το) [sanduits] sandwich.
σαντούρι (το) [sanduri] kind of string instrument.
σάουνα (η) [sauna] sauna.
σαπίζω (ρ) [sapizo] rot, spoil, decompose, decay.
σαπίλα (η) [sapila] decay, putridity, corruption [μεταφ].
σαπούνι (το) [sapuni] soap, shaving soap.
σαραβαλάκι (το) [saravalaki] cheap car.
σαραβαλιάζω (ρ) [saravaliazo] wreck, mess up, break up.
σαράβαλο (το) [saravalo] ruin, wreck, sickly person.
σαράκι (το) [saraki] woodworm, prick of conscience.
σαρακοστή (η) [sarakosti] Lent.
σαρανταποδαρούσα (η)[sarandapodharusa] centipede.
σαράφης (ο) [sarafis] moneychanger.
σαργός (ο) [sargos] sargus.
σαρδέλα (η) [sardhela] anchovy, sardine.

σαρίκι (το) [sariki] turban.
σάρκα (η) [sarka] flesh.
σαρκάζω (ρ) [sarkazo] sneer,
σαρκικός-ή-ό (ε) [sarkikos] fleshy, sensual.
σαρκίο (το) [sarkio] carunkle.
σαρκοβόρο (το) [sarkovoro] carnivore.
σαρκοφάγος (η) [sarkofagos] sarcophagus.
σαρκώδης-ης-ες (ε) [sarkodhis] fleshy, pulpy.
σάρκωμα (το) [sarkoma] sarcoma, fleshy growth.
σάρκωση (η) [sarkosi] incarnation.
σάρπα (η) [sarpa] scarf.
σάρωθρο (το) [sarothro] broom.
σαρώνω (ρ) [sarono] sweep [δωμάτιο], rake [μεταφ].
σας (αν) [sas] you, your.
σασί (το) [sasi] chassis.
σαστίζω (ρ) [sastizo] disconcert, embarrass, confuse, get disconcerted.
σατανάς (ο) [satanas] Satan, devilish person.
σάτιρα (η) [satira] satire, lampoon.
σατιρίζω (ρ) [satirizo] satirize.
σατράπης (ο) [satrapis] satrap, tyrant.
σάτυρος (ο) [satiros] satyr.
σαύρα (η) [saira] lizard.
σαφήνεια (η) [safinia] clearness, distinctness, lucidity.
σαφηνίζω (ρ) [safinizo] clarify, explain.
σαφής-ής-ές (ε) [safis] clear,
σάχης (ο) [sahis] shah.
σαχλά (επ) [sahla] cornily.
σάχλα (η) [sahla] silly talk, insipidity.
σαχλαμάρα (η) [sahlamara] nonsense, rubbish, stupidity.
σάχλας (ο) [sahlas] silly person.
σάψαλο (το) [sapsalo] crock.
σβάρνα (η) [svarna] harrow.
σβελτάδα (η) [sveltadha] dexterity.
σβέλτος-η-ο (ε) [sveltos] nimble, slim, slender.
σβέρκος (ο) [sverkos] nape of neck, scruff.
σβήνω (ρ) [svino] extinguish, quench, put out, eraser, blow.
σβόλος (ο) [svolos] lump, clot,
σβούρα (η) [svura] spinning top.
σβωλιάζω (ρ) [svoliazo] clot.
σβώλος (ο) [svolos] gob, clot.
σγουρομάλλης (ο) [sguromallis] curly-haired.
σε (π) [se] to, at, in.
σέβας (το) [sevas] regard, reverence, deference, respect.
σεβαστός-ή-ό (ε) [sevastos] respected, respectable,
σέβομαι (ρ) [sevome] respect, admire, esteem, cherish, relish.
σεβρό (το) [sevro] kid[-leather].
σεγκοντάρω (ρ) [sengondaro] second, support, help.

σειέμαι (ρ) [sieme] stir, move,
σειρά (n) [sira] series, row, line,
σειρήνα (n) [sirina] siren [φυσ], fog-horn, buzzer, alarm.
σειρίτι (το) [siriti] stripe, ribbon.
σεισμικός-ή-ό (ε) [sismikos] seismic.
σεισμός (ο) [sismos] earthquake, earth tremor.
σεΐχης (ο) [seihis] sheikh.
σείω (ρ) [sio] move, shake, wave.
σεκλέτι (το) [sekleti] worry, trouble, care.
σέλα (n) [sela] saddle.
σέλας (το) [selas] brightness, brilliance.
σελάχι (το) [selahi] gun belt.
σελέμης (ο) [selemis] sponger, scrounge.
σελήνη (n) [selini] moon.
σεληνιάζομαι (ρ) [seliniazome] have an epileptic fit.
σελίδα (n) [selidha] page [of book].
σελιδοθέτης (ο) [selidhothetis] chase.
σελιδοποίηση (n) [selidhopiisi] layout, pagination.
σελιδοποιώ (ρ) [selidhopio] lay out.
σελίνι (το) [selini] shilling.
σέλινο (το) [selino] celery.
σελώνω (ρ) [selono] saddle.
σεμινάριο (το) [seminario] seminary.
σεμνός-ή-ό (ε) [semnos] decent, modest, simple, plain [ενδυμασία], bashful.
σεμνότυφος-η-ο (ε) [semnotifos] prudish, demure.
σέμπρος (ο) [sembros] tenant.
σενάριο (το) [senario] script, screenplay, scenario.
σεντόνι (το) [sendoni] sheet.
σεντούκι (το) [senduki] linen closet, box, chest.
σεξ (το) [seks] sex.
σεξολόγος (ο, n) [seksologos] sex specialist.
σερβίρω (ρ) [serviro] serve.
σερβιτόρα (n) [servitora] waitress.
σερβίτσιο (το) [servitsio] dinner service, place setting.
σεργιανίζω (ρ) [seryianizo] promenade, walk, stroll.
σερίφης (ο) [serifis] sheriff.
σέρνομαι (ρ) [sernome] crawl, drag, drag ourselves along.
σέρνω (ρ) [serno] draw, pull, drag, haul.
σερπαντίνα (n) [serpandina] streamer.
σέσκουλο (το) [seskulo] white beet.
σέσουλα (n) [sesula] scoop.
σεφτές (ο) [seftes] first sale.
σήκωμα (το) [sikoma] raising, lifting, getting out of bed.
σηκώνομαι (ρ) [sikonome] rise,
σηκώνω (ρ) [sikono] raise, hoist, pick up, lift up, carry.
σήμα (το) [sima] signal, sign, mark.
σημάδεμα (το) [simadhema]

taking aim, marking.

σημάδι (το) [simadhi] trace, scar, spot, sign [ένδειξη], mark [ένδειξη].

σημαδούρα (η) [simadhura] buoy.

σημαία (η) [simea] flag, ensign, colours, standard.

σημαίνω (ρ) [simeno] mean, be a sign of, signify, ring [καμπάνα κτλ], sound [καμπάνα κτλ], matter [έχων σημασία], be of consequence.

σημαιοφόρος (ο) [simeoforos] standard bearer, sublieutenant.

σήμανση (η) [simansi] marking, stamping, noting of details.

σημαντικά (επ) [simandika] materially, considerably.

σημαντικός-ή-ό (ε) [simandikos] important, significant,

σήμαντρο (το) [simandro] stamp, seal, special monastery bell.

σημασία (η) [simasia] sense, meaning, importance, gravity, significance.

σηματοδότης (ο) [simatodhotis] signalman, traffic light.

σημείο (το) [simio] sign, mark, proof, indication, point, symbol.

σημειογραφία (η) [simiografia] notation.

σημείωμα (το) [simioma] written note, memorandum, record.

σημειωματάριο (το) [simiomatario] notebook, agenda, diary.

σημειώνω (ρ) [simiono] mark, indicate, note, make a note of,

σήμερα (επ) [simera] today.

σημιτισμός (ο) [simismos] Semitism.

σημύδα (η) [simidha] birch.

σήπομαι (ρ) [sipome] rot, decay, decompose.

σήραγγα (η) [siranga] tunnel.

σήτα (η) [sita] sieve.

σηψαιμία (η) [sipsemia] septicaemia, blood poisoning.

σθεναρός-ή-ό (ε) [sthenaros] sturdy, strong, powerful, robust.

σθένος (το) [sthenos] vigour, strength, energy, pluck, valence.

σιαγόνα (η) [siagona] jaw, jawbone.

σιάζω (ρ) [siazo] arrange, set in order, straighten, tidy, repair.

σιάξιμο (το) [siaximo] tidying.

σιγά (επ) [siga] softly, lightly, gently, slowly.

σιγαλιά (η) [sigalia] quiet,

σιγανά (επ) [sigana] slowly,

σιγαστήρας (ο) [sigastiras] muffler.

σιγή (η) [siyi] silence, quiet, stillness.

σίγουρα (επ) [sigura] for certain.

σιγουράρω (ρ) [siguraro] secure, fasten.

σίγουρος-η-ο (ε) [siguros] certain, assured, sure,secure.

σιγώ (ρ) [sigo] keep quiet die down.

σιδεράς (ο) [sidheras] blacksmith, ironmonger.

σιδερένιος-α-ο (ε) [sidherenios] of iron, strong.
σιδερικά (τα) [sidherika] scrap iron.
σίδερο (το) [sidhero] iron,
σιδερώνω (ρ) [sidherono] iron.
σιδηροδρομικώς (επ) [sidhirodhromikos] by rail, by train.
σιδηροπωλείο (το) [sidhiropolio] ironmonger's,
σίδηρος (ο) [sidhiros] iron.
σίελος (ο) [sielos] saliva.
σικ (ε) [sik] chic.
σίκαλη (η) [sikali] rye.
σιλουέτα (η) [silueta] silhouette,
σιμά (επ) [sima] near, close by.
σιμιγδάλι (το) [simigdhali] semolina.
σινάπι (το) [sinapi] mustard, mustard seed.
σινάφι (το) [sinafi] guild, trade,
σινεμά (το) [sinema] cinema.
σινιάλο (το) [sinialo] signal,
σιντριβάνι (το) [sindrivani] fountain.
σιρόκος (ο) [sirokos] south-east
σιρόπι (το) [siropi] syrup.
σιτάρι (το) [sitari] wheat, grain.
σιτεύω (ρ) [sitevo] hang, make tender.
σιτηρά (τα) [sitira] cereals.
σιτίζω (ρ) [sitizo] feed, nourish.
σιτοπαραγωγή (η) [sitoparagoyi] wheat crop, wheat yield.
σίτος (ο) [sitos] wheat, grain.
σιφόν (ο) [sifon] chiffon.
σιφόνι (το) [sifoni] siphon.
σιφονιέρα (η) [sifoniera] chest of drawers.
σίφουνας (ο) [sifunas] waterspout.
σιχαίνομαι (ρ) [sihenome] loathe, detest, feel disgust for.
σιχαμερός-ή-ό (ε) [sihameros] disgusting, repulsive, sickening.
σιχασιάρης-α-ικο (ε) [sihasiaris] squeamish.
σιωπή (η) [siopi] silence.
σιωπητήριο (το) [siopitirio] last post, lights out.
σιωπώ (ρ) [siopo] remain silent.
σκάβω (ρ) [skavo] dig up, scoop out, engrave, carve.
σκάγι (το) [skayi] small shot.
σκάζω (ρ) [skazo] burst, open, split, crack, splinter, explode,
σκαθάρι (το) [skathari] beetle.
σκάλα (η) [skala] staircase, flight, ladder, backstairs.
σκαλίζω (ρ) [skalizo] weed, dig, chisel, sculpture, chase.
σκαλιστήρι (το) [skalistiri] hoe,
σκαλιστής (ο) [skalistis] carver,
σκαλώνω (ρ) [skalono] climb, mount, get held up.
σκάμμα (το) [skamma] [sand]pit.
σκαμνί (το) [skamni] stool, chair.
σκαμπανέβασμα (το) [skambanevasma] pitching.
σκαμπίλι (το) [skambili] slap.
σκανδάλη (η) [skandhali] trigger.

σκανδαλίζω (ρ) [skandhalizo] intrigue, allure, scandalize,

σκάνδαλο (το) [skandhalo] scandal, intrigue.

σκαντζόχοιρος (ο) [skandzohiros] hedgehog.

σκαπουλάρω (ρ) [skapularo] escape from.

σκάπτω (ρ) [skapto] dig up, scoop out, excavate, engrave.

σκάρα (η) [skara] grill, grid.

σκαρί (το) [skari] slipway, character [μεταφ], idiosyncrasy.

σκαρπέλο (το) [skarpelo] chisel, gouge.

σκάρτο (το) [skarto] cull.

σκαρφάλωμα (το) [skarfaloma] climbing up, scrambling up,

σκάρωμα (το) [skaroma] invention [μεταφ].

σκασιαρχείο (το) [skasiarhio] truancy.

σκασίλα (η) [skasila] chagrin, spite, vexation, distress.

σκάσιμο (το) [skasimo] cracking, chap, desertion, escape.

σκαστός-ή-ό (ε) [skastos] noisy, loud, smacking, playing truant.

σκατά (τα) [skata] shit.

σκάφανδρο (το) [skafandhro] diving suit.

σκάφη (η) [skafi] trough, tub.

σκαφίδι (το) [skafidhi] kneading-trough.

σκάφος (το) [skafos] ship, vessel, boat.

σκαφτιάς (ο) [skaftias] grubber, navvy.

σκάψιμο (το) [skapsimo] digging, ploughing, carving.

σκάω (ρ) [skao] burst, open, split, crack, splinter], burst.

σκεβρός-ή-ό (ε) [skevros] crooked, deformed.

σκελετός (ο) [skeletos] skeleton, framework, shape, chassis [αυτοκινήτου].

σκελίδα (η) [skelidha] clove.

σκέλος (το) [skelos] leg, side.

σκεπάζω (ρ) [skepazo] cover, protect, hide.

σκεπάρνι (το) [skeparni] hammer.

σκέπαστρο (το) [skepastro] shelter, cover, lid.

σκέπη (η) [skepi] shelter, cover, protection [μεταφ], shield.

σκεπτικό (το) [skeptiko] grounds.

σκέπω (ρ) [skepo] cover,

σκέρτσο (το) [skertso] flirtatious ways, jesting, playfulness.

σκέτος-η-ο (ε) [sketos] plain, simple, without sugar, arrant.

σκετς (το) [skets] sketch.

σκευοθήκη (η) [skevothiki] sideboard.

σκευωρία (η) [skevoria] machination, scheme, intrigue,

σκέψη (η) [skepsi] thought, consideration, concern, thinking.

σκηνή (η) [skini] scene, trouble,

quarrel, stage, tent, doing.
σκηνοθεσία (η) [skinothesia] stage production, fabrication.
σκηνοθετώ (ρ) [skinotheto] direct, stage, fabricate, direct.
σκήνωμα (το) [skinoma] relics.
σκήπτρο (το) [skiptro] sceptre, superiority [μεταφ].
σκήτη (η) [skiti] small monastery, cloister.
σκι (το) [ski] ski.
σκιά (η) [skia] shade, shadow.
σκιαγραφώ (ρ) [skiagrafo] sketch.
σκιάδα (η) [skiadha] bower.
σκιάδι (το) [skiadhi] sunshade.
σκιάζω (ρ) [skiazo] shade, veil, hide, frighten [φοβίζω], overshadow [μεταφ].
σκίαση (η) [skiasi] shading.
σκιερός-ή-ό (ε) [skieros] shady,
σκίζομαι (ρ) [skizome] struggle.
σκίζω (ρ) [skizo] split, cleave, tear, rip.
σκίουρος (ο) [skiuros] squirrel.
σκίρτημα (το) [skirtima] start,
σκιρτώ (ρ) [skirto] bound, leap,
σκίσιμο (το) [skisimo] tear, rent, crack.
σκιστός-ή-ό (ε) [skistos] slit, split, slashed, cloven.
σκίτσο (το) [skitso] sketch, cartoon, rough draft.
σκιώδης-ης-ες (ε) [skiodhis] shady, shadowy.
σκλαβιά (η) [sklavia] servitude, slavery, obligation, drudgery.
σκλάβος-α (ε) [sklavos] slave, captive.
σκλήθρα (η) [sklithra] splinter, chip.
σκληρά (επ) [sklira] brutally.
σκληραγωγία (η) [skliragoyia] hardening [μεταφ], seasoning.
σκληραίνω (ρ) [sklireno] harden, make hard.
σκληροκόκκαλος-η-ο (ε) [sklirokokkalos] hardy, tough.
σκληρός-ή-ό (ε) [skliros] hard, tough, cruel, heartless.
σκλήρυνση (η) [sklirinsi] hardening.
σκληρύνω (ρ) [sklirino] coarsen.
σκοινί (το) [skini] rope, cord, clothes line.
σκόλη (η) [skoli] holiday, feast day.
σκολνώ (ρ) [skolno] get off [work], leave.
σκονάκι (το) [skonaki] powder, dose [ναρκωτ].
σκόνη (η) [skoni] dust, powder.
σκοντάφτω (ρ) [skondafto] knock against, stumble.
σκόντο (το) [skondo] discount, deduction.
σκόπελος (ο) [skopelos] rock, shoal, stumbling block [μεταφ], danger.
σκοπευτήριο (το) [skopeftirio] shooting gallery.
σκοπευτής (ο) [skopeftis] shot,

marksman.
σκοπεύω (ρ) [skopevo] take aim at, take aim, intend, plan.
σκοπιά (n) [skopia] lookout, sentry box, signal box.
σκόπιμος-η-ο (ε) [skopimos] convenient, intentional,
σκοπός (ο) [skopos] purpose, intent, intention, aim, tune.
σκόρδο (το) [skordho] garlic.
σκόρος (ο) [skoros] moth.
σκορπίζω (ρ) [skorpizo] scatter, disperse, waste, shed, melt away.
σκορποχέρης-α-ικο (ε) [skorpoheris] spendthrift.
σκορπώ (ρ) [skorpo] scatter, disperse, waste, shed.
σκοτάδι (το) [skotadhi] darkness, obscurity.
σκοτεινά (επ) [skotina] darkly.
σκοτεινός-ή-ό (ε) [skotinos] dark, gloomy, overcast.
σκοτίζομαι (ρ) [skotizome] worry, trouble ourselves,
σκοτίζω (ρ) [skotizo] darken, obscure, worry, annoy.
σκότιση (n) [skotisi] darkening, confusion, bother, dizziness.
σκοτοδίνη (n) [skotodhini] dizziness, vertigo.
σκότος (το) [skotos] darkness, gloom.
σκοτούρα (n) [skotura] care, nuisance, dizziness.
σκότωμα (το) [skotoma] killing.
σκοτώνω (ρ) [skotono] kill,
σκούζω (ρ) [skuzo] yell, scream.
σκουλαρίκι (το) [skulariki] earring.
σκουλήκι (το) [skuliki] worm,
σκούντημα (το) [skundima] push, dig.
σκουντούφλης-α-ικο (ε) [skunduflis] sullen, sulky.
σκουντώ (ρ) [skundo] push, jostle.
σκούξιμο (το) [skuksimo] yelling, howling.
σκούπα (n) [skupa] broom.
σκουπιδαριό (το) [skupidhario] rubbish dump.
σκουπίδι (το) [skupidhi] rubbish.
σκουπιδοτενεκές (ο) [skupidhotenekes] dustbin.
σκουπίζω (ρ) [skupizo] sweep, wipe, mop, dust.
σκουπόξυλο (το) [skupoksilo] broomstick.
σκουραίνω (ρ) [skureno] get darker, get worse.
σκουριά (n) [skuria] rust.
σκούρος-α-ο (ε) [skuros] dark-coloured.
σκούφια (n) [skufia] cap, baby's bonnet.
σκύβω (ρ) [skivo] bend, lean, bow.
σκυθρωπός-ή-ό (ε) [skithropos] sullen, sulky, clouded,
σκύλα (n) [skila] bitch, cruel woman.
σκυλί (το) [skili] dog.
σκύλιασμα (το) [skiliasma] rage.

σκυλόψαρο (το) [skilopsaro] dogfish, shark.
σκυτάλη (η) [skitali] bar, staff.
σκύψιμο (το) [skipsimo] bending, bowing.
σκωληκοειδίτιδα (η) [skolikoidhitidha] appendicitis.
σκώρος (ο) [skoros] moth, canker.
σλόγκαν (το) [slogan] catchword.
σμάλτο (το) [smalto] enamel.
σμαράγδι (το) [smaragdhi] emerald.
σμέρνα (η) [smerna] moray eel.
σμηνίας (ο) [sminias] sergeant.
σμήνος (το) [sminos] swarm, flight [αερ], squadron.
σμίγω (ρ) [smigo] mingle, mix, meet, come face to face with.
σμίκρυνση (η) [smikrinsi] reduction, diminution.
σμιλεύω (ρ) [smilevo] sculpture.
σμίξιμο (το) [smiksimo] mixing, meeting.
σμύριδα (η) [smiridha] emery.
σμύρνα (η) [smirna] myrrh.
σνομπ (ο) [snomb] snob.
σοβαρά (επ) [sovara] gravely.
σοβαρός-ή-ό (ε) [sovaros] serious, grave, earnest, quiet.
σοβάς (ο) [sovas] wall plaster.
σοβατζής (ο) [sovatzis] plasterer, house-painter.
σοβατίζω (ρ) [sovatizo] plaster.
σόγια (η) [soyia] soya.
σόδα (η) [sodha] soda water, bicarbonate of soda.
σοδειά (η) [sodhia] crop, harvest.
σόι (το) [soi] lineage, breed, sort, kind.
σοκ (το) [sok] shock, turn, jar.
σοκάκι (το) [sokaki] narrow street, lane, alley.
σοκολατένιος-α-ο (ε) [sokolatenios] chocolate.
σόλα (η) [sola] sole [of shoe].
σολομός (ο) [solomos] salmon.
σόμπα (η) [somba] heater.
σονάτα (η) [sonata] sonata.
σορόπι (το) [soropi] syrup.
σορός (η) [soros] the dead [person], corpse, coffin.
σοσιαλισμός (ο) [sosialismos] socialism.
σουβλάκι (το) [suvlaki] skewered meat, shish kebab, giros.
σουβλί (το) [suvli] awl, spit
σούβλισμα (το) [suvlisma] prodding, goading, skewering.
σουγιάς (ο) [suyias] penknife.
σούδα (η) [sudha] narrow pass.
σουλατσάρω (ρ) [sulatsaro] wander about.
σουλούπι (το) [sulupi] outline,
σουλτάνα (η) [sultana] sultana.
σούμα (η) [suma] sum total.
σουμιές (ο) [sumies] spring mattress.
σούπα (η) [supa] soup.
σουπιά (η) [supia] cuttlefish, sneaky person [μεταφ].

σουπιέρα (η) [supiera] tureen.
σούρα (η) [sura] fold, wrinkle,
σουρλουλού (η) [surlulu] slut.
σούρουπο (το) [surupo] dusk.
σουρρεαλισμός (ο) [surrealismos] surrealism.
σούρτα-φέρτα (τα) [surta-ferta] comings and goings.
σούρωμα (το) [suroma] straining, drunkenness, booze.
σουρωτήρι (το) [surotiri] strainer.
σουσάμι (το) [susami] sesame.
σουσουράδα (η) [susuradha] wagtail, wench, saucy girl.
σούστα (η) [susta] spring [of seat], cart [όχημα], clasp.
σουτ (επιφ) [sut] hush, shut up.
σουτ (το) [sut] shoot.
σουτιέν (το) [sutien] bra[ssiere].
σούφρα (η) [sufra] pleat, crease, fold, theft [μεταφ].
σούφρωμα (το) [sufroma] crinkling, pucker, thieving.
σουφρώνω (ρ) [sufrono] fold, pleat, crease, steal.
σοφάς (ο) [sofas] sofa, divan.
σοφέρ (ο) [sofer] chauffeur.
σοφίτα (η) [sofita] attic.
σπαγκοραμμένος-η-ο (μ) [spangorammenos] mean, stingy.
σπάγκος (ο) [spangos] string.
σπάζω (ρ) [spazo] break, shatter, smash, bash.
σπαθί (το) [spathi] sword, spade.
σπάλα (η) [spala] shoulder-blade.
σπανάκι (το) [spanaki] spinach .
σπανίζω (ρ) [spanizo] become rare, be exceptional.
σπάνιος-α-ο (ε) [spanios] uncommon, scarce.
σπανός-ή-ό (ε) [spanos] beardless, raw, very young.
σπαράγγι (το) [sparangi] asparagus.
σπαραγμός (ο) [sparagmos] heartbreak, anguish.
σπαράζω (ρ) [sparazo]cut to the heart, distress, quiver, palpitate.
σπάραχνα (τα) [sparahna] gills.
σπαραχτικός-ή-ό (ε) [sparahtikos] heartbreaking, agonizing.
σπάργανα (τα) [spargana] swaddling clothes.
σπαρμένος-η-ο (μ) [sparmenos] spread, strewn, sown.
σπάρος (ο) [sparos] two-banded bream, lazybones [μεταφ].
σπαρτά (τα) [sparta] crops.
σπαρταριστός-ή-ό (ε) [spartaristos] fresh, beautiful [κορίτσι].
σπάσιμο (το) [spasimo] break, fracture.
σπασμένος-η-ο (μ) [spasmenos] broken, cracked.
σπασμός (ο) [spasmos] convulsion, twitching.
σπασμωδικός-ή-ό (ε) [spasmodhikos] convulsive.
σπαστικός-ή-ό (ε) [spastikos] spastic, convulsive.
σπατάλη (η) [spatali] lavishness,

waste.
σπάτουλα (η) [spatula] spatula.
σπάω (ρ) [spao] disjoint.
σπείρα (η) [spira] coil, spiral, band, gang.
σπειρί (το) [spiri] bean.
σπείρω (ρ) [spiro] sow.
σπέρμα (το) [sperma] seed, germ, semen, sperm, offspring.
σπερματικός-ή-ό (ε) [spermatikos] seminal.
σπέρνω (ρ) [sperno] sow, propagate.
σπεσιαλιτέ (η) [spesialite] speciality, patent medicine.
σπεύδω (ρ) [spevdho] hurry, haste.
σπήλαιο (το) [spileo] cave.
σπηλιά (η) [spilia] cave, cavern.
σπίθα (η) [spitha] spark, flash.
σπιθαμή (η) [spithami] span.
σπιλώνω (ρ) [spilono] stain, blemish.
σπινθήρισμα (το) [spinthirisma] sparking.
σπίνος (ο) [spinos] linnet.
σπιρούνι (το) [spiruni] spur.
σπιρτάδα (η) [spirtadha] pungency, wit [μεταφ], intelligence [μεταφ], liveliness.
σπίρτο (το) [spirto] match, alcohol, spirit.
σπιρτόκουτο (το) [spirtokuto] matchbox.
σπιτάκι (το) [spitaki] cottage.
σπίτι (το) [spiti] house, home, family [μεταφ], residence.
σπιτονοικοκύρης (ο) [spitonikokiris] landlord.
σπιτώνω (ρ) [spitono] lodge, house, keep [a woman] [μεταφ].
σπλάχνα (τα) [splahna] entrails, feelings [μεταφ], offspring.
σπλαχνίζομαι (ρ) [splahnizome] have pity on.
σπλάχνο (το) [splahno] offspring, child.
σπλήνα (η) [splina] spleen.
σπόγγος (ο) [spongos] sponge.
σπονδυλικός-ή-ό (ε) [spondhilikos] vertebral.
σπόνδυλος (ο) [spondhilos] vertebra.
σπόντα (η) [sponda] cushion, dig.
σπορ (τα) [spor] sports, games.
σπορά (η) [spora] sowing, seed time, generation [μεταφ].
σποραδικός-ή-ό (ε) [sporadhikos] dispersed, scanty.
σπορέας (ο) [sporeas] sower.
σπορείο (το) [sporio] seed-bed.
σπορέλαιο (το) [sporeleo] seed oil.
σπόρος (ο) [sporos] seed, semen.
σπουδάζω (ρ) [spudhazo] study.
σπουδαίος-α-ο (ε) [spudheos] serious, important.
σπουδαιότητα (η) [spudheotita] importance.
σπουδαστής (ο) [spudhastis] student, keenness, study.

σπουδή (η) [spudhi] abruptness, study, étude, sketch.
σπρωξιά (η) [sproksia] push, hustle.
σταβλίζω (ρ) [stavlizo] stable.
στάβλος (ο) [stavlos] stable.
σταγόνα (η) [stagona] drop.
σταδιακός-ή-ό (ε) [stadhiakos] gradual.
στάδιο (το) [stadhio] stadium, athletic ground, career [μεταφ].
σταδιοδρομία (η) [stadhiodhromia] career, course.
στάζω (ρ) [stazo] trickle, drip.
σταθερά (η) [stathera] constant.
σταθεροποίηση (η) [statheropiisi] stabilization, steadying.
σταθερός-ή-ό (ε) [statheros] stable, firm, secure, consistent.
σταθμά (τα) [stathma] weights.
σταθμάρχης (ο) [stathmarhis] station master.
στάθμευση (η) [stathmefsi] stopping, waiting.
στάθμη (η) [stathmi] plumbline, water level.
στάθμιση (το) [stathmisi] weighing up, plumbing.
σταθμός (ο) [stathmos] station, garage, stop, landmark, terminal.
στάλα (η) [stala] drop, trickle.
σταλαγμίτης (ο) [stalagmitis] stalagmite.
σταλακτίτης (ο) [stalaktitis] stalactite.
σταμάτα (ρ) [stamata] belay.
σταμάτημα (το) [stamatima] stop, pause, block.
σταματώ (ρ) [stamato] stop working, check, halt, give up.
στάμνα (η) [stamna] jug.,
στάμπα (η) [stamba] stamp, seal, impression, print, hallmark.
στάνη (η) [stani] sheepfold, pen.
στανιό (το) [stanio] involuntary [με το].
σταράτα (επ) [starata] bluffly.
στάση (η) [stasi] halt, stop, bus stop, station, rebellion, behaviour [μεταφ].
στασιάζω (ρ) [stasiazo] rebel.
στασίδι (το) [stasidhi] stall.
στάσιμος-η-ο (ε) [stasimos] motionless, stagnant [νερό].
στατική (η) [statiki] statics.
στaύλος (ο) [stavlos] cowhouse.
σταυροβελονιά (η) [stavrovelonia] cross stitch.
σταυροδρόμι (το) [stavrodhromi] crossroads.
σταυροειδής-ής-ές (ε) [stavroidhis] cross-like.
σταυρόλεξο (το) [stavrolekso] crossword puzzle.
σταυροπόδι (επ) [stavropodhi] crossed-legs.
σταυροφορία (η) [stavroforia] crusade.
σταυρώνομαι (ρ) [stavronome] cross, cut across.
σταφίδα (η) [stafidha] raisin,

sultana, currant.

σταφύλι (το) [stafili] grape.

σταφυλόκοκκος (ο) [stafilokokkos] staphylococcus.

στάχτη (η) [stahti] ash, ashes.

στάχυ (το) [stahi] ear of corn.

σταχυολογώ (ρ) [stahiologo] glean, select [μεταφ].

στεγάζω (ρ) [stegazo] roof, house, shelter.

στεγανός-ή-ό (ε) [steganos] airtight, waterproof.

στέγαση (η) [stegasi] housing.

στέγη (η) [steyi] roof.

στεγνά (επ) [stegna] dryly.

στειλιάρι (το) [stiliari] bludjeon, cudgel.

στειρότητα (η) [stirotita] sterility, infertility.

στέκα (η) [steka] billiard cue, thin as a rake [μεταφ].

στέκι (το) [steki] stamping-ground.

στέκομαι (ρ) [stekome] stand up, stop, prove to be [μεταφ].

στελέχη (τα) [stelehi] management staff.

στέλλω (ρ) [stello] consign.

στέλνω (ρ) [stelno] send, direct, forward.

στέμμα (το) [stemma] crown, diadem.

στεναγμός (ο) [stenagmos] sigh, moan, groan.

στενάζω (ρ) [stenazo] sigh, moan.

στένεμα (το) [stenema] taking in, narrowing, shrinkage.

στενή (η) [steni] prison cell.

στενό (το) [steno] strait, pass.

στενογραφία (η) [stenografia] shorthand.

στενοκεφαλιά (η) [stenokefalia] narrow-mindedness.

στενόμακρος-η-ο (ε) [stenomakros] oblong.

στενός-ή-ό (ε) [stenos] narrow, tight-fitting, close [μεταφ], dear [φίλος].

στενούμενος-η-ο (μ) [stenumenos] contracting.

στενοχωρημένος-η-ο (μ) [stenohorimenos] upset, sad, hard-up, ill at ease.

στενοχώρια (η) [stenohoria] lack of room, difficulty [δυσκολία], inconvenience [δυσκολία], embarrassment.

στένωμα (το) [stenoma] narrow passage.

στένωση (η) [stenosi] constriction, stenosis.

στερεά (η) [sterea] mainland.

στερεός-ή-ό (ε) [stereos] firm, compact, solid, substantial.

στερεύω (ρ) [sterevo] dry up.

στερέωμα (το) [stereoma] consolidation, support, fastening.

στερεώνω (ρ) [stereono] consolidate, make secure, tighten, firm.

στερημένος-η-ο (μ) [sterimenos] devoid.

στερήσεις (οι) [sterisis] privation, want, loss.
στεριά (η) [steria] terra firma.
στέρνα (η) [sterna] cistern, tank.
στέρνο (το) [sterno] breastbone.
στερούμαι (ρ) [sterume] go without, lack, be needy.
στερώ (ρ) [stero] deprive of.
στέφανα (τα) [stefana] marriage wreaths.
στεφάνη (η) [stefani] crown, brim [αγγείου], hoop [βαρελιού], corolla [άνθους], ring, band, tyre [τροχού].
στεφάνι (το) [stefani] garland, wreath, band [βαρελιού], chaplet.
στεφάνωμα (το) [stefanoma] crowning.
στέψη (η) [stepsi] coronation, wedding ceremony.
στηθάγχη (η) [stithaghi] heartburn, cardialgia.
στηθόδεσμος (ο) [stithodhesmos] bra.
στήθος (το) [stithos] chest, breast, bodice, bust.
στήλη (η) [stili] staff, pillar, column, electric battery.
στην υγειά σας! (επιφ) [stin igia sas!] cheers!.
στήνω (ρ) [stino] raise, erect.
στήριγμα (το) [stirigma] prop, support, stay.
στηρίζω (ρ) [stirizo] support, prop, base on.
στήσιμο (το) [stisimo] erection.
στητός-ή-ό (ε) [stitos] standing, upright, erect, cocked, straight.
στιβάδα (η) [stivadha] pile, heap, mass.
στιβαρότητα (η) [stivarotita] robustness, strength.
στίβος (ο) [stivos] track, ring.
στίγμα (το) [stigma] spot, brand, stain, stigma, disgrace, position.
στιγματίζω (ρ) [stigmatizo] discredit.
στιγμή (η) [stigmi] instant, moment, point [τυπογραφικό], cedilla.
στιλβώνω (ρ) [stilvono] polish.
στιλέτο (το) [stileto] stiletto, dagger.
στιλπνός-ή-ό (ε) [stilpnos] brilliant, polished, bright.
στίξη (η) [stiksi] punctuation [γραμμ], dot, spot.
στιφάδα (η) [stifadha] acerbity.
στίφος (το) [stifos] crowd gang.
στιχομυθία (η) [stihomithia] vivid dialogue.
στίχος (ο) [stihos] line, row, file.
στιχουργός (ο) [stihurgos] versifier, lyricist.
στοά (η) [stoa] colonnade, portico, arcade, passage, gallery.
στοιβάζω (ρ) [stivazo] stack, pile up, crowd, squeeze, bank.
στοιχεία (τα) [stihia] elements, rudiments, printing types.
στοιχειό (το) [stihio] ghost.

στοιχείο (το) [stihio] component, element, piece of evidence, cell [ηλεκτ].
στοίχημα (το) [stihima] bet.
στοίχος (ο) [stihos] row, line.
στόκος (ο) [stokos] putty.
στολή (η) [stoli] uniform, costume.
στολίδι (το) [stolidhi] jewellery, adornment, decoration.
στόλος (ο) [stolos] navy, fleet.
στόμα (το) [stoma] mouth, lips.
στομάχι (το) [stomahi] stomach.
στόμιο (το) [stomio] mouth, opening, entrance.
στόμφος (ο) [stomfos] boast, declamation, bombast.
στομώνω (ρ) [stomono] blunt, temper.
στορ (το) [stor] blind.
στοργή (η) [storyi] affection.
στουμπώνω (ρ) [stumbono] stuff, plug.
στουπί (το) [stupi] oakum, drunk.
στουπόχαρτο (το) [stupoharto] blotting paper.
στουρνάρι (το) [sturnari] flint, stupid, dull.
στοχάζομαι (ρ) [stohazome] think, meditate on, dwell on.
στοχαστικός-ή-ό (ε) [stohastikos] thoughtful, discreet, wise, considerate, meditative.
στόχος (ο) [stohos] mark, target, objective.
στραβά (επ) [strava] obliquely, wrongly, askew.
στραβοκάνης-α-ικο (ε) [stravokanis] bandy-legged.
στραβομάρα (η) [stravomara] blindness, bad luck, blunder [μεταφ], short sightedness.
στραβόξυλο (το) [stravoksilo] obstinate person,.
στραβός-ή-ό (ε) [stravos] crooked, twisted, slanting [λοξός], faulty, blind [τυφλός].
στραβώνομαι (ρ) [stravonome] go blind.
στραβώνω (ρ) [stravono] bend, distort, make a mess of, spoil, blind.
στραγάλια (τα) [stragalia] roasted chickpeas.
στραγγαλίζω (ρ) [strangalizo] strangle, stifle, choke.
στραγγίζω (ρ) [strangizo] drain, filter, press out,.
στραμπουλίζω (ρ) [strambulizo] sprain, twist.
στραπατσάρισμα (το) [strapatsarisma] crumpling up, dent.
στράτα (η) [strata] way, street, road.
στράτευμα (το) [stratevma] army, troops, forces.
στρατηγείο (το) [stratiyio] headquarters.
στρατηγικός-ή-ό (ε) [stratiyikos] strategic.
στρατιά (η) [stratia] army, force.
στρατιώτης (ο) [stratiotis] soldier, private.

στρατιωτικό (το) [stratiotiko] military service.
στρατιωτικός-ή-ό (ε) [stratiotikos] military.
στρατόπεδο (το) [stratopedho] camp, side [μεταφ].
στρατός (ο) [stratos] army.
στρατόσφαιρα (η) [stratosfera] stratosphere.
στρατώνας (ο) [stratonas] barracks.
στρεβλός-ή-ό (ε) [strevlos] crooked, deformed, difficult [μεταφ].
στρείδι (το) [stridhi] oyster, clam.
στρέμμα (το) [stremma] quarter of an acre.
στρέφω (ρ) [strefo] turn, turn about, rotate, revolve.
στρέψη (η) [strepsi] torsion.
στρεψοδικία (η) [strepsodhikia] chicanery, quibbling.
στρίβω (ρ) [strivo] rotate, turn, corner, spin, screw.
στριγκλίζω (ρ) [stringlizo] scream, shriek, squeal.
στριμμένος-η-ο (μ) [strimmenos] twisted, ill-humoured, wicked, malicious.
στριμωξίδι (το) [strimoksidhi] jam, squeeze, press.
στριμώχνω (ρ) [strimohno] cram, squeeze, crowd, press hard, oppress.
στριφογύρισμα (το) [strifoyirisma] toss, turn, roll, twist, spin.
στρίφωμα (το) [strifoma]hemline.
στρίψιμο (το) [stripsimo] twisting.
στρόβιλος (ο) [strovilos] spinning top, whirlwind, swirling, turbine.
στρογγυλός-ή-ό (ε) [strongilos] round, even], full.
στρουθοκάμηλος (η) [struthokamilos] ostrich.
στρόφαλος (ο) [strofalos] crank, handle, starting handle.
στροφή (η) [strofi] turn, revolution, twist], detour, stanza, ritornello.
στρόφιγγα (η) [strofinga] hinge.
στρυφνός-ή-ό (ε) [strifnos] harsh, peevish, crabbed, difficult, sharp, astringent [μεταφ], crabby.
στρώμα (το) [stroma] couch, bed, mattress, bed.
στρώνω (ρ) [strono] spread, lay, make [κρεβάτι], pave [δρόμο], be well under way [μεταφ].
στρώσιμο (το) [strosimo] spreading, littering, breaking-in, running-in.
στρωτός-ή-ό (ε) [strotos] strewn, paved, normal, regular.
στύβω (ρ) [stivo] squeeze, wring, rack one's brains [μεταφ], dry up.
στυγερός-ή-ό (ε) [stiyeros] abominable, horrible, harsh, atrocious.
στυγνός-ή-ό (ε) [stignos] doleful, gloomy, harsh.
στυλό (το) [stilo] fountain pen.
στυλοβάτης (ο) [stilovatis] ped-

estal, base, pillar [μεταφ].

στύλος (ο) [stilos] pillar, column, pole, prop [μεταφ], mainstay [μεταφ].

στυλώνω (ρ) [stilono] support, prop up.

στύση (n) [stisi] erection.

στυφός-ή-ό (ε) [stifos] sour, bitter, astringent.

στύψιμο (το) [stipsimo] squeezing, pressing.

συγγένεια (n) [singenia] relationship, relation, connection.

συγγενής-ής-ές (ε) [singenis] connected, related, cognate, congenital, connate.

συγγνώμη (n) [singnomi] pardon, excuse, forgiveness.

συγγραφέας (ο) [singrafeas] author, writer.

συγγραφή (n) [singrafi] writing.

συγγράφω (ρ) [singrafo] write.

συγκαίομαι (ρ) [singeome] be chafed.

συγκαίω (ρ) [sigeo] chafe.

συγκάλυψη (n) [singalipsi] masking, disguise.

συγκαλώ (ρ) [singalo] convene, convoke, assemble [πρόσωπο].

συγκατάθεση (n) [singatathesi] assent, consent.

συγκατοίκηση (n) [singatikisi] cohabitation, sharing a room.

συγκατοικώ (ρ) [singatiko] live together.

συγκεκριμένα (επ) [singekrimena] plainly, actually.

συγκεντρωμένος-η-ο (μ) [singendromenos] collected.

συγκεντρώνω (ρ) [singendrono] collect, bring together, concentrate, centralize, clump.

συγκέντρωση (n) [singendrosi] crowd, gathering, assembly, concentration, centralization, fixation, lodgment.

συγκεχυμένος-η-ο (μ) [singehimenos] confused, jumbled, indistinct, vague, hazy, obscure.

συγκίνηση (n) [singinisi] emotion, sensation, feeling, excitement, stir.

συγκινητικός-ή-ό (ε) [singinitikos] moving, touching.

συγκινούμαι (ρ) [singinume] be excited, be moved.

συγκινώ (ρ) [singino] move, affect, excite.

σύγκληση (n) [singlisi] calling together.

συγκλίνω (ρ) [singlino] concentrate, focalize.

σύγκλιση (n) [siglisi] focalization, convergence.

συγκλονίζω (ρ) [singlonizo] shake, excite, stir up, shock.

συγκοινωνία (n) [singinonia] communications, means of transport.

συγκοινωνώ (ρ) [singinono]

communicate, be connected.

συγκολλώ (ρ) [singollo] glue, join together, weld [μέταλα], mend a puncture [σαμπρέλα].

συγκομιδή (η) [singomidhi] harvest, crop.

συγκοπή (η) [singopi] syncopation, heart failure, contraction.

συγκρατούμαι (ρ) [singratume] control ourselves.

συγκρατώ (ρ) [singrato] check, govern, control, suppress, restrain.

συγκρίνω (ρ) [singrino] compare [with/to], liken, contrast, parallel.

σύγκριση (η) [singrisi] comparison, parallel, compare, contrast.

συγκριτικός-ή-ό (ε) [singritikos] comparative, compared.

συγκρότημα (το) [singrotima] group, cluster, complex [κτίρια], group [μουσ].

συγκρότηση (η) [singrotisi] composition, formation, constitution.

σύγκρουση (η) [singrusi] collision, clash, fight, engagement, encounter.

σύγκρυο (το) [singrio] shivering, trembling.

συγκυβερνήτης (ο) [sigivernitis] co-pilot.

συγκυρία (η) [singiria] coincidence, chance, conjuncture.

συγυρίζω (ρ) [siyirizo] tidy up, arrange, ill-treat [μεταφ].

συγχαίρω (ρ) [sinhero] congratulate, compliment.

συγχαρητήρια (τα) [sinharitiria] congratulations.

συγχέω (ρ) [sinheo] confuse, perplex.

συγχρονίζω (ρ) [sinhronizo] modernize, bring up to date, synchronize.

σύγχρονος-η-ο (ε) [sinhronos] simultaneous, concurrent, contemporary.

συγχύζω (ρ) [sinhizo] get mixed up, worry, confound, harass.

συγχώνευση (η) [sighonefsi] amalgamation, joinder.

συγχώρηση (η) [sinhorisi] pardon.

συγχωρώ (ρ) [sinhoro] pardon, forgive, excuse.

συζεύω (ρ) [sizevo] connect, couple.

συζήτηση (η) [sizitisi] discussion, debate, argument, argumentation.

συζητώ (ρ) [sizito] discuss, argue, talk.

συζυγικός-ή-ό (ε) [siziyikos] conjugal, marital.

σύζυγος (η) [sizigos] wife.

σύζυγος (ο) [sizigos] husband.

συζώ (ρ) [sizo] live together, cohabit.

συκιά (η) [sikia] fig tree.

σύκο (το) [siko] fig.

συκοφάντης (ο) [sikofandis] slanderer.

συκοφαντικός-ή-ό (ε) [sikofandikos] calumniatory.

συκώτι (το) [sikoti] liver.

συλλαβή (η) [sillavi] syllable [γραμμ].

συλλαλητήριο (το) [sillalitirio] mass meeting, demonstration.

συλλαμβάνω (ρ) [sillamvano] catch, capture, seize, arrest, conceive [ιδέες], apprehend.

συλλέγω (ρ) [sillego] collect, gather.

συλλέκτης (ο) [sillektis] collector, gatherer.

συλληπούμαι (ρ) [sillipume] commiserate.

σύλληψη (η) [sillipsi] capture, arrest, seizure, conception [ιδέας], apprehension.

συλλογή (η) [silloyi] set, assortment, collection, thought [σκέψη].

συλλογικά (επ) [silloyika] bodily [μεταφ].

συλλογισμός (ο) [silloyismos] thought, reflection, reasoning.

σύλλογος (ο) [sillogos] society, association, club.

συλλυπούμαι (ρ) [sillipume] offer condolence, feel sorry for.

συμβαδίζω (ρ) [simvadhizo] keep up with, go together.

συμβαίνω (ρ) [simveno] happen, take place, fall out.

συμβάλλομαι (ρ) [simvallome] enter into an agreement.

συμβάλλω (ρ) [simvallo] contribute to, pay one's share, meet [ποτάμι].

συμβάν (το) [simvan] event, accident, fortuity, luck.

σύμβαση (η) [simvasi] agreement, contract, treaty, pact.

συμβατικός-ή-ό (ε) [simvatikos] usual, standard, conventional.

συμβιβάζω (ρ) [simvivazo] arrange, adjust, compromise.

συμβιβασμός (ο) [simvivasmos] compromise, accommodation, settlement.

συμβίωση (η) [simviosi] living together.

συμβόλαιο (το) [simvoleo] contract, agreement, covenant.

συμβολαιογράφος (ο) (η) [simvoleografos] notary public.

συμβολή (η) [simvoli] contribution, junction, concourse.

συμβουλεύω (ρ) [simvulevo] advise, recommend, consult, counsel.

συμβουλή (η) [simvuli] advice, recommendation.

σύμβουλος (ο) [simvulos] adviser, consultant.

συμμάζεμα (το) [simmazema] tidying up, getting together, crouching, holding.

συμμαζεύω (ρ) [simmazevo] tidy up, collect, assemble, gather together, restrain [ελέγχω].

συμμαθητής (ο) [simmathitis] classmate, schoolmate.

συμμαχία (n) [simmahia] alliance.
συμμερίζομαι (ρ) [simmerizome] have a part in.
συμμετέχω (ρ) [simmeteho] participate in, take part in.
συμμετοχή (n) [simmetohi] participation, sharing.
συμμετρικά (επ) [simmetrika] commensurately.
σύμμετρος-n-o (ε) [simmetros] commensurable.
συμμορία (n) [simmoria] gang, band.
συμμορφώνω (ρ) [simorfono] adapt, conformtailor, fit.
συμπαγής-ής-ές (ε) [simbayis] solid, firm, compact.
συμπαγώς (επ) [simbagos] compactly.
συμπάθεια (n) [simbathia] compassion, sympathy, weakness [for].
συμπαθητικά (επ) [simbathitika] appealingly.
συμπάθιο (το) [simbathio] begging your pardon [με το].
συμπαθώ (ρ) [simbatho] feel compassion for.
συμπαιγνία (n) [simbegnia] collusion.
σύμπαν (το) [simban] universe, everybody, cosmos.
συμπαράσταση (n) [simbarastasi] backing, help.
συμπατριώτης (ο) [simbatriotis] compatriot.
συμπεπηγμένος-n-o (μ) [simbepigmenos] compact.
συμπεπιεσμένος-n-o (μ) [simbepiesmenos] compressed.
συμπεπυκνωμένος-n-o (μ) [simbepiknomenos] compacted, compressed.
συμπέρασμα (το) [simberasma] in conclusion, deduction.
συμπεριλαμβάνω (ρ) [simberilamvano] include, contain, comprise.
συμπεριφέρομαι (ρ) [simberiferome] behave, conduct ourselves.
συμπίεση (n) [simbiesi] compression.
συμπίπτω (ρ) [simbipto] coincide, happen, change.
σύμπλεγμα (το) [simblegma] tangle, cluster.
συμπλέκτης (ο) [simblektis] clutch.
συμπλήρωμα (το) [simbliroma] complement, supplement, addition, accretion, augmentation.
συμπληρώνω (ρ) [simblirono] complete, complement, finish, fill.
συμπλοκή (n) [simbloki] fight, engagement, clash.
σύμπνοια (n) [simbnia] harmony, agreement, understanding.
συμπολιτεία (n) [simbolitia] confederation, confederacy.

συμπολίτης (ο) [simbolitis] fellow citizen.

συμπονώ (ρ) [simbono] sympathize with, commiserate.

συμπόσιο (το) [simbosio] banquet, feast.

συμπράγαλα (n) [simbragala] clobber.

σύμπραξη (n) [simbraksi] cooperation, contribution.

συμπράττω (ρ) [simbratto] club, combine.

συμπρωταγωνιστώ (ρ) [simbrotagonisto] co-star.

συμπτύσσομαι (ρ) [simptissome] fall back.

σύμπτωμα (το) [simptoma] symptom, sign.

συμπτωματικά (επ) [simptomatika] accidentally, incidentally, casually,.

σύμπτωση (n) [simptosi] coincidence, accident, chance, fortuity.

συμπύκνωμα (το) [simbiknoma] condensate.

συμπύκνωση (n) [simbiknosi] condensation.

συμφέρον (το) [simferon] advantage, interest, profit, vantage.

συμφεροντολόγος-η-ο (ε) [simferondologos] calculating.

συμφιλιώνω (ρ) [simfiliono] reconcile, restore friendship, make up.

συμφιλίωση (n) [simfiliosi] conciliation.

συμφορά (n) [simfora] calamity, disaster, misfortune.

συμφόρηση (n) [simforisi] stroke [ιατρ], traffic jam.

σύμφορος-η-ο (ε) [simforos] advantageous, profitable, useful, lucrative, paying.

συμφραζόμενα (τα) [simfrazomena] context.

σύμφωνα (επ) [simfona] according to, in conformity with.

συμφωνημένος-η-ο (μ) [simfonimenos] concerted.

συμφωνητικό (το) [simfonitiko] agreement, deed of contract.

συμφωνία (n) [simfonia] agreement, convention, accord, consent, symphony, bargain, compact.

σύμφωνο (το) [simfono] consonant, compact, agreement, pact.

σύμφωνος-η-ο (ε) [simfonos] in accord, in conformity with, compatible, concordant, conformable, consistent.

συμφωνώ (ρ) [simfono] concur, agree, match, go well together.

συμψηφίζω (ρ) [simpsifizo] counterbalance, make up for.

συν (μαθ) [sin] plus [μαθ].

συναγερμός (ο) [sinayermos] alarm, alert, rally.

συναγρίδα (n) [sinagridha] kind of sea bream.

συνάγω (ρ) [sinago] collect, assemble, bring together, conclude [συμπεραίνω], deduce.

συναγωγή (η) [sinagoyi] collection, assembly, synagogue [εβραίων].

συναγωνισμός (ο) [sinagonismos] rivalry, contest, competition.

συναγωνιστής (ο) [sinagonistis] rival, competitor, brother in arms.

συναγωνιστικότητα (η) [sinagonistikotita] competitiveness.

συναδελφικότητα (η) [sinadhelfikotita] camaraderie, comradeship.

συνάδελφος (ο) (η) [sinadhelfos] colleague, fellow member.

συνάδω (ρ) [sinadho] consist with.

συνάθροιση (η) [sinathrisi] assemblage.

συνάθροισμα (το) [sinathrisma] conglomeration, aggregation.

συναίνεση (η) [sinenesi] assent, consent, agreement, consensus.

συναινώ (ρ) [sineno] consent to, agree to.

συναίρεση (η) [sineresi] contraction.

συναισθάνομαι (ρ) [sinesthanome] become aware of, be conscious of.

συναισθανόμενος-η-ο (μ) [sinesthanomenos] apprehensive.

συναίσθημα (το) [sinesthima] sentiment, feeling, sensation.

συναισθηματικότητα (η) [sinesthimatikotita] sentimentality.

συναίσθηση (η) [sinesthisi] feeling, sense, appreciation.

συναιτερίζομαι (ρ) [sineterizome] company.

συναιτέρος (ο) [sineteros] copartner.

συναλλαγή (η) [sinallayi] exchange, dealings.

συνάλλαγμα (το) [sinallagma] foreign currency.

συναλλαγματική (η) [sinallagmatiki] bill of exchange.

συνάμα (επ) [sinama] together, in one lot, at the same time.

συναναστρέφομαι (ρ) [sinanastrefome] consort with, mix with.

συνάντηση (η) [sinandisi] falling in with, meeting.

συναντώ (ρ) [sinando] meet, happen[upon], run across.

σύναξη (η) [sinaksi] concentration, meeting, collecting, receipts.

συναπάντημα (το) [sinapantima] encounter.

συνάπτω (ρ) [sinapto] attach, contract, conclude [ειρήνη], give battle.

συναρμογή (η) [sinarmoyi] binding.

συναρμολογώ (ρ) [sinarmoogo] fit together, join, make up.

συναρπάζω (ρ) [sinarpazo] carry away, enrapture, entrance.

συνάρτηση (η) [sinartisi] attachment, connection, cohesion.

συνασπισμός (ο) [sinaspismos] coalition, alliance, league.
συναυλία (n) [sinavlia] concert.
συνάφεια (n) [sinafia] connection, link, reference, connexion.
συναφής-ής-ές (ε) [sinafis] adjacent, linked, connected, like, conjunct.
συνάχι (το) [sinahi] cold, catarrh.
σύναψη (n) [sinapsi] conclusion, arrangement.
συνδεδεμένος-n-o (μ) [sindhedhemenos] having ties with, cohererent.
σύνδεση (n) [sindhesi] joining, binding together, connection.
σύνδεσμος (ο) [sindhesmos] bond, union, liaison, onnection.
συνδετήρας (ο) [sindhetiras] clip, paper clip.
συνδετικό (το) [sindhetiko] copula.
συνδετικός-ή-ό (ε) [sindhetikos] joining, connective, copulative, binding.
συνδέω (ρ) [sindheo] bind, unite, link.
συνδιαλέγομαι (ρ) [sindhialegome] talk, communicate.
συνδιάλεξη (n) [sindhialeksi] colloquy.
συνδιαλλαγή (n) [sindhiallayi] conciliation.
συνδιάσκεψη (n) [sindhiaskepsi] deliberation.
συνδικάτο (το) [sindhikato] syndicate, trade union.
συνδράμω (ρ) [sindhramo] support.
συνδρομή (n) [sindhromi] coincidence, conjunction, help.
σύνδρομο (το) [sindhromo] syndrome.
συνδυάζομαι (ρ) [sindhiazome] assort, combine.
συνδυάζω (ρ) [sindhiazo] unite, combine, match, pair.
συνδυασμός (ο) [sindhiasmos] combination, arrangement.
συνεδρία (n) meeting, session.
συνεδριάζω (ρ) [sinedhriazo] meet, sit.
συνέδριο (το) [sinedhrio] congress.
σύνεδρος (ο) [sinedhros] delegate, councillor.
συνείδηση (n) [sinidhisi] conscience.
συνειδητοποιώ (ρ) [sinidhitopio] realize.
συνειρμός (ο) [sinirmos] coherence, order.
συνεισφορά (n) [sinisfora] share, contribution.
συνεκτικός-ή-ό (ε) [sinektikos] cohesive, binding.
συνέλευση (n) [sinelefsi] meeting.
συνεμπόλεμος-n-o (ε) [sinembolemos] co-belligerent.
συνεννόηση (n) [sinennoisi] understanding, agreement.
συνενοικιαστής (ο) [sinenikias-

tis] co-tenant.
συνενοχή (η) [sinenohi] complicity.
συνέντευξη (η) [sinendefksi] interview, appointment.
συνένωση (η) [sinenosi] joining, unity.
συνεπάγομαι (ρ) [sinepagome] involve, call for.
συνεπαίρνω (ρ) [sineperno] transport.
συνέπεια (η) [sinepia] result, outcome, consequence.
συνεπτυγμένος-η-ο (μ) [sineptigmenos] compact, brief.
συνεπώς (επ) [sinepos] consequently, so, then, therefore.
σύνεργα (τα) [sinerga] apparatus, outfit.
συνεργάζομαι (ρ) [sinergazome] cooperate, collaborate, contribute.
συνεργάτης (ο) [sinergatis] contributor.
συνεργείο (το) [sineryio] workroom, workshop.
σύνεργο (το) [sinergo] tool, instrument.
συνεργός (ο) [sinergos] accessory, party, co-respondent.
συνερίζομαι (ρ) [sinerizome] heed, take into account.
συνέρχομαι (ρ) [sinerhome] get over, recover.
σύνεση (η) [sinesi] caution, good sense.
συνεσταλμένος-η-ο (μ) [sinestalmenos] shy, modest.
συνετά (επ) [sineta] cautiously.
συνέταιρος (ο) [sineteros] partner, associate, colleague.
συνετός-ή-ό (ε) [sinetos] wise, sensible, cautious.
συνευρίσκομαι (ρ) [sinevriskome] copulate.
συνεφέρνω (ρ) [sineferno] revive.
συνέχεια (η) [sinehia] continuation, outcome.
συνεχής-ής-ές (ε) [sinehis] continuous, incessant, successive.
συνεχίζω (ρ) [sinehizo] continue, keep on, go on, persist.
συνέχιση (η) [sinehisi] continuation, persistence.
συνεχώς (επ) [sinehos] continually, endlessly.
συνήγορος (ο) [sinigoros] advocate.
συνήθεια (η) [sinithia] habit.
συνηθίζω (ρ) [sinithizo] get accustomed to.
συνήθως (επ) [sinithos] commonly.
συνημμένος-η-ο (μ) [sinimmenos] attached, connected.
συνηχώ (ρ) [siniho] clang.
συνθέτης (ο) [sinthetis] composer, compositor.
συνθετικός-ή-ό (ε) [sinthetikos] artificial, synthetic.
συνθήκες (οι) [sinthikes] condi-

tions.
συνθήκη (n) [sinthiki] treaty, convention.
συνθηκολογώ (ρ) [sinthikologo] surrender.
συνθλίβω (ρ) [sinthlivo] squeeze.
συνίσταμαι (ρ) [sinistame] consist of.
συνιστώ (ρ) [sinisto] advise, recommend, establish [επιτροπή], form [επιτροπή], introduce.
συννεφάκι (το) [sinnefaki] cloudlet.
συννεφιά (n) [sinnefia] cloudy weather.
σύννεφο (το) [sinnefo] cloud.
συνοδεία (n) [sinodhia] escort, suite, convoy, procession.
συνοδεύω (ρ) [sinodhevo] accompany, carry.
συνοδικός-ή-ό (ε) [sinodhikos] conciliar.
συνοδοιπόρος (ο) [sinodhiporos] companion.
σύνοδος (n) [sinodhos] congress, sitting, assembly.
συνοδός (ο) (n) [sinodhos] accompanist, companion.
συνοικέσιο (το) [sinikesio] arranged marriage, match.
συνοικία (n) [sinikia] neighbourhood.
συνοικισμός (ο) [sinikismos] settlement.
συνοικώ (ρ) [siniko] chum.
συνολικός-ή-ό (ε) [sinolikos] total, whole.
σύνολο (το) [sinolo] total, entirety, agglomeration, aggregation.
συνομήλικος-η-ο (ε) [sinomilikos] of the same age, contemporary.
συνομιλία (n) [sinomilia] conversation, chat, talk, interview.
συνομιλώ (ρ) [sinomilo] commune, communicate.
συνομολόγηση (n) [sinomoloyisi] compact.
συνομοταξία (n) [sinomotaksia] branch, group, class.
συνοπτικός-ή-ό (ε) [sinoptikos] summary, brief.
σύνορα (τα) [sinora] confines.
συνορεύω (ρ) [sinorevo] border on.
σύνορο (το) [sinoro] boundary.
συνουσία (n) [sinusia] intercourse.
συνουσιαστικός-ή-ό (ε) [sinusiastikos] coital.
συνοφρυώνομαι (ρ) [sinofrionome] frown.
συνοχή (n) [sinohi] coherence, sequence, consistence.
σύνοψη (n) [sinopsi] summary, prayer book, digest.
συνταγή (n) [sindayi] prescription, recipe.
σύνταγμα (το) [sindagma] constitution, regiment.
συνταγματάρχης (ο) [sindagmatarhis] colonel.

συνταγματικός-ή-ό (ε) [sindagmatikos] constitutional.
συνταιριάζω (ρ) [sinderiazo] coordinate.
συνταίριασμα (το) [sinteriasma] matching,.
συντάκτης (ο) [sindaktis] author, writer, editor.
συντακτικό (το) [sindaktiko] syntax, structure.
συντακτικός-ή-ό (ε) [sindaktikos] editorial, syntactical.
σύνταξη (η) [sindaksi] compilation, wording, writing, editing, syntax.
σύνταξη (η) [sindaksi] collocation.
συνταξιδιώτης (ο) [sindaksidhiotis] companion.
συνταξιούχος-α-ο (ε) [sindaksiuhos] pensioner.
συνταράσσω (ρ) [sindarasso] shake, disturb, trouble.
συντάσσομαι (ρ) [sindassome] collocate.
συντάσσω (ρ) [sindasso] arrange, write, draft, edit.
συνταύτιση (η) [sindaftisi] coincidence..
συντείνω (ρ) [sindino] contribute to.
συντελεστής (ο) [sindelestis] factor, contributor.
συντελεστικός-ή-ό (ε) [sindelestikos] contributory.
συντελώ (ρ) [sindelo] finish, complete, contribute to.
συντεταγμένη (η) [sindetagmeni] coordinate.
συντετριμμένος-η-ο (μ) [sindetrimmenos] afflicted.
συντεχνία (η) [sindehnia] guild, trade union, corporation.
συντεχνιακός-ή-ό (ε) [sindehniakos] corporate.
συντήρηση (η) [sindirisi] preservation, maintenance.
συντηρητής (ο) [sindiritis] conservator.
συντηρητικό (το) [sindiritiko] conservative.
συντηρητικός-ή-ό (ε) [sindiritikos] conservative.
συντηρώ (ρ) [sindiro] preserve, conserve, keep up.
σύντομα (επ) [sindoma] in short, briefly, soon, at once.
συντομεύω (ρ) [sindomevo] shorten.
συντομία (η) [sindomia] shortness.
σύντομος-η-ο (ε) [sindomos] short, brief.
συντονίζομαι (ρ) [sindonizome] concert.
συντονίζω (ρ) [sindonizo] coordinate.
συντονισμένος-η-ο (μ) [sindonismenos] concerted.
συντονισμός (ο) [sindonismos] coordination.
συντρέχω (ρ) [sindreho] help, meet.

συντριβάνι (το) [sindrivani] jet.
συντριβή (η) [sindrivi] ruin, crushing, smashing.
συντρίβω (ρ) [sindrivo] shatter, break, crush, ruin, wear out.
συντριπτικός-ή-ό (ε) [sindriptikos] crushing, overwhelming.
συντροφεύω (ρ) [sindrofevo] companion.
συντροφιά (η) [sindrofia] company, society.
συντροφικός-ή-ό (ε) [sintrofikos] matey.
συντροφικότητα (η) [sindrofikotita] comradeship.
σύντροφος (ο) (η) [sindrofos] companion, mate, comrade.
συνύπαρξη (η) [siniparksi] coexistence.
συνυπογεγραμμένος-η-ο (μ) [sinipoyegrammenos] co-signatory.
συνυφαίνω (ρ) [sinifeno] entwine.
συνφύραμα (το) [sinfirama] coenzyme.
συνωμοσία (η) [sinomosia] plot.
συνωμότης (ο) [sinomotis] conspirator.
συνωμοτώ (ρ) [sinomoto] conspire.
συνώνυμο (το) [sinonimo] synonym.
συνωστίζω (ρ) [sinostizo] congest.
συνωστισμός (ο) [sinostismos] jostle, crush, scramble.
σύριγγα (η) [siringa] syringe.
σύριγμα (το) [sirigma] fizz.
συριγμός (ο) [sirigmos] fizzle.
συριστικός-ή-ό (ε) [siristikos] fizzy.
σύρμα (το) [sirma] wire.
συρμάτινος-η-ο (ε) [sirmatinos] wire.
συρμός (ο) [sirmos] cult.
συρόμενος-η-ο (μ) [siromenos] crawling.
σύρραξη (η) [sirraksi] clash.
συρρέω (ρ) [sirreo] crowd,flock.
σύρριζα (επ) [sirriza] by the root, very closely.
συρρικνώνω (ρ) [sirriknono] corrugate.
συρροή (η) [sirroi] crowd, throng, inflow, abundance.
σύρσιμο (το) [sirsimo] crawl.
συρτάρι (το) [sirtari] drawer.
συρταρωτός-ή-ό (ε) [sirtarotos] sliding.
σύρτης (ο) [sirtis] bolt, bar.
συρτός-ή-ό (ε) [sirtos] dragged, listless, sliding.
συρφετός (ο) [sirfetos] mob.
σύρω (ρ) [siro] draw, pull, drag.
συσκέπτομαι (ρ) [siskeptome] deliberate.
συσκευάζω (ρ) [siskevazo] pack, box.
συσκευασία (η) [siskevasia] wrapping up, packing.
συσκευή (η) [siskevi] apparatus.
σύσκεψη (η) [siskepsi] discus-

sion, conference.
συσκοτίζω (ρ) [siskotizo] obscure, darken.
συσκότιση (n) [siskotisi] blackout, confusion.
σύσπαση (n) [sispasi] contraction, shrinking.
συσπείρωμα (το) [sispiroma] conglomerate.
συσπειρώνομαι (ρ) [sispironome] clan.
συσσίτιο (το) [sissitio] mess.
σύσσωμος-n-o (ε) [sissomos] all together, united.
συσσώρευμα (το) [sissorevma] conglomerate.
συσσωρεύομαι (ρ) [sissorevome] accrue, bank.
συσσώρευση (n) [sissorefsi] accumulation.
συσσωρευτής (ο) [sissoreftis] gathererr.
συσσωρεύω (ρ) [sissorevo] accumulate, pile up, bank, collect
συσταίνω (ρ) [sisteno] advise, recommend, establish.
συσταλτός-ή-ό (ε) [sistaltos] contractile.
συστάσεις (οι) [sistasis] references, recommendation.
σύσταση (n) [sistasi] address, composition, structure, consistency, setting up, recommendation [πρόταση], advice, skill.
συστασιώτης (ο) [sistasiotis] conspirator.
συστατικά (τα) [sistatika] parts, ingredients.
συστατικός-ή-ό (ε) [sistatikos] component, essential.
συστέλλομαι (ρ) [sistellome] shrink, contract, feel shy.
συσταλλόμενος-n-o (μ) [sistellomenos] contracting.
συστέλλω (ρ) [sistello] contract, shrink, shrivel.
σύστημα (το) [sistima] method, system, plan.
συστήνω (ρ) [sistino] advise, recommend, establish, introduce.
σύστοιχο (το) [sistiho] correlate.
συστολή (n) [sistoli] shrinking, contraction, modesty, shame.
συστρέφω (ρ) [sistrefo] contort.
συστροφή (n) [sistrofi] convolution.
συσφίγγω (ρ) [sisfingo] tighten, constrict.
συσφιγκτήρ (ο) [sisfigtir] constrictor.
συσχετίζομαι (ρ) [sis-hetizome] correlate.
συσχετίζω (ρ) [sis-hetizo] compare, put together.
συσχετικός-ή-ό (ε) [sis-hetikos] correlative.
σύφιλη (n) [sifili] syphilis.
συφρωμένος-n-o (μ) [sifromenos] crumpled.
συχνά (επ) [sihna] often.

συχνάζω (ρ) [sihnazo] frequent.
συχνός-ή-ό (ε) [sihnos] frequent.
συχνότητα (η) [sihnotita] frequency.
συχωρνώ (ρ) [sihorno] forgive.
σφαγείο (το) [sfayio] slaughterhouse.
σφαγή (η) [sfayi] slaughter.
σφάγιο (το) [sfayio] victim.
σφαδάζω (ρ) [sfadhazo] writhe.
σφάζω (ρ) [sfazo] slaughter, kill.
σφαίρα (η) [sfera] globe, sphere, ball, bullet.
σφαιρικός-ή-ό (ε) [sferikos] round.
σφαλερός-ή-ό (ε) [sfaleros] erroneous.
σφαλερότητα (η) [sfalerotita] fallibility.
σφαλιάρα (η) [sfaliara] smack.
σφαλίζω (ρ) [sfalizo] enclose, shut in, close.
σφάλλω (ρ) [sfallo] be wrong.
σφάλμα (το) [sfalma] mistake.
σφάχτης (ο) [sfahtis] twinge.
σφενδόνη (η) [sfendhoni] sling.
σφεντόνα (η) [sfendona] catapult .
σφετερίζομαι (ρ) [sfeterizome] purloin, embezzle.
σφετερισμός (ο) [sfeterismos] arrogation.
σφήκα (η) [sfika] wasp.
σφήνα (η) [sfina] wedge.
σφηνώνω (ρ) [sfinono] push in.
σφίγγα (η) [sfinga] sphinx.
σφίγγομαι (ρ) [sfingome] endeavour, try hard.
σφίγγω (ρ) [sfingo] squeeze, press, tighten, pull tighter, stick.
σφιγκτήρας (ο) [sfigtiras] constrictor.
σφιγμένος-η-ο (μ) [sfigmenos] compressed.
σφικτήρας (ο) [sfiktiras] clamp.
σφίξη (η) [sfiksi] urgency.
σφίξιμο (το) [sfiksimo] tightening, squeezing, pressure.
σφιχτός-ή-ό (ε) [sfihtos] tight, hard.
σφοδρά (επ) [sfodhra] avidly.
σφοδρός-ή-ό (ε) [sfodhros] violent, wild, strong, sharp.
σφοδρότητα (η) [sfodhrotita] violence, vehemence, wildness,-sharpness.
σφουγγάρι (το) [sfungari] sponge .
σφουγγαρόπανο (το) [sfungaropano] mop.
σφραγίδα (η) [sfrayidha] seal, stamp.
σφραγίζω (ρ) [sfrayizo] stamp, cor, fill.
σφραγισμένος-η-ο (μ) [sfrayismenos] branded.
σφριγηλός-ή-ό (ε) [sfriyilos] hardy.
σφρίγος (το) [sfrigos] youthful, vigour.
σφυγμός (ο) [sfigmos] pulse, caprice.
σφύζω (ρ) [sfizo] throb, pulsate.
σφύξη (η) [sfiksi] pulsation,

throbbing.
σφύρα (n) [sfira] beetle.
σφύρηγμα (το) [sfirigma] blast.
σφυρήλατος-η-ο (ε) [sfirilatos] beaten.
σφυρηλατώ (ρ) [sfirilato] hammer.
σφυρί (το) [sfiri] hammer.
σφύριγμα (το) [sfirigma] hissing.
σφυρίζω (ρ) [sfirizo] whistle.
σφυρίχτρα (n) [sfirihtra] whistle.
σφυροκοπώ (ρ) [sfirokopo] hammer.
σχάση (n) [s-hasi] lancination.
σχεδία (n) [s-hedhia] raft, float.
σχεδιάγραμμα (το) [s-hedhiagramma] sketch, outline.
σχεδιάζω (ρ) [s-hedhiazo] sketch, outline, design, draw.
σχεδίασμα (το) [s-hedhiasma] designing.
σχεδιαστής (ο) [s-hedhiastis] draughtsman, designer.
σχέδιο (το) [s-hedhio] plan, design.
σχεδόν (επ) [s-hedhon] almost.
σχέση (n) [s-hesi] relation, reference, intercourse.
σχετίζομαι (ρ) [s-hetizome] get acquainted with.
σχετίζω (ρ) [s-hetizo] put side by side.
σχετικός-ή-ό (ε) [s-hetikos] relative.
σχετικότητα (n) [s-hetikotita] relativity.
σχήμα (το) [s-hima] form, shape, format, size.
σχηματίζω (ρ) [s-himatizo] form, model, shape, create.
σχηματισμός (ο) [s-himatismos] formation, fashioning, construction.
σχίζα (n) [s-hiza] chip.
σχίζω (ρ) [s-hizo] split, tear, rend.
σχίσιμο (το) [s-hisimo] cleavage.
σχίσμα (το) [s-hisma] crack, breach.
σχισμάδα (n) [s-hismadha] crack, split.
σχισμή (n) [s-hismi] crack, split.
σχισμός (ο) [s-hismos] cleavage.
σχιστόλιθος (ο) [s-histolithos] slate.
σχιστός-ή-ό (ε) [s-histos] split.
σχιστότητα (n) [s-histotita] cleavage.
σχοινί (το) [s-hini] rope.
σχοίνινος-η-ο (ε) [s-hininos] corded.
σχοινοβάτης (ο) [s-hinovatis] acrobat.
σχοινόδετος-η-ο (ε) [s-hinodhetos] corded.
σχοινοδετώ (ρ) [s-hinodheto] cord.
σχολαστικός-ή-ό (ε) [s-holastikos] pedantic.
σχολείο (το) [s-holio] school.
σχολή (n) [s-holi] school, leisure.
σχολιάζω (ρ) [s-holiazo] com-

ment on, criticize.

σχολίαση (η) [s-holiasi] commentation.

σχολιαστής (ο, η) [s-holiastis] commentator, editor.

σχολικός-ή-ό (ε) [s-holikos] educational.

σχόλιο (το) [s-holio] comment.

σχολνώ (ρ) [s-holno] stop work, rest, dismiss.

σωβινισμός (ο) [sovinismos] chauvinism.

σώβρακο (το) [sovrako] pants.

σώζομαι (ρ) [sozome] escape.

σώζω (ρ) [sozo] save, rescue.

σωθικά (τα) [sothika] bowels, intestines.

σωληνάριο (το) [solinario] small tube.

σωλήνας (ο) [solinas] tube.

σωληνοειδής-ής-ές (ε) [solinoidhis] fistular.

σωλήνωση (η) [solinosi] canalization.

σώμα (το) [soma] body, corpse.

σωματειακός-ή-ό (ε) [somatiakos] corporate.

σωματείο (το) [somatio] association.

σωματικός-ή-ό (ε) [somatikos] physical.

σωμάτιο (το) [somatio] corpus.

σωματοφυλακή (η) [somatofilaki] bodyguard.

σωματώδης-ης-ες (ε) [somatodhis] stout.

σώνω (ρ) [sono] save, rescue, consume, attain.

σώος-α-ο (ε) [soos] safe, entire.

σωπαίνω (ρ) [sopeno] keep silent.

σωριάζομαι (ρ) [soriazome] collapse.

σωριάζω (ρ) [soriazo] cock.

σωρός (ο) [soros] heap, mass, pile, clutter.

σωσίας (ο) [sosias] double.

σωσίβιο (το) [sosivio] life jacket.

σώσιμο (το) [sosimo] saving.

σωστά (επ) [sosta] precisely, rightly, exactly.

σωστός-ή-ό (ε) [sostos] correct, just, right.

σωτήρας (ο) [sotiras] saviour.

σωτηρία (η) [sotiria] safety.

σώφρονας (ο) [sofronas] wise.

σωφρονίζω (ρ) [sofronizo] reform, correct.

σωφρονισμός (ο) [sofronismos] castigation.

σωφροσύνη (η) [sofrosini] wisdom.

σώφρων (ε) [sofron] canny.

ταβάνι (το) [tavani] ceiling.
ταβανοσάνιδο (το) [tavanosanidho] batten.
ταβάνωμα (το) [tavanoma] ceiling.
ταβάς (ο) [tavas] round pan.
ταβατούρι (το) [tavaturi] din.
ταβέρνα (η) [taverna] tavern.
ταβερνιάρης (ο) [taverniaris] publican.
τάβλα (η) [tavla] board, plank.
ταβλαδόρος (ο) [tavladhoros] backgammon-player.
τάβλι (το) [tavli] backgammon.
ταγάρι (το) [tagari] bag, sack.
ταγή (η) [tayi] fodder.
ταγκιάζω (ρ) [tangiazo] go rancid.
ταγκό (το) [tango] tango.
ταγκός-ή-ό (ε) [tangos] rank, tainted.
τάγμα (το) [tagma] order battalion.
ταγματάρχης (ο) [tagmatarhis] major.
τάδε (ο) (η) (το) [tadhe] such-and-such.
τάζω (ρ) [tazo] promise.
ταΐζω (ρ) [taizo] feed, nurse.
ταινία (η) [tenia] band, stretch, ribbon, film, tape, tape measure.
ταινιόδρομος (ο) [teniodhromos] creeper.
ταινιοθήκη (η) [teniothiki] film library.
ταίρι (το) [teri] partner, mate, equal, peer.
ταιριάζω (ρ) [teriazo] match, pair, suit.
ταίριασμα (το) [teriasma] matching, suiting.
ταιριαστός-ή-ό (ε) [teriastos] well-suited.
τάισμα (το) [taisma] feeding.
τάκος (ο) [takos] wooden fixing block.
τακούνι (το) [takuni] heel.
τακτ (το) [takt] tact, discretion.
τακτική (η) [taktiki] tactics, method.
τακτικός-ή-ό (ε) [taktikos] regular, orderly, settled.
τακτικότητα (η) [taktikotita] regularity.
τακτοποιηθείς (μ) [taktopiithis] foregone.
τακτοποίηση (η) [taktopiisi] accommodation.
τακτοποιώ (ρ) [taktopio] arrange, settle, fix up.
τακτός-ή-ό (ε) [taktos] fixed.
ταλαιπωρία (η) [taleporia] tor-

ment, hardship, pain.
ταλαίπωρος-η-ο (ε) [taleporos] wretched.
ταλαιπωρούμαι (ρ) [taleporume] suffer, toil.
ταλαιπωρώ (ρ) [taleporo] harassr.
ταλανίζω (ρ) [talanizo] badger.
ταλαντεύομαι (ρ) [talandevome] sway, rock, hesitate.
ταλάντευση (η) [talantefsi] wobble, fluctuation.
τάλαντο (το) [talando] talent.
ταλαντούχος-α-ο (ε) [talanduhos] talented.
ταλέντο (το) [talendo] talent.
ταλκ (το) [talk] talc.
τάμα (το) [tama] promise.
ταμειάκος-η-ο (ε) [tamiakos] cash.
ταμείο (το) [tamio] cashier's office, cash desk, treasury.
ταμιακός-ή-ό (ε) [tamiakos] cash.
ταμίας (ο) [tamias] cashier.
ταμιευτήριο (το) [tamieftirio] savings bank.
ταμπακιέρα (η) [tambakiera] cigarette-case.
ταμπάκος (ο) [tambakos] tobacco.
ταμπέλα (η) [tambela] nameplate, bill, registration.
ταμπεραμέντο (το) [tamberamendo] temperament.
ταμπλάς (ο) [tamblas] stroke.
ταμπλέτα (η) [tambleta] tablet.
ταμπλό (το) [tamblo] painting, picture.
ταμπόν (το) [tambon] ink-pad.
ταμπού (το) [tambu] taboo.
ταμπουράς (ο) [tamburas] flute.
ταμπούρλο (το) [tamburlo] drum.
ταμπουρώνομαι (ρ) [tamburonome] barricade oneself.
ταμπουρώνω (ρ) [tamburono] barricade.
τανάλια (η) [tanalia] tongs, tweezer.
τανάπαλιν (επ) [tanapalin] vice-versa.
τανκ (το) [tank] tank.
τάνυσμα (το) [tanisma] stretching.
τάξη (η) [taksi] order, succession, regularity, class.
ταξί (το) [taksi] taxi.
ταξιάρχης (ο) [taksiarhis] archangel.
ταξιαρχία (η) [taksiarhia] brigade.
ταξίαρχος (ο) [taksiarhos] brigadier.
ταξιδευτής (ο) [taksidheftis] traveller.
ταξιδεύω (ρ) [taksidhevo] travel.
ταξίδι (το) [taksidhi] trip.
ταξιδιώτης (ο) [taksidhiotis]

traveller.
ταξιθέτηση (η) [taksithetisi] classification.
ταξιθέτρια (η) [taksithetria] usher.
ταξικός-ή-ό (ε) [taksikos] class.
τάξιμο (το) [taksimo] promise.
ταξινομημένος-η-ο (μ) [taksinomimenos] classified.
ταξινόμηση (η) [taksinomisi] classification.
ταξινομήσιμος-η-ο (ε) [taksinomisimos] classifiable.
ταξινομητικός-ή-ό (ε) [taksinomitikos] classificatory.
ταξινομώ (ρ) [taksinomo] classify, arrange, grade.
ταξιτζής (ο) [taksitzis] taxi-driver.
τάπα (η) [tapa] plug, cork.
ταπεινά (επ) [tapina] basely.
ταπεινός-ή-ό (ε) [tapinos] humble.
ταπεινοσύνη (η) [tapinosini] modesty.
ταπεινότητα (η) [tapinotita] humbleness, meanness.
ταπεινόφρονας (ο) [tapinofronas] modest.
ταπεινώνω (ρ) [tapinono] humiliate, embarrass.
ταπείνωση (η) [tapinosi] embarrassment.
ταπεινωτικός-ή-ό (ε) [tapinotikos] humiliating, embarrassing, abasing.
ταπέτο (το) [tapeto] carpet, rug.
ταπετσαρία (η) [tapetsaria] tapestry, wall covering.
ταπετσάρω (ρ) [tapetsaro] paper.
τάπητας (ο) [tapitas] carpet.
ταπητοστρώνω (ρ) [tapitostrono] carpet.
τάπωμα (το) [tapoma] plugging.
ταπώνω (ρ) [tapono] stop, plug.
τάρα (η) [tara] tare.
τάραγμα (το) [taragma] agitation, shaking.
ταράζω (ρ) [tarazo] shake, upset.
ταρακούνημα (το) [tarakunima] disturbance.
ταρακουνιέμαι (ρ) [tarakunieme] bump.
ταρακουνώ (ρ) [tarakuno] shake, upset.
ταραμάς (ο) [taramas] fish roe.
τάρανδος (ο) [tarandhos] reindeer.
ταραξίας (ο) [taraksias]noisy person.
ταράσσω (ρ) [tarasso] cloud.
ταράτσα (η) [taratsa] terrace.
ταραχή (η) [tarahi] agitation, disturbance, upset.
ταραχοποιός-ός-ό (ε) [tarahopios] noisy person, troublemaker.
ταραχώδης-ης-ες (ε) [tarahod-

his] violent, stormy, restless.
ταρίφα (n) [tarifa] price list.
ταρίχευση (n) [tarihefsi] stuffing.
ταριχεύω (ρ) [tarihevo] preserve, cure, smoke.
ταρταρούγα (n) [tartaruga] tortoise shell.
τασάκι (το) [tasaki] ashtray.
τάση (n) [tasi] tension, strain, voltage, tendency, bent.
τάσι (το) [tasi] shallow bowl.
τάσσομαι (ρ) [tassome] place ourselves, support.
τάσσω (ρ) [tasso] place, put, set, fix.
τατουάζ (το) [tatuaz] tattoo.
ταυρομαχία (n) [tavromahia] bullfight.
ταυρομάχος (ο) [tavromahos] bullfighter.
ταύρος (ο) [tavros] bull.
ταυτίζω (ρ) [taftizo] identify.
ταύτιση (n) [taftisi] identification.
ταυτόσημος-n-ο (ε) [taftosimos] equivalent.
ταυτότητα (n) [taftotita] identity, similarity.
ταυτόχρονος-n-ο (ε) [taftohronos] simultaneous.
ταφή (n) [tafi] burial.
τάφος (ο) [tafos] grave.
τάφρος (n) [tafros] ditch, trench.
ταφτάς (ο) [taftas] taffeta.
τάχα (σ) (μο) (επ) [taha] as if, as though, as it were, so to speak.
ταχεία (n) [tahia] express train.
ταχέως (επ) [taheos] apace.
ταχιά (επ) [tahia] tomorrow.
ταχτικός-ή-ό (ε) [tahtikos] regular, settled, quiet.
ταχυδακτυλουργικός-ή-ό (ε) [tahidhaktiluryikos] juggling.
ταχυδακτυλουργός (ο) (n) [tahidhaktilurgos] magician.
ταχυδρομείο (το) [tahidhromio] post office.
ταχυδρόμηση (n) [tahidhromisi] posting, mailing.
ταχυδρόμος (ο) [tahidhromos] postman.
ταχυδρομώ (ρ) [tahidhromo] mail, post.
ταχυκίνητος-n-ο (ε) (tahikinitos) agile, swift.
τάχυνση (n) [tahinsi] quickening.
ταχύνω (ρ) [tahino] quicken, accelerate.
ταχυπαλμία (n) [tahipalmia] palpitation.
ταχύς-εία-ύ (ε) [tahis] quick, brisk, rapid.
ταχύτατος-n-ο (ε) [tahitatos] cracking.
ταχύτητα (n) [tahitita] swiftness, speed, promptness.
ταψί (το) [tapsi] shallow pan.

τεζάρω (ρ) [tezaro] stretch.
τεθλασμένος-η-ο (μ) [tethlasmenos] broken.
τεθλιμμένος-η-ο (μ) [tethlimmenos] heartbroken.
τείνω (ρ) [tino] tighten, strain.
τειχίζω (ρ) [tihizo] wall in.
τείχιση (η) [tihisi] walling.
τείχος (το) [tihos] wall, high wall.
τεκές (ο) [tekes] opium den.
τεκμαίρομαι (ρ) [tekmerome] be presumed.
τεκμαρτός-ή-ό (ε) [tekmartos] presumptive.
τεκμήριο (το) [tekmirio] sign.
τεκμηριωμένος-η-ο (ε) [tekmiriomenos] factual.
τεκμηριώνω (ρ) [tekmiriono] document.
τεκμηρίωση (η) [tekmiriosi] documentation.
τέκνο (το) [tekno] child,.
τεκνοποιία (η) [teknopiia] childbearing.
τεκνοποιώ (ρ) [teknopio] give birth to.
τεκταίνομαι (ρ) [tektenome] be plotted.
τέκτονας (ο) [tektonas] mason.
τελάλης (ο) [telalis] town crier.
τελάλισμα (το) [telalisma] public announcement.
τελαμώνας (ο) [telamonas] baldric.
τελάρο (το) [telaro] door frame.
τέλεια (επ) [telia] clean, directly.
τελεία (η) [telia] full stop.
τελειοποίηση (η) [teliopiisi] perfection.
τελειοποιώ (ρ) [teliopio] perfect, improve.
τέλειος-α-ο (ε) [telios] perfect, ideal, accomplished.
τελειότητα (η) [teliotita] perfection.
τελειόφοιτος-η-ο (ε) [teliofitos] final year[student], graduate.
τελείωμα (το) [telioma] conclusion, completion.
τελειώνω (ρ) [teliono] exhaust, conclude.
τελείως (επ) [telios] perfectly, completely, fully.
τελείωση (η) [teliosi] completion.
τελειωτικός-ή-ό (ε) [teliotikos] decisive, final, conclusive.
τέλεση (η) [telesi] ceremony, completion.
τελεσίγραφο (το) [telesigrafo] ultimatum.
τελεσίδικο (το) [telesidhiko] finality.
τελεσίδικος-η-ο (ε) [telesidhikos] final.
τελεσφόρος-α-ο (ε) [telesforos] effective.
τελεσφορώ (ρ) [telesforo] be successful.

τελετή (η) [teleti] celebration, feast, festival.
τελετουργία (η) [teleturyia] ritual.
τελετουργικός-ή-ό (ε) [teleturyikos] ceremonial.
τελευταία (επ) [teleftea] last.
τελευταίος-α-ο (ε) [telefteos] last, concluding, final.
τελεφερίκ (το) [teleferik] cablecar.
τέλι (το) [teli] thin wire.
τελικά (επ) [telika] finally.
τελικός-ή-ό (ε) [telikos] final.
τέλμα (το) [telma] swamp.
τελμάτωση (η) [telmatosi] stagnation.
τέλος (το) [telos] end, tax, close, outcome, rates.
τελούμαι (ρ) [telume] happen, come off, develop.
τελώ (ρ) [telo] perform, celebrate.
τελωνειακός-ή-ό (ε) [teloniakos] customs.
τελωνείο (το) [telonio] customs house.
τελώνης (ο) [telonis] customs officer.
τελώνιο (το) [telonio] goblin, fairy.
τελωνοφύλακας (ο) [telonofilakas] customs guard.
τεμάχια (τα) [temahia] chessmen.
τεμαχίζω (ρ) [temahizo] cut into pieces, separate.
τεμάχιο (το) [temahio] piece, parcel.
τεμενάς (ο) [temenas] low bow.
τέμενος (το) [temenos] temple, shrine, mosque.
τέμνω (ρ) [temno] cut, divide.
τεμπέλης-α-ικο (ε) (ο) [tembelis] lazy, idle.
τεμπελιά (η) [tembelia] laziness.
τεμπελιάζω (ρ) [tembeliazo] get lazy, idle.
τεμπέλικος-η-ο (ε) [tembelikos] lazy.
τέμπλο (το) [templo] reredos.
τέμπο (το) [tempo] beat.
τενεκεδάκι (το) [tenekedhaki] cannikin.
τενεκεδένιος-α-ο (ε) [tenekedhenios] made of tin.
τενεκές (ο) [tenekes] large can.
τένις (το) [tenis] tennis.
τενόρος (ο) [tenoros] tenor.
τέντα (η) [tenda] tent.
τέντζερης (ο) [tendzeris] kettle, casserole.
τεντιμπόης (ο) [tendimbois] tearaway, rebel.
τέντωμα (το) [tendoma] stretching, tightening.
τεντωμένος-η-ο (μ) [tendomenos] cocked.
τεντώνω (ρ) [tendono] stretch, tighten.

τέρας (το) [teras] monster, freak.
τεράστιος-α-ο (ε) [terastios] enormous, huge.
τερατολόγος (ο) [teratologos] great liar.
τερατόμορφος-η-ο (ε) [teratomorfos] monstrous.
τερατούργημα (το) [teraturyima] monstrosity.
τερατώδης-ης-ες (ε) [teratodhis] ugly.
τερετίζω (ρ) [teretizo] chirp.
τερετισμός (ο) [teretismos] chirpp.
τερηδόνα (η) [teridhona] decay.
τερηδονισμένος-η-ο (μ) [teridhonismenos] carious.
τέρμα (το) [terma] extremity, end, goal.
τερματίζω (ρ) [termatizo] finish.
τερματικό (το) [termatiko] computer terminal.
τερματικός (ο) [termatikos] terminal.
τερματισμός (ο) [termatismos] termination.
τερματοφύλακας (ο) [termatofilakas] goalkeeper.
τερπνός-ή-ό (ε) [terpnos] agreeable, pleasing.
τέρπω (ρ) [terpo] delight.
τερτίπι (το) [tertipi] trick, whim.
τέρψη (η) [terpsi] delight, amusement.
τέσσερα (αριθ) [tessera] four.
τεταμένος-η-ο (μ) [tetamenos] stretched.
Τετάρτη (η) [Tetarti] Wednesday.
τέταρτο (το) [tetarto] quarter of an hour.
τετελεσμένος-η-ο (μ) [tetelesmenos] done.
τετμημένη (η) [tetmimeni] abscissa.
τέτοιος-α-ο (ε) [tetios] similar.
τετραγωνίζω (ρ) [tetragonizo] square.
τετραγωνικός-ή-ό (ε) [tetragonikos] square.
τετράγωνο (το) [tetragono] square.
τετράγωνος-η-ο (ε) [tetragonos] square.
τετράδα (η) [tetradha] set of four.
τετράδιο (το) [tetradhio] exercise book.
τετραετής-ής-ές (ε) [tetraetis] four year [old].
τετρακόσιοι-ιες-ια (ε) [tetrakosii] four hundred.
τετράμηνος-η-ο (ε) [tetraminos] four-month.
τετράπαχος-η-ο (ε) [tetrapahos] very fat.
τετράποδο (το) [tetrapodho] quadruped, beast.
τετράπρακτος-η-ο (ε) [tetra-

praktos] four-act.

τετράτροχος-η-ο (ε) [tetratrohos] four-wheeled.

τετριμμένος-η-ο (μ) [tetrimmenos] worn-out, commonplace.

τεύτλο (το) [teftlo] beetroot.

τεύχος (το) [tefhos] issue.

τέφρα (η) [tefra] ashes.

τεφροδόχη (η) [tefrodhohi] cinerarium.

τεφρόχρους (ε) [tefrohrus] ashy.

τεφρώδης-ης-ες (ε) [tefrodhis] ashy.

τεφτέρι (το) [tefteri] notebook.

τέχνασμα (το) [tehnasma] artifice, trick.

τέχνη (η) [tehni] art, profession, craft.

τεχνητός-ή-ό (ε) [tehnitos] false, artificial.

τεχνική (η) [τεχν] [tehniki] means.

τεχνικός-ή-ό (ε) [tehnikos] technical, professional.

τεχνικός (ο) [tehnikos] technician.

τεχνίτης (ο) [tehnitis] professional, craftsman, specialist.

τεχνολογία (η) [tehnoloyia] technology.

τεχνοτροπία (η) [tehnotropia] artistic style.

τεχνουργός (ο) [tehnurgos] artificer.

τέως (επ) [teos] former, late, ex.

τζάκι (το) [tzaki] fireplace.

τζαμαρία (η) [tzamaria] glass panelling.

τζάμι (το) [tzami] window pane.

τζαμί (το) [tzami] mosque.

τζαμπατζής (ο) [tzambatzis] gate-crasher, fare-dodger.

τζαμωτός-ή-ό (ε) [tzamotos] glass.

τζαναμπέτης-ισσα-ικο (ε) [tzanambetis] wicked person.

τζάνερο (το) [tzanero] sloe.

τζίβα (η) [tziva] padding.

τζίρος (ο) [tziros] business turnover.

τζίτζικας (ο) [tzitzikas] cicada.

τζιτζιφιά (η) [βοτ] [tzitzifia] jujube.

τζίφος (ο) [tzifos] flop, failure.

τζίφρα (η) [tzifra] cipher, initial.

τζογαδόρος (ο) [tzogadhoros] gambler.

τζόγος (ο) [tzogos] gambling.

τζόκεϊ (ο) [tzokei] jockey.

τήβεννος (η) [tivennos] gown, robe.

τηγανητός-ή-ό (ε) [tiganitos] fried.

τηγάνι (το) [tigani] frying pan.

τηγανίζω (ρ) [tiganizo] fry.

τηγανίτα (η) [tiganita] pancake.

τηγανιτός-ή-ό (ε) [tiganitos] fried.

τήκομαι (ρ) [tikome] thaw,

wither, pine.

τηλεβόας (ο) [tilevoas] loud hailer.

τηλεβόλο (το) [tilevolo] cannon.

τηλεγραφείο (το) [tilegrafio] telegraph office.

τηλεγράφημα (το) [tilegrafima] telegram.

τηλεγραφώ (ρ) [tilegrafo] telegraph, wire, cable.

τηλεκατευθυνόμενος-η-ο (μ) [tilekatefthinomenos] remote controlled.

τηλεκινησία (η) [tilekinisia] levitation.

τηλεοπτικός-ή-ό (ε) [tileoptikos] television.

τηλεόραση (η) [tileorasi] television.

τηλεπάθεια (η) [tilepathia] telepathy.

τηλεπικοινωνία (η) [tilepikinonia] telecommunication.

τηλέτυπο (το) [tiletipo] teleprinter.

τηλεφώνημα (το) [tilefonima] telephone call.

τηλεφωνητής (ο) [tilefonitis] telephone operator.

τηλέφωνο (το) [tilefono] telephone

τηλεφωνώ (ρ) [tilefono] telephone.

τήξη (η) [φυσ] [tiksi] melting.

τήρηση (η) [tirisi] observance.

τηρητής (ο) [tiritis] keeper.

τηρώ (ρ) [tiro] keep, observe.

τι (αν) [ti] what, how.

τιάρα (η) [tiara] tiara.

τίγκα (επ) [tinga] packed.

τίγρη (η) [tigri] tiger, tigress.

τιθασεύω (το) [tithasevo] tame.

τιθάσευση (η) [tithasepsi] domestication.

τίθεμαι (ρ) [titheme] be arranged, be placed.

τικ (το) [tik] tick, twitch.

τιμαλφή (τα) [timalfi] jewellery.

τιμάριθμος (ο) [timarithmos] cost of living.

τιμάριο (το) [timario] manor.

τιμαριούχος (ο) [timariuhos] manor lord.

τιμαριωτικός-ή-ό (ε) [timariotikos] feudal.

τιμή (η) [timi] respect, honour.

τίμημα (το) [timima] cost, price.

τιμημένος-η-ο (μ) [timimenos] honoured.

τιμητής (ο) [timitis] critic.

τιμητικός-ή-ό (ε) [timitikos] prestigious.

τίμια (επ) [timia] aboveboard.

τίμιος-α-ο (ε) [timios] honest, aboveboard, straight.

τιμιότητα (η) [timiotita] honesty, fairness.

τιμοκατάλογος (ο) [timokatalogos] price list.

τιμολόγηση (η) [timoloyisi]

pricing, quotation.
τιμολόγιο (το) [timoloyio] invoice, bill.
τιμολογώ (ρ) [timologo] price, quote, bill, invoice.
τιμόνι (το) [timoni] helm.
τιμονιέρης (ο) [timonieris] helmsman.
τιμώ (ρ) [timo] honour, respect.
τιμώμαι (ρ) [timome] cost, be honoured.
τιμωρητέος-έα-έο (ε) [timoriteos] punishable.
τιμωρία (η) [timoria] punishment, penalty.
τιμωρός (ο) [timoros] punisher.
τιμωρώ (ρ) [timoro] punish, fine, castigate.
τίναγμα (το) [tinagma] shake, throw, start.
τιναγμένος-η-ο (μ) [tinagmenos] shaken, thrown.
τινάζομαι (ρ) [tinazome] leap, spring.
τινάζω (ρ) [tinazo] shake off, toss, beat, spring.
τινάσσομαι (ρ) [tinassome] bob.
τίποτε (αν) [tipote] any, anything, nothing.
τιποτένιος-α-ο (ε) [tipotenios] mean, worthless.
τιράντα (η) [tiranda] shoulder-strap, braces, suspenders.
τιρμπουσόν (το) [tirmbuson] corkscrew.
τιτάνας (ο) [titanas] giant.
τιτιβίζω (ρ) [titivizo] chirp, tweet.
τίτλος (ο) [titlos] title, right, claim, certificate.
τιτλούχος-α-ο (ε) [titluhos] titled.
τιτλοφόρηση (η) [titloforisi] labelling.
τιτλοφορώ (ρ) [titloforo] entitle.
τμήμα (το) [tmima] part, section, police station.
τμηματάρχης (ο) (η) [tmimatarhis] head of (a) department.
τμηματικός-ή-ό (ε) [tmimatikos] part.
το (αρθ) [to] the, it, him, her.
τοιουτοτρόπως (επ) [tiutotropos] so, in this way, thus, like this.
τοιχίζω (ρ) [tihizo] wall in.
τοιχίο (το) [tihio] low wall.
τοίχιση (η) [tihisi] walling.
τοιχογραφία (η) [tihografia] mural.
τοιχοδομή (η) [tihodhomi] stonework, brickwork.
τοιχοκολλητής (ο) [tihokollitis] bill-sticker.
τοιχοκολλώ (ρ) [tihokollo] post up.
τοιχοποιία (η) [tihopiia] brickwork.
τοίχος (ο) [tihos] wall.

τοίχωμα (το) [tihoma] inner wall.
τοκετός (ο) [toketos] childbirth, confinement.
τοκίζω (ρ) [tokizo] lend money, invest.
τοκομερίδιο (το) [tokomeridhio] dividend coupon.
τόκος (ο) [tokos] interest.
τοκοχρεολύσιο (το) [tokohreolisio] sinking fund.
τόλμη (η) [tolmi] daring, boldness.
τόλμημα (το) [tolmima]bold act.
τολμηρός-ή-ό (ε) [tolmiros] bold, courageous, daring.
τολμηρότητα (η) [tolmirotita] boldness.
τολμώ (ρ) [tolmo] dare, risk.
τολύπη (η) [tolipi] wisp.
τομάρι (το) [tomari] hide, skin, leather.
τομέας (ο) [tomeas] sector, incisorl.
τομή (η) [tomi] cut, gash.
τόμος (ο) [tomos] volume.
τόμπολα (η) [tombola] tombola.
τονίζω (ρ) [tonizo] accent, stress.
τονικός-ή-ό (ε) [tonikos] tonic, accent.
τονισμός (ο) [tonismos] stress, intonation.
τόνος (ο) [tonos] ton, tuna fish, accent, tone.
τονώνω (ρ) [tonono] fortify, invigorate, refreshen.
τόνωση (η) [tonosi] strengthening.
τονωτικό (το) [tonotiko] corroborant.
τονωτικός-ή-ό (ε) [tonotikos] bracing, invigorating, tonic.
τοξεύω (ρ) [toksevo] shoot with an arrow.
τοξικομανής-ής-ές (ε) [toksikomanis] drug addict.
τοξικός-ή-ό (ε) [toksikos] toxic.
τοξίνωση (η) (toksinosi) poisoning.
τόξο (το) [tokso] bow, arch.
τοξοβολία (η) [toksovolia] archery.
τοξοειδής-ής-ές (ε) [toksoidhis] bowed, arched.
τοξότης (ο) [toksotis] archer.
τόπι (το) [topi] ball, roll of cloth, bolt.
τοπικιστικός-ή-ό (ε) [topikistikos] sectional.
τοπικός-ή-ό (ε) [topikos] locall.
τοπίο (το) [topio] landscape.
τοπογράφος (ο) [topografos] surveyor.
τοποθεσία (η) [topothesia] location, site.
τοποθέτηση (η) [topothetisi] placing, investment.

τοποθετώ (ρ) [topotheto] place, set, put, invest, position, lay.
τοπολαλιά (n) [topolalia] local dialect.
τόπος (o) [topos] place, position, country, space, room.
τοποτηρητής (o) [topotiritis] deputy, vicar.
τοπωνυμία (n) [toponimia] place name.
τορβάς (o) [torvas] nosebag, wallet, sack.
τορναδόρος (o) [tornadhoros] turner.
τορνάρισμα (το) [tornarisma] polishing.
τόρνος (o) [tornos] lathe.
τορπίλα (n) [torpila] torpedo.
τορπιλάκατος (n) [torpilakatos] torpedo-boat.
τορπίλη (n) [torpili] torpedo.
τορπιλίζω (ρ) [torpilizo] torpedo.
τόσο (επ) [toso] so much.
τοσοδά-ηδα-οδα (αν) [tosodha-idha-odha] that little, that short.
τόσος-η-ο (αν) [tosos] so large, so great, so much, so many.
τοσούλης-α-ικο (ε) [tosulis] tiny, that little.
τότε (επ) [tote] then, at that time, therefore.
τουαλέτα (n) [tualeta] toilet, dress, dressing room.
τούβλο (το) [tuvlo] brick, simpleton.
τουλάχιστον (επ) [tulahiston] at least.
τούλι (το) [tuli] chiffon.
τουλίπα (n) [tulipa] tulip.
τούμπα (n) [tumba] somersault.
τουμπανιάζω (ρ) [tumbaniazo] swell.
τουμπάνισμα (το) [tumbanisma] beating, up, swelling.
τούμπανο (το) [tumbano] drum.
τουμπάρισμα (το) [tumbarisma] overthrowing.
τουπέ (το) [tupe] audacity.
τουρισμός (o) [turismos] tourism.
τουρίστας (o) [turistas] tourist.
τούρλωμα (το) [turloma] bulging.
τουρλώνω (ρ) [turlono] pile up.
τουρλωτός-ή-ό (ε) [turlotos] piled up.
τουρμπάνι (το) [turmbani] turban.
τουρνέ (n) [turne] theatrical tour.
τουρσί (το) [tursi] pickle.
τούρτα (n) [turta] gateau.
τουρτουρίζω (ρ) [turturizo] shiver.
τουρτούρισμα (το) [turturisma] shudder, shiver.
τούτος-η-ο (αν) [tutos] this one.
τούφα (n) [tufa] bunch, cluster,

lock, clump.
τουφέκι (το) [tufeki] rifle, gun.
τουφεκιά (η) [tufekia] gunshot.
τουφεκίζω (ρ) [tufekizo] shoot.
τουφεκισμός (ο) [tufekismos] firing.
τουφωτός-ή-ό (ε) [tufotos] tufted.
τραβέρσα (η) [traversa] tie.
τραβεστί (ο) [travesti] transvestite.
τράβηγμα (το) [travigma] pulling, dragging.
τραβολόγημα (το) [travoloyima] harassment.
τραβώ (ρ) [travo] pull, drag, attract, last.
τραγανίζω (ρ) [traganizo] grind, chew.
τραγάνισμα (το) [traganisma] crunch.
τραγανιστός-ή-ό (ε) [traganistos] crisp.
τραγανό (το) [tragano] cartilage.
τραγανός-ή-ό (ε) [traganos] crisp, crunchy.
τραγελαφικός-ή-ό (ε) [trayelafikos] monstrous.
τραγί (το) [trayi] kid.
τραγιάσκα (η) [trayiaska] cap.
τραγικός-ή-ό (ε) [trayikos] tragic.
τραγογένης (ο) [tragoyenis] bearded devil.
τράγος (ο) [tragos] billy-goat.
τραγουδάκι (το) [tragudhaki] ditty.
τραγούδι (το) [tragudhi] song, tune.
τραγουδιστής (ο) [tragudhistis] singer.
τραγουδιστός-ή-ό (ε) [tragudhistos] sung.
τραγουδώ (ρ) [tragudho] sing, chant, hum [σιγά], chorus.
τρακ (το) [trak] stage fright.
τράκα (η) [traka] sponging.
τρακαδόρος (ο) [trakadhoros] borrower.
τρακάρισμα (το) [trakarisma] argument, sponging.
τρακάρω (ρ) [trakaro] collide with, meet by accident.
τράκας (ο) [trakas] borrower.
τρακατρούκα (η) [trakatruka] firecracker.
τράκο (το) [trako] collision, attack .
τραμουντάνα (η) [tramundana] north wind.
τράμπα (η) [tramba] swap.
τραμπάλα (η) [trambala] seesaw.
τραμπούκος (ο) [trambukos] scoundrel.
τρανεύω (ρ) [tranevo] grow big.
τρανζίστορ (το) [tranzistor] transistor.
τράνζιτο (το) [tranzito] transit.
τρανός-ή-ό (ε) [tranos] power-

ful, important.
τράνταγμα (το) [trandagma] jolting, shaking.
τραντάζω (ρ) [trandazo] jolt.
τρανταχτός-ή-ό (ε) [trandahtos] ringing.
τράπεζα (η) [trapeza] table, bank, altar.
τραπεζαρία (η) [trapezaria] dining room.
τραπέζι (το) [trapezi] table.
τραπεζικός-ή-ό (ε) [trapezikos] bank[ing].
τραπεζίτης (ο) [trapezitis] banker, molar.
τραπεζιτικός-ή-ό (ε) [trapezitikos] banking, bank employee.
τραπεζογραμμάτιο (το) [trapezogrammatio] banknote.
τραπεζοκόμος (ο) [trapezokomos] waiter.
τραπεζομάντιλο (το) [trapezomandilo] tablecloth.
τράπουλα (η) [trapula] pack of cards.
τραστ (το) [trast] trust.
τράτα (η) [trata] fishing boat.
τρατάρω (ρ) [trataro] treat, offer.
τραυλίζω (ρ) [travlizo] stammer, stutter, lisp.
τραύμα (το) [travma] wound, hurt, injury.
τραυματίας (ο) [travmatias] casualty.
τραυματίζω (ρ) [travmatizo] hurt, wound, injure.
τραυματικός-ή-ό (ε) [travmatikos] traumatic.
τραυματιοφορέας (ο) [travmatioforeas] stretcher-bearer.
τραχανάς (ο) [trahanas] frumenty, semolina.
τραχεία (η) [trahia] trachea.
τραχηλικός-ή-ό (ε) [trahilikos] cervical.
τράχηλος (ο) [trahilos] neck.
τραχύνω (ρ) [trahino] make rough.
τραχύς-ιά-ύ (ε) [trahis] harsh, rough, sharp, harsh], sour, abrasive.
τραχύτητα (η) [trahitita] roughness, harshness, abruptness.
τρεις (αριθ) [tris] three.
τρεκλίζω (ρ) [treklizo] stagger.
τρέλα (η) [trela] madness.
τρελός (ο) [trelos] madman.
τρελός-ή-ό (ε) [trelos] insane.
τρεμάμενος-η-ο (ε) [tremamenos] shaky, trembling.
τρεμοπαίζω (ρ) [tremopezo] flicker, waver.
τρεμούλα (η) [tremula] shivering.
τρέμω (ρ) [tremo] tremble, shiver, shake, flicker.
τρενάρω (ρ) [tenaro] delay.
τρένο (το) [treno] railway train.
τρέξιμο (το) [treksimo] run-

ning, flow.
τρέφω (ρ) [trefo] nourish, support, keep.
τρεχάλα (n) [trehala] running.
τρεχάματα (τα) [trehamata] running about, cares [μεταφ].
τρεχαντήρι (το) [trehandiri] small sailing boat.
τρέχω (ρ) [treho] run, race, hurry, flow [για υγρά], course, streak.
τριάδα (n) [triadha] trinity, trio.
τρίαινα (n) [triena] trident.
τριανταφυλλιά (n) [triandafillia] rose.
τριαντάφυλλο (το) [triandafillo] rose.
τριβή (n) [trivi] friction, rubbing, wear and tear.
τρίβομαι (ρ) [trivome] wear out, disintegrate, get experienced.
τρίβω (ρ) [trivo] rub, polish up, grate, massage.
τριγμός (ο) [trigmos] crackling, cracking, grinding.
τριγυρίζω (ρ) [triyirizo] encircle, hang about.
τριγύρω (επ) [triyiro] round, about.
τρίγωνο (το) [trigono] triangle.
τρίδυμα (τα) [tridhima] triplets.
τρίζω (ρ) [trizo] crackle, crack, creak, squeak.
τρικούβερτος-n-o (ε) [trikuvertos] terrific.
τρίκυκλο (το) [trikiklo] tricycle.
τρικυμία (n) [trikimia] storm.
τρικυμιώδης-ης-ες (ε) [trikimiodhis] stormy.
τριμηνιαίος-α-ο (ε) [triminieos] of three months, quarterly.
τρίμμα (το) [trimma] fragment.
τριμμένος-n-o (μ) [trimmenos] showing wear and tear.
τρίξιμο (το) [triksimo] grinding.
τριπλότυπος-n-o (ε) [triplotipos] triplicate.
τρίποδας (ο) [tripodhas] tripod.
τρισάθλιος-α-ο (ε) [trisathlios] wretched.
τρισδιάστατος-n-o (ε) [trisdhiastatos] three-dimensional.
τρισέγγονος (ο) [trisengonos] great- great- grandchild.
τρίστιχο (το) [tristiho] triplet.
Τρίτη (n) [Triti] Tuesday.
τρίτο (το) [trito] third.
τριφασικός-ή-ό (ε) [trifasikos] three-phase.
τρίφτης (ο) [triftis] grater.
τριφύλλι (το) [trifilli] clover.
τρίχα (n) [triha] hair, fur.
τρίχας (ο) [trihas] windbag.
τριχιά (n) [trihia] rope.
τριχοφόρος-n-o (ε) [trihoforos] ciliate.
τρίχωμα (το) [trihoma] fur, hair.
τρίψιμο (το) [tripsimo] rubbing, friction, polishing, grinding.

τροβαδούρος (ο) [trovadhuros] singer.

τρόλεϊ (το) [trolei] trolley bus.

τρομάζω (ρ) [tromazo] terrify.

τρομακτικός-ή-ό (ε) [tromaktikos] fearful, awful, frightening.

τρομάρα (η) [tromara] dread.

τρομερός-ή-ό (ε) [tromeros] terrible, dreadful, frightful.

τρομοκράτης (ο) [tromokratis] terrorist.

τρόμος (ο) [tromos] trembling, dread.

τρόμπα (η) [tromba] pump.

τρομπόνι (το) [tromboni] trombone.

τρόπαιο (το) [tropeo] trophy.

τροπαιούχος-α-ο (ε) [tropeuhos] triumphant.

τροπάριο (το) [tropario] hymn.

τροπή (η) [tropi] change, turn.

τροπικός-ή-ό (ε) [tropikos] tropical, of manner.

τροποποίηση (η) [tropopiisi] change.

τρόπος (ο) [tropos] way, manner.

τρούλος (ο) [trulos] dome.

τρούφα (η) [trufa] truffle.

τροφή (η) [trofi] food, nutrition.

τρόφιμα (τα) [trofima] provisions.

τροφοδότης (ο) [trofodhotis] caterer, supplier.

τροφοδοτούμαι (ρ) [trofodhotume] board.

τροφός (η) [trofos] wet-nurse.

τροχάδην (επ) [trohadhin] hurriedly.

τροχαία (η) [trohea] traffic police.

τροχαίος-α-ο (ε) [troheos] rolling.

τροχαλία (η) [trohalia] pulley.

τροχιά (η) [trohia] track, groove, rut.

τροχίζω (ρ) [trohizo] sharpen, grind.

τροχίσκος (ο) [trohiskos] disc.

τροχονόμος (ο) [trohonomos] traffic policeman.

τροχοπέδη (η) [trohopedhi] brake, skid.

τροχοπέδιλο (το) [trohopedhilo] roller-skate.

τροχός (ο) [trohos] wheel.

τροχόσπιτο (το) [trohospito] caravan.

τροχοφόρο (το) [trohoforo] vehicle.

τρύγημα (το) [triyima] skinning.

τρυγητής (ο) [triyitis] grape harvester.

τρύπα (η) [tripa] hole.

τρυπάνι (το) [tripani] drill.

τρύπανο (το) [tripano] auger.

τρύπημα (το) [tripima] boring, piercing, prick.

τρυπητήρι (το) [tripitiri] punch.
τρυπητό (το) [tripito] strainer.
τρύπιος-α-ο (ε) [tripios] perforated.
τρυπώ (ρ) [tripo] bore, pierce, prick.
τρυπώνω (ρ) [tripono] hide.
τρυφερός-ή-ό (ε) [triferos] tender, soft, affectionate, mild.
τρώγλη (η) [trogli] hole.
τρωγλοδύτης (ο) [troglodhitis] cave-dweller, squatter.
τρώγω (ρ) [trogo] eat, bite, spend.
τρωκτικό (το) [troktiko] rodent.
τρωτός-ή-ό (ε) [trotos] vulnerable, weak.
τρώω (ρ) [troo] eat, bite.
τσαγερό (το) [tsayero] kettle.
τσαγιέρα (η) [tsayiera] teapot.
τσαγκάρης (ο) [tsangaris] shoemaker.
τσαγκρουνίζω (ρ) [tsangrunizo] scratch.
τσάι (το) [tsai] tea.
τσακάλι (το) [tsakali] jackal.
τσακίζομαι (ρ) [tsakizome] strive, struggle.
τσακίζω (ρ) [tsakizo] break, shatter.
τσάκιση (η) [tsakisi] crease.
τσάκισμα (το) [tsakisma] breaking.
τσακισμένος-η-ο (μ) [tsakismenos] beaten.
τσακιστός-ή-ό (ε) [tsakistos] crushed, smashed.
τσακμάκι (το) [tsakmaki] cigarette lighter.
τσακωμός (ο) [tsakomos] falling out, argument.
τσακώνομαι (ρ) [tsakonome] quarrel.
τσακώνω (ρ) [tsakono catch red-handed.
τσαλαβουτώ (ρ) [tsalavuto] splash about, do a sloppy job.
τσαλακώνω (ρ) [tsalakono] crease, wrinkle.
τσαλαπατώ (ρ) [tsalapato] tread over.
τσαμπί (το) [tsambi] bunch, cluster.
τσαμπουνώ (ρ) [tsambuno] waffle.
τσανάκα (η) [tsanaka] earthenware bowl.
τσάντα (η) [tsanda] pouch, handbag, bag, satchel.
τσαντίζω (ρ) [tsandizo] annoy, irritate.
τσαντίρι (το) [tsandiri] tent.
τσάπα (η) [tsapa] pickaxe.
τσαπατσουλιά (η) [tsapatsulia] sloppiness.
τσαπί (το) [tsapi] pickaxe.
τσάπισμα (το) [tsapisma] digging.
τσάρκα (η) [tsarka] walk.
τσαρούχι (το) [tsaruhi] rustic

shoe with pompom.

τσατσάρα (η) [tsatsara] comb.

τσαχπινιά (η) [tsahpinia] cockiness.

τσέβδισμα (το) [tsevdhisma] lisp, stammer, stutter.

τσεκάρω (ρ) [tsekaro] tick off.

τσέκι (το) [tseki] cheque.

τσεκουράτος-η-ο (ε) [tsekuratos] blunt.

τσεκούρι (το) [tsekuri] axe.

τσεκούρωμα (το) [tsekuroma] harsh criticism.

τσεμπέρι (το) [tsemberi] veil.

τσέπη (η) [tsepi] pocket.

τσερβέλο (το) [tservelo] brain.

τσευδός-ή-ό (ε) [tsevdhos] lisping, stammering, faltering.

τσιγάρισμα (το) [tsigarisma] browning.

τσιγάρο (το) [tsigaro] cigarette.

τσιγαρόχαρτο (το) [tsigaroharto] cigarette-paper.

τσιγγέλι (το) [tsingeli] creeper.

τσιγγούνης-α (ε) [tsingunis] churlish.

τσιγκέλι (το) [tsingeli] meat hook.

τσιγκλώ (ρ) [tsinglo] goad.

τσιγκογραφία (η) [tsingografia] cliche, printing-block.

τσίγκος (ο) [tsingos] zinc.

τσιγκούνης-α-ικο (ε) [tsingunis] stingy.

τσίκλα (η) [tsikla] chewing-gum.

τσικνίσμα (το) [tsiknisma] burning.

τσικουδιά (η) [tsikudhia] kind of spirit.

τσιλιμπούρδημα (το) [tsilimburdhima] prancingl.

τσιμεντάρισμα (το) [tsimendarisma] cementing.

τσιμινιέρα (η) [tsiminiera] chimney.

τσιμουδιά (η) [tsimudhia] silence.

τσιμούχα (η) [tsimuha] seal.

τσίμπημα (το) [tsimbima] prick, sting, pinch.

τσιμπιά (η) [tsimbia] pinch, bite, sting.

τσιμπίδα (η) [tsimbidha] tongs, forceps.

τσιμπιδάκι (το) [tsimbidhaki] tweezers, hairclip.

τσίμπλα (η) [tsimbla] eye mucus.

τσιμπολόγημα (το) [tsimboloyima] nibbling, pecking.

τσιμπούκι (το) [tsimbuki] tobacco pipe, blow job [χυδ].

τσιμπούρι (το) [tsimburi] tick.

τσιμπούσι (το) [tsimbusi] spread.

τσιμπώ (ρ) [tsimbo] prick, sting, bite, nibble.

τσινώ (ρ) [tsino] kick.

τσίπα (η) [tsipa] thin skin, crust.

τσιπς (τα) [tsips] crisp.
τσιράκι (το) [tsiraki] henchman.
τσιρίζω (ρ) [tsirizo] scream.
τσίρκο (το) [tsirko] circus.
τσίρλα (n) [tsirla] diarrhoea.
τσίρος (ο) [tsiros] dried mackerel.
τσιρότο (το) [tsiroto] sticking plaster.
τσίτσιδος-n-o (ε) [tsitsidhos] stark naked.
τσιτσίρισμα (το) [tsitsirisma] sputter[ing].
τσιτώνω (ρ) [tsitono] stretch.
τσιφλικάς (ο) [tsiflikas] big landowner.
τσιφλίκι (το) [tsifliki] large country estate.
τσιφούτης (ο) [tsifutis] miser.
τσίφτης (ο) [tsiftis] sport, brick.
τσογλάνι (το) [tsoglani] bastard.
τσοκ (το) [tsok] choke.
τσόκαρο (το) [tsokaro]clog.
τσολιάς (ο) [tsolias] kilted soldier.
τσομπάνης (ο) [tsombanis] shepherd.
τσόντα (n) [tsonda] inset, porno flash.
τσοντάρω (ρ) [tsondaro] join on.
τσοπανόσκυλο (το) [tsopanoskilo] sheepdog.
τσότρα (n) [tsotra] wooden flask.
τσουβάλι (το) [tsuvali] sack.
τσουγκρανίζω (ρ) [tsungranizo] scratch.
τσουγκρίζω (ρ) [tsungrizo] clink glasses.
τσούζω (ρ) [tsuzo] sting, hurt.
τσουκάλι (το) [tsukali] jug, pot.
τσουκνίδα (n) [tsuknidha] nettle.
τσούλα (n) [tsula] whore.
τσουλάω (ρ) [tsulao] coast.
τσουλήθρα (n) [tsulithra] slide.
τσουλούφι (το) [tsulufi] lock of hair.
τσουλώ (ρ) [tsulo] slip along, push.
τσούξιμο (το) [tsuksimo] sting.
τσούπρα (n) [tsupra] wench, daughter.
τσουράπι (το) [tsurapi] sock, stocking.
τσουρέκι (το)[tsureki] brioche.
τσούρμο (το) [tsurmo] throng.
τσουχτερός-ń-ó (ε) [tsouhteros] keen, smart.
τσούχτρα (n) [tsuhtra] jellyfish.
τσόφλι (το) [tsofli] shell, rind.
τσόχα (n) [tsoha] felt.
τυλίγω (ρ) [tiligo] wind, wrap up.
τυλώνω (ρ) [tilono] fill up.
τύμβος (ο) [timvos] grave.
τυμπανιστής (ο) [timbanistis] drummer.
τύμπανο (το) [timbano] drum, eardrum.

τυμπανοκρουσία (n) [timbanokrusia] roll of drums.
τυπικό (το) [tipiko] morphology, ritual.
τυπογραφείο (το) [tipografio] printing press.
τυπογράφος (ο) [tipografos] printer.
τυποποιώ (ρ) [tipopio] standardize.
τύπος (ο) [tipos] print, mould, form, type.
τύπωμα (το) [tipoma] printing.
τυπώνω (ρ) [tipono] print.
τυραννία (n) [tirannia] tyranny.
τύραννος (ο) [tirannos] tyrant.
τυραννώ (ρ) [tiranno] torture.
τυρί (το) [tiri] cheese.
τυρόγαλο (το) [tirogalo] whey.
τυρός (ο) [tiros] cheese.
τυφεκιοφόρος (ο) [tifekioforos] rifleman.
τύφλα (n) [tifla] blindness.
τυφλόμυγα (n) [tiflomiga] blind man's bluff.
τυφλοπόντικας (ο) [tiflopondikas] mole.
τυφλός-ή-ό (ε) [tiflos] blind.
τυφλώνω (ρ) [tiflono] blind, dazzle [φως], deceive [μεταφ].
τύφλωση (n) [tiflosi] blindness.
τύφος (ο) [tifos] typhus.
τυφώνας (ο) [tifonas] typhoon.
τυχαία (επ) [tihea] incidentally.
τυχαίνω (ρ) [tiheno]obtain, attain.
τυχαίος-α-ο (ε) [tiheos] chance, accidental.
τυχερό (το) [tihero] destiny.
τύχη (n) [tihi] destiny, chance, fate.
τυχοδιώκτης (ο) [tihodhioktis] opportunist.
τυχόν (επ) [tihon] by chance.
τύψη (n) [tipsi] remorse, scruple.
τώρα (επ) [tora] at present, now.
τωρινός-ή-ό (ε) [torinos] present-day.

ύαινα (η) [iena] hyena.
υάκινθος (ο) [iakinthos] hyacinth.
υαλοβάμβακας (ο) [ialovamvakas] fiberglass.
υαλοειδής-ής-ές (ε) [ialoidhis] glasslike, glassy.
υαλοκαθαριστήρας (ο) [ialokatharistiras] windscreen wiper.
υαλοπίνακας (ο) [ialopinakas] pane.
ύαλος (η) [ialos] glass.
υαλουργός (ο) [ialurgos] glassmaker.
υάρδα (η) [iardha] yard.
υβρεολόγιο (το) [ivreoloyio] volley of abuse.
ύβρη (η) [ivri] insult, injury.
υβρίδιο (το) [ivridhio] hybrid.
υβρίζω (ρ) [ivrizo] insult, swear at.
υβριστής (ο) [ivristis] mudslinger.
υγεία (η) [iyia] health.
υγειονομικός-ή-ό (ε) [iyionomikos] sanitary.
υγιαίνω (ρ) [iyieno] be healthy.
υγιεινός-ή-ό (ε) [iyiinos] healthy.
υγιής-ής-ές (ε) [iyiis] healthy.
υγραέριο (το) [igraerio] liquid gas.
υγραίνω (ρ) [igreno] moisten.
υγρασία (η) [igrasia] moisture.
υγρό (το) [igro] liquid, fluid.
υγροποίηση (η) [igropiisi] condensation.
υγροποιώ (ρ) [igropio] liquify.
υγρός-ή-ό (ε) [igros] liquid, humid, damp, watery.
υγρότητα (η) [igrotita] dampness.
υδαρής-ής-ές (ε) [idharis] watery.
υδαταγωγός (ο) [idhatagogos] water pipe.
υδατάνθρακας (ο) [idhatanthrakas] carbohydrate.
υδαταποθήκη (η) [idhatapothiki] water-tank.
υδατογραφία (η) [idhatografia] water-colour.
υδατόπτωση (η) [idhatoptosi] waterfall.
υδατοστεγής-ής-ές (ε) [idhatosteyis] waterproof.
υδατόσφαιρα (η) [idhatosfera] water-polo.
υδραντλία (η) [idhrandlia] water pump.
υδράργυρος (ο) [idhraryiros] mercury.

υδρατμός (ο) [idhratmos] steam.
υδραυλική (n) [idhravliki] hydraulics.
υδραυλικός-ή-ό (ε) [idhravlikos] plumber.
υδρεύομαι (ρ) [idhrevome] draw water, plumb.
υδρευτικός-ή-ό (ε) [idhreftikos] water.
υδρία (n) [idhria] pitcher.
υδρόβιος-α-ο (ε) [idhrovios] aquatic.
υδρόγειος (n) [idhroyios] earth.
υδρογόνο (το) [idhrogono] hydrogen.
υδροκέφαλος-n-ο (ε) [idhrokefalos] hydrocephalous.
υδροκίνητος-n-ο (ε) [idhrokinitos] waterpowered.
υδρόμυλος (ο) [idhromilos] water mill.
υδροπλάνο (το) [idhroplano] seaplane.
υδρορροή (n) [idhrorroi] gutter.
υδροσκόπος (ο) [idhroskopos] water diviner.
υδροστάθμη (n) [idhrostathmi] water level.
υδροστρόβιλος (ο) [idhrostrovilos] whirlpool.
υδροσυλλέκτης (ο) [idhrosillektis] bilge.
υδροσωλήνας (ο) [idhrosolinas] water pipe.
υδροφοβία (n) [idhrofovia] rabies.
υδροφόρος-α-ο (ε) [idhroforos] water-carrying.
υδρόφυτο (το) [idhrofito] aquatic plant.
υδροχλώριο (το) [idhrohlorio] hydrochloric acid.
Υδροχόος (ο) [Idhrohoos] Aquarius.
υδρόχρωμα (το) [idhrohroma] whitewash.
υδρόψυκτος-n-ο (ε) [idhropsiktos] water-cooled.
υδρωπικία (n) [idhropikia] dropsy.
ύδωρ (το) [idhor] water.
υιοθεσία (n) [iiothesia] adoption.
υιοθετώ (ρ) [iiotheto] adopt.
υιός (ο) [iios] son.
υλακή (n) [ilaki] bark.
ύλη (n) [ili] material.
υλικό (το) [iliko] material, stuff.
υλιστικός-ή-ό (ε) [ilistikos] materialistic.
υλοποίηση (n) [ilopiisi] materialization, realization.
υλοποιώ (ρ) [ilopio] materialize, realize.
υλοτομία (n) [ilotomia] woodcutting.
υλοτόμος (ο) [ilotomos] feller.
υμέναιος (ο) [imeneos] mar-

riage, wedding.
υμένας (ο) [imenas] tissue, hymen.
υμνητής (ο) [imnitis] glorifier.
υμνολογία (η) [imnoloyia] [hymn-]singing, praising.
υμνώ (ρ) [imno] celebrate, praise.
υμνωδία (η) [imnodhia] hymn.
υνί (το) [ini] ploughshare.
υπάγομαι (ρ) [ipagome] belong.
υπαγόρευση (η) [ipagorefsi] dictation, suggestion [μεταφ].
υπαγορεύω (ρ) [ipagorevo] dictate.
υπάγω (ρ) [ipago] go, go under.
υπαγωγή (η) [ipagoyi] classificationn.
υπαίθριος-α-ο (ε) [ipethrios] outdoor.
ύπαιθρο (το) [ipethro] open air.
ύπαιθρος (η) [ipethros] countryside.
υπαινιγμός (ο) [ipenigmos] hint.
υπαινίσσομαι (ρ) [ipenissome] hint at.
υπαινισσόμενος-η-ο (μ) [ipenissomenos] allusive.
υπαίτιος-α-ο (ε) [ipetios] responsible.
υπαιτιότητα (η) [ipetiotita] responsibility.
υπακοή (η) [ipakoi] obedience.
υπάκουος-η-ο (ε) [ipakuos] obedient.
υπακούω (ρ) [ipakuo] obey, submit.
υπάλληλος (ο, η) [ipallilos] employee, clerk.
υπανάπτυκτος-η-ο (ε) [ipanaptiktos] developing.
υποχωρώ (ρ) [ipanahoro] back out, go back on.
ύπανδρος-η-ο (ε) [ipandhros] married.
υπαρκτικός-ή-ό (ε) [iparktikos] existential.
ύπαρξη (η) [iparksi] existence, being.
υπαρξιακός-ή-ό (ε) [iparksiakos] existential.
υπαρχηγός (ο) [iparhigos] deputy commander.
υπάρχοντα (τα) [iparhonda] belongings.
ύπαρχος (ο) [iparhos] first mat.
υπάρχω (ρ) [iparho] exist, live.
υπαστυνόμος (ο) [ipastinomos] police lieutenant.
ύπατος-η-ο (ε) [ipatos] highest.
υπέγγυος-α-ο (ε) [ipengios] accountable.
υπέδαφος (το) [ipedhafos] subsoil.
υπεισέρχομαι (ρ) [ipiserhome] enter secretly.
υπεκφεύγω (ρ) [ipekfevgo] escape.
υπεκφυγή (η) [ipekfiyi] escape.

υπενθυμίζω (ρ) [ipenthimizo] remind of.
υπενθύμιση (n) [ipenthimisi] reminder.
υπενοικιάζω (ρ) [ipenikiazo] sublet.
υπεξαίρεση (n) [ipekseresi] pilfering.
υπεξούσιος-α-ο (ε) [ipeksusios] dependent.
υπέρ (επ) [iper] over, upwards.
υπεραιμία (n) [iperemia] excess of blood.
υπερακοντίζω (ρ) [iperakondizo] surpass.
υπεραμύνομαι (ρ) [iperaminome] defend.
υπεράνθρωπος-η-ο (ε) [iperanthropos] superhuman.
υπεράνω (επ) [iperano] above.
υπεραξία (n) [iperaksia] surplus.
υπεράριθμος-η-ο (ε) [iperarithmos] redundant.
υπεραρκετός-ή-ό (ε) [iperarketos] ample.
υπερασπίζω (ρ) [iperaspizo] defend.
υπεράσπιση (n) [iperaspisi] defence, protection.
υπερασπιστής (ο) [iperaspistis] defender, advocate.
υπεραστικός-ή-ό (ε) [iperastikos] long-distance.
υπεραφθονία (n) [iperafthonia] superabundance.
υπερβαίνω (ρ) [iperveno] exceed.
υπερβάλλον (το) [ipervallon] excess.
υπερβάλλω (ρ) [ipervallo] surpass, exceed, exaggerate.
υπέρβαρος-η-ο (ε) [ipervaros] overweight.
υπέρβαση (n) [ipervasi] exceeding.
υπερβατικότητα (n) [ipervatikotita] transcendency.
υπερβέβαιος-η-ο (ε) [iperveveos] certain.
υπερβολή (n) [ipervoli] exaggeration.
υπερβολικός-ή-ό (ε) [ipervolikos] excessive.
υπέργηρος-η-ο (ε) [iperyiros] very old.
υπεργλυκαιμία (n) [iperglikemia] diabetes.
υπερεκτιμώ (ρ) [iperektimo] overrate, over-estimate.
υπερκχείλιση (n) [iperkhilisi] overflow.
υπερένταση (n) [iperendasi] overstrain.
υπερεντατικός-ή-ό (ε) [iperendatikos] intensive, crash, hectic, tense.
υπερεπείγων-ουσα-ον (ε) [iperepigon] most urgent.
υπερευαίσθητος-η-ο (ε) [ipere-

vesthitos] over-sensitive.
υπερέχω (ρ) [ipereho] surpass, exceed.
υπερήμερος-η-ο (ε) [iperimeros] overdue.
υπερηφάνεια (η) [iperifania] pride.
υπερήφανος-η-ο (ε) [iperifanos] proud.
υπερηχητικός-ή-ό (ε) [iperihitikos] supersonic.
υπερθεματίζω (ρ) [iperthematizo] make higher bid.
υπερθετικός-ή-ό (ε) [iperthetikos] superlative.
υπερίσχυση (η) [iperishisi] victory.
υπερισχύω (ρ) [iperishio] predominate, prevail over.
υπερίτης (ο) [iperitis] mustard gas.
υπεριώδης-ης-ες (ε) [iperiodhis] ultraviolet.
υπερκορεσμός (ο) [iperkoresmos] glutting.
υπερκόσμιος-α-ο (ε) [iperkosmios] unearthly.
υπέρλαμπρος-η-ο (ε) [iperlambros] magnificant.
υπέρμαχος-η-ο (ε) [ipermahos] champion, defender.
υπερμεγέθης-ης-ες (ε) [ipermeyethis] huge, oversized.
υπερνίκηση (η) [ipernikisi] overcoming.
υπερνικώ (ρ) [iperniko] overcome.
υπέρογκος-η-ο (ε) [iperongos] enormous.
υπερόπτης (ο) [iperoptis] arrogant man.
υπεροπτικός-ή-ό (ε) [iperoptikos] arrogant.
ύπερος (ο) [iperos] style.
υπέροχος-η-ο (ε) [iperohos] excellent.
υπεροψία (η) [iperopsia] arrogance.
υπερπαραγωγή (η) [iperparagoyi] overproduction.
υπερπηδώ (ρ) [iperpidho] jump over.
υπερπληθυσμός (ο) [iperplithismos] over-population.
υπερπλήρης-ης-ες (ε) [iperpliris] overcrowded.
υπερπλήρωση (η) [iperplirosi] overfilling.
υπερπόντιος-α-ο (ε) [iperpondios] overseas.
υπερσιτισμός (ο) [ipersitismos] over-feeding.
υπερσυντέλικος (ο) [ipersindelikos] past perfect tense.
υπέρταση (η) [ipertasi] high blood pressure.
υπερτασικός-ή-ό (ε) [ipertasikos] hypertensive.
υπέρτατος-η-ο (ε) [ipertatos] greatest.

υπέρτερος-η-ο (ε) [iperteros] overpowering.
υπερτερώ (ρ) [ipertero] exceed.
υπερτίμηση (η) [ipertimisi] increase in value.
υπερτιμώ (ρ) [ipertimo] overestimate.
υπερτροφικός-ή-ό (ε) [ipertrofikos] overgrown.
υπέρυθρος-η-ο (ε) [iperithros] ultra-red.
υπερυψώνω (ρ) [iperipsono] raise up.
υπερφαλάγγιση (η) [iperfalangisi] outflanking.
υπερφόρτωση (η) [iperfortosi] overloading.
υπερφυσικός-ή-ό (ε) [iperfisikos] extraordinary.
υπερχειλίζω (ρ) [iperhilizo] overflow.
υπερώα (η) [iperoa] palate.
υπερωκεάνιο (το) [iperokeanio] liner.
υπερώο (το) [iperoo] top floor, attic.
υπερωριμάζω (ρ) [iperorimazo] be over-ripe, get sleepy.
υπερώριμος-η-ο (ε) [iperorimos] over-ripe.
υπεύθυνος-η-ο (ε) [ipefthinos] responsible.
υπήκοος (ο, η) [ipikoos] citizen.
υπηκοότητα (η) [ipikootita] nationality.
υπηρεσία (η) [ipiresia] service, attendance.
υπηρεσιακός-ή-ό (ε) [ipiresiakos] of service.
υπηρέτης (ο) [ipiretis] servant.
υπηρέτρια (η) [ipiretria] maid.
υπίατρος (ο) [ipiatros] medical lieutenant.
υπίλαρχος (ο) [ipilarhos] cavalry lieutenant.
υπναλέος-α-ο (ε) [ipnaleos] sleepy.
υπνηλία (η) [ipnilia] sleepiness.
υπνοβάτης (ο) [ipnovatis] sleepwalker.
υπνοπαιδεία (η) [ipnopedhia] sleep-learning.
ύπνος (ο) [ipnos] sleep.
ύπνωση (η) [ipnosi] hypnosis.
υπνωτήριο (το) [ipnotirio] dormitory.
υπνωτίζω (ρ) [ipnotizo] hypnotize.
υπνωτικό (το) [ipnotiko] sleeping pill.
υπνωτικός-ή-ό (ε) [ipnotikos] hypnotic.
υπνωτιστής (ο) [ipnotistis] hypnotist.
υπό (επ) [ipo] below, beneath.
υποαπασχολούμαι (ρ) [ipoapasholume] work part-time.
υποαπασχολούμενος-η-ο (μ) [ipoapasholumenos] part-timer.

υποβαθμίζω (ρ) [ipovathmizo] degrade.
υποβάθμιση (η) [ipovathmisi] degradation.
υπόβαθρο (το) [ipovathro] base.
υποβάλλω (ρ) [ipovallo] submit, hand in.
υποβαστάζω (ρ) [ipovastazo] support.
υποβιβάζω (ρ) [ipovivazo] lower.
υποβιβασμός (ο) [ipovivasmos] lowering.
υποβλέπω (ρ) [ipovlepo] suspect.
υποβοήθηση (η) [ipovoithisi] assistance.
υποβοηθώ (ρ) [ipovoitho] support.
υποβολή (η) [ipovoli] presentation, prompting.
υποβόσκω (ρ) [ipovosko] lie hidden.
υποβρύχιο (το) [ipovrihio] submarine.
υποβρύχιος-α-ο (ε) [ipovrihios] underwater.
υπογεγραμμένος-η-ο (μ) [ipoyegrammenos] undersigned.
υπόγειο (το) [ipoyio] basement.
υπόγειος-α-ο (ε) [ipoyios] underground.
υπογραμμίζω (ρ) [ipogrammizo] emphasize.
υπογράμμιση (η) [ipogrammisi] emphasis.
υπογραμμός (ο) [ipogrammos] model.
υπογραφή (η) [ipografi] signature.
υπογράφω (ρ) [ipografo] sign.
υποδαυλίζω (ρ) [ipodhavlizo] fan the flame.
υποδεέστερος (ο) [ipodheesteros] inferior.
υπόδειγμα (το) [ipodhigma] model, example.
υποδεικνύω (ρ) [ipodhiknio] indicate, suggest.
υποδείχνω (ρ) [ipodhihno] point out, indicate, suggest.
υποδεκάμετρο (το) [ipodhekametro] ruler.
υποδεκανέας (ο) [ipodhekaneas] lance-corporal.
υποδέχομαι (ρ) [ipodhehome] receive, welcome.
υποδηλώ (ρ) [ipodhilo] declare.
υποδήλωση (η) [ipodhilosi] indication.
υποδηλώνω (ρ) [ipodhilono] indicate.
υπόδημα (το) [ipodhima] shoe.
υποδιαιρώ (ρ) [ipodhiero] subdivide.
υποδιαστολή (η) [ipodhiastoli] decimal point, comma.
υποδιευθυντής (ο) [ipodhiefthindis] assistant director.

υπόδικος-η-ο (ε) [ipodhikos] detainee, the accused.
υποδιοικητής (ο) [ipodhiikitis] assistant commissioner.
υποδουλώνω (ρ) [ipodhulono] subdue.
υποδούλωση (η) [ipodhulosi] bondage.
υποδοχέας (ο) [ipodhoheas] container.
υποδοχή (η) [ipodhohi] reception.
υποδύομαι (ρ) [ipodhiome] assume a role.
υποθάλπω (ρ) [ipothalpo] protect, maintain.
υπόθαλψη (η) [ipothalpsi] incitement.
υπόθεση (η) [ipothesi] supposition, matter, affair.
υποθετικός-ή-ό (ε) [ipothetikos] hypothetical conditional.
υπόθετο (το) [ipotheto] inferior.
υποθέτω (ρ) [ipotheto] suppose.
υποθηκεύω (ρ) [ipothikevo] mortgage.
υποθήκη (η) [ipothiki] mortgage.
υποθηκοφύλακας (ο) [ipothikofilakas] land registrar.
υποκαθιστώ (ρ) [ipokathisto] replace, substitute.
υποκατανάλωση (η) [ipokatanalosi] underconsumption.
υποκατάσταση (η) [ipokatastasi] replacement.
υποκατάστατο (το) [ipokatastato] replacement.
υποκατάστημα (το) [ipokatastima] chain store.
υποκάτω (επ) [ipokato] beneath.
υπόκειμαι (ρ) [ipokime] be subject.
υποκειμενικός-ή-ό (ε) [ipokimenikos] subjective.
υποκείμενο (το) [ipokimeno] subject, individual.
υποκείμενος-η-ο (μ) [ipokimenos] bonded.
υποκελευστής (ο) [ipokelefstis] petty officer.
υποκίνηση (η) [ipokinisi] instigation.
υποκινώ (ρ) [ipokino] excite, incite.
υποκλίνομαι (ρ) [ipoklinome] bow, bend.
υπόκλιση (η) [ipoklisi] bow.
υποκλοπή (η) [ipoklopi] interception.
υποκλυσμός (ο) [ipoklismos] enema.
υποκόμης (ο) [ipokomis] viscount.
υποκόπανος (ο) [ipokopanos] butt.
υποκοριστικό (το) [ipokoristiko] diminutive.
υπόκοσμος (ο) [ipokosmos]

underworld.
υποκρίνομαι (ρ) [ipokrinome] act, impersonate.
υπόκριση (η) [ipokrisi] pretending, acting.
υποκριτής (ο) [ipokritis] actor, hypocrite.
υποκριτική (η) [ipokritiki] acting.
υποκριτικός-ή-ό (ε) [ipokritikos] insincere.
υπόκρουση (η) [ipokrusi] accompaniment.
υποκρύπτω (ρ) [ipokripto] hide.
υποκύπτω (ρ) [ipokipto] bend, succumb.
υπόκωφος-η-ο (ε) [ipokofos] hollow, deep.
υπόλειμμα (το) [ipolima] residue.
υπολήπτομαι (ρ) [ipoliptome] respect.
υπόληψη (η) [ipolipsi] esteem.
υπολογίζω (ρ) [ipoloyizo] estimate.
υπολογίσιμος-η-ο (ε) [ipoloyisimos] considerable.
υπολογισμός (ο) [ipoloyismos] calculation, estimate.
υπολογιστής (ο) [ipoloyistis] computer.
υπολογιστικός-ή-ό (ε) [ipoloyistikos] calculating.
υπόλογος (ο) [ipologos] responsible, accountable.
υπόλοιπο (το) [ipolipo] balance, rest.
υπομένω (ρ) [ipomeno] endure.
υπομισθώνω (ρ) [ipomisthono] sublet.
υπόμνημα (το) [ipomnima] memorandum.
υπόμνηση (η) [ipomnisi] reminder.
υπομονεύω (ρ) [ipomonevo] be patient.
υπομονή (η) [ipomoni] patience.
υπομονητικός-ή-ό (ε) [ipomonitikos] patient.
υπόνοια (η) [iponia] suspicion.
υπονομεύω (ρ) [iponomevo] undermine.
υπόνομος (ο) [iponomos] sewer, mine.
υπονοούμενο (το) [iponoumeno] connotation.
υπονοούμενος-η-ο (ε) [iponoumenos] implied.
υπονοώ (ρ) [iponoo] infer, mean.
υποπίπτω (ρ) [ipopipto] commit.
υποπροϊόν (το) [ipoproion] byproduct.
ύποπτα (επ) [ipopta] suspiciously.
υποπτεύομαι (ρ) [ipoptevome] suspect.

ύποπτος-η-ο (ε) [ipoptos] suspect.
υποσημειώνω (ρ) [iposimiono] make a footnote.
υποσημείωση (η) [iposimiosi] footnote.
υποσιτίζομαι (ρ) [ipositizome] be underfed.
υποσιτισμός (ο) [ipositismos] malnutrition.
υποσκάπτω (ρ) [iposkapto] undermine.
υποσμηναγός (ο) [iposminagos] first lieutenant.
υπόσταση (η) [ipostasi] existence, foundation.
υπόστεγο (το) [ipostego] shed.
υποστέλλω (ρ) [ipostello] strike.
υποστήριγμα (το) [ipostirigma] support, brace, bracket.
υποστηρίζω (ρ) [ipostirizo] support, second.
υποστήριξη (η) [ipostiriksi] support, backing.
υποστηριχτής (ο) [ipostirihtis] supporter.
υπόστρωμα (το) [ipostroma] saddlecloth.
υποστυλώνω (ρ) [ipostilono] support.
υποστύλωση (η) [ipostilosi] supporting.
υποσυνείδητο (το) [iposinidhito] subconscious.
υπόσχεση (η) [iposhesi] promise.
υπόσχομαι (ρ) [iposhome] promisee.
υποταγή (η) [ipotayi] obedience.
υποταγμένος-η-ο (ε) [ipotagmenos] submissive, subject.
υποτακτική (η) [ipotaktiki] subjective.
υποτακτικός-ή-ό (ε) [ipotaktikos] obedient.
υπόταση (η) [ipotasi] low blood pressure.
υποτάσσομαι (ρ) [ipotassome] submit.
υποτάσσω (ρ) [ipotasso] subdue.
υποτέλεια (η) [ipotelia] subjection.
υποτελής-ής-ές (ε) [ipotelis] subordinate.
υποτίθεμαι (ρ) [ipotitheme] suppose.
υποτίμηση (η) [ipotimisi] depreciation, devaluation.
υποτιμητικός-ή-ό (ε) [ipotimitikos] depreciatory.
υποτιμώ (ρ) [ipotimo] underestimate, depreciate.
υπότιτλος (ο) [ipotitlos] subtitle.
υποτροπή (η) [ipotropi] deterioration, reversionn.
υποτροφία (η) [ipotrofia] scholarship.

υπότροφος-η-ο (ε) [ipotrofos] scholar.

υποτυπώδης-ης-ες (ε) [ipotipodhis] imperfectly formed.

υποτύπωση (η) [ipotiposi] outline.

ύπουλος-η-ο (ε) [ipulos] cunning, devious.

υπουργείο (το) [ipuryio] ministry.

υπουργός (ο) [ipurgos] minister, secretary.

υποφαινόμενος-η-ο (μ) [ipofenomenos] the undersigned.

υποφερτός-ή-ό (ε) [ipofertos] tolerable.

υποφέρω (ρ) [ipofero] bear, support.

υποχονδρία (ε) [ipohondhria] hypochondria.

υπόχρεος-η-ο (ε) [ipohreos] obliged.

υποχρεώνω (ρ) [ipohreono] force.

υποχρέωση (η) [ipohreosi] obligation, duty.

υποχρεωτικός-ή-ό (ε) [ipohreotikos] compulsory.

υποχώρηση (η) [ipohorisi] withdrawal.

υποχωρητικός-ή-ό (ε) [ipohoritikos] accommodating.

υποχωρητικότητα (η) [ipohoritikotita] compliance.

υποχωρώ (ρ) [ipohoro] withdraw, fall in.

υπόψη (επ) [ipopsi] in view.

υποψήφιος-α-ο (ε) [ipopsifios] candidate, applicant.

υποψηφιότητα (η) [ipopsifiotita] application.

υποψία (η) [ipopsia] suspicion, misgiving, mistrust, distrust.

υποψιάζομαι (ρ) [ipopsiazome] suspect.

ύστατος-η-ο (ε) [istatos] last.

ύστερα (επ) [istera] afterwards, then, later, furthermore.

υστερεκτομή (η) [isterektomi] hysterectomy.

υστέρημα (το) [isterima] shortage, small savings.

υστερία (η) [isteria] hysteria.

υστεροβουλία (η) [isterovulia] afterthought.

υστερόβουλος-η-ο (ε) [isterovulos] calculating.

υστερόγραφο (το) [isterografo] postscript.

ύστερος-η-ο (ε) [isteros] later.

υστερότοκος-η-ο (ε) [isterotokos] last-born.

υστερόχρονος-η-ο (ε) [isterohronos] posterior, later.

υστερώ (ρ) [istero] come after, be inferior, deprive.

υφαίνω (ρ) [ifeno] weave.

υφαίρεση (η) [iferesi] discount.

υφαιρώ (ρ) [ifero] misappropriate, discount.

υφάλμυρος-η-ο (ε) [ifalmiros] brackish.
υφαλοκρηπίδα (η) [ifalokripidha] continental shelf.
ύφαλος (ο) [ifalos] reef, shoal.
ύφανση (η) [ifansi] weaving.
υφαντήριο (το) [ifandirio] textile factory.
υφαντό (το) [ifando] handwoven material.
υφαντουργία (η) [ifanduryia] textile industry.
υφαντουργός (ο) [ifandurgos] textile manufacturer.
υφαρπαγή (η) [ifarpayi] snatch.
ύφασμα (το) [ifasma] cloth, material.
υφάσματα (τα) [ifasmata] textiles.
ύφεση (η) [ifesi] decrease, depression, flat.
υφή (η) [ifi] texture, weave.
υφηγητής (ο) [ifiyitis] lecturer.
υφήλιος (η) [ifilios] earth, world.
υφίσταμαι (ρ) [ifistame] bear, sustain.
υφιστάμενος-η-ο (μ) [ifistamenos] inferior.
ύφος (το) [ifos] style, air, look.
υφυπουργός (ο) [ifipurgos] undersecretary of state.
υψηλός-ή-ό (ε) [ipsilos] high, tall.
υψηλότατος (ο) [ipsilotatos] [His/Your] Highness .
υψικάμινος (η) [ipsikaminos] blast furnace.
υψίπεδο (το) [ipsipedho] plateau.
ύψιστος-η-ο (ε) [ipsistos] highest, most important, God.
υψίφωνος (ο) [ipsifonos] tenor, soprano.
υψόμετρο (το) [ipsometro] above sea level.
ύψος (το) [ipsos] height, pitch [μουσ], elevation.
ύψωμα (το) [ipsoma] height, high ground, knoll.
υψωματάκι (το) [ipsomataki]hill.
υψώνω (ρ) [ipsono] increase.
ύψωση (η) [ipsosi] raising, lifting.
υψωτικός-ή-ό (ε) [ipsotikos] bull.

Φ

φάβα (n) [fava] yellow pea.
φαβορίτα (n) [favorita] sideburns.
φαγάδικο (το) [fagadhiko] cheap restaurant.
φαγάνα (n) [fagana] dredger, digger.
φαγγρί (το) [fangri] sea bream.
φαγητό (το) [fayito] meal, dish.
φαγκότο (το) [fagoto] bassoon.
φαγούρα (n) [fagura] irritation.
φάγωμα (το) [fagoma] corrosion, quarrel.
φαγωμάρα (n) [fagomara] itch, dispute.
φαγώνομαι (ρ) [fagonome] be eaten away, wear away.
φαγώσιμος-n-o (ε) [fagosimos] edible.
φαεινός-ή-ό (ε) [fainos] bright idea.
φαΐ (το) [fa-i] food.
φαιδρά (επ) [fedhra] comically.
φαιδρός-ή-ό (ε) [fedhros] merry, cheerful.
φαιδρότητα (n) [fedhrotita] cheerfullness.
φαιδρύνω (ρ) [fedhrino] cheer up.
φαινόλη (n) [fenoli] carbolic acid.
φαίνομαι (ρ) [fenome] appear.
φαινομενικός-ή-ό (ε) [fenomenikos] seeming, apparent.
φαινομενικότητα (n) [fenomenikotita] semblance.
φαινομενικώς (επ) [fenomenikos] apparently.
φαιός-ά-ό (ε) [feos] grey.
φάκα (n) [faka] snare.
φάκελος (o) [fakelos] envelope, file.
φακή (n) [faki] lentils.
φακίδα (n) [fakidha] freckle.
φακός (o) [fakos] lens, magnifying glass.
φάλαινα (n) [falena] whale.
φαλαινοθηρικό (το) [falenothiriko] whaler.
φαλάκρα (n) [falakra] baldness.
φαλακραίνω (ρ) [falakreno] go bald.
φαλακρός-ή-ό (ε) [falakros] bald.
φαλιμέντο (το) [falimendo] bust.
φαλλικός-ή-ό (ε) [fallikos] phallic.
φαλτσάρω (ρ) [faltsaro] sing out of tune.
φαλτσέτα (n) [faltseta] paring knife.

φάλτσο (το) [faltso] wrong note.
φάλτσος-α-ο (ε) [faltsos] out of tune.
φαμελιά (n) [famelia] family.
φαμπρικάρω (ρ) [fambrikaro] manufacture.
φανάρι (το) [fanari] lamp, light.
φανατικός-ή-ό (ε) [fanatikos] overzealous, fanatical.
φανατισμένος-η-ο (μ) [fanatismenos] fanatical.
φανέλα (n) [fanela] vest.
φανελένιος-α-ο (ε) [fanelenios] flannel.
φανερά (επ) [fanera] obviously.
φανερός-ή-ό (ε) [faneros] clear.
φανέρωμα (το) [faneroma] appearance.
φανερώνω (ρ) [fanerono] reveal.
φανέρωση (n) [fanerosi] appearance.
φανός (ο) [fanos] lamp.
φανοστάτης (ο) [fanostatis] lamp-post.
φαντάζομαι (ρ) [fandazome] think, believe.
φαντάζω (ρ) [fandazo] make an stand out.
φαντάρος (ο) [fandaros] soldier.
φαντασία (n) [fandasia] imagination.
φαντασιοκοπία (n) [fandasiokopia] illusion.
φαντασιοκόπος (ο) [fandasiokopos] daydreamer.
φαντασιόπληχτος-η-ο (ε) [fandasioplihtos] fanciful.
φαντασίωση (n) [fandasiosi] fantasy.
φάντασμα (το) [fandasma] ghost, spirit.
φαντασμένος-η-ο (μ) [fandasmenos] vain, haughty.
φανταστικός-ή-ό (ε) [fandastikos] illusory, fantastic.
φανταχτερός-ή-ό (ε) [fandahteros] bright, glaring.
φάντης (ο) [fandis] knave.
φανφαρονισμός (ο) [fanfaronismos] flamboyance.
φανφαρόνος (ο) [fanfaronos] flamboyant.
φάπα (n) [fapa] slap, smack, clip.
φάρα (n) [fara] race, breed.
φαράγγι (το) [farangi] gorge.
φαράσι (το) [farasi] dustpan.
φαρδαίνω (ρ) [fardheno] widen.
φάρδεμα (το) [fardhema] letting out.
φάρδος (το) [fardhos] width.
φαρδύς-ιά-ύ (ε) [fardhis] wide.
φαρέτρα (n) [faretra] quiver.
φάρμα (n) [farma] farm
φαρμακείο (το) [farmakio] chemist's.
φαρμακερός-ή-ό (ε) [farmakeros] spiteful.

φαρμάκι (το) [farmaki] poison.
φάρμακο (το) [farmako] medicine.
φαρμακοποιός (ο) [farmakopios] chemist.
φαρμακώνω (ρ) [farmakono] poison, cause grief.
φάρος (ο) [faros] lighthouse.
φαροφύλακας (ο) [farofilakas] lighthouse-keeper.
φάρσα (n) [farsa] trick, practical joke.
φάρυγγας (ο) [faringas] pharynx.
φασαρία (n) [fasaria] disturbance, fuss, noise.
φάση (n) [fasi] phase, change.
φασιανός (ο) [fasianos] pheasant.
φασίνα (n) [fasina] scrub.
φασίολος (ο) [fasiolos] bean.
φασκιά (n) [faskia] swaddling clothes.
φασκιώνω (ρ) [faskiono] swaddle.
φασκόμηλο (το) [faskomilo] sage.
φάσκω (ρ) [fasko] contradict oneself.
φάσμα (το) [fasma] spectrum.
φασματικός-ή-ό (ε) [fasmatikos] spectral.
φασματοσκόπιο (το) [fasmatoskopio] spectroscope.
φασολάδα (n) [fasoladha] bean soup.
φασόλι (το) [fasoli] bean.
φάσσα (n) [fassa] wood-pigeon.
φάτνη (n) [fatni] manger.
φατρία (n) [fatria] faction, gang.
φατριαστής (ο) [fatriastis] factionary.
φαυλοκρατία (n) [favlokratia] political corruption.
φαυλοκρατικός-ή-ό (ε) [favlokratikos] corrupt.
φαύλος-η-ο (ε) [favlos] wicked.
φαυλότητα (n) [favlotita] depravity.
φαφλατάς (ο) [faflatas] bouncer.
φαφλατάς-ού (ε) [faflatas] chatterer.
Φεβρουάριος (ο) [Fevruarios] February.
φεγγάρι (το) [fengari] moon.
φεγγαρόλουστος-η-ο (ε) [fengarolustos] moonlit.
φέγγισμα (το) [fengisma] showing through.
φεγγίτης (ο) [fengitis] skylight.
φεγγοβόλημα (το) [fengovolima] shine.
φεγγοβόλος (ο) [fengovolos] glowing.
φεγγοβολώ (ρ) [fengovolo] shine brightly.
φέγγω (ρ) [fengo] shine.
φειδίσιος-α-ο (ε) [fidhisios] anguine.

φείδομαι (ρ) [fidhome] save.
φειδωλά (επ) [fidhola] economically.
φειδωλός-ή-ό (ε) [fidholos] mean.
φελός (ο) [felos] cork.
φεμινισμός (ο) [feminismos] feminism.
φενάκη (η) [fenaki] hoax.
φενακίζω (ρ) [fenakizo] deceive.
φέξη (η) [feksi] dawn.
φεουδαρχία (η) [feudharhia] feudalism.
φεουδαρχικός-ή-ό (ε) [feudharhikos] feudal.
φέουδο (το) [feudho] fief.
φερεγγυότητα (η) [ferengiotita] trustworthiness.
φέρελπις (ο) [ferelpis] full of promise.
φέρετρο (το) [feretro] coffin.
φερμένος-η-ο (μ) [fermenos] arrived.
φερμουάρ (το) [fermuar] zip.
φέρνω (ρ) [ferno] bring, carry, support.
φέρομαι (ρ) [ferome] conduct, behave.
φέρσιμο (το) [fersimo] behaviour.
φέρω (ρ) [fero] bring, carry, carry, have, wear.
φέσι (επ) [fesi] blotto.
φέσι (το) [fesi] fez.
φεστιβάλ (το) [festival] festival.
φέτα (η) [feta] slice.
φετινός-ή-ό (ε) [fetinos] of this year.
φέτος (επ) [fetos] this year.
φευγάλα (η) [fevgala] flight, escape.
φευγατίζω (ρ) [fevgatizo] help to escape.
φευγάτος-η-ο (ε) [fevgatos] gone.
φευγιό (το) [fevyio] flight.
φεύγω (ρ) [fevgo] leave, depart.
φήμη (η) [fimi] report, rumour.
φημισμένος-η-ο (μ) [fimismenos] famous.
φθάνω (ρ) [fthano] catch, overtake, attain, reach.
φθαρμένος-η-ο (μ) [ftharmenos] beaten.
φθαρτός-ή-ό (ε) [fthartos] perishable.
φθειρίαση (η) [fthiriasi] lousiness.
φθείρομαι (ρ) [fthirome] decay, wash away.
φθείρω (ρ) [fthiro] damage, spoil.
φθινοπωριάτικος-η-ο (ε) [fthinoporiatikos] autumn.
φθινόπωρο (το) [fthinoporo] autumn.
φθίση (η) [fthisi] decline.
φθισικός-ή-ό (ε) [fthisikos] consumptive.

φθογγολογία (η) [fthongoloyia] phonology.

φθόγγος (ο) [fthongos] voice, sound, a note.

φθονερός-ή-ό (ε) [fthoneros] envious.

φθόνος (ο) [fthonos] jealousy.

φθονώ (ρ) [fthono] be jealous of.

φθορά (η) [fthora] deterioration, damage.

φθόριο (το) [fthorio] fluorine.

φθορισμός (ο) [fthorismos] fluorescence.

φιάλη (η) [fiali] bottle, flask.

φιαλίδιο (το) [fialidhio] vial.

φιαλοθήκη (η) [fialothiki] cellaret.

φιγούρα (η) [figura] figure, image.

φιγουράρω (ρ) [figuraro] show off.

φιγουρίνι (το) [figurini] fashion journal, fashionable person.

φιδές (ο) [fidhes] vermicelli.

φίδι (το) [fidhi] snake.

φιδωτός-ή-ό (ε) [fidhotos] winding.

φίλαθλος (ο) [filathlos] sports fan.

φιλαναγνώστης (ε) [filanagnostis] bookish.

φιλανθρωπία (η) [filanthropia] charity.

φιλάνθρωπος (ο) [filanthropos] charitable person.

φιλαργυρία (η) [filaryiria] meanness.

φιλάργυρος-η-ο (ε) [filaryiros] miserly.

φιλαρέσκεια (η) [filareskia] coquetry.

φιλαρμονική (η) [filarmoniki] band.

φιλάσθενος-η-ο (ε) [filasthenos] sickly.

φιλαυτία (η) [filaftia] selfishness.

φιλειρηνικός-ή-ό (ε) [filirinikos] peace-loving.

φιλελευθερισμός (ο) [fileleftherismos] liberalism.

φιλελεύθερος-η-ο (ε) [fileleftheros] liberal.

φίλεμα (το) [filema] tip.

φιλενάδα (η) [filenadha] girlfriend, mistress.

φίλεργος (ο) [filergos] hardworking.

φιλέτο (το) [fileto] fillet of meat.

φιλεύσπλαχνος-η-ο (ε) [filefsplahnos] merciful.

φιλεύω (ρ) [filevo] make a present.

φίλη (η) [fili] friend.

φιλήδονος-η-ο (ε) [filidhonos] sensual.

φίλημα (το) [filima] kissing.

φιλήσυχος-η-ο (ε) [filisihos] peace-loving, calm, quiet.

φιλί (το) [fili] kiss.
φιλία (n) [filia] friendship.
φιλικός-ń-ό (ε) [filikos] friendly.
φιλιστρίνι (το) [filistrini] porthole.
φίλιωμα (το) [filioma] reconciliation.
φιλιώνω (ρ) [filiono] make it up.
φιλντισένιος-α-ο (ε) [filndiseni-os] of ivory.
φίλντισι (το) [filndisi] mother-of-pearl, ivory.
φιλοδοξία (n) [filodhoksia] ambition.
φιλόδοξος-n-o (ε) [filodhoksos] ambitious.
φιλοδοξώ (ρ) [filodhokso] be ambitious.
φιλοδώρημα (το) [filodhorima] tip.
φιλοδωρώ (ρ) [filodhoro] tip.
φιλόζωος-n-o (ε) [filozoos] selfish.
φιλόθρησκος-n-o (ε) [filothriskos] religious.
φιλοκατήγορος-n-o (ε) [filokatigoros] fault-finding.
φιλοκέρδεια (n) [filokerdhia] greed.
φιλολογία (n) [filoloyia] literature.
φιλολογικός-ń-ό (ε) [filoloyikos] literary.
φιλομάθεια (n) [filomathia] studiousness.
φιλονικία (n) [filonikia] dispute, argument.
φιλόνικος-n-o (ε) [filonikos] argumentative.
φιλονικώ (ρ) [filoniko] quarrel.
φιλόνομος-n-o (ε) [filonomos] law-abiding.
φιλοξενία (n) [filoksenia] hospitality.
φιλόξενος-n-o (ε) [filoksenos] hospitable.
φιλοξενούμενος-n-o (μ) [filoksenumenos] guest.
φιλοπατρία (n) [filopatria] patriotism.
φιλοπεριέργεια (n) [filoperier-
φιλόπονος-n-o (ε) [filoponos] industrious.
φιλοπρόοδος-n-o (ε) [filoproodhos] progressive.
φιλόπτωχος-n-o (ε) [filoptohos] charitable.
φίλος (o) [filos] friend, dear, boy friend.
φιλοσοφικός-ń-ό (ε) [filosofikos] philosophical.
φιλοστοργία (n) [filostoryia] affection.
φιλόστοργος-n-o (ε) [filostorgos].
φιλοτέχνημα (το) [filotehnima] work of art.
φιλοτεχνώ (ρ) [filotehno]

create.

φιλοτιμία (n) [filotimia] sense of honour.

φιλότιμο (το) [filotimo] pride.

φιλότιμος-n-o (ε) [filotimos] obliging.

φιλοφρόνημα (το) [filofronima] compliment.

φιλοφρονητικός-ή-ό (ε) [filofronitikos] complimentary.

φιλοφροσύνη (n) [filofrosini] courtesy.

φιλόφρωνας (ε) [filofronas] chivalrous.

φίλτατος-n-o (ε) [filtatos] dearest.

φιλτράρισμα (το) [filtrarisma] filtering.

φιλτράρω (ρ) [filtraro] filter.

φίλτρο (το) [filtro] filter.

φιλύποπτος-n-o (ε) [filipoptos] suspicious.

φιλώ (ρ) [filo] kiss.

φιντάνι (το) [findani] seedling.

φιξάρισμα (το) [fiksarisma] fixation.

φιόγκος (o) [fiongos] knot, bow.

φίρμα (n) [firma] firm.

φιοριτούρα (n) [fioritura] embellishment, flourish.

φίσα (n) [fisa] gambling chip.

φισέκι (το) [fiseki] cartridge.

φισεκλίκι (το) [fisekliki] cartridge-belt.

φιστίκι (το) [fistiki] pistachio nut.

φιτίλι (το) [fitili] fuse.

φλάμπουρο (το) [flamburo] standard.

φλαούτο (το) [flauto] flute.

φλασκί (το) [flaski] flask.

φλέβα (n) [fleva] vein, talent.

Φλεβάρης (o) [Flevaris] February.

φλεβαριδοφόρος-n-o (ε) [flevaridhoforos] ciliate.

φλεβοτομώ (ρ) [flevotomo] bleed.

φλέγμα (το) [flegma] phlegm, mucus.

φλεγμονή (n) [flegmoni] inflammation.

φλέγομαι (ρ) [flegome] burn.

φλεγόμενος (o) [flegomenos] blazing, ablaze.

φλερτάρισμα (το) [flertarisma] flirting.

φλερτάρω (ρ) [flertaro] flirt with.

φλιτζάνι (το) [flitzani] cup.

φλόγα (n) [floga] flame, passion, ardour.

φλογέρα (n) [floyera] shepherd's pipe, reed.

φλογερός-ή-ό (ε) [floyeros] burning, flaming.

φλογίζω (ρ) [floyizo] inflame.

φλογοβόλο (το) [flogovolo] flame-thrower.

φλογοβόλος-ος-ο (ε) [flogovolos] ablaze.
φλόγωση (η) [flogosi] inflammation.
φλοιός (ο) [flios] peel, rind.
φλοιός σιτηρών (ο) [flios sitiron] chaff.
φλοίσβος (ο) [flisvos] rippling of waves.
φλοιώδης-ης-ες (ε) [fliodhis] cortical.
φλοκάτη (η) [flokati] thick blanket.
φλόκος (ο) [flokos] jib.
φλομώνω (ρ) [flomono] stun.
φλούδα (η) [fludha] peel, rind.
φλουρί (το) [fluri] gold coin.
φλυαρία (η) [fliaria] gossiping.
φλυαρώ (ρ) [fliaro] gossip.
φλύκταινα (η) [fliktena] blain.
φλώρος (ο) [floros] linnet.
φοβάμαι (ρ) [fovame] be afraid.
φοβερά (επ) [fovera] awfully.
φοβερίζω (ρ) [foverizo] threaten.
φοβερός-ή-ό (ε) [foveros] terrible, frightful.
φόβητρο (το) [fovitro] scarecrow.
φοβητσιάρης-α-ικο (ε) [fovitsiaris] fearful.
φοβία (η) [fovia] fear.
φοβίζω (ρ) [fovizo] frighten.
φοβισμένος-η-ο (μ) [fovismenos] afrai.
φοβιτσιάρης (ε) [fovitsiaris] cowardly.
φόβος (ο) [fovos] fear, fright.
φοβούμαι (ρ) [fovume] fear.
φόδρα (η) [fodhra] lining.
φοδράρω (ρ) [fodhraro] line.
φοίνικας (ο) [finikas] palm tree.
φοίτηση (η) [fitisi] attendance.
φοιτητής (ο) [fititis] student.
φοιτήτρια (η) [fititria] coed.
φοιτώ (ρ) [fito] be a student.
φόλα (η) [fola] dog poison.
φολοφρόνηση (η) [folofronisi] compliment.
φολύδα (η) [folidha] cortex.
φονεύω (ρ) [fonevo] murder.
φονιάς (ο) [fonias] murderer.
φονικός-ή-ό (ε) [fonikos] murderous.
φόνος (ο) [fonos] murder.
φόντο (το) [fondo] bottom, base, back.
φόρα (η) [fora] impulse, force.
φορά (η) [fora] force, course.
φοράδα (η) [foradha] mare.
φοραδίτσα (η) [foradhitsa] filly.
φορατζής (ο) [foratzis] tax collector.
φορέας (ο) [foreas] porter, agent.
φορείο (το) [forio] stretcher.
φόρεμα (το) [forema] dress.
φορεσιά (η) [foresia] dress.
φορητός-ή-ό (ε) [foritos] port-

able.

φόρμα (n) [forma] form, shape.

φόρμουλα (n) [formula] formula.

φορολογήσιμος-η-ο (ε) [foroloyisimos] taxable.

φορολογία (n) [foroloyia] taxation.

φορολογούμενος-η-ο (μ) [forologumenos] taxpayer.

φόρος (o) [foros] tax.

φόρτε (το) [forte] strong point.

φορτηγίδα (n) [fortiyidha] lighter.

φορτηγό (το) [fortigo] lorry.

φορτίζω (ρ) [fortizo] charge with electricity.

φορτικότητα (n) [fortikotita] importunity.

φορτίο (το) [fortio] cargo, load.

φόρτος (o) [fortos] heavy load.

φορτσάρισμα (το) [fortsarisma] burst.

φορτσάρω (ρ) [fortsaro] intensify.

φόρτωμα (το) [fortoma] loading.

φορτώνομαι (ρ) [fortonome] pester, annoy.

φορτώνω (ρ) [fortono] load.

φόρτωση (n) [fortosi] loading.

φορτωτής (o) [fortotis] shipper.

φορτωτική (n) [fortotiki] bill of landing.

φορώ (ρ) [foro] wear, put on.

φουγάρο (το) [fugaro] funnel.

φουκαράς-ού (ε) [fukaras] unfortunate fellow.

φουλάρι (το) [fulari] scarf.

φουμάρω (ρ) [fumaro] smoke.

φούμος (o) [fumos] soot.

φουντούκι (το) [funduki] hazelnut .

φούντωμα (το) [fundoma] burge-oning [δέντρου], growth, anger, flush.

φουντωμένος-η-ο (μ) [fundomenos] ablaze.

φουντώνω (ρ) [fundono] become bushy, spread.

φουντωτός-ή-ό (ε) [fundotos] bushy.

φούξια (n) [fuksia] fuchsia.

φούρια (n) [furia] haste.

φουριόζος-α-ο (ε) [furiozos] brash.

φούρκα (n) [furka] rage, anger.

φουρκέτα (n) [furketa] hairpin.

φουρκίζω (ρ) [furkizo] pester.

φούρκισμα (το) [furkisma] anger.

φούρναρης (o) [furnaris] baker.

φουρνέλο (το) [furnelo] grid.

φουρνίζω (ρ) [furnizo] bake.

φούρνος (o) [furnos] oven.

φουρούσι (το) [furusi] corbel, console.

φουρτούνα (n) [furtuna] storm.

φουρτουνιασμένος-η-ο (μ) [furtuniasmenos] rough.

φούσκα (η) [fuska] bladder, balloon, blister.
φουσκάλα (η) [fuskala] blister, bubble.
φουσκί (το) [fuski] manure, muck.
φουσκίζω (ρ) [fuskizo] manure.
φουσκονεριά (η) [fuskoneria] flood tide.
φούσκωμα (το) [fuskoma] swelling.
φουσκώνω (ρ) [fuskono] swell, inflate, exaggerate.
φουσκωτός-ή-ό (ε) [fuskotos] puffed, inflated, curved.
φούστα (η) [fusta] skirt.
φουστάνι (το) [fustani] dress.
φουφού (η) [fufu] brazier.
φουφούλα (η) [fufula] bloomers.
φούχτα (η) [fuhta] handful.
φραγγέλιο (το) [frangelio] lash.
φράγκο (το) [frango] franc, drachma.
φραγκογαρίφαλο (το) [frangogarifalo] redcurrant.
φραγκοστάφυλο (το) [frangostafilo] gooseberry.
φραγκόσυκο (το) [frangosiko] prickly pear.
φράγμα (το) [fragma] enclosure.
φραγμός (ο) [fragmos] fence.
φράζω (ρ) [frazo] surround.
φραίζα (η) [freza] bur.
φράκο (το) [frako] tails.
φράκτης (ο) [fraktis] enclosure.
φράντζα (η) [frantza] fringe.
φράξια (η) [fraksia] faction.
φράξιμο (το) [fraksimo] enclosing.
φράουλα (η) [fraula] strawberry.
φράσσομαι (ρ) [frassome] clog.
φράσσω (ρ) [frasso] surround, hedge, obstruct.
φραστικός-ή-ό (ε) [frastikos] phrasal, verbal.
φράχτης (ο) [frahtis] enclosure.
φρέαρ (το) [frear] well, pit.
φρεάτιο (το) [freatio] small well.
φρεγάτα (η) [fregata] frigate.
φρένα (τα) [frena] brakes.
φρεναπάτη (η) [frenapati] delusion.
φρενάρισμα (το) [frenarisma] braking.
φρενιάζω (ρ) [freniazo] get furious.
φρενίτιδα (η) [frenitidha] fury.
φρένο (το) [freno] brake.
φρενοβλαβής-ής-ές (ε) [frenovlavis] mentally disturbed.
φρενολόγος (ο) (η) [frenologos] alienist.
φρεσκάδα (η) [freskadha] freshness, coolness.
φρέσκο (το) [fresko] coolness.
φρέσκος-η-ο (ε) [freskos] fresh.
φριζάρω (ρ) [frizaro] curl.
φρικαλέος-α-ο (ε) [frikaleos]

horrible.
φρικαλεότητα (η) [frikaleotita] atrocity.
φρίκη (η) [friki] terror, horror.
φρικιάζω (ρ) [frikiazo] shiver.
φρικιαστικός-ή-ό (ε) [frikiastikos] horrifying.
φρικτά (επ) [frikta] awfully.
φρικτός-ή-ό (ε) [friktos] horrible , awful, appalling.
φρόκαλο (το) [frokalo] rubbish.
φρόνημα (το) [fronima] opinion, morale.
φρονηματίζω (ρ) [fronimatizo] chasten.
φρονηματικός-ή-ό (ε) [fronimatikos] chastening.
φρόνηση (η) [fronisi] prudence.
φρονιματίζω (ρ) [fronimatizo] inspire self-confidence.
φρονιμεύω (ρ) [fronimevo] become prudent, be well-behaved.
φρονιμίτης (ο) [fronimitis] wisdom tooth.
φρόνιμος-η-ο (ε) [fronimos] reasonable, well-behaved.
φροντίδα (η) [frondidha] care.
φροντίζω (ρ) [frondizo] look after.
φροντιστήριο (το) [frondistirio] coaching school, prep school.
φρονώ (ρ) [frono] think.
φρουμάζω (ρ) [frumazo] snort.
φρουρά (η) [frura] lookout.
φρούρηση (η) [frurisi] custody.
φρούριο (το) [frurio] fortress.
φρουρός (ο) [fruros] guard.
φρουρώ (ρ) [fruro] guard.
φρούτο (το) [fruto] fruit.
φρυάζω (ρ) [friazo] get angry.
φρυγανιά (η) [frigania] toast.
φρυγανιέρα (η) [friganiera] toaster.
φρύδι (το) [fridhi] eyebrow.
φρύνος (ο) [frinos] toad.
φταίξιμο (το) [fteksimo] error.
φταίχτης (ο) [ftehtis] culprit.
φταίω (ρ) [fteo] be responsible, make a mistake.
φτάνω (ρ) [ftano] catch, overtake, attain, reach.
φταρνίζομαι (ρ) [ftarnizome] sneeze.
φτελιά (η) [ftelia] elm[tree].
φτέρη (η) [fteri] fern.
φτέρνα (η) [fterna] heel.
φτερνίζομαι (ρ) [fternizome] sneeze.
φτερό (το) [ftero] feather, wing.
φτεροκόπημα (το) [fterokopima] flap.
φτερούγα (η) [fteruga] wing.
φτερουγίζω (ρ) [fteruyizo] flap.
φτέρωμα (το) [fteroma] plumage.
φτερωτός-ή-ό (ε) [fterotos] winged.
φτηνά (επ) [ftina] cheaply.
φτηνοδουλειά (η) [ftinodhulia] botch (job).
φτηνός-ή-ό (ε) [ftinos] cheap.

φτιαγμένος-η-ο (μ) [ftiagmenos] made.

φτιάνομαι (ρ) [ftianome] make up one's face.

φτιάνω (ρ) [ftiano] arrange, tidy up, correct.

φτιασίδωμα (το) [ftiasidhoma] make-up.

φτιασιδώνω (ρ) [ftiasidhono] make up, paint.

φτιάσιμο (το) [ftiasimo] making, fixing.

φτιάχνω (ρ) [ftiahno] arrange, tidy up, correct.

φτουρώ (ρ) [fturo] last long.

φτυάρι (το) [ftiari] spade.

φτυαρίζω (ρ) [ftiarizo] shovel.

φτύμα (το) [ftima] spittle.

φτύνω (ρ) [ftino] spit out.

φτύσιμο (το) [ftisimo] spitting.

φτωχαίνω (ρ) [ftoheno] impoverish.

φτώχεια (η) [ftohia] poverty.

φτωχεύω (ρ) [ftohevo] become poor.

φτωχικός-ή-ό (ε) [ftohikos] poor.

φτωχολογιά (η) [ftoholoyia] the poor.

φτωχός-ή-ό (ε) [ftohos] poor, needy.

φυγάδευση (η) [figadhepsi] escape.

φυγάς (ο) [figas] fugitive.

φυγή (η) [fiyi] escape.

φυγοδικία (η) [figodhikia] default.

φυγόδικος-η-ο (ε) [figodhikos] defaulter.

φυγοδικώ (ρ) [figodhiko] flee from justice.

φυγόμαχος-η-ο (ε) [figomahos] deserter.

φυγομαχώ (ρ) [figomaho] desert.

φυγοπόλεμος-η-ο (ε) [figopolemos] deserter.

φυγοπονία (η) [figoponia] laziness,.

φύκι (το) [fiki] seaweed.

φύκια (τα) [fikia] driftage.

φύλαγμα (το) [filagma] guard.

φυλάγομαι (ρ) [filagome] take care.

φυλάγω (ρ) [filago] guard, protect, mind, tend, keep, lay aside.

φύλακας (ο) [filakas] keeper, guardian, guard, caretaker.

φυλακή (η) [filaki] prison, jail.

φυλακίζω (ρ) [filakizo] imprison.

φυλάκιο (το) [filakio] guardhouse, post, guardroom.

φυλάκιση (η) [filakisi] imprisonment, confinement.

φυλακτό (το) [filakto] charm.

φύλαρχος (ο) [filarhos] tribal chief.

φυλάττω (ρ) [filatto] cache.

φυλαχτό (το) [filahto] charm.

φυλάχτρα (η) [filahtra] hide.

φυλετικός-ή-ό (ε) [filetikos] tribal, racial.

φυλή (η) [fili] tribe, nation.
φυλλάδα (η) [filladha] booklet.
φυλλάδιο (το) [filladhio] pamphlet.
φύλλο (το) [fillo] leaf, petal.
φυλλομετρώ (ρ) [fillometro] turn pages of, run through.
φυλλοφόρος-α-ο (ε) [filloforos] leaf-bearing.
φύλλωμα (το) [filloma] foliage.
φύλο (το) [filo] sex, race, tribe.
φυματικός-ή-ό (ε) [fimatikos] consumptive, tubercular.
φυματιολόγος (ο) [fimatiologos] TB specialist.
φυματίωση (η) [fimatiosi] tuberculosis, consumption.
φύομαι (ρ) [fiome] grow, bud.
φυραίνω (ρ) [fireno] shorten, shrink, lose weight.
φύραμα (το) [firama] paste, dough, blend, character.
φύρδην μίγδην (επ) [firdhin migdhin] higgledy-piggledy.
φυρός-ή-ό (ε) [firos] shrivelled, underweight, soft.
φυσαλίδα (η) [fisalidha] bubble, blister.
φυσαρμόνικα (η) [fisarmonika] accordion, mouth organ.
φυσέκι (το) [fiseki] cartridge.
φυσεκλίκι (το) [fisekliki] bandoleer.
φυσερό (το) [fisero] bellows.
φύση (η) [fisi] nature, temper, character.
φύσημα (το) [fisima] breath.
φυσίγγιο (το) [fisingio] cartridge.
φυσικά (επ) [fisika] of course.
φυσική (η) [fisiki] physics.
φυσικό (το) [fisiko] habit.
φυσικοθεραπεία (η) [fisiotherapia] physiotherapy.
φυσικός-ή-ό (ε) [fisikos] natural, physical.
φυσικός (ο) [fisikos] physicist.
φυσιογνωσία (η) [fisiognosia] natural history.
φυσιολάτρης (ο) [fisiolatris] lover of nature.
φυσιολατρικός-ή-ό (ε) [fisiolatrikos] nature-loving.
φυσιολογία (η) [fisioloyia] physiology.
φυσιολογικός-ή-ό (ε) [fisioloyikos] physiological, normal.
φυσομανώ (ρ) [fisomano] rage.
φυσώ (ρ) [fiso] blow up, puff.
φυτεία (η) [fitia] plantation, vegetation, bed of vegetables.
φύτεμα (το) [fitema] planting.
φυτεύω (ρ) [fitevo] plant.
φύτεψη (η) [fitepsi] planting.
φυτικός-ή-ό (ε) [fitikos] vegetable.
φυτό (το) [fito] vegetable, plant.
φυτοζωώ (ρ) [fitozoo] live in poverty.
φυτοφάγος-α-ο (ε) [fitofagos] vegetarian.
φύτρα (η) [fitra] germ, embryo.

φύτρωμα (το) [fitroma] germination, growth.
φυτρώνω (ρ) [fitrono] grow.
φυτώριο (το) [fitorio] nursery.
φώκια (n) [fokia] seal.
φωλιά (n) [folia] nest, den, hole.
φωλιάζω (ρ) [foliazo] nest.
φωνάζω (ρ) [fonazo] shout, call,
φωνασκώ (ρ) [fonasko] bawl.
φωνή (n) [foni] sound, voicet.
φωνήεν (το) [fonien] vowel.
φωνητική (n) [fonitiki] phonetics.
φωνητικός-ή-ό (ε) [fonitikos] vocal, phonetic.
φωσφορικός-ή-ό (ε) [fosforikos] phosphoric.
φωσφόρος (ο) [fosforos] phosphorus.
φώτα (τα) [fota] lights, knowledge, Epiphany [εκκλ].
φωταγωγός (ο) [fotagogos] skylight.
φωταγωγώ (ρ) [fotagogo] illuminate.
φωταέριο (ρ) [fotaerio] gas lighting, coal-gas.
φωταψία (n) [fotapsia] illumination.
φωτεινός-ή-ό (ε) [fotinos] luminous, light, clear.
φωτεινότητα (n) [fotinotita] luminosity, brightness.
φωτιά (n) [fotia] fire, light, fury.
φωτίζομαι (ρ) [fotizome] brighten.
φωτίζω (ρ) [fotizo] illuminate.
φωτίκια (τα) [fotikia] christening clothes.
φώτιση (n) [fotisi] enlightenment.
φωτισμός (ο) [fotismos] illumination.
φωτιστικός-ή-ό (ε) [fotistikos] lighting, illuminating.
φωτοαντίγραφο (το) [fotoandigrafo] photocopy.
φωτοβολία (n) [fotovolia] blaze.
φωτοβολίδα (n) [fotovolidha] flare.
φωτογενής-ής-ές (ε) [fotoyenis] photogenic.
φωτογραφία (n) [fotografia] photograph, photography.
φωτογραφίζω (ρ) [fotografizo] photograph.
φωτογράφος (ο) [fotografos] photographer.
φωτόλουστος-η-ο (ε) [fotolustos] floodlit.
φωτόλουτρο (το) [fotolutro] sunbath.
φωτόμετρο (το) [fotometro] light meter.
φωτοσκιάζω (ρ) [fotoskiazo] shade.
φωτοσκίαση (n) [fotoskiasi] light and shade.
φωτοσύνθεση (n) [fotosinthesi] phototypeset[ting].
φωτοτυπία (n) [fototipia] photocopy.

Χ

χαβάς (ο) [havas] tune, melody.
χαβιάρι (το) [haviari] caviar.
χαβούζα (η) [havuza] cistern.
χάβρα (η) [havra] bedlam.
χάβω (ρ) [havo] gulp down.
χάδι (το) [hadhi] stroke, cuddle.
χάδια (τα) [hadhia] caresses, **χαδιάρικος-η-ο** (ε) [hadhiarikos] caressing, fondling.
χάζεμα (το) [hazema] iding, loafing, lounging.
χαζεύω (ρ) [hazevo] idle about.
χάζι (το) [hazi] pleasure, delight.
χαζολόγημα (το) [hazoloyima fooling, loitering.
χαζομάρα (η) [hazomara] stupidity, slowness.
χαζός-ή-ό (ε) [hazos] stupid, silly.
χαζός (ο) [hazos] mug, fool.
χάιδεμα (το) [haidhema] caressing, stroke.
χαϊδεμένος-η-ο (μ) [haidhemenos] spoilt, pampered.
χαϊδεύομαι (ρ) [haidhevome] cuddle, seek attention.
χαϊδευτικός-ή-ό (ε) [haidheftikos] caressing, affectionate.
χαϊδεύω (ρ) [haidhevo] caress.
χαϊδολογήματα (τα) [haidholoyimata] billing.
χαϊδολογούμαι (ρ) [haidhologume] canoodle.
χαϊδολογώ (ρ) [haidhologo] caress, canoodle.
χαίνω (ρ) [heno] gape, yawn.
χαιρέκακος (ο) [herekakos] malicious.
χαιρεκακώ (ρ) [herekako] chuckle.
χαίρετε! (επιφ) [herete!] hello, see you soon.
χαιρετίζω (ρ) [heretizo] greet.
χαιρετίσματα (τα) [heretismata] greetings, wishes, regards.
χαιρετισμός (ο) [heretismos] salute, greeting, bow.
χαιρετώ (ρ) [hereto] greet.
χαίρομαι (ρ) [herome] be happy, enjoy.
χαίρω (ρ) [hero] be pleased.
χαίτη (η) [heti] mane.
χακί (το) [haki] khaki.
χαλάζι (το) [halazi] hail.
χαλαζοθύελα (η) [halazothiela] hailstorm.
χαλάλι (το) [halali] you can have it.
χαλαρός-ή-ό (ε) [halaros] relaxed, slack, loose.
χαλαρότητα (η) [halarotita] laxity, looseness, flabbiness.
χαλαρώνω (ρ) [halarono] un-

bend, loosen, relax, ease up.
χαλάρωση (η) [halarosi] relaxation.
χάλασμα (το) [halasma] ruin, demolition, spoiling, decay.
χαλασμένος-η-ο (μ) [halasmenos] damaged, demolished.
χαλαστής (ο) [halastis] wrecker.
χαλάω (ρ) [halao] spoil, ruin, break, corrupt, fall out, change.
χαλβαδόπιτα (η) [halvadhopita] nougat.
χαλβάς (ο) [halvas] halva, silly fellow [μεταφ].
χαλεπός-ή-ό (ε) [halepos] hard.
χάλι (το) [hali] plight, sorry state.
χαλί (το) [hali] carpet, rug.
χάλια (τα) [halia] bad condition.
χαλίκι (το) [haliki] pebble.
χαλίκια (τα) [halikia] chesil.
χαλικόστρωτος-η-ο (ε) [halikostrotos] gravelled, metalled.
χαλιναγώγηση (η) [halinagoyisi] bridling, handling.
χαλιναγωγώ (ρ) [halinagogo] lead by the bridle, check.
χαλινάρι (το) [halinari] bridle, bit, rein, curbing [μεταφ].
χαλκάς (ο) [halkas] ring, link.
χάλκινος-η-ο (ε) [halkinos] of copper, copper, coppery.
χαλκομανία (η) [halkomania] transfer design.
χαλκός (ο) [halkos] copper.
χαλκόχρους (ε) [halkohrus] copper, coppery.
χάλκωμα (το) [halkoma] copper, brass.
χαλκωματάς (ο) [halkomatas] coppersmith.
χαλκωματένιος-α-ο (ε) [halkomatenios] brass, copper.
χαλνώ (ρ) [halno] bungle.
χάλυβας (ο) [halivas] steel.
χαλύβδινος-η-ο (ε) [halivdhinos] steel, steely.
χαλυβδώνω (ρ) [halivdhono] steel-plate, steel [μεταφ].
χαλύβδωση (η) [halivdhosi]steel plating.
χαλυβουργείο (το) [halivuryio] steel works.
χαλώ (ρ) [halo] demolish, break, ruin, wear out, change.
χαμάλης (ο) [hamalis] porter.
χαμαλίκι (το) [hamaliki] drudgery.
χαμένος-η-ο (μ) [hamenos] lost, disappeared.
χαμερπής-ής-ές (ε) [hamerpis] base, vile.
χαμηλοβλεπούσα (η) [hamilovlepusa] prude.
χαμηλός-ή-ό (ε) [hamilos] low, gentle [φωνή], soft [φωνή].
χαμηλότητα (η) [hamilotita] lowness.
χαμηλόφωνα (επ) [hamilofona] in an undertone, softly.

χαμήλωμα (το) [hamiloma] lowering, reducing.
χαμηλώνω (ρ) [hamilono] lower, reduce, bring down.
χαμογελαστός-ή-ό (ε) [hamoyelastos] smiling.
χαμόγελο (το) [hamoyelo] smile.
χαμογελώ (ρ) [hamoyelo] smile.
χαμόδεντρο (το) [hamodhendro] shrub.
χαμοκέλα (η) [hamokela] hovel.
χαμόκλαδα (τα) [hamokladha] bush.
χαμόκλαδο (το) [hamokladho] shrub.
χαμομήλι (το) [hamomili] camomile.
χαμός (ο) [hamos] loss, destruction, ruin, death, chaos.
χαμούρα (η) [hamura] bitch.
χαμπάρι (το) [hambari] piece of news.
χαμπαρίζω (ρ) [hambarizo] know, understand, listen.
χάμω (επ) [hamo] down, on the ground.
χάνι (το) [hani] country inn.
χάνομαι (ρ) [hanome] lose oneself, get lost.
χάνος (ο) [hanos] comber.
χαντάκι (το) [handaki] ditch.
χαντακώνω (ρ) [handakono] ruin.
χαντζάρα (η) [handzara] large sword.
χάντρα (η) [handra] bead.
χάνω (ρ) [hano] lose, go astray, let slip, waste time, miss.
χάος (το) [haos] chaos.
χάπι (το) [hapi] pill.
χαρά (η) [hara] joy, delight.
χαραγή (η) [harayi] cut, slit.
χάραγμα (το) [haragma] tracing, engraving.
χαραγματιά (η) [haragmatia] notch, scratch.
χαραγμένος-η-ο (μ) [haragmenos] cut, engraved.
χαράζω (ρ) [harazo] cut, engrave, trace, mark out.
χάρακας (ο) [harakas] straight edge, ruler.
χαράκι (το) [haraki] line, cut.
χαρακιά (η) [harakia] scratch, incision, mark, line [γραμμή].
χαρακτήρας (ο) [haraktiras] letter, character, temper.
χαρακτηρίζω (ρ) [haraktirizo] define, qualify, characterize.
χαρακτηριστικό (το) [haraktiristiko] characteristic, trait.
χαρακτηριστικός-ή-ό (ε) [haraktiristikos] typical, distinctive.
χαράκτης (ο) [haraktis] engraver.
χαράκωμα (το) [harakoma] trench, ruling [γραμμών].
χάραμα (το) [harama] dawn.
χαραμάδα (η) [haramadha] fissure, crack, crevice.
χαραμίζω (ρ) [haramizo] waste.

χαραμοφάης (ο) [haramofais] good-for-nothing.

χάραξη (η) [haraksi] engraving, incision, laying out [δρόμου].

χαράσσω (ρ) [harasso] engrave, carve, rule, map out, lay out.

χάρη (η) [hari] favour, good point, grace, charm.

χαριεντίζομαι (ρ) [hariendizome] be in a teasing mood, jest.

χαρίζω (ρ) [harizo] give, donate, present.

χάρισμα (το) [harisma] talent, gift, accomplishment, finish.

χαριστικός-ή-ό (ε) [haristikos] prejudiced.

χαριτολόγημα (το) [haritoloyima] witticism.

χαριτολογώ (ρ) [haritologo] jest, speak wittily.

χαριτωμένα (επ) [haritomena] charmingly.

χάρμα (το) [harma] delight.

χαρμάνι (το) [harmani] mixture.

χαροκόπι (το) [harokopi] revelry, merry-making.

χαροπαλεύω (ρ) [haropalevo] be at death's door.

χαροποιώ (ρ) [haropio] gladden.

χαρταετός (ο) [hartaetos] kite.

χαρτεμπόριο (το) [hartemborio] paper trade.

χαρτζιλίκι (το) [hartziliki] pocket money.

χάρτης (ο) [hartis] paper, map.

χαρτί (το) [harti] paper, playing card.

χαρτοβασίλειο (το) [hartovasilio] red-tape, bureaucracy.

χαρτογραφία (η) [hartografia] cartography.

χαρτόδετος-η-ο (ε) [hartodhetos] paperbacked.

χαρτοκιβώτιο (το) [hartokivotio] carton, cardboard box.

χαρτοκόπτης (ο) [hartokoptis] paper knife.

χαρτόνι (το) [hartoni] cardboard.

χαρτονόμισμα (το) [hartonomisma] bill, paper money.

χαρτοπαίγνιο (το) [hartopegnio] card-game, gambling.

χαρτοπαίκτης (ο) [hartopektis] gambler.

χαρτοπωλείο (το) [hartopolio] stationer's.

χαρτορίχτρα (η) [hartorihtra] fortune-teller.

χαρτόσημο (το) [hartosimo] stamp tax.

χαρτοφύλακας (ο) [hartofilakas] briefcase, archivist.

χαρτωσιά (η) [hartosia] trick.

χαρωπά (επ) [haropa] cheerfully, cheerily.

χασάπης (ο) [hasapis] butcher.

χάση (η) [hasi] wane.

χασικλής (ο) [hasiklis] drug-addict, junky.
χάσιμο (το) [hasimo] loss.
χασίς (το) [hasis] hashish.
χάσκω (ρ) [hasko] yawn, gape.
χάσμα (το) [hasma] abyss, pit.
χασμουρητό (το) [hasmurito] yawn.
χασμωδία (η) [hasmodhia] disorder, confusion.
χασομέρης (ο) [hasomeris] loafer, good-for-nothing.
χασομερώ (ρ) [hasomero] be idle, linger.
χασούρα (η) [hasura] loss.
χαστούκι (το) [hastuki] slap, smack.
χατίρι (το) [hatiri] favour.
χαυλιόδοντας (ο) [havliodhondas] tusk.
χαύνος-η-ο (ε) [havnos] slack.
χαύνωση (η) [havnosi] torpor, sloth.
χαφιεδισμός (ο) [hafiedhismos] being an informer.
χαφιές (ο) [hafies] informer.
χάφτω (ρ) [hafto] swallow.
χαχανίζω (ρ) [hahanizo] burst into laughter.
χάχας (ο) [hahas] idiot.
χάψη (η) [hapsi] jail [λαϊκ].
χαψί (το) [hapsi] anchovy.
χαψιά (η) [hapsia] mouthful.
χαώδης-ης-ες (ε) [haodhis] confused.
χέζω (ρ) [hezo] defecate, send to the devil [μεταφ], crap.
χείλι (το) [hili] lip.
χείλος (το) [hilos] lip, brink.
χείμαρρος (ο) [himarros] torrent.
χειμερινός-ή-ό (ε) [himerinos] wintry.
χειμώνας (ο) [himonas] winter.
χειμωνιάτικος-η-ο (ε) [himoniatikos] winter, wintry.
χειραγωγώ (ρ) [hiragogo] guide.
χειράμαξα (η) [hiramaksa] wheelbarrow.
χειραψία (η) [hirapsia] shake of the hand.
χειρίζομαι (ρ) [hirizome] handle, manipulate, drive [μηχανή].
χειριστήριο (το) [hiristirio] controls of a machine, console.
χείριστος-η-ο (ε) [hiristos] worst, meanest.
χειροβομβίδα (η) [hirovomvidha] grenade.
χειρόγραφο (το) [hirografo] manuscript, handwritten.
χειροδικία (η) [hirodhikia] taking the law into law into one's hands.
χειροκίνητος-η-ο (ε) [hirokinitos] hand-operated.
χειροκρότημα (το) [hirokrotima] clapping, applause.
χειρολαβή (η) [hirolavi] handle.
χειρομάντης (ο) [hiromandis]

palm-reader.

χειρονομία (η) [hironomia] flourish, gesture.

χειροπέδες (οι) [hiropedhes] pair of handcuffs.

χειροπιαστός-ή-ό (ε) [hiropiastos] tangible.

χειροποίητος-η-ο (ε) [hiropiitos] handmade.

χειροπρακτική (η) [hiropraktiki] osteopathy, chiropractic.

χειρότερος-η-ο (ε) [hiroteros] worse, the worst.

χειροτέχνημα (το) [hirotehnima] handiwork.

χειροτέχνης (ο) [hirotehnis] artisan, craftsman.

χειροτονώ (ρ) [hirotono] ordain, thrash [μεταφ].

χειρουργείο (το) [hiruryio] operating theatre.

χειρουργική (η) [hiruryiki] surgery.

χειρούργος (ο) [hirurgos] surgeon.

χειρουργούμαι (ρ) [hirurgume] be operated on.

χέλι (το) [heli] eel.

χελιδόνι (το) [helidhoni] swallow .

χελιδονόψαρο (το) [helidhonopsaro] flying fish.

χελώνα (η) [helona] tortoise.

χέρα (η) [hera] large hand.

χέρι (το) [heri] hand, arm.

χεριά (η) [heria] handful.

χεροδύναμος-η-ο (ε) [herodhinamos] strong-armed, muscular.

χερούκλα (η) [herukla] big hand, paw.

χερούλι (το) [heruli] handle, haft, ear [στάμνας].

χερσαίος-α-ο (ε) [herseos] terrestrial, continental, land, road.

χερσόνησος (η) [hersonisos] peninsula.

χέρσος-α-ο (ε) [hersos] uncultivated.

χερσώνω (ρ) [hersono] run wild, go to waste.

χέσιμο (το) [hesimo] shit, volley of abuse.

χημεία (η) [himia] chemistry.

χημείο (το) [himio] chemical laboratory.

χημικοθεραπεία (η) [himikotherapia] chemotherapy.

χήνα (η) [hina] goose.

χήρα (η) [hira] widow.

χηρεύω (ρ) [hirevo] become widowed, be unoccupied [θέση].

χθες (επ) [hthes] yesterday.

χθεσινός-ή-ό (ε) [hthesinos] of yesterday, recent.

χθόνιος-α-ο (ε) [hthonios] infernal, of the underworld.

χιαστί (επ) [hiasti] crosswise.

χιλιάζω (ρ) [hiliazo] reach a thousand.

χιλιάκριβος-η-ο (ε) [hiliakri-

vos] beloved.
χιλιαστής (ο) [hiliastis] millenarian, chiliast.
χιλιετία (η) [hilietia] millenium.
χιλιόγραμμο (το) [hiliogrammo] kilogramme.
χιλιόμετρο (το) [hiliometro] kilometre.
χιμπατζής (ο) [himbatzis] chimpanzee.
χιμώ (ρ) [himo] rush, dart, burst, tear, rush at.
χιονάνθρωπος (ο) [hionanthropos] snowman.
χιονάτος-η-ο (ε) [hionatos] snow-white.
χιόνι (το) [hioni] snow.
χιονιά (η) [hionia] snowy weather, snowball.
χιονίστρα (η) [hionistra] chilblain.
χιονοδρομία (η) [hionodhromia] skiing.
χιονοθύελλα (η) [hionothiella] snowstorm.
χιονόνερο (το) [hiononero] sleet, melted snow.
χιονοπέδιλο (το) [hionopedhilo] ski.
χιονοπόλεμος (ο) [hionopolemos] snowballing.
χιονοσκεπής-ής-ές (ε) [hionoskepis] snowy, snow-capped.
χιονοστιβάδα (η) [hionostivadha] avalanche, snowdrift.
χιονοστρόβιλος (ο) [hionostrovilos] blizzard.
χιούμορ (το) [hiumor] humour.
χίπης (ο) [hipis] hippy.
χιτώνας (ο) [hitonas] robe, tunic, cornea [ματιού], chiton.
χλαίνη (η) [hleni] duffel coat.
χλαμύδα (η) [hlamidha] mantle.
χλευασμός (ο) [hlevasmos] derision, mockery.
χλευαστικός-ή-ό (ε) [hlevastikos] mocking, sarcastic, derisive.
χλιαρός-ή-ό (ε) [hliaros] tepid, lukewarm, mild [άνεμος].
χλιδή (η) [hlidhi] luxury, voluptuousness.
χλιμιντρίζω (ρ) [hlimindrizo] neigh, whinny.
χλοερός-ή-ό (ε) [hloeros] green.
χλόη (η) [hloi] grass, lawn.
χλομάδα (η) [hlomadha] paleness.
χλομός-ή-ό (ε) [hlomos] pale, white.
χλωρίδα (η) [hloridha] flora.
χλωρικός-ή-ό (ε) [hlorikos] chloric.
χλωρίνη (η) [hlorini] chlorine.
χλωροφύλλη (η) [hlorofilli] chlorophyll.
χνότο (το) [hnoto] breath.
χνουδάτος-η-ο (ε) [hnudhatos] downy, fluffy.
χοάνη (η) [hoani] melting-pot.

χοιρίδιο (το) [hiridhio] pork, piglet.
χοιρομέρι (το) [hiromeri] ham, bacon, gammon.
χοίρος (ο) [hiros] pig, swine.
χολ (το) [hol] hall.
χολέρα (η) [holera] cholera.
χολή (η) [holi] bile, gall, bitterness [μεταφ].
χοληστερίνη (η) [holisterini] cholesterol.
χολιάζω (ρ) [holiazo] get irritated, lose one's temper.
χόλιασμα (το) [holiasma] huff, sulk, soreness, anger, bitterness.
χολολιθίαση (η) [hololithiasi] bilestone, gallstone.
χολόλιθος (ο) [hololithos] gallstone.
χολοσκάζω (ρ) [holoskazo] afflict, grieve.
χολωμένος-η-ο (ε) [holomenos] angered, sore.
χονδρικός-ή-ό (ε) [hondhrikos] wholesale.
χονδροειδής-ής-ές (ε) [hondhroidhis] rough, clumsy, coarse.
χονδρός-ή-ό (ε) [hondhros] big, fat, thick, vulgar.
χονтραίνω (ρ) [hondreno] become fat, make thicker.
χοντράνθρωπος (ο) [hondranthropos] lout.
χοντρικός-ή-ό (ε) [hondrikos] wholesale.
χοντροδουλειά (η) [hondrodhulia] clumsy piece of work.
χοντροκοπιά (η) [hondrokopia] clumsy job of work.
χοντρόπετσος-η-ο (ε) [hondropetsos] thick-skinned.
χοντρός-ή-ό (ε) [hondros] big, fat, stout, thick, vulgar.
χόντρος (ο) [hondros] fatness.
χοντροχωριάτης (ο) [hondrohoriatis] [country] bumpkin .
χορδή (η) [hordhi] chord, string, catgut [από έντερο].
χορευτής (ο) [horeftis] dancer.
χορευτικός-ή-ό (ε) [horeftikos] for dancing, of dancing.
χορεύω (ρ) [horevo] dance, dance with.
χορήγημα (το) [horiyima] grant, allowance.
χορηγητής (ο) [horiyitis] giver, supplier, contractor.
χορηγός (ο) [horigos] donor.
χορηγώ (ρ) [horigo] provide.
χορογραφία (η) [horografia] choreography.
χοροδιδασκαλείο (το) [horodhidhaskalio] dancing school.
χορόδραμα (το) [horodhrama] ballet.
χοροεσπερίδα (η) [horoesperidha] dancing party.
χοροπήδημα (το) [horopidhima] bob.
χορός (ο) [horos] dance, chor-

us.

χοροστατώ (ρ) [horostato] conduct divine service.

χόρτα (τα) [horta] greens.

χορταίνω (ρ) [horteno] have enough, satisfy, get bored with

χορτάρι (το) [hortari] grass.

χορταριάζω (ρ) [hortariazo] run to weeds.

χόρταση (η) [hortasi] fill, satisfaction.

χορταστικός-ή-ό (ε) [hortastikos] satisfying, substantial.

χορτάτος-η-ο (ε) [hortatos] satisfied.

χόρτο (το) [horto] grass, herb, weed.

χορτοφαγία (η) [hortofayia] vegetarianism.

χορωδία (η) [horodhia] choir.

χότζας (ο) [hotzas] Imam.

χουζούρεμα (το) [huzurema] loafing, idling.

χουζούρι (το) [huzuri] rest.

χούι (το) [hui] nature, habit.

χουρμαδιά (η) [hurmadhia] date-palm.

χουρμάς (ο) [hurmas] date.

χούφτα (η) [hufta] handful.

χούφταλο (το) [huftalo] old crock.

χούφτιασμα (το) [huftiasma] cluching, gripping.

χράμι (το) [hrami] blanket, rug.

χρεία (η) [hria] need, necessity.

χρειά (η) [hria] exigence.

χρειάζομαι (ρ) [hriazome] need, lack, want, require.

χρεόγραφο (το) [hreografo] security.

χρέος (το) [hreos] debt, obligation.

χρεοκοπία (η) [hreokopia] bankruptcy.

χρεοκοπώ (ρ) [hreokopo] go bankrupt.

χρεωμένος-η-ο (ε) [hreomenos] in debt.

χρεωστάσιο (το) [hreostasio] moratorium.

χρεώστης (ο) [hreostis] debtor.

χρεωστώ (ρ) [hreosto] be in debt, owe, be indebted to.

χρήζω (ρ) [hrizo] need, require.

χρήμα (το) [hrima] money.

χρηματαγορά (η) [hrimatagora] money market.

χρηματίζομαι (ρ) [hrimatizome] take bribes.

χρηματιστήριο (το) [hrimatistirio] stock exchange.

χρηματοδότης (ο) [hrimatodhotis] financier.

χρηματοδοτώ (ρ) [hrimatodhoto] finance, invest.

χρηματοκιβώτιο (το) [hrimatokivotio] safe, cash box.

χρηματοφυλάκιο (το) [hrimatofilakio] strong-box.

χρήση (η) [hrisi] use, usage, em-

ployment, enjoyment.
χρησιμεύω (ρ) [hrisimevo] be useful, serve.
χρησιμοποίηση (η) [hrisimopiisi] employment.
χρησιμοποιώ (ρ) [hrisimopio] use, make use of.
χρήσιμος-η-ο (ε) [hrisimos] useful.
χρησιμότητα (η) [hrisimotita] usefulness, utility, benefit.
χρησμοδοσία (η) [hrismodhosia] prophecy.
χρησμοδότης (ο) [hrismodhotis] diviner.
χρησμοδοτώ (ρ) [hrismodhoto] prophesy.
χρησμός (ο) [hrismos] oracle.
χρηστός-ή-ό (ε) [hristos] honourable, upright.
χρίζω (ρ) [hrizo] anoint, plaster.
χρίση (η) [hrisi] smearing, coating.
χρίσμα (το) [hrisma] chrism.
χριστιανικός-ή-ό (ε) [hristianikos] Christian.
χριστιανισμός (ο) [hristianismos] Christianity.
χριστιανός (ο) [hristianos] Christian.
Χριστός (ο) [Hristos] Christ.
Χριστούγεννα (τα) [Hristuyenna] Christmas.
χροιά (η) [hria] complexion, colour, shade, tone, colour.
χρόνια (επ) [hronia] chronically.
χρονιά (η) [hronia] year.
χρονιάζω (ρ) [hroniazo] become a year old, be too long.
χρονίζω (ρ) [hronizo] delay.
χρονικά (τα) [hronika] annals.
χρονικογράφος (ο) [hronikografos] diarist.
χρόνιος-α-ο (ε) [hronios] enduring, lasting.
χρονογράφος (ο) [hronografos] leader writer, chronograph.
χρονοδιάγραμμα (το) [hronodhiagramma] schedule, timetable.
χρονοδιακόπτης (ο) [hronodhiakoptis] time-switch.
χρονολογία (η) [hronoloyia] date, chronology.
χρονολογούμαι (ρ) [hronologume] date from.
χρονολογώ (ρ) [hronologo] date.
χρονομέτρηση (η) [hronometrisi] timing.
χρόνος (ο) [hronos] time, duration, period, tense [γραμμ].
χρονοτριβή (η) [hronotrivi] delay.
χρυσάνθεμο (το) [hrisandhemo] chrysanthemum.
χρυσαφένιος-α-ο (ε) [hrisafenios] golden.
χρυσάφι (το) [hrisafi] gold.
χρυσαφικά (τα) [hrisafika] jew-

ellery.

χρυσή (n) [hrisi] jaundice.

χρυσίζω (ρ) [hrisizo] gild, shine like gold, glisten.

χρυσό μου (το) [hriso mu] deary, my darling.

χρυσοδένω (ρ) [hrisodheno] set in gold.

χρυσοθήρας (ο) [hrisothiras] gold-digger.

χρυσοκάνθαρος (ο) [hrisokantharos] goldbug.

χρυσοκέντητος-η-ο (ε) [hrisokenditos] embroidered with gold.

χρυσόμυγα (n) [hrisomiga] maybug.

χρυσόξανθος-η-ο (ε) [hrisoksanthos] golden, blond(e).

χρυσοποίκιλτος-η-ο (ε) [hrisopikiltos] trimmed with gold.

χρυσός-ή-ό (ε) [hrisos] golden.

χρυσός (ο) [hrisos] gold, kind-hearted.

χρυσοστέφανο (το) [hrisostefano] halo.

χρυσοστόλιστος-η-ο (ε) [hrisostolistos] trimmed with gold.

χρυσοφόρος-α-ο (ε) [hrisoforos] gold[-bearing].

χρυσοχέρης (ο) [hrisoheris] practical.

χρυσοχόος (ο) [hrisohoos] jeweller.

χρυσόψαρο (το) [hrisopsaro] goldfish.

χρυσώνω (ρ) [hrisono] gild.

χρυσωρυχείο (το) [hrisorihio] gold mine.

χρώμα (το) [hroma] colour, tint, paint [μπογιά], dye [μπογιά].

χρωματίζω (ρ) [hromatizo] colour, paint, dye, tint.

χρωμάτισμα (το) [hromatisma] painting, colouring, dyeing.

χρωματιστός-ή-ό (ε) [hromatistos] coloured.

χρωματοπωλείο (το) [hromatopolio] paint store.

χρωστήρας (ο) [hrostiras] paint-brush.

χρωστικός-ή-ό (ε) [hrostikos] colouring.

χρωστώ (ρ) [hrosto] be in debt, owe, be indebted to.

χταπόδι (το) [htapodhi] octopus.

χτένα (n) [htena] comb.

χτένι (το) [hteni] comb, clam.

χτενίζω (ρ) [htenizo] comb, polish up.

χτένισμα (το) [htenisma]hairstyle.

χτες (επ) [htes] yesterday.

χτεσινός-ή-ό (ε) [htesinos] of yesterday, latest.

χτήμα (το) [htima] estate, land.

χτίζω (ρ) [htizo] construct, erect.

χτικιάζω (ρ) [htikiazo] be affected with tuberculosis.

χτίστης (ο) [htistis] bricklayer, builder, constructor.

χτύπημα (το) [htipima] blow, kick, punch, hit, knock, bruise, wound.

χτυπητός-ή-ό (ε) [htipitos] beaten, garish, loud, striking.

χτυποκάρδι (το) [htipokardhi] heartbeat, palpitation.

χτύπος (ο) [htipos] blow, stroke, beat, ticking.

χτυπώ (ρ) [htipo] knock, hit, beat, strike, clap, beat, strike.

χυδαία (επ) [hidhea] coarsely.

χυδαιολογία (η) [hideologia] filth, vulgarity.

χυδαίος-α-ο (ε) [hidheos] vulgar, trivial, crude, rude.

χυλός (ο) [hilos] liquid paste.

χυλώνω (ρ) [hilono] mash, make mushy.

χύμα (το) [hima] confusedly.

χυμός (ο) [himos] sap, juice.

χύνομαι (ρ) [hinome] overflow, pour out, flow out.

χύνω (ρ) [hino] spill, tip over, pour out, shed.

χύσιμο (το) [hisimo] discharge, pouring out, spilling, moulding.

χυτήριο (το) [hitirio] smelting works.

χύτρα (η) [hitra] cooking pot, pressure cooker.

χωλαίνω (ρ) [holeno] limp, be lame, halt, move slowly.

χώμα (το) [homa] soil, dust, earth, ground.

χωματένιος-α-ο (ε) [homatenios] earthen.

χωματόδρομος (ο) [homatodhromos] dirt road.

χωνάκι (το) [honaki] bindweed.

χώνευση (η) [honefsi] digestion, casting [μετάλλων].

χωνευτήρι (το) [honeftiri] melting pot.

χωνευτικός-ή-ό (ε) [honeftikos] digestible.

χωνεύω (ρ) [honevo] digest, cast, smelt, endure.

χώνεψη (η) [honepsi] digestion.

χωνί (το) [honi] funnel, cone.

χώνομαι (ρ) [honome] squeeze in, hide.

χώνω (ρ) [hono] thrust, force, bury, hide [κρύβω].

χώρα (η) [hora] country, place, chief town.

χωρατατζής (ο) [horatatzis] joker.

χωρατεύω (ρ) [horatevo] joke.

χωρατό (το) [horato] joke, jest.

χωράφι (το) [horafi] field, land.

χωράω (ρ) [horao] fit into, have room, hold [περιέχω].

χωρητικότητα (η) [horitikotita] volume, capacity.

χώρια (επ) [horia] apart, individually, apart from.

χωριανός (ο) [horianos] fellow villager, countryman.
χωριάτης (ο) [horiatis] peasant, villager, ill-mannered person.
χωριάτικος-η-ο (ε) [horiatikos] peasant, rustic.
χωρίζομαι (ρ) [horizome] leave, part from, split away from.
χωρίζω (ρ) [horizo] separate, part, split, get a divorce.
χωρικός-ή-ό (ε) [horikos] village, rural, country.
χωριό (το) [horio] village, hamlet, hometown.
χωρίς (επ) [horis] without, apart from, not including, but for.
χώρισμα (το) [horisma] sorting, separation, wall, compartment.
χωρισμένος-η-ο (μ) [horismenos] divided, separated.
χωρισμός (ο) [horismos] partition, separation, separating, divorce, breakaway.
χωριστά (επ) [horista] apart, individually, not counting, apart from.
χωριστός-ή-ό (ε) [horistos] separate, different, distinct, isolated.
χωρίστρα (η) [horistra] parting of hair.
χώρος (ο) [horos] space, area, room, interval.
χωροσταθμώ (ρ) [horostathmo] level.
χωροφύλακας (ο) [horofilakas] gendarme.
χωρώ (ρ) [horo] fit into, have room, hold [περιέχω].
χωσιά (η) [hosia] ambush.
χώσιμο (το) [hosimo] driving in, burying.

ψάθα (η) [psatha] straw, cane,
ψαθάκι (το) [psathaki] table-mat.
ψάθινος-η-ο (ε) [psathinos] made of straw.
ψαθώνω (ρ) [psathono] cover with mats.
ψαλίδα (η) [psalidha] shears, centipede.
ψαλίδι (το) [psalidhi] scissors, pruning scissors, curling tongs.
ψαλιδιά (η) [psalidhia] snip.
ψαλιδίζω (ρ) [psalidhizo] cut, trim, reduce.
ψάλλω (ρ) [psallo] sing, chant, celebrate.
ψαλμός (ο) [psalmos] psalm, chant.
ψαλμωδία (η) [psalmodhia] chanting of psalms.
ψάλσιμο (το) [psalsimo] chanting, nagging.
ψάλτης (ο) [psaltis] chorister.
ψάξιμο (το) [psaksimo] searching, quest, search.
ψαράδικο (το) [psaradhiko] fishing boat, fishmonger's shop.
ψαράκι (το) [psaraki] alevin.
ψαράς (ο) [psaras] fisherman, fishmonger, angler.
ψάρεμα (το) [psarema] fishing, angling, netting.
ψάρι (το) [psari] fish.
ψαρίλα (η) [psarila] fishy smell.
ψαρογένης (ο) [psaroyenis] grey-bearded.
ψαροκάλαθο (το) [psarokalatho] corf.
ψαρονέφρι (το) [psaronefri] fillet of meat, tenderloin.
ψαρόνι (το) [psaroni] starling.
ψαρός-ή-ό (ε) [psaros] grey, grizzled.
ψαρόσουπα (η) [psarosupa] fish soup.
ψαροφάγος (ο) [psarofagos] fish-eater, king ofisher.
ψαχνό (το) [psahno] lean meat.
ψάχνομαι (ρ) [psahnome] look through one's pockets.
ψάχνω (ρ) [psahno] search for, look for, seek.
ψαχούλεμα (το) [psahulema] rummaging, groping.
ψαχουλεύω (ρ) [psahulevo] search for, grope for, feel.
ψεγάδι (το) [psegadhi] fault, failing, shortcoming.
ψείρα (η) [psira] louse, vermin.
ψειρίζω (ρ) [psirizo] delouse, examine in great detail.
ψεκάζω (ρ) [psekazo] spray.

ψεκαστήρας (ο) [psekastiras] spray, vapourizer, scent sprayer.
ψέλνω (ρ) [pselno] sing, chant.
ψες (επ) [pses] last night.
ψευδαίσθηση (η) [psevdhesthisi] delusion, hallucination.
ψευδής-ής-ές (ε) [psevdhis] untrue, false, artificial, sham.
ψευδίζω (ρ) [psevdhizo] stammer, stutter, lisp.
ψευδολογία (η) [psevdholoyia] mendacity, falsehood, untruth.
ψεύδομαι (ρ) [psevdhome] lie.
ψευδομαρτυρία (η) [psevdhomartiria] false testimony.
ψευδορκία (η) [psevdhorkia] perjury.
ψευδός-ή-ό (ε) [psevdhos] lisping, stammering, stuttering.
ψεύδος (το) [psevdhos] lie.
ψευδώνυμο (το) [psevdhonimo] pseudonym, alias.
ψεύτης (ο) [pseftis] liar, cheat, impostor.
ψευτιά (η) [pseftia] untruth, lie.
ψεύτικα (επ) [pseftika] artfully.
ψήγμα (το) [psigma] filings.
ψήκτρα (η) [psiktra] water fountain.
ψηλά (επ) [psila] high up, aloft.
ψηλαφώ (ρ) [psilafo] feel, touch, feel one's way.
ψηλός-ή-ό (ε) [psilos] high, tall.
ψηλώνω (ρ) [psilono] make taller, make higher, grow taller.
ψημένος-η-ο (μ) [psimenos] done, cooked, baked, roasted.
ψήνομαι (ρ) [psinome] become very hot, easily persuadable.
ψήνω (ρ) [psino] bake, roast, cook, torture, worry [μεταφ],.
ψήσιμο (το) [psisimo] baking, broiling, roasting, cooking.
ψησταριέρα (η) [psistiera] broiler.
ψητός-ή-ό (ε) [psitos] roast.
ψηφιακός-ή-ό (ε) [psifiakos] digital.
ψηφίδα (η) [psifidha] tessera, inlay.
ψηφιδωτό (το) [psifidhoto] mosaic.
ψηφίζω (ρ) [psifizo] vote, pass.
ψηφίο (το) [psifio] cipher, figure, letter, character.
ψήφιση (η) [psifisi] voting, passing.
ψήφισμα (το) [psifisma] decree, edict.
ψηφοδέλτιο (το) [psifodheltio] ballot paper.
ψηφοθηρώ (ρ) [psifothiro] canvass for votes.
ψήφος (η) [psifos] vote, voting.
ψηφοφορία (η) [psifoforia] voting.
ψηφοφόρος (ο, η) [psifoforos] voter.
ψηφώ (ρ) [psifo] listen to.
ψιθυρίζω (ρ) [psithirizo] mutter, whisper.

ψιθύρισμα (το) [psithirisma] muttering, whisper[ing].
ψιλικά (τα) [psilika] haberdashery.
ψιλικατζίδικο (το) [psilikatzidhiko] haberdashery.
ψιλός-ή-ό (ε) [psilos] fine, slender.
ψιττακός (ο) [psittakos] parrot.
ψίχα (η) [psiha] kernel, crumb, bit [μεταφ], scrap [μεταφ].
ψιχάλα (η) [psihala] drizzle.
ψιψίνα (η) [psipsina] puss(y), pussy cat.
ψόγος (ο) [psogos] blame, reproach.
ψοφίμι (το) [psofimi] carcass.
ψόφιος-α-ο (ε) [psofios] dead, worn-out.
ψόφος (ο) [psofos] noise, death, freezing cold [μεταφ].
ψοφώ (ρ) [psofo] die, yearn for.
ψυγείο (το) [psiyio] refrigerator, radiator.
ψυκτήρας (ο) [psiktiras] cooler, freezer.
ψύλλος (ο) [psillos] flea.
ψύξη (η) [psiksi] refrigeration.
ψυχαγωγία (η) [psihagoyia] recreation, entertainment.
ψυχαγωγώ (ρ) [psihagogo] recreate, entertain, divert.
ψυχανάλυση (η) [psihanalisi] psychoanalysis.
ψυχή (η) [psihi] anima, core.
ψυχιατρείο (το) [psihiatrio] mental hospital.
ψυχιατρική (η) [psihiatriki] psychiatry.
ψυχογιός (ο) [psihoyios] adopted son.
ψυχοθεραπεία (η) [psihotherapia] psychotherapy.
ψυχοκάθαρση (η) [psihokatharsi] abreaction.
ψυχοκόρη (η) [psihokori] adopted daughter.
ψυχολογία (η) [psiholoyia] psychology.
ψυχολογώ (ρ) [psihologo] read mind of, psychoanalyse.
ψυχομάνα (η) [psihomana] foster mother.
ψυχομάχημα (το) [psihomahima] at death' s door.
ψυχοπόνια (η) [psihoponia] com pity, mercy.
ψυχορραγώ (το) [psihorrago] to be at death' s door.
ψύχος (το) [psihos] cold.
ψυχοσάββατο (το) [psihosavvato] All Souls' Day.
ψυχοσωματικός-ή-ό (ε) [psihosomatikos] psychosomatic.
ψυχοσωτήριος-α-ο (ε) [psihosotirios] soul-saving.
ψύχρα (η) [psihra] chilly weather.
ψύχραιμα (επ) [psihrema] calmly.

ψυχραίνω (ρ) [psihreno] cool, chill, cool off [μεταφ].
ψύχρανση (η) [psihransi] cooling, estrangement.
ψυχρός-ή-ό (ε) [psihros] cold, indifferent [μεταφ].
ψυχρότητα (η) [psihrotita] coldness, indifference.
ψύχω (ρ) [psiho] freeze, chill.
ψυχωμένος-η-ο (μ) [psihomenos] plucky, spirited.
ψυχώνω (ρ) [psihono] encourage.
ψωμάκι (το) [psomaki] bap.
ψωμάς (ο) [psomas] baker.
ψωμί (το) [psomi] bread, loaf.
ψωμοζήτης (ο) [psomozitis] beggar.
ψωμοζώ (ρ) [psomozo] live scantily.
ψώνια (τα) [psonia] provisions, shopping.
ψωνίζω (ρ) [psonizo] buy, go shopping.
ψώνιο (το) [psonio] purchase, mania.
ψώνισμα (το) [psonisma] shopping, picking-up.
ψώρα (η) [psora] scabies, itch.
ψωραλέος-α-ο (ε) [psoraleos] scabby.
ψωρίαση (η) [psoriasi] psoriasis, itch[ing].
ψωροκώσταινα (η) [psorokostena] poor.
ψωροπερηφάνια (η) [psoroperifania] stupid pride.

Ω

ωάριο (το) [oario] ovum.
ωδείο (το) [odhio] conservatory.
ωδή (η) [odhi] ode, song.
ωδική (η) [odhiki] singing lesson.
ωδίνες (οι) [odhines] difficulties.
ώθηση (η) [othisi] push, thrust.
ωθώ (ρ) [otho] push, thrust.
ωκεάνιος-α-ο (ε) [okeanios] ocean.
ωλένη (η) [oleni] forearm, ulna.
ωμοπλάτη (η) [omoplati] shoulder blade.
ωμόπλινθος (η) [omoplinthos] cob.
ωμός-ή-ό (ε) [omos] uncooked, raw, hard, brutal.
ώμος (ο) [omos] shoulder.
ωοειδής-ής-ές (ε) [ooidhis] oval.
ωοθήκη (η) [oothiki] ovary, egg cup.
ωοτοκία (η) [ootokia] egg-laying.
ώρα (η) [ora] hour, time, o'clock, moment, while.
ωραία (επ) [orea] beautiful, very well, perfectly, good.
ωραιοπαθής (η) [oreopathis] aesthete.
ωραιοποιώ (ρ) [oreopio] beautify.
ωραίος-α-ο (ε) [oreos] handsome, lovely, fine, good.
ωραιότητα (η) [oreotita] beauty.
ωράριο (το) [orario] working hours, timetable.
ωριαίος-α-ο (ε) [orieos] hourly, lasting an hour.
ωριμάζω (ρ) [orimazo] become ripe, mature.
ωρίμανση (η) [orimansi] ripening, maturity.
ώριμος-η-ο (ε) [orimos] ripe, mature, mellow.
ωροδείχτης (ο) [orodhihtis] hour hand.
ωρολογιακός-ή-ό (ε) [oroloyiakos] clock, watch, time.
ωρολογοποιός (ο) [orologopios] watchmaker.
ωροσκόπιο (το) [oroskopio] horoscope.
ωρύομαι (ρ) [oriome] howl, roar, yell, scream.
ως (επ) [os] about.
ως (πρ) [os] around, round.
ως (σ) [os] until, till, down to, up to, as far as.
ωσαννά (επιφ) [osanna] hosannah.
ωσαύτως (επ) [osaftos] likewise,

in the same way, also, besides, as well, too.
ώσπου (επ) [ospu] until.
ώστε (σ) [oste] thus, and so, so, accordingly, therefore, that, then.
ωτίτιδα (n) [otitidha] otitis.
ωτολόγος (o) [otologos] ear specialist, otologist.
ωτορινολαρυγγολόγος (o) [otorinolaringologos] ear, nose and throat doctor.
ωφέλεια (n) [ofelia] benefit, utility, usefulness, profit.
ωφέλημα (το) [ofelima] benefit, gain, particular profit.
ωφέλιμος-n-o (ε) [ofelimos] beneficial, useful, advantageous, lucrative, moneymaking.
ωφελιμότητα (n) [ofelimotita] usefulness, utility.
ωφελούμαι (ρ) [ofelume] benefit, profit from.
ωφελώ (ρ) [ofelo] do good to, be useful to, aid, be worth.
ωχρά (επ) [ohra] bloodlessly.
ώχρα (n) [ohra] ochre.
ωχριώ (ρ) [ohrio] become pale.
ωχρός-ή-ό (ε) [ohros] pale.